ÂGE (années)

2	3	4	5	6	7	8	9	10	11	12

DÉVELOPPEMENT PHYSIQUE

2	3	4	5	6	7	8	9	10	11
Court facilement; monte les marches une à la fois.	Pédale sur un tricycle; utilise des ciseaux; dessine.	Monte les escaliers en mettant un pied sur chaque marche; lance un gros ballon avec le pied ou les mains.	Saute et sautille; réussit quelques jeux de ballon avec plus d'adresse.	Saute à la corde; monte à bicyclette.	Fait de la bicyclette à deux roues.	Virtuose de la bicyclette.	Début de la puberté chez certaines filles.		Début de la puberté chez certains garçons.

DÉVELOPPEMENT COGNITIF

Utilisation des symboles; séquences de jeu en deux et trois étapes.

Classification surtout par fonction.

Début de la classification systématique par forme, taille ou couleur; logique transductive.

Maîtrise des différents types de conservation.

Logique inductive; meilleure utilisation des nouvelles habiletés d'exécution des opérations concrètes; conservation du poids.

Conservation du volume.

Capacité à adopter la perspective physique des autres; début de la théorie de l'esprit.

Théorie plus complexe de l'esprit; notion de fausse impression.

Constance du genre; différentes habiletés sur le plan des opérations concrètes, y compris la conservation, l'inclusion de classes, les différentes stratégies de mémorisation et les stratégies d'exécution (métacognition).

Phrases de deux mots.

Phrases de trois et de quatre mots; flexions grammaticales.

Amélioration constante des inflexions, des temps passés, du genre et du nombre, des phrases passives, etc.

DÉVELOPPEMENT DE LA PERSONNALITÉ ET DES RELATIONS SOCIALES

Définition de soi en comparant la taille, l'âge, le sexe.

Définition de soi fondée sur les propriétés physiques ou les habiletés.

Concept de soi de plus en plus abstrait, moins attaché à l'apparence; descriptions des autres de plus en plus basées sur des qualités internes et durables.

Identité sexuelle.

Stabilité du genre.

Constance du genre.

Sens global de l'estime de soi.

Stade de l'initiative ou de la culpabilité selon Erikson.

Amitié basée sur la confiance réciproque.

Stade phallique selon Freud

Diminution des manifestations d'attachement, présentes surtout en situation de stress.

Dans les jeux avec les pairs, accepte de jouer à tour de rôle.

Quelques manifestations d'altruisme; choix de partenaires du même sexe (début).

Premiers signes d'amitiés individuelles.

Négociation plus fréquente avec les parents (remplace le défi).

Période de latence selon Freud.

Stade de la compétence ou de l'infériorité selon Erikson.

Ségrégation sexuelle presque totale dans le jeu et les amitiés.

Amitié durable, se poursuivant au fil des années.

Agressivité principalement physique.

Agressivité de plus en plus verbale.

Jeu socio-dramatique

Jeux de rôle.

2	3	4	5	6	7	8	9	10	11	12

les âges de la vie

Psychologie du développement humain

2e édition

SCIENCES HUMAINES

OUVRAGES PARUS DANS CETTE COLLECTION:

Défis sociaux et transformation des sociétés, édition revue et mise à jour,
Raymonde G. Savard, 2002.

Introduction à la psychologie – Les grands thèmes, Carole Wade
et Carol Tavris, adaptation française de Jacques Shewchuck, 2002.

Méthodologie des sciences humaines – La recherche en action, 2e édition,
Sylvain Giroux et Ginette Tremblay, 2002.

Méthodes quantitatives – Applications à la recherche en sciences humaines,
2e édition, Luc Amyotte, 2002.

Économie globale – Regard actuel, 2e édition, Renaud Bouret et
Alain Dumas, 2001.

La communication interpersonnelle – Sophie, Martin, Paul et les autres,
Joseph A. Devito, Gilles Chassé et Carole Vezeau, 2001.

Démarche d'intégration des acquis en sciences humaines, Line Cliche,
Jean Lamarche, Irène Lizotte et Ginette Tremblay, 2000.

Histoire de la civilisation occidentale – Une perspective mondiale,
Christian Laville et Marc Simard, 2000.

Introduction à la psychologie – Les grandes perspectives, Carol Tavris
et Carole Wade, adaptation française d'Alain Gagnon, Claude Goulet
et Patrice Wiedman, 1999.

Introduction à la psychologie sociale – Vivre, penser et agir avec les autres,
Luc Bédard, Josée Déziel et Luc Lamarche, 1999.

Méthodes quantitatives – Formation complémentaire, Luc Amyotte, 1998.

Guide de communication interculturelle, 2e édition, Christian Barrette,
Édithe Gaudet et Denyse Lemay, 1996.

les âges de la vie

Psychologie du développement humain

2e édition

Helen Bee
Denise Boyd

Adaptation française:
François Gosselin
Cégep de Sainte-Foy

avec la collaboration de
Élisabeth Rheault
Collège Montmorency

COMPAGNON WEB

Charles Martin
Cégep de Lévis-Lauzon

François Gosselin
Cégep de Sainte-Foy

ERPi
ÉDITIONS DU RENOUVEAU PÉDAGOGIQUE INC.

5757, RUE CYPIHOT, SAINT-LAURENT (QUÉBEC) H4S 1R3
TÉLÉPHONE: (514) 334-2690   TÉLÉCOPIEUR: (514) 334-4720
COURRIEL: erpidlm@erpi.com   www.erpi.com

SUPERVISION ÉDITORIALE:
Jacqueline Leroux

RÉVISION LINGUISTIQUE ET CORRECTION D'ÉPREUVES:
Claire Campeau

TRADUCTION:
Les traductions l'encrier

RECHERCHE ICONOGRAPHIQUE:
Chantal Bordeleau

CONCEPTION GRAPHIQUE:

CONCEPTION DE LA COUVERTURE:
Madeleine Eykel

PHOTOGRAPHIES:
voir page S-1

ÉDITION ÉLECTRONIQUE:
Caractéra inc.

Dans cet ouvrage, le générique masculin est utilisé sans aucune discrimination et uniquement pour alléger le texte.

Cet ouvrage est une version française de la troisième édition de *Lifespan Development* de Helen Bee et Denise Boyd, publiée et vendue à travers le monde avec l'autorisation de Allyn & Bacon, une filiale de Pearson Education.

Dépôt légal: 1er trimestre 2003
Bibliothèque nationale du Québec
Bibliothèque nationale du Canada

Imprimé au Canada

ISBN 2-7613-1301-1   .234567890 II 09876543
                            20229 ABCD LHM9

Sommaire

Liste des encadrés

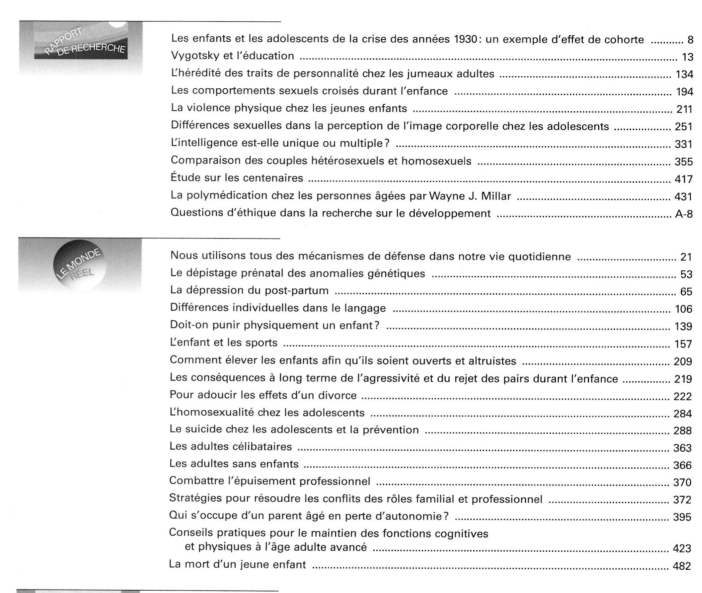

Table des matières

Avant-propos

Nous le reconnaissons d'emblée : nous avons un parti pris. Selon nous, le développement humain est un sujet d'étude des plus fascinants. L'être humain étant infiniment complexe, le processus qui nous amène à comprendre son évolution est lent et semé d'embûches. Mais la stimulation intellectuelle qu'il engendre est prodigieuse. En effet, nous nous retrouvons tour à tour devant des casse-tête extraordinaires, nous butons sur des impasses ou encore nous procédons à de formidables avancées théoriques. En outre, l'objet de la recherche est en soi exaltant, puisqu'il s'agit de *nous-mêmes*. Nous souhaitons vivement que ce manuel éveille votre intérêt pour l'aspect scientifique de la psychologie du développement — c'est-à-dire pour les très nombreuses recherches effectuées par des spécialistes talentueux qui visent à approfondir notre compréhension de la discipline. Puisse votre cheminement au fil des pages susciter autant d'engouements et d'occasions d'apprentissage que votre vie quotidienne au fil des ans.

Objectif

L'objectif de ce manuel est d'initier l'étudiant au monde fascinant de la recherche scientifique. Pour ce faire, nous avons eu recours à diverses stratégies : un style simple, des exemples personnels et des applications pratiques, afin de montrer combien la théorie et la recherche sont liées aux expériences de la vie de tous les jours ; des explications sur les travaux de recherche et les théories les plus récentes, illustrant le fait que le processus de réflexion ne cesse jamais, que les notions sont constamment révisées, que de nouvelles questions surgissent toujours et que toujours il reste des incertitudes. Tout au long du manuel, nous avons essayé de doser judicieusement la théorie, la recherche et les applications. Même si la lecture est aisée, nous n'avons jamais tenté de contourner les notions difficiles et les théories complexes. Nous voulons ainsi inciter les étudiants à aborder la matière d'une manière nouvelle et à modifier le regard qu'ils portent sur eux-mêmes.

Le manuel est organisé de façon chronologique plutôt que thématique. Nous considérons que la structure chronologique incite davantage l'auteur et le professeur à prendre en compte l'interrelation des divers développements simultanés qui se produisent à tout âge.

La deuxième édition française

Cette deuxième édition, revue et simplifiée, comporte les données pertinentes de la première édition française, quelques extraits de la deuxième édition anglaise (1998) et de très nombreux éléments de la troisième édition anglaise de Bee et Boyd (2002). Le contenu et les références sont donc très récents. Nous avons restructuré les chapitres de façon à mieux faire ressortir les aspects du développement abordés (physique, cognitif, personnalité et relations sociales). De nouvelles figures et tableaux apparaissent dans tous les chapitres afin de soutenir l'apprentissage ; des tableaux de récapitulation de la matière sont notamment insérés à des endroits stratégiques.

La plupart des modifications effectuées dans cette nouvelle édition tiennent compte des commentaires des utilisateurs de la première édition française.

- Le chapitre 1 constitue une fusion des deux premiers chapitres de la précédente édition. Il vise à cerner les principaux concepts du développement humain. Nous y abordons les changements et les continuités du développement humain mais aussi l'influence respective de la nature et de la culture sur ceux-ci. Enfin, nous terminons le chapitre avec les théories du développement. Nous avons reporté la recherche sur le développement humain en annexe afin de ne pas alourdir le contenu de ce premier chapitre.

- À la demande de nombreux enseignants, nous avons ajouté des tableaux d'informations complémentaires dans le chapitre 2 ainsi que de nouvelles figures. Le contenu de ce chapitre, consacré aux bases biologiques du développement humain, est exhaustif; les explications ont été simplifiées et s'appuient sur des exemples qui parlent vraiment aux étudiants.

- Les chapitres 3 et 4 portent sur le développement de l'enfant durant les premières années. On y trouve une nouvelle section sur le développement cognitif (mémoire et apprentissage) et sur le langage. La présentation des stades d'Erikson est plus étoffée et la section sur le tempérament a été bonifiée.

- Les chapitres 5 et 6 présentent l'essentiel des connaissances accumulées jusqu'à maintenant sur le développement de l'enfant à l'âge préscolaire et scolaire. Dans le chapitre 5, nous présentons une section nouvelle sur le développement du cerveau et du système nerveux. La présentation de la théorie de Piaget a été considérablement remaniée. Nous avons ainsi scindé le contenu piagétien de la période préopératoire en deux sections – la pensée préconceptuelle (2 à 4 ans) et la pensée intuitive (4 à 6 ans) – et ajouté une section sur le développement moral selon Piaget. La théorie est abondamment illustrée de figures et solidement étayée de tableaux récapitulatifs. Dans le chapitre 6, nous suivons le développement du moi émotionnel et présentons de nouveaux encadrés.

- Les chapitres 7 et 8 abordent le développement de l'adolescence. Nous avons repensé les tableaux et enrichi le contenu de sujets qui accrocheront les étudiants; nous traitons notamment des caractères sexuels primaires et secondaires ainsi que des comportements sexuels à risque.

- Nous avons regroupé, dans le chapitre 9, le développement physique et cognitif du jeune adulte et celui de l'adulte d'âge moyen. Nous avons réorganisé la matière des chapitres 10 et 11, qui portent respectivement sur le développement de la personnalité et des relations sociales chez le jeune adulte et l'adulte d'âge avancé. De nouveaux encadrés y sont proposés.

- Les chapitres 12 et 13 examinent le développement à l'âge adulte avancé.

- Le manuel se termine par un épilogue, consacré aux thèmes de la mort et du deuil.

Outils pédagogiques

Ce manuel comprend plusieurs outils pédagogiques, qui visent à faciliter l'apprentissage de l'étudiant.

- Ainsi, chaque chapitre s'ouvre sur une anecdote, qui permet de faire un lien entre le sujet à l'étude et la vie de tous les jours.

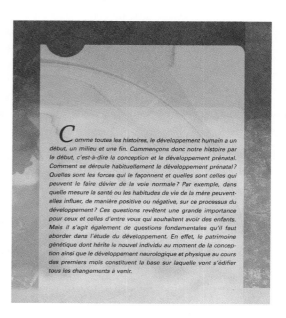

- Les rubriques Pause-apprentissage, qui ponctuent le chapitre de questions ouvertes sur les principaux éléments théoriques du chapitre, invitent l'étudiant à vérifier sa compréhension de la matière. La liste des concepts et mots clés résume le vocabulaire à maîtriser.

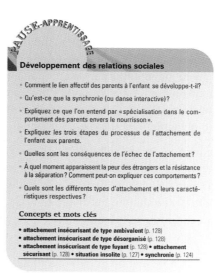

Les mots clés apparaissent en **caractères gras** dans le texte et sont définis au bas des pages. Ils sont également énumérés dans la rubrique *Pause-apprentissage*.

aurions des problèmes à nous rappeler une liste plus longue, comme une liste d'épicerie. La solution réside dans l'utilisation de diverses stratégies de mémorisation dont quelques-unes sont décrites dans le tableau 5.5. Vous pouvez répéter une liste plusieurs fois, grouper les éléments par thèmes (par exemple tous les ingrédients nécessaires pour une recette de gâteau), créer un scénario qui intègre tous les éléments ou mémoriser la route que vous devez emprunter pour faire vos courses.

À quel moment les enfants commencent-ils à avoir recours à de telles stratégies ? Pendant longtemps, la plupart des psychologues ont pensé que l'usage spontané de stratégies n'apparaissait pas avant 6 ans, ce qui correspond au début de la période des opérations concrètes de Piaget (Keeney, Cannizzo et Flavell, 1967). Des recherches plus récentes parviennent cependant à des conclusions légèrement différentes. Premièrement, on observe des signes de l'utilisation de stratégies de mémorisation dans des conditions optimales dès l'âge de 2 ou 3 ans (DeLoache, 1989; DeLoache *et al.*, 1985). Cependant, en grandissant, les enfants se servent de méthodes de plus en plus efficaces comme aide-mémoire. Deuxièmement, l'enfant passe d'une période où il n'emploie pas de stratégie à une période où il en utilisera si on les lui explique ou si on lui rappelle de les utiliser, pour finalement s'en servir spontanément. Troisièmement, en grandissant, et particulièrement entre 6 et 12 ans, l'enfant a recours à ces stratégies de manière de plus en plus efficace et les applique à un nombre croissant de situations. On remarque alors des changements non seulement dans la quantité de stratégies utilisées, mais aussi dans la qualité de ces stratégies.

Acquisition des automatismes

Les enfants deviennent plus efficaces dans le traitement de l'information à l'âge scolaire parce que c'est à cet âge qu'ils acquièrent leurs premiers automatismes. On peut définir l'**automatisme** comme l'habileté à se rappeler les informations ou les connaissances en provenance de la

Automatisme : Habileté à récupérer l'information de la mémoire à long terme sans utiliser les capacités de la mémoire à court terme.

Les interludes compris dans chaque partie du manuel constituent un précieux outil pédagogique. Comme dans tout manuel orienté vers la chronologie du développement humain, les changements comportements y sont minutieusement présentés. Cependant, nous avons voulu que le manuel soit plus qu'un répertoire des changements comportementaux à tout âge. Nous souhaitions expliquer les processus fondamentaux qui sous-tendent ces changements. Et c'est précisément dans les interludes que nous fournissons ce précieux complément d'information. Les interludes permettent de fait une révision et une analyse de la période du développement couverte dans la partie.

Interlude 2

Synthèse du développement à l'âge préscolaire et scolaire

Caractéristiques fondamentales de l'âge préscolaire

Ce deuxième interlude vous propose un tableau, à la page 230, qui résume cette période de l'enfance, qu'est l'âge préscolaire. Ce tableau présente les changements qui surviennent dans les habiletés et les comportements chez l'enfant à l'âge préscolaire, c'est-à-dire entre 2 et 6 ans. L'impression dominante de cette période est qu'elle constitue une transition lente, mais extrêmement importante, de la dépendance du bébé à l'indépendance de l'enfant. L'enfant d'âge préscolaire se déplace désormais facilement et communique de plus en plus clairement. Il prend conscience qu'il est une personne distincte dotée de qualités qui lui sont propres. Il acquiert également les habiletés sociales et cognitives qui lui permettent d'interagir plus souvent et de manière plus satisfaisante avec ses compagnons de jeu. Au cours de cette période, la pensée de l'enfant se décentre, devient moins égocentrique et moins captive de l'apparence extérieure des choses.

Au début, ces nouvelles habiletés et cette nouvelle indépendance de l'enfant ne s'accompagnent pas d'une maîtrise de ses émotions. L'enfant de 2 ans est très habile à faire des choses ; il est aussi très frustré de ne pouvoir tout faire. S'il voit quelque chose, il court après ; s'il veut quelque chose, il le lui faut tout de suite ! S'il est frustré, il pleurniche, crie ou hurle. Quelle merveilleuse invention que le langage ! La principale source du conflit qui oppose les parents et l'enfant de cet âge vient de l'imposition par les parents de limites à l'enfant, non seulement pour sa propre survie, mais également pour lui inculquer la maîtrise de ses émotions.

Les années préscolaires se démarquent également comme la période où commencent à germer les habiletés sociales et la personnalité de l'enfant (qui seront probablement celles de l'adulte qu'il deviendra). Le processus d'attachement durant la petite enfance continue d'être formateur parce qu'il contribue à façonner le modèle interne des relations sociales que crée l'enfant. Toutefois, entre l'âge de 2 et 6 ans, ce modèle initial est révisé et consolidé. Les modèles interactifs qui en résultent tendent à persister au cours du primaire et même au-delà. L'enfant de 3, 4 ou 5 ans qui est capable de partager, de bien interpréter les signaux des autres, d'être attentif à l'autre, tout en maîtrisant son agressivité et son émotivité, sera probablement, vers 8 ans, un enfant populaire et socialement compétent. À l'opposé, l'enfant d'âge préscolaire désobéissant et hostile est beaucoup plus susceptible de devenir un écolier impopulaire et agressif (Campbell *et al.*, 1991 ; Patterson, Capaldi et Bank, 1991).

Processus fondamentaux à l'âge préscolaire

De toute évidence, de nombreuses forces entrent en jeu pour amener les changements qui ont lieu au cours de l'âge préscolaire, à commencer par deux immenses progrès cognitifs : la capacité de l'enfant de 18 à 24 mois d'utiliser des symboles et l'élaboration rapide, entre 3 et 5 ans, d'une théorie de l'esprit plus complexe.

UTILISATION DES SYMBOLES L'utilisation des symboles se manifeste dans plusieurs aspects de la vie de l'enfant : par exemple dans son acquisition rapide du langage,

La plupart des chapitres comprennent également des encadrés, qui permettent des incursions dans des domaines connexes ou qui contiennent des applications pratiques. On distingue cinq types d'encadré.

Les encadrés *À travers les cultures* présentent deux aspects des recherches interculturelles ou interethniques : premièrement, des études montrant la similitude des principaux processus du développement chez les enfants et chez les adultes dans toutes les cultures ; deuxièmement, des recherches analysant les variations de l'expérience de vie ou les modèles de développement qui résultent des différences culturelles ou subculturelles.

À TRAVERS LES CULTURES

Différences au début du développement physique

Les séquences des changements physiques que nous avons décrites jusqu'ici valent apparemment pour les bébés de toutes les cultures, mais on note cependant quelques différences intéressantes.

Les bébés noirs, nés en Afrique ou ailleurs, ont un développement relativement plus rapide avant et après la naissance. En fait, la période gestationnelle semble légèrement plus courte pour le fœtus noir que pour le fœtus blanc (Smith, 1978). Les bébés noirs semblent également se développer plus vite sur le plan moteur pour certaines habiletés, comme la marche, et ils ont une taille légèrement supérieure à celle de leurs pairs blancs, des jambes plus longues, plus de tissu musculaire et des os plus lourds (Tanner, 1978).

En comparaison, le développement des enfants asiatiques est relativement plus lent en ce qui concerne les premières étapes du développement moteur. Cela peut refléter de simples différences dans la vitesse de maturation ou bien certaines différences ethniques quant au niveau d'activité ou de placidité du bébé ; c'est à cette conclusion qu'aboutissent les recherches effectuées par Daniel Freedman (1979).

Freedman a observé des nourrissons de quatre cultures différentes, soit nord-américaine (de race blanche), chinoise, navaho et japonaise. Il a découvert que les bébés de race blanche faisaient preuve de la plus grande activité et de la plus forte irritabilité, et qu'il était plus difficile de les consoler. Les enfants navahos et chinois étaient relativement calmes, contrairement aux enfants japonais qui réagissaient vigoureusement, mais qui étaient plus faciles à consoler que les enfants de race blanche.

Par exemple, lorsque Freedman a fait passer des tests à chaque enfant pour vérifier le réflexe de Moro, les enfants de race blanche étendaient typiquement les deux bras en croix, pleuraient fort et longtemps, et tout leur corps s'agitait. Les bébés navahos réagissaient très différemment. Plutôt que de projeter leurs membres vers l'extérieur, ils ramenaient leurs bras et leurs jambes, pleuraient rarement et manifestaient peu d'agitation, si ce n'est que de façon très passagère.

Jerome Kagan et ses collaborateurs (1994) ont eux aussi réalisé des études similaires en comparant des enfants chinois, irlandais et américains d'origine européenne âgés de 4 mois. Ils ont observé que les enfants chinois étaient de façon significative moins actifs, moins irritables et produisaient moins de vocalises que les bébés des deux autres groupes. De façon similaire, Chisholm (1989) a répliqué à certaines conclusions de Freedman en observant que les bébés navahos étaient de façon significative moins irritables, moins excitables et plus faciles à consoler que les bébés américains d'origine européenne.

De telles différences entre les nouveau-nés ne peuvent être le résultat d'un façonnement systématique de la part des parents. Par contre, l'éducation culturelle des parents intervient aussi dans l'interaction. Freedman et d'autres chercheurs ont noté que les mères japonaises et chinoises parlaient beaucoup moins à leurs enfants que les mères de race blanche. Ces différences de comportement des mères s'observent dès leur premier contact avec l'enfant après l'accouchement. On peut donc en conclure que ce comportement ne constitue pas une réaction au caractère plus calme de l'enfant. Cependant, de telles similitudes entre le tempérament de la mère et celui de l'enfant peuvent renforcer de tels modèles, ce qui tend à accentuer les différences culturelles avec le temps.

L'un des éléments clés de cette recherche nous apprend donc que ce que nous considérons comme « normal » peut être largement influencé par notre propre modèle culturel et nos propres suppositions.

Les encadrés *Rapport de recherche* décrivent de façon détaillée les recherches effectuées par des scientifiques reconnus ou présentent des domaines d'étude particuliers.

RAPPORT DE RECHERCHE

Vygotsky et l'éducation

On considère généralement que le psychologue russe Lev Vygotsky (1978) fait partie des tenants de la perspective écologique, mais on pourrait tout aussi bien le classer parmi les théoriciens de l'approche cognitive. Pour Vygotsky en effet, le développement résulte de l'interaction entre la culture (milieu social) d'une part et la maturation et les besoins biologiques de base de l'enfant d'autre part. Cependant, c'est l'environnement social qui prédomine et non les processus de maturation (Valsiner, 1987). Le développement s'effectue lorsque les occasions et les demandes de l'environnement se situent à un niveau approprié pour l'enfant. En d'autres termes, pour que l'environnement stimule le développement de l'enfant, il faut que la maturation biologique et le niveau de développement de ce dernier soient déjà suffisamment avancés. Il existe donc pour chaque enfant une « zone proximale de développement », ou « zone d'apprentissage imminent », qui enclenche le processus de développement (Belmont, 1989). L'enfant ne pourra réaliser les demandes d'apprentissage relevant de cette zone qu'avec l'aide d'une personne ou si l'environnement lui en fournit les ressources. Les demandes qui se situent au-delà de cette zone (qui requièrent des capacités que l'enfant ne possède pas) et celles qui se situent en deçà (qui sont inférieures aux capacités que possède déjà l'enfant) ne susciteront pas la poursuite du développement.

Par ailleurs, Vygotsky met l'accent sur les formes complexes de la pensée (Duran, 1995) qui, selon lui, proviennent des interactions sociales plutôt que de l'exploration du milieu par l'enfant. Dans son processus d'acquisition de nouvelles habiletés cognitives, l'enfant est guidé par un adulte (ou un autre enfant plus habile, comme un frère ou une sœur plus âgés). Cette personne modèle et structure l'expérience d'apprentissage de l'enfant, processus que Vygotsky appelle « apprentissage par échafaudage ». Comme nous venons de le souligner, ces nouveaux apprentissages sont mieux réussis lorsqu'ils se situent dans la zone proximale de développement. Au fur et à mesure que l'enfant devient plus habile, cette zone monte pour ainsi dire d'un cran et va alors inclure des tâches plus complexes.

Les parents doivent donc faire preuve de vigilance pour adapter constamment la zone proximale de développement au degré de développement atteint par l'enfant sur le plan des habiletés et des apprentissages (Landry *et al.*, 1996 ; Rogoff, 1990). Selon Vygotsky, l'élément essentiel du processus est le langage que l'adulte utilise pour expliquer ou structurer la tâche. Plus tard, l'enfant, seul, utilisera le même langage pour se guider dans la résolution de tâches identiques.

L'approche de Vygotsky présente un intérêt évident pour le monde de l'éducation, car il insiste sur l'importance pour l'enfant d'explorer son milieu et d'y participer activement. Soulignons que les enseignants pourraient faciliter ces occasions d'apprentissage en les provoquant de façon indirecte. Ainsi, le professeur devrait, par le biais de questions, de démonstrations ou d'explications particulières, rendre accessibles à l'enfant les éléments de connaissances nécessaires à sa compréhension d'une stratégie ou d'une solution. Pour être efficace, ce processus de découvertes assistées devrait se situer dans les limites de la zone proximale de développement de chaque enfant, mais il faut reconnaître que c'est une condition difficile à mettre en place dans nos classes hétérogènes actuelles.

Les encadrés *Le monde réel* explorent certaines applications pratiques de la recherche ou de la théorie.

LE MONDE RÉEL

Différences individuelles dans le langage

Il existe des différences marquées entre les enfants, surtout en ce qui concerne le rythme du développement ainsi que la capacité à effectuer des tâches intellectuelles. On observe de telles différences non seulement dans le rythme de développement du langage de l'enfant, mais aussi dans les mesures des capacités intellectuelles, telles que les tests de Q.I.

Certains enfants commencent à utiliser des mots dès l'âge de 8 mois, alors que d'autres attendront l'âge de 18 mois; certains n'utilisent pas de phrases composées de 2 mots avant l'âge de 3 ans, voire même plus tard.

Il est important de spécifier que la plupart des enfants qui apprennent à parler tardivement se rattrapent par la suite et que les variations individuelles observées dans ce domaine (apprentissage hâtif ou tardif du langage) ne permettent pas de prédire le quotient intellectuel ni les habiletés de lecture futures de l'enfant, excepté pour un sous-groupe particulier d'enfants qui présentent à la fois un retard d'acquisition du langage et un pauvre langage réceptif. Ce sous-groupe semble demeurer en arrière des autres enfants quant à ses habiletés langagières et, de façon plus générale, quant à son développement cognitif (Bates, 1993). Vous ne devriez donc pas vous inquiéter si votre enfant prend du retard dans l'acquisition du langage (ni être spécialement heureux si votre enfant prononce ses premiers mots dès l'âge de 8 mois). Il semble que de telles variations soient partiellement attribuables à des facteurs génétiques (Mather et Black, 1984; Plomin et DeFries, 1985), mais que l'environnement ait également un effet considérable sur le langage.

Les encadrés *Sujet de discussion* traitent de thèmes qui font l'objet d'une controverse dans la population.

SUJET DE DISCUSSION

Une langue ou deux?

De nos jours, beaucoup de personnes émigrent. Leurs enfants ont ainsi la possibilité de devenir bilingues. Cependant, nombre de ces enfants n'acquièrent jamais la connaissance de la langue parlée par leurs parents (Pease-Alvarez, 1993). Souvent, les parents immigrants croient qu'enseigner leur propre langue à leur enfant va entraver l'apprentissage de la langue du pays d'accueil et compromettre ainsi leurs chances d'acquérir une bonne instruction et de connaître le succès, même s'ils savent pertinemment que le fait de parler deux langues présente un avantage indiscutable sur le plan social et économique pour tout adulte. Cependant, des recherches indiquent qu'il existe des avantages et des désavantages à grandir en apprenant deux langues.

Du côté des aspects positifs, le bilinguisme semble n'avoir aucun effet sur les premières étapes de la séquence d'acquisition du langage, comme le babillage (Oller, Cobo-Lewis et Eilers, 1998). Les enfants de foyers bilingues discriminent aussi facilement entre deux langues sur le plan de la phonologie et de la grammaire, et ce, dès les premiers jours (Bosch et Sebastian-Galles, 1997; Koeppe, 1996). De plus, le fait d'apprendre les règles grammaticales d'une langue, comme l'ajout du *s* pour désigner le pluriel, semble faciliter l'apprentissage des règles grammaticales d'une autre langue (Schlyter, 1996).

Au niveau préscolaire et scolaire, le bilinguisme est associé à des avantages évidents touchant l'habileté métalinguistique, c'est-à-dire la capacité de réfléchir sur les processus du langage (Bialystok, Shenfield et Codd, 2000; Mohanty et Perregaux, 1997). De plus, la plupart des enfants bilingues, comparativement aux enfants unilingues, présentent une plus grande habileté à centrer leur attention sur les tâches même du langage (Bialystok et Majumder, 1998). Ces deux avantages permettent aux enfants bilingues de saisir plus rapidement les liens entre les sons et les symboles lors des premières étapes de l'apprentissage de la lecture (Bialystok, 1997; Oller, Cobo-Lewis et Eilers, 1998).

Du côté des aspects négatifs, les enfants de foyers bilingues effectuent certains apprentissages langagiers plus lentement que les enfants de foyers unilingues. Par exemple, la quantité de mots relevant du langage expressif et du langage réceptif est la même que celle d'un enfant unilingue, mais les mots connus sont divisés en deux langues (Patterson, 1998). Par conséquent, le vocabulaire de chacune de ces deux langues est moins imposant que dans le cas d'un enfant unilingue, différence qui persiste jusqu'à l'âge scolaire.

Les recherches nous indiquent aussi que les enfants bilingues qui sont à l'aise dans les deux langues connaissent peu ou pas de problèmes d'apprentissage à l'école (Vuorenkoski *et al.*, 2000). Cependant, la plupart des enfants n'atteignent pas un degré d'aisance identique dans les deux langues. Il en résulte une tendance à penser plus lentement dans la langue où ils sont moins compétents (Chincotta et Underwood, 1997). Si cette langue est celle qui est utilisée en classe, alors le risque d'éprouver des difficultés d'apprentissage est plus grand (Anderson, 1998; Thorn et Gathercole, 1999). Les parents qui choisissent le bilinguisme devraient donc tenir compte du fait qu'ils devront être en mesure d'aider leur enfant à se sentir à l'aise dans l'une et l'autre des deux langues.

Quels que soient les avantages ou les désavantages cognitifs, les enfants qui parlent la langue de leurs parents immigrants semblent témoigner d'un attachement plus marqué à la culture d'origine de leurs parents (Buriel *et al.*, 1998). Le fait pour les parents d'enseigner leur culture à leur enfant semble également faciliter l'apprentissage de leur langue maternelle (Wright, Taylor et Macarthur, 2000). Enfin, les avantages du bilinguisme à l'âge adulte sont substantiels et pallient grandement les désavantages qui apparaissent durant l'enfance.

Les encadrés *À l'ère de l'information*, une nouveauté de cette édition, permettent d'aborder l'influence des médias et des nouvelles technologies de l'information.

À L'ÈRE DE L'INFORMATION

Un enfant apprend-il quelque chose en regardant la télévision?

Les très jeunes enfants passent beaucoup de temps devant la télévision. La plupart des parents pensent que le fait d'exposer leur enfant à une stimulation intellectuelle par le biais de la télévision (spécialement les émissions conçues pour les enfants) améliore grandement leur développement cognitif. Certains parents dépensent beaucoup de temps, d'énergie et d'argent afin de s'assurer que leur enfant est stimulé pleinement la plupart du temps, et la télévision devient alors l'outil privilégié en vue d'atteindre cet objectif. Les recherches dans ce domaine démontrent que les enfants assimilent les informations présentées dans une émission éducative, telle que *Sesame Street* ou les *Télétobbies* s'ils la voient de façon répétitive (Crawley *et al.*, 1999). Cependant, il semble évident aussi que l'exposition à une quantité importante de stimulations intellectuelles contribue peu, ou pas du tout, aux processus de développement de base, comme l'acquisition de la permanence de l'objet (Bruer, 1999). Par ailleurs, les recherches montrent que des jouets ordinaires, tels qu'un ballon ou une boîte à musique, et même des articles ménagers, tels que des plats et des casseroles, sont aussi utiles à l'enfant pour apprendre à connaître le monde qui l'entoure que les émissions de télévision ou les vidéos. C'est pourquoi de nombreux psychologues du développement affirment que l'élément le plus important que les bébés apprennent en regardant la télévision est… le geste lui-même, soit regarder la télévision.

À la fin de chaque chapitre, l'étudiant trouvera quelques outils facilitant la révision.

La rubrique *Un dernier mot* porte un regard global sur le contenu du chapitre.

UN DERNIER MOT

Dans ce chapitre, nous avons voulu vous présenter une vision d'ensemble des divers concepts et théories du développement humain. Ces modèles théoriques vont se concrétiser au fur et à mesure que nous approfondirons les données qui s'y rattachent, et ce faisant, ils vous permettront d'assimiler ces données. Gardez surtout à l'esprit, à cette étape-ci, qu'il existe de nombreuses divergences entre les théoriciens sur la nature même du développement.

Nous reviendrons sur ces approches théoriques au fil des chapitres pour démontrer non seulement comment les données recueillies ont été façonnées par les hypothèses des chercheurs en vue d'être intégrées dans un modèle, mais aussi comment les différentes théories permettent de comprendre l'information accumulée. Ces approches se révéleront très utiles pour classer le vaste ensemble des faits concernant le développement.

Un *résumé* fait ressortir les points essentiels.

RÉSUMÉ

CHANGEMENTS ET CONTINUITÉ

- L'étude du développement doit prendre en considération les notions de changement et de continuité, les modèles de développement individuels et communs ainsi que les influences relatives de la nature et de la culture.
- Les changements communs associés à l'âge représentent un des principaux types de changements. Ces changements peuvent résulter de la maturation (horloge biologique), des pressions sociales courantes (horloge sociale) ou des changements intérieurs provoqués soit par l'horloge biologique, soit par l'horloge sociale.
- Le fait d'être conscient des différences potentielles entre les cultures et les cohortes est particulièrement important dans l'interprétation des études portant sur des adultes, car les comparaisons entre les différents groupes d'âge sont inévitablement confondues avec les effets de cohorte.
- Les trajectoires de vie des individus sont également modifiées par des expériences personnelles uniques. Le moment auquel surviennent de telles expériences individuelles peut être particulièrement important dans la mise en place du modèle de développement d'un individu.
- La continuité des comportements tout au long de la vie peut aussi être expliquée par des facteurs biologiques. Dans leurs recherches sur les jumeaux et les enfants adoptés, les généticiens du comportement ont démontré une influence génétique déterminante dans une grande variété de comportements.
- La continuité des comportements tout au long de la vie peut aussi être associée aux effets cumulatifs des premiers comportements (les individus tendent à choisir des activités qui correspondent à leurs aptitudes et à leur personnalité) et aux réactions de l'environnement.

NATURE ET CULTURE

- Les psychologues et les philosophes ont longtemps opposé les notions de nature et de culture; or, on sait que tout comportement et tout changement dans le développement résulte de l'interaction de l'hérédité (inné) et du milieu (acquis).
- Les bébés semblent venir au monde dotés d'un ensemble de prédispositions innées qui influent sur leurs façons de réagir aux stimulations de leur environnement.
- Chaque enfant et chaque adulte créent aussi des modèles internes de significations pour interpréter les expériences passées et pour comprendre les nouvelles expériences.
- Dans l'étude de la culture, il est important de ne pas seulement s'en tenir à la famille proche, mais de prendre aussi en considération les influences culturelles plus globales ainsi que l'effet de l'ensemble des facteurs du milieu.
- Bronfenbrenner insiste sur l'influence des interactions de l'enfant et de quatre niveaux de l'environnement imbriqués les uns dans les autres.
- Patterson s'est intéressé aux origines culturelles et environnementales des comportements déviants.
- Selon Horowitz, la vulnérabilité innée ou acquise et la flexibilité interagissent avec la stimulation du milieu de façon non cumulative.

THÉORIES DU DÉVELOPPEMENT HUMAIN

- Selon Freud, le comportement est régi par des motivations inconscientes et conscientes. Freud définit trois instances psychiques, le ça, le moi et le surmoi, et une séquence de cinq stades psychosexuels, les stades oral, anal, phallique, la période de latence et le stade génital.
- Erikson insiste davantage sur les forces sociales que sur les pulsions inconscientes comme facteurs du développement. Son concept clé est le développement de l'identité, qui passe par huit stades psychosociaux au cours du cycle de vie: la confiance, l'autonomie, l'initiative, le travail, l'identité, l'intimité, la générativité et l'intégrité personnelle.

Un schéma d'intégration présente l'organisation du contenu avec les principaux concepts abordés et les liens qui les unissent.

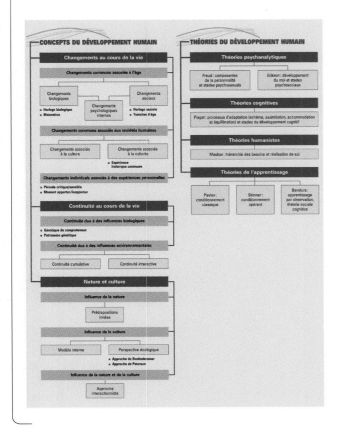

L'ouvrage est accompagné d'un Compagnon Web : **www.erpi.com/Bee.cw** Cet outil favorise la réussite des étudiants grâce à des questions d'autoévaluation, à des liens vers des sites Internet et à des textes additionnels. Les enseignants y trouveront une banque de questions supplémentaires, l'ensemble des figures, des tableaux et des schémas d'intégration du manuel, des exercices adaptés aux programmes (soins infirmiers, éducation à l'enfance, travail social et sciences humaines) et un exercice de synthèse partant d'un personnage imaginaire.

L'ouvrage est divisé en cinq parties, chacune étant associée à une couleur. Des onglets unicolores ou bicolores, en haut des pages, facilitent le repérage du lecteur. La couleur couvrant la totalité de l'onglet ou sa moitié supérieure indique la partie. Les quatre types de développement étudiés (physique, cognitif, personnalité, relations sociales) sont identifiés par une couleur que l'on retrouve dans la moitié inférieure de l'onglet.

Par exemple, l'onglet de la page réduite à gauche signale que l'on étudie le développement physique dans la partie consacrée à l'adolescence ; celui de la page réduite de droite signale que l'on étudie le développement cognitif dans la partie consacrée à l'âge adulte avancé.

Le manuel se termine par une annexe, qui expose la recherche sur le développement humain, un glossaire, qui reprend en ordre alphabétique tous les mots clés de chacun des chapitres, et un index des sujets traités.

Remerciements

L'éditeur et l'adaptateur tiennent à remercier les personnes suivantes pour leurs commentaires judicieux à diverses étapes de la réalisation du présent manuel :

Manon Croteau (cégep de Lévis-Lauzon)
François Gileau (cégep de Saint-Hyacinthe)
Réjeanne Marcotte (collège François-Xavier-Garneau)
Élisabeth Rheault (collège Montmorency)

et, pour sa participation à la réalisation du Compagnon Web,
Charles Martin (cégep de Lévis-Lauzon).

Le développement humain :
introduction

L'objectif de la première partie et du premier chapitre de ce manuel est de vous présenter un aperçu théorique de la psychologie du développement humain. Qu'est-ce que le développement humain ? Comment les psychologues abordent-ils ce domaine ? Ils disposent pour ce faire des outils que sont les concepts et les théories qui permettent d'explorer ce champ de recherche fascinant et sur lesquels nous allons nous pencher.

Nous constatons d'abord que le changement et la continuité constituent la trame du développement humain, ses éléments essentiels. En effet, chaque individu possède des caractéristiques qui lui sont propres ; cependant, il est clair que l'on observe des traits communs chez un grand nombre d'individus. Nous allons donc débattre d'une très vieille question dont la portée est toujours actuelle, soit les rôles respectifs de la nature (inné) et de la culture (acquis) dans le développement. Puis, nous nous intéresserons aux diverses théories qui ont été élaborées dans le but d'organiser et d'interpréter les données issues de la recherche. Pour terminer, nous vous proposerons une synthèse permettant de combiner ces théories afin de faciliter votre apprentissage de notions à première vue très abstraites.

Gardez à l'esprit que ces outils théoriques vont s'avérer indispensables dans notre étude du développement de l'être humain tout au long des âges de la vie.

1
CHAPITRE

Concepts et théories
du développement humain

CONCEPTS DU DÉVELOPPEMENT HUMAIN

Changements des comportements au cours de la vie

Continuité des comportements au cours de la vie

Nature et culture

THÉORIES DU DÉVELOPPEMENT HUMAIN

Théories psychanalytiques

Théories cognitives

Théories humanistes

Théories de l'apprentissage

Combinaison et comparaison des théories du développement humain

Nous sommes tous des observateurs du développement humain. Ainsi, lors de réunions de famille, nous commentons les changements que nous remarquons chez les différents membres de la famille:

— Il a tellement grandi depuis la dernière fois que je l'ai vu.

— Elle est vraiment devenue une jeune femme radieuse.

— Ses cheveux sont devenus gris, du moins ceux qui lui restent.

— Grand-mère semble plus fragile que l'an dernier.

Mais nous remarquons également des choses qui semblent demeurer identiques:

— Tante Danièle est toujours aussi espiègle.

— Je ne comprends pas comment une personne peut connaître des moments si difficiles et conserver un air aussi jeune et dynamique.

Nous percevons aussi les gens à la lumière des attentes de notre culture pour leur groupe d'âge:

— Est-ce qu'il va faire des études supérieures?

— Je me demande quand ils vont se décider à avoir un enfant; après tout, cela fait bientôt trois ans qu'ils vivent ensemble.

Nous élaborons même des théories afin d'expliquer le comportement de nos proches:

— Ils ont toujours laissé cet enfant faire ce qu'il veut. Le résultat, c'est une véritable petite peste maintenant.

— Il est né radin, radin il restera.

Les scientifiques qui étudient le développement humain procèdent de la même façon. Leur but, cependant, est de noter des observations et donner des explications applicables au plus grand nombre d'individus possible et au plus grand nombre d'environnements possible. Pour atteindre cet objectif, ils étudient à la fois les changements et les continuités. Ils se penchent également sur l'effet des attentes culturelles sur le développement individuel. Ils tentent de prévoir les trajectoires du développement et utilisent des méthodes scientifiques afin de tester leurs prévisions. Enfin, ils espèrent que leurs découvertes permettront d'influer de manière positive sur le cours du développement individuel des êtres humains.

CONCEPTS DU DÉVELOPPEMENT HUMAIN

L'**étude du développement humain** comprend plusieurs étapes:
- étudier les *changements* qui se manifestent au cours de la vie;
- étudier les *continuités* qui se manifestent au cours de la vie;
- déterminer si ces changements et ces continuités sont *communs* aux individus de toutes les cultures, d'une même culture, d'un même groupe au sein d'une culture particulière, ou s'ils sont *individuels*;
- comprendre les *origines* de ces changements et de ces continuités, c'est-à-dire l'influence de la nature (inné/hérédité) et de la culture (acquis/influence du milieu).

L'attention que l'on porte aux changements peut se traduire par la question suivante: quels genres de changements peut-on observer, et à quel âge se produisent-ils? Quand ils consistent en des ajouts d'éléments déjà présents, on les appelle des **changements quantitatifs.** Quand ils concernent plutôt l'apparition de nouvelles conduites ou de conduites différentes, on les appelle des **changements qualitatifs.** Il est peu probable qu'un enfant de 2 ans possède de véritables amis parmi ses compagnons de jeu, mais un enfant de 8 ans en a sans doute plusieurs. On peut interpréter cette observation comme un changement dans le nombre d'amis, soit de zéro à plusieurs (changement quantitatif), ou comme un changement du type de relation entre deux enfants (changement qualitatif). On peut percevoir les changements cognitifs chez l'adulte et chez la personne âgée en termes de perte graduelle de la vitesse d'apprentissage ou de la mémoire (changement quantitatif), ou en termes d'acquisition graduelle de la sagesse (changement qualitatif). Mais quel que soit le type de changement, l'âge moyen d'apparition de ces conduites demeure un sujet d'étude de premier plan lorsqu'on s'intéresse au développement.

L'intérêt que l'on manifeste à l'égard des continuités dans le développement se traduit par la question suivante: quels sont les comportements, ou conduites, qui demeurent stables tout au long de la vie? Se peut-il, par exemple, que certains traits de caractère perdurent de la naissance jusqu'à l'âge adulte avancé? La continuité rend compte du fait que, quel que soit le passage des années, les individus restent toujours les mêmes.

Un autre point crucial de l'étude du développement humain concerne l'universalité des changements et des continuités. Se retrouvent-ils chez tous les êtres humains ou varient-ils d'une culture à l'autre, ou d'une génération à l'autre à l'intérieur d'une même culture, ou encore sont-ils tributaires d'expériences personnelles particulières? On doit considérer cet aspect autant dans l'étude de la puberté, de la retraite ou de l'apprentissage du vocabulaire que dans l'étude de tout autre sujet relié au développement.

Enfin, est-il possible de déterminer l'influence respective de la nature (inné) et de la culture (acquis) sur ces changements et continuités, même si l'on sait aujourd'hui que la nature aussi bien que la culture interviennent dans presque tous les processus de développement que l'on observe? Les personnes âgées voient peut-être leur processus de pensée ralentir en raison de changements biologiques naturels du système nerveux, mais peut-être aussi sont-elles plus lentes par manque de pratique. Il est probable que les deux facteurs interviennent selon un dosage différent pour chaque individu. Bien que tout le monde connaisse un déclin physiologique naturel à un âge avancé, il se peut que les adultes qui demeurent actifs mentalement en subissent moins les effets que les autres. Au fil de ces chapitres, nous allons essayer de mettre en évidence l'apport relatif de la nature et de la culture dans chaque domaine du développement, et ce, à tous les âges.

Tel est donc l'essentiel du cadre conceptuel que nous vous proposons dans ce livre.

CHANGEMENTS DES COMPORTEMENTS AU COURS DE LA VIE

Les psychologues et les sociologues qui étudient le développement ont identifié trois catégories fondamentales de changements survenant avec l'âge (Baltes, Reese et Lipsitt, 1980):
- les changements communs associés à l'âge;
- les changements communs associés aux sociétés humaines;
- les changements individuels associés à des expériences personnelles.

Changements communs associés à l'âge

Lorsqu'on parle de «changements développementaux», on pense généralement aux changements communs qui

---

Étude du développement humain: Étude scientifique des changements et des continuités qui marquent la vie d'une personne et des processus qui influent sur ces changements et ces continuités.

Changement quantitatif: Changement qui touche des éléments mesurables en nombre ou en quantité, par exemple la taille ou le vocabulaire.

Changement qualitatif: Changement dans l'organisation, la nature ou la structure des éléments, par exemple dans le développement cognitif.

Comme nous tous, Delphine a connu une suite très nette de changements liés à la maturation, de la petite enfance à l'enfance et à l'adolescence.

se produisent chez tous les individus au cours du vieillissement. Les changements de cette catégorie, typiques du développement humain, ont un caractère inévitable et sont associés à l'âge. Ils sont attribuables à trois facteurs principaux.

Changements dus à des influences biologiques communes

Il semble bien que le facteur le plus déterminant dans les changements associés à l'âge est un processus biologique fondamental, commun à tous les êtres humains. Le bébé qui commence à marcher, l'adolescente qui voit ses seins se développer et qui a ses premières règles, la personne âgée dont la peau se ride progressivement sont autant d'exemples d'un processus qui semble suivre un plan inscrit dans le corps humain, probablement dans le code génétique lui-même. On utilise le plus souvent le terme **maturation** pour décrire ce genre de changements. Arnold Gesell, qui a élaboré ce concept en 1925, définit la maturation comme un processus séquentiel de changements programmés génétiquement. Les changements physiques, les changements hormonaux à la puberté, les changements musculaires et osseux, les changements du système circulatoire à l'âge adulte et à l'âge adulte avancé paraissent réglés en ce sens, comme si une **horloge biologique** marquait le temps en arrière-plan.

Gesell pensait que le développement déterminé par la maturation ne relevait pas de la pratique ou de l'entraî-

nement. Vous n'avez pas besoin d'apprendre à faire pousser vos poils pubiens ni d'apprendre à marcher. De même, vous ne vous efforcez pas de ralentir votre temps de réaction au fur et à mesure que vous vieillissez. Malgré ces exemples éloquents, les chercheurs ont entre-temps clairement démontré qu'il n'existe pas de « pur » effet de maturation. L'environnement exerce toujours une influence. Même les processus de maturation apparemment autonomes, tel le développement cérébral au cours de la première année de vie, nécessitent une intervention minimale du milieu (Greenough, 1991). Un bébé dont l'environnement est peu stimulant n'aura pas une croissance de connexions neuronales aussi poussée qu'un bébé évoluant dans un environnement complexe. À l'autre extrémité du spectre de vie, l'expérience peut retarder ou accélérer les processus fondamentaux de maturation. Ainsi, l'exercice physique régulier peut aider à ralentir le tassement de la colonne vertébrale et un régime alimentaire équilibré peut contribuer à réduire la perte d'élasticité de la peau.

Il faut signaler ici que la maturation n'est pas synonyme de croissance, bien que ces deux expressions soient parfois utilisées l'une pour l'autre. Le terme *maturation* décrit tout changement physique qui relève d'un processus physiologique fondamental et qui est programmé génétiquement. La maturation est donc l'ensemble des changements physiques déterminés par les informations contenues dans le code génétique et communs à tous les membres d'une même espèce. Le terme **croissance** définit un changement quantitatif graduel, par exemple la taille. Lorsqu'on parle de croissance, on fait référence à des changements comme l'enrichissement du vocabulaire de l'enfant ou les transformations de son corps. Or, ces changements quantitatifs ne sont pas nécessairement attribuables à la maturation. Un enfant peut grandir parce que son alimentation s'est améliorée de façon significative, ce qui constitue un effet de l'environnement, ou en raison d'un développement osseux et musculaire, qui relève probablement de la maturation. Autrement dit, la croissance fait référence à une description des changements, alors que la maturation constitue une explication de ces changements.

Maturation : Changement physique qui relève d'un processus physiologique fondamental et qui est programmé génétiquement.

Horloge biologique : Séquence fondamentale de changements biologiques qui se produisent avec l'âge, de la conception à l'âge adulte avancé.

Croissance : Changement physique graduel qui est quantitatif, car il s'agit d'un ajout d'éléments plutôt que d'une transformation.

Dans toutes les cultures, les jeunes adultes fondent généralement une famille, car c'est la période biologique optimale pour être parents.

Changements dus à des expériences communes L'horloge biologique ne marque pas seule le temps. Il existe aussi une **horloge sociale** qui façonne la vie de tous les individus — ou presque — selon des processus communs de changements (Helson, Mitchell et Moane, 1984). Dans chaque culture, l'horloge sociale définit une séquence d'expériences culturelles communes, comme l'âge approprié pour commencer l'école, se marier, avoir des enfants ou prendre sa retraite. À l'âge adulte, l'horloge sociale se fait particulièrement entendre. La sociologue Mathilda White Riley (1976, 1986) remarque que presque toutes les sociétés sont organisées autour de **tranches d'âge**, soit des périodes du cycle de vie où l'on trouve des tâches, des attentes et des normes sociales communes. Ces tranches d'âge tendent à orienter notre parcours vers des trajectoires communes. Cependant, les attentes sociales pour un groupe d'âge particulier peuvent aussi varier d'une culture à une autre. Ainsi, dans la culture occidentale (Amérique du Nord et Europe de l'Ouest), les personnes âgées sont souvent décrites comme des personnes d'humeur difficile, capricieuses, séniles et inutiles. Dans

diverses cultures asiatiques, au contraire, le statut de personne âgée est reconnu et respecté, plus que celui de tout autre groupe d'âge (Maeda, 1993).

Changements dus à des processus psychologiques communs
L'horloge sociale définit ce que nous faisons, comment nous occupons nos journées et quels rôles nous devons assumer. Cependant, les pressions de l'horloge sociale, tout comme celles de l'horloge biologique, provoquent à leur tour des *changements psychologiques* qui modifient la personnalité ou l'estime de soi de l'individu. Par exemple, outre une plus grande indépendance physique, l'apprentissage de la marche procure au trottineur une plus grande autonomie psychologique, et ce, à peu près au même âge pour tous les enfants. Ainsi, le changement physique déclenche un changement d'une portée beaucoup plus étendue. De la même façon, l'enfant de 7 ans développe (en partie grâce à l'école) des habiletés cognitives essentielles qui lui permettront d'améliorer sa capacité croissante d'effectuer des évaluations globales des autres et de lui-même. Il n'est donc pas surprenant de constater que c'est vers cet âge que l'enfant acquiert un sens global de son estime de soi, une affirmation générale de sa propre valeur, laquelle influe à son tour sur ses motivations et ses relations avec les autres.

De la même manière, les changements biologiques et sociaux que connaissent tous les individus à l'adolescence et à l'âge adulte définissent la structure d'un ensemble de changements prévisibles de la personnalité, du mode de raisonnement et des valeurs. Citons à titre d'exemple les changements de personnalité qui s'opèrent entre le début et le milieu de l'âge adulte. Dans presque toutes les cultures que nous connaissons, les jeunes adultes doivent apprendre à se conformer à un ensemble complexe de rôles: se marier, fonder une famille, élever des enfants, travailler. Ces différents rôles sont moins contraignants pour les adultes d'âge moyen, en partie parce qu'ils les ont déjà bien assimilés et en partie parce que leurs enfants ont grandi et exigent moins d'attention. Cette évolution de l'horloge sociale accompagne, voire déclenche, chez l'individu un profond changement psychologique qui se manifeste par une plus grande autonomie, une plus grande confiance en soi ainsi qu'une volonté accrue de s'affirmer.

Horloge sociale: Séquence de rôles et d'expériences sociales qui se déroulent au cours de la vie, comme le fait de passer de l'école primaire à l'école secondaire, de l'école au marché du travail ou du travail à la retraite.

Tranches d'âge: Groupements selon l'âge dans une société donnée, comme les «trottineurs», les «adolescents» ou les «personnes âgées», qui possèdent chacun leurs normes et leurs attentes.

Changements communs associés aux sociétés humaines

Le développement est également façonné par des expériences moins universelles, mais tout de même fort nombreuses, pour les individus qui appartiennent à une même collectivité. Ces changements communs à une même collectivité sont pourtant souvent différents d'une collectivité à une autre. Deux changements principaux ont été identifiés et donnent lieu à ce qu'on appelle les différences culturelles et les différences entre les cohortes d'une même culture.

Changements dus à une culture commune   Il n'existe pas de définition satisfaisante du mot *culture*, mais on peut affirmer que, fondamentalement, la culture fait référence à un système de coutumes et de significations, comprenant les valeurs, les attitudes, les lois, les croyances, les idéologies et la moralité aussi bien que les artéfacts physiques de toutes sortes, comme les outils et les types d'habitation.

Ainsi, chaque culture possède ses propres modèles communs associés à l'âge, mais ces modèles varient d'une culture à l'autre. Il est impératif que nous gardions cette vérité toute simple en mémoire lorsque nous étudions le développement au cours du cycle de vie. Il faut aussi se rappeler que l'essentiel de la recherche repose sur des études portant sur des enfants ou des adultes vivant en Amérique du Nord et dans d'autres pays occidentaux ou industrialisés (Europe de l'Ouest). Nous ne pouvons tenir pour acquis que les modèles de développement de notre culture se retrouvent nécessairement dans toutes les cultures, ni même dans tous les sous-groupes de notre société. Heureusement, il existe de plus en plus d'études transculturelles dans des domaines précis du développement humain, tels que le langage, l'attachement ou le développement moral. Il demeure cependant que, dans la majorité des domaines d'études, notre vision est particulièrement «eurocentrique» et, par conséquent, fortement individualiste.

Changements dus à une cohorte commune   Certaines des variations que présente l'expérience de vie révèlent des forces historiques qui influent différemment sur chaque génération. Les sociologues utilisent le terme **cohorte** pour désigner des groupes d'individus d'âge équivalent ayant connu les mêmes expériences au même moment de leur vie. Dans une culture donnée, les cohortes successives peuvent connaître des expériences de vie très différentes. La personne qui a vécu son adolescence pendant la crise économique des années 1930 montre souvent, comme les gens de sa cohorte, qu'elle a été profondément marquée par cette expérience.

Le fait de rester actif et de vous maintenir en forme, comme ces personnes, ne vous permettra pas d'échapper au déclin inévitable de la maturation, mais cela peut en retarder sensiblement le processus.

On peut également prendre l'exemple plus récent du baby-boom, c'est-à-dire l'augmentation massive des naissances que les pays industrialisés ont connue peu après la Seconde Guerre mondiale, et qui a atteint un sommet entre les années 1955 et 1965. Ce changement considérable a créé une cohorte beaucoup plus importante en nombre que les cohortes adjacentes. Le fait que beaucoup d'individus se soient retrouvés dans une même cohorte a façonné les expériences de ces mêmes individus. Les baby-boomers se sont alors retrouvés dans des écoles bondées, ont eu de la difficulté à entrer au collège ou à l'université en raison de la compétition accrue, et se sont heurtés à une concurrence plus marquée lors de la recherche d'un emploi. Les personnes qui sont nées juste avant le baby-boom n'ont pas eu à affronter une telle compétition dans la plupart des étapes de leur vie. Ainsi, la date de naissance d'une personne peut avoir des conséquences à long terme, aussi bien sur ses expériences personnelles que sur son développement ou encore sur ses attitudes.

Il convient de garder à l'esprit ces variations liées à la culture et à la cohorte. Si elles compliquent considérablement la détermination de modèles de base, communs à tous, elles fournissent par ailleurs des informations infiniment précieuses. En effet, pour comprendre le développement humain, il faut non seulement déterminer les modèles de changements qui surviennent avec l'âge,

Cohorte : Groupe d'individus à peu près du même âge ayant vécu des expériences similaires (par exemple un même environnement culturel et des conditions économiques similaires).

indépendamment des variations de l'environnement, mais il faut également comprendre comment certaines expériences entraînent des groupes entiers d'individus dans des voies différentes. La comparaison des cohortes peut jeter une lumière nouvelle sur ces questions.

Changements individuels associés à des expériences personnelles

De la même façon, il faut tenter de comprendre comment des expériences individuelles signifiantes façonnent la vie des enfants et des adultes. Quelles sont les conséquences d'un divorce pour un enfant ? du décès d'un parent ? Est-ce que l'âge de cet enfant, au moment du divorce ou du décès, influe sur son adaptation ? Qu'en est-il d'un homme dans la trentaine qui perd son emploi ou d'une jeune fille de 14 ans qui donne naissance à un enfant, ou d'un couple qui repousse la naissance d'un enfant jusqu'à la quarantaine ? Le développement de chaque individu est façonné par une combinaison unique d'événements particuliers. Il est impossible d'étudier chaque cas individuel, mais on peut essayer de dégager des processus ou des règles qui semblent régir la façon dont les expériences individuelles influent sur le développement d'un individu.

Moment où survient l'expérience   Selon de nombreux psychologues, le moment précis où surviennent les expériences particulières constitue un facteur clé. Les études effectuées sur les enfants et sur les adultes accordent une place centrale aux effets du moment, mais la problématique est formulée différemment selon le groupe étudié.

Dans les théories du développement de l'enfant, le concept de **période critique** occupe la place centrale. Il existerait dans le développement certaines périodes précises durant lesquelles l'organisme est particulièrement sensible à la présence (ou à l'absence) de certaines sortes d'expériences. Par exemple, pour les canetons, la quinzaine qui suit l'éclosion est cruciale pour le développement de l'attachement et du comportement d'escorte. Ils suivront n'importe quel canard ou n'importe quel objet mobile qui fait coin-coin autour d'eux à ce moment critique. Si rien ne se déplace ni n'émet le cri du canard, les canetons n'auront aucune réaction d'attachement ni d'escorte (Hess, 1972).

Au cours des mois qui suivent la naissance, il semble qu'il existe également des périodes critiques dans le développement cérébral — des semaines ou des mois précis – durant lesquelles l'enfant a besoin de connaître certains types d'expériences ou de stimulation pour que son système nerveux se développe normalement et pleinement (Hirsch et Tieman, 1987).

Les enfants et les adolescents de la crise des années 1930 : un exemple d'effet de cohorte

Les travaux de Glen Elder sur les enfants et les adolescents qui ont grandi pendant la crise des années 1930 montrent clairement qu'un même événement historique peut avoir des effets totalement différents sur des cohortes adjacentes (Elder, 1974, 1978 ; Elder, Liker et Cross, 1984). Elder s'est appuyé sur l'une des plus célèbres études longitudinales en psychologie, l'étude de Berkeley/Oakland. Les sujets de cette étude (plusieurs centaines d'individus) étaient nés soit en 1920, soit en 1928. Tous furent suivis pendant plusieurs années, et la dernière évaluation fut effectuée lorsque les sujets atteignirent la cinquantaine. Les individus nés en 1920 étaient des adolescents pendant la crise, tandis que les individus nés en 1928 n'étaient encore que des enfants au pire de la crise économique.

Elder a comparé l'expérience des enfants dont les parents avaient perdu plus de 35 % de leurs revenus avec l'expérience des enfants dont les parents avaient réussi à préserver une meilleure situation financière. De façon générale, il a remarqué que les difficultés économiques avaient été largement bénéfiques à la cohorte née en 1920 – celle dont les sujets avaient vécu leur adolescence au moment de la crise –, alors que l'expérience avait été généralement nuisible à la cohorte née en 1928.

La plupart des adolescents dont les familles avaient connu d'importantes difficultés financières s'étaient vus obligés d'assumer prématurément des responsabilités d'adultes. Ils avaient trouvé de petits boulots afin de contribuer financièrement au bien-être de la famille. Ils avaient eu le sentiment que leur famille avait réellement besoin d'eux, et cela avait été effectivement le cas. À l'âge adulte, ces personnes avaient fait preuve d'une rigoureuse éthique de travail ainsi que d'un esprit de famille poussé.

Par contre, les personnes nées à la fin des années 1920 avaient vécu une expérience très différente. Ces enfants encore jeunes durant les moments les plus difficiles avaient passé les premières années de leur vie dans des conditions précaires. En raison de problèmes financiers, leurs familles avaient souvent souffert d'une perte de cohésion et de chaleur humaine. Les parents n'avaient eu que peu de temps à consacrer aux besoins émotionnels de leurs jeunes enfants, ce qui avait eu des conséquences généralement négatives, en particulier pour les jeunes garçons. Ces derniers affichaient moins d'optimisme et de confiance que leurs pairs qui n'avaient pas subi de telles pressions économiques. Au moment de l'adolescence, ils avaient moins bien réussi à l'école, avaient fait des études plus courtes et étaient devenus des adultes moins ambitieux.

Huit ans seulement séparaient ces deux cohortes ; mais leurs expériences de vie avaient été totalement différentes en raison d'un événement clé à un moment précis de leur vie.

Période critique : Période du développement où l'organisme présente une sensibilité particulière à certains stimuli qui n'ont guère d'effet à d'autres périodes du développement.

Les psychologues du développement ont aussi recours au concept plus large et plus souple de **période sensible.** Une période sensible est une durée de quelques mois ou quelques années au cours de laquelle un enfant peut se montrer particulièrement réceptif à certains types d'expériences ou particulièrement marqué par leur absence. Par exemple, la période de 6 à 12 mois constitue probablement une période sensible pour la formation d'un lien d'attachement fondamental envers les parents.

Dans les études portant sur les adultes, le concept d'opportunité occupe la place centrale ; ce concept repose sur le contraste entre les événements opportuns et inopportuns (Neugarten, 1979). Selon Neugarten, toute expérience qui se produit à un **moment opportun** (normal et prévisible) à l'intérieur de cette culture (ou de cette cohorte) entraînera des difficultés d'adaptation moins grandes qu'une expérience ayant lieu à un **moment inopportun.** Ainsi, un veuvage à 30 ans ou la perte d'emploi à 40 ans risque de causer des troubles sérieux, voire un comportement pathologique tel qu'une dépression. Par contre, un veuvage à 70 ans ou la retraite professionnelle à 65 ans auront généralement des conséquences moins graves.

Il semble à première vue que le concept de période critique, ou sensible, et le concept d'opportunité soient deux notions très différentes, mais elles ont néanmoins une similarité sous-jacente. Dans les deux cas, l'idée directrice veut que la trajectoire normale du développement repose sur des expériences communes survenant selon une chronologie particulière à un moment particulier. Chaque individu, enfant ou adulte, dont les expériences de vie diffèrent de la chronologie normale ou surviennent à un mauvais moment peut, d'une certaine manière, s'écarter de la trajectoire normale.

CONTINUITÉ DES COMPORTEMENTS AU COURS DE LA VIE

Comme ce manuel porte sur le développement au cours du cycle de vie, nous traiterons abondamment des changements qui surviennent avec l'âge. Il nous est cependant difficile de ne pas prendre en considération la continuité des comportements, que nous aborderons sous divers angles.

Continuité due à des influences biologiques

Chacun de nous hérite d'une large gamme de caractéristiques ou de tendances uniques. Et parce qu'elles sont inscrites dans nos gènes, ces caractéristiques et ces prédispositions ont tendance à persister tout au long de notre vie. L'étude de l'apport génétique au comportement

Le cerveau de ce bébé se développe à une vitesse fulgurante. En fait, la première année de vie est cruciale pour certains aspects du développement cérébral. Le cerveau du bébé a besoin de certains types d'expériences pour se développer pleinement. Apparemment, s'il ne peut en bénéficier, une stimulation ultérieure ne suffira pas à combler ce manque.

individuel, appelée **génétique du comportement**, est devenue au fil des années un champ de recherche particulièrement prisé et a contribué grandement au renouveau de l'intérêt pour l'étude des racines biologiques du comportement. Les chercheurs s'intéressent particulièrement aux jumeaux identiques et fraternels ainsi qu'aux enfants adoptés. Les généticiens du comportement ont démontré que l'hérédité spécifique d'un individu influe, au moins en partie, sur un vaste éventail de comportements (Plomin, Rende et Rutter, 1991 ; Plomin *et al.*, 1993). Parmi ces caractéristiques uniques, on peut citer aussi bien des différences physiques manifestes, comme la taille ou une tendance à la maigreur ou à l'obésité, que des aptitudes cognitives générales, comme l'intelligence, et des aptitudes cognitives particulières, comme les habiletés spatiales, ou, à l'opposé, des aptitudes cognitives moins développées causant des difficultés de lecture (sur ce dernier point, voir Rose, 1995). De nombreux aspects du

Période sensible : Notion qui s'apparente à celle de période critique, sauf qu'elle est plus vaste et moins précise. Elle marque une période du développement au cours de laquelle un certain type de stimulation est particulièrement important ou efficace.

Moment opportun : Moment prévisible où se produit un événement qui entraîne des difficultés d'adaptation qui sont considérées comme normales.

Moment inopportun : Moment non prévisible où se produit un événement qui entraîne de sérieuses difficultés d'adaptation (comportement pathologique).

Génétique du comportement : Étude des bases génétiques du comportement, comme l'intelligence et la personnalité.

tempérament ou de la personnalité sont aussi héréditaires, tels que l'introversion et l'extraversion, la sensibilité émotionnelle et la réceptivité aux expériences (Plomin *et al.*, 1988 ; Plomin et Rende, 1991 ; Loehlin, 1989). Des recherches récentes montrent que certains comportements pathologiques relèvent également en partie de l'hérédité, notamment l'alcoolisme, la schizophrénie, une agressivité excessive et même l'anorexie (Gottesman et Goldsmith, 1994 ; McGue, 1994). Enfin, les chercheurs ont démontré une influence significative de l'hérédité sur le tempérament de l'enfant et la personnalité de l'adulte, incluant des dimensions comme l'émotivité (tendance à être ému ou bouleversé facilement), le niveau d'activité (vigueur et rapidité des mouvements) et la sociabilité (tendance à préférer la présence des autres ou à être seul) (Plomin *et al.*, 1993).

Il faut cependant préciser qu'aucune de ces caractéristiques n'est totalement déterminée par le patrimoine génétique, et qu'elles ne seront pas non plus invariables tout au long de la vie d'une personne. Le comportement d'un individu sera toujours le résultat de l'interaction du modèle génétique et de l'environnement dans lequel l'enfant grandit, ou de l'environnement dans lequel l'adulte évolue. Cependant, il est clair que nous sommes nés dotés de certaines prédispositions, ou modèles de réponse, qui déterminent notre attitude par rapport à l'environnement. Puisque nous portons en nous les mêmes prédispositions tout au long de notre vie, certains aspects de notre comportement tendent à demeurer plus ou moins invariables dans le temps.

Continuité due à des influences environnementales

La continuité des conduites est aussi déterminée par l'environnement et par notre propre comportement (Caspi, Bem et Elder, 1989). Par exemple, nous avons tendance à choisir un environnement adapté à nos caractéristiques, nous créant ainsi une «place» unique au sein de notre famille, auprès de nos pairs et dans notre milieu de travail (Scarr, 1992). Durant l'enfance, nous entreprenons des activités que nous pensons réussir et nous évitons celles que nous nous croyons incapables d'accomplir. À l'âge adulte, nous nous orientons vers des emplois qui correspondent à nos aptitudes et à notre personnalité. Ces choix nous protègent d'expériences qui nous obligeraient à changer et nous permettent donc de maintenir une certaine continuité dans notre comportement. Cette continuité est également influencée par le fait que nous acquérons en vieillissant certains types de stratégies efficaces dans la résolution de problèmes. Devant de nouvelles situations, nous essayons d'abord ce que nous connaissons. C'est ce qu'on appelle la **continuité cumulative.**

De même, notre façon de réagir, nos modèles habituels, déclenche chez autrui des réactions qui sont susceptibles de perpétuer ces mêmes modèles. Ainsi, un adulte névrosé et geignard risque de susciter des critiques ou des plaintes plus souvent qu'une personne toujours bien disposée. Les critiques des autres renforcent à leur tour son comportement geignard et entraînent la continuité de cette conduite. Il s'agit là de **continuité interactive.**

Changements et continuités

- Nommez les quatre étapes que comporte l'étude du développement humain.

- Quelles sont les trois catégories fondamentales de changements survenant au cours de la vie ? Donnez des exemples pour chacune.

- Les changements communs associés à l'âge sont dus à trois causes principales. Nommez-les et expliquez-les.

- Qu'est-ce qui détermine la continuité des comportements ? (Indiquez deux éléments.)

- Expliquez ce qu'on entend par continuité cumulative et continuité interactive.

Concepts et mots clés

- **changement qualitatif** (p. 4) • **changement quantitatif** (p. 4)
- **cohorte** (p. 7) • **continuité cumulative** (p. 10) • **continuité interactive** (p. 10) • **croissance** (p. 5) • **étude du développement humain** (p. 4) • **génétique du comportement** (p. 9) • **horloge biologique** (p. 5) • **horloge sociale** (p. 6) • **maturation** (p. 5)
- **moment inopportun** (p. 9) • **moment opportun** (p. 9) • **période critique** (p. 8) • **période sensible** (p. 9) • **tranches d'âge** (p. 6)

NATURE ET CULTURE

Nous allons maintenant aborder la question, à la fois vaste et fondamentale, de l'influence respective de la nature et de la culture (de la biologie et de l'environnement) sur le changement et la continuité des comportements au cours du développement. Les modèles génétiques jouent un rôle majeur à cet égard. En effet, ils transmettent un héritage spécifique à chaque individu, le dirigeant ainsi vers une trajectoire particulière, alors que l'environnement oriente

Continuité cumulative : Stabilité des comportements influencée par nos choix personnels devant les événements.

Continuité interactive : Stabilité des comportements influencée par les réactions des autres à nos comportements.

les individus vers des trajectoires communes. Les chercheurs s'efforcent d'évaluer l'effet respectif de la nature et de la culture sur les différents aspects du développement humain.

Influence de la nature : les prédispositions innées

La controverse qui oppose nature et culture puise ses racines dans de très vieux débats philosophiques. Platon par exemple pensait que certaines idées étaient innées. Les empiristes britanniques, tel John Locke, et les behavioristes américains qui leur ont succédé, comme J. B. Watson et B. F. Skinner, ont critiqué la notion d'idées innées. Toutefois, cette notion a connu un regain d'intérêt auprès des psychologues du développement qui, au cours de la dernière décennie, ont élaboré le concept de **prédispositions innées**. De nos jours, de nombreux théoriciens affirment que les bébés possèdent à leur naissance une structure initiale de prédispositions innées. Cette structure permet à l'enfant de réagir à son environnement et à ses différentes expériences d'une façon qui lui est propre. Par exemple, dès leurs premiers jours de vie, les nourrissons semblent prêter plus d'attention aux débuts et aux fins de phrases qu'au milieu (Slobin, 1985a), et ils réagissent visuellement au mouvement (un objet en mouvement) et au passage de l'obscurité à la lumière (Haith, 1980). Les bébés semblent aussi dotés d'un ensemble de comportements préétablis qui incitent leur entourage à prendre soin d'eux (pleurs, recherche de la proximité et, très tôt après la naissance, sourire). Certaines de ces prédispositions innées semblent communes à tous les enfants, alors que d'autres semblent varier d'un enfant à l'autre, comme certaines caractéristiques du tempérament (humeur et sociabilité). Ces prédispositions innées constituent un point de départ. Le développement ultérieur est le résultat de l'interaction entre l'expérience et ces prédispositions initiales. Que ces prédispositions soient transmises par les gènes ou qu'elles soient créées par les variations de l'environnement prénatal, il demeure que l'enfant n'est pas à la naissance une « tablette vierge » où les expériences viendraient s'inscrire. L'enfant commence sa vie déjà préparé à rechercher certaines expériences particulières et à y réagir.

Influence de la culture : l'environnement et son interprétation

L'étude de l'importance de la culture sur le développement humain se rapporte autant à l'effet de l'environnement sur les individus qu'à l'interprétation que se fait un individu de cet environnement. Les tenants de la perspective écologique mettent l'accent sur l'effet de l'environnement, alors que les tenants de son interprétation ont recours aux modèles internes construits à partir de l'environnement.

PERSPECTIVE ÉCOLOGIQUE

La recherche actuelle sur les influences environnementales accorde une importance de plus en plus grande à une grille d'explications plus complexe. En effet, pour comprendre le développement d'un enfant, il ne suffit pas de s'intéresser à l'enfant et à sa famille. Il faut aussi prendre en considération la totalité du système écologique (environnement) dans lequel il évolue : le voisinage, l'école, le métier de ses parents et leur degré de satisfaction à cet égard, les relations que les parents entretiennent entre eux et avec leur propre famille, etc. Voici deux approches associées à cette perspective écologique.

Approche de Bronfenbrenner   Bronfenbrenner (Bronfenbrenner, 1979, 1986, 1989 ; Pence, 1988) propose un modèle dans lequel il représente l'environnement par un système composé de quatre niveaux imbriqués les uns dans les autres, qui gravitent autour de l'enfant. La figure 1.1 offre une représentation schématique de ce système. Le premier niveau, ou *microsystème,* correspond à l'environnement immédiat de l'enfant, à sa réalité quotidienne. L'enfant évolue dans un contexte précis, et il est en relation avec ses parents, ses frères et sœurs, ses grands-parents, son école, sa garderie et ses amis. L'enfant est un élément actif de ce système caractérisé par une influence mutuelle entre les divers éléments : en effet, non seulement l'enfant est-il influencé par son environnement, mais il exerce lui aussi une influence sur ce dernier. Le deuxième niveau, ou *mésosystème,* est constitué par le réseau de relations qu'entretiennent entre eux les différents éléments du premier niveau, par exemple les rapports entre la famille et la garderie ; il est ainsi constitué par une variété de microsystèmes distincts. L'enfant est toujours un membre actif de ces réseaux. L'enfant qui manque de motivation à l'école est peut-être perturbé par des relations difficiles entre la famille et l'école ou entre le groupe d'amis et l'école. Le troisième niveau, ou *exosystème,* s'intéresse à l'environnement socioéconomique. L'enfant n'y participe pas, mais les décisions qui y sont prises influent directement sur lui. Il s'agit des relations de travail de ses parents, des conseils de la commission scolaire, des mesures sociales décidées par le gouvernement, etc. Lorsque l'un des parents perd son emploi, l'incidence sur l'enfant est évidente. Enfin, il existe un quatrième niveau,

Prédispositions innées : Mode particulier de réaction aux stimuli de l'environnement que possède le nouveau-né et qui provient de son patrimoine génétique ou de l'effet de son environnement prénatal.

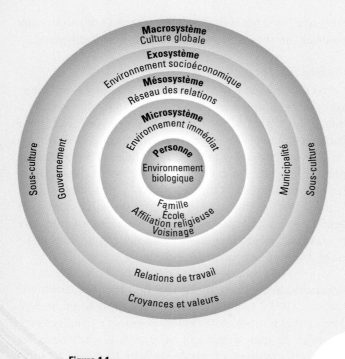

Figure 1.1
Le modèle écologique de Bronfenbrenner.
Selon Bronfenbrenner, l'individu est exposé à
des environnements qui interagissent de façon
complexe et influent sur son développement.

ou *macrosystème,* qui a particulièrement retenu l'attention des psychologues ces dernières années. Ce niveau englobe tous les systèmes et représente la culture globale. La figure 1.1 donne également à penser qu'à l'intérieur d'une culture globale peuvent coexister différentes sous-cultures, souvent associées à des groupes d'appartenance ethnique, lesquels se définissent comme des « sous-groupes dont les membres se perçoivent et sont perçus comme ayant une origine et une culture communes, partageant des activités où l'origine et la culture communes semblent l'ingrédient essentiel » (Porter et Washington, 1993, p. 140, dans Bee, 1995). Ce modèle écologique pose un défi considérable à la recherche quant au contrôle des variables (Cloutier et Renaud, 1990), mais il peut fournir des informations pertinentes et nouvelles dans plusieurs champs de recherche. Par exemple, la violence dans la famille peut aussi bien résulter d'une supervision inadéquate des parents que d'une situation de stress que connaît la famille, de l'isolement vécu, de ressources économiques insuffisantes, etc. (Bouchard et Desfossés, 1989). Un enfant vivant dans un quartier défavorisé, où l'on trouve des revendeurs de cocaïne à tous les coins de rue et où la violence fait partie de la vie quotidienne, se heurte

à des problèmes très différents de ceux d'un enfant vivant en banlieue dans un quartier paisible. De la même manière, lorsque les parents sont submergés par leurs propres problèmes et qu'ils sont coupés de leur famille ou des amis qui pourraient leur venir en aide, ils vont vraisemblablement créer un environnement familial très différent de celui que connaissent des parents qui mènent une vie stable et qui sont très entourés.

Approche de Patterson   Gerald Patterson a effectué un travail qui est en ce sens exemplaire. Il s'est penché dans son étude sur les nombreux aspects de ce grand système d'influences, et il a étudié en particulier l'origine du comportement antisocial des enfants (Patterson, DeBarsyshe et Ramsey, 1989 ; Patterson, Capaldi et Bank, 1991). Il a trouvé qu'une agressivité excessive chez les enfants résulte de la réaction des parents à leur comportement. Les parents qui dispensent une éducation plutôt laxiste, sans grande supervision, ont tendance à avoir des enfants qui sont indisciplinés ou qui ont un comportement antisocial. En outre, une fois établi, ce comportement antisocial aura des répercussions dans d'autres domaines : l'enfant sera rejeté par ses pairs et éprouvera des difficultés scolaires. Ces problèmes risquent à leur tour d'entraîner l'adolescent vers un groupe déviant, voire la délinquance (Dishion *et al.*, 1991). Ainsi, un modèle conçu dans la cellule familiale se perpétue et se voit exacerbé par les interactions avec les pairs et le système scolaire.

Patterson a étendu cette grille d'explications encore plus loin, comme vous pouvez le noter à la figure 1.2 : il a cherché les raisons qui avaient pu conduire les parents à manquer d'autorité à l'origine. Il a remarqué que ces parents avaient eux-mêmes été élevés dans un milieu permissif et appliquaient les mêmes stratégies. Ils reproduisent alors le modèle initial. Mais les observations de Patterson montrent que certains parents, malgré de bons principes d'éducation, peuvent verser dans des modèles inefficaces en raison d'un stress accru dans leur propre vie. Un divorce ou un congédiement récent débouchent parfois sur un relâchement des mesures disciplinaires, ce qui favorise l'apparition d'un comportement antisocial chez l'enfant.

L'étude du développement de l'adulte ne peut s'en tenir à l'observation de sa famille proche ou de son travail. Il faut prendre la mesure des forces sociales plus larges qui peuvent avoir des répercussions sur sa cohorte. Par exemple, l'évolution très rapide du rôle des femmes dans notre société au cours des dernières décennies a probablement eu une influence sur chaque adulte, mais cette influence s'est exercée différemment selon l'âge et l'éducation reçue.

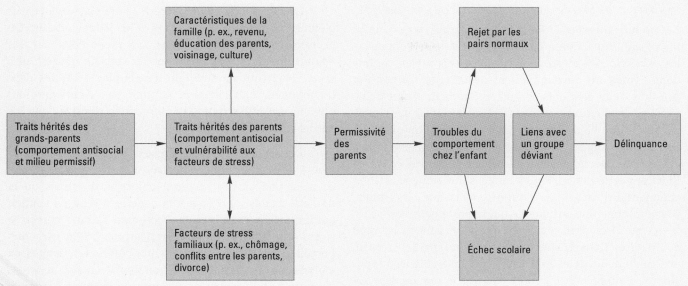

Figure 1.2
Le modèle écologique de Patterson.
Dans ce modèle, Patterson s'appuie sur une approche écologique globale des nombreux facteurs qui prédisposent à la délinquance. Dans cette perspective, l'interaction de l'enfant avec ses parents se situe au cœur du processus. Mais l'aptitude des parents à faire preuve d'autorité envers l'enfant quand cela est nécessaire est fonction de leur propre passé et du soutien social dont ils bénéficient ainsi que de leur degré de satisfaction face à la vie. (*Source :* Patterson, DeBarsyshe et Ramsey, 1989, figures 1 et 2, p. 331 et 333.)

RAPPORT DE RECHERCHE

Vygotsky et l'éducation

On considère généralement que le psychologue russe Lev Vygotsky (1978) fait partie des tenants de la perspective écologique, mais on pourrait tout aussi bien le classer parmi les théoriciens de l'approche cognitive. Pour Vygotsky en effet, le développement résulte de l'interaction entre la culture (milieu social) d'une part et la maturation et les besoins biologiques de base de l'enfant d'autre part. Cependant, c'est l'environnement social qui prédomine et non les processus de maturation (Valsiner, 1987). Le développement s'effectue lorsque les occasions et les demandes de l'environnement se situent à un niveau approprié pour l'enfant. En d'autres termes, pour que l'environnement stimule le développement de l'enfant, il faut que la maturation biologique et le niveau de développement de ce dernier soient déjà suffisamment avancés. Il existe donc pour chaque enfant une « zone proximale de développement », ou « zone d'apprentissage imminent », qui enclenche le processus de développement (Belmont, 1989). L'enfant ne pourra réaliser les demandes d'apprentissage relevant de cette zone qu'avec l'aide d'une personne ou si l'environnement lui en fournit les ressources. Les demandes qui se situent au-delà de cette zone (qui requièrent des capacités que l'enfant ne possède pas) et celles qui se situent en deçà (qui sont inférieures aux capacités que possède déjà l'enfant) ne susciteront pas la poursuite du développement.

Par ailleurs, Vygotsky met l'accent sur les formes complexes de la pensée (Duran, 1995) qui, selon lui, proviennent des interactions sociales plutôt que de l'exploration du milieu par l'enfant. Dans son processus d'acquisition de nouvelles habiletés cognitives, l'enfant est guidé par un adulte (ou un autre enfant plus habile, comme un frère ou une sœur

plus âgés). Cette personne modèle et structure l'expérience d'apprentissage de l'enfant, processus que Vygotsky appelle « apprentissage par échafaudage ». Comme nous venons de le souligner, ces nouveaux apprentissages sont mieux réussis lorsqu'ils se situent dans la zone proximale de développement. Au fur et à mesure que l'enfant devient plus habile, cette zone monte pour ainsi dire d'un cran et va alors inclure des tâches plus complexes.

Les parents doivent donc faire preuve de vigilance pour adapter constamment la zone proximale de développement au degré de développement atteint par l'enfant sur le plan des habiletés et des apprentissages (Landry *et al.*, 1996 ; Rogoff, 1990). Selon Vygotsky, l'élément essentiel du processus est le langage que l'adulte utilise pour expliquer ou structurer la tâche. Plus tard, l'enfant, seul, utilisera le même langage pour se guider dans la résolution de tâches identiques.

L'approche de Vygotsky présente un intérêt évident pour le monde de l'éducation, car il insiste sur l'importance pour l'enfant d'explorer son milieu et d'y participer activement. Soulignons que les enseignants pourraient faciliter ces occasions d'apprentissage en les provoquant de façon indirecte. Ainsi, le professeur devrait, par le biais de questions, de démonstrations ou d'explications particulières, rendre accessibles à l'enfant les éléments de connaissances nécessaires à sa compréhension d'une stratégie ou d'une solution. Pour être efficace, ce processus de découvertes assistées devrait se situer dans les limites de la zone proximale de développement de chaque enfant, mais il faut reconnaître que c'est une condition difficile à mettre en place dans nos classes hétérogènes actuelles.

MODÈLES INTERNES CONSTRUITS À PARTIR DE L'EXPÉRIENCE

Le **modèle interne** de l'expérience est un autre concept important dans l'étude du développement de l'enfant, et les psychologues le prennent de plus en plus en compte dans l'étude du développement de l'adulte. Ce concept présente deux éléments clés. Premièrement, l'effet d'une expérience ou d'un événement repose davantage sur l'interprétation que l'on en fait et sur la signification qu'on lui accorde que sur les propriétés objectives de l'expérience elle-même. De nombreux exemples de la vie courante illustrent cette notion. Par exemple, si un ami vous fait un commentaire qu'il juge inoffensif mais que vous interprétez comme une critique, ce qui importe pour vous, c'est votre interprétation, et non ce que votre ami a vraiment voulu dire. Deuxièmement, chaque enfant se crée un ensemble de modèles internes — un ensemble de suppositions, d'attentes et d'hypothèses sur le monde, sur lui-même et sur ses relations avec les autres — à travers lesquels toutes les expériences sont filtrées (Epstein, 1991). Si vous interprétez régulièrement les commentaires des autres comme des critiques, nous dirons que votre modèle interne de vous-même et des autres comprend une attente de base que l'on peut résumer ainsi : « Je fais généralement les choses de travers, alors les autres me critiquent. » Les théoriciens insistent sur l'importance de tels systèmes de signification pour l'enfant. John Bowlby (1969, 1980) exprime cette idée lorsqu'il parle du « modèle interne d'attachement » de l'enfant. Un enfant dont le modèle d'attachement repose sur une confiance fondamentale sait que quelqu'un va venir lorsqu'il pleure. Il sait aussi qu'il bénéficie d'une affection et d'une attention inconditionnelles. Un enfant dont le modèle d'attachement est moins sécurisant pense que, si un adulte fronce les sourcils, il va se faire gronder et que l'affection d'un adulte dépend du fait qu'il soit gentil. Ces attentes sont évidemment basées sur des expériences réelles, mais une fois qu'elles forment un modèle interne, elles s'étendent au-delà des expériences initiales et interviennent dans la façon dont un enfant interprète ses expériences ultérieures. Un enfant qui perçoit les adultes comme des personnes dévouées et affectueuses aura tendance à interpréter le comportement des autres adultes de la même façon, et il recréera des relations amicales et affectueuses même avec des étrangers. Par contre, un enfant qui pressent de l'hostilité ressentira cette hostilité lors de rencontres pourtant assez neutres.

Le concept de soi de l'enfant semble fonctionner d'une façon très semblable, en tant que modèle interne du « qui je suis » (Bretherton, 1991). Ce modèle de soi est basé sur l'expérience passée, mais il détermine aussi l'expérience future.

Le concept de modèle interne a été élaboré au cours d'études portant sur les enfants et les jeunes adultes. On le retrouve aujourd'hui dans les recherches sur les adultes. Ainsi, Deborah Cohn et ses collaborateurs (Cohn *et al.*, 1991) ont montré que les couples d'adultes dont les modèles d'attachement ne sont pas sécurisants ont plus de conflits et moins d'interactions positives que les autres couples.

Les recherches sur le stress et le soutien social arrivent à des conclusions similaires. En effet, il s'avère que ce n'est pas tant la quantité objective de stress ou le nombre d'amis ou de parents dans le réseau de soutien qui importent, mais bien la façon dont l'adulte perçoit le stress et le soutien social dont il dispose. Si la personne perçoit ce soutien comme adéquat, alors ses risques de maladie, de dépression ou de troubles divers liés au stress diminuent. Par contre, si elle perçoit ce soutien comme inadéquat, et ce, en dépit de tout le soutien dont elle bénéficie objectivement, ses risques de tomber malade augmentent (Cohen et Wills, 1985).

Le concept de modèle interne permet aussi de comprendre la continuité du comportement dans le temps. Les modèles que nous créons au cours de l'enfance ne sont pas immuables ; ils tendent à nous accompagner et à façonner nos expériences d'adultes. Grâce à ce concept, on peut également mieux comprendre comment la même expérience semble influer sur les individus de façons aussi variées.

Influence de la nature et de la culture : les approches interactionnistes

La tentative visant à isoler ce qui provient respectivement de la nature et de la culture dans le développement a donc donné lieu à deux courants. Toutefois, comme vous pouvez vous en douter, des chercheurs ont voulu conjuguer les influences de la nature et celles de l'environnement. C'est cette approche que l'on qualifie d'« interactionniste ». Les modèles de Patterson et de Bronfenbrenner ainsi que de nombreux modèles similaires nous obligent à envisager le développement de manière beaucoup plus complexe. Patterson ne fait pas intervenir la notion de « nature » dans son modèle. Que pouvons-nous observer si nous introduisons ce concept dans le modèle du développement ?

> **Modèle interne :** Terme maintenant utilisé par de nombreux théoriciens pour décrire un système intériorisé d'interprétations et de significations, construit par l'enfant ou l'adulte à partir de ses expériences (par exemple les modèles internes d'attachement ou les modèles internes de soi).

En vertu de la notion de modèle interne, ce qui importe dans la victoire de cette équipe de soccer n'est pas l'expérience du succès en soi, mais bien l'interprétation qu'en donne chacune des équipières.

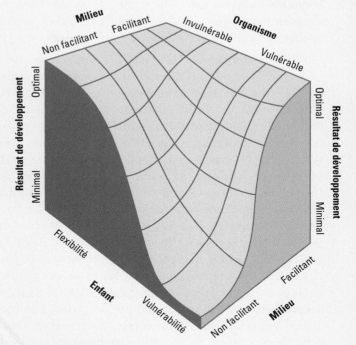

Figure 1.3
Le modèle d'Horowitz.
Ce modèle décrit un type d'interaction possible entre la nature et la culture. Dans ce cas, Horowitz soutient que la vulnérabilité de l'enfant est en rapport avec la facilitation du milieu. La surface de la courbe indique le niveau de certains résultats sur le développement, comme le Q.I. ou les aptitudes dans les relations sociales. Remarquez que, selon la chercheure, seule la combinaison d'une vulnérabilité élevée et d'un environnement pauvre entraîne toujours de faibles résultats. (*Source :* Horowitz, 1987, figure 1.1, p. 23.)

Le pas à franchir n'est pas énorme. Dans le cas du modèle de Patterson, il suffit de supposer que les enfants naissent dotés de tempéraments différents. Certains sont grincheux et difficiles, d'autres font preuve d'un tempérament enjoué et ne posent aucun problème d'éducation particulier. Les parents qui ont des bébés capricieux et difficiles devront faire preuve de plus d'habiletés et d'efforts afin d'éviter de se laisser prendre dans la spirale qui débouche sur le renforcement de la déviance de l'enfant. Les qualités que l'enfant apporte avec lui dans la relation créent donc un *biais initial* dans le système qui oblige les parents et les autres personnes de son entourage à s'ajuster à lui.

Les concepts de **vulnérabilité** et de **flexibilité** s'appuient implicitement sur ce modèle interactionniste (Garmezy, 1993 ; Masten, Best et Garmezy, 1990 ; Garmezy et Masten, 1991 ; Garmezy et Rutter, 1983 ; Rutter, 1987 ; Werner, 1995 ; Moen et Erickson, 1995). Selon ce modèle, chaque enfant naît avec certaines faiblesses, tels un tempérament difficile, des allergies, une tendance héréditaire à l'alcoolisme, etc. Cependant, chaque enfant est également doté à sa naissance de facteurs de protection, comme une grande intelligence, une bonne coordination, un tempérament facile ou un sourire charmant, qui lui confèrent une plus grande souplesse ou une plus grande capacité d'adaptation au stress.

Ces faiblesses et ces facteurs de protection interagissent avec l'environnement de l'enfant. Frances Horowitz a proposé un modèle particulièrement explicite de cette interaction (1987, 1990). Comme vous pouvez le voir à la figure 1.3, la variable du milieu qu'elle décrit est appelée «facilitation». Par exemple, lorsque l'enfant a des parents réceptifs et affectueux et qu'il est entouré d'une

multitude de stimuli, le milieu est très facilitant. Selon Horowitz, lorsque l'on combine différents niveaux de facilitation avec des faiblesses initiales, les effets ne se limitent pas à l'addition des deux facteurs : ces facteurs interagissent. Un enfant qui fait preuve de flexibilité, c'est-à-dire qui possède de nombreux facteurs de protection et peu de faiblesses, peut très bien connaître un développement harmonieux dans un milieu peu stimulant, car il peut profiter de tous les stimuli et de toutes les occasions qui s'offrent à lui. De la même façon, un enfant vulnérable peut fort bien s'épanouir s'il évolue dans un milieu de facilitation élevée. Selon ce modèle, ce n'est que

Vulnérabilité : Trait de caractère résultant de caractéristiques innées et acquises, qui augmente les risques que l'individu réagisse au stress de façon non adaptée ou pathologique.

Flexibilité : Trait de caractère résultant de caractéristiques innées et acquises, qui permet à l'individu de bien s'adapter à l'environnement malgré le stress, les menaces ou les difficultés.

le **double mauvais sort** — un enfant vulnérable évoluant dans un milieu peu stimulant — qui entraîne de piètres résultats pour l'enfant.

Des recherches de plus en plus nombreuses viennent étayer le modèle d'Horowitz. Par exemple, les scores de Q.I. très bas sont extrêmement courants chez les enfants ayant un faible poids de naissance issus de familles très défavorisées. Par contre, les enfants ayant un faible poids de naissance issus de la classe moyenne atteignent un Q.I. normal, tout comme les enfants de poids normal à la naissance qui sont issus de familles défavorisées (Werner, 1986). D'autres chercheurs ont trouvé que des enfants de faible poids de naissance élevés dans des familles défavorisées où les facteurs de protection du milieu étaient présents (bonne stabilité du domicile, espace moins exigu, tolérance, bonne stimulation et plus de matériel d'apprentissage) s'en sortaient mieux que des enfants de faible poids de naissance issus de familles défavorisées mais ne présentant pas les facteurs de protection que nous venons d'énumérer (Bradley *et al.*, 1994). Ainsi, ce n'est pas la qualité de l'environnement ou la vulnérabilité de l'enfant qui peuvent à eux seuls provoquer des effets négatifs sur le développement, mais bien plutôt la combinaison unique de ces deux facteurs.

De même, la vulnérabilité (faiblesses) et la flexibilité (facteurs de protection) sont probablement cumulatives. Un enfant dont la famille originelle ne peut favoriser suffisamment le développement deviendra encore plus vulnérable, et encore plus exigeant vis-à-vis de son environnement, afin de pouvoir répondre à ses besoins.

Les approches interactionnistes peuvent également nous aider à mieux comprendre les réactions de l'adulte à l'égard du stress. Devant les problèmes de la vie, lesquels d'entre nous se laisseront submerger et lesquels sauront les surmonter ? Si l'on prend en considération les faiblesses et les facteurs de protection de chaque personne, il est possible de faire des prévisions raisonnables. Un bon soutien émotionnel de la part des autres constitue un facteur de protection, tout comme l'aptitude cognitive qui nous permet de mesurer les possibilités qui s'offrent à nous. Des relations pauvres avec autrui, une instabilité professionnelle, une faible estime de soi, le sentiment de ne pouvoir agir sur les événements sont autant de faiblesses vraisemblablement responsables d'une réaction inadaptée face à une crise ou à un stress. Certaines de ces faiblesses et de ces forces s'acquièrent à l'âge adulte, mais bon nombre d'entre elles se mettent en place dès l'enfance ou l'adolescence.

THÉORIES DU DÉVELOPPEMENT HUMAIN

Nous nous sommes penchés dans la première partie de ce chapitre sur les concepts sous-jacents à l'étude du développement humain. Nous avons vu comment les chercheurs posent certaines questions afin de délimiter l'objet de leur étude, et la façon dont ils essaient de classer et d'interpréter les faits observés. Pour ce faire, ils ont besoin de *théories*.

Une théorie n'a pas besoin de couvrir de grands ensembles de faits ou de connaissances issus de la recherche. En fait, on a souvent recours à des « mini-théories » qui rendent compte d'un registre étroit d'observations empiriques. Au cours de notre étude du développement humain, nous aborderons de façon détaillée plusieurs mini-théories. Dans un premier temps, nous allons présenter certaines des théories majeures du développement humain, qui façonnent la pensée et la recherche depuis les dernières décennies, soit les théories psychanalytiques, les théories cognitives, les théories humanistes et finalement les théories de l'apprentissage.

THÉORIES PSYCHANALYTIQUES

La famille des *psychanalystes* comprend Sigmund Freud, à qui on attribue généralement la paternité de l'approche

Nature et culture

- Définissez le concept de prédispositions innées et donnez un exemple.
- Nommez et expliquez les quatre niveaux qui gravitent autour de l'enfant selon le modèle écologique de Bronfenbrenner.
- Comment Patterson explique-t-il l'origine du comportement antisocial observé chez certains enfants ?
- Expliquez la notion de modèle interne et donnez un exemple.
- Expliquez les concepts de vulnérabilité et de flexibilité et ce que Horowitz entend par l'expression « double mauvais sort ».

Concepts et mots clés

- **double mauvais sort** (p. 16) • **flexibilité** (p. 15)
- **modèle interne** (p. 14) • **prédispositions innées** (p. 11)
- **vulnérabilité** (p. 15)

Double mauvais sort : Combinaison de la vulnérabilité d'un enfant et d'un milieu peu stimulant qui entraîne un développement inadapté ou pathologique.

psychanalytique, Carl Gustav Jung, Alfred Adler, Erik Erikson et plusieurs autres. Ces théoriciens se sont tous efforcés d'expliquer le comportement humain en étudiant les processus sous-jacents de la *psyché*, terme grec désignant l'«âme» ou l'«esprit».

Théorie de Freud

La psychanalyse est essentiellement un modèle du fonctionnement de l'appareil psychique. L'un des apports les plus originaux de Freud est l'idée selon laquelle le comportement est gouverné non seulement par des processus conscients, mais aussi par des processus *inconscients*. Le développement humain est ainsi façonné par une bataille inconsciente entre nos besoins instinctifs (pulsion de vie et pulsion de mort) et les comportements sociaux appris (par exemple ne pas mentir ou ne pas voler). Le plus élémentaire de ces processus inconscients est une pulsion sexuelle instinctive, appelée **libido** (ou pulsion de vie), qui est présente à la naissance et constitue la force motrice à l'origine de presque tous nos comportements. Les pulsions agressives sont associées aux pulsions de mort. Freud présuppose que nous avons une inclinaison naturelle à être des individus hédonistes, égoïstes, agressifs, et que nos comportements sont orientés vers la satisfaction sexuelle. Il reconnaît cependant que nous ne cherchons pas constamment à nuire ou à blesser les autres, ni à assouvir nos pulsions sexuelles. Nous devons aborder le cœur de sa théorie du développement de la personnalité afin de mieux comprendre ces affirmations.

Dans la théorie freudienne, la personnalité possède une structure qui évolue avec le temps. Freud l'a divisée en trois composantes, ou *instances psychiques*: le **ça**, le siège de la libido, le **moi** (ou ego), beaucoup plus conscient

Quand les parents divorcent, les garçons sont plus susceptibles de manifester des troubles du comportement ou de connaître des problèmes scolaires que les filles. Comment peut-on expliquer ce phénomène? Nous avons besoin de théories afin de nous aider à comprendre ces observations.

et qui dirige la personnalité, et le **surmoi**, le centre de la moralité, qui intègre les normes et les restrictions morales imposées par la famille et la société. Selon Freud, ces trois composantes de la personnalité ne sont pas toutes présentes à la naissance.

Le nourrisson n'est que ça, instinct et désir, pulsions sexuelles et agressives, sans influence inhibitrice de la part du moi ou du surmoi. Le ça, présent à la naissance, opère selon le principe de plaisir, recherchant constamment la gratification immédiate de ses besoins. Or, l'enfant va se rendre compte qu'il ne peut pas toujours obtenir d'emblée ce qu'il veut.

C'est à travers ces contacts avec la réalité que le moi commence à se développer, à mesure que le jeune enfant apprend à adapter ses stratégies de gratification immédiate. Il opère selon le principe de réalité. Le rôle du moi est d'aider le ça à assouvir ses pulsions, tout en assurant la sécurité physique de l'individu.

C'est par l'intermédiaire de la société (et notamment par l'éducation des parents) que nous apprenons le sens de ce qui est bien et de ce qui est mal, et c'est là qu'intervient le surmoi: cette instance représente en effet les aspects moraux et socialisés intériorisés de notre personnalité grandissante. Le surmoi opère donc selon le principe de moralité. Il commence à se développer juste avant l'âge scolaire, lorsque l'enfant tente d'assimiler les valeurs des parents et leurs coutumes sociales. C'est le surmoi qui fait que nous nous sentons coupable ou que nous avons des remords lorsque nous avons mal agi.

Freud stipule aussi que ces trois instances psychiques évoluent dans les trois niveaux de conscience qu'il a appelés le conscient, le préconscient et l'inconscient. Le niveau *conscient* est constitué des pensées et des informations de toutes sortes que notre cerveau traite au moment présent, c'est-à-dire ce qui est directement accessible à la mémoire. Le niveau *préconscient* est associé aux pensées

Libido: Terme utilisé par Freud pour décrire l'énergie sexuelle présente chez tout individu.

Ça: Dans la théorie de Freud, partie primitive de la personnalité. Elle est le siège de l'énergie de base, laquelle exige continuellement une gratification immédiate. Instance qui répond au principe de plaisir.

Moi: Dans la théorie de Freud, partie de la personnalité qui organise, planifie et maintient l'individu en contact avec la réalité. Le langage et la pensée sont deux fonctions du moi. Instance qui répond au principe de réalité.

Surmoi: Dans la théorie de Freud, la partie consciente de la personnalité, qui se développe grâce au processus d'identification. Le surmoi comprend les valeurs, les interdits et les tabous parentaux et sociaux intériorisés. Instance qui répond au principe de moralité.

et aux informations qui ne sont pas immédiatement accessibles à notre esprit (comme certains souvenirs), mais qui peuvent revenir à la conscience (être réactivés) après un effort de recherche. Le niveau *inconscient* est constitué de pensées, de pulsions, de désirs et de souvenirs qui échappent à l'activité consciente normale d'une personne. Ainsi, certains rêves et certains lapsus proviendraient de ce vaste réservoir secret de l'énergie psychique. Dans le cadre de ce système, le ça occupe uniquement le niveau inconscient, alors que le moi et le surmoi occupent chacun des trois niveaux de conscience. La figure 1.4 propose une représentation graphique de ce système.

Les implications de cette théorie du développement de la personnalité sont considérables. Si l'individu est incapable d'apprendre à composer efficacement avec la réalité (si son moi n'est pas assez fort par exemple), le ça peut obtenir ce qu'il désire, mais peut-être aux dépens de la sécurité physique de l'individu. Ainsi, une attaque à main armée pourrait se solder par une peine de prison pour l'individu, mais aussi par la perte de sa vie. Par ailleurs, si l'individu a un moi trop faible par rapport à son surmoi, il peut croire que les lois ne peuvent pas être transgressées, quelles que soient les circonstances. Par exemple, une personne conduisant à l'hôpital une femme sur le point d'accoucher refuserait de dépasser la vitesse limite. Heureusement, chez la plupart des gens, l'urgence de la situation convainc le moi de ne pas obéir aux interdits du surmoi, et d'outrepasser la vitesse permise.

Ainsi, le développement d'une personnalité saine dépend du maintien de l'équilibre entre les trois instances psychiques. Tout déséquilibre pourra se traduire par des troubles du comportement. Un moi trop faible vis-à-vis du ça pourra produire une personnalité impulsive incapable de différer la satisfaction de ses pulsions et constamment à la recherche d'émotions fortes susceptibles de mettre l'individu en danger réel. Un moi trop fort vis-à-vis du ça et du surmoi pourra produire une personnalité fourbe et manipulatrice, souvent aux dépens d'autrui. Enfin, un moi trop faible vis-à-vis du surmoi pourra produire une personnalité excessivement cynique, réservée et inflexible, portant des jugements sur tout. Selon Freud, une personnalité saine peut être rétablie dans la mesure où l'individu est capable de bâtir un moi solide en équilibre avec les pulsions du ça et les interdits du surmoi.

La théorie freudienne ne décrit pas seulement les composantes de la personnalité, elle explique également comment la personnalité se développe chez l'individu à travers les stades psychosexuels. Freud définit cinq **stades psychosexuels** (présentés au tableau 1.1), que l'enfant va traverser selon une séquence déterminée, fortement influencée par la maturation. À chaque stade, la libido se fixe dans la partie du corps la plus sensible à cet âge. Chez le nouveau-né, la bouche est la partie du corps la plus sensible où se concentre l'énergie libidinale. Ce stade est par conséquent appelé *stade oral.* Plus tard, à mesure que le développement neurologique se poursuit, d'autres parties du corps deviennent sensibles et le siège de l'énergie sexuelle se déplace vers l'anus (*stade anal*), puis vers les parties génitales (*stade phallique* et, pour finir, *stade génital*). Une *période de latence,* caractérisée par l'assoupissement de la pulsion sexuelle, sépare le stade phallique du stade génital. Par ailleurs, l'inconscient se manifeste sous la forme de divers **mécanismes de défense**, c'est-à-dire des stratégies automatiques, normales, inconscientes auxquelles nous avons quotidiennement recours pour réduire l'anxiété, et qui incluent notamment le refoulement, la négation ou la projection. L'encadré intitulé « Le monde réel » (page 21) présente un texte sur l'utilisation quotidienne des mécanismes de défense.

Le développement optimal, selon Freud, requiert un environnement qui satisfait les besoins particuliers de

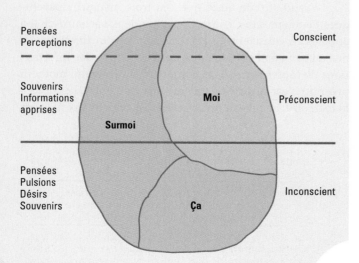

Figure 1.4
Le modèle de la personnalité selon Freud.
L'image de l'iceberg représente une combinaison des niveaux de conscience et des composantes de la personnalité (instances psychiques) dans la théorie de Freud.

Stades psychosexuels : Stades du développement de la personnalité proposés par Freud. Ils comprennent les stades oral, anal et phallique, une période de latence et le stade génital.

Mécanismes de défense : Terme utilisé par Freud pour décrire les moyens de défense du moi contre l'anxiété, qui sont en grande partie inconscients et déforment la réalité.

Tableau 1.1	*Les stades psychosexuels selon Freud*			
Stade	**Âge (années)**	**Zones érogènes**	**Tâche majeure du développement (source potentielle de conflit)**	**Particularités des adultes qui ont fait une fixation durant l'enfance**
Stade oral	0 à 2	Bouche, lèvres, langue	Sevrage	Comportement oral, tel que fumer ou trop manger ; passivité et crédulité.
Stade anal	2 à 4	Anus	Apprentissage de la propreté	Ordre, parcimonie, obstination, ou l'inverse.
Stade phallique	4 à 6	Parties génitales	Complexe d'Œdipe	Vanité, insouciance, ou l'inverse.
Période de latence	6 à 12	Aucune zone particulière	Développement des mécanismes de défense	Aucune fixation ne survient habituellement à ce stade.
Stade génital	12 et plus	Parties génitales	Maturité de l'intimité sexuelle	Les adultes qui ont réussi à intégrer les stades précédents font preuve d'un intérêt sincère pour autrui et sont sexuellement épanouis.

chaque période. Le bébé a besoin d'une stimulation orale adéquate (ni trop stimulé, ni trop peu). L'enfant de 4 ans a besoin d'un père présent auquel il puisse s'identifier et d'une mère qui ne soit pas trop séductrice. Ainsi, à chaque stade, l'enfant qui est trop stimulé ou au contraire pas assez stimulé connaîtra une fixation à ce stade, et il portera un résidu de problèmes non résolus et de besoins non comblés au stade suivant, et ainsi de suite jusqu'à l'âge adulte. Un environnement inadéquat au début de la vie peut donc laisser des séquelles importantes chez l'enfant. Les cinq ou six premières années de la vie constituent une période sensible, un creuset dans lequel se forge la personnalité de l'individu.

Théorie d'Erikson

Après Freud, Erik Erikson est le théoricien de la psychanalyse dont l'influence a le plus marqué l'étude du développement (Erikson, 1950, 1959, 1980b, 1982; Erikson, Erikson et Kivnick, 1986; Evans, 1969). Erikson partage pour l'essentiel les principes de Freud, mais leurs théories présentent néanmoins certaines différences fondamentales. D'une part, Erikson rejette la place centrale des pulsions instinctives, notamment de la pulsion sexuelle, au profit de l'émergence d'une quête progressive de l'**identité**. L'individu cherche à construire une personnalité saine et équilibrée en interaction avec son milieu social plutôt qu'à résoudre d'importants conflits internes. D'autre part, bien qu'il considère comme Freud que les premières années de la vie sont cruciales, Erikson ne pense pas que la construction de l'identité soit achevée à la fin de l'adolescence : au contraire, elle se poursuit à l'âge adulte et passe par diverses étapes de développement. Vous pouvez remarquer au tableau 1.2 qu'il définit huit stades, dont trois ne sont atteints qu'à l'âge adulte.

Pour Erikson, la maturation joue un rôle relativement mineur dans la succession des stades. Les exigences sociales et culturelles du milieu concernant ce que doit faire ou ne pas faire un enfant d'un certain âge sont bien plus importantes : un enfant doit être propre à l'âge de 2 ans environ, il doit commencer l'école vers 6 ou 7 ans et le jeune adulte doit rechercher l'intimité d'une relation amoureuse. Chaque stade comprend donc un enjeu majeur ou une tâche développementale particulière. C'est pourquoi Erikson privilégie les **stades psychosociaux** de développement du moi plutôt que les stades psychosexuels.

La générativité peut s'exprimer de différentes façons chez l'individu, qui peut être par exemple enseignant ou « grand frère ».

Identité : Dans la théorie d'Erikson, terme utilisé pour décrire le concept de soi qui émerge progressivement et qui évolue en traversant une succession de huit stades.

Stades psychosociaux : Stades du développement de la personnalité proposés par Erikson. Ils comprennent la confiance, l'autonomie, l'initiative, la compétence, l'identité, l'intimité, la générativité et l'intégrité personnelle.

Le tableau 1.2 vous donne une description sommaire des stades d'Erikson. Parmi ceux-ci, quatre ont suscité de nombreuses recherches et l'élaboration de théories : la confiance pendant l'enfance, l'identité à l'adolescence, l'intimité au début de l'âge adulte et la générativité au milieu de l'âge adulte.

L'une des idées maîtresses de la théorie d'Erikson est que chaque stade constitue un enjeu majeur, si bien que tout changement dans la demande sociale provoque une crise développementale chez l'individu. Nous pouvons reformuler cette idée dans les termes de Mathilda Riley : chaque tranche d'âge possède sa propre tâche psychologique centrale. Les stades comportent deux pôles ou extrémités, et la personne doit atteindre un équilibre entre ces pôles duquel résulte sa force adaptative. Par exemple, la méfiance coexistera avec la confiance pour que puisse apparaître l'espoir, l'autonomie coexistera avec la honte et le doute pour que puisse apparaître la volonté, et ainsi de suite pour les autres stades. Au fur et à mesure qu'une personne avance en âge, elle se trouve bon gré mal gré face à de nouvelles tâches, qu'elle ait ou non réussi à résoudre les tâches développementales précédentes. Vous ne pouvez demeurer une personne de 20 ans toute votre vie, vous serez inexorablement poussé par les demandes du milieu vers le stade suivant. Les questions non résolues seront traînées comme des boulets, ce qui rend plus difficile la résolution complète des prochaines tâches développementales. Les toutes premières tâches sont les plus déterminantes, car elles constituent la pierre angulaire de la suite du développement. Finalement, Erikson voit principalement dans ces tâches des *occasions de croissance et d'évolution* pour l'individu dans son développement.

Critique des théories psychanalytiques

Le succès même des théories psychanalytiques depuis plusieurs décennies indique combien elles sont séduisantes. Les concepts de motivation inconsciente, de mécanisme de défense et d'identification ont marqué profondément la psychanalyse, et nous pouvons encore déceler leur influence sur les théories actuelles qui proposent notamment des modèles internes. Ces théories mettent l'accent sur l'importance, dès le début de la vie, de l'aspect émotionnel de la relation qui unit l'enfant et les personnes qui en prennent soin dans la formation des modèles internes de l'enfant, de ses habitudes et de sa personnalité. De plus, en avançant l'idée que les besoins ou les tâches de l'enfant changent avec l'âge, selon une séquence déterminée, Freud et Erikson soulignent que les parents doivent aussi

Tableau 1.2	*Les huit stades du développement selon Erikson*			
Âge approximatif (années)	**Force adaptative**	**Qualités du moi en développement**	**Champ d'action des relations interpersonnelles**	**Quelques tâches ou activités au cours du stade**
0 à 2	Espoir	Confiance ou méfiance	Mère	Confiance envers la mère ou la personne qui s'occupe du nouveau-né et confiance en sa propre capacité d'agir sur les choses. L'élément essentiel pour développer de bonne heure un sentiment d'attachement sécurisant.
2 à 4	Volonté	Autonomie ou honte et doute	Parents	Nouvelles habiletés physiques menant au libre choix ; apprentissage de la propreté ; l'enfant apprend la maîtrise mais peut commencer à ressentir de la honte s'il n'est pas supervisé correctement.
4 à 6	But	Initiative ou culpabilité	Famille	Organiser ses activités autour d'un but ; commencer à s'affirmer et à faire preuve d'agressivité ; le complexe d'Œdipe envers le parent du même sexe peut conduire à la culpabilité.
6 à 12	Compétence	Travail ou infériorité	Voisinage et école	Assimiler toutes les habiletés et les normes culturelles élémentaires, y compris les habiletés scolaires ou l'utilisation d'outils.
12 à 18	Fidélité	Identité ou diffusion de rôle	Groupes de pairs et autres groupes de référence	Adapter la perception de soi aux changements associés à la puberté, choisir son orientation professionnelle, acquérir une identité sexuelle d'adulte et se créer de nouvelles valeurs.
18 à 30	Amour	Intimité ou isolement	Partenaires sexuels et partenaires de travail	Nouer au moins une relation intime véritable ; fonder un foyer.
30 à 50	Sollicitude	Générativité ou stagnation	Personnes engagées dans la division du travail et le partage des tâches domestiques	Avoir des enfants et les éduquer, se concentrer sur la réussite professionnelle et la créativité, éduquer la prochaine génération.
50 et plus	Sagesse	Intégrité personnelle ou désespoir	Humanité tout entière	Intégrer les stades précédents, parvenir à un sentiment d'identité fondamental et s'accepter soi-même.

LE MONDE RÉEL

Nous utilisons tous des mécanismes de défense dans notre vie quotidienne

En entendant parler de *mécanismes de défense*, beaucoup d'entre vous pensent sans doute à quelque comportement anormal ou déviant. Vous devez comprendre pourtant que Freud les considère non seulement comme faisant partie du moi inconscient, mais aussi comme absolument normaux. Leur but premier est de nous aider à nous protéger contre l'anxiété. Puisque nous éprouvons tous de l'anxiété à un moment ou à un autre, nous avons tous recours à des mécanismes de défense. Pour faire une analogie, on pourrait dire que les mécanismes de défense sont une forme de karaté mental.

Supposons que vous proposiez un article à une revue et qu'il vous soit retourné avec une lettre de refus. Vous ressentez de l'anxiété. Il se peut que vous soyez capable de canaliser cette anxiété de façon réaliste en relisant objectivement votre article, afin de voir de quelle façon vous pourriez l'améliorer. Toutefois, vous ne parviendrez probablement pas à maîtriser toute votre anxiété de cette façon. Vous aurez donc (inconsciemment) recours à un mécanisme de défense.

Tous les mécanismes de défense déforment la réalité, mais de façon plus ou moins prononcée. Le cas le plus extrême est celui du *déni* ou *négation*. Vous pouvez nier le fait que vous avez proposé cet article ou qu'il a été refusé. Ainsi, vous refusez de reconnaître qu'une chose désagréable est en train de se produire et que vous éprouvez une émotion «interdite». Un autre moyen de défense tout aussi déformant est le *déplacement*. Si vous êtes affecté par ce refus mais que vous ne pouvez pas diriger votre désarroi contre la bonne cible – l'éditeur de la revue que vous ne pouvez vous permettre de critiquer –, vous pouvez déplacer votre émotion (colère ou agressivité) sur quelqu'un d'autre. Vous pouvez devenir gratuitement désagréable envers votre mari ou repousser le chat qui vient sur vos genoux en quête d'attention.

Il existe des mécanismes moins déformants comme la *projection*, qui consiste à rejeter vos sentiments sur quelqu'un d'autre. «Ces gens sont stupides d'avoir refusé mon article! Ils ne savent pas ce qu'ils font!» De cette façon, vous attribuez aux autres des caractéristiques dont vous avez peur d'être affublé vous-même, dans cet exemple la stupi-

dité. Vous pouvez également refouler (*refoulement*) vos sentiments en prétendant que vous vous moquez bien du fait que la revue vous a renvoyé votre article. Ainsi, vous empêchez une émotion ou un souvenir menaçant d'atteindre votre conscience. Le refoulement peut porter sur des événements récents ou proches dans le futur que vous avez raison d'appréhender. Ou bien, vous pouvez avoir recours à l'*intellectualisation*, c'est-à-dire que vous étudiez froidement et sans émotion toutes les raisons pour lesquelles votre article a été refusé. Ainsi, vous pouvez transformer un problème personnel et concret en un problème théorique hautement abstrait.

Vous pourriez aussi vous mettre en colère et crier ou pleurer parce que les choses ne se passent pas comme vous le voulez; vous feriez alors preuve de *régression*, c'est-à-dire un comportement qui exprime un retour à un stade antérieur du développement psychique ou à un comportement immature. Enfin, vous pourriez dire que, de toute façon, vous n'aimez pas cet éditeur parce c'est un individu vulgaire et que l'étendue de sa culture laisse à désirer. Vous donnez ainsi une explication apparemment logique et acceptable à un comportement ou à un sentiment (dans ce cas-ci la haine) afin d'en déguiser les véritables motivations qui sont refoulées (rationalisation).

Il existe d'autres mécanismes de défense comme la *sublimation*, qui transforme des pulsions (sexuelles ou agressives) non acceptables ou non satisfaites en activités constructrices, principalement dans le domaine des arts ou de la musique, et la *formation réactionnelle*, qui consiste à adopter une attitude ou un comportement qui est à l'opposé de ce que nous sommes réellement. Ainsi, nous réduisons l'angoisse associée à un sentiment inconscient en exprimant son contraire au niveau conscient.

Pouvez-vous trouver des exemples équivalents dans votre vie? Quelque chose de désagréable vous est-il arrivé dernièrement? Comment avez-vous réagi? Gardez à l'esprit que ces mécanismes de défense sont tout à fait normaux, dans la mesure où ils ne deviennent pas omniprésents.

constamment s'adapter à l'enfant en mouvement. Une des implications concrètes de cette assomption est que nous ne devrions plus penser qu'être un bon parent constitue une qualité globale qui s'applique à l'ensemble du développement de l'enfant. Certains parents peuvent être de très bons parents relativement aux demandes particulières d'un enfant très jeune, mais de piètres parents en interaction avec les demandes d'un adolescent en quête d'identité par exemple, ou vice-versa. Le développement d'une personnalité saine et équilibrée chez l'enfant passe donc par les interactions ou les transactions familiales. Ces théories insistent par conséquent sur la nature *transactionnelle* du

processus développemental. L'enfant n'est pas un récepteur passif soumis à l'influence familiale; au contraire, il arrive dans l'équation avec des besoins et des tâches qui lui sont propres. C'est pourquoi ces théories offrent un grand intérêt, car la plupart des recherches actuelles s'orientent de plus en plus vers une telle conceptualisation transactionnelle. Enfin, en stipulant que des processus fondamentaux, comme la quête de l'identité, prennent racine dans l'enfance et influent par le fait même sur l'ensemble du développement de l'individu, les théories psychanalytiques procurent un nouveau cadre conceptuel de recherche pour de nombreuses études touchant l'âge adulte.

Par ailleurs, ces théories présentent quelques faiblesses de taille. Les théories de Freud et d'Erikson reposaient essentiellement sur des observations cliniques et non sur des recherches systématiques. En ce qui concerne la théorie de Freud, toutes les observations cliniques de Freud portaient sur des personnes qui avaient voulu entreprendre une psychothérapie. Cela a pu le conduire à mettre l'accent sur les pathologies et les processus psychologiques négatifs. Cette critique est moins fondée en ce qui concerne la théorie d'Erikson, parce qu'elle met l'accent autant sur les adaptations saines et constructives que sur les adaptations négatives.

Néanmoins, les approches psychanalytiques sont toujours en butte à la critique à cause du flou qui les caractérise. Comme le souligne Jack Block :

> En dépit de la richesse et de la profondeur qu'elle apporte à la compréhension du fonctionnement de la personnalité, la théorie psychanalytique demeure très imprécise, repose trop souvent sur de simples spéculations et ne peut apparemment pas se plier aux exigences de la méthode scientifique. (1987, p. 2.)

En raison de cette imprécision, les chercheurs se sont souvent heurtés à des difficultés pour traduire les concepts de Freud et d'Erikson en définitions opérationnelles et en mesures valides et fiables. Par conséquent, il est difficile de mettre à l'épreuve les théories et donc de les infirmer. Cependant, certaines théories actuelles à tendance psychanalytique, comme celle de Bowlby sur l'attachement que nous verrons au chapitre 4, sont élaborées dans un cadre plus précis, ce qui a suscité un regain d'intérêt pour l'approche psychanalytique au cours des dernières années.

PAUSE-APPRENTISSAGE

Théories psychanalytiques

- Selon Freud, comment se construit la personnalité ?

- Définissez les trois instances psychiques et les trois niveaux de conscience dans la théorie de Freud.

- En quoi la théorie d'Erikson se différencie-t-elle de celle de Freud ?

- Quelles sont les principales critiques adressées aux théories psychanalytiques ?

Concepts et mots clés

- **ça** (p. 17) • **identité** (p. 19) • **libido** (p. 17) • **mécanismes de défense** (p. 18) • **moi** (p. 17) • **stades psychosexuels** (p. 18)
- **stades psychosociaux** (p. 19) • **surmoi** (p. 17)

Dans le langage de Piaget, nous dirions que Jean-Philippe, ce bébé de 9 mois, assimile la rondelle de plastique bleue à son schème de préhension.

THÉORIES COGNITIVES

La seconde tradition théorique se fonde sur le développement cognitif et met l'accent sur l'étude du développement de la pensée. Cette approche s'intéresse aux changements dans la façon de penser des individus et à leur influence sur le développement des comportements, de la personnalité et des interactions avec autrui.

Jean Piaget est l'une des figures centrales de la théorie du développement cognitif (1952, 1970, 1977 ; Piaget et Inhelder, 1969). Les idées de ce chercheur suisse ont marqué plusieurs générations de psychologues du développement. Pour Piaget, la seule question d'intérêt a toujours été : Comment la pensée se développe-t-elle ? Piaget, comme d'autres précurseurs de la théorie cognitive tels que Lev Vygotsky (1962) et Heinz Werner (1948), a été frappé par le caractère régulier du développement de la pensée chez l'enfant. Il a noté que les enfants semblent tous faire le même genre de découvertes sur le monde, qu'ils font les mêmes erreurs et qu'ils arrivent aux mêmes solutions. Par exemple, lorsqu'on transvase l'eau contenue dans un verre large et peu profond dans un autre plus haut et plus étroit, les enfants de 3 ou 4 ans sont convaincus qu'il y a plus d'eau dans ce dernier, car le niveau d'eau est plus élevé que dans l'autre verre. Par contre, la plupart des enfants de 7 ans comprennent que la quantité d'eau est la même dans les deux verres. Si un enfant de 2 ans perd son soulier, il le cherchera peut-être à tâtons pendant un moment, mais il sera incapable d'entreprendre des recherches systématiques. Un enfant de 10 ans, au contraire, peut faire appel à de bonnes stratégies comme revenir sur ses pas ou fouiller sa maison pièce par pièce. Piaget a ainsi observé des structures communes de la pensée à des âges précis du développement.

Les observations détaillées de Piaget l'ont conduit à émettre l'hypothèse que, par nature, l'être humain *s'adapte* à l'environnement. Il s'agit d'un processus actif et non passif. Piaget ne pense pas que le milieu *façonne* l'enfant. Il croit plutôt que l'enfant cherche à comprendre son environnement de manière active. Il explore, palpe et examine les objets et les personnes qui l'entourent.

Concept de schème   L'un des pivots de la théorie de Piaget est le concept de **schème**. Selon Piaget, la connaissance consiste en un répertoire d'*actions* physiques ou mentales : par exemple, l'action de regarder une balle, de la tenir, de la nommer, de l'associer mentalement avec le mot *balle* ou de la comparer à un autre objet. Piaget utilise le mot *schème* pour désigner ces actions. Le schème est l'unité cognitive fondamentale, la pierre d'assise de l'édifice de la connaissance. Le bébé commence sa vie avec un petit répertoire inné de schèmes *sensoriels* ou de schèmes *moteurs,* tels que regarder, goûter, toucher, entendre ou sentir. Pour un bébé, un objet est une chose qui a un certain goût, une certaine texture au toucher, ou qui est d'une certaine couleur. Plus tard, le bébé acquiert manifestement des schèmes *mentaux*. Il crée des catégories, compare les objets, apprend des mots pour désigner les catégories. À l'adolescence, on observe la création de schèmes mentaux plus complexes, tels que l'analyse déductive ou le raisonnement systématique. Mais comment l'enfant passe-t-il des simples schèmes sensorimoteurs innés aux schèmes mentaux complexes plus intériorisés que l'on observe au terme de l'enfance ? La réponse piagétienne est par un mécanisme d'*adaptation* active à son environnement de plus en plus complexe. Piaget décrit trois processus qui engendrent, selon lui, ce changement ou cette adaptation : l'assimilation, l'accommodation et l'équilibration.

Assimilation   L'**assimilation** est un processus d'intégration par lequel un individu incorpore de nouvelles informations ou expériences à des structures déjà existantes. Lorsqu'un bébé regarde, puis essaie d'atteindre un mobile au-dessus de son berceau, Piaget suggère que le bébé a assimilé le mobile à ses schèmes visuels et tactiles. Lorsqu'un enfant plus âgé voit un chien et lui associe le mot chien, il assimile l'animal à sa catégorie, ou à son schème de chien. En lisant ce paragraphe, vous êtes en train d'assimiler de l'information, et vous la rattachez probablement à un autre concept (schème) familier ou semblable.

Accommodation   L'**accommodation** est le processus complémentaire qui consiste à *modifier un schème* afin d'y intégrer une nouvelle information que nous avons acquise

par assimilation. Après avoir vu la robe d'une amie, notre schème de rouge peut en quelque sorte s'agrandir pour inclure cette nouvelle variété inhabituelle. De plus, si nous apprenons un mot nouveau pour cette teinte spéciale de rouge, nous nous adapterons encore plus en créant du même coup une nouvelle sous-catégorie (un nouveau schème). Le bébé qui regarde et saisit pour la première fois un objet carré accommodera son schème de préhension, si bien que la prochaine fois qu'il attrapera un objet de cette forme, sa main sera recourbée de façon plus appropriée pour le saisir. Ainsi, pour Piaget, l'accommodation est l'une des clés du développement cognitif. Grâce à elle, nous réorganisons nos pensées, nous améliorons nos habiletés et nous ajustons nos stratégies.

Équilibration   Le troisième aspect de l'adaptation est l'**équilibration**. Piaget considère que, en s'adaptant à son milieu, l'enfant s'efforce toujours de trouver une cohérence, de maintenir un « équilibre » afin que sa compréhension générale du monde soit logique et sensée.

Le modèle piagétien du développement

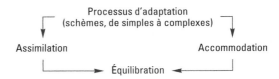

L'enfant commence sa vie en possession d'un répertoire de schèmes très limité. Ses premières structures sont inévitablement primitives et imparfaites, mais, au cours des années suivantes, il procède à une série de changements significatifs de sa structure interne.

Piaget envisage trois grandes réorganisations particulières, ou équilibrations, dont chacune conduit vers une

Schème : Terme utilisé par Piaget pour décrire les actions fondamentales de la connaissance, comprenant à la fois les actions physiques (schèmes sensorimoteurs, comme regarder un objet) et les actions mentales (classer, comparer ou changer d'avis, par exemple). Une expérience est assimilée à un schème, et le schème est modifié ou créé par l'accommodation.

Accommodation : Processus d'adaptation par lequel un individu modifie ses schèmes pour s'adapter à de nouvelles expériences, ou pour créer de nouveaux schèmes lorsque les anciens ne lui permettent plus d'incorporer les nouvelles données.

Assimilation : Processus d'adaptation par lequel un individu associe de nouvelles informations ou expériences à des schèmes existants. L'expérience n'est pas adaptée telle quelle, mais elle est modifiée (ou interprétée) de façon qu'elle concorde avec les schèmes déjà existants.

Équilibration : Dans la théorie de Piaget, troisième partie du processus d'adaptation, qui met en œuvre une restructuration périodique des schèmes.

nouvelle période de développement. La première a lieu à 2 ans environ, lorsque le trottineur s'éloigne de la prédominance des seuls schèmes sensoriels et moteurs pour se rapprocher des premières véritables représentations internes (schèmes mentaux). La seconde équilibration prend place entre 6 et 7 ans environ, lorsque l'enfant acquiert un nouvel ensemble de schèmes puissants que Piaget appelle **opérations**. Ces actions mentales sont beaucoup plus générales et plus abstraites, telles que les additions et les soustractions mentales.

La troisième équilibration se situe à l'adolescence, lorsque l'adolescent comprend comment «opérer» sur les idées de la même façon que sur les événements et les objets. Ces trois équilibrations déterminent quatre périodes composées de différents stades :
- La *période sensorimotrice,* de la naissance à environ 2 ans.
- La *période préopératoire,* de 2 ans à environ 7 ans.
- La *période des opérations concrètes,* de 7 ans à environ 12 ans.
- La *période des opérations formelles,* au-delà de 12 ans.

Le tableau 1.3 décrit ces périodes plus en détail. Nous reviendrons sur chacune d'elles dans les chapitres portant sur l'âge correspondant. Pour l'instant, il faut surtout retenir que chaque période se nourrit de la précédente et qu'elle implique une restructuration majeure du mode de pensée chez l'enfant. Piaget n'envisage pas la progression à travers ces périodes comme un processus inévitable ; la séquence est fixe — autrement dit, si l'enfant fait des progrès cognitifs, ce sera dans cet ordre précis —, mais tous les enfants n'atteignent pas le même niveau, et chacun évolue à son propre rythme. Piaget considère que presque tous les enfants atteignent au moins la période préopératoire de la pensée, et que la grande majorité vont réaliser des opérations concrètes. Cependant, ils ne se rendront pas nécessairement tous jusqu'aux opérations formelles.

Piaget utilisait des activités avec de la pâte à modeler afin d'étudier la notion de conservation chez l'enfant.

Critique des théories cognitives

Les idées de Piaget ont connu un retentissement considérable dans l'étude et la compréhension du développement chez l'enfant. Ses travaux ont été très controversés précisément parce qu'il remettait en question les théories précédentes, beaucoup plus simplificatrices. Piaget a également mis au point un certain nombre de techniques très astucieuses permettant d'explorer la pensée de l'enfant ; ces techniques ont souvent mis au jour des réactions inattendues et parfois déconcertantes. Ainsi, non seulement Piaget nous a offert une théorie qui nous incite à envisager le développement de l'enfant dans une nouvelle optique,

Opérations : Terme utilisé par Piaget pour désigner la nouvelle grande classe des schèmes mentaux qu'il a observée dans le développement de l'enfant de 5 à 7 ans, comprenant la réversibilité, l'addition et la soustraction.

Tableau 1.3	*Les périodes du développement cognitif selon Piaget*	
Âge (années)	**Période**	**Description**
0 à 2	Période sensorimotrice	Le bébé communique avec le monde principalement par ses sens et ses actions motrices. Un mobile n'existe que par son contact au toucher, son apparence et son goût dans la bouche.
2 à 7	Période préopératoire	Entre 18 et 24 mois, l'enfant utilise des symboles pour se faire une représentation interne des objets, et il commence à être capable d'envisager la perspective (point de vue) des autres, de classifier les objets et d'avoir recours à une logique simple.
7 à 12	Période des opérations concrètes	L'enfant fait d'immenses progrès sur le plan de la logique et il parvient à effectuer des opérations mentales complexes, comme l'addition, la soustraction et l'inclusion de classes. L'enfant est encore soumis aux expériences particulières, mais il est maintenant capable d'effectuer des opérations tant mentales que physiques sur des objets connus.
12 et plus	Période des opérations formelles	L'enfant devient apte à manier les idées tout comme les événements et les objets connus. Il est capable d'imagination et pense à des choses qu'il n'a jamais vues, ou encore à des événements qui ne se sont pas encore produits. Il organise ses idées et les objets de façon systématique, et il utilise un mode de pensée déductif.

mais il nous a fourni un ensemble de données empiriques qu'il est impossible de ne pas prendre en considération, même s'il est difficile de les expliquer.

En se montrant très explicite dans plusieurs de ses hypothèses et spéculations, Piaget a permis à d'autres chercheurs d'éprouver la valeur de sa théorie. Cependant, ces travaux ont révélé que Piaget avait commis quelques erreurs. Il s'est trompé sur l'âge précis auquel les enfants accèdent à certains concepts. Les chercheurs ont prouvé à maintes reprises que les enfants intègrent des concepts complexes bien plus tôt que ne le suggérait Piaget. En outre, il semblerait que l'idée centrale de Piaget, c'est-à-dire les stades de développement, soit partiellement erronée. Par exemple, la plupart des enfants de 8 ans utilisent des «opérations concrètes» de la pensée dans certaines tâches et pas dans d'autres, et leur réflexion semble plus complexe lorsqu'ils effectuent des tâches familières que des tâches pour lesquelles ils possèdent peu d'expérience. L'ensemble du processus s'avère beaucoup moins dépendant des stades et subit beaucoup plus l'*influence des expériences individuelles* que Piaget ne le pensait.

La richesse de l'existence humaine s'exprime par la sécurité affective que procure cette mère à sa fille.

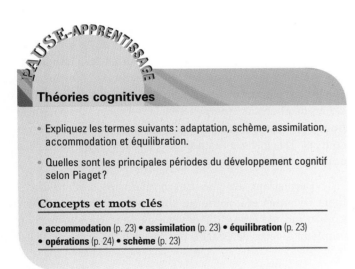

Théories cognitives

- Expliquez les termes suivants : adaptation, schème, assimilation, accommodation et équilibration.

- Quelles sont les principales périodes du développement cognitif selon Piaget ?

Concepts et mots clés

- **accommodation** (p. 23) • **assimilation** (p. 23) • **équilibration** (p. 23)
- **opérations** (p. 24) • **schème** (p. 23)

THÉORIES HUMANISTES

Les théoriciens humanistes, notamment Carl Rogers et Abraham Maslow, s'opposent à l'accent mis sur la pathologie par la plupart des approches psychanalytiques. Ils réfutent toute division ou structuration de la psyché humaine, et soutiennent que l'organisme tout entier est visé par le développement humain (Bouchard et Morin, 1992). Selon Rogers, pour comprendre le comportement d'une personne, vous devez essayer de percevoir le monde comme cette personne le perçoit, à partir de ses connaissances, de ses expériences, de ses objectifs et de ses aspi-

rations. La force la plus primitive, la plus fondamentale de l'être humain est naturellement positive et pousse ce dernier à se développer. Le cheminement humain est un devenir, c'est-à-dire un processus de changement au cours duquel la personne s'adapte continuellement et restructure sans cesse son **champ phénoménologique**. Ainsi, tous les individus naissent avec une pulsion fondamentale qui va leur permettre de réaliser pleinement leurs capacités et d'atteindre l'*autoactualisation*, selon les termes de Maslow. Par conséquent, le développement suit une direction vers une plus grande autoréalisation. Cet accent placé sur le caractère unique d'un individu, sur cette croyance résolument optimiste en l'être humain, suggère une attitude d'écoute et d'intérêt envers les personnes et le développement humain. Il témoigne aussi d'un souci de la personne qui nous oriente vers la personnalisation (et ainsi l'humanisation) de nos rapports humains, et nous apprend la richesse de l'existence humaine. Maslow, dont la théorie se caractérise par la célèbre hiérarchie des besoins (1968, 1970a, 1970b, 1971), s'est surtout intéressé au développement des motivations ou besoins, qu'il a divisés en deux sous-ensembles : les **besoins D** (pour déficience) et les **besoins E** (pour être). Les besoins D ont un objectif d'autoconservation ;

Champ phénoménologique : Ensemble des expériences (pensées, perceptions, sensations) qui peuvent occuper la conscience.

Besoins D (pour déficience) : Catégorie de besoins proposée par Maslow, basée sur les instincts ou les forces fondamentales qui poussent un individu à corriger un déséquilibre et à maintenir l'homéostasie. Ils comprennent les besoins biologiques, le besoin de sécurité, le besoin d'amour et d'affection, et le besoin d'estime de soi.

Besoins E (pour être) : Catégorie de besoins proposée par Maslow, qui comprend le désir de découvrir et de comprendre son potentiel et celui des autres.

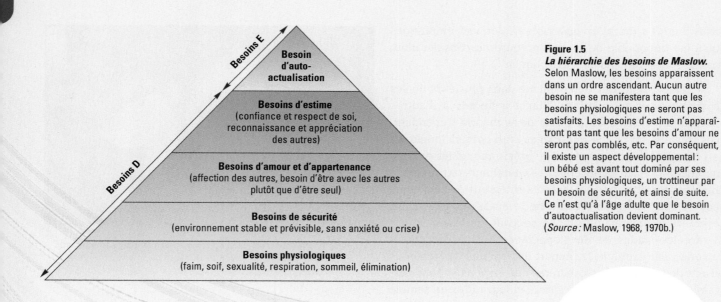

Figure 1.5
La hiérarchie des besoins de Maslow.
Selon Maslow, les besoins apparaissent dans un ordre ascendant. Aucun autre besoin ne se manifestera tant que les besoins physiologiques ne seront pas satisfaits. Les besoins d'estime n'apparaîtront pas tant que les besoins d'amour ne seront pas comblés, etc. Par conséquent, il existe un aspect développemental: un bébé est avant tout dominé par ses besoins physiologiques, un trottineur par un besoin de sécurité, et ainsi de suite. Ce n'est qu'à l'âge adulte que le besoin d'autoactualisation devient dominant. (*Source:* Maslow, 1968, 1970b.)

ils comprennent les pulsions visant à maintenir l'homéostasie physique ou émotionnelle, telles les pulsions qui nous poussent à nous alimenter ou à boire, les pulsions sexuelles, ou même les pulsions qui nous incitent à vouloir obtenir amour ou respect de la part des autres. Les besoins E ont un objectif d'autoactualisation; ils incluent le désir de comprendre, de donner aux autres et de croître. Selon Maslow, c'est la satisfaction que l'on retire des besoins E qui procure une santé optimale.

Maslow a classé ces divers besoins et établi une *hiérarchie*, illustrée à la figure 1.5. Il soutient que les besoins doivent être comblés dans un ordre ascendant. Ce n'est que lorsque les besoins physiologiques sont comblés que les besoins de sécurité se manifestent. De même, ce n'est que lorsque les besoins d'amour et d'estime sont satisfaits que le besoin d'autoactualisation prédomine. Ainsi, Maslow pense que le besoin d'autoactualisation n'est significatif qu'à l'âge adulte, et ce, uniquement chez les personnes qui ont trouvé des moyens stables de satisfaire leurs besoins d'amour et d'estime — besoins qui ressemblent beaucoup aux stades de l'intimité et de la générativité d'Erikson.

Maslow a donc proposé une séquence *potentielle* du développement qui ne peut toutefois être menée à terme par tous les enfants ou tous les adultes.

Critique des théories humanistes

Les théories humanistes exercent un grand attrait parce qu'elle sont foncièrement optimistes. Contrairement aux théories psychanalytiques, plus pessimistes, qui voient l'individu comme un résidu de conflits non résolus, et contrairement aux théories de l'apprentissage, qui voient l'individu comme un produit de ses expériences passées, les théories humanistes stipulent qu'il n'est jamais trop tard pour l'individu et qu'il possède en lui la force et la motivation nécessaires pour surmonter les handicaps auxquels il a été soumis. Les théories humanistes mettent également l'accent sur la séquence plutôt que sur les stades des besoins émergents de la personne. On peut dire que les théories humanistes représentent la pointe du courant de pensée actuel sur le développement des adultes et des enfants.

Cependant, les théories humanistes sont relativement récentes et aucune ne s'insère véritablement dans un «grand schème» du développement comparable en ampleur à ceux de Piaget, de Freud ou d'Erikson. Il est

Théories humanistes

- Qu'est-ce que Maslow entend par besoins D (pour déficience) et besoins E (pour être)?

- Quelles critiques peut-on formuler à l'égard de l'approche humaniste?

Concepts et mots clés

- **besoins D** (p. 25) • **besoins E** (p. 25) • **champ phénoménologique** (p. 25) donc trop tôt pour savoir si elles offriront le type de modèle synthétique qui fera progresser notre connaissance du développement humain.

THÉORIES DE L'APPRENTISSAGE

Nous abordons finalement le dernier groupe de théories qui soulignent le rôle des processus d'**apprentissage** de base dans la création et le façonnement du comportement humain, de la naissance à la mort. Les tenants de ces théories mettent l'accent sur la façon dont l'environnement façonne l'enfant plutôt que sur la façon dont ce dernier comprend ses expériences. En fait, les théoriciens de l'apprentissage comparent le comportement humain à une matière plastique façonnée par des processus d'apprentissage prévisibles, dont les plus importants sont le conditionnement classique (aussi appelé conditionnement répondant) et le conditionnement opérant (aussi nommé conditionnement instrumental).

Conditionnement classique

Ce type d'apprentissage, rendu célèbre par les expériences de Pavlov sur les chiens, implique l'acquisition de nouveaux signaux pour des réactions déjà établies. Par exemple, si vous touchez un nouveau-né sur la joue, il se tournera du côté où vous l'avez touché et commencera à téter. Dans la terminologie technique du **conditionnement classique**, le toucher sur la joue est le **stimulus inconditionnel**, et le comportement de se tourner et de téter, la **réponse inconditionnelle**. Le nouveau-né est déjà programmé pour réagir de cette façon : ce sont des réflexes automatiques. L'apprentissage se fait lorsqu'un nouveau stimulus est perçu par l'organisme. Selon le modèle général, les autres stimuli présents juste avant le stimulus inconditionnel (ou en même temps) vont finir par acquérir les mêmes propriétés que le stimulus inconditionnel, et vont ainsi déclencher les mêmes réactions. Dans la vie normale de l'enfant à la maison, il se produit un certain nombre de stimuli à peu près au même moment que le toucher sur la joue du bébé avant la tétée, par exemple le son des pas de la mère qui s'approche, la sensation kinesthésique d'être soulevé et la sensation tactile d'être pris dans les bras de la mère. Tous ces stimuli peuvent devenir des **stimuli conditionnels**, le nouveau-né se tournant et se mettant à téter, avant même qu'on ne le touche sur la joue (**réponse conditionnelle**). La figure 1.6 offre une représentation graphique des étapes du conditionnement classique dans ce cas particulier.

La notion de conditionnement classique présente également un intérêt particulier parce que ce type de conditionnement joue un rôle de premier plan dans le développement des réactions émotionnelles. Par exemple, les choses ou les personnes qui sont présentes lorsque nous nous sentons bien seront associées à des sensations de bien-être, tandis que celles qui sont présentes lors de sensations de malaise seront associées à des sensations de crainte ou d'anxiété. Cela s'avère particulièrement important chez l'enfant, puisque sa mère ou son père sont très souvent présents dans des circonstances agréables, par exemple lorsque l'enfant se sent au chaud, en sécurité et aimé dans les bras de sa mère. Ainsi, le père et la mère deviennent généralement un stimulus conditionnel pour les sensations agréables. Par contre, une sœur ou un frère aînés agaçants peuvent devenir des stimuli conditionnels pour les sensations de colère, et le rester longtemps après que ce frère ou cette sœur auront cessé de tourmenter l'enfant. De telles réactions émotionnelles peuvent également se produire à l'âge adulte.

Ces réponses émotionnelles conditionnelles qui ont leur origine dans un conditionnement classique sont très fortes. Elles apparaissent très tôt dans la vie et continuent de se produire durant l'enfance et à l'âge adulte. Elles influent profondément sur les expériences émotionnelles de chaque individu. Cependant, certaines réponses conditionnelles peuvent n'être que temporaires si, à la suite d'un conditionnement, on présente à plusieurs reprises le stimulus conditionnel sans le faire suivre par le stimulus inconditionnel. La réponse conditionnelle finit alors par disparaître : c'est ce qu'on appelle l'**extinction**.

Apprentissage : Tout changement relativement permanent qui résulte de l'expérience.

Conditionnement classique : Un des trois principaux types d'apprentissage. Une réponse automatique ou inconditionnelle, telle qu'une émotion ou un réflexe, est déclenchée par un signal, que l'on appelle stimulus conditionnel, après que ce dernier a été associé plusieurs fois au stimulus inconditionnel initial.

Stimulus inconditionnel : Dans la théorie du conditionnement classique, signal qui déclenche automatiquement (sans apprentissage) la réponse inconditionnelle.

Réponse inconditionnelle : Dans la théorie du conditionnement classique, réponse fondamentale innée déclenchée par le stimulus inconditionnel.

Stimulus conditionnel : Dans la théorie du conditionnement classique, signal qui, après avoir été associé plusieurs fois au stimulus inconditionnel, finit par déclencher une réponse inconditionnelle.

Réponse conditionnelle : Dans la théorie du conditionnement classique, réponse déclenchée par un stimulus conditionnel et qui se produit lorsqu'un stimulus conditionnel a été associé à un stimulus inconditionnel.

Extinction : Dans la théorie du conditionnement classique, diminution puis disparition d'une réponse apprise lorsque le stimulus conditionnel cesse d'être associé au stimulus inconditionnel.

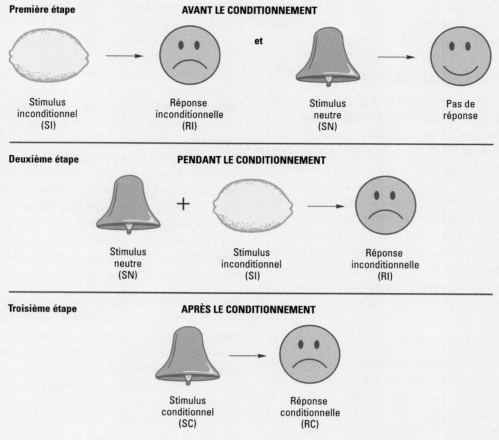

Première étape   **AVANT LE CONDITIONNEMENT**

Stimulus inconditionnel (SI) → Réponse inconditionnelle (RI)

et

Stimulus neutre (SN) → Pas de réponse

Deuxième étape   **PENDANT LE CONDITIONNEMENT**

Stimulus neutre (SN) + Stimulus inconditionnel (SI) → Réponse inconditionnelle (RI)

Troisième étape   **APRÈS LE CONDITIONNEMENT**

Stimulus conditionnel (SC) → Réponse conditionnelle (RC)

Figure 1.6
Les différentes étapes menant au conditionnement classique.
Vous voulez apprendre à un sujet à saliver au son d'une cloche. Vous lui faites donc entendre le son d'une cloche une fraction de seconde avant de déposer une goutte de jus de citron sur sa langue. Vous répétez l'opération de 10 à 12 fois, et enfin vous faites entendre seulement le son de la cloche. Si votre conditionnement s'est effectué dans de bonnes conditions, le sujet devrait grimacer au seul bruit de la cloche.

Conditionnement opérant

Il existe un deuxième processus d'apprentissage, appelé **conditionnement opérant** ou encore *conditionnement instrumental,* étudié notamment par Burrhus Frederic Skinner. Le principe qui sous-tend cette forme d'apprentissage est simple et peut s'énoncer de la manière suivante : nous adoptons des quantités de comportements différents dans la vie de tous les jours ; or, tout comportement qui a été renforcé est plus susceptible de se reproduire dans des situations identiques ou semblables. Quand un comportement précis est suivi de conséquences agréables (des renforcements), telles que des éloges, un sourire, de la nourriture, une étreinte ou de l'attention, l'individu aura tendance à reproduire cette conduite dans des situations analogues. Ce **renforcement** est dit **positif** parce qu'il augmente la probabilité d'apparition d'une réponse. Le **renforcement négatif** se produit lorsqu'un événement ou une situation désagréables sont éliminés. Supposons que votre nourrisson pleurniche parce qu'il veut se faire prendre dans vos bras. Au début, vous n'y portez pas attention, mais vous finissez par le prendre. Votre comportement (le fait de le prendre dans vos bras) a été renforcé négativement lorsque vous avez mis fin à ses pleurs, et vous aurez tendance à le prendre la prochaine fois qu'il pleurnichera. Du côté de l'enfant, son comportement (ses pleurs) a été renforcé positivement par votre attention, si bien qu'il se mettra probablement à pleurer chaque fois qu'il aura envie d'être cajolé.

Conditionnement opérant : Un des trois principaux types d'apprentissage dans lequel les renforcements positifs ou négatifs façonnent le comportement d'un individu.

Renforcement positif : Événement qui augmente la fréquence d'apparition d'un comportement en présence de certains stimuli agréables ou positifs.

Renforcement négatif : Événement qui augmente la fréquence d'apparition d'un comportement dû au retrait ou à l'arrêt d'un stimulus désagréable.

Les renforcements positifs et négatifs consolident les comportements, tandis que les punitions ou les situations aversives visent à en éliminer certains. Tel est le but d'une réprimande ou d'une punition, par exemple lorsqu'on prive un enfant de son émission préférée à la télévision. L'utilisation du mot punition ici reflète donc bien son acception courante. On parle généralement de **punition positive** lorsqu'un stimulus est présenté et de **punition négative** lorsque quelque chose est retirée de l'environnement. En revanche, il est plus malaisé de comprendre que de telles punitions ne produisent pas toujours l'effet escompté : en effet, elles n'éliminent pas toujours le comportement non désiré. Si votre fils vous lance son verre de lait en plein visage pour attirer votre attention, il est bien possible que votre réprimande devienne pour lui un renforcement positif et non une punition, comme vous en aviez l'intention. Le délai entre le comportement et les conséquences constitue un élément crucial du conditionnement opérant. Pour être efficaces, un renforcement ou une punition doivent suivre de près le comportement. Lorsque le renforcement ou la punition sont différés, d'autres comportements sont adoptés durant ce délai, et il peut s'avérer que la relation entre le comportement et la conséquence ne soit tout simplement pas perçue. Si une personne persiste à fumer malgré sa prise de conscience que cette habitude est néfaste pour sa santé, c'est que ce comportement procure des renforcements immédiats, alors que les effets négatifs peuvent prendre des années avant de se faire sentir (Tavris et Wade, 1999).

Les renforcements ne consolident pas les comportements de façon permanente. Le processus inverse se nomme **extinction**. On définit ce processus comme une diminution de certaines réponses à la suite de l'arrêt du renforcement. Si vous arrêtez tout simplement de renforcer les pleurnichements de votre enfant, il cessera graduellement de pleurnicher non seulement à ce moment-là, mais aussi dans les situations ultérieures.

En laboratoire, les expérimentateurs veillent à renforcer certains comportements à chaque fois qu'ils se produisent (**renforcement continu**), ou à éliminer complètement les renforcements de façon à produire une extinction de la réponse. Dans le monde réel par contre, la constance du renforcement constitue l'exception plutôt que la règle. Le modèle de **renforcement intermittent**, dans lequel on renforce un comportement dans certaines occasions seulement, est plus courant. Les études sur les renforcements intermittents ont montré que les enfants et les adultes mettent plus de temps à apprendre certains comportements dans des conditions de renforcement intermittent, mais que, une fois établis, de tels comporte-

ments présentent une plus forte résistance à l'extinction. Même si vous ne souriez à votre fille qu'une fois sur cinq ou sur six lorsqu'elle vous apporte des dessins, elle continuera de vous en apporter pendant longtemps, même lorsque vous ne lui souriez plus du tout. Le même principe s'applique pour les mariages qui perdurent même lorsque peu de vitalité et d'affection demeurent. La fréquence des renforcements peut être très faible, quelques sourires, quelques étreintes, mais elle peut être suffisante pour maintenir le « couple ensemble », le rendant ainsi particulièrement résistant à l'extinction. Le tableau 1.4 récapitule les principales notions du conditionnement opérant que nous venons de présenter.

Théorie de l'apprentissage social

Aujourd'hui, la théorie de l'apprentissage qui connaît le plus de succès est la *théorie de l'apprentissage social*. Son théoricien le plus en vue est Albert Bandura (1977a, 1982b, 1989), dont la pensée a évolué au fil des ans. Bandura admet l'importance des conditionnements classiques et des conditionnements opérants, mais il les accompagne de nouveaux éléments fort intéressants.

Premièrement, Bandura soutient que le renforcement direct n'est pas un élément indispensable pour l'apprentissage. Selon lui, le simple fait d'observer une autre personne accomplir une action constitue une forme d'apprentissage. Cet **apprentissage par observation** fait partie d'un grand éventail de comportements. Les enfants apprennent des formes d'agression en observant d'autres personnes se battre ou en regardant la télévision. Ils apprennent à adopter un comportement généreux en observant d'autres personnes faire des dons d'argent ou de biens. Les adultes apprennent des savoir-faire en observant les autres.

Punition positive : Action qui diminue la fréquence d'apparition d'un comportement non désiré ; cette conséquence désagréable provenant de l'environnement vise à bannir ce comportement.

Punition négative : Action qui diminue la fréquence d'apparition d'un comportement non désiré lorsque quelque chose est retirée de l'environnement.

Extinction : Dans le conditionnement opérant, diminution de la force de certaines réactions en l'absence de renforcement.

Renforcement continu : Renforcement d'un comportement donné à chaque fois qu'il se produit.

Renforcement intermittent : Renforcement occasionnel d'un comportement donné.

Apprentissage par observation : Apprentissage d'habiletés motrices, d'attitudes ou de comportements, effectué par l'observation d'une autre personne.

Tableau 1.4	*Types de renforcements et de punitions*	
	◀ **Stimulus présenté**	◀ **Stimulus supprimé**
Pour augmenter la fréquence d'apparition d'un comportement	**Renforcement positif (+)** Faire en sorte que le comportement entraîne une conséquence agréable. Exemple : Un enfant qui se comporte bien à l'école reçoit des félicitations (une récompense).	**Renforcement négatif (−)** Faire en sorte que le comportement permette d'éviter une conséquence désagréable. Exemple : Un enfant range sa chambre afin d'éviter que ses parents ne le privent de son émission de télé favorite.
Pour diminuer la fréquence d'apparition d'un comportement	**Punition positive (+)** Faire en sorte que le comportement entraîne une conséquence désagréable. Exemple : Je brûle un feu rouge et je reçois une contravention.	**Punition négative (−)** Faire en sorte que le comportement enlève une conséquence agréable. Exemple : Les mauvaises plaisanteries sont moins fréquentes lorsqu'elles sont suivies de la perte de l'attention des autres.

Deuxièmement, Bandura attire l'attention sur une autre catégorie de renforcements, appelés **renforcements intrinsèques**. Il s'agit de renforcements internes, tels que le plaisir qu'un enfant éprouve lorsqu'il parvient enfin à dessiner une étoile ou le sentiment de satisfaction que l'on ressent après une série d'exercices vigoureux. La fierté, la découverte et toute expérience positive sont de puissants renforcements intrinsèques. Ils favorisent les comportements autant que les renforcements extrinsèques, comme les louanges ou l'attention.

Troisièmement, et il s'agit là sans doute de l'aspect le plus important de sa théorie, Bandura établit un rapprochement entre les théories de l'apprentissage et les théories du développement cognitif en mettant l'accent sur les principaux éléments cognitifs de l'apprentissage. C'est ainsi qu'il désigne son approche par le nom de *théorie sociale cognitive* (Bandura, 1986, 1989). Par exemple, Bandura insiste sur le fait que l'**imitation** peut être le véhicule de l'apprentissage des habiletés abstraites, au même titre que les habiletés ou les informations concrètes.

En utilisant l'*imitation abstraite,* l'observateur élabore une règle qui peut être la base du modèle du comportement, puis il assimile à la fois la règle et le comportement imité. De cette façon, un enfant ou un adulte peut acquérir des attitudes, des valeurs ou des méthodes de résolution de problèmes, voire des standards d'autoévaluation, grâce à l'imitation. De plus, ce que nous apprenons en observant une personne dépend d'autres processus cognitifs, comme notre attention sélective, notre habileté à interpréter ce que nous voyons et à nous le remémorer, et notre capacité de mettre en application l'action observée. Hélas, il ne suffit pas d'observer Jacques Villeneuve piloter une voiture de formule 1 ou encore Mélanie Turgeon dévaler une pente à skis pour devenir un champion ou une championne !

Bandura souligne également l'importance d'autres éléments cognitifs. En situation d'apprentissage, les enfants et les adultes *établissent des objectifs, ont des attentes* quant aux conséquences possibles et *jugent* leur propre performance.

Critique des théories de l'apprentissage

Cette approche théorique a de nombreuses implications qui méritent une attention particulière. En premier lieu, les théoriciens de l'apprentissage peuvent apporter une explication au changement ou à la continuité dans les comportements de l'enfant ou de l'adulte. Si un enfant est aimable et souriant aussi bien à la maison qu'à l'école, on peut dire qu'il a connu un renforcement pour ce compor-

L'imitation est une importante source d'apprentissage pour les parents et les enfants. Quels comportements avez-vous appris en observant et en imitant les autres ?

Renforcement intrinsèque : Renforcement interne lié à la satisfaction personnelle, à la fierté ou au plaisir de réaliser ou de découvrir quelque chose.

Imitation : Terme employé par Bandura et d'autres psychologues pour décrire l'apprentissage par observation.

tement au lieu de conclure qu'il possède un «tempérament grégaire». Mais on peut également expliquer comment un adulte peut se montrer amical et serviable dans un environnement de travail, puis désobligeant et maussade à la maison. Il suffit de supposer que les renforcements sont différents dans les deux situations. Bien sûr, il faut se rappeler que les individus sont portés à choisir des situations qui permettent la continuité de leur comportement habituel, et que le comportement d'une personne aura tendance à *provoquer* chez d'autres individus des réponses semblables (renforcements) dans différentes situations. Il y a donc une tendance vers la continuité des comportements. Toutefois, les partisans de la théorie de l'apprentissage ont moins de difficulté à expliquer la «variabilité situationnelle» normale du comportement que les autres théoriciens du développement.

Par conséquent, les théoriciens de l'apprentissage font généralement preuve d'optimisme quant à la possibilité de changement. Le comportement d'un enfant peut changer si le système de renforcement ou son opinion de lui-même change. Il s'ensuit qu'un «comportement à problèmes» peut être modifié.

L'intérêt principal de cette vision du comportement social réside dans le fait qu'elle semble donner une idée précise sur la façon dont plusieurs comportements sont acquis. Il est avéré que les enfants apprennent par l'imitation et que les enfants et les adultes continueront d'adopter des comportements qui leur sont favorables. L'ajout d'éléments cognitifs à la théorie de Bandura lui donne encore plus de force, puisqu'elle permet une intégration des modèles d'apprentissage et des approches du développement cognitif.

Toutefois, cette approche n'est pas vraiment une approche du développement humain. Elle n'apporte que très peu d'informations sur les changements *associés à l'âge,* chez l'enfant ou chez l'adulte. C'est pourquoi elle aide davantage à comprendre le *comportement* humain que le *développement* humain.

Théories de l'apprentissage

- Qu'est-ce que le conditionnement classique? le conditionnement opérant? les différents types de renforcements et de punitions? Donnez des exemples.

- Expliquez quelques principes du conditionnement classique et du conditionnement opérant.

- Quel est le fondement des théories de l'apprentissage social?

- Quelles critiques peut-on formuler à l'égard des théories de l'apprentissage?

Concepts et mots clés

- **apprentissage** (p. 27) • **apprentissage par observation** (p. 29)
- **conditionnement classique** (p. 27) • **conditionnement opérant** (p. 28) • **extinction** (p. 27, 29) • **imitation** (p. 30) • **punition négative** (p. 29) • **punition positive** (p. 29) • **renforcement continu** (p. 29)
- **renforcement intermittent** (p. 29) • **renforcement intrinsèque** (p. 30)
- **renforcement négatif** (p. 28) • **renforcement positif** (p. 28)
- **réponse conditionnelle** (p. 27) • **réponse inconditionnelle** (p. 27)
- **stimulus conditionnel** (p. 27) • **stimulus inconditionnel** (p. 27)

COMBINAISON ET COMPARAISON DES THÉORIES DU DÉVELOPPEMENT HUMAIN

Nous reprenons dans cette dernière section les principaux points communs et les principales différences entre les quatre groupes de théories du développement humain que nous avons distingués. Pour vous aider à mieux les assimiler, nous les avons regroupés dans la figure 1.7, qui comporte deux axes. Le premier axe (plan horizontal) permet de déterminer si la théorie propose ou non des stades de développement. On entend par stade une réorganisation majeure d'anciennes habiletés (changement quantitatif) ou l'apparition de nouvelles stratégies (changement qualitatif) qui modifient de façon significative la structure de la pensée. Le second axe (plan vertical)

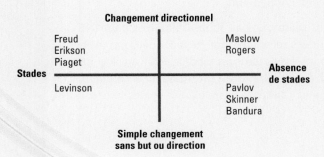

Figure 1.7
Combinaison des théories du développement humain.
Les différentes théories sur le développement humain peuvent être organisées selon divers critères. Nous les avons classées ici selon qu'elles considèrent, d'une part, que le changement suit ou ne suit pas une succession de stades et, d'autre part, que le changement suit une direction ou est orienté vers un but, une finalité développementale ou non.

permet d'établir si le changement comprend un but ou une direction identifiable, ou si le changement est simple et sans but ou finalité. Cette classification selon deux axes permet de situer les théories dans quatre quadrants. Dans un premier quadrant, Freud et Erikson représentent les théories psychanalytiques et Piaget, les théories cognitives ; ces théories privilégient une approche par stades et considèrent que le changement est directionnel. Dans un deuxième quadrant, Maslow et Rogers représentent les théories humanistes : le développement ne suit pas de stades mais le changement est directionnel. Dans un troisième quadrant, Levinson représente les théories sans stades et sans changement directionnel, que nous aborderons dans le chapitre consacré au début de l'âge adulte, car elles ne portent que sur le développement adulte. Dans un quatrième quadrant, Pavlov, Skinner et Bandura représentent les théories de l'apprentissage, pour lesquelles le développement ne suit pas de stades et ne présente pas de changement directionnel. Le tableau 1.5 présente une synthèse des théories du développement humain.

Tableau 1.5 *Les théories du développement humain*		
Théories	◀ **Postulat**	◀ **Domaine**
Psychanalytiques • Freud	Le comportement humain est régi par des motivations inconscientes. Le développement suit une séquence de stades psychosexuels.	Personnalité
• Erikson	Les personnes sont confrontées à 8 stades (crises) psychosociaux.	Personnalité tout au long de la vie
Humanistes • Maslow • Rogers	Les individus cherchent à développer leur plein potentiel. Ils ont un besoin d'autoactualisation.	Motivation normale adulte
Cognitives • Piaget	Les individus cherchent activement à comprendre leur environnement.	Développement cognitif
De l'apprentissage • Conditionnement classique	Les individus apprennent de façon passive des associations entre des stimuli.	Réponses émotionnelles
• Conditionnement opérant	Les individus apprennent à répéter les comportements qui mènent à des conséquences désirables.	Comportement volontaire
• Apprentissage social	Les individus apprennent des comportements en observant les personnes autour d'eux.	Comportement d'imitation

UN DERNIER MOT

Dans ce chapitre, nous avons voulu vous présenter une vision d'ensemble des divers concepts et théories du développement humain. Ces modèles théoriques vont se concrétiser au fur et à mesure que nous approfondirons les données qui s'y rattachent, et ce faisant, ils vous permettront d'assimiler ces données. Gardez surtout à l'esprit, à cette étape-ci, qu'il existe de nombreuses divergences entre les théoriciens sur la nature même du développement.

Nous reviendrons sur ces approches théoriques au fil des chapitres pour démontrer non seulement comment les données recueillies ont été façonnées par les hypothèses des chercheurs en vue d'être intégrées dans un modèle, mais aussi comment les différentes théories permettent de comprendre l'information accumulée. Ces approches se révéleront très utiles pour classer le vaste ensemble des faits concernant le développement.

RÉSUMÉ

CHANGEMENTS ET CONTINUITÉ

- L'étude du développement doit prendre en considération les notions de changement et de continuité, les modèles de développement individuels et communs ainsi que les influences relatives de la nature et de la culture.

- Les changements communs associés à l'âge représentent un des principaux types de changements. Ces changements peuvent résulter de la maturation (horloge biologique), des pressions sociales courantes (horloge sociale) ou des changements intérieurs provoqués soit par l'horloge biologique, soit par l'horloge sociale.

- Le fait d'être conscient des différences potentielles entre les cultures et les cohortes est particulièrement important dans l'interprétation des études portant sur des adultes, car les comparaisons entre les différents groupes d'âge sont inévitablement confondues avec les effets de cohorte.

- Les trajectoires de vie des individus sont également modifiées par des expériences personnelles uniques. Le moment auquel surviennent de telles expériences individuelles peut être particulièrement important dans la mise en place du modèle de développement d'un individu.

- La continuité des comportements tout au long de la vie peut aussi être expliquée par des facteurs biologiques. Dans leurs recherches sur les jumeaux et les enfants adoptés, les généticiens du comportement ont démontré une influence génétique déterminante dans une grande variété de comportements.

- La continuité des comportements tout au long de la vie peut aussi être associée aux effets cumulatifs des premiers comportements (les individus tendent à choisir des activités qui correspondent à leurs aptitudes et à leur personnalité) et aux réactions de l'environnement.

NATURE ET CULTURE

- Les psychologues et les philosophes ont longtemps opposé les notions de nature et de culture ; or, on sait que tout comportement et tout changement dans le développement résulte de l'interaction de l'hérédité (inné) et du milieu (acquis).

- Les bébés semblent venir au monde dotés d'un ensemble de prédispositions innées qui influent sur leurs façons de réagir aux stimulations de leur environnement.

- Chaque enfant et chaque adulte créent aussi des modèles internes de significations pour interpréter les expériences passées et pour comprendre les nouvelles expériences.

- Dans l'étude de la culture, il est important de ne pas seulement s'en tenir à la famille proche, mais de prendre aussi en considération les influences culturelles plus globales ainsi que l'effet de l'ensemble des facteurs du milieu.

- Bronfenbrenner insiste sur l'influence des interactions de l'enfant et de quatre niveaux de l'environnement imbriqués les uns dans les autres.

- Patterson s'est intéressé aux origines culturelles et environnementales des comportements déviants.

- Selon Horowitz, la vulnérabilité innée ou acquise et la flexibilité interagissent avec la stimulation du milieu de façon non cumulative.

THÉORIES DU DÉVELOPPEMENT HUMAIN

- Selon Freud, le comportement est régi par des motivations inconscientes et conscientes. Freud définit trois instances psychiques, le ça, le moi et le surmoi, et une séquence de cinq stades psychosexuels, les stades oral, anal, phallique, la période de latence et le stade génital.

- Erikson insiste davantage sur les forces sociales que sur les pulsions inconscientes comme facteurs du développement. Son concept clé est le développement de l'identité, qui passe par huit stades psychosociaux au cours du cycle de vie : la confiance, l'autonomie, l'initiative, le travail, l'identité, l'intimité, la générativité et l'intégrité personnelle.

RÉSUMÉ

- Piaget met l'accent sur le développement de la pensée plutôt que sur le développement de la personnalité. L'adaptation, composée des sous-processus de l'assimilation, de l'accommodation et de l'équilibration, est le concept clé de sa théorie. Le résultat des principales équilibrations est un ensemble de stades regroupés en quatre périodes de développement qui, selon Piaget, forment un système cognitif cohérent : période sensorimotrice, période préopératoire, période des opérations concrètes et période des opérations formelles.

- Selon Maslow, chaque individu a des besoins D (pour déficience) visant l'autoconservation, et des besoins E (pour être) visant l'autoactualisation.

- Les principes d'apprentissage fondamentaux, comme le conditionnement classique ou le conditionnement opérant et l'apprentissage par observation ou l'imitation, régissent l'acquisition et le maintien de nombreux comportements.

- Aucune de ces théories ne peut expliquer de façon appropriée toutes les caractéristiques du développement humain, mais chacune propose des concepts utiles et peut fournir un cadre théorique pour examiner les données obtenues par les chercheurs.

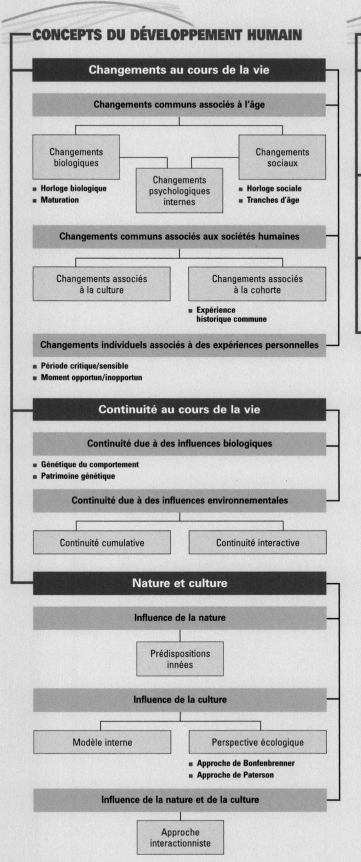

CONCEPTS DU DÉVELOPPEMENT HUMAIN

THÉORIES DU DÉVELOPPEMENT HUMAIN

La période de l'enfance

*D*ans la première partie de ce manuel, vous avez pu vous familiariser avec les différents outils théoriques utilisés par les psychologues du développement humain. Dans cette deuxième partie, nous entrons pour ainsi dire dans le vif du sujet. En effet, nous allons voir de manière concrète comment les notions théoriques permettent de rendre compte de l'expérience de l'individu.

Nous commençons notre étude des âges de la vie chronologiquement, soit par la période de l'enfance. Nous nous intéressons dans le chapitre 2 aux débuts de la vie, qui influent de manière non négligeable sur le développement de l'enfant. Puis, dans les chapitres 3 et 4, nous nous penchons respectivement sur le développement physique et cognitif et sur le développement de la personnalité et des relations sociales au cours des premières années. Nous suivons ces mêmes aspects du développement chez l'enfant d'âge préscolaire et d'âge scolaire dans les chapitres 5 et 6.

Parallèlement à cette approche chronologique, nous mettons constamment l'accent sur les caractéristiques fondamentales, la trame de cette période du développement, et nous aurons le même souci tout au long de ce manuel. Par exemple, ce que nous appelons l'horloge biologique (la maturation) joue un rôle prédominant et assure le rythme des changements communs. Cependant, l'horloge sociale n'est pas inaudible. L'enfant connaît des changements de rôles sociaux particulièrement importants entre l'âge préscolaire et scolaire. Le tempérament inné représente une source de continuité, et la personnalité résulte de l'interaction entre les tendances initiales et l'environnement. Des modèles internes stables, mais non immuables, s'établissent dès la petite enfance et deviennent plus définitifs à l'adolescence et à l'âge adulte. Finalement, il ne faut pas oublier que l'expérience constitue un élément primordial de l'équation et que l'activité de l'enfant est essentielle dans le processus du développement.

Dans chaque chapitre, nous nous efforçons de présenter l'état des connaissances actuelles sur divers aspects du développement. Nous soulignons également les différences individuelles malgré les traits communs, ainsi que l'influence toujours active de l'environnement sur la trajectoire du développement.

Nous vous souhaitons un bon voyage au pays de l'enfance.

2

CHAPITRE

Les débuts
de la vie

C omme toutes les histoires, le développement humain a un début, un milieu et une fin. Commençons donc notre histoire par le début, c'est-à-dire la conception et le développement prénatal. Comment se déroule habituellement le développement prénatal? Quelles sont les forces qui le façonnent et quelles sont celles qui peuvent le faire dévier de la voie normale? Par exemple, dans quelle mesure la santé ou les habitudes de vie de la mère peuvent-elles influer, de manière positive ou négative, sur ce processus du développement? Ces questions revêtent une grande importance pour ceux et celles d'entre vous qui souhaitent avoir des enfants. Mais il s'agit également de questions fondamentales qu'il faut aborder dans l'étude du développement. En effet, le patrimoine génétique dont hérite le nouvel individu au moment de la conception ainsi que le développement neurologique et physique au cours des premiers mois constituent la base sur laquelle vont s'édifier tous les changements à venir.

CONCEPTION

La conception est la première étape du développement d'un individu ; elle se produit au moment où un seul spermatozoïde de l'homme perce la membrane de l'ovule de la femme, comme le montre la photographie ci-dessous. Habituellement, l'un des deux ovaires libère un **ovule** (œuf) tous les mois, vers le milieu du cycle menstruel. Si l'ovule n'est pas fécondé, il chemine dans l'une des **trompes de Fallope** vers l'**utérus**, où il se décompose progressivement ; il est ensuite expulsé au cours des prochaines menstruations.

Par contre, si le couple a des relations sexuelles pendant la période féconde de quelques jours où l'ovule se trouve dans la trompe de Fallope, l'un des millions de spermatozoïdes éjaculés lors de l'orgasme masculin peut se déplacer du vagin de la femme vers le col de l'utérus, puis dans l'utérus et la trompe de Fallope, et enfin pénétrer dans la paroi de l'ovule. Un enfant est alors conçu. L'œuf fécondé est appelé **zygote** avant la première division cellulaire. La moitié seulement des ovules fécondés survivront jusqu'à la naissance. Environ un quart d'entre eux meurent dès les premiers jours de la conception, souvent en raison d'une imperfection génétique. Un autre quart est avorté spontanément (fausse couche) à un moment plus avancé de la grossesse (Wilcox *et al.,* 1988).

GÉNÉTIQUE

L'importance des événements génétiques qui accompagnent la conception est cruciale. La combinaison des gènes mâles du père et des gènes femelles de la mère crée une empreinte génétique unique, le *génotype.* Pour bien comprendre le déroulement de ces événements, il nous faut revenir un peu en arrière.

Le noyau de chaque cellule de notre corps renferme un ensemble de 46 **chromosomes** regroupés en 23 paires — excepté chez les individus qui présentent certains types d'anomalités génétiques — (voir la figure 2.1). Les chromosomes contiennent toute l'information génétique propre à un individu, c'est-à-dire qu'ils déterminent des caractéristiques individuelles comme la couleur des cheveux, la taille, l'aspect physique, le tempérament et certains aspects de l'intelligence. Ils définissent en outre les caractéristiques communes à tous les membres d'une même espèce, telles que les séquences du développement physique.

Les spermatozoïdes et les ovules, appelés **gamètes** ou cellules sexuelles, sont les seules cellules qui ne comprennent pas 46 chromosomes. Durant les premiers stades du développement, les gamètes se divisent comme toutes les autres cellules selon un processus appelé *mitose,* et chaque paire de chromosomes se scinde et se multiplie pour donner d'autres cellules identiques contenant chacune 23 *paires* de chromosomes. Cependant, les gamètes ont ceci de particulier qu'ils connaissent un stade final appelé *méiose,* au cours duquel chaque nouvelle cellule reçoit un chromosome seulement de chaque paire originale. C'est ainsi que les gamètes ne contiennent que 23 chromosomes au lieu de 23 paires. Lorsqu'un enfant est conçu, les 23 chromosomes de l'ovule (la moitié du patrimoine héréditaire de la mère) et les 23 chromosomes du spermatozoïde (la moitié du patrimoine héréditaire du père) s'unissent pour former les 23 paires qui composeront chaque cellule du nouvel individu (dont chacune compte donc 46 chromosomes).

Les chromosomes sont eux-mêmes constitués de longues chaînes de molécules d'une substance chimique appelée **acide désoxyribonucléique (ADN)**. James Watson et Francis Crick (1953), qui ont reçu le prix Nobel pour leurs travaux, ont découvert que l'ADN avait la forme d'une spirale à double hélice, semblable à un escalier en

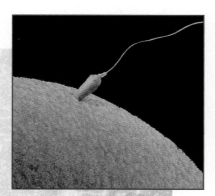

Le moment de la conception, lorsqu'un seul spermatozoïde perce la membrane de l'ovule.

Ovule : Gamète femelle qui, après fertilisation par un spermatozoïde, forme l'embryon.

Trompe de Fallope : Conduit de chaque côté de l'utérus dans lequel l'ovule chemine jusqu'à l'utérus et où se produit généralement la conception.

Utérus : Organe féminin dans la paroi duquel s'implante le blastocyste et où l'embryon, puis le fœtus, se développe.

Zygote : Œuf fécondé qui résulte de l'union de l'ovule et du spermatozoïde.

Chromosome : Petite structure filamenteuse d'ADN contenant des instructions pour une grande variété de processus normaux de développement et des caractéristiques individuelles uniques. Chaque cellule humaine possède 46 chromosomes disposés en 23 paires.

Gamète : Cellule sexuelle (spermatozoïde ou ovule) qui, contrairement à toutes les autres cellules du corps, ne contient que 23 chromosomes au lieu de 23 paires.

Acide désoxyribonucléique (ADN) : Composition chimique des gènes, souvent désignée par l'abréviation ADN.

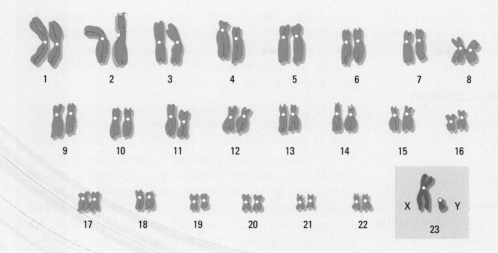

Figure 2.1
***Représentation schématique
des chromosomes.***
Chaque cellule humaine contient 46 chromosomes regroupés en 23 paires. La 23e paire est constituée par les chromosomes sexuels : deux chromosomes X chez la femme, un chromosome X et un chromosome Y (beaucoup plus petit) chez l'homme. (*Source :* Tortora et Grabowski, 2001.)

colimaçon. Les marches de cet escalier sont disposées de telle sorte qu'elles peuvent se scinder en deux, sur la longueur, si bien que chaque moitié peut guider la reconstruction de la partie manquante. Ce phénomène remarquable permet la multiplication des cellules, qui comprennent toutes l'ensemble des informations génétiques.

La chaîne d'ADN qui compose chaque chromosome se divise en segments appelés **gènes**. Chacun de ces gènes influe sur un caractère particulier ou sur une partie du processus de développement. Les gènes responsables de certains caractères — comme ceux qui déterminent le groupe sanguin ou la couleur des cheveux — semblent être toujours situés au même endroit (le *locus, loci* au pluriel) sur le même chromosome chez tous les individus d'une même espèce. Ainsi, le locus du gène qui détermine si vous appartenez au groupe sanguin A, B ou O se trouve sur le chromosome 9. Le locus du gène qui détermine si votre sang comprend un facteur Rh se trouve sur le chromosome 1, et ainsi de suite (Scarr et Kidd, 1983). Au cours des dernières années, les généticiens ont accompli des progrès remarquables dans l'établissement des cartes des loci pour un très grand nombre de caractères génétiques et de caractéristiques corporelles. Cette réussite scientifique a par ailleurs permis d'effectuer des progrès tout aussi considérables dans le diagnostic prénatal de différentes anomalies génétiques et de maladies héréditaires.

GÉNOTYPE ET PHÉNOTYPE

Grâce aux données obtenues au cours de recherches effectuées sur les jumeaux et les enfants adoptés, les psychologues du développement ont accompli de grands progrès dans la détermination des aptitudes, des caractéristiques corporelles et des traits de caractère influencés par l'hérédité. Aucun généticien n'affirme cependant que la destinée d'un individu est déterminée entièrement par l'héritage d'une certaine combinaison de gènes. À la conception, les gènes du père contenus dans le sperme et ceux de la mère contenus dans l'ovule se mélangent afin de créer une combinaison génétique unique appelée génotype. Les généticiens (et les psychologues) établissent une distinction importante entre le **génotype**, soit l'ensemble des «instructions» inscrites dans les gènes d'un individu, et le **phénotype**, soit les particularités effectivement observées chez l'individu.

Le phénotype est le produit de trois éléments : 1) le génotype, 2) les influences du milieu depuis la conception jusqu'avant la naissance et 3) l'interaction entre le milieu et le génotype après la naissance. Par exemple, un enfant peut avoir un génotype associé à un Q.I. très élevé, mais si la mère a consommé une quantité excessive d'alcool pendant sa grossesse, le système nerveux de l'enfant peut subir des lésions qui provoqueront une légère déficience intellectuelle. Par ailleurs, un enfant peut avoir un génotype associé à un tempérament difficile, mais si ses parents font preuve de sensibilité et d'attention, il pourra apprendre de nouvelles façons de s'adapter.

La distinction entre génotype et phénotype est très importante. En effet, les codes génétiques ne constituent pas des signaux irrévocables décidant du modèle de

Gène : Segment d'ADN présent dans le chromosome, qui influe sur un ou plusieurs processus corporels particuliers.

Génotype : Ensemble des caractères génétiques et des séquences de développement inscrites dans les gènes d'un individu.

Phénotype : Ensemble des caractéristiques corporelles d'un individu, résultant des influences génétiques et environnementales conjuguées.

développement ou de l'apparition d'une maladie. Le développement est également fonction des expériences propres à l'individu depuis le moment de sa conception.

MODES DE TRANSMISSION HÉRÉDITAIRE

Le génotype influe sur le phénotype selon des règles de transmission héréditaire complexes, que nous abordons ici.

Gènes dominants et gènes récessifs

La transmission héréditaire la plus courante s'effectue sur le mode dominant-récessif. Dans l'**hérédité dominante-récessive**, un seul gène dominant exerce une forte influence sur le phénotype. Le tableau 2.1 présente une liste de caractères normaux associés au phénotype et indique l'origine de ces caractères (gènes dominants, gènes récessifs ou polygénie). Lors de la fécondation, chaque individu reçoit de chacun de ses parents un chromosome, et les deux vont constituer une paire. Les personnes dont les chromosomes portent soit deux gènes dominants, soit deux gènes récessifs sont dites *homozygotes*. Celles qui portent un gène dominant et un gène récessif sont dites *hétérozygotes*.

Si un enfant reçoit un seul gène dominant de l'un de ses parents, son phénotype va inclure le caractère déterminé par ce gène. Par contre, son phénotype ne comprendra un caractère récessif que si l'enfant reçoit un gène récessif de ses *deux parents*. Par exemple, les généticiens ont découvert que le caractère génétique des cheveux frisés est transmis par une seule paire de gènes (voir la figure 2.2). Le gène des cheveux frisés (ou bouclés) est dominant; si un homme a les cheveux frisés, cela signifie que son génotype comprend au moins un gène pour ce caractère et que la moitié de son sperme porte ce gène. Par contre, le gène des cheveux lisses est récessif; il faut donc que le génotype d'un homme aux cheveux lisses contienne deux gènes de

ce caractère des cheveux lisses pour que s'exprime le phénotype des cheveux lisses. Les généticiens savent aussi qu'un homme aux cheveux lisses ne peut transmettre que ce type de cheveux, car son génotype est constitué de deux gènes récessifs des cheveux lisses.

Les généticiens nous apprennent également que les gènes dominants et les gènes récessifs diffèrent sur le plan de leur *expressivité,* c'est-à-dire que le degré d'influence sur le phénotype varie en intensité d'une personne à l'autre. Par exemple, les individus qui possèdent le gène des cheveux frisés n'ont pas tous le même type de cheveux frisés, certains ont les cheveux légèrement bouclés et d'autres, les cheveux très frisés. Ainsi, même si l'on sait qu'un enfant va recevoir le gène dominant « cheveux frisés » de son père, il est probable que son type de cheveux frisés ne sera pas exactement semblable à celui de son père.

Le type sanguin est aussi déterminé par l'hérédité dominante-récessive. Parce qu'un individu doit recevoir deux gènes récessifs pour avoir le type sanguin O, le génotype de ces individus est évident. Cependant, le génotype des individus qui ont un type sanguin A ou B n'est pas aussi évident parce que les types A et B sont dominants. Ainsi, lorsque le phénotype d'un individu présente soit le type sanguin A, soit le type sanguin B, l'un des gènes est nécessairement A ou B, mais l'autre gène de la paire peut être d'un autre type sanguin. Cependant, si un père de type A et une mère de type B ont un enfant avec le type sanguin O, on sait que chacun des parents est porteur d'un gène de type O, parce que l'enfant doit recevoir ce gène de l'un et de l'autre de ses parents afin de présenter le phénotype de type O.

Hérédité dominante-récessive : Mode de transmission héréditaire par lequel un seul gène dominant exerce une influence sur le phénotype d'une personne, alors que deux gènes récessifs sont nécessaires pour exercer une influence sur le phénotype.

Tableau 2.1	*Origine génétique des caractères normaux*	
Gènes dominants	**Gènes récessifs**	**Polygénie (plusieurs gènes)**
Taches de rousseur	Pieds plats	Taille
Cheveux épais	Lèvres minces	Morphologie
Fossettes	Groupe sanguin Rh négatif	Couleur des yeux
Cheveux frisés	Cheveux fins	Couleur de la peau
Myopie	Cheveux roux	Personnalité
Lèvres charnues	Cheveux blonds	
Groupe sanguin Rh positif	Type sanguin O	
Type sanguin A et B	Cheveux lisses	
Cheveux bruns		

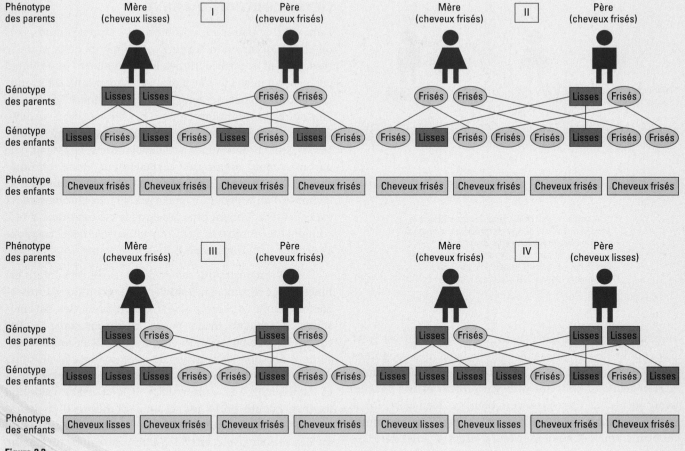

Figure 2.2
Exemples de transmission d'un gène récessif des parents aux enfants.

La figure 2.3 illustre les combinaisons possibles des différents types sanguins provenant d'un père hétérozygote de type A et d'une mère hétérozygote de type B. Notez que le type AB constitue l'un des phénotypes possibles parce que les gènes pour les types A et B sont codominants quand ils se retrouvent ensemble, c'est-à-dire que chacun exerce une influence égale sur le phénotype. La même règle s'applique pour une personne qui présente un œil d'une certaine couleur et l'autre d'une autre couleur. Cependant, ces phénomènes sont relativement rares.

Hérédité polygénique et hérédité multifactorielle

Dans l'**hérédité polygénique,** certains gènes exercent une influence sur le phénotype. Il existe plusieurs caractères polygéniques pour lesquels la transmission s'effectue sur le mode dominant-récessif. Par exemple, les généticiens pensent que les enfants reçoivent trois gènes déterminant la couleur (teint) de la peau de la part de chacun de leurs parents (Tortora et Grabowski, 1993). Le gène « peau foncée » domine le gène « peau claire ». Ainsi, lorsque l'un des parents a la peau foncée et que l'autre a la peau claire, le teint de la peau de l'enfant se situera quelque part entre les deux. Le gène dominant « peau foncée » d'un parent assure que l'enfant aura la peau plus foncée que le parent à la peau claire, mais le gène « peau claire » de l'autre parent fait également en sorte que l'enfant n'aura pas la peau aussi foncée que son parent à la peau foncée.

La couleur des yeux est un autre caractère polygénique transmis sur le mode dominant-récessif (Tortora et Grabowski, 1993). Si les scientifiques ignorent combien de gènes exactement influent sur la couleur des yeux, ils savent en revanche que ces gènes ne sont pas responsables d'une couleur précise, mais plutôt de l'aspect foncé ou clair de la partie colorée de l'œil. Les gènes de couleurs foncées (noir, brun, noisette et vert) sont dominants par

---

Hérédité polygénique : Mode de transmission héréditaire par lequel plusieurs gènes exercent une influence sur un même caractère.

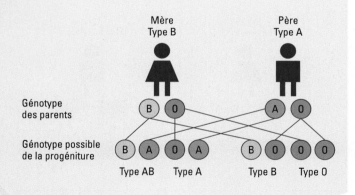

Figure 2.3
Transmission des types sanguins possibles à la progéniture d'une femme hétérozygote de type B et d'un homme hétérozygote de type A.
Notez que, au Canada, 42 % des individus présentent le type A, 9 % présentent le type B, 46 % présentent le type O et 3 % présentent le type AB.

rapport aux gènes de couleurs claires (bleu et gris). Cependant, des mélanges de couleurs sont aussi possibles. Les personnes dont les chromosomes portent une combinaison de gènes pour des yeux verts, bleus et gris peuvent avoir des yeux bleu-gris, vert-bleu ou bleu-vert. De la même façon, les gènes qui déterminent différentes teintes de bruns peuvent combiner leurs effets et ainsi déterminer chez un enfant un phénotype de la couleur des yeux qui diffère de celui de ses parents qui ont des yeux bruns.

De nombreux gènes exercent une influence sur le développement de la taille d'un individu et ne sont pas soumis à l'hérédité dominante-récessive. La plupart des généticiens croient que chaque gène associé à la taille influe quelque peu sur la taille d'un enfant (Tanner, 1990). Par conséquent, la taille d'un enfant relève de la somme des influences combinées de tous ces gènes.

La taille, comme la plupart des caractères polygéniques, est aussi le résultat d'une **hérédité multifactorielle**, ce qui signifie qu'elle subit les influences et des gènes et de l'environnement. Pour cette raison, les médecins utilisent des échelles de croissance comme indicateur de la santé générale d'un enfant (Sulkes, 1998 ; Tanner, 1990). Si un enfant est malade, sous-alimenté ou négligé, il se peut qu'il soit moins grand que les autres enfants de son âge. Par conséquent, si un enfant est plus petit que 97 % des autres enfants de son âge, les médecins vont essayer de déterminer si cette différence est imputable aux gènes ou à un facteur de l'environnement (Tanner, 1990). Plusieurs caractéristiques humaines sont transmises par hérédité multifactorielle, par exemple le tempérament et l'intelligence.

DÉTERMINATION DU SEXE

Dans 22 des paires de chromosomes, appelés *autosomes* ou chromosomes non sexuels, les éléments de la paire se ressemblent et possèdent des loci génétiques exactement correspondants. La 23e paire est cependant différente. Les chromosomes de cette paire déterminent le sexe de l'enfant et portent donc le nom de *chromosomes sexuels*. Il en existe deux types, appelés par convention chromosomes X et chromosomes Y. Chez la femme, la 23e paire de chromosomes comprend normalement deux chromosomes X (génotype XX), alors que chez l'homme elle se compose d'un X et d'un Y (génotype XY). Le chromosome X est considérablement plus gros que le chromosome Y, et il contient de nombreux loci qui n'ont pas de correspondance sur le chromosome Y.

Il est important de noter que le sexe de l'enfant est fonction du chromosome sexuel qu'il reçoit du spermatozoïde. Comme la mère possède uniquement des chromosomes X, chaque ovule porte un chromosome X. Par contre, le père possède un chromosome X et un chromosome Y. Lorsque les gamètes du père se divisent au cours de la méiose, la moitié des spermatozoïdes va porter un X et l'autre moitié va porter un Y. Si le spermatozoïde qui fertilise l'ovule porte un X, l'enfant hérite d'un génotype XX : ce sera donc une fille. Si le spermatozoïde porte un Y, la combinaison sera XY : l'enfant sera donc un garçon.

Par ailleurs, la différence de taille entre les chromosomes X et Y fait en sorte que le garçon hérite, par sa mère, de nombreux gènes sur le chromosome X qui ne sont pas compensés (n'ont pas de loci équivalents) par le matériel génétique sur le chromosome Y. Cela signifie notamment qu'une mère peut transmettre directement à son fils les maladies récessives ou d'autres caractères génétiques dont les loci se trouvent sur les régions sans segments équivalents du chromosome X. On parle alors de *transmission liée au sexe*. L'hémophilie en est un exemple (voir plus loin la figure 2.6).

Vous pouvez remarquer que, chez les femmes, les gènes récessifs liés au sexe produisent exactement les mêmes effets que les autres maladies récessives. La fille hérite des caractères d'une maladie héréditaire uniquement si elle reçoit le gène récessif de ses deux parents. Par contre, le fils peut en être atteint, même s'il ne reçoit que le gène récessif de sa mère. Comme le chromosome Y

Hérédité multifactorielle : Mode de transmission héréditaire par lequel un caractère est influencé à la fois par des gènes et par l'environnement.

qu'il a hérité de son père ne contient pas de loci parallèles pour ces caractères, il n'y a pas d'instructions compensatrices, et le gène récessif de la mère provoque une maladie héréditaire. Dans le cas des maladies liées au sexe, comme la dystrophie musculaire ou l'hémophilie, la moitié des fils d'une mère porteuse seront atteints, et la moitié des filles seront porteuses du gène. Les filles transmettront à leur tour la maladie à la moitié de leurs fils.

Pour terminer, il est important de préciser que, entre la 4e et la 8e semaine qui suivent la conception, les testicules rudimentaires de l'embryon mâle commencent à sécréter une hormone mâle, la testostérone. Si cette hormone n'est pas sécrétée ou est sécrétée en quantité insuffisante, l'embryon sera «démasculinisé» et développera des organes génitaux femelles. Les filles ne sécrètent pas d'hormone équivalente lors de la période prénatale. Cependant, la présence accidentelle d'hormone mâle à une période critique du développement prénatal — qui peut provenir de certaines drogues absorbées par la mère ou d'une maladie génétique appelée *hyperplasie surrénale congénitale* — «déféminise» ou «masculinise» le fœtus femelle. Dans ce cas, on observe parfois la présence d'organes génitaux qui s'apparentent aux organes génitaux mâles, mais on remarque le plus souvent la masculinisation des comportements ultérieurs, comme des jeux plus rudes et un tempérament plus bagarreur (Collaer et Hines, 1995).

JUMEAUX FRATERNELS ET JUMEAUX IDENTIQUES

Le plus souvent, un seul enfant à la fois est conçu. On assiste cependant à des naissances multiples, approximativement quatre fois sur cent (4/100), qui, dans leur grande majorité, concernent des jumeaux. La probabilité de donner naissance à des triplés s'établit à 1 pour 6 400 naissances, et à des quadruplés, à 1 pour 512 000 naissances. Le cas le plus fréquent (2/3 des naissances de jumeaux) est celui des *jumeaux fraternels* ou *dizygotes,* qui survient lorsque plusieurs ovules ont été produits et fécondés chacun par un spermatozoïde différent. Ces jumeaux ne présentent pas plus de similitudes génétiques que n'importe quels frères ou sœurs, et ils ne sont même pas forcément du même sexe. Dans d'autres cas relativement rares (le tiers restant des naissances de jumeaux), il arrive qu'un seul ovule fécondé se divise en deux, juste avant l'implantation, et que chaque moitié se développe séparément par la suite, donnant ainsi naissance à deux enfants que l'on appelle *jumeaux identiques* ou *monozygotes.* Ces jumeaux ont forcément le même patrimoine génétique (et sont donc du même sexe), car ils sont issus du même ovule fécondé.

Conception et génétique

- Expliquez le processus de la conception (où, quand, comment).

- Qu'est-ce que le génotype d'un individu ? le phénotype ?

- Expliquez ces différents modes de transmission héréditaire : dominant-récessif, polygénique et multifactoriel.

- Comment le sexe d'un individu est-il déterminé ?

- Qu'est-ce qui différencie les jumeaux fraternels des jumeaux identiques ?

Concepts et mots clés

- **acide désoxyribonucléique (ADN)** (p. 40) • **chromosome** (p. 40) • **gamète** (p. 40) • **gène** (p. 41) • **génotype** (p. 41) • **hérédité dominante-récessive** (p. 42) • **hérédité multifactorielle** (p. 44) • **hérédité polygénique** (p. 43) • **ovule** (p. 40) • **phénotype** (p. 41) • **trompe de Fallope** (p. 40) • **utérus** (p. 40) • **zygote** (p. 40)

DÉVELOPPEMENT PRÉNATAL

Si nous supposons que la conception a lieu deux semaines après les règles, au moment où a lieu habituellement l'ovulation, alors la période de gestation de l'enfant est de 38 semaines (environ 265 jours). La plupart des médecins calculent 40 semaines de gestation à partir des dernières règles.

ÉTAPES DU DÉVELOPPEMENT PRÉNATAL

Les biologistes et les embryologistes divisent les semaines de gestation en trois périodes de longueurs inégales : la *période germinale,* qui débute à la conception et dure environ 2 semaines, la *période embryonnaire,* qui couvre les 6 semaines suivantes (jusqu'à la 8e semaine suivant la conception), et la *période fœtale,* qui s'étend sur les 30 semaines restantes.

Période germinale : de la conception à l'implantation

La division cellulaire débute entre 24 et 36 heures après la conception. En deux ou trois jours, il se forme des douzaines de cellules dont l'ensemble n'est pas plus gros qu'une tête d'épingle. Cet amas de cellules est indifférencié (cellules identiques) jusqu'à environ quatre jours après la conception. À ce moment, l'amas commence à se subdiviser

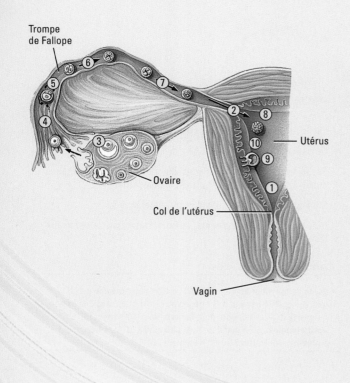

Trompe de Fallope

Utérus

Ovaire

Col de l'utérus

Vagin

① Des millions de spermatozoïdes pénètrent dans l'utérus et se dirigent vers la trompe de Fallope ②.

③ L'ovaire amène un follicule immature à maturité, produisant ainsi l'ovule.

④ L'ovule quitte l'ovaire au milieu du cycle menstruel de 28 jours (entre le 9e et le 16e jour). Si l'ovule n'est pas fécondé, il est rejeté à la fin du cycle menstruel, ce qui provoque les menstruations.

⑤ Un seul spermatozoïde va féconder l'ovule à l'entrée de la trompe de Fallope.

⑥ L'œuf fécondé, nommé zygote, poursuit son trajet à travers la trompe vers l'utérus; il se divise en chemin (par mitose) et forme de nouvelles cellules. Les premières divisions surviennent de 24 à 36 heures après la fécondation.

⑦ Au bout de 3 jours, le zygote compte environ 32 cellules.

⑧ Le zygote devient un amas cellulaire compact entouré de liquide; appelé maintenant blastocyste, il pénètre dans l'utérus et la différenciation cellulaire commence (de 5 à 6 jours).

⑨ L'embryon se fixe à la paroi utérine.

⑩ L'embryon est solidement fixé et compte environ 150 cellules au bout de 11 à 12 jours.

Figure 2.4
Séquence des changements au cours de la période germinale.
On peut voir ici le processus de fécondation et les différentes étapes menant à l'implantation de l'embryon sur la paroi utérine (période germinale). (*Source:* Adapté de Tortora et Grabowski, 2001, figure 29.4, p. 1091.)

et prend le nom de *blastocyste*. Une cavité se creuse au cœur de la boule de cellules, et l'amas se divise en deux. Les cellules situées à la périphérie vont former les différentes structures qui vont elles-mêmes soutenir le développement de l'organisme, et la masse intérieure deviendra l'embryon. Lorsqu'elle touche la paroi de l'utérus, l'enveloppe périphérique du blastocyste, qui est composée de cellules, se rompt au point de contact. De petits crampons permettent à la masse cellulaire de se fixer à la paroi utérine: ce processus est appelé *implantation*. Lorsque l'implantation se produit, normalement de 10 jours à 2 semaines après la conception, le blastocyste compte près de 150 cellules (Tanner, 1978). La figure 2.4 illustre la séquence de changements au cours de la période germinale.

Période embryonnaire

La période embryonnaire débute à la fin de l'implantation (approximativement 2 semaines après la conception) et s'étend jusqu'à la fin de la 8e semaine. À la fin de cette période, les diverses structures de soutien sont complètement formées et les principaux organes du corps sont présents sous une forme rudimentaire.

Structures de soutien Deux structures de soutien importantes se développent à partir de la couche externe de cellules: une membrane interne, appelée **amnios** ou sac amniotique, contient le liquide dans lequel le bébé

flotte (liquide amniotique) et une seconde structure, appelée **chorion,** donnera le **placenta** et le **cordon ombilical.** Le placenta est un organe qui s'appuie contre la paroi utérine et qui est composé de cellules de protection faisant office de foie, de poumons et de reins pour l'embryon et le fœtus; il a terminé son développement après 4 semaines de gestation. Le placenta est relié au système cardiovasculaire de l'embryon par le cordon ombilical. Son rôle de filtre permet les échanges de nutriments (tels que l'oxygène, les protéines, les glucides et les vitamines) entre le sang de la mère et celui de l'embryon ou du fœtus. Il autorise également le passage des déchets digestifs et du gaz carbonique du sang de l'enfant vers celui de la mère, dont l'organisme est capable d'éliminer ces déchets (Rosenblith, 1992). En outre, les différentes membranes

Amnios: Membrane remplie de liquide amniotique dans lequel baigne l'embryon ou le fœtus.

Chorion: Couche externe de cellules qui, durant le stade de développement prénatal du blastocyste, va donner naissance au placenta et au cordon ombilical.

Placenta: Organe qui se développe durant la gestation entre le fœtus et la paroi de l'utérus. Le placenta filtre les nutriments du sang de la mère, et il fait office de foie, de poumons et de reins pour le fœtus.

Cordon ombilical: Une des structures de soutien qui se développe durant la période embryonnaire et qui relie le système cardiovasculaire de l'embryon et du fœtus au placenta, permettant ainsi d'acheminer les nutriments et d'évacuer les déchets.

du placenta empêchent généralement le passage de substances nocives (comme les virus), et elles filtrent la plupart des hormones de la mère. Cependant, de nombreux médicaments et anesthésiques parviennent à traverser cette barrière placentaire, de même que certains agents pathogènes.

Développement de l'embryon Durant cette période, l'amas cellulaire qui deviendra l'embryon se scinde encore en plusieurs types de cellules différenciées. Ces cellules formeront les rudiments de la peau, des récepteurs sensoriels, des cellules nerveuses, des muscles, du système cardiovasculaire et des organes internes. Cette différenciation cellulaire est remarquablement rapide. Après 8 semaines de gestation, l'embryon mesure environ 3,75 cm de long et possède un cœur qui bat, un système cardiovasculaire primitif, les ébauches des oreilles et des yeux, une bouche qui s'ouvre et se ferme, des jambes, des bras et une colonne vertébrale primitive (Allen, 1996). Quand l'*organogenèse* est terminée, une nouvelle étape commence, celle du **fœtus**.

Période fœtale

Les sept mois de la période fœtale sont consacrés au perfectionnement des systèmes organiques primitifs déjà en place. On peut comparer ce processus à la construction d'une maison : la structure est créée rapidement, mais la finition est plus longue à réaliser. Le tableau 2.2 présente les principaux événements prénatals.

Développement du système nerveux Le système nerveux est encore très rudimentaire à la fin de la période embryonnaire. Il se compose de deux types de cellules de base, les **neurones** et les **cellules gliales**. Les cellules gliales constituent en quelque sorte le ciment qui assure la cohésion des différentes structures du système nerveux, en conférant au cerveau sa fermeté et sa structure (Kandel, 1985). Les neurones reçoivent et transmettent les messages d'une région du cerveau à une autre, ou d'une partie du corps à une autre.

Les neurones comprennent quatre composantes principales, comme vous pouvez le voir sur le schéma de la figure 2.5 : 1) un corps cellulaire, 2) des prolongements du corps cellulaire, appelés **dendrites**, qui sont les principaux récepteurs des impulsions nerveuses, 3) un prolongement tubulaire du corps cellulaire appelé **axone**, qui peut mesurer jusqu'à 1 m de long chez les humains, et 4) des fibres terminales ramifiées à l'extrémité de l'axone, qui forment l'appareil primaire de transmission du système nerveux. En raison de l'aspect ramifié des dendrites, les physiologistes emploient souvent une terminologie

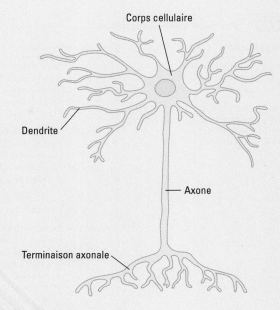

Figure 2.5
Structure d'un neurone.
Les corps cellulaires sont les premiers à se développer, essentiellement entre la 12e et la 24e semaine. Les axones et les dendrites se développent plus tard, surtout durant les 12 dernières semaines de la gestation, et leur développement se poursuit au cours des premières années de la vie.

propre à la botanique pour les décrire ; ils parlent d'arbre dendritique ou d'émondage de l'arbre dendritique.

La **synapse** est le point de contact entre deux neurones, c'est-à-dire l'endroit où les fibres de transmission de l'axone entrent en contact avec les dendrites d'un autre neurone. Le nombre de synapses est très élevé. Ainsi, une

---

Fœtus : Nom donné à l'embryon humain à partir du 3e mois de son développement.

Neurones : Cellules de base du système nerveux qui assurent la transmission et la réception des influx nerveux.

Cellules gliales : Cellules de base du système nerveux qui assurent la cohésion des centres nerveux en donnant au cerveau sa fermeté et sa structure.

Dendrite : Prolongement filamenteux d'un neurone qui forme avec d'autres dendrites la moitié d'une connexion synaptique vers d'autres cellules. Les dendrites se développent rapidement au cours des trois derniers mois de la grossesse et durant la première année de vie.

Axone : Prolongement d'un neurone dont les fibres terminales servent de transmetteurs dans la connexion synaptique avec les dendrites des autres neurones.

Synapse : Point de contact entre l'axone d'un neurone et les dendrites d'un autre neurone, qui permet la transmission des influx nerveux d'un neurone à l'autre, ou d'un neurone à un autre type de cellules, comme les cellules musculaires.

Tableau 2.2   *Principaux événements prénatals*

Période germinale		Période embryonnaire		Période fœtale	
Semaine 1	Le zygote se déplace à l'intérieur de la trompe de Fallope.	Semaine 3	Les vaisseaux sanguins apparaissent ainsi que la colonne vertébrale primitive (le tube neural, qui est à l'origine du cerveau).	Semaines 9 à 12	Les muscles, les paupières et les lèvres sont formés, ainsi que les orteils et les doigts. Les os remplacent les cartilages. Le fœtus mesure 7,5 cm et pèse 28 g.
Semaine 2	Le blastocyste s'attache à la paroi utérine. La différenciation cellulaire débute.	Semaine 4	Les yeux, la bouche et les bourgeons rudimentaires qui deviendront les membres apparaissent. Le cœur commence à battre.	Semaines 12 à 15	Le fœtus peut entendre la voix de sa mère et les bruits extérieurs. Les structures majeures du cerveau prennent forme. Les cellules gliales (soutien des neurones) se développent.
		Semaine 5	Les oreilles et les mains commencent à se former.	Semaine 16	La mère perçoit généralement les premiers mouvements du fœtus. Les os commencent à se développer. Les oreilles sont pratiquement formées.
		Semaine 6	Le cerveau se divise en trois parties; il commence à avoir une activité électrique. Les gonades (testicules ou ovaires) se développent. Entre la 4e et la 6e semaine, le chromosome Y produit de la testostérone, qui transforme les gonades en testicules. En l'absence de testostérone, les gonades se transforment en ovaires.	Semaines 17 à 20	Le cœur bat de 120 à 160 pulsations par minute. Le fœtus pèse 227 g et mesure de 20 à 30 cm.
				Semaines 21 à 24	Les yeux sont complètement formés ainsi que les cheveux, les ongles, les glandes sudoripares et les papilles gustatives. Certains enfants nés prématurément entre la 22e et la 24e semaine vivent parfois, mais les chances de survie sont faibles et l'incidence des problèmes est très élevée. Le fœtus pèse 907 g et mesure entre 28 et 35 cm.
		Semaine 7	Les différentes parties du corps commencent à s'allonger. Le cortex se développe. Les paupières et les muscles apparaissent. L'embryon commence à bouger spontanément (Joseph, 2000).	Semaines 25 à 28	Les organes internes sont formés et fonctionnels. L'âge de la viabilité du fœtus est atteint. Le fœtus reconnaît la voix de sa mère. Il réagit aux sons et aux vibrations en modifiant son rythme cardiaque, en tournant sa tête et en bougeant son corps (Joseph, 2000).
		Semaine 8	Les composantes faciales et les organes sexuels externes peuvent être observés. Le foie commence à fonctionner. Le cœur pompe le sang dans toutes les parties de l'organisme. Les connexions entre le cerveau et le reste du corps sont bien établies. Les systèmes digestif et excréteur fonctionnent. L'organogenèse est terminée.	Semaines 28 à 30	Les systèmes nerveux, cardiovasculaire et respiratoire sont suffisamment développés pour assurer la survie, bien que le bébé soit encore minuscule et que son système nerveux n'en soit qu'aux premiers balbutiements du développement dendritique.
				Semaines 30 à 33	Le fœtus gagne environ 200 g par semaine. Les dépôts de graisse augmentent. Le fœtus mesure entre 40 et 45 cm et pèse de 1,5 à 2,3 kg. Le fœtus peut distinguer entre des stimuli familiers et nouveaux (32e ou 33e semaine) (Sandman, Wadhwa, Hetrick, Porto et Peeke, 1997).
				Semaines 34 à 38	Le fœtus reçoit des anticorps de la mère. Il pèse de 2,7 à 3,5 kg et il mesure de 50 à 53 cm.

(Sources : Kliegman, 1998 ; Tortora et Grabowski, 1993.)

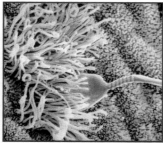

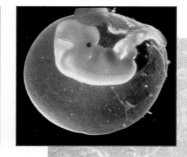

Période embryonnaire

Période germinale

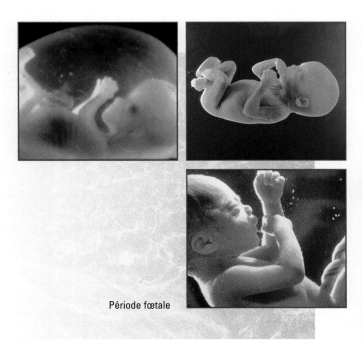

Période fœtale

ment tard durant la période prénatale. Le fœtus atteint la moitié de sa longueur de naissance au bout de 20 semaines environ de gestation, mais il n'atteint la moitié de son poids de naissance que 3 mois plus tard environ, vers la 32e semaine.

PAUSE-APPRENTISSAGE

Étapes du développement prénatal

- Décrivez les principales caractéristiques des trois périodes de la gestation (durée, événements, etc.).
- Qu'est-ce que la différenciation cellulaire?
- Quelles sont les composantes d'un neurone et quelle est leur fonction?

Concepts et mots clés

- **amnios** (p. 46) • **axone** (p. 47) • **cellules gliales** (p. 47) • **chorion** (p. 46) • **cordon ombilical** (p. 46) • **dendrite** (p. 47) • **fœtus** (p. 47) • **neurones** (p. 47) • **placenta** (p. 46) • **synapse** (p. 47)

seule cellule dans la région du cerveau qui régit la vision peut compter de 10 000 à 30 000 synapses réceptrices dans ses dendrites (Greenough, Black et Wallace, 1987).

Les cellules gliales commencent à se développer vers la 13e semaine qui suit la conception, et elles continuent à se multiplier jusqu'aux alentours de la 2e année après la naissance. La grande majorité des neurones sont formés entre la 10e et la 18e semaine de gestation et ce sont (sauf de rares exceptions) tous les neurones que possédera un individu au cours de sa vie (Huttenlocher, 1994 ; Todd *et al.*, 1995). À ce stade cependant, les neurones ne sont encore que des corps cellulaires : leurs axones sont courts et leur développement dendritique, peu avancé. C'est au cours des deux derniers mois de la grossesse et des premières années de la vie que se produisent l'allongement des axones et la croissance majeure de l'arbre dendritique, qui vont permettre le développement des très nombreuses synapses nécessaires au bon fonctionnement de l'être humain (Parmelee et Sigman, 1983). La plupart des connexions synaptiques sont formées après la naissance. Par exemple, dans la région du cerveau impliquée dans le processus de la vision (lobe occipital), les bébés possèdent 10 fois plus de synapses à l'âge de 6 mois qu'à la naissance (Huttenlocher, 1994). On peut donc considérer que les derniers mois de la gestation et les deux premières années de la vie représentent une période critique pour la croissance dendritique.

Croissance en taille et en poids De la même façon, la croissance en taille et en poids du fœtus a lieu relative-

INFLUENCES SUR LE DÉVELOPPEMENT PRÉNATAL

Le développement de l'enfant s'effectue de manière remarquablement régulière et prévisible. Si l'embryon survit à la période critique initiale (les 12 premières semaines environ), le développement se poursuit généralement sans problèmes, et les différents changements interviennent à intervalles réguliers, selon un plan de maturation apparemment bien précis.

Cette séquence du développement n'est pas à l'abri de modifications et d'influences extérieures, comme nous le verrons bientôt. Toutefois, avant d'aborder les problèmes éventuels, il faut souligner que le système de maturation présente une grande robustesse. Le développement prénatal normal requiert un environnement « adéquat », mais ce terme est assez vague. Les enfants sont le plus souvent normaux. La liste des problèmes éventuels est longue, et elle ne cesse de s'allonger à mesure que les connaissances progressent. Cependant, la plupart de ces problèmes restent rares. On peut en prévenir certains, du moins en partie ; d'autres n'auront pas forcément de conséquences permanentes pour l'enfant. Vous devez garder cela à l'esprit en lisant les pages qui suivent.

On peut diviser les problèmes potentiels en deux grandes catégories : les anomalies génétiques et les agents tératogènes (les facteurs nuisibles présents dans

Tableau 2.3	*Anomalies chromosomiques*	
Anomalie d'un chromosome particulier		
Syndrome de Down	Anomalie la plus répandue qui se caractérise par la présence de 3 chromosomes sur la 21e paire en raison d'une méiose (ou trisomie 21, mongolisme) imparfaite du spermatozoïde ou de l'ovule (de 1 pour 600 et 1 pour 1 000 naissances) (Hook, 1982; Nightingale et Goodman, 1990). Les enfants présentent des traits distinctifs, une déficience intellectuelle de légère à sévère, un cerveau de volume réduit et une déficience cardiaque (Haier *et al.,* 1995). Risque accru chez les mères de plus de 35 ans; chez les femmes de 35 à 39 ans, le risque	est de 1 pour 280 naissances; chez les femmes de plus de 45 ans, il s'élève à 1 pour 50 naissances (D'Alton et DeCherney, 1993). Cause possible: l'exposition aux produits toxiques de toutes sortes, tels que les solvants, les hydrocarbures, le plomb et les pesticides (Olshan, Baird et Teschke, 1989). D'après les études, les anomalies chromosomiques ne seraient pas le fruit du hasard et elles pourraient être causées par des agents tératogènes.
Anomalies des chromosomes sexuels		
Syndrome de Klinefelter	Anomalie la plus courante qui se caractérise par la présence d'un chromosome X supplémentaire (XXY). Ce syndrome touche les garçons (1 ou 2 pour 1 000 naissances) (Amato, 1998). Ils ont une apparence normale, mais leurs testicules sont atrophiés et ils ne produisent que très peu de sperme à l'âge adulte. La plupart ne souffrent pas de déficience	intellectuelle, mais certains présentent des troubles du langage et de l'apprentissage. À la puberté, ces garçons connaissent des changements morphologiques masculins et féminins (comme l'élargissement du pénis et le développement des seins). Le traitement requiert souvent l'injection de testostérone.
Syndrome du double Y	Le triplet chromosomique XYY, ou syndrome du double Y, est un peu moins fréquent (1 pour 1 000 naissances). Les enfants atteints sont des garçons et ils sont souvent plus grands	que la moyenne. Ils ont une puberté normale et peuvent élever une famille. Le risque est plus fréquent chez les mères plus âgées (Amato, 1998).
Syndrome de Turner	Les cas de chromosome X unique (X0), ou syndrome de Turner, constituent une exception à la règle selon laquelle les embryons dotés d'un nombre insuffisant de chromosomes ne sont pas viables. Ce syndrome se caractérise par le nanisme et la stérilité chez les fillettes; sans traitement hormonal, elles n'auront pas de menstruations et leurs seins ne se développeront pas à la	puberté. Les filles atteintes n'obtiennent généralement que des scores très bas aux tests de visualisation spatiale, mais leurs résultats aux tests de langage se situent dans la moyenne et même au-dessus de la moyenne (Golombok et Fivush, 1994; Amato, 1998).
Syndrome triple-X	Les filles atteintes du syndrome triple-X (1 pour 1 000 naissances) ont une taille normale, mais accusent un retard sur le plan du développement physique. Elles font preuve de piètres capacités verbales, présentent un Q.I. en dessous de la moyenne et ont des performances scolaires peu élevées en comparaison	des autres groupes présentant des anomalies des chromosomes sexuels (Bender *et al.,* 1995; Rovet et Netley, 1983). Le risque est plus fréquent chez les mères plus âgées (Amato, 1998). (Remarque: Le syndrome du double Y, le syndrome de Turner et le syndrome triple-X sont causés par des gènes récessifs.)
Syndrome de fragilité du chromosome X	Se caractérise par une rupture ou une cavité à un endroit précis du chromosome X (Dykens, Hodapp et Leckman, 1994). L'incidence est de 1 pour 1 300 naissances de garçons (Adesman, 1996; Rose, 1995). Ce syndrome peut toucher aussi bien les filles que les garçons. Cependant, comme les garçons ne possèdent pas l'influence potentiellement équilibrante d'un chromosome X normal, ils sont plus vulnérables aux effets négatifs de ce syndrome, autant sur le plan intellectuel que	sur le plan comportemental. Les garçons atteints semblent présenter des risques élevés de déficience intellectuelle: ils connaissent un déclin de 10 points aux tests de Q.I. entre l'enfance et l'adolescence, passant ainsi d'un déficit léger à un déficit moyen (Adesman, 1996). Certaines études attribuent à ce syndrome de 5 à 7% des déficiences intellectuelles chez les hommes (Zigler et Hodapp, 1991; Amato, 1998).
Hémophilie	Se caractérise par l'absence dans le sang de certaines substances chimiques qui favorisent la coagulation. Par conséquent, le saignement d'une personne hémophile qui	se blesse ne s'arrêtera pas naturellement. Approximativement 1 garçon sur 5 000 naît avec cette maladie, qui est encore inconnue chez les filles (Scott, 1998).
Daltonisme	Difficulté à distinguer entre le rouge et le vert lorsque ces couleurs sont adjacentes. Un homme sur 800 et 1 femme	sur 4 000 sont victimes de cette maladie. La plupart apprennent à compenser cette lacune et ont une vie normale.

l'environnement). Les anomalies génétiques qui surviennent au moment de la conception ne peuvent guère être évitées. Les agents tératogènes peuvent avoir un effet sur le développement à n'importe quel moment à partir de la conception.

Anomalies génétiques

Dans 3 à 8% des ovules fécondés (Kopp, 1983), le matériel génétique contient des anomalies parce que le spermatozoïde ou l'ovule ne se sont pas divisés correctement et que le nombre de chromosomes est alors trop ou pas assez élevé. Selon certaines études, les grossesses ne se

rendent pas à terme dans 90% des cas d'anomalies chromosomiques observés. Seulement 1% des nouveau-nés sont victimes de telles anomalies.

On dénombre plus de 50 types d'anomalies chromosomiques, et plusieurs d'entre elles sont très rares. Le tableau 2.3 présente certaines de ces anomalies chromosomiques.

Maladies déterminées par un seul gène Il arrive également qu'un enfant hérite du gène d'une maladie particulière. Le tableau 2.4 présente les maladies héréditaires les plus courantes. Parmi les causes avérées de déficience

Tableau 2.4	**Maladies héréditaires les plus courantes**	
Maladies à gène dominant		
Chorée de Huntington	Trouble neurologique sévère causé par un gène dominant dont les symptômes apparaissent généralement au milieu de la vie; s'accompagne d'une perte rapide des facultés intellectuelles et des capacités physiques. Les maladies à gène dominant	sont relativement rares, car la personne malade connaît le plus souvent son état et peut décider de ne pas avoir d'enfants, mais elle peut aussi être incapable de procréer. La maladie ne se manifeste pas avant 30 ans (Amato, 1998).
Autres maladies à gène dominant: hypertension, migraines et céphalées, et schizophrénie.		
Maladies à gène récessif		
Phénylcétonurie	Trouble du métabolisme à transmission récessive, caractérisé par un déficit en phénylalaline, un acide aminé courant. Le traitement consiste en un régime alimentaire pauvre en phénylalanine. On interdit à l'enfant de nombreuses catégories d'aliments, y compris le lait. Si l'enfant ne suit pas un régime particulier dès la naissance, il peut présenter une déficience	intellectuelle grave (on observe fréquemment des Q.I. de 30 ou moins). Cette affection ne touche que 1 enfant sur 10 000 (Nicholson, 1998). On ne peut procéder à un diagnostic prénatal, mais un test très courant permet le dépistage à la naissance.
Maladie de Tay-Sachs	Maladie mortelle et dégénérative du système nerveux à transmission récessive. Les enfants qui en sont atteints ne vivent que trois ou quatre ans. Le gène se trouve essentiellement chez les personnes qui ont des ancêtres juifs	d'Europe de l'Est, et le risque s'élève à environ 1 pour 3 600 naissances. Cette maladie peut faire l'objet d'un diagnostic prénatal (Painter et Bergman, 1998).
Drépanocytose	Affection du sang parfois létale à transmission récessive et caractérisée, notamment, par des douleurs dans les articulations et une vulnérabilité accrue aux infections. Le gène se trouve surtout chez les individus de race noire; environ	2 millions d'Américains sont porteurs du gène et 1 enfant sur 400 dans cette population hérite de la maladie. On peut procéder maintenant à un diagnostic prénatal de ce trouble (Scott, 1998).
Fibrose kystique	Maladie mortelle qui touche les poumons et les voies intestinales. Beaucoup d'enfants atteints de la fibrose kystique vivent jusqu'à l'âge de 20 ans environ. Dix millions d'Américains, de race blanche pour la plupart, portent le gène récessif et 1 enfant sur 1 600 hérite de la maladie. On ne peut actuellement déceler les porteurs avant la grossesse ni procéder à un	diagnostic prénatal, bien que le locus du gène de la fibrose kystique ait été déterminé. Cependant, on sait qu'un couple qui donne naissance à un enfant atteint de cette maladie risque dans une proportion de un sur quatre que ses autres enfants en soient également atteints.
Dystrophie musculaire	Maladie mortelle à transmission autosomique presque toujours liée au sexe, caractérisée par une atrophie musculaire. Des chercheurs viennent de localiser le gène le plus courant,	celui de l'atrophie musculaire progressive spinale de type Aran-Duchenne. On devrait donc pouvoir procéder bientôt au dépistage prénatal de ce trouble.
Défauts du tube neural	Défauts génétiques associés au tube neural qui peuvent se manifester par un spina bifida (malformation de la colonne vertébrale) ou par une anencéphalie (absence d'encéphale).	
Diabète	Maladie qui peut être contrôlée et qui se caractérise par une insuffisance d'insuline. Certaines formes de cette maladie sont associées à un gène récessif.	
Autres maladies à gène récessif: albinisme (absence totale de pigment dans la peau, le système pileux et les yeux).		
Maladies à gène récessif liées au sexe		
Hémophilie, syndrome de fragilité du chromosome X, daltonisme, certains types de dystrophie musculaire et certains types de diabète.		

intellectuelle, on dénombre 141 maladies ou troubles dont le locus génétique est connu, et 361, dont le locus n'est pas encore déterminé (Wahlström, 1990).

Les généticiens pensent que chaque adulte est porteur de quatre maladies ou anomalies transmises par un gène récessif (Scarr et Kidd, 1983). Toutefois, la distribution des gènes, pour l'une ou l'autre de ces maladies, n'est pas aléatoire. Par exemple, la drépanocytose frappe le plus souvent les individus de race noire, tandis que la maladie de Tay-Sachs affecte plutôt les Juifs ashkénazes (de l'Europe de l'Est). L'hémophilie touche habituellement les hommes, bien qu'elle soit transmise par les femmes, qui n'en sont pas elles-mêmes affectées. La figure 2.6 montre comment se transmet l'hémophilie.

Agents tératogènes

Un développement prénatal anormal peut également résulter de changements dans l'environnement où se trouve l'embryon ou le fœtus. Le processus de développement est alors perturbé par un **agent tératogène**, c'est-à-dire un agent extérieur, tels un germe infectieux ou une substance chimique. Ainsi, au cours du développement prénatal, l'organisme présente une plus grande sensibilité aux influences extérieures, qu'il s'agisse d'un

> **Agent tératogène:** Agent extérieur (par exemple une maladie ou un produit chimique) qui augmente de façon considérable les risques d'anomalies ou de perturbation durant le développement prénatal.

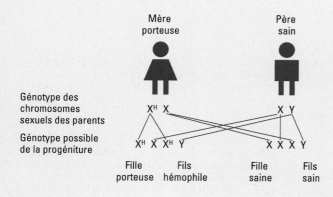

Génotype des
chromosomes
sexuels des parents

Génotype possible
de la progéniture

Figure 2.6
Transmission de l'hémophilie.
Vous pouvez comparer le mode de transmission
lié au sexe de cette maladie récessive avec le
mode de transmission présenté à la figure 2.2.

agent pathogène traversant la barrière placentaire, d'hormones inappropriées, de médicaments, etc. L'effet de la plupart des agents tératogènes semble en grande partie lié au moment où ils interviennent, ce qui illustre bien les concepts de périodes critiques et de périodes sensibles. En règle générale, tout organisme présente une plus grande vulnérabilité au moment où son développement est le plus rapide (Moore et Persaud, 1993). Puisque la plupart des organes se développent très rapidement durant les 12 premières semaines de gestation, l'embryon s'avère alors particulièrement vulnérable aux agents tératogènes.

Cet enfant qui se baigne avec sa mère présente les traits faciaux propres au syndrome de Down, c'est-à-dire des yeux bridés et un visage aplati.

Par exemple, si une femme enceinte contracte la rubéole pendant les trois premiers mois de la grossesse (période critique), le bébé risque de présenter des malformations à la naissance. L'infection par le même virus est beaucoup moins dangereuse au-delà du troisième mois.

MALADIES DE LA MÈRE

Une maladie contractée par la mère peut causer des dommages à l'embryon ou au fœtus d'au moins trois manières:

- Dans certaines maladies, en particulier les maladies virales, des agents infectieux s'attaquent au placenta et diminuent ainsi la quantité des nutriments qui alimentent l'embryon.
- Dans d'autres maladies, les agents pathogènes possèdent des molécules suffisamment petites pour passer au travers des filtres placentaires et s'attaquer directement au fœtus ou à l'embryon. Tel est le cas de la rougeole et de la rubéole, du cytomégalovirus (CMV), de la syphilis, de la diphtérie, de la grippe, de la typhoïde, de l'hépatite sérique et de la varicelle.
- Certains agents pathogènes présents dans les muqueuses du canal génital peuvent infecter l'enfant lors de l'accouchement. L'herpès génital est transmis de cette façon.

De toutes ces maladies, les plus dangereuses pour l'enfant sont probablement la rubéole, le sida et le cytomégalovirus.

Rubéole Cette maladie est très dangereuse pendant le premier mois de grossesse. La moitié des embryons qui y sont exposés présentent des malformations auditives, oculaires ou cardiaques à la naissance, tandis que seulement 10% des fœtus qui y sont exposés (six derniers mois de grossesse) présentent des symptômes (Moore et Persaud, 1993). La surdité est la conséquence la plus courante de cette maladie.

Heureusement, on peut prévenir la rubéole. Il existe des vaccins, qui doivent être administrés à tous les enfants dans le cadre des programmes nationaux de vaccination. Les femmes qui n'ont pas été vaccinées au cours de leur enfance peuvent l'être plus tard, mais au moins trois mois avant la grossesse afin d'assurer une immunité complète.

Sida D'après les connaissances actuelles, le sida peut être transmis par la mère de trois manières: pendant la grossesse par le placenta, pendant l'accouchement, ou après la naissance dans le lait maternel (Van de Perre *et al.*, 1991). Une estimation mondiale indique que 3 millions environ de femmes sont séropositives (infectées par le VIH, le virus qui cause le sida), et le nombre des femmes contaminées qui sont en âge de procréer ne cesse d'augmenter.

Le dépistage prénatal des anomalies génétiques

Il n'y a pas si longtemps, beaucoup d'enfants naissaient avec toutes sortes de maladies ou de malformations contre lesquelles les parents ne pouvaient rien. Aujourd'hui par contre, les parents ont accès à des examens génétiques, aux conseils de spécialistes et à tout un éventail de tests prénatals pour diagnostiquer les anomalies du fœtus.

Examens génétiques avant la grossesse. Avant d'avoir un enfant, vous pouvez décider avec votre conjoint de passer des tests sanguins afin de déterminer si vous êtes porteur du gène de certaines maladies dont le locus est connu, comme la maladie de Tay-Sachs ou la drépanocytose. Étant donné qu'on ne connaît pas encore la localisation des gènes de toutes les maladies génétiques, les porteurs de nombreuses maladies (la fibrose kystique, par exemple) ne peuvent être dépistés de cette façon. Cependant, ces examens demeurent très importants si vous ou votre conjoint appartenez à un groupe susceptible de porter des gènes récessifs.

Examen prénatal du fœtus. Il existe aujourd'hui quatre méthodes de dépistage prénatal. Deux d'entre elles, le **test de l'alphafœtoprotéine** et l'**échographie**, sont utilisées essentiellement pour diagnostiquer les problèmes de formation du tube neural, c'est-à-dire la structure qui va donner l'encéphale et la moelle épinière. Si l'extrémité inférieure du tube ne se ferme pas, il se produit une malformation appelée spina bifida. Les enfants atteints sont souvent partiellement paralysés, et la plupart d'entre eux (mais pas tous) souffrent d'une déficience intellectuelle.

L'alphafœtoprotéine est une substance sécrétée par le fœtus et que l'on peut déceler dans le sang de la mère. Un taux supérieur à la normale peut indiquer un problème affectant la moelle épinière ou l'encéphale. On n'effectue généralement pas de test sanguin avant le deuxième trimestre de la grossesse. Si le taux d'alphafœtoprotéine est élevé, cela ne signifie pas forcément qu'il y a un problème : cela veut simplement dire que le risque est élevé et que d'autres tests sont indiqués.

L'un de ces tests, l'échographie, s'appuie sur les ondes ultrasoniques pour fournir une « image en mouvement » du fœtus. Il est généralement possible de repérer, ou d'exclure, la possibilité d'une malformation du tube neural – ou d'autres anomalies physiques – grâce à cette méthode. Le procédé n'est pas douloureux, et il permet aux parents de voir leur enfant bouger. Il ne fournit cependant aucune indication sur la présence d'anomalies chromosomiques ou de maladies héréditaires.

Pour obtenir ces informations, on peut avoir recours à deux examens, l'**amniocentèse** et la **biopsie des villosités choriales**, au cours desquels on utilise une aiguille afin de prélever des cellules de l'embryon. Dans le cas de la biopsie, on prélève un échantillon du trophoblaste, qui deviendra ultérieurement le placenta ; dans le cas de l'amniocentèse, on prélève un échantillon du liquide amniotique.

L'amniocentèse et la biopsie des villosités choriales donnent des renseignements sur toute anomalie chromosomique et sur la présence de gènes de nombreuses maladies génétiques. Chaque technique a des avantages et des inconvénients. L'amniocentèse est plus ancienne et plus répandue. Cependant, il faut pratiquer cet examen entre la 14e et la 16e semaine de gestation, car l'amnios doit être suffisamment grand pour que le prélèvement de liquide ne mette pas en danger la vie du fœtus. De plus, il faut attendre plusieurs semaines avant d'obtenir les résultats. Si le test révèle une anomalie et que les parents décident de mettre fin à la grossesse, il est généralement trop tard pour pratiquer un avortement. Par contre, la biopsie des villosités choriales est réalisée entre la 9e et la 11e semaine de grossesse. Les premières études

effectuées sur ces techniques avaient révélé que la biopsie pouvait présenter un plus grand danger que l'amniocentèse, à cause d'un risque plus élevé de fausses couches après l'intervention. Cependant, des recherches subséquentes ont fait état de risques à peu près équivalents dans les deux cas (Nightingale et Goodman, 1990).

D'autres tests peuvent aussi être utilisés à diverses fins. Ainsi, on peut avoir recours à un test de laboratoire afin de vérifier la maturation des poumons du fœtus (Kliegman, 1998). Ce test est crucial lorsque le médecin doit pratiquer un accouchement plus tôt que prévu à cause de la santé de la mère. On peut aussi introduire une petite caméra dans l'utérus afin d'observer directement le fœtus. Cette technique, appelée **fœtoscopie**, permet au médecin d'effectuer des interventions chirurgicales afin de corriger des anomalies (Kliegman, 1998). Elle permet également de procéder à des transfusions sanguines et à des transplantations de la moelle épinière, et de prélever des échantillons de sang à partir du cordon ombilical. Les tests de laboratoires effectués à partir de ces échantillons servent à évaluer le fonctionnement normal des organes du fœtus, et à détecter des infections fœtales ainsi que des anomalies chromosomiques et génétiques (D'Alton et DeCherney, 1993). Par exemple, ces tests permettent de diagnostiquer une infection bactérienne qui retarde le développement du fœtus. On peut alors injecter des antibiotiques dans le liquide amniotique (pour que le fœtus les avale) ou dans le cordon ombilical (Kliegman, 1998).

D'ici à ce que vous ayez à faire le choix d'avoir recours ou non à des tests de dépistage, il existera peut-être de nouveaux examens basés uniquement sur le sang maternel. Cependant, quelle que soit la méthode pour laquelle vous opterez, les choix moraux et éthiques auxquels vous devrez faire face seront très délicats. Songez, par exemple, aux maladies qui peuvent se déclarer sous une forme aussi bien bénigne que sévère, comme la drépanocytose. Les tests prénatals vont vous indiquer si l'enfant a hérité d'une maladie, mais ils ne vous diront pas à quel point il sera touché. La décision est tout aussi difficile à prendre lorsqu'on décèle une anomalie chromosomique très rare au sujet de laquelle on ne possède que très peu d'information. Les conseillers en génétique peuvent alors s'avérer d'un grand secours, mais c'est au couple ultimement qu'il revient de prendre la décision.

Test de l'alphafœtoprotéine : Épreuve diagnostique prénatale couramment utilisée pour déceler les risques de lésions du tube neural.

Échographie : Méthode de diagnostic prénatal qui utilise les ultrasons pour fournir une image du fœtus en mouvement. Elle permet de dépister de nombreuses anomalies physiques, comme les lésions du tube neural, de repérer les grossesses multiples et de déterminer l'âge gestationnel du fœtus.

Amniocentèse : Méthode de diagnostic prénatal qui permet de déceler la présence d'anomalies génétiques chez l'embryon ou le fœtus. Elle peut être pratiquée vers la 16e semaine de grossesse.

Biopsie des villosités choriales : Épreuve diagnostique génétique prénatale qui consiste à prélever des échantillons de cellules du placenta et qui peut être effectuée plus tôt que l'amniocentèse.

Fœtoscopie : Technique qui permet d'insérer une petite caméra directement dans l'utérus afin d'observer le développement du fœtus.

Dans les quartiers des grandes villes où se trouve une forte population de consommateurs de drogues, de 3 à 5 % des femmes enceintes sont séropositives et approximativement 0,5 % des enfants naissent séropositifs (Heagarty, 1991). Ces informations sont préoccupantes, mais des recherches récentes permettent d'être plus optimiste. Premièrement, le nombre de femmes séropositives qui donnent naissance à un enfant a diminué ces dernières années, sans que les chercheurs puissent expliquer pourquoi (Davis *et al.*, 1995). Deuxièmement, les chercheurs nous apprennent que le quart seulement des enfants nés d'une mère séropositive vont être infectés à leur tour (Abrams *et al.*, 1995 ; Annunziato et Frenkel, 1993). Cependant, les médecins ne sont pas en mesure d'expliquer pourquoi certains enfants sont infectés et d'autres pas (Peckham, 1994). Enfin, la dernière bonne nouvelle est que les mères traitées à l'AZT durant la grossesse présentent des risques moins élevés de transmettre la maladie à leur enfant — moins de 8 % (Prince, 1998). Notons que les enfants infectés par le VIH de la mère deviennent malades généralement durant leurs deux premières années de vie (Prince, 1998).

Cytomégalovirus (CMV)   Il s'agit d'une maladie très répandue, mais bien moins connue et très grave. Ce virus appartient à la famille des herpès. Il représente aujourd'hui la cause infectieuse la plus courante de déficience intellectuelle et de surdité congénitales. Environ 60 % des femmes développent des anticorps contre le cytomégalovirus, même si la plupart n'ont pas de symptômes connus. Entre 1 et 2 % des bébés dont la mère possède ces anticorps sont contaminés avant la naissance. Chez les mères qui sont à un stade avancé de la maladie, le taux de transmission est supérieur à 40 ou 50 % (Blackman, 1990).

Comme dans le cas du sida, les chercheurs n'ont pas encore découvert tous les mécanismes de transmission, et ils ne comprennent pas davantage pourquoi seulement de 5 à 10 % des bébés contaminés avant la naissance présentent des symptômes à la naissance. Cependant, les 2 500 bébés qui naissent chaque année aux États-Unis porteurs des symptômes de la maladie souffrent de divers problèmes très graves, dont la surdité et des lésions importantes du système nerveux. La plupart d'entre eux sont aussi atteints d'une déficience intellectuelle (Blackman, 1990). Bien que tout ce que l'on vient de dire soit inquiétant, il faut savoir interpréter les statistiques. Si la maladie ne s'est pas déclarée chez la femme enceinte, seulement 1 à 2 % des enfants seront infectés et, de ce nombre, seulement 10 % présenteront des symptômes de la maladie. Cela signifie que 2 enfants au plus sur 1 000 nés de mères porteuses seront affectés.

DROGUES ET MÉDICAMENTS CONSOMMÉS PAR LA MÈRE

On dispose maintenant d'une importante littérature traitant des effets des drogues et des médicaments prénatals, tels que l'aspirine, les antibiotiques, l'alcool et la cocaïne. Le classement de leurs effets s'avère une tâche ardue. En effet, on ne peut guère répartir les femmes au hasard par groupes de drogue ou de médicament. En outre, la plupart des femmes prennent plusieurs types de drogues ou de médicaments pendant leur grossesse. Par ailleurs, les femmes qui consomment de l'alcool sont susceptibles de fumer ; celles qui consomment de la cocaïne sont susceptibles de prendre d'autres drogues illégales, de fumer ou de boire de façon excessive. De surcroît, les effets des drogues peuvent être subtils et ne se manifester que plusieurs années après la naissance sous la forme de difficultés mineures d'apprentissage ou de risque accru de troubles du comportement chez l'enfant. Cependant, nous pouvons tirer quelques conclusions assez claires dans plusieurs domaines. En voici quelques exemples.

Tabac   De nombreux travaux de recherche ont porté sur les effets nocifs du tabac. Les conclusions générales de ces études vont toutes dans le même sens : les nouveau-nés dont la mère fume présentent en moyenne un poids de 200 g inférieur à la normale. Ce plus petit poids, comme nous le verrons plus loin, entraîne une variété d'effets potentiellement négatifs (Floyd *et al.*, 1993 ; Fourn, Ducic et Seguin, 1999). Cela ne veut pas dire que toutes les mères qui fument donnent naissance à des bébés prématurés avec un faible poids à la naissance, mais cela signifie que le risque est plus grand.

Les effets nocifs du tabac semblent dus au fait que la nicotine entraîne une constriction des vaisseaux sanguins, ce qui réduit l'irrigation sanguine du placenta et provoque ainsi une diminution de l'apport de nutriments au fœtus. À long terme, cette carence nutritive semble augmenter légèrement le risque de difficultés d'apprentissage et d'une réduction de l'attention à l'âge scolaire ; de même, on remarque un degré plus élevé de troubles du comportement chez les enfants dont les mères fumaient beaucoup durant la grossesse (Fergusson, Horwood et Lynskey, 1993 ; Tomblin, Smith et Zhang, 1997).

Bien qu'il ne soit pas toujours aisé d'interpréter les travaux sur les effets du tabac (différences considérables sur d'autres plans entre les fumeuses et avec les femmes qui ne fument pas), la conclusion semble claire : l'attitude la plus saine consiste à ne pas fumer pendant la grossesse. Les travaux établissent un lien très net entre la « dose » (la quantité de nicotine absorbée) et la gravité des retombées pour l'enfant. Par conséquent, il est préférable de conseiller à une femme enceinte d'arrêter complètement de fumer, ou du moins de diminuer sa consommation de tabac. Notons cependant que si vous arrêtez de fumer dès que vous apprenez que vous êtes enceinte, le risque de donner naissance à un enfant prématuré ou de faible poids à la naissance redevient identique à celui des mères qui ne fument pas (Ahlsten, Cnattingius et Lindmark, 1993).

Alcool Des travaux récents concernant les effets de la consommation d'alcool sur le développement prénatal et postnatal sont également porteurs d'un message très clair : pour assurer une plus grande sécurité à votre enfant, ne buvez pas pendant la grossesse. Le zygote peut subir les effets de l'alcool avant même de s'implanter dans la paroi utérine (Kaufman, 1997).

Les effets de l'alcool sur le développement du fœtus sont variés : ils vont des plus mineurs aux plus sérieux. Certains enfants présentent le **syndrome d'alcoolisation fœtale (SAF)** (Jones *et al.*, 1973). Ces enfants nés de mères alcooliques (d'où le terme de syndrome d'alcoolisme fœtal souvent utilisé) ont généralement une taille inférieure à la normale, et leur cerveau est également plus petit. Ils souffrent souvent d'insuffisance cardiaque, et leur visage possède des traits distinctifs (Church *et al.*, 1997). Durant l'enfance, l'adolescence et l'âge adulte, leur taille et leur tête demeurent inférieures à la moyenne, et leurs résultats aux tests de Q.I. les classent dans la déficience intellectuelle légère. En fait, le syndrome d'alcoolisation fœtale est la cause la plus répandue de déficience intellectuelle en Amérique du Nord, bien avant le syndrome de Down (Streissguth *et al.*, 1991b). Les enfants atteints de ce syndrome, mais qui ne souffrent pas de déficience intellectuelle, vont souvent présenter des troubles d'apprentissage et de comportement (Mattson et Riley, 1999 ; Mattson *et al.*, 1998 ; Meyer, 1998 ; Uecker et Nadel, 1996). Ces troubles peuvent également persister à l'adolescence et à l'âge adulte (Kerns *et al.*, 1997 ; Olson *et al.*, 1998).

Les méfaits de l'alcool pendant la grossesse ne concernent pas seulement les mères alcooliques ou les grandes consommatrices d'alcool. On a récemment découvert des effets moins évidents chez les enfants de mères qui boivent occasionnellement. On parle alors d'effets d'alcoolisation fœtale. Ces enfants sont plus susceptibles d'avoir des Q.I. inférieurs à 85 et ils éprouvent de la difficulté à fixer leur attention. Ils sont aussi plus susceptibles de présenter des troubles d'apprentissage et de comportement qui persisteront durant l'adolescence (Larroque et Kaminski, 1998 ; Sampson *et al.*, 1997).

On ignore encore s'il existe un seuil tolérable de consommation d'alcool pendant la grossesse. Cependant, la plupart des chercheurs qui se sont penchés sur la question

Ces enfants atteintes du syndrome d'alcoolisation fœtale présentent des traits distinctifs.

sont convaincus qu'il existe une relation linéaire entre la quantité d'alcool consommée pendant la grossesse et les risques auxquels l'enfant est exposé. Par conséquent, même en petite quantité, la consommation d'alcool augmente les risques. Cela dépend probablement du moment de la grossesse où la mère consomme de l'alcool, et il est évident que la quantité joue un rôle déterminant. Il est nettement plus risqué de s'enivrer que de boire régulièrement de petites doses d'alcool (Streissguth, Barr et Sampson, 1990). Toutefois, devant le manque de données, l'attitude la plus saine consiste à ne pas boire d'alcool du tout.

Cocaïne La consommation de cocaïne (ou de crack) par les femmes enceintes est associée à divers troubles du développement chez leurs enfants (Chatlos, 1997). Cependant, étant donné que la plupart de ces femmes sont issues de milieux défavorisés et qu'elles consomment d'autres drogues, il est difficile de départager les effets de la cocaïne des conséquences de la pauvreté et de la polytoxicomanie. Selon certaines études, la seule consommation de cocaïne ne produit pas d'effets à long terme sur le développement cognitif et social (Kilbride *et al.*, 2000 ; Phelps, Wallace et Bontrager, 1997 ; Richardson, Conroy et Day, 1996). D'autres recherches montrent que l'exposition prénatale à la cocaïne, notamment chez les femmes qui en consomment plusieurs fois par semaine, entraîne divers troubles chez les enfants (Brown *et al.*, 1998 ; Madison *et al.*, 1998 ; Schuler et Nair, 1999). D'autres études encore indiquent que les troubles des enfants exposés à la cocaïne

Syndrome d'alcoolisation fœtale : Ensemble de malformations souvent associées à la consommation élevée d'alcool par la mère durant la grossesse.

AN INNER VOICE

TELLS YOU
NOT TO DRINK
OR USE OTHER DRUGS

Une petite voix intérieure vous demande de ne pas boire
et de ne pas consommer de drogues.
(Source : Ministère de la Santé et des Affaires
sociales des États-Unis)

semblent minimes lorsqu'ils sont évalués individuellement en laboratoire. Cependant, dans un environnement complexe comme une classe, leurs difficultés deviennent plus apparentes (Betancourt *et al.,* 1999).

Ces résultats contradictoires semblent indiquer que la drogue interagit avec d'autres facteurs environnementaux et produit ainsi un ensemble d'effets complexes. Par exemple, un enfant exposé à la cocaïne qui reçoit de bons soins et dont la mère a cessé de consommer est moins susceptible d'en souffrir qu'un autre enfant qui reçoit peu de soins et dont la mère est toujours cocaïnomane. En conséquence, les spécialistes conseillent de surveiller de près le développement de ces enfants et d'adapter les interventions aux circonstances et caractéristiques individuelles afin de mieux répondre aux besoins particuliers de chaque enfant (Kilbride *et al.,* 2000).

Marijuana   La drogue illégale la plus utilisée à travers le monde est sans aucun doute la marijuana. Les enfants d'une personne qui en consomme deux fois par semaine souffrent de tremblements et de troubles du sommeil. Par

ailleurs, ces enfants ne semblent pas manifester d'intérêt pour leur environnement durant les deux premières semaines suivant leur naissance (Brockington, 1996). On ne sait pas si ces différences observées au début de la vie affectent le développement ultérieur de l'enfant.

Héroïne et méthadone   La méthadone est une substance synthétique utilisée pour le traitement de l'héroïnomanie. L'héroïne et la méthadone peuvent causer une fausse couche, un accouchement prématuré ainsi que la mort du fœtus (Brockington, 1996). Entre 60 et 80 % des enfants de mères héroïnomanes ou ayant pris de la méthadone naissent avec une dépendance à ces drogues. Ces enfants poussent des cris stridents et souffrent de symptômes de sevrage, tels que l'irritabilité, des tremblements incontrôlables, des vomissements, des convulsions et des troubles du sommeil. Ces symptômes peuvent durer quatre mois. Les effets sur le développement de l'enfant dépendent de la qualité de l'environnement dans lequel il évolue. Les bébés dont les mères continuent à consommer ne se développent pas aussi bien que les bébés dont les mères ont cessé de consommer ou qui sont élevés par des parents ou dans des familles d'accueil (Brockington, 1996). À l'âge de 2 ans, la plupart des enfants élevés dans un milieu sain se développent normalement.

AUTRES AGENTS TÉRATOGÈNES

Il existe plusieurs autres agents tératogènes, dont une quantité excessive de vitamine A, de méthylmercure et de plomb, ainsi que des drogues et produits chimiques que l'on croit être des agents tératogènes, mais sur lesquels on ne possède que peu d'informations. Parmi les dernières substances repérées, on retrouve un médicament anticonvulsivant prescrit aux personnes épileptiques, un produit chimique connu sous le nom de BPC (biphényle polychloré) présent dans les transformateurs électriques et dans la peinture, l'aspirine, les antidépresseurs, les hormones artificielles, des produits chimiques (pesticides et autres) ainsi que les radiations (Vorhees et Mollnow, 1987). Il est impossible d'aborder ici tous les médicaments et toutes les substances qui semblent avoir un effet tératogène ; nous nous contenterons de présenter ceux dont l'effet semble significatif.

Diéthylstilbestrol (DES)   Le DES est un œstrogène synthétique qui, pendant une certaine période, fut souvent prescrit aux femmes enceintes dans le but d'empêcher les avortements spontanés. On a découvert que les filles de ces femmes avaient des prédispositions élevées à certaines formes de cancer et que les garçons étaient plus sujets à des malformations des organes génitaux ; selon certaines recherches, les garçons présenteraient un risque plus élevé d'infertilité (Rosenblith, 1992 ; Wilcox *et al.*, 1995). La *thalidomide* est une substance médicamenteuse qui fut largement administrée aux femmes enceintes afin de soulager les effets secondaires désagréables de la grossesse ; elle fut utilisée jusqu'au début des années 1960 en Europe. Il a été démontré par la suite que ce médicament était associé à une plus grande mortalité fœtale, à des anomalies des membres, à la surdité ainsi qu'à diverses anomalies cardiovasculaires, gastro-intestinales ou génito-urinaires. Bien que la thalidomide ait été retirée du marché pharmaceutique à la suite de ces constats accablants, des voix s'élèvent à l'heure actuelle en faveur de l'utilisation de ce médicament dans le traitement de certaines maladies. Le débat n'est pas simple : devons-nous nous priver de l'accès à un médicament qui peut être efficace pour traiter certaines maladies, mais qui, par ailleurs, peut causer des torts irréparables au fœtus ?

Vitamine A La vitamine A prise à petite dose est essentielle au développement de l'embryon. Mais prise à forte dose (10 000 microgrammes ou plus par jour) durant les deux premiers mois de grossesse, elle augmente les risques de malformations de la tête, du visage, du cœur et du système nerveux (Rothman *et al.*, 1995). La dose recommandée est de 2 700 microgrammes par jour et elle est présente dans un régime alimentaire équilibré.

Aspirine L'aspirine est l'un des médicaments les plus utilisés. Elle provoque des effets tératogènes sur les animaux lorsqu'elle est administrée à forte dose. Les humains absorbent rarement des doses suffisamment élevées pour produire directement de tels effets. Cependant, l'aspirine prise en petite quantité peut entraîner des effets néfastes pour le fœtus lorsqu'elle est ingérée avec de l'acide benzoïque, une substance chimique dont l'usage est très répandu comme agent de conservation alimentaire (par exemple dans la mayonnaise et le ketchup). Cette combinaison, particulièrement au cours du premier trimestre, semble augmenter les risques de malformations physiques.

Produits chimiques et radiations Dans la plupart des pays industrialisés, les adultes sont exposés à des doses relativement importantes de *plomb,* quoique l'utilisation d'essence sans plomb ainsi que l'élimination du plomb dans la peinture aient diminué sensiblement les risques d'exposition. Cependant, des études portant sur l'exposition à des doses élevées de plomb, comme dans une ancienne maison dont les murs sont recouverts de peinture à base de plomb, ont mis au jour des effets très négatifs chez les enfants, tels un Q.I. sous la normale, un degré d'agressivité et une propension à la distraction plus élevés (Needleman *et al.,* 1996). Le plomb s'accumule len-tement dans l'organisme et quand il atteint une certaine concentration, il peut provoquer de sérieux problèmes physiques et intellectuels chez l'enfant et chez l'adulte (Weisskopf, 1987). Le *méthylmercure* est également un produit chimique hautement toxique. Ses effets ont attiré l'attention du monde entier quand de nombreux enfants présentant des malformations sévères et un retard dans leur développement sont nés dans une région du Japon, la baie de Minamata. Les habitants consommaient une grande quantité de poissons dont la concentration en mercure était anormalement élevée à cause des rejets de mercure dans la baie par une industrie locale. Des concentrations élevées de mercure dans les poissons ont aussi été observées dans certaines régions du Canada (nord du Québec) et du Brésil (certaines régions de l'Amazonie) ; les consommateurs connaissent de graves troubles neurologiques liés à l'empoisonnement alimentaire au mercure. Citons enfin la catastrophe survenue à Bhopal, en Inde, où il s'est produit une fuite d'isothiocyanate de méthyl, un produit de la famille des dioxines (comme le BPC) souvent utilisées pour fabriquer des pesticides et des herbicides. Ces produits chimiques sont associés à un aux élevé d'avortements spontanés (4 fois plus à Bhopal) et de malformations physiques (Jacobson et Jacobson, 1990 ; Bajaj *et al.,* 1993). Ces quelques exemples permettent de comprendre pourquoi on favorise particulièrement la recherche sur les produits chimiques (polluants industriels et déchets toxiques) utilisés dans les sociétés industrielles.

Quant aux radiations, elles peuvent être mutagènes et entraîner des effets néfastes sur le développement du fœtus (avortements spontanés et malformations sévères). À ce titre, il est important de garder en mémoire le souvenir d'Hiroshima et de Nagasaki au Japon ainsi que les explosions de centrales nucléaires, comme celle de Tchernobyl (Yamazaki et Schull, 1990). On conseille généralement aux femmes enceintes d'éviter de passer des radiographies (rayons X) durant les premiers mois de grossesse, même lorsqu'il s'agit de radiographies dentaires.

Le tableau 2.5 donne une liste des principales substances tératogènes qui peuvent avoir un effet sur le développement de l'enfant.

Autres influences sur le développement prénatal

D'autres facteurs peuvent avoir des incidences sur le développement prénatal, par exemple le régime alimentaire de la mère, son âge, sa condition physique et son état émotionnel.

Tableau 2.5	*Drogues, médicaments et produits chimiques tératogènes*	
	◀ **Influence**	◀ **Effets possibles**
Médicaments prescrits	Thalidomide	Changements morphologiques sévères affectant la formation des bras et des jambes.
	Quinine	Surdité congénitale.
	Diéthylstilbestrol (DES)	Risque élevé de cancer du col de l'utérus.
Médicaments non prescrits	Aspirine	Peu de risques à dose normale, risques d'hémorragie à dose élevée.
	Acétaminophène (Tylenol)	Peu de risques à dose normale, risque de mort fœtale à dose très élevée.
	Vitamine A	Risque à dose élevée de malformations de la tête, du visage, du cœur et du système nerveux.
Substances chimiques	Méthylmercure	Maladie de Minamata, déficience intellectuelle, cécité, mortalité.
	BPC (biphényle polychloré)	Incidence élevée d'avortements spontanés et de malformations.
	Plomb	Troubles physiques et intellectuels sérieux chez l'enfant et chez l'adulte.
Drogues légales	Nicotine	Problèmes occasionnels touchant le placenta, bébés de faible poids, prématurité et risque élevé de mortalité fœtale.
	Caféine	Peu de risques à dose normale, une consommation excessive peut être toxique.
	Alcool	Syndrome d'alcoolisation fœtale, retards sur le plan de la croissance et déficience intellectuelle.
Drogues illégales	Narcotiques (ex: barbituriques, héroïne, morphine)	Symptômes de sevrage chez le nouveau-né (désintoxication dans les cas les plus graves à la méthadone).
	Marijuana	Ne semble pas tératogène, sauf à dose très élevée.
	Cocaïne, crack	Effets possibles variés: troubles neurologiques, retards de croissance, risques plus élevés de mort subite du nourrisson et mortalité fœtale plus élevée.

Régime alimentaire Une alimentation maternelle non équilibrée (absence de certaines substances nutritives vitales pour le développement prénatal) présente également des risques pour le fœtus. Ainsi, il est important de maintenir un taux suffisant d'acide folique, une vitamine du groupe B que l'on trouve dans les haricots, les épinards, le jus d'orange, le germe de blé et d'autres aliments. Une carence en acide folique est associée à un risque plus élevé de rupture du tube neural, comme le spina bifida (Daly *et al.*, 1995). Les effets potentiellement négatifs de cette carence se manifestent dès les premières semaines de grossesse, avant même qu'une femme apprenne qu'elle est enceinte. C'est pourquoi une femme qui planifie une grossesse doit absorber quotidiennement 400 microgrammes environ de cette vitamine, soit le taux minimal conseillé. Ce taux peut être atteint par un choix judicieux d'aliments ou par la prise de suppléments vitaminiques.

Il est tout aussi important qu'une femme enceinte consomme une quantité suffisante de calories et de protéines afin d'éviter la malnutrition. Lorsqu'une femme souffre de malnutrition sévère durant la grossesse, particulièrement pendant les trois derniers mois, on observe une augmentation significative des naissances d'enfants prématurés et de faible poids à la naissance de même qu'une augmentation du taux de mortalité infantile au cours de la première année de vie (Mutch, Leyland et McGee, 1993). Des chercheurs ont récemment associé la malnutrition prénatale à un risque plus élevé de maladie mentale à l'âge adulte ainsi qu'à un ensemble de complications obstétricales (Neugebauer, Hoek et Susser, 1999; Susser et Lin, 1992).

Les effets de la malnutrition prénatale semblent plus importants sur le développement du système nerveux selon des études portant sur les humains et d'autres mammifères. Ainsi, le développement du cerveau semble être retardé par une insuffisance de l'apport calorique, qui cause une diminution du poids et du volume du cerveau. Les études soulignent aussi un développement moins élevé des connexions dendritiques et de la formation synaptique (Pollitt et Gorman, 1994). Dans les études sur des humains chez lesquels la malnutrition prénatale avait été assez sévère pour causer la mort du fœtus ou du nouveau-né, on a constaté que les enfants avaient des cerveaux plus petits ainsi que des neurones plus petits (Georgieff, 1994).

Cependant, il est difficile d'appliquer ces conclusions au développement d'enfants dans de nombreux pays du monde qui connaissent des famines endémiques. En effet, ces enfants sont susceptibles de souffrir de la sous-alimentation prénatale pendant les premières années de la vie ainsi que d'un niveau de stimulation insuffisant. Comment donc départager ces facteurs? La plupart des experts ont abandonné l'idée de déterminer le niveau précis de sous-alimentation qui produit des effets négatifs directs et irréversibles sur le développement du cerveau (Ricciuti, 1993). Ainsi, le concept de vulnérabilité que nous avons abordé dans le chapitre 1 peut s'avérer utile ici. La sous-alimentation prénatale peut rendre l'enfant plus «vulnérable» parce qu'il est peut-être moins énergique, moins réceptif ou moins capable d'apprendre à partir de ses expériences. Dans un environnement non stimulant, un tel enfant est plus susceptible de présenter un retard dans son développement, alors qu'un environnement riche en stimulation peut contrecarrer les effets négatifs de cette vulnérabilité.

Âge de la mère   Il semblerait que le moment idéal pour la maternité se situe au début de la vingtaine. Les mères de plus de 30 ans (en particulier celles de plus de 35 ans) courent un risque accru de présenter toutes sortes de problèmes, dont les avortements spontanés (McFalls, 1990), les complications au cours de la grossesse, telles que l'hypertension artérielle et les hémorragies (Berkowitz *et al.,* 1990), et la mort du fœtus durant la grossesse ou l'accouchement (Buelher *et al.,* 1986). Par exemple, dans une étude récente réalisée à New York et portant sur 4 000 femmes ayant toutes reçu des soins prénatals appropriés, Gertrud Berkowitz et ses collaborateurs (1990) ont montré que les femmes de 35 ans et plus au moment de leur première grossesse couraient deux fois plus de risques que les femmes dans la vingtaine de présenter des complications pendant la grossesse. Les effets de l'âge semblent être amplifiés si la mère n'a pas reçu les soins prénatals appropriés et si elle n'a pas des habitudes de vie saines. Par exemple, l'effet néfaste du tabac durant la grossesse sur le poids du bébé à la naissance est sensiblement plus significatif chez les femmes de plus de 35 ans que chez les femmes plus jeunes (Wen *et al.,* 1990).

En ce qui concerne l'enfant, les connaissances actuelles permettent d'être plus optimiste. Mis à part les risques accrus de syndrome de Down, il ne semble pas que l'âge avancé de la mère entraîne plus de risques et de problèmes. Berkowitz a trouvé que les mères plus âgées couraient un peu plus le risque de donner naissance à des enfants de faible poids, mais qu'elles n'accouchaient pas plus souvent avant terme que les mères âgées de 20 ans (Berkowitz *et al.,* 1990; Cnattingius, Berendes et Forman, 1993). D'autres épidémiologistes (Baird, Sadovnick et Yee, 1991) ont découvert que les mères plus âgées ne couraient pas un risque plus élevé de donner naissance à des enfants malformés.

À l'autre bout du continuum, les chercheurs ont trouvé que les mères très jeunes (moins de 20 ans) courent également des risques plus élevés de présenter des problèmes liés à leur grossesse comparativement aux mères dans la vingtaine. Par ailleurs, certaines recherches ont établi que lorsque l'on tient compte de la pauvreté et de la qualité des soins prénataux, la différence observée chez les mères plus jeunes et les mères plus âgées disparaît (McCarthy et Hardy, 1993; Osofsky, Hann et Peebles, 1993). Étant donné ces résultats variés, les chercheurs ne peuvent dégager une conclusion claire quant aux risques associés à l'âge. Toutefois, il serait prudent d'avancer que les mères âgées (35 ans et plus) ainsi que les jeunes filles dont la croissance n'est pas encore terminée s'exposent à davantage de risques au cours de leur grossesse.

L'étude effectuée par Berkowitz met l'accent sur l'augmentation des risques pour les mères plus âgées, quand bien même elles ont bénéficié de soins prénatals adéquats; cependant, d'autres données indiquent que l'effet de l'âge sur la grossesse serait encore plus important chez les femmes vivant dans un milieu défavorisé et chez celles qui n'ont pu avoir accès à des soins prénatals adéquats (Roosa, 1984). De telles découvertes soulignent que l'âge est en corrélation avec d'autres facteurs, tel l'état de santé général de la mère.

Les mères très jeunes courent également des risques élevés. Pendant longtemps, les chercheurs ont cru que ces risques étaient liés à l'incapacité du corps de l'adolescente d'assumer une grossesse normale. Toutefois, des recherches récentes indiquent que le risque élevé de faible poids à la naissance ou d'autres problèmes similaires chez les mères très jeunes est davantage lié à des soins prénatals insuffisants qu'à l'âge maternel. Ainsi, les problèmes pendant la grossesse, les naissances prématurées ou les enfants de faible poids à la naissance ne surviennent pas plus fréquemment chez les adolescentes qui suivent un régime équilibré et qui reçoivent des soins prénatals appropriés que chez les femmes dans la vingtaine (Strobino, 1987).

Si l'on fait la synthèse de ces deux séries de données, il semblerait que l'âge de la mère puisse nous aider à déterminer les problèmes qui pourraient survenir pendant la grossesse. Cependant, on remarque que ce n'est pas l'âge en tant que tel qui cause la plupart des problèmes. La qualité des soins prénatals, le régime alimentaire et l'état de santé général de la mère constituent des facteurs encore plus influents.

État émotionnel de la mère   Certains psychologues pensent que les émotions de la mère peuvent affecter le développement prénatal. Selon eux, des états psychologiques de stress, tels que l'anxiété et la dépression, provoquent des changements chimiques à l'intérieur de l'organisme humain. Chez la femme enceinte, ces changements amènent des différences à la fois qualitatives et quantitatives sur le plan hormonal et sur le plan d'autres substances chimiques auxquelles est exposé le fœtus.

Cette question ne fait pas l'unanimité. Par exemple, une étude a montré que les enfants dont les mères avaient connu des niveaux de détresse psychologique élevés durant leur grossesse étaient plus négatifs émotionnellement à l'âge de 6 mois et de 5 ans que les enfants de mères n'ayant pas connu de détresse psychologique (Martin *et al.,* 1999). Les critiques précisent cependant que l'on peut aussi associer ces résultats au patrimoine génétique de la mère ou au style parental. Les mères qui sont plus négatives émotionnellement sont peut-être tout simplement plus susceptibles d'avoir des enfants qui sont moins positifs émotionnellement que leurs pairs.

Cependant, il semble évident que les fœtus de mères souffrant d'une dépression sévère se développent moins rapidement que les autres (Paarlberg *et al.,* 1995). Soulignons que les psychologues du développement ne savent pas si cet effet doit être attribué aux hormones liées aux émotions ou à un effet indirect de l'état émotionnel de la mère. Il se peut qu'une mère stressée ou déprimée mange moins et que son système immunitaire soit par conséquent plus vulnérable. Elle présenterait alors une résistance plus faible aux infections virales ou bactériennes, ce qui provoquerait un retard sur le plan du développement du fœtus. Par conséquent, de nombreux psychologues croient qu'une aide thérapeutique ainsi qu'un soutien social approprié peuvent améliorer à la fois la santé de l'enfant et celle de la mère (Brockington, 1996).

Maladies chroniques   Les maladies chroniques (qu'elles soient émotionnelles ou physiques) peuvent aussi affecter le développement prénatal. Par exemple, une sévère dépression à long terme et d'autres troubles de l'humeur peuvent causer le ralentissement de la croissance fœtale et provoquer un travail prématuré (Weinstock, 1999). En outre, les psychologues du développement ont appris que les mères déprimées sont moins susceptibles de s'attacher à leur enfant. Au moins une étude laisse entendre que ces enfants sont moins réceptifs socialement que les autres enfants de leur âge (Oates, 1998). Les maladies cardiaques, le diabète, le déséquilibre hormonal, l'épilepsie et le lupus peuvent aussi influer sur le développement prénatal (Kliegman, 1998 ; McAllister *et al.,* 1997 ; Sandman, Wadhwa, Chicz-DeMet, Porto et Garite, 1999). De fait, l'un des objectifs les plus importants de la médecine anténatale consiste à surveiller la grossesse de façon à protéger à la fois la santé de l'enfant et celle de la mère. Par exemple, il est difficile pour une femme enceinte qui est diabétique de contrôler son taux de glucose sanguin. Le taux erratique de glucose dans le sang peut alors affecter le développement du système nerveux du fœtus ou faire en sorte qu'il se développe trop rapidement (Allen et

Kisilevsky, 1999 ; Kliegman, 1998). Les médecins doivent donc ajuster l'alimentation et la médication de la mère pour stabiliser son taux de glucose de telle sorte que le fœtus soit le moins touché possible. De même, on peut aider les femmes épileptiques à équilibrer leur médication (prise d'anticonvulsifs) afin de réduire les risques de dommages au fœtus.

Influences sur le développement prénatal

- Qu'est-ce qu'une anomalie génétique ? un agent tératogène ? Donnez des exemples.

- Quelles sont les différentes anomalies liées aux chromosomes sexuels ?

- Nommez et définissez les différentes techniques de dépistage des anomalies génétiques durant la grossesse.

- Quelles sont les maladies de la mère qui ont les effets les plus dangereux sur le fœtus ? Pourquoi ?

- Quels sont les effets, sur le fœtus, du tabac, de l'alcool, de la cocaïne et des médicaments consommés par la mère durant la grossesse ?

- Faites un résumé des connaissances actuelles sur l'âge, le régime alimentaire et l'état émotionnel de la femme enceinte, et les effets possibles de ces facteurs sur l'enfant.

Concepts et mots clés

- **amniocentèse** (p. 53) • **biopsie des villosités choriales** (p. 53)
- **agent tératogène** (p. 51) • **échographie** (p. 53) • **fœtoscopie** (p. 53)
- **syndrome d'alcoolisation fœtale** (p. 55) • **syndrome de Down** (p. 50)
- **test de l'alphafœtoprotéine** (p. 53)

NAISSANCE

Au bout de 38 semaines de gestation, le fœtus doit venir au monde. La naissance représente un événement qui est à la fois source de douleur et source de grand bonheur pour les parents. À partir des premières contractions, le déroulement normal de l'accouchement se divise en trois étapes de longueurs inégales.

Première étape : le travail   Durant la première étape, deux processus importants se produisent : l'effacement et la dilatation du col de l'utérus. Le col situé à la base de l'utérus s'amincit (**effacement**), puis il s'ouvre (**dilatation**) comme la lentille d'un appareil photo. Lorsque le bébé est prêt à sortir, le col de l'utérus doit normalement être dilaté à 10 cm. On compare souvent le travail aux efforts que l'on fait pour enfiler un chandail dont le col est trop étroit : on doit alors tirer sur le col et l'étirer avec sa tête pour être capable de la faire passer ; le col finit par s'étirer suffisamment pour laisser passer la partie la plus large de la tête.

Ordinairement, la première étape se divise elle-même en trois phases. Durant la première phase (ou *phase latente*), les contractions sont relativement espacées et peu douloureuses. La deuxième phase (ou *phase active*) commence lorsque le col de l'utérus est dilaté à 3 ou 4 cm, et se poursuit jusqu'à ce qu'il atteigne 8 cm. Durant cette phase, les contractions se rapprochent et s'intensifient. La dilatation des deux derniers centimètres se produit durant la troisième phase (ou *phase de transition*). C'est généralement cette dernière phase que la femme trouve la plus pénible, car les contractions sont très rapprochées et très intenses. Heureusement, la phase de transition est habituellement la plus courte.

La durée de la première étape de l'accouchement est très variable. L'étape du travail dure en moyenne 8 heures chez les femmes qui accouchent de leur premier enfant (sans anesthésie), mais elle peut durer entre 3 et 20 heures (Biswas et Craigo, 1994 ; Kilpatrick et Laros, 1989). La durée du travail chez les femmes qui accouchent de leur deuxième enfant est habituellement plus courte. Toutefois, le travail est légèrement plus long pour les femmes qui accouchent sous anesthésie.

Deuxième étape : l'expulsion du fœtus   À la fin de la phase de transition, le besoin d'expulser l'enfant devient impérieux. Lorsque la personne qui assiste la mère (médecin ou sage-femme) est certaine que le col de l'utérus est complètement dilaté, elle encourage la mère à pousser. C'est alors que commence la deuxième étape de l'accouchement. À ce moment, la tête du bébé s'engage dans le col de l'utérus étiré, puis dans le canal génital pour finalement faire son entrée dans le monde extérieur. La majorité des femmes trouvent cette étape beaucoup moins pénible que la phase de transition parce qu'elles peuvent participer à l'accouchement en poussant. Cette phase dure généralement moins d'une heure et rarement plus de deux heures. Durant cette étape, on peut aussi avoir recours à l'*épisiotomie*, c'est-à-dire une incision du périnée, afin d'éviter les déchirures.

Dans la majorité des accouchements pratiqués en Amérique du Nord, on pose le nouveau-né sur le ventre de la mère ou on le met dans ses bras (ou ceux du père) aussitôt que l'on a coupé le cordon ombilical et qu'on a lavé le bébé, soit quelques minutes après l'accouchement. Le premier contact avec l'enfant représente souvent pour les parents un moment de joie intense ; ils caressent sa peau, comptent ses doigts et regardent ses yeux.

Troisième étape : l'expulsion du placenta   L'expulsion du placenta et des autres tissus provenant de l'utérus constitue la troisième étape de l'accouchement.

CHOIX LIÉS À L'ACCOUCHEMENT

En Amérique du Nord, en Europe et dans la plupart des pays industrialisés, divers choix liés à l'accouchement s'offrent aux mères (et aux pères). Puisque bon nombre d'entre vous serez concernés un jour, nous allons nous pencher brièvement sur trois de ces choix.

Médicaments durant l'accouchement   Il est important de prendre une décision en ce qui concerne l'utilisation de médicaments durant l'accouchement. Trois catégories de médicaments sont couramment utilisés.

- On administre des *analgésiques* (comme le Demerol) durant la première étape du travail dans le but d'atténuer la douleur.
- On administre parfois des *sédatifs* légers ou des *tranquillisants* (comme le Gravol, le Nembutal ou le Valium) durant la première étape du travail dans le but de réduire l'anxiété.
- On administre aussi des *anesthésiques* durant la phase de transition ou durant la deuxième étape de l'accouchement (celle de l'expulsion) dans le but de supprimer la douleur dans une partie du corps (anesthésie locale, comme l'épidurale) ou dans tout le corps (anesthésie générale). Il faut noter ici que l'anesthésie générale n'est employée que dans des cas extrêmes de souffrance fœtale.

La majorité des femmes ont recours à au moins une de ces médications. Cependant, les pratiques diffèrent d'un établissement à l'autre. Il est très difficile d'étudier les liens de causalité entre l'utilisation de médicaments et le comportement ou le développement futur du bébé. Les expériences contrôlées sont évidemment impossibles, puisqu'on ne peut répartir les femmes de façon aléatoire dans un programme de médication. De plus, les médicaments sont administrés selon des milliers de combinaisons différentes. Il est toutefois possible de dégager quelques conclusions.

Effacement : Amincissement du col de l'utérus qui, avec la dilatation, permet la naissance du bébé.

Dilatation : Première étape de la naissance où le col de l'utérus s'ouvre suffisamment pour permettre à la tête du fœtus de passer dans le canal génital.

Premièrement, il est avéré que presque tous les médicaments administrés durant le travail franchissent la barrière placentaire et circulent dans le système sanguin du fœtus ; ils peuvent y demeurer pendant des jours. Il n'est donc pas surprenant que, durant les premières semaines qui suivent la naissance, les enfants dont les mères ont pris un médicament pendant le travail sont généralement moins vifs, prennent un peu moins de poids et dorment plus que les autres enfants (Maurer et Maurer, 1988). Ces différences sont minimes, mais on les a observées à maintes reprises.

Deuxièmement, quelques jours après la naissance, les effets liés aux analgésiques et aux tranquillisants tendent à disparaître, et on ne décèle que de rares indices d'effets à long terme liés à l'anesthésie (Rosenblith, 1992) et, qui plus est, dans quelques études seulement. Devant des résultats aussi contradictoires, on ne peut faire qu'un seul commentaire : si vous prenez des médicaments, vous

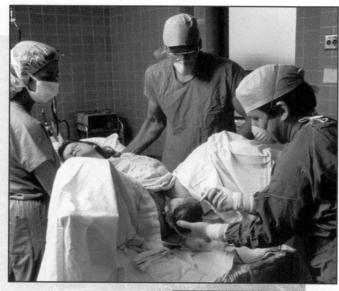

En Amérique du Nord, la plupart des accouchements se pratiquent dans les hôpitaux avec l'aide du personnel médical (photo du haut). En Europe, les accouchements à domicile avec l'aide d'une sage-femme sont plus communs, comme dans le cas de ce couple français (photo de droite). Notez que dans les deux cas le père est présent, ce qui constitue maintenant la norme dans les sociétés industrialisées.

devez savoir que votre enfant en subira également les effets et que son comportement s'en trouvera troublé durant les premiers jours de sa vie. Si vous en avez conscience et que vous savez que les effets secondaires disparaîtront, votre relation avec votre enfant ne s'en trouvera pas amoindrie.

Endroit de l'accouchement   Les parents peuvent également choisir l'endroit où aura lieu l'accouchement. Il existe généralement quatre possibilités :
- la maternité d'un centre hospitalier traditionnel ;
- une chambre de naissance située dans un centre hospitalier, qui offre un décor chaleureux pour le travail et l'accouchement avec la participation des membres de la famille ;
- une maison de naissances semblable à une maternité, mais qui ne fait pas partie d'un centre hospitalier, où l'accouchement est dirigé par une sage-femme ;
- l'accouchement à domicile.

Actuellement en Amérique du Nord, seulement 1 % des femmes accouchent à domicile. Toutefois, ce type d'accouchement se pratique plus couramment en Europe où on le considère comme une méthode à la fois naturelle et moins coûteuse pour le système médical. Par contre, en cas de complications, un centre hospitalier offre plus de sécurité.

Pour des questions de sécurité en Europe, on autorise l'accouchement à domicile uniquement aux femmes qui n'ont présenté aucune complication pendant la grossesse et qui ont reçu des soins prénatals de qualité. Des études effectuées en Europe et aux États-Unis ont montré que les complications ou les problèmes menaçant l'enfant ne surviennent pas plus fréquemment à domicile lorsqu'un professionnel de la santé dirige l'accouchement que dans une maison de naissances ou un centre hospitalier (Rooks *et al.*, 1989 ; Tew, 1985).

Par ailleurs, aucun élément ne prouve que les bébés nés à domicile ou dans une maison de naissances se développent mieux que les bébés nés dans un centre hospitalier traditionnel. Par conséquent, en tenant compte des règles de sécurité élémentaires, le choix devrait se porter sur l'endroit le plus agréable pour la mère et le père.

Présence du père pendant l'accouchement   On peut également décider si le père devrait assister ou non à l'accouchement. Cette question ne se pose presque plus en Amérique du Nord, où la présence du père constitue désormais la norme.

Il existe de nombreux arguments en faveur de cette pratique. La présence du père peut réduire l'anxiété de la

De plus en plus de pères suivent des cours de préparation à l'accouchement sans douleur afin d'aider et de soutenir leur conjointe durant le travail. Ici, les futurs parents apprennent une méthode de respiration.

mère et lui offrir un soutien psychologique. En aidant la mère à maîtriser sa respiration et à utiliser des techniques de relaxation, le père l'aide à combattre la douleur. De plus, il est possible qu'il développe un attachement plus fort envers l'enfant en assistant à sa naissance. De nombreux éléments tendent à confirmer les deux premiers arguments mais, contrairement à ce que vous pourriez penser, très peu de preuves viennent étayer le troisième.

Lorsque le père assiste au travail et à l'accouchement, la mère ressent moins de douleur et consomme donc moins de médicaments (Henneborn et Cogan, 1975). De plus, lorsque le père ou une autre personne soutient et conseille la mère, la fréquence des problèmes liés au travail et à l'accouchement diminue, de même que la durée du travail (Sosa *et al.,* 1980). Une étude au moins a montré que les femmes ont plus de chances de considérer l'accouchement comme une expérience extraordinaire lorsque le père est présent (Entwisle et Doering, 1981). Toutefois, la présence du père à l'accouchement ne semble avoir aucun effet magique sur le lien affectif unissant le père à l'enfant (Palkovitz, 1985). Le père qui voit son enfant pour la première fois à la pouponnière ou quelques jours plus tard à la maison peut manifester un attachement aussi fort à l'enfant que celui qui a assisté à l'accouchement.

Cet argument ne vient nullement remettre en cause la participation du père à l'accouchement. Le fait que la présence du père aide la mère à combattre la douleur, à réduire la prise de médicaments, à écourter le travail et à consolider la relation du couple sont autant d'excellentes raisons pour encourager la participation du père. De plus, les pères ressentent généralement une joie immense lorsqu'ils assistent à la naissance de leur enfant. Cette raison est amplement suffisante.

COMPLICATIONS À L'ACCOUCHEMENT

Comme dans le développement prénatal, certains facteurs peuvent perturber le déroulement normal de l'accouchement. Il arrive couramment que l'on pratique une césarienne en cas de complications. On compte également les naissances prématurées parmi les problèmes communs.

Accouchement par césarienne La plupart des bébés se présentent par la tête, le visage tourné vers le sol. De 3 à 4% des bébés environ se présentent autrement, soit par les pieds ou par les fesses (présentation du siège) (Brown, Karrison et Cibils, 1994). On pratique maintenant une **césarienne** de façon systématique dans les cas de présentation du siège, d'infection maternelle due à l'herpès (lequel pourrait être transmis à l'enfant lors d'un accouchement par voie vaginale) et d'indices de détresse fœtale sur le moniteur. Les femmes qui ont accouché de leur premier enfant par césarienne devront probablement donner naissance aux prochains de la même façon. Toutefois, en dehors de raisons précises comme celles citées ci-dessus, on ne pratique plus de césariennes de façon aussi systématique que par le passé. La plupart des médecins sont d'avis que le taux de césariennes est devenu beaucoup trop élevé. Au cours des dernières décennies, la fréquence des césariennes a fortement augmenté dans de nombreux pays industrialisés, notamment en Australie, au Canada, en Grande-Bretagne, en Norvège et dans d'autres pays d'Europe (Notzon *et al.,* 1994). En 1997-1998 au Canada, 18,7% (16,9% au Québec) des accouchements ont été effectués par césarienne (Statistique Canada, 2000) comparativement à 21,8% en 1993 aux États-Unis (Bureau américain des statistiques, 1994). Cette situation a fait l'objet de vives controverses dans le milieu médical au cours de la dernière décennie. Cependant, des études en provenance de nombreux pays européens, comme la Suède, indiquent qu'une réduction du taux de césariennes n'est pas automatiquement accompagnée d'une augmentation de la mortalité infantile ou maternelle (Notzon *et al.,* 1994).

Faible poids à la naissance Dans notre étude des divers agents tératogènes, nous avons mentionné à plusieurs reprises que l'une de leurs conséquences les plus néfastes

Césarienne: Méthode d'accouchement consistant à extraire le fœtus en pratiquant une incision dans les parois de l'abdomen et de l'utérus de la mère.

était le faible poids du bébé à la naissance. On utilise diverses appellations pour décrire les enfants dont le poids à la naissance est inférieur au poids optimal. On dit que les bébés pesant :

- moins de 2 500 g à la naissance ont un **faible poids à la naissance** ;
- moins de 1 500 g ont un *très faible poids à la naissance* ;
- moins de 1 000 g représentent des cas extrêmes.

Les causes de faible poids à la naissance sont nombreuses, mais l'une des plus courantes est la naissance de l'enfant avant la 38e semaine de gestation. On appelle ces bébés des nouveau-nés *prématurés*. Toute naissance survenant avant la 36e semaine de gestation est généralement dite prématurée. Il arrive parfois qu'un enfant naisse à terme, mais qu'il pèse moins de 2,5 kg, ou moins que le poids normal pour son âge gestationnel, quel qu'il soit. On parle alors de nouveau-né petit pour l'âge gestationnel. Il semble que ces enfants ont souffert de malnutrition prénatale, à la suite d'une constriction du flux sanguin d'une mère fumeuse par exemple, ou de divers problèmes importants. Par contre, les bébés prématurés ne présentent pas nécessairement une anomalie du développement.

Tous les enfants de faible poids à la naissance possèdent des caractéristiques communes, dont une faible réactivité à la naissance et durant les premiers mois de la vie, un développement moteur plus lent que celui des enfants de poids normal ainsi que des troubles respiratoires. Les enfants qui naissent 6 semaines avant terme souffrent souvent du syndrome de détresse respiratoire. Leurs poumons immatures ont besoin d'une quantité suffisante de surfactant (liquide tapissant la surface interne des alvéoles pulmonaires) pour accompagner leur développement et demeurer dilatés (gonflés), sinon ils risquent de s'affaisser, provoquant ainsi des troubles respiratoires graves. Depuis 1990, les néonatologistes traitent ce problème en donnant des quantités supplémentaires de surfactant aux enfants atteints, ce qui a permis de réduire de 30 % le taux de mortalité chez les bébés de faible poids à la naissance (Corbet *et al.*, 1995 ; Schwartz *et al.*, 1994).

La mortalité infantile est aussi liée au poids de naissance. Environ 80 % de tous les enfants de faible poids à la naissance survivent assez longtemps pour quitter l'hôpital, mais plus le poids de naissance est faible, plus les risques de mort néonatale sont élevés. Cependant, de nombreux bébés très menus survivent lorsqu'ils reçoivent des soins néonatals de qualité. Dans les centres hospitaliers modernes qui offrent des services de **néonatologie**, les enfants pesant moins de 500 g survivent rarement, alors que ceux dont le poids se situe entre 500 et 600 g survivent 1 fois sur 4. Le taux de survie grimpe à 50 % chez les bébés pesant entre 600 et 700 g, et à 60 % chez ceux qui pèsent entre 700 et 800 g (La Pine, Jackson et Bennett, 1995).

Contrairement à ce que l'on pourrait croire, ces bébés ne connaissent pas tous de graves difficultés de développement. Les conséquences à long terme dépendent non seulement de la qualité des soins offerts au moment (et à l'endroit) où l'enfant est né, mais aussi de son poids à la naissance et de la famille dans laquelle il est élevé (Bendersky et Lewis, 1994). Les enfants de faible poids à la naissance qui sont élevés dans des familles à faibles revenus sont plus susceptibles de souffrir d'effets à long terme, comme des troubles de l'attention, que les enfants de faible poids élevés dans des familles plus à l'aise financièrement (Breslau et Chilcoat, 2000). Les garçons de faible poids à la naissance sont plus susceptibles que les filles de souffrir d'effets à long terme. En fait, dans une étude récente portant sur plus de 700 enfants de 6 ans, on a découvert un taux plus élevé de troubles d'apprentissage et d'autres problèmes chez les garçons de faible poids à la naissance comparativement aux autres

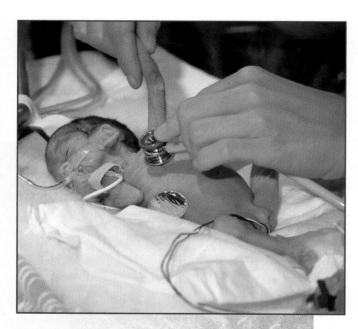

Les bébés de faible poids à la naissance possèdent de meilleures chances de survie lorsqu'ils reçoivent des soins dans un service de néonatologie.

Faible poids à la naissance : Poids d'un nouveau-né inférieur à 2 500 g, qu'il s'agisse d'une naissance prématurée ou d'un enfant petit pour l'âge gestationnel.

Néonatologie : Branche de la médecine qui étudie le nouveau-né.

garçons de poids normal de naissance (Johnson et Breslau, 2000). On n'a cependant pas observé cette différence entre les filles de poids normal de naissance et celles de faible poids à la naissance. La différence observée chez les garçons était toujours présente quand on les a examinés une seconde fois, à l'âge de 11 ans.

La grande majorité des enfants de 1 500 g et plus qui ne sont pas petits pour leur âge gestationnel rattrapent leurs pairs normaux dans les premières années de la vie. Ceux qui pèsent moins de 1 500 g, et plus particulièrement moins de 1 000 g, connaissent des taux significatifs de problèmes à long terme, y compris des dysfonctions neurologiques, des Q.I. moins élevés, une taille plus petite et des troubles d'apprentissage à l'école (Breslau *et al.*, 1994 ; Hack *et al.*, 1994).

Il est important de souligner deux points concernant les résultats des études portant sur les enfants de faible poids à la naissance. Premièrement, il se peut que les problèmes n'apparaissent qu'à l'âge scolaire, alors que l'enfant doit faire face à un degré plus élevé de tâches cognitives. Bon nombre des enfants de faible poids à la naissance qui semblent avoir un développement normal à l'âge de 2 et 3 ans éprouvent des difficultés considérables à l'école. Deuxièmement, la majorité des enfants de très faible poids semblent se développer de façon satisfaisante. On ne peut donc pas dire que tous les enfants de faible poids à la naissance ont des difficultés, mais plutôt que certains d'entre eux sont sérieusement perturbés, tandis que d'autres se développent normalement. Malheureusement, les médecins et les chercheurs n'ont pas encore trouvé de méthodes fiables pour déterminer quels sont les enfants

La dépression du post-partum

De nombreuses femmes connaissent une période de mélancolie après la naissance de leur enfant, appelée dépression du post-partum ou, plus couramment, *baby blues*. Les estimations varient mais, dans les sociétés industrialisées, 2 ou 3 femmes sur 4 traversent une brève pérode de pleurs fréquents (crises de larmes) et de troubles de l'humeur surtout négatifs (Hopkins, Marcus et Campbell, 1984). Pour la plupart des femmes, cette période ne dure que quelques jours (une dizaine environ), et elles reviennent à des sentiments plus positifs et stables. Mais pour certaines d'entre elles (entre 10 et 25 %), des symptômes plus sévères se révèlent vers la 6e ou la 7e semaine après l'accouchement et se transforment en dépression postnatale. Ces symptômes ont été décrits dans plusieurs études effectuées en Australie, en Chine, en Suède, en Écosse et aux États-Unis (Campbell *et al.*, 1992 ; Guo, 1993 ; Lundh et Gyllang, 1993 ; Webster *et al.*, 1994).

Les cliniciens utilisent le terme « dépression clinique » pour décrire un trouble de l'humeur plus important que la simple mélancolie postnatale. Une grande tristesse ainsi qu'un sentiment de lassitude persistant constituent la base de cette description. Pour établir un diagnostic de dépression, y compris de dépression du post-partum, on vérifie la présence de la moitié au moins des symptômes suivants : perte d'appétit, troubles du sommeil (insomnies ou sommeil fortement prolongé), craintes obsédantes de ne pas savoir s'occuper du nouveau-né, perte du plaisir dans les activités quotidiennes, sentiment d'absence totale de valeur, difficultés à se concentrer et pensées récurrentes de mort ou idées suicidaires.

Cette description d'un tel épisode dépressif ne relève pas d'une expérience banale, et il est frappant de constater que 2 femmes sur 10 en font l'expérience après la naissance de leur enfant. Heureusement, la dépression du post-partum est généralement d'une durée plus courte que les autres dépressions cliniques, soit de 6 à 8 semaines, après quoi la femme recouvre graduellement une humeur plus équilibrée. Toutefois, pour 1 ou 2 % de ces femmes, la dépression s'étend sur 1 an et plus.

Les origines de ces épisodes dépressifs ne sont pas clairement établies, quoique de nouvelles recherches pointent les hormones (bouleversement hormonal) comme facteur causal. Ainsi, les femmes qui ont un taux inhabituellement élevé d'hormones stéroïdes pendant les derniers mois de leur grossesse sont plus susceptibles de connaître un épisode dépressif, comme si elles réagissaient à un sevrage face au déclin hormonal rapide (Harris *et al.*, 1994). La dépression postnatale est aussi commune chez les femmes qui n'ont pas planifié leur grossesse, chez celles qui étaient très anxieuses pendant leur grossesse et chez celles dont le conjoint semblait contrarié par leur grossesse ou qui ne les soutenait pas (Campbell *et al.*, 1992 ; O'Hara *et al.*, 1992). Lorsqu'une femme vit des changements importants et significatifs pendant sa grossesse ou immédiatement après l'accouchement, comme un déménagement, le deuil d'un être cher ou la perte d'un emploi, le risque d'une dépression augmente également.

On note aussi qu'une femme qui connaît un épisode dépressif interagit différemment avec ses enfants comparativement à une mère d'humeur équilibrée. Par exemple, Alison Fleming et ses collaborateurs (1988) ont constaté que les mères dépressives caressent et touchent leur enfant avec affection moins fréquemment que les mères non dépressives. Cependant, ces différences ne persistent pas après la fin de l'épisode dépressif. Chez les enfants de 16 mois et leurs mères, Fleming n'a observé aucune différence significative dans l'interaction mère-enfant entre des mères ayant été dépressives et d'autres ne l'ayant pas été.

Notre société a tendance à considérer la dépression postnatale comme un événement anodin et sans importance. Mais, bien que de nombreuses femmes traversent cet épisode de leur vie sans problème, certaines ont besoin d'un environnement qui les soutienne dans cette période plus difficile. Dans les cas plus sévères, il ne faut pas banaliser ce phénomène et le recours à une aide spécialisée est certainement la meilleure solution à envisager.

susceptibles de présenter des difficultés dans l'avenir. Ainsi, les parents d'enfants de faible poids devront encore vivre dans l'inquiétude pendant de nombreuses années.

Naissance

- Qu'est-ce que l'effacement du col de l'utérus ? la dilatation ?

- Expliquez les trois étapes de l'accouchement ainsi que les trois phases de la première étape.

- Quels sont les différents choix qui s'offrent au couple quant à la médication et à l'endroit de l'accouchement ?

- Quelles sont les complications qui peuvent survenir lors de l'accouchement ?

Concepts et mots clés

- **césarienne** (p. 63) • **dilatation** (p. 61) • **effacement** (p. 61) • **faible poids à la naissance** (p. 64) • **néonatologie** (p. 64) • **phase active** (p. 61) • **phase de transition** (p. 61) • **phase latente** (p. 61)

NOUVEAU-NÉ

Nous allons maintenant étudier le développement physique du nouveau-né au cours des premiers mois de la vie.

ÉVALUATION DU NOUVEAU-NÉ

La plupart des hôpitaux procèdent désormais à un test d'évaluation routinier de l'enfant immédiatement après la naissance, puis cinq minutes plus tard. On espère ainsi détecter les problèmes éventuels qui pourraient nécessiter des soins. La méthode d'évaluation la plus répandue est l'**indice d'Apgar**, mis au point par le médecin Virginia

Apgar en 1953. On évalue le nouveau-né selon cinq critères bien précis, énumérés dans le tableau 2.6. On attribue un score de 0, 1 ou 2 pour chaque critère d'évaluation, pour un total maximal de 10. Il est très rare que les nouveaunés totalisent le score parfait de 10 immédiatement après la naissance, car la plupart d'entre eux ont encore les doigts et les orteils bleus. Toutefois, au bout de cinq minutes, de 85 à 90 % des nouveau-nés obtiennent un score de 9 ou 10. Un total supérieur ou égal à 7 indique que l'enfant se porte bien. Un score de 4, 5 et 6 révèle que l'enfant a besoin d'une assistance pour respirer normalement. Le bébé qui obtient un total inférieur ou égal à 3 se trouve dans un état critique, mais il possède néanmoins des chances de survie (Breitmayer et Ramey, 1986).

Les professionnels de la santé ont recours à un autre test d'évaluation du nouveau-né ; il s'agit de l'**échelle de Brazelton,** une mesure du comportement néonatal mise au point par un pédiatre mondialement connu (Brazelton, 1984). Trente minutes après la naissance, on vérifie les réflexes, les capacités d'interaction, les capacités motrices et physiologiques, les réactions au stress ainsi que les capacités à maintenir un état calme et à se mettre en état d'alerte. Ces mesures permettent de déceler des troubles neurologiques chez l'enfant. Certaines recherches ont établi que le fait d'enseigner aux parents l'utilisation de l'échelle de Brazelton produisait des effets bénéfiques sur le plan de l'interaction parent-enfant en sensibilisant davantage les parents aux subtiles réponses (compétences) du nouveau-né (Francis, Self et Horowitz, 1987).

Indice d'Apgar : Méthode d'évaluation du nouveau-né selon cinq critères : la fréquence cardiaque, la respiration, le tonus musculaire, la réponse aux stimuli et la couleur de la peau.

Échelle de Brazelton : Méthode d'évaluation qui permet de déceler des troubles neurologiques chez le nouveau-né.

Tableau 2.6 *Indice d'Apgar*			
Signe observé chez le nouveau-né	Score attribué		
	0	1	2
Fréquence cardiaque	Aucun	< 100/min	> 100/min
Respiration	Aucun souffle	Faibles pleurs et respiration superficielle	Pleurs vigoureux et respiration régulière
Tonus musculaire	Flasque	Légère flexion des membres	Bonne flexibilité
Réponse aux stimuli*	Aucune	Faible mouvement	Pleurs
Couleur de la peau	Bleue ; pâle	Corps rose, doigts et orteils bleus	Rose partout

* Réponse des pieds à la stimulation.

(*Source :* Francis, Self et Horowitz, 1987, p. 731-732.)

Ce bébé âgé de 4 semaines nous fait une démonstration
du réflexe de succion.

RÉFLEXES

L'être humain vient au monde avec un important bagage
de **réflexes**, c'est-à-dire des réactions physiques involontaires en réponse à des stimuli. Plusieurs de ces réflexes
sont encore présents chez l'adulte et doivent donc vous
être familiers, comme le réflexe rotulien que le médecin
teste avec un petit marteau, le clignement des yeux lorsque
vous recevez un souffle d'air dans les yeux (réflexe pal-
pébral) ou encore la contraction involontaire de la pupille
de vos yeux lorsque vous regardez une lumière vive (réflexe pupillaire).

Nous pouvons, *grosso modo*, grouper les réflexes des
nouveau-nés en deux catégories distinctes : les réflexes
d'adaptation qui sont présents à la naissance et qui perdurent toute la vie, et les réflexes primitifs qui sont
présents à la naissance mais qui disparaissent en vieillissant. Les *réflexes d'adaptation* aident le bébé à survivre
dans le monde extérieur et comprennent certains réflexes,
tels que le réflexe pupillaire (adaptation de la pupille
à l'intensité lumineuse), le réflexe de déglutition (qui
concerne la capacité d'avaler), le réflexe de retrait (retrait
du membre qui ressent de la douleur) et tous les autres
réflexes que l'on retrouve à l'âge adulte.

Les *réflexes primitifs* permettent à l'enfant de s'adapter rapidement après la naissance, mais ils doivent disparaître pour laisser place au contrôle moteur volontaire. On
les qualifie de primitifs probablement parce qu'ils ont eu
leur utilité au cours de l'évolution de l'espèce humaine, et
qu'ils ont perdu à présent leur raison d'être. Le réflexe de

préhension, par exemple, peut illustrer ce propos. Quand
vous mettez un doigt dans la paume d'un nouveau-né, il
referme fermement son poing sur votre doigt. Si vous
mettez un doigt dans les deux paumes du bébé, il peut
agripper vos doigts avec tant de force que vous pouvez le
soulever de terre. On observe également ce réflexe chez
les singes pour qui cette réaction s'avère très utile, car le
petit doit s'agripper à sa mère quand elle grimpe aux
arbres ou se déplace de liane en liane. La plupart des
experts sont d'avis que ce réflexe représente un vestige de
notre passé lointain. Le réflexe des points cardinaux est
un autre réflexe primitif présent chez le nouveau-né.
Lorsque l'on touche la joue du bébé, il tourne la tête en
direction de la stimulation, ce qui l'aide à prendre le
mamelon dans sa bouche pendant l'allaitement. Vous
pouvez provoquer le réflexe de Moro en faisant entendre
un bruit fort ou en faisant sursauter le bébé en simulant
une chute : vous voyez alors le nouveau-né projeter ses
bras vers l'extérieur et cambrer son dos. Si vous stimulez
la plante de son pied, le bébé réagit par l'abduction
des orteils : c'est le réflexe de Babinski. Les réflexes primitifs relèvent de régions plus primitives du cerveau, soit
le bulbe rachidien et le mésencéphale, dont le développement est presque achevé à la naissance. À l'âge de
6 mois environ, lorsque la région du cerveau qui régit la
perception, le mouvement, la pensée et le langage est plus
développée, ces réflexes primitifs disparaissent pour être
remplacés par des fonctions plus complexes du cerveau.
La persistance de ces réflexes au-delà de cette période
peut témoigner de certains troubles neurologiques. Il est
utile d'établir une distinction entre les réflexes qui continuent d'avoir une utilité quotidienne pour le bébé et ceux
qui traduisent purement et simplement l'état du système
nerveux. Le tableau 2.7 donne une description sommaire
de certains réflexes primitifs.

VIE QUOTIDIENNE DU NOUVEAU-NÉ

À quoi ressemble la vie avec un nouveau-né ? Comment les
journées d'un nourrisson sont-elles organisées ? Quels sont
les rythmes naturels qui régissent les cycles quotidiens ?
Que pouvez-vous attendre d'un bébé lorsque vous tentez
de vous adapter à sa présence et de lui prodiguer tous les
soins dont il a besoin ?

Réflexe : Réaction corporelle automatique à une stimulation précise,
comme le réflexe rotulien ou le réflexe de Moro. L'adulte possède
de nombreux réflexes, mais seuls les nouveau-nés ont des réflexes
primitifs qui disparaissent lorsque le cortex est complètement
développé.

Tableau 2.7	*Description de certains réflexes primitifs*	
Nom du réflexe	**Procédure de stimulation : réponse de l'enfant**	**Âge d'apparition ; âge de disparition**
Succion	Objet dans la bouche : mouvements de succion.	*In utero* 2-3 mois ; disparition vers 6 mois.
Points cardinaux	Stimulation de la joue avec l'index : le bébé tourne la tête et cherche à téter le doigt.	Nouveau-né ; disparition vers 3-4 mois.
Préhension	Placer un objet dans la main du bébé : ce dernier serre fermement l'objet.	*In utero* 4-6 mois ; disparition vers 2-3 mois.
Moro	Bruit soudain ou simulation de chute : le bébé ouvre les bras en croix.	Nouveau-né ; disparition vers 3-4 mois.
Babinski	Caresse de la plante du pied : abduction des orteils.	Nouveau-né ; disparition vers 6 mois.
Marche	Soutenir le bébé debout : il place ses jambes comme pour marcher.	Fœtus 8-9 mois ; disparition vers 2-3 mois.
Nage	Soutenir le bébé sur le ventre dans l'eau : mouvements coordonnés de nage.	Fœtus 8-9 mois ; disparition vers 6 mois.

Les chercheurs qui ont étudié les nourrissons ont défini cinq états de sommeil et d'éveil différents appelés **états de conscience** (voir le tableau 2.8). À sa naissance, le bébé passe 90 % de son temps à dormir (Whitney et Thoman, 1994). Lorsqu'il ne dort pas, il ne reste environ que deux à trois heures en état d'éveil calme et en état d'éveil actif sans pleurnicher.

En général, ces cinq principaux états sont cycliques, ils reviennent donc à intervalles réguliers. Chez le nourrisson, la période de base du cycle dure entre 1,5 et 2 heures. La plupart des nourrissons passent de l'état de sommeil profond à l'état de sommeil actif, puis ils pleurnichent et mangent pour finalement passer à l'état d'éveil actif. Après quoi, ils s'assoupissent et s'endorment profondément. Cette séquence se répète environ toutes les 2 heures. Vers l'âge de 6 semaines, la majorité des bébés commencent à regrouper deux ou trois étapes sans passer

Les nouveau-nés ont une acuité visuelle relativement faible, mais ils peuvent focaliser leur regard à une distance de 20 à 25 cm, comme sur cette photographie, c'est-à-dire la distance qui sépare le visage de la mère et les yeux du bébé pendant l'allaitement.

par l'état d'éveil actif. On dit souvent à ce stade que le bébé « fait ses nuits ». En fonction de ce rythme, il semblerait donc que le meilleur moment pour établir de bons contacts et interagir avec le nourrisson soit celui qui suit immédiatement la tétée, alors qu'il est en état d'éveil actif. Voici une description plus détaillée des principaux états de conscience.

Sommeil

Les périodes de sommeil du nourrisson revêtent une grande importance pour les parents, car elles leur permettent de se reposer. Autrement, ils passeraient tout leur temps à prendre soin de l'enfant. Les bébés n'ont pas de rythme de jour et de nuit (rythmes circadiens) établi dans leurs habitudes de sommeil. Ils dorment autant le jour que la nuit. Toutefois, vers l'âge de 6 semaines, la plupart des nourrissons ont établi un début de rythme circadien, même s'ils dorment de 15 à 16 heures par jour en moyenne. À 6 mois, les bébés dorment encore un peu plus de 14 heures par jour, mais la régularité et la prédictibilité du sommeil se sont considérablement améliorées. Les enfants de 6 mois acquièrent non seulement des habitudes de sommeil nocturne plus régulières, mais ils commencent aussi à faire des siestes pendant la journée à des heures plus régulières.

Le deuxième aspect intéressant du sommeil touche le type de sommeil en question. En effet, tout semble indiquer que le nourrisson rêve autant que l'enfant plus âgé et l'adulte. Les chercheurs ont observé que, pendant son sommeil, le nourrisson présente les mêmes signes extérieurs qu'une personne en période de rêve, soit des

États de conscience : Cinq principaux états de sommeil et d'éveil chez le nourrisson qui vont de l'état de sommeil profond à l'état d'éveil actif.

Tableau 2.8	*Principaux états de conscience chez le nourrisson*
État de conscience	**Caractéristiques**
Sommeil profond	Yeux fermés, respiration régulière, aucun mouvement à l'exception de quelques soubresauts occasionnels.
Sommeil actif	Yeux fermés, respiration irrégulière, petits sursauts, aucun mouvement corporel prononcé.
Éveil calme	Yeux ouverts, aucun mouvement corporel important, respiration régulière.
Éveil actif	Yeux ouverts, mouvements de la tête, des membres et du tronc, respiration irrégulière.
Pleurs et pleurnichements	Yeux partiellement ou entièrement fermés, mouvements vigoureux, diffus avec pleurs ou pleurnichements.

(*Sources :* D'après les travaux de Prechtl et Beintema, 1964 ; Hutt, Lenard et Prechtl, 1969 ; Parmelee, Wenner et Schulz, 1964.)

mouvements oculaires rapides typiques du sommeil paradoxal. Les bébés prématurés ne manifestent pas ces signes. Il semble donc évident que ce type de sommeil nécessite une certaine maturité neurologique. Chez le nourrisson, le sommeil paradoxal occupe une place beaucoup plus importante que chez l'adulte

Pleurs

Les nourrissons pleurent moins qu'on pourrait le penser, soit entre 2 et 11 % du temps (Korner *et al.,* 1981). Les périodes de pleurs semblent augmenter au cours des 6 premières semaines, puis elles diminuent. Ce fait a aussi été observé dans d'autres cultures, même chez les enfants de mères qui ont un contact corporel constant avec eux (St. James-Roberts *et al.,* 1994). Au début, les bébés pleurent davantage le soir, mais ensuite ils pleurent surtout avant les repas.

Les pleurs sont d'une importance cruciale, car ils indiquent aux parents que le nourrisson a besoin de soins. Les enfants ne peuvent se déplacer vers quelqu'un, alors ils doivent amener quelqu'un à se déplacer vers eux, et les pleurs constituent le moyen le plus efficace d'attirer l'attention. Les enfants présentent un vaste répertoire de pleurs, lesquels diffèrent selon qu'ils ont faim, qu'ils sont en colère ou qu'ils sont malades. Les pleurs réguliers, qui indiquent souvent que l'enfant a faim, commencent généralement par des plaintes et suivent un modèle très rythmique : pleurs, silence, respiration, pleurs, silence, respiration (l'inspiration s'accompagne souvent de sifflements). Les cris de colère sont plus forts et plus intenses que les pleurs réguliers, tandis que les pleurs associés à la douleur commencent de façon beaucoup plus soudaine, sans pleurnichements. Toutefois, les enfants ne pleurent pas tous de la même manière. Les parents doivent donc apprendre à reconnaître les caractéristiques de chaque type de pleurs. Alen Wiesenfeld et ses collaborateurs (Wiesenfeld, Malatesta et DeLoach, 1981) ont découvert que les mères (mais pas les pères) de bébés de 5 mois pouvaient distinguer les pleurs de colère des pleurs de douleur de leur enfant enregistrés sur une cassette, tandis qu'aucun parent ne pouvait faire la différence entre les pleurs enregistrés d'un autre enfant.

Le type et la nature des pleurs sont très variés selon les individus. On observe que de 15 à 20 % des enfants souffrent d'une affection bénigne appelée coliques du nourrisson, caractérisée par d'intenses périodes quotidiennes de pleurs pouvant totaliser 3 heures et plus par jour. Les pleurs empirent généralement vers la fin de l'après-midi ou au début de la soirée, à un moment particulièrement inapproprié, bien sûr, car les parents sont fatigués et ont besoin d'un peu d'intimité. En général, les coliques se manifestent vers l'âge de 2 semaines, puis disparaissent soudainement vers l'âge de 3 ou 4 mois, sans traitement. Pas plus les psychologues que les médecins ne connaissent les raisons de l'apparition et de la disparition des coliques. C'est un phénomène auquel il est difficile de s'adapter, mais on sait tout au moins que les coliques ne durent pas et qu'elles finissent par disparaître.

Est-ce le fait de prendre un enfant dans ses bras chaque fois que ce dernier pleure qui renforce ce comportement et augmente ainsi sa fréquence, ou bien le fait de prendre l'enfant dans ses bras qui rassure l'enfant et l'aide à construire une représentation du monde sécuritaire et prévisible ? Les recherches récentes sur ce sujet indiquent qu'une réponse rapide des parents aux pleurs de l'enfant pendant les trois premiers mois diminue la fréquence des pleurs par la suite durant l'enfance (Sulkes, 1998).

Alimentation

Le fait de se nourrir n'est pas un « état », mais il s'agit tout de même d'une des activités préférées des nouveau-nés ! Comme le cycle naturel du nourrisson dure de 1,5 à 2 heures environ, le bébé peut manger jusqu'à 10 fois par jour. Vers l'âge de 1 mois, cette moyenne baisse à environ

5,5 repas par jour, puis diminue progressivement au cours de la première année de vie (Barnard et Eyres, 1979). Les enfants nourris au sein et ceux nourris au biberon mangent à peu près à la même fréquence, mais ces deux modes d'alimentation diffèrent sensiblement de bien des façons.

Allaitement maternel et allaitement artificiel

Après plusieurs dizaines d'années de recherche intensive dans de nombreux pays, médecins et épidémiologistes se sont entendus sur le fait que l'allaitement maternel est, du point de vue nutritionnel, nettement supérieur à l'alimentation au biberon. Le lait maternel procure à l'enfant d'importants anticorps contre plusieurs types de maladies, particulièrement les infections gastro-intestinales et les infections des voies respiratoires supérieures (Cunningham, Jelliffe et Jelliffe, 1991). Le lait maternel semble également contribuer à la croissance des nerfs et des voies intestinales, favorisant ainsi un gain plus rapide de poids et de taille (Prentice, 1994); à long terme, le lait maternel semble stimuler les fonctions du système immunitaire. Le mauvais côté de cette pratique est que certains virus (y compris le VIH) peuvent être transmis par le lait maternel.

Les femmes qui ont de la difficulté à allaiter en raison du travail ou d'autres contraintes seront rassurées d'apprendre que, selon les recherches, une seule tétée par jour suffit à conférer au bébé un certain degré de protection. Il est également réconfortant d'apprendre que l'alimentation au biberon ne semble pas avoir d'effets négatifs sur la qualité de la relation mère-enfant. Les bébés nourris au biberon reçoivent autant de caresses et de réconfort que les bébés nourris au sein, et leurs mères sont aussi réceptives et attentionnées que les autres (Field, 1977).

Il ne faut surtout pas que ces observations entraînent un sentiment de culpabilité chez les mères qui décident de ne pas allaiter leur enfant pour des raisons physiques ou autres. Les bébés nourris au lait maternisé se développent très bien. Cependant, il est clair que, si vous avez le choix, il est préférable que vous nourrissiez le bébé au sein, car il en retirera de nombreux avantages.

Autres pratiques alimentaires

Certains parents donnent de la nourriture solide à leur enfant (comme des céréales) dès l'âge de 2 mois, obéissant ainsi à une croyance populaire qui veut que l'enfant fasse ses nuits plus tôt. Inutile de vous dire que c'est faux et que cette pratique ne correspond pas aux besoins alimentaires de l'enfant. Jusqu'à 4 ou 6 mois, l'enfant doit boire du lait maternel ou maternisé. Après cette période, on lui donnera un mélange de lait et de nourriture solide et on prendra soin d'augmenter graduellement l'apport solide dans le mélange jusqu'à ce que l'enfant atteigne l'âge de 1 an. Enfin, une autre pratique alimentaire regrettable consiste à donner un biberon de jus de fruits à l'enfant lors de sa sieste ou à son coucher. La plupart des jus de fruits possèdent une concentration très forte en sucre; lorsque l'enfant s'endort avec du jus dans la bouche, le sucre attaque ses dents, ce qui peut avoir des effets négatifs sur sa santé dentaire.

Nouveau-né

- En quoi consiste l'indice d'Apgar?

- Quels sont les réflexes que possède le nouveau-né? Donnez des exemples.

- Quels sont les différents états de conscience du nourrisson?

- Pourquoi le lait maternel est-il un meilleur aliment que le lait maternisé?

Concepts et mots clés

- **échelle de Brazelton** (p. 66) • **états de conscience** (p. 68)
- **indice d'Apgar** (p. 66) • **réflexe** (p. 67)

UN DERNIER MOT

Les médecins, les biologistes et les psychologues font sans cesse de nouvelles découvertes sur les risques associés à la période prénatale et à la naissance, si bien que le nombre de recommandations faites aux femmes enceintes ne cesse d'augmenter. Cependant, vous devez vous rappeler que la grande majorité des grossesses sont normales et se déroulent sans incidents. Les bébés sont généralement en bonne santé et normaux à la naissance. De plus, il existe des mesures préventives précises, à la portée de toutes les femmes, visant à réduire les risques pour elles-mêmes et leur enfant. Les futures mères peuvent être immunisées contre certains virus; elles peuvent arrêter de fumer et de boire de l'alcool, surveiller leur régime alimentaire et s'assurer qu'elles prennent suffisamment de poids pendant la grossesse. Elles peuvent également recevoir régulièrement des soins prénatals, et ce, dès le début de la grossesse. Rappelez-vous que plusieurs problèmes peuvent être diagnostiqués avant la naissance, ce qui permet une intervention précoce et une réduction des effets négatifs sur l'enfant.

RÉSUMÉ

CONCEPTION ET GÉNÉTIQUE

- Au moment de la conception, les 23 chromosomes du spermatozoïde s'unissent aux 23 chromosomes de l'ovule pour former un ensemble de 46 chromosomes qui seront reproduits dans chaque cellule du corps de l'enfant. Chaque chromosome est composé d'une longue chaîne d'acide désoxyribonucléique (ADN), qui se divise en segments appelés gènes.

- Les généticiens établissent une distinction entre le génotype, qui est l'ensemble des caractères héréditaires, et le phénotype, qui représente les caractéristiques corporelles de l'individu. Les gènes sont transmis des parents à l'enfant selon des modes complexes de transmission dont l'hérédité dominante-récessive, l'hérédité polygénique et l'hérédité multifactorielle.

- Le sexe de l'enfant est déterminé par la 23e paire de chromosomes. Une fille présente un modèle XX, alors qu'un garçon présente un modèle XY.

- Lorsqu'un seul ovule est fécondé et qu'il se divise par la suite pour former deux individus, on parle de jumeaux identiques (partageant le même bagage héréditaire), alors que les jumeaux fraternels sont issus de la fécondation de deux ovules différents.

RÉSUMÉ

DÉVELOPPEMENT PRÉNATAL

ÉTAPES DU DÉVELOPPEMENT PRÉNATAL

- Durant les premiers jours qui suivent la conception, soit la période germinale du développement, la cellule initiale se divise, descend dans une trompe de Fallope et va se loger contre la paroi de l'utérus.

- La deuxième période, la période embryonnaire (de la 3e à la 8e semaine), comprend le développement des diverses structures qui soutiennent le développement du fœtus, comme le placenta, ainsi que les formes primitives de tous les systèmes organiques.

- Les 30 dernières semaines de la gestation, soit la période fœtale, sont avant tout consacrées au développement et au perfectionnement de tous les systèmes organiques.

- Tous les neurones d'un individu se développent entre la 10e et la 20e semaine de gestation, mais l'axone et les dendrites de chaque neurone se développent principalement au cours des deux derniers mois de la grossesse et durant les premières années de vie.

INFLUENCES SUR LE DÉVELOPPEMENT PRÉNATAL

- L'évolution normale du développement prénatal semble être grandement déterminée par la maturation, une « carte routière » en quelque sorte, contenue dans les gènes. Cette séquence du développement peut connaître des ruptures. Le moment des ruptures détermine la nature et la gravité de leur effet.

- Les déviations du modèle normal de développement peuvent être causées au moment de la conception par n'importe quelle anomalie chromosomique, comme le syndrome de Down, ou par la transmission des gènes de certaines maladies.

- Avant la conception, il est possible de faire passer des tests aux parents afin de déceler la présence de gènes de plusieurs maladies héréditaires. Après la conception, de nombreuses épreuves diagnostiques permettent de déterminer la présence d'anomalies chromosomiques ou de maladies à gène récessif chez le fœtus.

- Certaines maladies de la mère, comme la rubéole, le sida et le cytomégalovirus (CMV), peuvent toucher l'enfant et causer des maladies ou des malformations chez ce dernier.

- Les drogues, l'alcool et la nicotine consommés par la mère semblent avoir des effets négatifs considérables sur le développement du fœtus. Plus la dose est élevée, plus les dommages semblent importants.

- Le régime alimentaire de la mère revêt une grande importance. Si la mère souffre de malnutrition grave, les risques de mort néonatale, de faible poids à la naissance et de mortalité infantile durant la première année de vie sont accrus.

- Les mères âgées ou très jeunes courent également des risques, mais bon nombre de ces risques sont sensiblement réduits ou éliminés si la mère est en bonne santé et si elle reçoit des soins prénatals appropriés.

- Un degré élevé d'anxiété ou de stress chez la mère peut augmenter le risque de complications pendant la grossesse ou de problèmes chez l'enfant.

- Durant la période embryonnaire, l'embryon XY sécrète de la testostérone, qui stimule la croissance des organes génitaux mâles et influe sur le développement d'un cerveau « mâle ». Sans cette hormone, l'embryon se développe en fille, comme le font normalement les embryons XX.

RÉSUMÉ

NAISSANCE

- Le processus normal de l'accouchement comprend trois étapes : le travail, l'expulsion du fœtus et l'expulsion du placenta.

- La plupart des médicaments administrés à la mère durant l'accouchement passent dans le sang de l'enfant et ont donc des effets temporaires sur la réactivité et le mode d'alimentation de l'enfant. Certains effets peuvent devenir chroniques, mais cette question fait encore l'objet de débats.

- Dans le cas des grossesses sans complications et à faibles risques, l'accouchement à domicile ou dans une maison de naissances est aussi sûr que l'accouchement dans un centre hospitalier.

- La présence du père durant l'accouchement est associée à une réduction de la douleur pour la mère, mais ne semble pas influer sur l'attachement du père à l'enfant.

- Pour tous les nouveau-nés pesant moins de 2,5 kg, on parle de bébés de faible poids à la naissance. Plus le poids du bébé est faible, plus les risques de problèmes chroniques, comme un faible Q.I. ou des difficultés d'apprentissage, sont élevés.

- Certains problèmes prénatals ou à l'accouchement peuvent causer des incapacités permanentes ou des malformations, mais de nombreux troubles associés à la vie prénatale ou à la naissance peuvent être surmontés si l'enfant est élevé dans un environnement stimulant.

NOUVEAU-NÉ

- On évalue généralement les nourrissons en utilisant l'indice d'Apgar qui comprend cinq critères : la fréquence cardiaque, la respiration, le tonus musculaire, la réponse aux stimuli (irritabilité réflexe) et la couleur de la peau.

- Les bébés possèdent à la naissance des réflexes d'adaptation et des réflexes primitifs. Les réflexes d'adaptation sont des réflexes essentiels à l'adaptation du nouveau-né et sont présents durant toute la vie. Les réflexes primitifs, comme le réflexe de succion, le réflexe des points cardinaux, le réflexe de Moro et le réflexe de Babinski, disparaissent au bout de quelques mois.

- Les bébés présentent divers « états de conscience », qui vont du sommeil profond au sommeil actif en passant par les pleurnichements, les repas et l'état d'éveil calme et actif, selon un cycle qui dure entre 1,5 et 2 heures environ.

- Il est avéré que l'allaitement au sein est meilleur pour le bébé sur le plan nutritif, qu'il lui fournit les anticorps nécessaires et qu'il réduit les risques de diverses infections.

CONCEPTION ET GÉNÉTIQUE

Génotype

- Caractéristiques et séquences de développement inscrites dans les gènes (intérieur)

Phénotype

- Caractéristiques observables de l'individu (extérieur)

Modes de transmission héréditaire

- Hérédité dominante-récessive
- Hérédité polygénique
- Hérédité multifactorielle

Détermination du sexe

- XX pour les femmes
- XY pour les hommes

Jumeaux fraternels

- Deux ovules fécondés par deux spermatozoïdes

Jumeaux identiques

- Un seul ovule fécondé qui se dédouble

DÉVELOPPEMENT PRÉNATAL

- 38 semaines

Étapes du développement

Période germinale
De la conception à la 2e semaine

- Division cellulaire et implantation

Période embryonnaire
De la 2e semaine à la 8e ou 12e semaine

- Développement des structures de soutien et de l'embryon

Période fœtale
De la 8e ou 12e semaine à la naissance

- Perfectionnement des systèmes organiques, dont le système nerveux (formation des neurones)
- Développement des axones et des dendrites

Influences sur le développement prénatal

Anomalies génétiques
Ex. : syndrome de Down

- Anomalies chromosomiques
- Anomalies des chromosomes sexuels
- Syndrome de fragilité du chromosome X
- Maladies récessives

Agents tératogènes

- Maladies de la mère (rubéole, sida, CMV)
- Drogues, médicaments et produits chimiques

Autres influences

- Régime alimentaire
- État émotionnel de la mère
- Âge de la mère
- Maladies chroniques

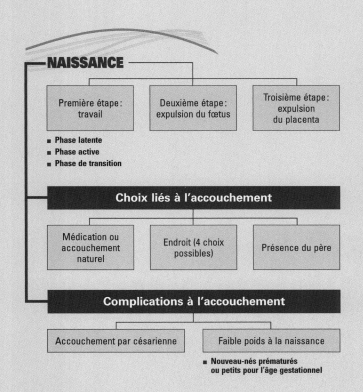

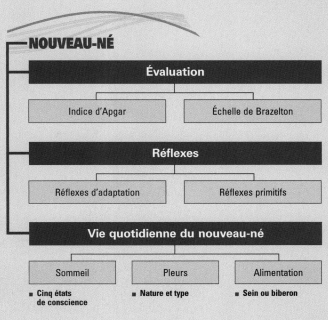

3

CHAPITRE

Les premières années :
développement
physique et cognitif

*J*e m'entretenais récemment avec une amie qui a un bébé de six mois. Quand je lui ai demandé si tout se passait bien, sa réponse a été typique : « On ne m'avait jamais dit que cela pouvait être aussi amusant. Personne ne m'avait non plus prévenue du travail que cela représente. C'est fascinant, elle change de jour en jour. Maintenant, j'ai l'impression que c'est une personne à part entière : elle s'assoit, elle rampe et elle commence à babiller. »

Je suis presque sûre que quelqu'un lui avait déjà parlé en ces termes, mais qu'elle ne s'en souvenait pas. Quand vous passez le plus clair de vos journées avec votre enfant, à lui prodiguer des soins et à l'entourer d'affection, alors seulement vous prenez conscience de ces réalités. Je vais tenter de vous traduire cet émerveillement, même si ces mots ne prendront véritablement un sens pour vous que lorsque vous élèverez vous-même un enfant.

DÉVELOPPEMENT PHYSIQUE

La première section de ce chapitre traite du développement physique au cours des deux premières années. Nous concentrons notre étude sur les principaux changements physiques, sur le développement moteur, sur les différences individuelles qui marquent le développement physique ainsi que sur la santé en général des jeunes enfants.

CHANGEMENTS PHYSIQUES DE LA NAISSANCE À 2 ANS

Dans cette section, nous allons aborder les changements du système nerveux, les changements osseux et musculaires et, finalement, les changements touchant la taille et la morphologie de l'enfant.

Direction générale du développement physique

Au cours des premiers mois de la vie, le développement physique s'effectue selon deux directions principales : céphalocaudale et proximodistale. Le développement **céphalocaudal** va de la tête vers les membres inférieurs, alors que le développement **proximodistal** va du tronc vers les extrémités. On peut observer la conjugaison de ces deux tendances tout au long du développement. En effet, le bébé tient la tête droite avant d'être capable de se tenir assis, et il s'assoit avant de marcher à quatre pattes. La connaissance de ces deux directions du développement est un atout précieux pour situer les limites des performances motrices d'un bébé.

Changements du système nerveux

La figure 3.1 illustre les principales structures du cerveau. À la naissance, les structures les plus développées sont le **mésencéphale** et le **bulbe rachidien**, qui assurent la régulation de certaines fonctions fondamentales, telles que l'attention, l'habituation, le sommeil, l'éveil, l'élimination et les mouvements de la tête et du cou. Le **cortex cérébral**, composé de substance grise en circonvolutions autour du mésencéphale, est la structure du cerveau la moins développée. Le cortex régit les fonctions supérieures de la perception, les mouvements du corps et tous les aspects de la pensée et du langage. Au chapitre 2, nous avons précisé que les neurones commençaient à se former autour de la 12e semaine de grossesse et qu'ils étaient pratiquement tous constitués à la 28e semaine ; la croissance de leurs fibres terminales (dendrites) s'amorce au cours des deux derniers mois de grossesse. À la naissance, le cortex possède donc tous ses neurones. Jusqu'à l'âge de 18 mois, un grand nombre de synapses sont créées, d'où une croissance rapide de l'arbre dendritique ainsi

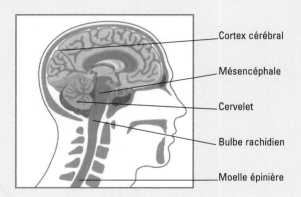

Figure 3.1
Structures du cerveau.
Le bulbe rachidien et le mésencéphale sont déjà bien développés à la naissance. Au cours des deux premières années de la vie, c'est surtout le cortex qui se développe : les dendrites de chaque neurone croissent rapidement, et le nombre de synapses augmente de manière considérable.

que des axones et de leurs dendrites. En raison de la multiplication rapide de ces dernières, la masse totale du cerveau triple entre la naissance et l'âge de 2 ans (Nowakowski, 1987).

Développement des neurones et des synapses Le développement des dendrites ne s'effectue pas de manière continue et régulière. Les neurophysiologistes ont découvert qu'il existe une période initiale de formation des synapses, suivie d'une période d'**émondage** vers l'âge de 2 ans. Les connexions redondantes sont alors éliminées, ce qui entraîne l'émondage du « diagramme filamenteux » (Huttenlocher, 1994). La figure 3.2 montre l'augmentation rapide du nombre de synapses ainsi que leur émondage.

Céphalocaudal : Caractérise la direction du développement physique chez l'enfant qui se fait de la tête vers les membres inférieurs.

Proximodistal : Caractérise la direction du développement physique chez l'enfant qui se fait du tronc vers les membres.

Mésencéphale : Partie du cerveau située au-dessus du bulbe rachidien et sous le cortex, qui assure la régulation de l'attention, du sommeil, de l'éveil et d'autres fonctions « automatiques ». Il est déjà très développé à la naissance.

Bulbe rachidien : Partie du cerveau située immédiatement au-dessus de la moelle épinière. Il est déjà très développé à la naissance.

Cortex cérébral : Partie de l'encéphale présentant des circonvolutions et composée de substance grise. Il est notamment responsable de la régulation de la pensée, du langage et de la mémoire.

Émondage : Élimination de certaines connexions neuronales de l'arbre dendritique.

Par exemple, au début du développement, chaque cellule des muscles squelettiques établit des connexions synaptiques avec plusieurs neurones moteurs situés dans la moelle épinière. Cependant, après le processus d'émondage, chaque fibre musculaire se trouve connectée à un seul neurone. En s'appuyant sur un argument semblable à celui qui sous-tend le concept de prédispositions innées (voir le chapitre 1), certains neurophysiologistes comme Greenough (Greenough *et al.,* 1987) sont d'avis que le développement des dendrites et des synapses suit un modèle préétabli. L'organisme est programmé pour créer un nombre très élevé de connexions neuronales, ce qui produit des connexions redondantes. D'après cette théorie, l'émondage qui survient vers l'âge de 2 ans constituerait une réaction à des expériences précises, si bien qu'une sélection des voies les plus utilisées ou les plus efficaces s'opère. En d'autres mots, « l'expérience ne crée pas de traces sur une table rase ; on peut dire au contraire que l'expérience en efface quelques-unes » (Bertenthal et Campos, 1987). Il semble qu'un autre processus d'émondage des synapses ait lieu à l'adolescence, ce qui tendrait à suggérer qu'une réorganisation supplémentaire des voies neuronales s'effectue peut-être durant cette période.

Il est intéressant de noter que le processus d'émondage ne se produit pas au même moment dans toutes les régions du cerveau. Par exemple, la densité maximale des synapses dans la région du cerveau associée à la compréhension et à la production du langage est atteinte autour de 3 ans, alors que la densité maximale dans la région du cortex associée à la vision est atteinte à 4 mois, avec un émondage rapide par la suite (Huttenlocher, 1994).

Certaines conséquences importantes découlent de ces découvertes concernant le développement neurologique. Premièrement, il semble qu'un processus de « plasticité programmée du cerveau » apparaisse très tôt dans l'organisme humain. Le cerveau possède une capacité remarquable à se réorganiser lui-même, à faire en sorte que notre « diagramme filamenteux » soit plus efficace. Ainsi, à la suite d'une blessure, le cerveau possède la capacité de créer de nouvelles voies, de nouvelles connexions afin de compenser les pertes subies. Mais cette plasticité du cerveau est plus grande durant l'enfance qu'à toute autre période du développement. Paradoxalement, la période de plasticité maximale du cerveau est aussi la période la plus vulnérable aux déficits majeurs. Un peu comme l'embryon qui, au cours de la période de croissance la plus rapide, présente une vulnérabilité maximale aux agents tératogènes, le nouveau-né a besoin d'une stimulation suffisante de son environnement afin de maximiser les effets de cette croissance rapide et de la plasticité de son cerveau (de Haan *et al.,* 1994). Une carence alimentaire ou une insuffisance de stimulation au cours des premiers mois de la vie peuvent entraîner des effets subtils mais permanents sur le développement cognitif ultérieur de l'enfant.

Par ailleurs, la découverte récente que le processus d'émondage se déroule à la fois durant l'enfance et l'adolescence a forcé les psychologues du développement à envisager différemment le lien entre le développement du cerveau et le comportement. Si le cerveau est presque entièrement formé autour de 2 ans comme la plupart de nous le pensions jusqu'à maintenant, alors il serait logique d'affirmer que son développement subséquent serait en

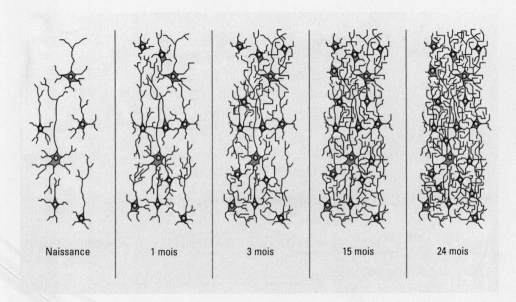

Naissance   1 mois   3 mois   15 mois   24 mois

Figure 3.2
Croissance des dendrites.
Sur ce schéma, vous pouvez observer la croissance remarquable des dendrites pendant la première année de la vie ainsi que l'émondage de l'arbre dendritique autour de l'âge de 2 ans, lorsque les synapses redondantes ont été éliminées. (*Source :* Conel, 1939/1975.)

Puisque le développement moteur s'effectue aussi bien dans une direction céphalocaudale que proximodistale, Emmanuelle, âgée de 5 mois, montre une plus grande habileté à atteindre et à saisir les objets qu'à ramper.

grande partie le résultat des expériences de l'enfant. Or, on sait désormais que le cerveau connaît des changements significatifs au cours de l'enfance. On peut donc se demander si l'accélération du développement du langage entre 2 et 3 ans se produit parce que la région du cerveau impliquée dans le langage connaît au même moment une réorganisation majeure (croissance rapide et émondage), ou si c'est le processus inverse qui a lieu? De même, les changements majeurs observés dans la pensée de l'enfant autour de 4 ans et de 7 ans ou à l'adolescence (autour de 14 ans) peuvent-ils être associés d'une quelconque façon à ces changements cérébraux majeurs? Les connaissances actuelles ne nous permettent pas de répondre à ces questions, mais ces dernières relancent de façon formidable l'intérêt pour les déterminants neurologiques du développement durant l'enfance et l'adolescence.

Myélinisation   Un autre processus important caractérise le développement du système nerveux: il s'agit de la formation des gaines qui enveloppent chaque axone. Ces gaines protectrices, composées d'une substance appelée **myéline**, isolent les axones les uns des autres et améliorent la conductivité de la fibre nerveuse. On nomme **myélinisation** le processus de développement de ces gaines.

La séquence de myélinisation des fibres nerveuses suit le développement céphalocaudal et proximodistal. Ainsi, les fibres nerveuses qui desservent les cellules musculaires des bras et des mains sont myélinisées plus tôt que celles qui desservent le tronc inférieur et les jambes, et leur myélinisation est pratiquement achevée à l'âge de 2 ans. Cependant, la myélinisation dans l'encéphale se poursuit durant l'enfance et l'adolescence, mais à un rythme plus lent. Par exemple, la région du cerveau qui gouverne les mouvements moteurs n'est pas complètement myélinisée avant l'âge de 6 ans environ (Todd *et al.*, 1995). Le processus de myélinisation est encore plus long dans d'autres structures du cerveau, comme la **formation réticulée**, cette région du cerveau qui est responsable du maintien de l'attention et qui nous aide à différencier les informations importantes des informations secondaires. Sa myélinisation commence dès la petite enfance, mais se poursuit par à-coups jusqu'au milieu de la vingtaine (Spreen, Risser et Edgell, 1995). Par conséquent, durant les deux premières années, les enfants améliorent leur capacité d'attention à effectuer une tâche. De la même façon, un enfant de 12 ans possède une capacité de concentration supérieure à celle d'un nourrisson, mais inférieure à celle d'un adulte.

La *sclérose en plaques*, une maladie caractérisée par un processus de démyélinisation, illustre bien l'importance du rôle de la myéline. Une personne atteinte de cette maladie, dont les symptômes varient selon les structures lésées du système nerveux, perd progressivement toute régulation motrice.

Changements osseux et musculaires

Parallèlement aux changements du système nerveux, on observe des changements dans les autres structures corporelles, dont les muscles et les os. Toutefois, les changements musculaires et osseux s'échelonnent de l'enfance à l'adolescence et ne surviennent pas aussi brusquement que les changements du système nerveux.

Ossature   La main, le poignet, la cheville et le pied comportent moins d'os à la naissance qu'à la maturité. Ainsi, le poignet d'un adulte compte neuf os distincts, alors que le poignet d'un enfant de 1 an n'en comprend que trois. Les six autres os se formeront durant l'enfance, et le développement ne sera achevé qu'au terme de l'adolescence.

Myéline : Substance qui compose la gaine entourant la plupart des axones. Les gaines de myéline ne sont pas complètement développées à la naissance.

Myélinisation : Processus de développement des gaines de myéline.

Formation réticulée : Région du cerveau qui régularise l'attention et la concentration.

Dans une autre partie du corps par contre, les os s'unissent au lieu de se différencier. Ainsi, le crâne d'un nouveau-né se compose de plusieurs os séparés par des espaces membraneux appelés **fontanelles**. À la naissance, les fontanelles permettent à la tête du bébé d'être compressée sans risque de dommages. Plus tard, elles laissent suffisamment d'espace pour permettre le développement de l'encéphale. Chez la plupart des enfants, les fontanelles sont comblées entre 12 et 18 mois (Kataria *et al.*, 1988) pour former un seul os crânien.

Les os de l'enfant sont également plus mous que ceux de l'adulte, et ils contiennent plus d'eau. Le durcissement des tissus fibreux ou cartilagineux, appelé **ossification**, s'effectue régulièrement de l'enfance à la puberté. L'ossature de tout le corps se renforce suivant une séquence qui respecte le développement proximodistal et céphalocaudal. Ainsi, les os de la main et du poignet durcissent avant ceux du pied.

On pourrait penser que l'ossification ne présente pas un grand intérêt. Pourtant, songez à l'importance que revêt pour le fœtus le fait de posséder des os souples afin de se loger dans la cavité restreinte de l'utérus. Cependant, cette même souplesse est par ailleurs responsable de la vulnérabilité du nouveau-né. Les nourrissons sont relativement mous; ils ne sont pas capables de tenir leur tête droite, et encore moins de rester assis ou de marcher. À mesure que son ossature se renforce, le bébé devient capable de se servir de son corps avec plus d'assurance, ce qui élargit son champ d'exploration, tout en lui permettant d'acquérir une plus grande indépendance.

Musculature   De même qu'avec leur bagage de neurones, les bébés naissent avec leur bagage de fibres musculaires (Tanner, 1990). Néanmoins, ces fibres musculaires, à l'instar des os, sont au départ plus petites et aqueuses et elles comportent une forte proportion de graisse. Elles allongent et épaississent de façon assez régulière jusqu'à l'adolescence. À l'âge de 1 an, la quantité d'eau des muscles d'un enfant est la même que celle d'un adulte, et la quantité de graisse commence à diminuer (Tershakovec et Stallings, 1998). Le développement s'effectue dans un sens tout à la fois proximodistal et céphalocaudal. Ainsi, les muscles du cou se renforcent assez vite, mais les muscles des jambes ne se fortifieront que quelques mois plus tard, permettant alors à l'enfant de faire ses premiers pas. Ces changements musculaires combinés aux changements pulmonaires — les poumons se développent rapidement et deviennent plus efficaces durant les deux premières années (Kercsmar, 1998) — font en sorte que l'enfant acquiert une plus grande résistance, ce qui lui permet d'être actif sur de plus longues périodes.

Taille et morphologie

L'ensemble de ces modifications internes influent évidemment sur la taille et la morphologie du bébé. La croissance se déroule très rapidement au cours des premiers mois. Les enfants gagnent de 25 à 30 cm et triplent leur poids pendant la première année. À l'âge de 2 ans pour les filles et de 2 ans ½ pour les garçons, ils ont déjà *atteint la moitié de leur taille d'adulte* avec 5 à 8 cm de plus — nous mettons l'accent sur cette observation, car elle pourrait en surprendre plusieurs. En fait, les proportions du corps de l'enfant diffèrent de celles de l'adulte, d'où une apparence trompeuse. Par exemple, les bébés ont proportionnellement une tête beaucoup plus grosse que celle des adultes, sans doute afin de contenir le cerveau déjà presque complètement développé.

DÉVELOPPEMENT MOTEUR

Les changements les plus spectaculaires au cours des premières années sont sans contredit les changements touchant la motricité.

Habiletés motrices

Robert Malina (1982) suggère de classer le large éventail des habiletés motrices en trois catégories:

- les *habiletés locomotrices,* comme la marche, la course, les sauts, les sautillements;
- les *habiletés posturales,* comme le fait de pousser, de tirer et de se pencher;
- les *habiletés de manipulation,* comme le fait de saisir, de jeter, d'attraper, de donner des coups de pied, ainsi que toutes les actions de réception et de déplacement des objets.

Le tableau 3.1, basé sur deux études dont l'une a été effectuée aux États-Unis et l'autre aux Pays-Bas, résume le développement de chacune de ces habiletés jusqu'à l'âge de 18 mois. La séquence des grandes étapes du développement est très similaire dans les deux études, de même que l'âge auquel les bébés ont subi les tests.

Les progrès réalisés dans l'acquisition de ces habiletés sont extraordinaires. Un simple coup d'œil suffit pour remarquer que les mouvements du bébé ne se limitent pas à ramper ou à marcher à quatre pattes. Les jeunes

Fontanelles: Espaces membraneux entre les os du crâne qui sont présents à la naissance et qui disparaissent avec l'ossification du crâne.

Ossification: Processus de durcissement par lequel les tissus fibreux ou cartilagineux deviennent des os.

Tableau 3.1   *Les grandes étapes du développement des habiletés motrices au cours des 18 premiers mois*

Âge	◀ Habiletés locomotrices	◀ Habiletés posturales	◀ Habiletés de manipulation
1 mois	Réflexe de la marche.	Redresse légèrement la tête ; suit des yeux les objets qui se déplacent lentement.	Tient un objet qu'on lui place dans la main.
2 à 3 mois		En position ventrale, redresse la tête à 90 degrés.	Commence à tendre la main vers les objets en vue.
4 à 6 mois	Se tourne sur lui-même ; se déplace par reptation (poussée des bras avec appui ventral) ; se déplace sur les mains et les genoux (rampe).	Se tient assis avec un support ; en position assise, tient la tête droite.	Cherche à atteindre les objets et les saisit.
7 à 9 mois	Marche à quatre pattes.	Se tient assis sans support.	Saisit les objets avec ses doigts en opposant le pouce ; transfère les objets d'une main à l'autre.
10 à 12 mois	Se redresse pour se mettre debout ; marche en se tenant aux meubles (« cabotage ») ; puis marche sans aide.	S'accroupit et se penche.	Montre des signes de préférence pour l'une des deux mains ; saisit une cuillère, mais éprouve des difficultés à diriger la nourriture vers la bouche.
13 à 18 mois	Marche à reculons et de côté ; court (14 à 20 mois) ; monte un escalier (16 mois).	Envoie une balle à un adulte en la faisant rouler.	Empile deux cubes ; introduit des objets dans un petit récipient et les lâche.

(*Sources :* Capute *et al.*, 1986 et Den Ouden *et al.*, 1991.)

enfants font également preuve de ce que Esther Thelen (1981) appelle des **stéréotypies rythmiques**, c'est-à-dire lorsque l'enfant semble prendre un immense plaisir à répéter sans cesse certains mouvements, tels que donner des coups de pied, se balancer, s'agiter, rebondir, frapper, frotter, griffer, secouer. Ces mouvements rythmiques répétés, amorcés dès les premières semaines — qu'il s'agisse du mouvement des doigts ou des pieds qui pédalent —, semblent atteindre un sommet à l'âge de 6 ou 7 mois. Même si ces mouvements ne paraissent pas totalement volontaires et coordonnés, ils ne sont sans doute pas uniquement le fruit du hasard. Par exemple, Thelen a observé que le mouvement des pieds qui pédalent s'accélère juste avant que l'enfant commence à ramper, comme si les coups de pieds rythmiques servaient de préparation au déplacement.

Ce type d'observation nous rappelle que les nouvelles habiletés motrices du bébé ne surgissent pas d'un coup. Chaque nouvelle habileté est le résultat de la coordination d'un grand éventail de capacités tant perceptives que motrices (Thelen, 1989; Thelen et Ulrich, 1991). Par exemple, l'utilisation d'une cuillère pour se nourrir nécessite le développement des muscles de la main et du poignet, le développement des os du poignet, la coordination entre le regard et la main pour permettre de réajuster le mouvement de la cuillère en direction de la bouche, ainsi que la coordination de tous ces mouvements avec l'ouverture de la bouche au bon moment (Connolly et Dalgleish, 1989).

Nous ne prenons pas conscience, la plupart du temps, de la complexité du processus du développement lorsque nous observons un enfant. Nous sommes davantage surpris par les progrès quotidiens du bébé et l'adresse dont il fait preuve dans certains comportements.

Causes des principaux changements moteurs

Lorsque l'on cherche à déterminer les causes des différents changements moteurs qui apparaissent chez le nourrisson, on doit étudier certains facteurs liés à l'influence de la nature, tels que la maturation et l'hérédité, et certains facteurs liés à l'influence de la culture, tels que l'alimentation et l'exercice physique.

INFLUENCE DE LA NATURE: MATURATION ET HÉRÉDITÉ
Comme nous l'avons vu au chapitre 1, l'influence de la nature est déterminante dans le développement de l'enfant. Voici comment cette influence s'exprime sur le plan de la maturation et de l'hérédité.

Maturation Les séquences de maturation jouent un rôle majeur dans le développement moteur, tout particulière-

ment en ce qui concerne des changements aussi fondamentaux que les changements neuronaux et les changements musculosquelettiques. Bien que le *rythme* du développement varie considérablement d'un enfant à l'autre, les diverses *séquences de la croissance physique sont très constantes*, c'est-à-dire qu'elles suivent le même ordre chez tous les enfants. Ces séquences sont d'ailleurs identiques chez les enfants atteints de handicaps physiques ou intellectuels. Ainsi, les enfants atteints d'une déficience intellectuelle présentent souvent un développement moteur plus lent que les enfants normaux, mais ce dernier suit les mêmes séquences. La présence de séquences aussi nettes laisse penser que la maturation constitue un agent causal évident, bien que le processus même de la maturation soit immensément complexe, impliquant des changements étroitement liés entre eux sur le plan musculaire, osseux, perceptif et cognitif.

Hérédité Par ailleurs, notre patrimoine génétique est à la fois individuel et propre à l'espèce. Ainsi, chacun de nous est programmé pour suivre plusieurs séquences communes de développement physique, mais reçoit également des instructions précises déterminant des tendances de croissance uniques. Le patrimoine génétique influe sur la taille et la morphologie. Les parents de grande taille ont généralement des enfants grands; les parents de petite taille ont généralement des enfants petits (Garn, 1980). Il existe également des ressemblances entre parents et enfants en ce qui concerne la largeur des hanches, la longueur des bras et la longueur du tronc.

Le patrimoine génétique détermine aussi la vitesse ou le rythme de croissance, ainsi que la taille et l'apparence physique à l'âge adulte. Les parents qui ont eu un développement précoce (ce que l'on peut mesurer par l'ossification par exemple) ont tendance à avoir des enfants qui se développent très vite (Garn, 1980).

INFLUENCE DE LA CULTURE: ALIMENTATION ET EXERCICE PHYSIQUE
La culture (ou le milieu) représente aussi un facteur déterminant du développement de l'enfant. L'alimentation et l'exercice physique constituent deux exemples de son influence.

Alimentation L'alimentation du bébé après la naissance constitue un élément majeur du développement, bien qu'il soit extrêmement difficile de déterminer, au moyen d'une

---

Stéréotypies rythmiques: Mouvements rythmiques répétés chez les jeunes enfants.

étude, ce qui relève principalement de l'alimentation post-natale. En effet, les bébés qui ne reçoivent pas une alimentation adéquate grandissent souvent dans des milieux qui présentent également d'autres déficiences.

On sait aujourd'hui qu'une malnutrition grave au cours des premières années de la vie provoque un ralentissement du développement physique et moteur (Malina, 1982). Les enfants dont le régime alimentaire s'améliore plus tard peuvent en partie rattraper leur retard sur le plan de la taille et du poids, mais ils demeurent généralement plus petits et plus lents que leurs pairs. De plus, les enfants qui souffrent de malnutrition ou de sous-alimentation possèdent moins d'énergie, un facteur qui peut à son tour influer sur la nature des interactions que l'enfant entretient à la fois avec les objets et avec les personnes qui l'entourent. Par exemple, dans une étude récente portant sur des trottineurs du Kenya, d'Égypte, du Mexique et des États-Unis, Marian Sigman et ses collaborateurs (Sigman, 1995 ; Wachs et Sigman, 1995) ont observé que les enfants qui souffrent de sous-alimentation chronique (mais non de malnutrition clinique) sont moins alertes, moins avancés dans leurs formes de jeux et présentent des habiletés sociales moins développées que leurs pairs mieux nourris.

Exercice physique   On peut également analyser les influences du milieu sur le développement moteur en fonction des différents exercices physiques pratiqués par l'enfant. Un bébé qui passe beaucoup de temps dans une *marchette* — un jouet qui soutient le bébé lorsqu'il se déplace debout — apprend-il à marcher seul plus vite qu'un autre enfant ? Un trottineur qui a l'occasion de s'exercer à monter les escaliers apprend-il à grimper plus vite ou est-il plus agile qu'un autre enfant qui n'a pas eu cet entraînement ?

La réponse n'est pas évidente. Lorsque les occasions normales de pratiquer certains mouvements sont grandement *restreintes,* le développement moteur de l'enfant subit un retard. Wayne Dennis (1960) a effectué une étude très instructive auprès d'enfants iraniens placés dans des orphelinats. Dans le plus pauvre des orphelinats, les bébés observés par Dennis étaient toujours couchés sur le dos dans leur berceau, sur des matelas complètement défoncés. Ils ne se trouvaient presque jamais sur le ventre et avaient même de la difficulté à se tourner en raison de la trop grande souplesse des matelas. La plupart de ces enfants ne sont pas passés par les étapes normales d'apprentissage de la marche, probablement parce qu'ils n'ont jamais eu l'occasion de s'exercer à l'étape qui consiste à ramper sur le ventre. Ils ont tout de même fini par apprendre à marcher, mais avec un an de retard.

Il découle de cette étude que le développement de compétences élémentaires communes, comme la marche à quatre pattes ou la marche debout, exige un minimum

L'extraordinaire rapidité du développement des habiletés motrices au cours des premiers mois est facile à illustrer. L'enfant de 9 mois (en haut à gauche) s'assoit tout seul, l'enfant de 11 mois (en bas à gauche) se déplace aisément à quatre pattes, et l'enfant de 13 mois (ci-dessus) effectue ses premiers pas.

d'entraînement physique afin que le système fonctionne comme il se doit. Par ailleurs, d'autres études indiquaient que le fait que l'exercice soit supérieur à ce minimum n'accélérait pas les séquences élémentaires. Cependant, des études récentes sur ce sujet contredisent cette dernière affirmation. Dans une de ces études, de jeunes bébés qui avaient pratiqué souvent la position assise maintenaient cette position plus longtemps que des bébés qui n'avaient pas eu cet entraînement (Zelazo *et al.,* 1993). Les recherches continuent dans ce domaine.

Lorsqu'on se penche sur des activités motrices secondaires, telles que lancer une balle ou grimper aux arbres, on s'aperçoit que la maturation permet de déterminer à quel moment un enfant est *capable* d'acquérir une nouvelle habileté, mais qu'il lui faut absolument de la pratique pour effectuer une bonne performance. La force et la coordination requises pour envoyer un ballon de basket suffisamment haut pour atteindre le panier s'acquièrent de diverses façons prévisibles dès les premières années, à condition que le milieu fournisse le soutien nécessaire. Cependant, pour parvenir à marquer des paniers régulièrement de plusieurs angles et à des distances différentes, tout comme pour perfectionner une habileté régulière et coordonnée dans n'importe quelle tâche motrice complexe, on doit s'entraîner assidûment.

SANTÉ

Nous allons nous pencher maintenant sur les problèmes de santé des jeunes enfants.

Maladies

Presque tous les bébés tombent souvent malades au cours des deux premières années. Les données recueillies en Amérique du Nord indiquent que les bébés contractent en moyenne sept maladies respiratoires au cours de la première année et huit durant la deuxième année. Certaines études récentes montrent que l'incidence de ces maladies est plus grande chez les bébés en garderie que chez ceux qui sont élevés à la maison, probablement parce que les premiers sont plus exposés à différents germes et virus (Collet *et al.,* 1994 ; Hurwitz *et al.,* 1991). En règle générale, plus un bébé fréquente de personnes différentes, plus il risque de tomber malade. Il faut cependant nuancer cette vision pessimiste. En effet, les enfants élevés à la maison, et qui ont peu de contacts extérieurs, présentent des risques plus grands de contracter des maladies plus tard, lorsqu'ils commencent à aller à l'école. La fréquentation d'une garderie expose l'enfant plus tôt aux microorganismes responsables des infections des voies respiratoires mais, après quelques mois, les risques d'infection chutent considérablement.

Habituellement, les enfants commencent à manger de la nourriture solide vers 6 mois.

Mortalité

La plupart des décès d'enfants se produisent pendant la période *néonatale,* à savoir pendant le premier mois de la vie. Ces décès sont directement liés soit à des affections périnatales, soit à des anomalies congénitales, soit encore à un faible poids à la naissance. D'autres décès surviennent plus tard au cours de la première année de vie. Certains de ces décès sont causés par le **syndrome de mort subite du nourrisson** (SMSN), dans lequel un enfant apparemment en bonne santé meurt de façon imprévisible. Au Canada en 1997, le nombre de décès d'enfants de moins de 1 an pour 100 000 habitants se situait à 43,9, comparativement à 61,4 en France en 1996 et à 77,1 aux États-Unis en 1997 (Organisation mondiale de la santé, 2001).

Pour des raisons inexpliquées, la fréquence du SMSN varie énormément d'un pays à l'autre. Par exemple, le taux est particulièrement élevé en Australie et en Nouvelle-Zélande et très bas au Japon et en Suède (Hoffman et Hillman, 1992). Les chercheurs n'ont pas encore découvert les causes de ce syndrome, mais on sait que certains groupes présentent des risques élevés, comme les bébés prématurés ou de faible poids à la naissance, les garçons, les bébés de race noire et les bébés des jeunes mères (Malloy et Hoffman, 1995). L'occurrence de ce syndrome est plus élevée l'hiver, lorsque les bébés sont

Syndrome de mort subite du nourrisson (SMSN) : Décès soudain d'un nourrisson jusque-là en bonne santé. La cause de ces décès est inconnue.

À TRAVERS
LES CULTURES

Différences au début du développement physique

Les séquences des changements physiques que nous avons décrites jusqu'ici valent apparemment pour les bébés de toutes les cultures, mais on note cependant quelques différences intéressantes.

Les bébés noirs, nés en Afrique ou ailleurs, ont un développement relativement plus rapide avant et après la naissance. En fait, la période gestationnelle semble légèrement plus courte pour le fœtus noir que pour le fœtus blanc (Smith, 1978). Les bébés noirs semblent également se développer plus vite sur le plan moteur pour certaines habiletés, comme la marche, et ils ont une taille légèrement supérieure à celle de leurs pairs blancs, des jambes plus longues, plus de tissu musculaire et des os plus lourds (Tanner, 1978).

En comparaison, le développement des enfants asiatiques est relativement plus lent en ce qui concerne les premières étapes du développement moteur. Cela peut refléter de simples différences dans la vitesse de maturation ou bien certaines différences ethniques quant au niveau d'activité ou de placidité du bébé ; c'est à cette conclusion qu'aboutissent les recherches effectuées par Daniel Freedman (1979).

Freedman a observé des nourrissons de quatre cultures différentes, soit nord-américaine (de race blanche), chinoise, navaho et japonaise. Il a découvert que les bébés de race blanche faisaient preuve de la plus grande activité et de la plus forte irritabilité, et qu'il était plus difficile de les consoler. Les enfants navahos et chinois étaient relativement calmes, contrairement aux enfants japonais qui réagissaient vigoureusement, mais qui étaient plus faciles à consoler que les enfants de race blanche.

Par exemple, lorsque Freedman a fait passer des tests à chaque enfant pour vérifier le réflexe de Moro, les enfants de race blanche étendaient typiquement les deux bras en croix, pleuraient fort et longtemps, et tout leur corps s'agitait. Les bébés navahos réagissaient très différemment. Plutôt que de projeter leurs membres vers l'extérieur, ils ramenaient leurs bras et leurs jambes, pleuraient rarement et manifestaient peu d'agitation, si ce n'est que de façon très passagère.

Jerome Kagan et ses collaborateurs (1994) ont eux aussi réalisé des études similaires en comparant des enfants chinois, irlandais et américains d'origine européenne âgés de 4 mois. Ils ont observé que les enfants chinois étaient de façon significative moins actifs, moins irritables et produisaient moins de vocalises que les bébés des deux autres groupes. De façon similaire, Chisholm (1989) a répliqué à certaines conclusions de Freedman en observant que les bébés navahos étaient de façon significative moins irritables, moins excitables et plus faciles à consoler que les bébés américains d'origine européenne.

De telles différences entre les nouveau-nés ne peuvent être le résultat d'un façonnement systématique de la part des parents. Par contre, l'éducation culturelle des parents intervient aussi dans l'interaction. Freedman et d'autres chercheurs ont noté que les mères japonaises et chinoises parlaient beaucoup moins à leurs enfants que les mères de race blanche. Ces différences de comportement des mères s'observent dès leur premier contact avec l'enfant après l'accouchement. On peut donc en conclure que ce comportement ne constitue pas une réaction au caractère plus calme de l'enfant. Cependant, de telles similitudes entre le tempérament de la mère et celui de l'enfant peuvent renforcer de tels modèles, ce qui tend à accentuer les différences culturelles avec le temps.

L'un des éléments clés de cette recherche nous apprend donc que ce que nous considérons comme « normal » peut être largement influencé par notre propre modèle culturel et nos propres suppositions.

plus vulnérables aux infections virales qui causent des difficultés respiratoires. De plus, les bébés qui présentent des antécédents d'*apnée du sommeil* (interruption de la respiration pendant de brèves périodes) sont plus susceptibles de mourir du SMSN (Kercsmar, 1998). Ces épisodes d'apnée peuvent être décelés par le personnel de la pouponnière ou par les parents. En pareil cas, on recommande d'utiliser un moniteur électronique qui surveille la respiration du bébé pendant son sommeil ; ainsi, si le bébé arrête de respirer pendant un certain temps, un signal d'alarme se déclenche.

Le SMSN est fréquent chez les bébés qui dorment sur le ventre (Hoffman et Hillman, 1992 ; Ponsonby *et al.*, 1993), notamment quand ils dorment dans des lits moelleux. Dans les pays où des recommandations ont été faites concernant la position du sommeil de l'enfant (coucher l'enfant sur le côté ou sur le dos), par exemple aux États-Unis depuis 1992, l'incidence du SMSN a diminué de 12 %

et, là où la consigne a été grandement publicisée, la diminution observée a été de l'ordre de 50 % (Spiers et Guntheroth, 1994). En Angleterre, au pays de Galles, en Nouvelle-Zélande et en Suède, où de grandes campagnes ont été menées, on a pu observer des baisses marquées de l'incidence du SMSN (Gilman *et al.*, 1995). Cependant, la position pendant le sommeil de l'enfant ne peut expliquer entièrement le phénomène, car la majorité des enfants qui dorment sur le ventre ne meurent pas du SMSN.

Les autopsies des bébés morts du SMSN ont révélé que leurs cerveaux présentaient souvent un retard de maturation. Le processus de myélinisation semble s'être effectué à un rythme particulièrement lent chez ces bébés. Comme ce processus dépend du régime alimentaire (particulièrement des matières grasses absorbées), certaines recherches semblent indiquer que les régimes alimentaires pauvres en matières grasses suivis par la mère durant les dernières semaines de la grossesse ou durant l'allaitement du bébé seraient associés au SMSN (Saugstad, 1997). D'autres études établissent aussi un lien entre le SMSN et la malnutrition dans les milieux défavorisés (Bambang *et al.,* 2000).

Un autre facteur important est relié au SMSN. C'est le tabagisme chez la mère durant la grossesse et chez une personne vivant avec elle après la naissance de l'enfant. Les bébés exposés à la fumée sont quatre fois plus susceptibles de mourir du SMSN que les bébés qui ne sont pas exposés (Klonoff-Cohen *et al.,* 1995; Schoendorf et Kiely, 1992; Taylor et Danderson, 1995).

Il serait possible également qu'une anomalie dans la façon dont le cerveau assure la régulation de la respiration soit responsable de ce syndrome. On a constaté que la majorité, mais non la totalité, des nourrissons morts au berceau présentaient des irrégularités respiratoires avec des périodes d'*apnée* (interruption provisoire de la respiration) ou avaient récemment attrapé un rhume. Rappelons cependant que l'immense majorité des bébés enrhumés ne meurent pas au berceau. Les chercheurs poursuivent activement leurs travaux afin de trouver la cause de ces décès mystérieux et d'établir des mesures préventives appropriées.

PAUSE-APPRENTISSAGE

Développement physique

- Qu'est-ce que le développement céphalocaudal? le développement proximodistal? Donnez des exemples.

- Quelles sont les régions du cerveau les plus développées à la naissance? les moins développées? Quelles sont leurs fonctions?

- Qu'est-ce que l'émondage? la myélinisation? l'ossification?

- Quelles sont les trois catégories d'habiletés motrices? Donnez des exemples.

- Quelle influence la maturation, le régime alimentaire et l'exercice physique ont-ils sur le développement?

- Comment explique-t-on actuellement la mort subite du nourrisson? Quelles sont les interventions possibles?

Concepts et mots clés

- **bulbe rachidien** (p. 78) • **céphalocaudal** (p. 78) • **cortex cérébral** (p. 78) • **émondage** (p. 78) • **fontanelles** (p. 81) • **formation réticulée** (p. 80) • **mésencéphale** (p. 78) • **myéline** (p. 80) • **myélinisation** (p. 80) • **ossification** (p. 81) • **proximodistal** (p. 78) • **stéréotypies rythmiques** (p. 83) • **syndrome de mort subite du nourrisson (SMSN)** (p. 85)

DÉVELOPPEMENT COGNITIF

Nous sommes tous appelés à accomplir quotidiennement des tâches qui nécessitent des compétences variées. Nous ne nous acquittons pas tous de ces tâches de la même façon ni à la même vitesse. Cependant, nous les accomplissons chaque jour de notre vie.

Certaines de ces tâches ou activités font appel à la *fonction cognitive,* soit ce que l'on appelle communément «pensée», «raisonnement» ou «intelligence». Nous nous proposons d'étudier ici, et dans les autres chapitres traitant de la fonction cognitive à différents âges, les processus qui permettent à l'individu d'acquérir de telles habiletés. Un enfant de 1 an ne peut se servir d'une carte routière ni équilibrer un budget. Quel cheminement nous conduit à accomplir ces tâches? Pourquoi les enfants n'apprennent-ils pas tous au même rythme et avec la même facilité? Pour répondre à ces questions et pour mieux comprendre le développement de l'intelligence du bébé, nous devons d'abord nous pencher sur ses capacités perceptives initiales et sur ce qu'il est en mesure d'apprendre et de retenir.

DÉVELOPPEMENT DE LA PERCEPTION AU COURS DES PREMIERS MOIS

Les recherches effectuées sur les aptitudes des nouveau-nés conduisent à la même conclusion: les capacités perceptives initiales du bébé — ce qu'il voit, écoute et ressent — sont bien supérieures à ce que l'on croit généralement. Dès la naissance ou les premières semaines, le bébé peut:

- faire converger ses deux yeux sur le même point, à une distance focale idéale d'environ 20 cm, dès la naissance;
- distinguer le visage de sa mère de celui des autres personnes quelques heures après la naissance;
- entendre la plupart des registres sonores, notamment les sons du registre de la voix humaine. Il parvient à localiser approximativement les objets d'après les sons, et il reconnaît certaines voix, en particulier celle de sa mère, dès la naissance;
- distinguer les quatre goûts fondamentaux (le sucré, l'acide, l'amer et le salé). Il reconnaît les odeurs corporelles familières et distingue l'odeur de sa mère de celle d'une autre femme après une semaine;
- suivre des yeux un objet en déplacement après quelques semaines.

Plus les recherches progressent dans ce domaine, plus on s'aperçoit à quel point l'éventail des habiletés du nourrisson est étendu. Il est encore plus frappant de constater à quel point les capacités perceptives sont adaptées aux interactions que le bébé aura avec les personnes de son entourage. Il entend très bien le registre de la voix

Le nouveau-né peut focaliser son regard
à une distance de 20 à 25 cm.

humaine. Il reconnaît sa mère (ou la personne qui s'occupe de lui régulièrement) et la distingue des autres personnes grâce à l'ouïe presque dès sa naissance, et il reconnaît le visage maternel (vision) après quelques heures seulement. Au cours de la première semaine, il est en mesure de reconnaître l'odeur (odorat) de sa mère. Il est capable de fixer son regard à une distance d'environ 20 cm, ce qui correspond à la distance qui sépare les yeux de l'enfant du visage de sa mère durant l'allaitement. Ces aptitudes sont évidemment très importantes. Elles permettent au bébé d'interagir de façon efficace avec la personne qui s'occupe de lui et de réagir aux objets qui l'entourent. En outre, des recherches récentes ont montré que les jeunes enfants sont capables d'établir des discriminations très subtiles entre les sons, les stimuli visuels et les sensations, qu'ils réagissent aux relations entre les objets et non pas seulement à des événements individuels. Il n'est pas possible de traiter ici l'ensemble de ces fascinantes recherches, et nous nous contenterons de vous en donner un bref aperçu à travers quelques exemples.

Reconnaissance de la mère

Il semble que les nouveau-nés distinguent d'abord les personnes les unes des autres grâce à l'*ouïe*. DeCasper et Fifer (1980) ont découvert qu'un nourrisson peut distinguer la voix de sa mère de celle d'une autre femme (mais non la voix du père de celle d'un autre homme) et qu'il préfère la voix de sa mère, probablement parce qu'elle lui est familière en raison de son séjour dans l'utérus. À l'âge de 6 mois environ, les bébés sont capables d'associer les voix à des visages. Si vous mettez un enfant de cet âge dans une situation où il voit ses deux parents et entend un enregistrement de leur voix, il regardera le parent dont il entend la voix (Spelke et Owsley, 1979).

Le bébé semble également posséder très tôt la capacité de distinguer les personnes grâce à son *odorat*. Les nouveau-nés d'une semaine sont capables de reconnaître l'odeur de leur mère de celle d'une étrangère; cependant, cette observation ne vaut que pour les bébés allaités au sein, qui passent beaucoup de temps avec leur nez appuyé sur la peau nue de leur mère (Cernoch et Porter, 1985).

Pendant des années, la plupart des psychologues ont été convaincus que le bébé ne pouvait *reconnaître le visage de la mère* qu'à partir de 1 ou 2 mois, même si de nombreuses mères affirmaient que leur enfant les reconnaissait beaucoup plus tôt. Depuis, des recherches sur ce sujet ont donné raison à ces mères. Ainsi, cette capacité semble présente chez le nouveau-né dès les premiers jours après la naissance. L'une des recherches les plus concluantes à cet égard est celle de Gail Walton (Walton, Bower et Bower, 1992). Walton a enregistré sur bande vidéo le visage de 12 mères de nouveau-nés et a associé à chacune de ces vidéos une seconde image de femme dont la configuration faciale était très proche de celle de la mère (même couleur des cheveux, même couleur des yeux, même teint et même coiffure). Walton a présenté à chaque enfant la vidéo montrant le visage de sa mère et la vidéo montrant le visage de la femme avec une configuration faciale presque identique à celle de la mère. Les bébés âgés de 1 à 2 jours seulement ont regardé plus longuement la vidéo de leur mère, ce qui confirme que non seulement ils peuvent faire la différence entre les deux visages, mais encore qu'ils préfèrent le visage de leur mère. Les recherches préliminaires de Walton indiquent cependant que les bébés ne discriminent pas, ou ne préfèrent pas, le visage de leur père aussi tôt.

Ce résultat est fascinant. Un bébé apprend à reconnaître la voix de sa mère *in utero*, mais il doit manifestement apprendre les détails associés au visage de la mère après la naissance. Selon les recherches de Walton, le bébé acquiert cette capacité dès les premiers jours de sa vie. Comment cela est-il possible? Existerait-il une sorte d'« empreinte » du premier visage observé par l'enfant au cours des premières heures? Si cela est vrai, alors ce processus subirait l'influence des différentes pratiques d'accouchement, par exemple le contact immédiat du nouveau-né avec la mère ou avec l'infirmière. Comme cela est souvent le cas, la recherche répond à une question, mais en soulève beaucoup d'autres. Les chercheurs ont aussi découvert récemment que les mesures portant sur le développement visuel durant les premiers mois sont corrélées avec celles du développement mental à l'âge de 18 mois (Birch *et al.*, 2000). Ainsi, un rythme lent de développement visuel durant les 4 premiers mois peut indiquer que l'enfant souffre d'un trouble du développement.

Changements dans la stratégie d'observation   Dès les premiers jours de leur vie, les nouveau-nés observent le monde autour d'eux, pas de façon très habile bien sûr, mais de façon régulière, même dans le noir (Haith, 1980). Leurs yeux bougent jusqu'à ce qu'ils rencontrent le contraste lumière/obscurité qui signale typiquement le contour d'un objet. Quand son regard rencontre un tel contour, le bébé cesse de chercher, et ses yeux explorent l'objet en suivant son contour.

Cette façon de procéder semble changer à l'âge de 2 mois, peut-être en raison du développement plus poussé du cortex ou en raison de l'expérience, ou les deux. Quoi qu'il en soit, l'attention du bébé ne se porte plus sur l'*endroit* où se trouve un objet, mais plutôt sur la *nature* même de l'objet. Autrement dit, la stratégie du bébé ne consiste plus à *trouver* l'objet, mais à l'*identifier*. Les bébés de cet âge commencent à observer un objet sous tous les angles au lieu de s'en tenir aux contours.

Ce phénomène s'applique aussi à l'observation d'un visage. Avant l'âge de 2 mois, les bébés semblent s'intéresser principalement aux contours du visage, soit la ligne des cheveux, le front et le menton; après l'âge de 2 mois, ils semblent s'intéresser davantage aux composantes internes du visage et plus particulièrement aux yeux.

Perception de la profondeur   La perception de la profondeur est un autre aspect intéressant du développement de la perception. L'expérience réalisée par Eleanor Gibson et Richard Walk (1960) est l'une des plus anciennes (et des plus judicieuses) qui aient été mises au point pour étudier la perception de la profondeur. Gibson et Walk ont construit un appareil appelé «falaise visuelle»; il s'agit d'une table de verre avec un passage au centre. D'un côté du passage, se trouve un panneau quadrillé juste sous la vitre, alors que, de l'autre côté — la falaise visuelle —, le panneau quadrillé se trouve à plus d'un mètre sous la vitre. Si le nourrisson ne possède pas la perception de la profondeur, il se déplacera des deux côtés du passage, mais s'il possède cette perception, il hésitera avant de s'engager au-dessus de la falaise.

L'étude originale de Gibson et Walk a été réalisée auprès de nourrissons de 6 mois et plus. En général, ces bébés ne franchissaient pas la falaise, même lorsque les mères se trouvaient de ce côté et les encourageaient. Joseph Campos et ses collaborateurs (Campos, Langer et Krowitz, 1970) ont utilisé le même appareillage et un équipement spécial qui permettait d'enregistrer la fréquence cardiaque des nourrissons. La fréquence cardiaque des nourrissons de 2 mois baisse légèrement lorsqu'on les dépose du côté de la falaise, alors qu'elle ne

La falaise visuelle est utilisée par les chercheurs en psychologie pour étudier la perception de la profondeur.

change pas quand on les place de l'autre côté. Cela indique qu'ils perçoivent la différence. Chez les nourrissons de moins de 2 mois, on ne constate pas cet effet, probablement parce qu'ils ne possèdent pas l'acuité visuelle qui leur permettrait de percevoir le panneau quadrillé au-dessous de la falaise.

La capacité de percevoir la distance des objets s'acquiert lentement durant la première année. Il s'agit en effet d'une habileté complexe qui exige que l'enfant intègre les informations visuelles des deux yeux en même temps. Cette habileté semble prendre plus de temps à se développer du fait que ce sont les mouvements du bébé qui lui procurent les informations sur la distance et la profondeur au fur et à mesure qu'il s'éloigne ou se rapproche des objets. La perception de la profondeur s'améliore donc en même temps que les habiletés motrices. Les résultats de recherche semblent démontrer que les bébés acquièrent très tôt la perception de la profondeur, c'est-à-dire autour de 2 mois, comme nous venons de le voir dans l'expérience de la falaise visuelle; cependant, ils ne réussissent réellement à coordonner en même temps les informations visuelles provenant de leurs deux yeux qu'autour de 7 mois (Bornstein, 1992; Yonas et Owsley, 1987).

DÉVELOPPEMENT DE LA MÉMOIRE ET DE L'APPRENTISSAGE

Les recherches effectuées sur les nouveau-nés nous permettent de mieux comprendre la façon dont ils procèdent pour découvrir le fonctionnement de leur environnement.

Habituation

L'**habituation** est un important concept connexe préalable à l'attention, à la mémorisation et à l'apprentissage. Il s'agit de la diminution de la vigueur de la réaction devant la répétition du même stimulus. Supposons que vous habitez une rue passante et que chaque jour vous êtes exposé au bruit de la circulation; au bout d'un certain temps, le bruit ne vous dérangera plus et il vous semblera même moins fort. La capacité d'adapter une réaction physique à un stimulus répété est essentielle. Si nous réagissions toujours de la même façon à tout ce que nous voyons, entendons et sentons, nous passerions le plus clair de notre temps à réagir à ces stimulations et nous serions incapables d'accorder une attention particulière aux nouveautés qui se présentent à nous.

La capacité de *déshabituation* est tout aussi importante. Quand une modification est apportée à un stimulus répété, par exemple un crissement de pneu strident dans une rue passante près de chez vous, vous réagissez vivement de nouveau. La réapparition de la réaction originale indique qu'il y a eu perception d'un changement crucial.

La capacité d'habituation et de déshabituation est présente sous une forme rudimentaire chez le nouveau-né et est solidement implantée autour de la 10e semaine. Un bébé arrête d'observer un objet que vous mettez continuellement devant ses yeux, et il ne manifeste plus le réflexe de Moro après avoir été exposé plusieurs fois au même bruit fort. Par contre, il recommence à réagir si on modifie le bruit. L'habituation n'est pas un processus volontaire, mais plutôt un processus automatique qui permet au bébé de reconnaître les expériences qui lui sont familières.

Mémoire

L'habileté à retenir l'information constitue aussi une part importante des habiletés initiales de mémorisation du bébé. Carolyn Rovee-Collier a utilisé un dispositif ingé nieux afin de démontrer, par le biais d'une procédure mettant en œuvre un conditionnement opérant, la capacité des bébés de 3 mois de se souvenir d'un objet et de leur geste par rapport à cet objet (Bhatt et Rovee-Collier, 1996; Hayne et Rovee-Collier, 1995; Rovee-Collier, 1993).

Dans son expérience, Rovee-Collier attache une corde reliée à un mobile attrayant à la jambe d'un bébé. L'enfant est alors en mesure d'activer le mobile en bougeant la jambe, comme vous pouvez le constater à la figure 3.3. Rovee-Collier s'intéresse particulièrement au nombre de fois que l'enfant va bouger la jambe, tout en

Figure 3.3
Expérience de Rovee-Collier sur la mémoire.
Ce bébé de 3 mois va apprendre rapidement à bouger son pied afin d'actionner le mobile. Il sera en mesure de répéter ce geste plusieurs jours plus tard.

observant le mobile. L'enfant apprend rapidement à bouger sa jambe de façon à provoquer un mouvement intéressant (le mobile bouge). C'est ce que Piaget appelle une réaction circulaire secondaire, que nous étudierons plus loin dans le chapitre. Au bout de 3 à 6 minutes de cette expérience, les bébés de 3 mois doublent ou triplent leurs mouvements de jambes, témoignant ainsi de leur rapide apprentissage. Si les conditions expérimentales sont identiques (même mobile, même environnement) aux conditions initiales, un bébé peut se souvenir de son geste et bouger la jambe afin d'actionner le mobile une semaine encore après l'expérimentation. Si entre-temps on rafraîchit la mémoire de l'enfant en actionnant le mobile au même rythme que lui, il peut se souvenir de son geste pendant plusieurs semaines.

Pourquoi cette expérience est-elle si intéressante? Premièrement, parce qu'elle nous montre que le jeune

---

Habituation : Diminution automatique de l'intensité d'une réaction à un stimulus répété, laquelle permet à l'enfant ou à l'adulte de ne pas tenir compte de ce qui est familier et de se concentrer sur la nouveauté.

bébé présente un développement cognitif beaucoup plus complexe que nous ne l'avions supposé et, deuxièmement, parce que les résultats confirment l'idée de Piaget selon laquelle la capacité de rétention se développe graduellement chez l'enfant. Rovee-Collier a ainsi observé que l'enfant de 2 mois peut se rappeler son geste (mouvement de la jambe) pendant une journée seulement, qu'à 3 mois, il peut s'en souvenir pendant une semaine et qu'à 6 mois, il s'en souvient pendant deux semaines. Plus l'enfant vieillit, plus la durée de rétention augmente. Toutefois, cette mémoire est extrêmement précise et, si l'on change ne serait-ce qu'un infime élément de l'environnement expérimental (la couleur du mobile par exemple), même l'enfant de 6 mois ne peut répéter son exploit. Avec l'âge cependant, l'enfant devient de moins en moins dépendant des stimulations provenant de son environnement.

Apprentissage

Les recherches sur les possibilités d'apprentissage des nouveau-nés peuvent être regroupées selon deux approches distinctes : l'approche behavioriste et l'approche cognitive. D'après les théoriciens behavioristes, quand l'enfant apprend à répondre à un stimulus de l'environnement, il manifeste un « apprentissage par conditionnement classique » et, quand il apprend à faire un geste afin de recevoir un renforcement, il fait preuve d'un « apprentissage par conditionnement opérant ». Les théoriciens cognitivistes mettent l'accent sur la façon dont les enfants établissent les liens qui leur permettent de comprendre leur environnement. L'« apprentissage schématique » est un modèle inspiré de l'approche cognitiviste qui tente d'expliquer comment un enfant peut procéder pour bâtir son propre réseau de connaissances.

Apprentissage par conditionnement classique   La plupart des recherches indiquent qu'il est difficile d'établir, dès les premiers jours, un conditionnement classique chez le nouveau-né, mais que cela s'avère plus facile à 3 ou 4 semaines. Le processus d'apprentissage commence probablement dès la première semaine. L'enfant acquiert alors une connaissance pratique de son environnement en liant les sons, les odeurs et le toucher. Il apprend ainsi que la sensation d'être pris dans les bras, accompagnée de l'odeur de sa mère, est suivie d'un toucher à la joue, puis de la tétée. Une réaction émotive est aussi établie lors de l'allaitement, comme nous l'avons mentionné au chapitre 1. La présence de la mère, du père ou d'une autre personne durant les premiers jours peut donc favoriser l'émergence d'un sentiment positif de « confort » ou de « bien-être »; ce modèle peut contribuer à ce que nous appelons l'attachement de l'enfant au parent.

Apprentissage par conditionnement opérant   Il ne fait pas de doute que les nouveau-nés apprennent aussi grâce au conditionnement opérant, et ce, dès les premiers jours. On a réussi à accroître le réflexe de succion et le réflexe des points cardinaux en utilisant un renforcement, par exemple de l'eau sucrée, le son de la voix ou les battements du cœur de la mère (Moon et Fifer, 1990). Ces résultats nous apprennent notamment quels sont les renforcements efficaces auprès des jeunes enfants. Ainsi, la voix de la mère constitue un renforcement très efficace, ce qui constitue une donnée fondamentale dans les interactions entre la mère et l'enfant.

Apprentissage schématique   Le fait que le bébé puisse reconnaître les voix et les pulsations cardiaques dès les premiers jours suggère l'existence d'une autre forme d'apprentissage. Depuis quelques années, des théoriciens soutiennent qu'il existe un troisième type d'apprentissage, l'*apprentissage schématique,* dont l'appellation et les bases théoriques prennent leurs racines dans le travail de Piaget. Le concept de base est le suivant : le bébé organise ses expériences « selon des attentes ou des combinaisons

Un enfant apprend-il quelque chose en regardant la télévision ?

Les très jeunes enfants passent beaucoup de temps devant la télévision. La plupart des parents pensent que le fait d'exposer leur enfant à une stimulation intellectuelle par le biais de la télévision (spécialement les émissions conçues pour les enfants) améliore grandement leur développement cognitif. Certains parents dépensent beaucoup de temps, d'énergie et d'argent afin de s'assurer que leur enfant est stimulé pleinement la plupart du temps, et la télévision devient alors l'outil privilégié en vue d'atteindre cet objectif. Les recherches dans ce domaine démontrent que les enfants assimilent les informations présentées dans une émission éducative, telle que *Sesame Street* ou les *Télétobbies* s'ils la voient de façon répétitive (Crawley *et al.,* 1999). Cependant, il semble évident aussi que l'exposition à une quantité importante de stimulations intellectuelles contribue peu, ou pas du tout, aux processus de développement de base, comme l'acquisition de la permanence de l'objet (Bruer, 1999). Par ailleurs, les recherches montrent que des jouets ordinaires, tels qu'un ballon ou une boîte à musique, et même des articles ménagers, tels que des plats et des casseroles, sont aussi utiles à l'enfant pour apprendre à connaître le monde qui l'entoure que les émissions de télévision ou les vidéos. C'est pourquoi de nombreux psychologues du développement affirment que l'élément le plus important que les bébés apprennent en regardant la télévision est... le geste lui-même, soit regarder la télévision.

connues». Ces attentes ou *schèmes* apparaissent à la suite d'une confrontation répétée à des expériences particulières; elles permettent par la suite au nourrisson de distinguer le connu de l'inconnu. La catégorisation est un des types d'apprentissage schématique. Les recherches indiquent que dès 7 mois, et peut-être plus tôt, les enfants sont capables de traiter l'information en utilisant des catégories (Pauen, 2000). Par exemple, un bébé de 7 mois s'habitue rapidement à une séquence de 10 images représentant des animaux. Si l'image suivante est encore un animal, il n'est pas surpris et ne la regarde pas plus longtemps que les premières. Cependant, si l'image suivante est celle d'un être humain, l'enfant est surpris et passe plus de temps sur cette nouvelle image.

Carolyn-Rovee Collier (1986) suggère que l'on considère les conditionnements classiques chez l'enfant comme un type d'apprentissage schématique. Quand un nourrisson tourne la tête comme s'il cherchait le sein en entendant les pas de sa mère dans la chambre, cela pourrait traduire un processus cognitif de développement de l'attente plutôt qu'un conditionnement classique. Dès les premières semaines de vie, le nourrisson semble être en mesure de faire des liens entre différents événements de son univers: le son des pas de sa mère, le fait d'être pris dans ses bras, son odeur, le fait de toucher au sein maternel et la sensation d'être repu. Ces premières expériences constituent la base de son futur développement cognitif.

DÉVELOPPEMENT DE L'INTELLIGENCE AU COURS DES PREMIÈRES ANNÉES

L'intelligence constitue un autre domaine d'études où les recherches ne font pas l'unanimité. On peut distinguer trois principales approches, dont chacune a conduit à des recherches et à des conclusions propres. Ces trois approches sont les suivantes: l'approche des capacités individuelles, l'approche des structures communes et l'approche du traitement de l'information.

Approche des capacités individuelles   La première approche du développement cognitif ou de l'intelligence en psychologie s'est attachée aux différences individuelles. De fait, nous ne sommes pas tous dotés des mêmes capacités intellectuelles, nous n'avons pas tous la même capacité de mémorisation, nous ne résolvons pas tous les problèmes à la même vitesse, nous n'avons pas tous le même vocabulaire et nous n'avons pas tous les mêmes capacités d'analyse devant une situation complexe. Quand nous affirmons qu'une personne est «brillante» ou «très intelligente», nous faisons référence à ces facultés, et notre affirmation suppose qu'il est possible de classer les gens selon leur

degré d'intelligence. C'est de cette hypothèse que sont nés les tests d'intelligence, qui servent à mesurer les capacités intellectuelles dans une optique comparative. Cette perspective qui a longtemps prévalu fait ressortir les écarts entre les capacités intellectuelles de chacun.

Approche des structures communes   La deuxième approche, proposée par Jean Piaget et ses nombreux disciples, étudie le développement des structures cognitives plutôt que celui des capacités intellectuelles. Elle s'attache aux modèles de développement *communs* à tous les enfants plutôt qu'aux différences individuelles.

Ces deux théories se sont côtoyées pendant de nombreuses années. Elle n'ont cependant pas vraiment fait bon ménage.

Approche du traitement de l'information   La troisième théorie, plus récente, intègre en partie les notions de capacités et de structures intellectuelles (Fagan, 1992). Les tenants de l'approche du **traitement de l'information** tentent de repérer et de comprendre les *mécanismes sous-jacents*, c'est-à-dire les stratégies qui sous-tendent les activités cognitives, comme la mémoire et la planification. Une fois que l'on a repéré les mécanismes fondamentaux, on peut soulever des questions ayant trait aussi bien au développement qu'aux différences individuelles, par exemple: Les mécanismes de base évoluent-ils avec l'âge? La vitesse et l'habileté à utiliser ces mécanismes varient-elles d'un individu à l'autre?

Nous ferons référence à ces trois approches quand nous traiterons du développement cognitif de l'être humain. Néanmoins, elles ne sont pas d'un intérêt égal pour chaque âge de la vie. La théorie de Piaget prévaut nettement dans les recherches qui ont pour objet l'intelligence chez l'enfant, peut-être parce que Piaget fut le premier théoricien à expliquer le comportement de l'enfant en se basant sur l'intelligence. C'est pourquoi l'essentiel de la section qui suit s'inscrit dans le cadre piagétien de la seconde approche: l'apprentissage des structures cognitives communes.

Période sensorimotrice

Nous avons vu au chapitre 1 que, pour Piaget, le bébé est engagé dès la naissance dans un processus d'*adaptation* qui vise à donner un sens à son environnement. Le bébé assimile l'information à l'aide des schèmes dont il dispose

---

Traitement de l'information: Approche de l'étude du développement cognitif qui s'attache aux changements des stratégies survenant avec l'âge et aux différences individuelles dans les processus intellectuels fondamentaux.

à la naissance (vision, ouïe, succion, préhension) et il adapte (accommodation) ces schèmes en se basant sur son expérience. Tel est, selon Piaget, le point de départ du développement cognitif. Il désigne cette forme primitive de la pensée par le terme *intelligence sensorimotrice*, et il parle de **période sensorimotrice** pour définir l'ensemble des stades de cette période.

Caractéristiques de l'intelligence sensorimotrice

Selon Piaget, le bébé vient au monde doté uniquement de réflexes et de schèmes simples, sensoriels et moteurs. Dans un premier temps, il ne réagit qu'aux stimuli immédiats. Il ne fait pas de lien entre les événements d'une fois à l'autre et il ne semble pas réfléchir dans le sens d'une intention ni d'une planification. Cependant, au cours des deux premières années de vie, le bébé parvient progressivement à comprendre que les objets continuent d'exister, même lorsqu'ils sont hors de sa vue, et il est capable de se souvenir d'objets, de gestes et de personnes pendant un certain temps. Piaget précise néanmoins que l'enfant sensorimoteur n'est pas en mesure de *manipuler* ces premières images mentales ou souvenirs, ni de recourir à des *symboles* pour représenter des objets ou des événements. C'est cette capacité de maîtriser des symboles, mots ou images, vers l'âge de 18 à 24 mois, qui détermine l'accession à l'étape suivante, soit la *période préopératoire*. Selon John Flavell (1985, p. 13) :

> L'intelligence de l'enfant est très pratique, elle est centrée sur la perception et l'action. L'enfant n'utilise pas les stratégies que l'on attribue traditionnellement à l'intelligence, soit la contemplation, la réflexivité et la manipulation des symboles. Le savoir de l'enfant va dans le sens d'une reconnaissance des objets ou d'une anticipation d'événements connus, et sa pensée est une réaction à ces objets ou événements qu'il actualisera en utilisant ses mains, sa bouche, ses yeux ou d'autres instruments sensorimoteurs de façon prévisible, organisée et souvent adaptative. C'est le genre d'intelligence non contemplative qui permet à votre chien de s'adapter à son environnement.

Le passage du répertoire très limité de schèmes du nouveau-né à la maîtrise des symboles vers l'âge de 18 à 24 mois s'effectue de façon très progressive. Piaget décrit six stades (voir le tableau 3.2), dont chacun se démarque du précédent par des progrès bien précis.

Au stade 1 (0 à 1 mois), le nouveau-né pratique l'*exercice des réflexes* ; les mouvements effectués, essentiellement réflexes, vont peu à peu s'adapter et devenir de plus en plus harmonieux. C'est ainsi que le réflexe de succion, par exemple, est de mieux en mieux exécuté par le bébé.

Le stade 2 (1 à 4 mois) se caractérise par la mise en place d'importants mouvements de coordination, telles que la coordination entre la vision et l'ouïe, la préhension et la vision, ainsi que la préhension et la succion, qui constituent les principaux moyens dont dispose un nourrisson de 2 mois pour explorer son environnement. Le terme *réactions circulaires primaires* désigne les gestes simples et répétitifs que le bébé exécute à ce stade et qui sont tous centrés sur son propre corps. Le bébé met son pouce dans sa bouche de façon fortuite, trouve cela agréable et répète ce geste. Piaget avance aussi l'idée que l'intégration la plus primitive d'informations sensorielles (comme regarder dans la direction d'un son ou regarder ses mains lorsque l'on touche un objet) s'observe rarement avant le stade 2. On nomme **intégration intersensorielle** cette capacité du bébé à intégrer des informations venant de plusieurs sens.

Au stade 3 (4 à 8 mois), les *réactions circulaires secondaires* ne diffèrent que par le fait que, cette fois, le bébé répète une action dans le but de provoquer une réaction à l'extérieur de son corps. Le bébé gazouille et maman sourit, alors il gazouille encore apparemment pour faire sourire sa mère de nouveau. Les premières relations entre le geste et le résultat extérieur sont très simples et plutôt automatiques. Le bébé peut imiter les gestes des autres à condition que ceux-ci fassent déjà partie de son propre répertoire comportemental.

Ce n'est qu'au stade 4 (8 à 12 mois), avec l'apparition de la *coordination des schèmes secondaires,* que l'on observe véritablement un début de compréhension des liens de cause à effet, et c'est à ce moment que le bébé progresse réellement dans l'exploration du monde qui l'entoure. Le bébé peut aussi apprendre quelque chose de nouveau en imitant. Enfin, il effectue un **transfert intermodal**, qui consiste à apprendre une information par le biais d'un sens et à la transférer à un autre sens.

Au stade 5 (12 à 18 mois), l'exploration s'accentue encore avec l'apparition de ce que Piaget appelle les *réactions circulaires tertiaires*. Le bébé ne se contente plus de répéter le geste d'origine : il essaie des variations sur le même thème. Au cours de ce stade, il va essayer d'autres sons ou d'autres expressions faciales pour voir si cela va provoquer le sourire de maman, ou bien il va essayer de

---

Période sensorimotrice : Selon Piaget, première période importante du développement cognitif, qui correspond à peu près aux deux premières années de vie et au cours de laquelle l'enfant passe des mouvements réflexes aux actes volontaires.

Intégration intersensorielle : Apprentissage qui consiste à intégrer des informations provenant de plusieurs sens.

Transfert intermodal : Aptitude à coordonner l'information donnée par deux sens, ou à transmettre l'information obtenue par un sens à un autre sens à un moment ultérieur, comme reconnaître visuellement un objet que l'on a précédemment exploré avec les mains seulement.

Tableau 3.2		*Stades de la période sensorimotrice selon Piaget*	
Stade	**Âge**	**Nom donné par Piaget**	**Caractéristiques de ce stade**
1	0 à 1 mois	Exercice des réflexes	Le nouveau-né exerce ses réflexes innés (comme la succion et l'observation). Ces réflexes sont progressivement modifiés (accommodés) par l'expérience. Il est incapable d'imiter ou de combiner des informations perçues par plusieurs sens. Aucune permanence de l'objet.
2	1 à 4 mois	Réactions circulaires primaires	Nouvelles accommodations des schèmes de base que le nourrisson répète sans relâche (préhension, observation, succion). Début de la coordination entre des schèmes provenant de différents sens. Le bébé observe maintenant quand il entend et il porte à sa bouche tout ce qu'il peut trouver. Il n'établit pas encore de lien entre ses actions et leurs effets à l'extérieur de son corps. Aucune permanence de l'objet. Début de l'intégration intersensorielle.
3	4 à 8 mois	Réactions circulaires secondaires	Le bébé devient de plus en plus conscient des événements qui se déroulent à l'extérieur de son corps, et il les provoque même de manière répétitive, dans une sorte d'apprentissage par essais et erreurs. La compréhension du lien de cause à effet n'est pas encore évidente. Le bébé commence à imiter, mais seulement lorsque les schèmes figurent dans son répertoire. Le concept d'objet commence à se développer durant ce stade. Permanence d'un objet partiellement caché.
4	8 à 12 mois	Coordination des schèmes secondaires	Les comportements intentionnels apparaissent clairement à ce stade. L'enfant ne se contente pas de chercher à obtenir ce qu'il veut : il combine des gestes pour y parvenir. Le bébé peut par exemple déplacer un oreiller afin d'atteindre un jouet. Il imite de nouveaux comportements et transfère l'information d'un sens à l'autre (transfert intermodal). Permanence de l'objet mais sans déplacement visible.
5	12 à 18 mois	Réactions circulaires tertiaires	L'« expérimentation » commence : le jeune enfant expérimente de nouvelles façons de jouer ou de manipuler les objets. Il entreprend des explorations volontaires très actives en recherchant les différents effets que produisent ces variations. Permanence de l'objet avec déplacement visible.
6	18 à 24 mois	Représentation symbolique	L'enfant commence à utiliser des symboles pour représenter les objets ou les événements. L'enfant comprend que le symbole est distinct de l'objet. C'est aussi le début de l'imitation différée, car elle nécessite la capacité de se représenter mentalement un événement absent. Acquisition définitive de la permanence de l'objet.

faire tomber un jouet de différentes hauteurs pour voir si celui-ci fera un bruit différent ou s'il atterrira à des endroits différents. Ce comportement de l'enfant fait penser à une démarche expérimentale où chaque variable est étudiée systématiquement. Néanmoins, Piaget pense que, même à ce stade, le bébé ne se représente pas encore les objets au moyen de *symboles*. Ce n'est qu'au stade suivant qu'il va commencer à s'en servir.

Au stade 6 (18 à 24 mois), l'accès à la *représentation symbolique* permet à l'enfant de s'imaginer un objet même en son absence. C'est véritablement à partir de ce stade que l'enfant accède à un niveau supérieur de compréhension. Cette nouvelle habileté à manipuler des symboles, comme des mots ou des images, constitue un événement majeur du développement cognitif de l'enfant, que l'on peut comparer à une explosion des capacités cognitives autour de l'âge de 2 ans. Ces nouvelles capacités aident l'enfant à trouver des solutions à des problèmes en prenant simplement le temps de penser aux problèmes qu'il doit affronter. Il devient plus apte à surmonter les difficultés et à envisager diverses solutions. L'enfant s'est libéré de la stratégie de l'essai et de l'erreur typique du stade 5 (Bauer *et al.*, 1999). C'est aussi à ce stade que l'on voit apparaître l'**imitation différée** qui consiste à retarder l'exécution de l'imitation, c'est-à-dire à reproduire le geste plusieurs minutes ou plusieurs heures après l'avoir observé.

Pour ce faire, l'enfant doit se représenter l'action mentalement et la garder en mémoire afin de la reproduire à un moment donné.

Développement du concept d'objet

L'une des observations les plus remarquables de Piaget porte sur le fait que les enfants paraissent totalement ignorer certaines propriétés des objets qui vont de soi pour les adultes. Ainsi, nous savons vous et moi que les objets existent en dehors des actions que nous exerçons sur eux. Un ordinateur existe qu'on le regarde ou non, et nous savons pertinemment qu'il est toujours dans notre bureau, même si nous sommes ailleurs. Piaget parle de **permanence de l'objet** pour qualifier cette conscience. Selon Piaget, les bébés n'ont aucune conscience de l'existence permanente de l'objet à la naissance, et ils n'acquièrent cette connaissance que progressivement au cours de la période sensorimotrice.

Imitation différée : Reproduction d'un geste en l'absence du modèle.

Permanence de l'objet : Conscience qu'un objet continue d'exister même s'il n'est plus visible. De façon plus générale, c'est le fait de comprendre que les objets existent indépendamment de l'action que l'on exerce sur eux.

Selon les observations de Piaget, durant les stades 1 et 2 (0 à 4 mois) de la période sensorimotrice, le bébé suit un objet ou une personne jusqu'à ce qu'ils quittent son champ de vision, puis il semble perdre tout intérêt. Littéralement, loin des yeux, loin du cœur. Piaget pensait que le jeune enfant n'avait aucune conscience du fait que les personnes ou les objets ont une existence propre et qu'ils continuent d'exister même lorsqu'ils sont hors de son champ de vision ou hors de portée.

Au cours du stade 3 (6 à 8 mois), le bébé commence à anticiper le mouvement des objets. S'il fait tomber un objet de sa chaise haute, il se penche pour voir où l'objet est tombé. Si vous recouvrez partiellement d'un linge un objet convoité par le bébé, il continuera d'essayer de l'attraper. Par contre, si vous couvrez totalement l'objet, il s'en désintéressera, comme on peut le voir sur les photographies de la figure 3.4.

Au stade 4 (6 à 12 mois), le bébé continuera de chercher à attraper l'objet ou retirera la couverture que l'on a posée sur l'objet convoité. Ainsi, à 12 mois, la plupart des enfants semblent comprendre que les objets continuent d'exister même s'ils ne sont plus dans leur champ visuel. Cependant, les bébés de cet âge sont curieusement limités dans ce nouveau comportement. Supposons maintenant que vous dissimuliez plusieurs fois un objet au même endroit, et que le bébé le retrouve à chaque fois. Puis, à la vue du bébé, vous cachez le jouet dans un autre endroit et vous le couvrez d'un autre linge. Les bébés au stade 4 cherchent encore l'objet au *premier* endroit. Piaget considérait par conséquent que le bébé ne possède pas de représentation interne complète de l'objet et qu'il ne comprend

pas que l'objet peut être déplacé. Il a seulement acquis un schème sensorimoteur qui associe l'objet à sa découverte au premier endroit. Sur le plan de l'apprentissage, il a acquis une simple habileté sensorimotrice plutôt qu'une véritable compréhension de la permanence de l'objet.

Au stade 5 (12 à 18 mois), l'enfant cherche à l'endroit où il a vu l'objet pour la dernière fois. Ainsi, le bébé distingue l'objet de ses propres gestes pour le retrouver. Il a acquis la permanence de l'objet mais sans déplacement visible puisque, si vous dissimulez l'objet dans un autre contenant, il n'est pas en mesure de le retrouver.

Ce n'est qu'au stade 6 (18 à 24 mois) que l'enfant acquiert complètement la permanence de l'objet et qu'il comprend que tout objet, même disparu, a une existence autonome et qu'il doit se trouver quelque part. Cette compréhension constitue, en soi, le premier des principes de conservation qui seront maîtrisés à l'âge scolaire.

Cette séquence du développement s'est révélée si remarquable, si intéressante et tellement surprenante pour la plupart des chercheurs (et des parents) qu'elle a fait l'objet d'un nombre considérable de travaux. La plupart des chercheurs sont arrivés à la conclusion que la description de Piaget concernant cette séquence était exacte. De fait, si l'on suit la même méthode que Piaget, on obtient des résultats très similaires, et ce, avec des enfants de n'importe quelle culture.

Des recherches plus récentes ont cependant mis en évidence le fait que la compréhension des bébés concernant la permanence des objets va au-delà de ce que Piaget supposait. Ainsi, René Baillargeon (1987, 1994; Baillargeon

Figure 3.4
Permanence de l'objet.
Cet enfant est au stade 3 de la permanence de l'objet: il cesse de chercher à atteindre le jouet lorsque l'on place un écran devant. Rien dans son comportement n'indique qu'il sait que l'objet continue d'exister quand il ne le voit pas.

et DeVos, 1991; Baillargeon, Spelke et Wasserman, 1985) a découvert, dans une série d'études très astucieuses, que les bébés de 3 à 4 mois montrent des signes d'entendement de la permanence des objets lorsqu'on étudie leur réaction *visuelle* et non tactile (tenter d'atteindre un objet). De même, Elizabeth Spelke (1991) a montré que les très jeunes enfants réagissaient aux objets d'une façon beaucoup moins transitoire et éphémère que Piaget ne le pensait. En particulier, les nourrissons de 2 ou 3 mois sont remarquablement conscients du genre de mouvements dont les objets sont capables, même lorsqu'ils sont hors de vue. Ils s'attendent à ce que les objets continuent leur déplacement selon leur direction initiale, et manifestent de la surprise si ceux-ci apparaissent ailleurs. Ils semblent également se rendre compte que les objets solides ne peuvent pas passer au travers d'autres objets solides (voir la figure 3.5).

Spelke a conclu de ses recherches que le développement de la compréhension des objets relève davantage d'un processus d'élaboration que d'un processus de découverte. Les nouveau-nés ou les nourrissons peuvent avoir une grande conscience des objets en tant qu'entités distinctes répondant à certaines organisations (règles). Toutes les recherches sur la perception des relations entre les objets donnent à penser que les bébés accordent beaucoup plus d'attention aux relations entre les événements que les théories de Piaget ne permettaient de le supposer. L'étude de Langlois sur la préférence des bébés pour les visages attrayants permet de penser qu'il existe des préférences innées pour certains modèles (Langlois *et al.*, 1995).

Cependant, Spelke ne va pas jusqu'à dire que le bébé naît doté d'une connaissance précise des objets ou d'une capacité bien développée d'expérimenter. Il reste à savoir à quel point de telles découvertes remettent en question la théorie de Piaget, bien qu'elles aient du moins l'avantage d'avoir relancé le débat.

PAUSE-APPRENTISSAGE

Développement cognitif

- Quel est le changement fondamental qui survient vers l'âge de 2 mois dans la façon dont le bébé regarde les objets?

- À partir de quel moment le nourrisson perçoit-il la profondeur?

- Quelles sont les deux approches utilisées pour expliquer l'apprentissage?

- Décrivez les trois types d'apprentissage.

- Quelles sont les trois approches de l'intelligence? En quoi diffèrent-elles?

- Quelles sont les caractéristiques des six stades de la période sensorimotrice?

- Qu'est-ce que l'intégration intersensorielle? le transfert intermodal? la permanence de l'objet?

Concepts et mots clés

- **habituation** (p. 90) • **intégration intersensorielle** (p. 93) • **imitation différée** (p. 94) • **période sensorimotrice** (p. 93) • **permanence de l'objet** (p. 94) • **traitement de l'information** (p. 92) • **transfert intermodal** (p. 93)

Tous les bébés âgés de 8 à 12 mois aiment jouer à « faire coucou ». Le plaisir qu'ils en retirent semble provenir de la certitude que le visage de la personne existe toujours lorsqu'il est couvert. Lorsque le visage réapparaît, cela confirme leurs attentes, et ils sont ravis.

DÉVELOPPEMENT DU LANGAGE

Le terme « enfant » vient du mot latin *infans* qui signifie « celui qui ne parle pas bien, qui est sans éloquence; et c'est ensuite celui qui ne peut pas encore prendre la parole en raison de sa jeunesse, donc le tout jeune enfant » (Larousse, *Grand dictionnaire de la psychologie*, 1999, p. 327). L'apprentissage du langage constitue un développement cognitif majeur chez l'enfant. Il permet à la pensée de prendre son envol. Nous allons étudier dans cette partie du chapitre les différentes étapes de l'acquisition du langage.

PRÉCURSEURS DU LANGAGE

La plupart d'entre nous pensent que le terme « langage » fait référence à l'apprentissage des premiers mots du bébé, qui commence (au grand plaisir de la plupart des

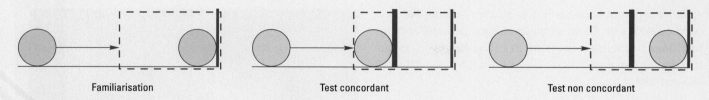

Familiarisation   Test concordant   Test non concordant

Figure 3.5
Expérience de Spelke.
Cette figure illustre de façon schématique les trois conditions que Spelke a utilisées. Elle a découvert que le bébé
cesse de regarder la balle et l'écran après quelques épreuves de familiarisation, mais qu'il manifeste un regain
d'intérêt pour la version non concordante. Cela prouve que le bébé la considère d'une certaine manière comme
différente ou surprenante. (*Source :* Spelke, 1991.)

parents) vers l'âge de 12 mois. Toutefois, toutes sortes de développements importants précèdent l'apparition des premiers mots du bébé. Examinons dans un premier temps les capacités perceptives fondamentales.

Perception des sons articulés

Un bébé ne peut apprendre à parler avant de pouvoir distinguer les sons. À quel âge un enfant peut-il distinguer les sons ? Si vous n'aviez pas lu le début de ce chapitre, la réponse pourrait vous étonner. Mais vous savez maintenant de quoi il retourne : cela se produit très tôt.

Dès l'âge de 1 mois, l'enfant peut distinguer des syllabes comme *pa* et *ba* (Trehub et Rabinovitch, 1972). Vers l'âge de 6 mois, il peut reconnaître des «mots» de deux syllabes comme *bada* et *baga*, et il peut même reconnaître une syllabe à l'intérieur d'un ensemble de syllabes (ti*bati* ou ko*bako*, par exemple) (Fernald et Kuhl, 1987 ; Goodsitt *et al.*, 1984 ; Morse et Cowan, 1982). De plus, il semblerait que le timbre de la voix qui produit le son ne fasse aucune différence. À 2 ou 3 mois, les bébés réagissent de la même manière aux sons, qu'ils soient prononcés par la voix d'un homme, d'une femme, d'un adulte ou d'un enfant (Marean, Werner et Kuhl, 1992).

Il est encore plus étonnant d'apprendre que les bébés distinguent mieux certaines syllabes que les adultes. Chaque langue n'utilise qu'un sous-ensemble de toutes les syllabes existantes. La langue anglaise, par exemple, ne possède pas le son *u* que l'on trouve en français. L'espagnol, contrairement à l'anglais, fait la distinction entre le *d* et le *t*. Il semble donc que, jusqu'à l'âge de 6 mois, les bébés peuvent nettement distinguer tous les sons de n'importe quelle langue, y compris ceux qu'ils n'entendent pas dans la langue qu'on leur parle. À l'âge de 1 an, cette capacité est déjà très réduite (Polka et Werker, 1994).

Ces résultats semblent concorder avec nos connaissances sur les modèles de la croissance synaptique et de l'émondage au cours des premiers mois de la vie. Nous avons vu au début de ce chapitre que de nombreuses connexions sont d'abord créées, puis émondées. Ainsi, les nourrissons peuvent distinguer tous les sons possibles. Toutefois, le bébé finira par ne retenir que les sons qui sont employés dans le langage qu'il entend à la maison, car les synapses non utilisées seront émondées.

Phase prélinguistique : premiers sons et premiers gestes

Le bébé aborde l'étape de la production des premiers sons afin de communiquer une information. Il passe de l'émission automatique de sons, comme les pleurs, à une émission intentionnelle de sons.

Répertoire des sons produits   La capacité de distinguer les sons dès un très jeune âge ne coïncide pas avec la capacité de les produire. De la naissance jusqu'à environ 1 mois, les seuls sons émis par le nouveau-né sont les pleurs. Puis, il commence à émettre de nouveaux sons comme des pleurnichements, des gazouillements et des soupirs. Ce répertoire s'étend jusqu'à l'âge de 1 ou 2 mois, lorsque l'enfant commence à rire et à articuler des sons de voyelles comme *eueueueu*; on appelle ce phénomène **gazouillement**. Ces sons semblent être associés à des moments agréables pour le nourrisson. Leur tonalité peut varier considérablement, allant du son aigu au son grave.

Les sons de consonnes ne sont produits que vers l'âge de 6 ou 7 mois. Le nourrisson combine souvent le son d'une consonne avec celui d'une voyelle pour prononcer quelque chose qui ressemble à une syllabe. Les bébés de cet âge semblent commencer à jouer avec les

> **Gazouillement :** Un des premiers stades de la phase prélinguistique, soit de 1 à 4 mois, au cours duquel des sons de voyelles sont constamment répétés, en particulier le son *eueueu*.

sons en répétant sans arrêt des syllabes comme *bababa-baba* ou *dédédédé*. Cette nouvelle gamme de sons, appelée **babillage**, représente la moitié des sons émis (autres que les pleurs) par des enfants âgés de 6 à 12 mois (Mitchell et Kent, 1990).

Tous les parents vous diront que le babillage est un plaisir pour l'oreille. Mais il semble également que le babillage constitue une phase essentielle de la préparation au langage parlé. Nous savons que les enfants qui babillent acquièrent progressivement ce que les linguistes appellent un *modèle d'intonation* de la langue qu'ils entendent parler autour d'eux — processus qui, selon Elizabeth Bates, consiste à «apprendre l'air avant la chanson» (Bates, O'Connell et Shore, 1987). Les enfants semblent acquérir au moins deux intonations dans leur babillage : l'inflexion montante à la fin d'une séquence de sons, qui indiquerait le désir d'une réponse, et l'inflexion descendante, qui exprimerait le non-désir d'une réponse.

Restriction du babillage aux sons entendus   Comme les travaux de Werker sur le babillage l'ont montré, lorsqu'ils commencent à babiller, les enfants émettent généralement toutes sortes de sons, y compris des sons qui n'appartiennent pas à la langue parlée par les adultes qui les entourent. Cependant, vers l'âge de 9 ou 10 mois, leur répertoire de sons commence progressivement à se restreindre aux sons qu'ils entendent, et ils cessent d'émettre des sons qu'ils n'entendent pas (Oller, 1981). Ces découvertes ne nous indiquent pas si le babillage représente une étape nécessaire au développement du langage, mais elles semblent bien révéler qu'il s'inscrit dans un processus de développement connexe, qui débute à la naissance.

Langage gestuel   Le processus de développement connexe comprend également une forme de **langage gestuel** qui se développe vers 9 ou 10 mois. À cet âge, les bébés commencent à «demander» ce qu'ils veulent par des gestes ou une combinaison de gestes et de sons. Ainsi, un bébé de 10 mois qui veut visiblement que vous lui donniez son jouet préféré peut s'étirer pour atteindre l'objet en ouvrant et refermant la main, tout en émettant des sons plaintifs ou déchirants. Cette attitude est très explicite. À peu près au même âge, les bébés apprennent une gestuelle très prisée par les parents, comme faire au revoir ou taper des mains (Bates *et al.*, 1987).

Il est intéressant de noter que les enfants commencent également à *comprendre* le sens de certains mots (ce que les linguistes appellent le **langage réceptif**) vers 9 ou 10 mois. Larry Fenson et ses collaborateurs (Fenson *et al.*, 1994) ont demandé à des centaines de mères de dresser la liste des mots que leur enfant pouvait comprendre. Les

Ce bébé n'a sans doute pas encore prononcé de mots, mais il en comprend probablement quelques-uns. Le langage réceptif apparaît avant le langage expressif.

mères d'enfants de 10 mois ont noté environ 30 mots, alors que les mères d'enfants de 13 mois ont noté près de 100 mots. Puisque les enfants de 9 à 13 mois parlent peu, et n'emploient donc presque pas de mots, de telles études indiquent que le langage réceptif (ou compréhension du langage) apparaît avant le **langage expressif** (ou production du langage). Les enfants comprennent avant de pouvoir parler.

Lorsque l'on compile ces diverses informations, on constate qu'une série de changements semblent se produire vers 9 ou 10 mois : le début du langage gestuel, le babillage orienté vers les sons du langage parlé, les jeux d'imitation gestuelle et la compréhension de certains mots. C'est comme si l'enfant commençait à comprendre quelque chose dans le processus de la communication et qu'il avait l'intention de communiquer avec les adultes.

Phase linguistique : premiers mots

C'est pendant la période du babillage, en général entre 12 et 13 mois, qu'apparaissent les premiers mots (Fenson

---

Babillage : Vocalises d'un enfant de 6 mois ou plus comportant au moins une consonne et une voyelle.

Langage gestuel : Langage qui s'exprime par des gestes ou par une combinaison de gestes et de sons.

Langage réceptif : Selon les linguistes, capacité de l'enfant à comprendre (recevoir) le langage, sans arriver à l'utiliser.

Langage expressif : Selon les linguistes, capacité de l'enfant à s'exprimer et à communiquer oralement.

et al., 1994). Le premier mot d'un enfant est un événement que les parents attendent avec impatience ; il est toutefois très facile de le manquer. Selon la définition des linguistes, un *mot* est un son ou un groupe de sons utilisé de façon constante pour faire référence à une chose, à une action ou à une qualité. Il peut s'agir de n'importe quel son, et il peut ne pas correspondre aux mots utilisés par les adultes.

Souvent, un enfant n'utilise ses premiers mots que dans une ou deux situations particulières et en présence de plusieurs signaux. Par exemple, l'enfant dira « pitou » ou « wouf wouf » seulement lorsqu'on lui demande : « Qu'est-ce que c'est ? » ou « Que fait le chien ? ». En général, le début de l'apprentissage des mots s'effectue très lentement et nécessite de nombreuses répétitions pour chaque mot. Dans les six premiers mois d'utilisation des mots, les enfants n'apprennent qu'une trentaine de mots. Les linguistes en ont conclu que, durant cette phase initiale, l'enfant apprend chaque mot comme s'il était associé à un contexte précis. Il ne semble pas avoir encore compris la propriété *symbolique* du mot, c'est-à-dire que celui-ci fait référence à des objets ou à des événements. Plus tard, l'enfant emploiera spontanément un même mot dans différents contextes.

Au début de cette phase initiale, les enfants combinent souvent un mot avec un geste afin de créer ce qu'on peut appeler un « message de deux mots », bien avant qu'ils utilisent véritablement deux mots dans leur phrase. Elisabeth Bates (Bates *et al.*, 1987) donne l'exemple suivant : l'enfant peut pointer en direction du soulier de son père et dire « soulier », comme si elle voulait dire « le soulier de papa ». Cette pseudo-phrase est produite par l'utilisation simultanée d'un geste (langage gestuel) et d'un mot. Les linguistes nomment **holophrases** ces combinaisons de gestes et de mots, qui sont communes entre 12 et 18 mois.

Explosion du vocabulaire

Entre 16 et 24 mois, après une phase particulièrement lente d'acquisition de nouveaux mots, la plupart des enfants connaissent une accélération soudaine de cette capacité d'acquérir de nouveaux mots, comme s'ils comprenaient soudain la base *symbolique* du langage, à savoir que les choses portent un nom. Selon les résultats de l'importante étude longitudinale effectuée par Fenson, où l'on avait demandé aux mères de recenser les nouveaux mots produits par leur enfant, les trottineurs de 16 mois possèdent un vocabulaire d'environ 50 mots ; à 24 mois, ce nombre de mots est multiplié par 6, soit 320 mots environ (Fenson *et al.*, 1994). Au cours de cette nouvelle phase, l'acquisition des mots ne semble nécessiter que peu de répétitions ; les enfants sont capables de généraliser et ils appliquent alors les mots qu'ils viennent d'apprendre à des situations de plus en plus nombreuses.

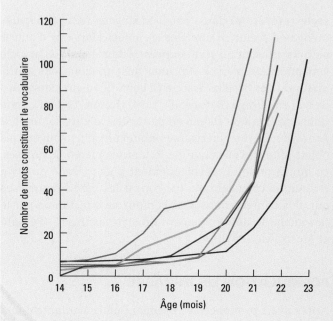

Figure 3.6
Explosion du vocabulaire.
Chacune des courbes de cette figure illustre la croissance du vocabulaire chez six enfants observés par Goldfield et Reznick dans leur étude longitudinale. Les résultats montrent que les enfants ont appris des mots nouveaux selon le modèle le plus courant, soit une croissance initiale lente suivie d'une croissance particulièrement rapide. (*Source :* Goldfield et Reznick, 1990, p. 177.)

Les nouveaux mots appris se rapportent davantage à des objets ou à des personnes. Les termes associés aux actions, comme les verbes, apparaissent autour de 18 mois (Casasola et Cohen, 2000). Chez la plupart des enfants, cette augmentation soudaine du vocabulaire n'est pas un processus régulier et graduel, au contraire, il semble se produire une explosion au moment où l'enfant atteint le seuil de 50 mots. Vous pouvez observer ce modèle d'augmentation d'abord lente, puis rapide du vocabulaire à la figure 3.6. Ce modèle a été confirmé par de nombreux chercheurs (p. ex. Bloom, 1993).

Par ailleurs, Katherine Nelson a noté que les enfants présentent des différences quant au style de langage qu'ils utilisent lors de l'acquisition des premiers mots de vocabulaire. Par exemple, certains enfants utilisent un

---

Holophrase : Combinaison d'un geste et d'un mot qui possède une signification particulière et qui est souvent observée chez les enfants de 12 à 18 mois.

style référentiel dans lequel le langage sert principalement à étiqueter ou nommer les objets, alors que d'autres enfants utilisent un **style expressif** dans lequel le langage sert prioritairement à exprimer des émotions, des sentiments ou des besoins associés à l'enfant ou aux personnes de son entourage (Bates *et al.*, 1994; Nelson, 1996). Le style utilisé par l'enfant reflète en partie des valeurs culturelles. Ainsi, les mères américaines nomment plus souvent les objets autour d'elles que ne le font les mères japonaises, ce qui favorise un développement plus marqué du style référentiel chez l'enfant. Par contre, les mères japonaises ont plus d'interactions avec l'enfant, ce qui stimule par le fait même le développement du style expressif (Fernald et Morikawa, 1993).

FORMULATION DE PHRASES

Après avoir prononcé ses premiers mots, l'enfant se met rapidement à formuler des phrases simples, puis à comprendre graduellement les règles grammaticales et à produire des phrases de plus en plus complexes. À l'âge de 2 ans et demi, un enfant possède en moyenne un vocabulaire de 600 mots et, à l'âge de 5 ou 6 ans, un vocabulaire de 15 000 mots environ (Pinker, 1994). Vers l'âge de 3 ans, la plupart des enfants ont acquis tous les outils de base pour construire des phrases et converser (Bloom, 1991).

Premier stade grammatical: premières phrases

Dans leur analyse de la façon dont les jeunes enfants commencent à formuler des phrases, la plupart des linguistes adhèrent à la théorie de Roger Brown, qui découpe ce processus en différentes étapes (Brown, 1973).

Phrases de 2 mots entre 18 et 27 mois   Les premières phrases de 2 mots apparaissent habituellement autour de 18 à 27 mois. Cette apparition ne constitue pas un événement isolé en soi et n'est pas le fruit du hasard. Dans une vaste étude transversale, Fenson a observé que les premières phrases apparaissent seulement lorsque l'enfant a atteint un vocabulaire de 100 à 200 mots (Fenson *et al.*, 1994). Les enfants qui acquièrent plus lentement des mots de vocabulaire produisent aussi leurs premières phrases plus tard.

Les premières phrases possèdent des caractéristiques uniques: les phrases sont *courtes* — en général, elles sont formées de 2 mots — et elles sont *simples*. Les phrases contiennent le plus souvent un nom, un verbe et un adjectif, mais aucun repère purement grammatical (que les linguistes nomment **flexion**). Au début par exemple, les enfants qui apprennent le français n'emploient géné-

ralement pas la règle pour marquer le pluriel ou ne conjuguent pas les verbes pour obtenir un temps au passé. Ils n'utilisent ni les formes possessives ni les verbes auxiliaires. Ils parlent donc de la manière suivante: «moi mange», «papa toto», «patti lolo», «bonjour toto», etc.

Il semble que, même à cet état embryonnaire du langage, les phrases de 2 mots, ou phrases simples, possèdent des règles rudimentaires. Ainsi, les enfants s'intéressent à certains types de mots, les combinent dans un ordre particulier et attribuent à ces combinaisons des significations variées (Bloom, 1973). Par exemple, l'enfant qui dit «chaussette maman» peut tout aussi bien vouloir dire «la chaussette de maman» (relation de possession) que «maman me met une chaussette» lorsque sa mère lui enfile sa chaussette (phrase contenant un sujet, la mère, et un objet, la chaussette).

La phrase de 2 ou 3 mots est aussi appelée **langage télégraphique** parce que les mots qui ne sont pas nécessaires à la compréhension du message sont laissés de côté, un peu à la manière d'un télégramme qui restreint le message aux seuls mots utiles afin d'exprimer une idée.

Deuxième stade grammatical: explosion de la grammaire et phrases complexes

Au cours du deuxième stade grammatical, l'enfant passe au véritable langage articulé, qui lui permet de nuancer et de préciser davantage sa pensée.

Explosion de la grammaire entre 27 et 36 mois   Tout comme l'explosion du vocabulaire survient à la suite d'un lent début, l'explosion de la grammaire est précédée de plusieurs mois d'utilisation de phrases composées de 2 ou 3 mots. Le langage télégraphique s'estompe graduellement, et l'on commence à entendre des flexions, comme les pluriels, les verbes auxiliaires, les prépositions, les articles, etc. L'enfant intègre alors des articulations dans ses phrases; ainsi, une phrase comme «jouet brisé» devient «le jouet est brisé».

Style référentiel: Style de langage initial proposé par Nelson, caractérisé par l'accent mis sur la description et l'identification des objets.

Style expressif: Style de langage initial selon Nelson, caractérisé par l'expression des sentiments et des besoins liés à l'enfant ou à son entourage.

Flexion: Marque grammaticale comme les pluriels, les temps passés, etc.

Langage télégraphique: Langage dans lequel les mots qui ne sont pas nécessaires à la compréhension d'un message sont laissés de côté.

Surgénéralisation La **surgénéralisation**, ou généralisation excessive, constitue un autre phénomène intéressant de l'explosion de la grammaire. Dans ce cas, l'enfant dispose d'un ensemble de règles qu'il respecte, et ce, même dans les toutes premières phrases qu'il formule. Il semble que les jeunes enfants apprennent d'abord un petit nombre de temps irréguliers au passé et les utilisent correctement pendant une courte période. Puis, assez soudainement, l'enfant semble découvrir la règle qui consiste à ajouter *aient* et la généralise à outrance, c'est-à-dire qu'il l'applique à tous les verbes (Fenson *et al.*, 1994 ; Kuczaj, 1977, 1978). Par exemple, l'enfant dira « sontaient » au lieu de « étaient ». Ce type d'erreurs est très courant chez les enfants âgés de 3 à 5 ans. L'enfant peut aussi utiliser un mot unique comme « auto » pour désigner tous les véhicules motorisés qu'il voit, comme les camions, les autobus, les tracteurs, etc. On assiste alors à une surgénéralisation de la signification du mot (Behrend, 1988).

Surdiscrimination On peut aussi observer un phénomène parallèle à la surgénéralisation, qui consiste à augmenter les caractéristiques d'un concept général, c'est-à-dire à utiliser un mot de façon trop restrictive. Dans ce cas, l'enfant fait de la **surdiscrimination.** Il dira « lolo » pour désigner du jus de raisin clair, et manifestera sa frustration et son mécontentement lorsque vous apporterez de l'eau, du lait ou du jus de raisin foncé ! (Lindsay et Norman, 1980.) De la même façon, l'enfant qui nomme sa couverture préférée « doudou » refuse d'appeler sa nouvelle couverture ainsi,

car il est incapable de généraliser ce terme et de l'appliquer à une autre couverture. Le mot utilisé par l'enfant fait donc référence à un concept précis plutôt qu'à tous les exemples de ce concept (Caplan et Barr, 1989).

Phrases complexes entre 36 et 48 mois L'enfant qui a introduit des flexions et de nouvelles formulations (interrogatives et négatives) dans ses phrases simples est désormais en mesure de créer des phrases remarquablement complexes en utilisant des conjonctions, comme « et » ou « mais », pour combiner deux idées ou pour enchâsser une proposition. Lorsque l'enfant s'exprime ainsi : « où as-tu dit que tu avais mis ma poupée ? », vous pouvez constater le chemin parcouru en quelque 18 mois, comparativement à l'âge où il s'exprimait de façon aussi rudimentaire que « poupée dodo ». Et c'est là que repose toute la magie du langage humain.

Le tableau 3.3 présente une récapitulation du développement du langage chez l'enfant au cours de ses premières années de vie.

RÔLE DU LANGAGE

Les études comparatives sur le développement des enfants et des primates montrent que la progression est beaucoup plus rapide chez ces derniers. Cependant, à partir du moment où ils commencent à utiliser le langage, les enfants rattrapent les primates et les devancent de façon spectaculaire. Cela laisse donc supposer que le langage joue un rôle crucial dans le développement cognitif.

Selon Vygotsky, le langage est ce qui rend la pensée possible. Durant la phase prélinguistique, l'intelligence de l'enfant peut se comparer à celle d'un singe anthropoïde comme le chimpanzé. Cette intelligence est purement naturelle ou élémentaire et essentiellement pratique. Mais l'arrivée du langage change la donne de façon majeure, car la pensée consciente future de l'enfant repose sur le développement du langage. Autrement dit, une réflexion sur le passé, le présent et l'avenir est impossible sans le support du langage et particulièrement le langage « intérieur » (Das, 1995). Vygotsky décrit trois formes de langage — extérieur, égocentrique et intérieur — ayant des fonctions particulières et se développant selon une séquence précise.

À 16 mois, la petite Catherine est dans la période que Vygotsky appelle l'*explosion de l'identification des objets*. Elle répond ici à la question : « Où est la bouche de papa ? »

Si une personne pointait son doigt en direction de la neige et disait « neige », comment cet enfant de 2 ans saurait-il si le mot signifie « blanc », « là » ou « neige » ?

Surgénéralisation : Tendance qu'ont les enfants à régulariser le langage en utilisant, par exemple, des formes incorrectes des verbes au temps passé (« j'ai moudu » pour « j'ai moulu »).

Surdiscrimination : Utilisation par l'enfant d'une appellation générale qui englobe plusieurs significations et la restreint à une signification unique.

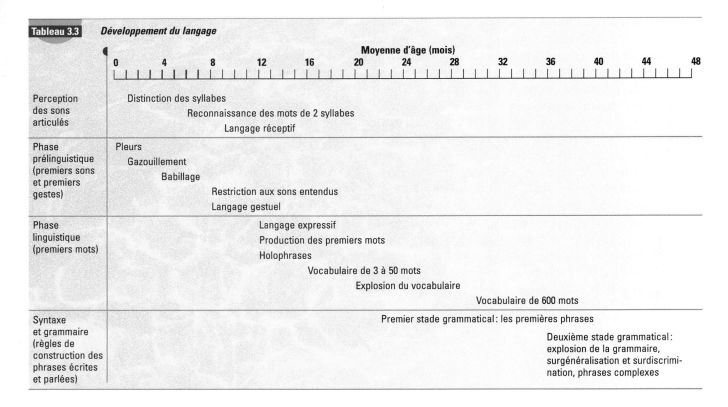

Tableau 3.3   *Développement du langage*

Moyenne d'âge (mois)

	0	4	8	12	16	20	24	28	32	36	40	44	48
Perception des sons articulés	Distinction des syllabes												
			Reconnaissance des mots de 2 syllabes										
				Langage réceptif									
Phase prélinguistique (premiers sons et premiers gestes)	Pleurs												
		Gazouillement											
			Babillage										
					Restriction aux sons entendus								
				Langage gestuel									
Phase linguistique (premiers mots)						Langage expressif							
						Production des premiers mots							
					Holophrases								
							Vocabulaire de 3 à 50 mots						
							Explosion du vocabulaire						
									Vocabulaire de 600 mots				
Syntaxe et grammaire (règles de construction des phrases écrites et parlées)								Premier stade grammatical: les premières phrases					
										Deuxième stade grammatical: explosion de la grammaire, surgénéralisation et surdiscrimination, phrases complexes			

Langage extérieur   Le langage extérieur (ou social) est le premier langage que l'on peut observer principalement chez l'enfant vers l'âge de 3 ans. La forme la plus primitive du langage a pour fonction de régir le comportement des autres (comme «je veux un bonbon») ou d'exprimer des concepts simples.

Langage égocentrique   Le langage égocentrique domine la vie de l'enfant à partir de 3 ans jusqu'à 7 ans environ. Ce type de langage constitue un pont entre le langage extérieur de la période précédente et le langage intérieur de la période suivante. L'enfant utilise souvent le langage égocentrique pour régir son propre comportement et l'exprime fréquemment à haute voix. Par exemple, les jeunes enfants peuvent se parler à eux-mêmes lorsqu'ils essaient de réaliser des choses («je vais droit devant, puis je tourne…»). Ainsi, chez l'enfant d'âge préscolaire, il n'est pas rare d'observer une manifestation de ce type de langage qui ne s'adresse à personne en particulier. L'enfant se parle à lui-même comme s'il réfléchissait à haute voix. Ce phénomène est appelé *soliloque*.

Langage intérieur   Le langage intérieur est notre langage privé, ce que James (1892) appelait la vie mouvante et insaisissable de la conscience. Selon Vygotsky, le langage intérieur est la base de tous nos processus mentaux supérieurs; sans ce langage, nous ne pouvons pas concevoir le futur. Curieusement, à l'âge de 4 ans, les enfants n'ont que très peu conscience du langage intérieur ou de la réflexion verbale. Flavell et ses collaborateurs (1997) ont découvert que les enfants de 4 ans sont incapables de comprendre que les gens qui sont en train de lire, de compter ou de résoudre des problèmes (ou d'effectuer toutes autres tâches mentales) se parlent intérieurement; en fait, ils croient généralement que le langage silencieux ou intérieur n'est pas réellement possible.

THÉORIES DU DÉVELOPPEMENT DU LANGAGE

L'explication du développement du langage chez l'enfant s'est révélée l'une des difficultés les plus captivantes et les plus ardues de la psychologie du développement. Comment l'enfant accomplit-il donc cette tâche? Les théories abondent. Nous allons d'abord traiter de la notion de culture dans le continuum théorique.

Imitation et renforcement   Les premières théories du langage étaient basées soit sur la théorie de l'apprentissage, soit sur l'idée pratique que le langage s'apprend par imitation. En effet, l'imitation joue un rôle essentiel, puisque l'enfant apprend la langue qu'il entend. Les bébés passent du babillage sans signification à des mots de la langue qu'ils entendent autour d'eux. Les enfants imitent les phrases qu'ils entendent et adoptent l'accent de leurs parents. Les bébés qui imitent davantage les actions et les gestes sont ceux qui apprennent le plus rapidement la langue (Masur, 1995). Toutefois, l'imitation ne peut expliquer à elle seule tout le processus d'acquisition du langage, car elle ne tient pas compte de l'aspect créatif du langage de l'enfant. En effet, les enfants créent des types de phrases et des mots qu'ils n'ont jamais entendus.

Les théories sur le renforcement, comme celle de Skinner (1957), ne sont pas davantage satisfaisantes. Selon Skinner, les adultes façonnent les premiers mots et les premières phrases de l'enfant, en renforçant de façon sélective les mots et les phrases qui se rapprochent le plus du langage désiré. Mais en fait, peu de preuves viennent appuyer cette hypothèse. Au contraire, les parents manifestent une tolérance remarquable à l'égard des efforts linguistiques de l'enfant (Brown et Hanlon, 1970 ; Hirsh-Pasek, Trieman et Schneiderman, 1984). De plus, les enfants apprennent les différentes formes de la langue, comme les pluriels, en commettant relativement peu d'erreurs. Comme le façonnement ou le renforcement semblent peu concourir à expliquer le développement du langage, nous devons nous tourner vers d'autres théories.

Nouvelles théories environnementales : parler à l'enfant

Il semble évident que certains éléments du langage entendus par l'enfant favorisent le développement initial de son propre langage. En effet, on sait que l'enfant à qui on parle beaucoup, à qui on lit régulièrement des histoires et dont les parents utilisent un vocabulaire assez étendu, commence à parler plus tôt, utilise un vocabulaire plus varié et apprend à lire plus facilement à l'école (Hart et Risley, 1995 ; Huttenlocher, 1995). Par ailleurs, l'enfant qui est exposé à peu de vocabulaire (en quantité et en variété) durant les premières années de sa vie ne semble pas rattraper son retard plus tard au cours de son développement ; au contraire, l'écart semble s'agrandir. Il semble de plus

Une langue ou deux ?

De nos jours, beaucoup de personnes émigrent. Leurs enfants ont ainsi la possibilité de devenir bilingues. Cependant, nombre de ces enfants n'acquièrent jamais la connaissance de la langue parlée par leurs parents (Pease-Alvarez, 1993). Souvent, les parents immigrants croient qu'enseigner leur propre langue à leur enfant va entraver l'apprentissage de la langue du pays d'accueil et compromettre ainsi leurs chances d'acquérir une bonne instruction et de connaître le succès, même s'ils savent pertinemment que le fait de parler deux langues présente un avantage indiscutable sur le plan social et économique pour tout adulte. Cependant, des recherches indiquent qu'il existe des avantages et des désavantages à grandir en apprenant deux langues.

Du côté des aspects positifs, le bilinguisme semble n'avoir aucun effet sur les premières étapes de la séquence d'acquisition du langage, comme le babillage (Oller, Cobo-Lewis et Eilers, 1998). Les enfants de foyers bilingues discriminent aussi facilement entre deux langues sur le plan de la phonologie et de la grammaire, et ce, dès les premiers jours (Bosch et Sebastian-Galles, 1997 ; Koeppe, 1996). De plus, le fait d'apprendre les règles grammaticales d'une langue, comme l'ajout du *s* pour désigner le pluriel, semble faciliter l'apprentissage des règles grammaticales d'une autre langue (Schlyter, 1996).

Au niveau préscolaire et scolaire, le bilinguisme est associé à des avantages évidents touchant l'habileté métalinguistique, c'est-à-dire la capacité de réfléchir sur les processus du langage (Bialystok, Shenfield et Codd, 2000 ; Mohanty et Perregaux, 1997). De plus, la plupart des enfants bilingues, comparativement aux enfants unilingues, présentent une plus grande habileté à centrer leur attention sur les tâches même du langage (Bialystok et Majumder, 1998). Ces deux avantages permettent aux enfants bilingues de saisir plus rapidement les liens entre les sons et les symboles lors des premières étapes de l'apprentissage de la lecture (Bialystok, 1997 ; Oller, Cobo-Lewis et Eilers, 1998).

Du côté des aspects négatifs, les enfants de foyers bilingues effectuent certains apprentissages langagiers plus lentement que les enfants de foyers unilingues. Par exemple, la quantité de mots relevant du langage expressif et du langage réceptif est la même que celle d'un enfant unilingue, mais les mots connus sont divisés en deux langues (Patterson, 1998). Par conséquent, le vocabulaire de chacune de ces deux langues est moins imposant que dans le cas d'un enfant unilingue, différence qui persiste jusqu'à l'âge scolaire.

Les recherches nous indiquent aussi que les enfants bilingues qui sont à l'aise dans les deux langues connaissent peu ou pas de problèmes d'apprentissage à l'école (Vuorenkoski *et al.*, 2000). Cependant, la plupart des enfants n'atteignent pas un degré d'aisance identique dans les deux langues. Il en résulte une tendance à penser plus lentement dans la langue où ils sont moins compétents (Chincotta et Underwood, 1997). Si cette langue est celle qui est utilisée en classe, alors le risque d'éprouver des difficultés d'apprentissage est plus grand (Anderson, 1998 ; Thorn et Gathercole, 1999). Les parents qui choisissent le bilinguisme devraient donc tenir compte du fait qu'ils devront être en mesure d'aider leur enfant à se sentir à l'aise dans l'une et l'autre des deux langues.

Quels que soient les avantages ou les désavantages cognitifs, les enfants qui parlent la langue de leurs parents immigrants semblent témoigner d'un attachement plus marqué à la culture d'origine de leurs parents (Buriel *et al.*, 1998). Le fait pour les parents d'enseigner leur culture à leur enfant semble également faciliter l'apprentissage de leur langue maternelle (Wright, Taylor et Macarthur, 2000). Enfin, les avantages du bilinguisme à l'âge adulte sont substantiels et pallient grandement les désavantages qui apparaissent durant l'enfance.

Nous ne pouvons entendre ce que dit cette mère à son enfant, mais il est bien possible qu'elle lui parle en utilisant le langage bébé, soit des phrases courtes et simples prononcées d'une voix plus aiguë, plus mélodieuse. Les enfants préfèrent cette forme de discours, qui les aide sans doute à reconnaître les éléments habituels du langage.

en plus évident que la richesse et la variété du langage qu'un enfant entend a des répercussions à long terme au moins sur cet aspect de l'apprentissage du langage.

L'apprentissage de la grammaire peut néanmoins requérir une certaine forme d'assistance de la part des parents. Ainsi, on sait que les adultes parlent aux enfants dans un langage particulièrement simple, que l'on appelle le **langage bébé** (autrefois appelé langage maternel). Dans ce langage simple, les mots sont prononcés d'une voix plus aiguë et plus lente que lors d'une conversation entre adultes. Les phrases sont plus courtes, le vocabulaire est simple et plutôt concret, et les formes grammaticales sont très simples. Lorsqu'ils parlent aux enfants, les parents ont tendance à répéter les mêmes phrases ou à en donner de légères variations : « Où est la balle ? Vois-tu la balle ? Voici la balle ! ». Ils répètent aussi les phrases de leur enfant en les *augmentant* ou en les *reformulant* pour les allonger ou les rendre plus conformes à la grammaire. Ce modèle est communément appelé « remaniement » ou « refonte ».

Les parents n'agissent pas de cette façon dans le but d'enseigner la grammaire à leurs enfants. Ils cherchent plutôt à mieux communiquer avec eux. En fait, bon nombre d'entre nous, sans nous en rendre compte, utilisons ce mode de langage lorsque nous communiquons avec les personnes âgées, les personnes handicapées ou les personnes hospitalisées, c'est-à-dire tout individu dans une position de dépendance. Lorsqu'on utilise cette forme de langage avec un adulte, ce dernier considère généralement qu'on le traite avec condescendance. Malgré tout, cette forme de langage peut être fort utile, voire nécessaire, pour aider l'enfant à apprendre une langue.

On sait par exemple que, quelques jours après la naissance, les nouveau-nés distinguent le langage bébé du langage qui s'adresse à un adulte, et qu'ils préfèrent écouter le langage bébé (Cooper et Aslin, 1994 ; Pegg, Werker et McLeod, 1992 ; Werker, Pegg et McLeod, 1994). C'est le ton de voix plus aigu de la mère que les bébés semblent surtout préférer. Lorsque l'attention de l'enfant est attirée par ce ton particulier, la simplicité et la répétition des phrases peuvent l'aider à apprendre les formes grammaticales répétitives.

Il semble également que l'attention de l'enfant soit attirée par les phrases remaniées. Par exemple, Farrar (1992) a découvert que les enfants de 2 ans étaient deux ou trois fois plus susceptibles d'imiter une forme grammaticale correcte après avoir entendu leur mère remanier leur phrase qu'ils n'étaient aptes à le faire lorsque leur mère utilisait cette même forme grammaticale de façon naturelle. Des études expérimentales confirment l'effet du remaniement. Les enfants qui sont mis en contact délibérément et de manière régulière avec des types particuliers de phrases reformulées semblent apprendre ces formes grammaticales plus rapidement (Nelson, 1977).

Théories de l'innéité du langage   À l'autre extrémité du continuum théorique se trouvent les théoriciens de l'innéité du langage, selon lesquels l'être humain possède une prédisposition biologique innée au langage. Les premiers théoriciens de l'innéité du langage, dont Noam Chomsky (1965, 1975, 1986, 1988), ont été particulièrement étonnés par deux phénomènes : l'extrême complexité de la tâche que l'enfant doit accomplir et les similitudes apparentes entre les premières étapes de l'apprentissage du langage chez l'enfant. Toutefois, des études récentes effectuées sur des enfants qui apprennent plusieurs langues indiquent qu'il y a moins de similitudes qu'on ne le croyait. Néanmoins, les théories de l'innéité du langage connaissent toujours un grand succès.

À l'heure actuelle, Dan Slobin (1985a, 1985b) est le théoricien de l'innéité du langage le plus influent. Selon lui, chaque enfant a une capacité de base de création du langage qui comporte un ensemble d'importants *principes d'exploitation*. Tout comme le nouveau-né semble être programmé avec des « règles d'observation », le bébé et l'enfant possèdent, selon Slobin, des « règles d'écoute ».

Nous avons déjà vu un grand nombre d'exemples qui appuient cette affirmation. On sait que, dès un très

Langage bébé : Type de langage particulier que les parents utilisent pour parler aux jeunes enfants selon les linguistes. Les phrases sont plus courtes, plus simples, répétitives, et la voix est plus aiguë.

jeune âge, les bébés se concentrent sur les sons et les syllabes qu'ils entendent, qu'ils portent attention au rythme du son et qu'ils préfèrent les discours présentant un modèle particulier, notamment le langage bébé. L'ensemble de ces principes d'exploitation expliquerait certaines des caractéristiques des premières flexions chez l'enfant. Les bébés semblent aussi «programmés» pour porter attention au début et à la fin des suites de sons ainsi qu'aux sons accentués (Morgan, 1994). En français par exemple, l'accent ou l'augmentation d'intensité de la voix dans une phrase se trouve généralement sur le verbe et le nom ; or, l'enfant utilise précisément le verbe et le nom dans ses premières phrases (phrase de deux mots). En turc cependant, l'accent d'intensité est mis sur les préfixes, et les enfants turcs apprennent les préfixes très tôt. Ces deux modèles d'apprentissage semblent appuyer l'hypothèse selon laquelle les enfants portent une attention particulière aux mots accentués.

Les théories de l'innéité du langage sont étayées par la quantité croissante d'informations recueillies sur les aptitudes de perception innées et les prédispositions innées au traitement de l'information, ce qui constitue un argument solide en faveur de l'approche de Slobin. Cependant, on en est encore aux premières étapes dans l'exploration de cette approche. Il existe d'autres hypothèses intéressantes, dont une de certains théoriciens qui, au lieu de s'attarder sur les prédispositions innées, se penchent sur le fait que la *construction* du langage chez l'enfant s'inscrit dans un cadre plus vaste, celui du processus du développement cognitif. De ce point de vue, l'enfant est un «petit linguiste», qui applique sa compré-hension cognitive naissante au problème du langage, toujours à la recherche de régularités, de principes et de modèles.

Théories constructivistes du langage Melissa Bowerman (1985, p. 372) expose avec une grande clarté le point de vue constructiviste :

> En début d'apprentissage, le langage n'apporte pas de nouveaux concepts. En fait, le langage permet à l'enfant d'exprimer les concepts qu'il avait déjà établis sans son aide.

Dans la même veine, Lois Bloom émet l'idée que «l'enfant apprendra les mots qu'il entend des autres s'il peut faire le lien entre ces mots et ce qu'il pense et ressent» (1993, p. 247).

Si ces énoncés sont vrais, il devrait être possible d'observer des liens apparents entre le développement du langage et le développement cognitif plus global de l'enfant. Par exemple, les jeux symboliques, comme le geste de boire le contenu d'une tasse vide, et l'imitation de sons et de gestes apparaissent à peu près au moment où l'enfant apprend ses premiers mots. Cette observation suggère une vague compréhension «symbolique», qui se reflète dans de nombreux comportements. Chez les enfants dont l'acquisition du langage est nettement retardée, le jeu symbolique et l'imitation le sont également (Bates, O'Connell et Shore, 1987 ; Ungerer et Sigman, 1984).

On peut noter un deuxième exemple qui se produit plus tard : lorsqu'apparaissent les premières formulations de phrases de 2 mots, l'enfant commence aussi à combiner différents gestes en une séquence durant son jeu

LE MONDE RÉEL

Différences individuelles dans le langage

Il existe des différences marquées entre les enfants, surtout en ce qui concerne le rythme du développement ainsi que la capacité à effectuer des tâches intellectuelles. On observe de telles différences non seulement dans le rythme de développement du langage de l'enfant, mais aussi dans les mesures des capacités intellectuelles, telles que les tests de Q.I.

Certains enfants commencent à utiliser des mots dès l'âge de 8 mois, alors que d'autres attendront l'âge de 18 mois ; certains n'utilisent pas de phrases composées de 2 mots avant l'âge de 3 ans, voire même plus tard.

Il est important de spécifier que la plupart des enfants qui apprennent à parler tardivement se rattrapent par la suite et que les variations indi-viduelles observées dans ce domaine (apprentissage hâtif ou tardif du langage) ne permettent pas de prédire le quotient intellectuel ni les habiletés de lecture futures de l'enfant, excepté pour un sous-groupe particulier d'enfants qui présentent à la fois un retard d'acquisition du langage et un pauvre langage réceptif. Ce sous-groupe semble demeurer en arrière des autres enfants quant à ses habiletés langagières et, de façon plus générale, quant à son développement cognitif (Bates, 1993). Vous ne devriez donc pas vous inquiéter si votre enfant prend du retard dans l'acquisition du langage (ni être spécialement heureux si votre enfant prononce ses premiers mots dès l'âge de 8 mois). Il semble que de telles variations soient partiellement attribuables à des facteurs génétiques (Mather et Black, 1984 ; Plomin et DeFries, 1985), mais que l'environnement ait également un effet considérable sur le langage.

imaginaire, comme verser un liquide fictif, le boire, puis essuyer sa bouche. Les enfants qui sont les premiers à manifester cette mise en séquence dans le jeu sont aussi les premiers à formuler des phrases de 2 ou 3 mots (McCune, 1995; Shore, 1986).

Ces liens apparents entre la cognition et le langage sont impressionnants, mais une information contradictoire nous provient d'études récentes portant sur des enfants atteints du syndrome de Williams et Beuren, une anomalie génétique associée à la déficience intellectuelle. Les enfants et les adultes atteints de ce syndrome présentent, comme dans le cas du syndrome de Down, des déficiences dans la plupart des aspects du fonctionnement cognitif. Or, les enfants atteints du syndrome de Williams et Beuren acquièrent d'excellentes habiletés langagières, y compris un vocabulaire étendu et une grammaire complexe. Leur langage connaît un retard dans les premières années, comme dans le cas du syndrome de Down, mais les habiletés langagières (de compréhension et de production) qu'ils finiront par posséder se rapprochent de celles d'un enfant normal (Mervis *et al.,* 1995; Pober, 1996). Chez ces enfants, on ne peut observer de liens entre le développement cognitif et le développement du langage. Ce résultat, de toute évidence, contredit le modèle de Bowerman.

Évidemment, nous n'avons pas à choisir entre l'approche de Slobin et celle de Bowerman. Elles peuvent être toutes les deux vraies. L'enfant vient au monde avec des principes d'exploitation qui dirigent son attention sur les caractéristiques essentielles de l'apport linguistique. Il traite alors ces informations selon ses stratégies ou ses schèmes (peut-être innés) fondamentaux. Puis, il modifie ces stratégies ou ces règles pour les adapter à l'information nouvelle, ce qui produit une série de règles servant à comprendre et à créer le langage. Les premières constructions de phrases des enfants présentent de grandes similitudes. Cela s'explique par le fait que les enfants partagent les mêmes règles de base pour traiter le langage et qu'ils reçoivent le même type d'information de leur entourage. Cependant, cette information n'étant pas identique en raison de la différence entre les langues, le développement du langage suit des voies de moins en moins communes à mesure que l'enfant progresse.

Comme ces brèves descriptions théoriques l'attestent, les linguistes et les psychologues qui étudient le langage ont réalisé de nets progrès. On sait davantage comment ne pas expliquer l'acquisition du langage. Toutefois, on n'en a pas encore déchiffré le code. Le fait que les enfants apprennent à utiliser leur langue maternelle de manière complexe et variée en quelques années seulement tient à la fois du miracle et du mystère.

Les changements plus profonds sur le plan des aptitudes cognitives de l'enfant au cours des mêmes années semblent moins mystérieux, mais nos connaissances ne cessent de s'élargir quant aux remarquables réalisations cognitives qu'accomplit l'enfant ou aux limites de sa pensée.

Développement du langage

- Vers quel âge l'enfant peut-il distinguer les sons? Expliquez votre réponse.

- Quel est le lien entre le langage et l'émondage des connexions neuronales?

- Quelle est la séquence des premiers sons émis par l'enfant? Précisez l'âge d'apparition.

- Qu'est-ce que le langage réceptif? le langage expressif? le langage gestuel? Quelle est leur séquence d'apparition?

- Quelles sont les caractéristiques du premier stade grammatical? du deuxième stade grammatical?

- Quelles sont les trois formes de langage développées par l'enfant selon Vygotsky? Expliquez votre réponse.

- Quelles sont les différentes explications du développement du langage? (Indiquez quatre théories.)

Concepts et mots clés

- **babillage** (p. 98) • **flexion** (p. 100) • **gazouillement** (p. 97)
- **holophrase** (p. 99) • **langage bébé** (p. 104) • **langage expressif** (p. 98) • **langage gestuel** (p. 98) • **langage intérieur** (p. 102)
- **langage réceptif** (p. 98) • **langage télégraphique** (p. 100)
- **style expressif** (p. 100) • **style référentiel** (p. 100) • **surgénéralisation** (p. 101) • **surdiscrimination** (p. 101)

UN DERNIER MOT

Les psychologues et les parents ont sous-estimé les capacités perceptives et cognitives de l'enfant. Les recherches récentes dans les domaines de la perception et de la cognition ont amené les psychologues du développement à étudier l'hypothèse selon laquelle de nombreuses habiletés seraient innées. Ce qui ne relève pas de la nature cependant, c'est l'environnement physique et social requis afin d'assurer le bon développement des capacités innées de l'enfant. Pour ce faire, les parents et les personnes qui s'occupent de l'enfant doivent lui fournir un environnement qui soutient son développement physique et intellectuel.

RÉSUMÉ

DÉVELOPPEMENT PHYSIQUE

- La croissance physique de l'enfant s'effectue selon deux directions principales: le développement céphalocaudal, qui va de la tête aux pieds (des membres supérieurs aux membres inférieurs), et le développement proximodistal, qui va du centre du corps aux extrémités (du tronc aux extrémités des jambes et des bras).

- Des changements extrêmement rapides se produisent dans le système nerveux au cours des deux premières années de vie. Les dendrites et les synapses atteignent une croissance maximale entre 12 et 24 mois, après quoi il se produit un «émondage» des synapses. La myélinisation des fibres nerveuses se développe aussi rapidement durant les premières années.

- Le nombre et la densité des os augmentent, les fibres musculaires allongent et épaississent et la quantité de graisse commence à diminuer.

- Les bébés triplent leur poids au cours de la première année et gagnent de 25 à 30 cm avant l'âge de 2 ans.

- Les progrès sont très rapides sur le plan moteur et sur le plan de la manipulation au cours des deux premières années: le bébé cesse de ramper pour marcher et courir, et ses capacités de préhension s'améliorent.

- Les séquences de développement communes subissent manifestement l'influence des modèles de maturation communs. Cependant, le patrimoine génétique et l'alimentation jouent un rôle important. Le rôle de l'exercice physique est plus difficile à établir.

- Les enfants prématurés accusent un retard comparativement aux enfants nés à terme dans le franchissement des grandes étapes du développement, mais ils rattrapent généralement ce retard en quelques années.

- Il existe relativement peu de différences entre les garçons et les filles dans le développement au cours des premières années. On relève cependant des différences ethniques: les enfants de race noire se développent plus rapidement, les enfants de race asiatique, moins rapidement.

- Les bébés contractent en moyenne sept ou huit maladies respiratoires au cours de chacune des deux premières années. Ce taux est plus élevé chez les enfants en garderie.

- La plupart des morts infantiles survenant au cours des premières semaines sont attribuables à des malformations ou à un faible poids à la naissance. Après les premières semaines, le syndrome de mort subite du nourrisson est la cause la plus répandue de mortalité durant la première année.

RÉSUMÉ

DÉVELOPPEMENT COGNITIF

- Dès les premières semaines de vie, les nouveau-nés peuvent différencier leur mère d'une autre personne, d'abord grâce à l'ouïe et à l'odorat, puis grâce à la vision. Vers l'âge de 2 mois, ils perçoivent la profondeur.

- Durant les premières semaines de vie, l'enfant essaie de localiser les objets; à l'âge de 2 mois, il essaie de reconnaître les objets, ce qui traduit des changements dans ses capacités de perception et d'exploration.

- Les bébés sont capables de s'habituer à la répétition de stimuli, ce qui indique qu'ils possèdent la capacité de reconnaître que quelque chose a déjà été expérimenté auparavant.

- Les bébés peuvent réaliser des apprentissages à partir du conditionnement classique et du conditionnement opérant dès les premières semaines de vie.

- L'étude du développement cognitif requiert une distinction entre trois approches théoriques: la première orientée vers les capacités individuelles (la mesure de l'intelligence), la deuxième, vers les structures cognitives communes, et la troisième, vers les capacités de traitement de l'information.

- Les études sur les structures cognitives communes de l'enfant ont été largement influencées par la théorie de l'intelligence de Piaget.

- Selon Piaget, les enfants possèdent un petit répertoire de schèmes fondamentaux au début de la vie puis, au cours de la période sensorimotrice, ils évoluent selon une séquence divisée en six stades sensorimoteurs vers une représentation symbolique.

- Le développement initial atteint un point culminant lorsque l'enfant utilise des symboles dans ses jeux et dans ses pensées, soit entre 18 et 24 mois.

- Selon Piaget, les bébés commencent à comprendre réellement le concept de la permanence de l'objet vers l'âge de 8 mois (l'objet continue d'exister même s'il est hors de vue). De nouvelles études laissent entendre que les bébés peuvent comprendre les propriétés des objets – y compris la permanence de l'objet – beaucoup plus tôt que ne le pensait Piaget; cependant, cette question suscite encore de vifs débats.

- Les bébés sont capables d'imiter des mimiques faciales dès les premiers jours de vie. Toutefois, ils ne sont en mesure de faire des imitations différées que bien plus tard.

DÉVELOPPEMENT DU LANGAGE

- Les bébés peuvent distinguer les sonorités du langage dès les premières semaines de vie. En fait, jusqu'à 10 mois approximativement, ils sont même capables de faire certaines distinctions inaccessibles aux adultes.

- Les pleurs sont les premiers sons émis par le bébé. Vers 2 mois, il gazouille et, vers 6 mois, il babille. À 9 mois, les bébés utilisent généralement le langage gestuel et comprennent quelques mots.

- Les premiers mots apparaissent vers 12 mois, après quoi le vocabulaire de l'enfant s'enrichit lentement pendant quelques mois, puis de façon plus rapide. À 18 mois, la plupart des enfants possèdent un vocabulaire d'environ 50 mots.

- Le développement du langage s'effectue à un rythme rapide entre l'âge de 2 et 4 ans. Les enfants commencent à former des phrases de 2 mots, suivies de l'explosion de la grammaire grâce à l'ajout de diverses flexions, puis ils passent rapidement à la formation de phrases complexes.

- Les premiers mots désignent habituellement des objets ou des personnes; ce n'est que par la suite que seront utilisés les mots associés aux actions.

RÉSUMÉ

- Dès les premières phrases, le langage de l'enfant est créatif ; il comprend des formes et des combinaisons que l'enfant n'a sûrement jamais entendues, mais qui semblent obéir à des règles précises.

- Les théories de l'imitation et du renforcement ne peuvent à elles seules expliquer le développement du langage. Des théories environnementales plus complexes, qui mettent l'accent sur le rôle de la richesse de l'environnement ou de la langue maternelle, ont une certaine utilité, mais elles comportent aussi des lacunes.

- Les théoriciens de l'innéité du langage prônent l'existence de « principes d'exploitation innés » ou de « règles d'écoute » qui permettent à l'enfant d'assimiler les différentes règles du langage. Les théoriciens constructivistes perçoivent l'enfant comme un « petit linguiste » en puissance, qui construit progressivement son langage parallèlement à la construction de son développement cognitif.

- Le développement du langage se déroule à des rythmes différents chez les enfants, le développement le plus rapide étant associé à l'environnement linguistique le plus riche.

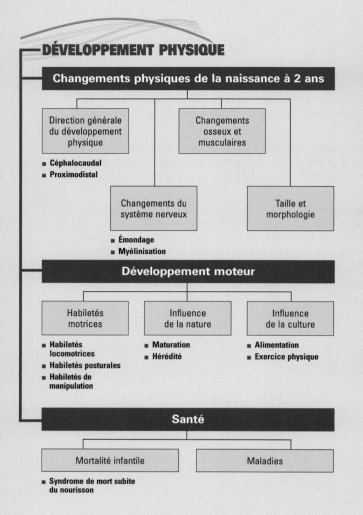

DÉVELOPPEMENT PHYSIQUE

Changements physiques de la naissance à 2 ans

Direction générale du développement physique
- Céphalocaudal
- Proximodistal

Changements osseux et musculaires

Changements du système nerveux
- Émondage
- Myélinisation

Taille et morphologie

Développement moteur

Habiletés motrices
- Habiletés locomotrices
- Habiletés posturales
- Habiletés de manipulation

Influence de la nature
- Maturation
- Hérédité

Influence de la culture
- Alimentation
- Exercice physique

Santé

Mortalité infantile
- Syndrome de mort subite du nourisson

Maladies

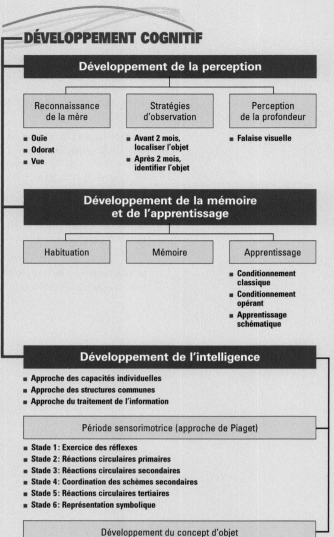

DÉVELOPPEMENT COGNITIF

Développement de la perception

Reconnaissance de la mère
- Ouïe
- Odorat
- Vue

Stratégies d'observation
- Avant 2 mois, localiser l'objet
- Après 2 mois, identifier l'objet

Perception de la profondeur
- Falaise visuelle

Développement de la mémoire et de l'apprentissage

Habituation

Mémoire

Apprentissage
- Conditionnement classique
- Conditionnement opérant
- Apprentissage schématique

Développement de l'intelligence
- Approche des capacités individuelles
- Approche des structures communes
- Approche du traitement de l'information

Période sensorimotrice (approche de Piaget)
- Stade 1: Exercice des réflexes
- Stade 2: Réactions circulaires primaires
- Stade 3: Réactions circulaires secondaires
- Stade 4: Coordination des schèmes secondaires
- Stade 5: Réactions circulaires tertiaires
- Stade 6: Représentation symbolique

Développement du concept d'objet
- Permanence de l'objet

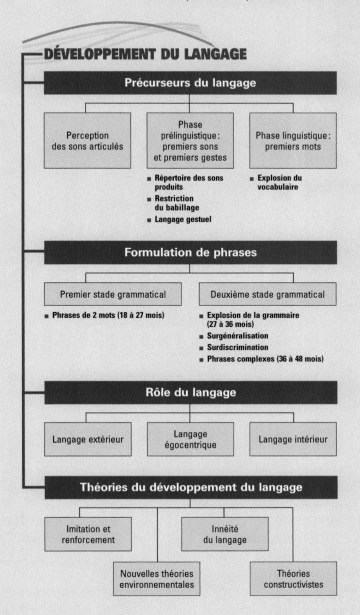

4
CHAPITRE

Les premières années :
développement
de la personnalité
et des relations sociales

*I*l y a quelque temps de cela, je mangeais dans un restaurant en compagnie d'une amie. À la table près de nous se déroulait une scène charmante. Un adorable bébé de 4 ou 5 mois, assis sur les genoux de sa mère, échangeait des sourires avec une vieille dame qui semblait être sa grand-mère. La dame parlait au bébé en utilisant des intonations aiguës et harmonieuses, et l'enfant lui répondait par des petits cris de joie, une sorte de gazouillis accompagné de gloussements ravis. Mon amie et moi avons cessé de parler, capti-vées par ce spectacle enchanteur. Nous avions envie d'entrer dans cette danse interactive qui se déroulait sous nos yeux, où chacun des partenaires s'adaptait au pas de l'autre dans un ballet interactif mariant les habiletés naissantes de l'enfant à celles d'une vieille dame au crépuscule de sa vie.

DÉVELOPPEMENT DE LA PERSONNALITÉ

Les changements que l'on observe chez l'enfant de 2 ans dans ses interactions avec les autres se déroulent en même temps que se met en place le concept de soi. Nous allons étudier dans un premier temps le développement du concept de soi et du moi émotionnel, puis nous aborderons les différentes perspectives théoriques du développement de la personnalité chez le jeune enfant.

DÉVELOPPEMENT DU CONCEPT DE SOI

En même temps qu'il développe des liens avec sa mère et son père, le bébé crée un premier modèle interne du concept de soi. Le **concept de soi** est constitué d'un ensemble détaillé et riche d'idées qui portent sur le moi; il se développe rapidement au cours de l'enfance et persiste durant toute la vie. Il s'agit d'une étape importante du développement cognitif dans laquelle les interactions sociales jouent cependant un rôle primordial (Bee et Mitchell, 1986). Notre vision du concept de soi chez le bébé a été fortement influencée par Freud et Piaget pour lesquels le nourrisson, au début de sa vie, est incapable de se distinguer des autres. Freud insiste sur ce qu'il appelle la relation *symbiotique* entre la mère et le nourrisson, relation dans laquelle les deux personnes n'en font qu'une. Selon lui, le jeune enfant ne peut se concevoir comme un être séparé de sa mère. Pour Piaget, le concept fondamental de la permanence de l'objet est une condition préalable à la

La reconnaissance de soi dans un miroir s'observe vers le milieu de la deuxième année.

notion de permanence du moi, soit une conception du moi en tant qu'entité stable et continue. Ces deux facettes du début du développement du moi sont reprises dans les descriptions actuelles de l'émergence du moi existentiel. Michael Lewis (1990, 1991) divise ce processus en deux étapes ou tâches.

Première étape: le moi existentiel   Lewis pense que la première tâche de l'enfant consiste à comprendre qu'il est une personne distincte des autres et que son moi persiste dans le temps et dans l'espace. Il nomme cet aspect de la conception de soi le **moi existentiel** ou *moi subjectif,* car ce premier pas crucial est la conscience de soi: «j'existe». Lewis situe l'éveil de cette conscience vers 2 ou 3 mois, moment auquel le bébé fait la distinction entre le moi et le reste du monde. À l'origine de cet éveil se trouvent les innombrables interactions que le bébé vit chaque jour avec les objets et les personnes et qui l'aident à comprendre qu'il peut exercer une influence sur les choses. Quand l'enfant touche le mobile, ce dernier bouge; quand il pleure, quelqu'un vient le réconforter; quand il sourit, sa mère fait de même. Dans ce processus, le bébé fait la distinction entre lui et le reste du monde, et sa conscience de soi émerge.

Cependant, ce n'est que lorsque l'enfant a saisi le concept de la permanence de l'objet, soit entre 8 et 12 mois, que le moi existentiel émerge probablement. En se rendant compte que ses parents continuent d'exister même lorsqu'ils sont hors de sa vue, l'enfant comprend qu'il forme une entité distincte des autres et qu'il a une personnalité propre. C'est alors que le bébé comprend, au moins de façon préliminaire, sa propre permanence en tant que personne et se rend compte qu'il existe de façon stable et continue dans le temps et dans l'espace. Mais il ne s'agit là que d'une première étape vers la prise de conscience de soi.

Deuxième étape: le moi différentiel   Il ne suffit pas de se percevoir comme une personne qui agit sur l'environnement ou comme une personne qui vit des expériences. Pour atteindre une pleine conscience de soi, l'enfant doit aussi comprendre qu'il est un *objet* dans le monde (Lewis, 1991). Prenons l'exemple d'une balle et de ses

Concept de soi: Ensemble détaillé et riche d'idées portant sur le moi, qui se développe rapidement au cours de l'enfance et qui persiste durant toute la vie.

Moi existentiel (ou moi subjectif): Compréhension par l'enfant qu'il est une personne distincte des autres, qu'il continue d'exister dans le temps et dans l'espace et qu'il peut agir sur son environnement.

caractéristiques: elle est ronde, elle peut rouler et elle procure une sensation particulière dans la main. L'enfant possède lui aussi des caractéristiques: le genre, la taille, le nom et des qualités, comme la timidité ou l'intrépidité, la coordination ou la maladresse. Ainsi, entre l'âge de 18 et 24 mois commence le développement d'une *conscience de soi* qui caractérise la deuxième étape du développement de l'identité. Lewis l'appelle le **moi différentiel** ou le *moi catégoriel* car, une fois que l'enfant a acquis cette conscience de soi, le processus servant à définir le concept de soi conduit l'enfant à se définir à partir d'une série de catégories, telles que son genre, sa taille («je suis plus grand que...»), la couleur ou la longueur de ses cheveux, etc.

Il n'a pas été facile de déterminer le moment où l'enfant acquiert une forme de conscience de soi. La technique d'étude la plus courante consiste à utiliser la représentation de soi dans un miroir. Tout d'abord, on place le bébé devant un miroir pour observer son comportement. La plupart des enfants de 9 à 12 mois environ se regardent dans le miroir, ils font des grimaces ou essaient d'interagir avec leur image d'une façon ou d'une autre. L'expérimentateur laisse l'enfant agir librement pendant un certain temps. Ensuite, tout en faisant semblant de lui essuyer le visage avec un linge, l'expérimentateur lui met une tache rouge sur le nez et le laisse de nouveau se regarder dans le miroir. La reconnaissance de soi chez l'enfant (et, par conséquent, la conscience de soi) est établie lorsque l'enfant cherche à toucher la tache sur son propre nez et non sur son image dans le miroir.

La figure 4.1 illustre les résultats d'une des études de Lewis qui fait usage de cette technique. On constate qu'aucun des enfants âgés de 9 à 12 mois ne touche son nez, mais qu'à partir de 21 mois les trois quarts des enfants le font; ce résultat a été confirmé par d'autres études, y compris des recherches effectuées en Europe (p. ex., Asendorpf, Warkentin et Baudonnière, 1996). La figure montre également le pourcentage d'enfants qui font référence à eux-mêmes en disant leur nom lorsqu'on leur montre leur photographie — il s'agit là d'une autre technique courante pour évaluer la conscience de soi. Vous pouvez constater que ce comportement apparaît presque au même moment que la reconnaissance de soi dans le miroir. Ces deux comportements apparaissent vers le milieu de la deuxième année; d'autres chercheurs sont arrivés aux mêmes conclusions (Bullock et Lütkenhaus, 1990).

On observe des signes de cette nouvelle conscience de soi dans d'autres comportements, comme celui d'un enfant de 2 ans qui refuse de l'aide et qui veut tout faire par lui-même, ou la nouvelle attitude de propriétaire qu'adopte l'enfant envers ses jouets («C'est à moi!»). De ce

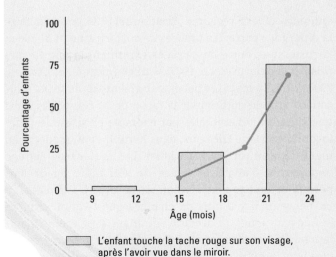

Figure 4.1
Conscience de soi.
La reconnaissance dans le miroir et la référence à soi-même apparaissent presque en même temps.
(*Source:* Lewis et Brooks, 1978, p. 214 et 215.)

point de vue, on pourrait interpréter la période «terrible» de 2 ans comme une manifestation de la conscience de soi.

DÉVELOPPEMENT DU MOI ÉMOTIONNEL

Les changements dans la compréhension du concept de soi de l'enfant apparaissent parallèlement à l'expression de ses émotions.

Reconnaissance de l'expression des émotions   Vers 2 ou 3 mois, les enfants commencent à réagir différemment à diverses expressions émotionnelles (voix et visages). Par exemple, Haviland et Lelwica (1987) ont observé les faits suivants: lorsque la mère exprime de la joie, les bébés de 10 mois semblent joyeux, intéressés et soutiennent le regard de leur mère; lorsque la mère exprime de la tristesse, les bébés bougent plus souvent la bouche et détournent le regard; lorsque la mère exprime de la colère, certains bébés pleurent et d'autres adoptent une attitude froide (visage immobile et inexpressif). Ces comportements ne semblent pas relever d'imitations précoces, mais bien de réponses à des émotions précises des parents.

Vers 5 ou 6 mois, les bébés réagissent différemment aux visages étrangers en montrant diverses expressions émotionnelles (Balaban, 1995) ainsi qu'aux voix en faisant

Moi différentiel (ou moi catégoriel): Définition du concept de soi à l'aide de différentes catégories, comme le genre, la taille, la timidité, etc.

entendre divers registres émotionnels. Ils peuvent faire la différence entre des timbres de voix exprimant la joie et la tristesse et entre des visages exprimant la joie, la surprise et la peur (Nelson, 1987; Walker-Andrews et Lennon, 1991). Vers 10 mois, les bébés s'appuient sur de telles indications afin de déterminer la façon de se comporter dans une situation inhabituelle, par exemple en présence d'un inconnu en visite chez eux, dans le cabinet du médecin ou même devant un nouveau jouet. Les enfants de cet âge regarderont d'abord le visage de leur mère ou de leur père pour en lire l'expression. Si la mère a l'air satisfait ou heureux, il y a plus de chances que l'enfant explore le nouveau jouet ou accepte l'étranger avec moins d'agitation. Par contre, si la mère semble préoccupée ou inquiète, le bébé reproduit ces indications par une réaction de peur ou une appréhension équivalentes. Ce phénomène est appelé **référence sociale** par les chercheurs (Walden, 1991).

À 10 mois, la réaction émotionnelle de Guillaume peut se caractériser par de la joie ou du plaisir plutôt que par de la fierté; il n'a pas encore un concept de soi assez développé pour manifester des émotions sociales.

Émotions primaires et émotions sociales

À la naissance, les bébés présentent différentes expressions faciales qui traduisent des émotions primaires, comme l'intérêt, la douleur et le dégoût; une expression transmettant le plaisir et la joie apparaît aussi très rapidement. Lorsque le bébé atteint 2 ou 3 mois, des observateurs adultes peuvent différencier chez lui des expressions de colère, de surprise et de tristesse. Il est possible de reconnaître une expression faciale de peur chez l'enfant de 6 ou 7 mois (Izard *et al.*, 1995; Izard et Harris, 1995). Ce n'est que vers le début de la deuxième année, au moment où l'enfant commence à se reconnaître dans le miroir, que l'on voit apparaître des émotions dites «sociales» ou de «conscience de soi», comme la fierté, la gêne ou la honte; ces expressions attestent d'un certain degré d'évaluation de soi, ainsi que des émotions associées à l'empathie (Lewis, Allesandri et Sullivan, 1992; Lewis *et al.*, 1989; Mascolo et Fischer, 1995).

Premières composantes du moi

Lorsque l'enfant a conscience d'être une personne distincte des autres et dotée de qualités ou de caractéristiques qui lui sont propres, il commence à se définir par rapport à plusieurs aspects. Le *genre* est l'une des premières dimensions par rapport auxquelles l'enfant se définit dès son plus jeune âge. Les enfants de 2 ans peuvent se définir en tant qu'être sexué, identifier leur propre genre (garçon ou fille) et identifier celui des autres. Ils commencent alors à présenter des comportements propres à leur sexe. Par exemple, si vous observez des enfants s'amuser dans une pièce remplie de jouets, les fillettes de 2 ou 3 ans seront plus portées à choisir les poupées ou les objets permettant d'imiter les travaux domestiques (machine à coudre ou dînette). Les garçons du même âge préféreront des camions ou des outils de menuiserie (O'Brien, 1992). À 3 ans, les enfants manifestent également une préférence pour les compagnons de jeu du même sexe et une plus grande sociabilité envers eux (Maccoby, 1988, 1990; Maccoby et Jacklin, 1987). Ce modèle se renforce progressivement au cours de l'âge préscolaire et scolaire.

Les trottineurs se classent déjà selon des dimensions dichotomiques, comme gros par rapport à petit, intelligent par rapport à stupide, gentil par rapport à méchant. À ce stade précoce, ils se perçoivent comme étant l'un ou l'autre, mais jamais les deux à la fois.

Selon la terminologie de Bowlby, il semble que l'enfant de cet âge crée un *modèle interne du concept de soi* en même temps qu'il construit un *modèle interne des relations avec les autres*. Le concept de modèle interne fait référence à une construction interne, une représentation que nous nous faisons à partir de notre propre interprétation des événements. L'enfant apprend d'abord qu'il est une entité distincte et qu'il a une certaine influence sur le monde. Puis, il commence à comprendre qu'il est aussi un objet dans ce monde, doté de caractéristiques, comme la taille et le genre. Le modèle interne du concept de soi, ou

Référence sociale: Fait d'utiliser la réaction d'une autre personne comme référence pour sa propre réaction. Un bébé agit de cette façon lorsqu'il observe l'expression ou le langage corporel de ses parents avant de réagir positivement ou négativement à une situation nouvelle.

schème du concept de soi, n'est pas complètement acquis à ce jeune âge. Toutefois, le trottineur construit déjà sa propre image de soi à partir de ses qualités et de ses habiletés. Ce modèle interne du concept de soi influe sur les choix que fait l'enfant — par exemple choisir de jouer avec d'autres enfants du même sexe — et sur la façon dont l'enfant interprétera ses expériences. De cette façon, le modèle interne n'est pas seulement renforcé, il tend à se perpétuer. La figure 4.2 propose une représentation schématique du concept de soi. Nous allons nous pencher dans la prochaine section sur les différentes perspectives théoriques concernant le développement de la personnalité chez l'enfant.

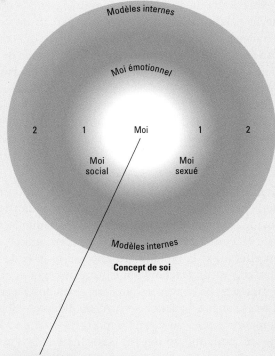

PAUSE-APPRENTISSAGE

Concept de soi et moi émotionnel

- Nommez et définissez les deux étapes du développement du concept de soi selon Lewis.

- Nommez et expliquez les différents tests que l'on utilise pour étudier la conscience de soi chez l'enfant.

- Quelle est la séquence d'évolution de l'expression émotionnelle chez l'enfant de 0 à 2 ans ?

- Expliquez comment se forment les modèles internes du concept de soi et des relations avec les autres.

Concepts et mots clés

- **concept de soi** (p. 114) • **genre** (p. 117) • **modèle interne du concept de soi** (p. 117) • **modèle interne des relations avec les autres** (p. 117) • **moi différentiel (ou moi catégoriel)** (p. 115) • **moi existentiel (ou moi subjectif)** (p. 114) • **référence sociale** (p. 116)

PERSPECTIVES THÉORIQUES

Pour Freud et Erikson, la personnalité n'est pas déterminée par notre patrimoine génétique (les caractéristiques innées de notre tempérament), mais par les interactions entre les besoins de l'enfant et les caractéristiques de son milieu (l'environnement). Ainsi, les réactions des parents jouent un rôle crucial dans l'élaboration de la personnalité de l'enfant. Freud et Erikson ont tenté de décrire les changements qui se produisent dans la personnalité de l'enfant et dans ses relations avec les autres. Nous avons présenté leurs théories au chapitre 1, mais nous allons les revoir brièvement. Puis, nous nous pencherons sur la théorie de l'attachement chez l'enfant.

NOYAU CENTRAL
Il est constitué de la conscience de soi et des interactions avec les autres.

NIVEAU 1
Plusieurs composantes se greffent au noyau central : moi émotionnel, moi social, moi sexué et, plus tard, estime de soi et moi psychologique.

NIVEAU 2
Les modèles internes sont construits à partir des expériences de l'enfant et de son interprétation de ces expériences : modèle interne du moi, modèle interne du moi émotionnel, moi sexué, moi social, modèles internes de l'attachement et des relations sociales et modèle interne du moi psychologique.

Figure 4.2
Représentation du concept de soi.
Ce schéma est une synthèse des éléments théoriques présentés dans cette section. Le concept de soi peut se définir comme une structure composée de l'ensemble des informations (connaissances) auxquelles un enfant peut accéder pour ce qui concerne sa propre personne. Ce noyau central est constitué d'une base de données fondamentales provenant de la perception de soi (conscience de soi) et des interactions avec les autres (environnement). Cette structure reçoit et interprète les informations et influe sur nos comportements : il s'agit donc d'un processus actif. Au fil des années, des composantes se greffent à cette structure. Le concept de soi constitue en réalité une entité psychosociale qui est toujours en construction. À sa périphérie se développent par la suite les modèles internes construits par l'enfant.

Approche de Freud : développement psychosexuel

Freud a décrit cinq stades du développement psychosexuel. Deux de ces stades couvrent la période qui s'étend de la naissance à 3 ans environ. Chacun de ces stades privilégie une zone corporelle particulière qui constitue la zone érogène, c'est-à-dire la principale source de satisfaction sexuelle de l'enfant. La façon dont les stades sont vécus au cours de l'enfance détermine les bases de la personnalité, d'où l'importance des premières années de vie dans l'adaptation future (Cloutier et Renaud, 1990). Nous allons décrire ici le stade oral et le stade anal, qui mettent en lumière un aspect différent de la sensibilité sexuelle.

Stade oral : de la naissance à 18 mois   Durant cette période, la bouche est le principal centre de la stimulation, et le sevrage constitue la principale tâche à laquelle doit faire face le nourrisson. Pendant la première année de la vie en effet, c'est la bouche qui apporte le plus de plaisir à l'enfant ; sucer, mâchouiller, mordre, manger et embrasser permettent de libérer les tensions sexuelles. La zone orale (lèvres, langue, bouche) est investie d'énergie libidinale et demeurera plus ou moins importante tout au long de la vie en tant que source de satisfaction. Si l'expression normale de ces comportements est entravée, du fait d'une éducation rigide par exemple, une frustration peut apparaître chez l'enfant et entraîner une **fixation** à ce stade,

qui aura des répercussions sur le comportement ultérieur de l'adulte. C'est ainsi que l'enfant pourra devenir un adulte boulimique ou sarcastique, ou qui rongera ses ongles, afin de compenser ces frustrations précoces.

Stade anal : de 2 à 4 ans   À mesure que son corps se développe et se soumet à sa volonté, l'enfant devient de plus en plus sensible dans la région anale. À peu près à la même période, les parents commencent à insister sur l'apprentissage de la propreté et montrent leur satisfaction quand le bébé réussit « à faire à la bonne place au bon moment ». Ces deux forces combinées déplacent le centre d'énergie sexuelle de la région orale à la zone érogène anale.

Selon l'attitude des parents, qui permettront ou non à l'enfant d'explorer la région anale et d'en tirer plaisir, l'enfant traversera avec succès ou non le stade anal. La tâche principale de ce stade est l'apprentissage de la propreté. Cependant, cet apprentissage peut devenir source de conflit, puisque l'enfant peut chercher à affirmer son indépendance (et son plaisir anal) en résistant aux tentatives de ses parents pour le discipliner. Dans ce cas, il se peut que l'énergie sexuelle de l'enfant reste fixée à ce stade et que l'enfant devienne, par exemple, un adulte aux habitudes d'ordre ou d'économie excessives ou, à l'opposé, un adulte extrêmement désordonné.

Approche d'Erikson : développement psychosocial

Erikson ne néglige pas l'importance des interactions parents-enfant et des conflits au cours des premières années, mais il met surtout l'accent sur l'influence des habiletés physiques et cognitives grandissantes de l'enfant ainsi que sur son sentiment d'indépendance. Erikson décrit deux stades du développement psychosocial dans la période qui s'étend de la naissance à 3 ans.

Stade 1 : confiance ou méfiance (de la naissance à 18 mois) André Bergeron et Yvon Bois (1999) ont réalisé une bonne synthèse des principaux stades psychosociaux de l'enfance selon Erikson. Nous vous en présentons quelques extraits.

> Pendant cette période, l'enfant doit apprendre à trouver un équilibre entre ses besoins internes et les possibilités de soulagement offertes dans le monde extérieur. Au début de la vie (de 0 à 3 ou 4 mois), toute son énergie est investie pour apaiser les tensions qui l'envahissent. L'enfant passe d'une phase de dépendance

Le sevrage constitue la tâche principale du stade oral selon Freud.

Fixation : Persistance d'un lieu émotionnel créé autour d'un objet ou d'une personne.

totale à l'égard de son environnement à une autre phase dans laquelle il doit apprendre à conquérir une indépendance relative. [...] La personne significative pour cet apprentissage est la personne maternante qui doit lui offrir la stabilité nécessaire pour développer sa confiance. [...] Il ne s'agit pas seulement d'apporter une satisfaction aux besoins primaires (allaitement et changements de couches) de l'enfant, mais de le faire dans un environnement affectif qui permettra aussi de combler le besoin d'être caressé, touché, consolé, pour que la confiance et l'attachement se consolident. Les huit premiers mois de la vie de l'enfant sont prioritairement consacrés à l'établissement d'un lien d'amour avec la personne satisfaisante et en ce sens, la confiance comme la méfiance est impliquée continuellement dans les échanges entre les deux partenaires. Plus l'enfant évolue dans un univers chaleureux et sécurisant, plus il s'attache et apprend à se différencier du monde extérieur. La confiance et la sécurité avec la personne significative permettent à l'enfant de se risquer dans la découverte de son environnement puisqu'il développe la certitude que si un danger se présente, quelqu'un viendra l'aider (Bergeron et Bois, 1999, p. 68).

Nous reprenons dans le tableau 4.1 la façon originale dont Bergeron et Bois (1999) présentent la résolution du stade de la confiance ou de la méfiance ainsi que les attitudes éducatives favorisant le développement de la confiance de base. Il est à noter que, dans ce tableau et dans les tableaux ultérieurs portant sur les stades selon Erikson, le terme *mésadaptation* fait référence à une adaptation positive mais exagérée, alors que le terme *inadapta-*

tion suppose une incapacité à bien s'intégrer dans son milieu et à y nouer des relations harmonieuses.

Résolution du stade

Une trop forte confiance ou une méfiance prononcée peuvent tous les deux avoir un impact négatif sur l'équilibre de l'enfant. Ainsi, le pôle positif mal résolu pourra faire apparaître les traits de caractère suivants démontrant une mésadaptation:

- une confiance naïve
- une dépendance affective

L'enfant doit également conserver une certaine dose de méfiance afin de reconnaître les dangers du monde extérieur. Cependant, une méfiance trop forte mène à une inadaptation pouvant conduire à:

- un retrait affectif et social
- une difficulté d'abandon

L'intégration des deux pôles permet le développement de la force adaptative (qualité du MOI) du stade nommée espoir. L'espoir se compose à la fois d'une dose de confiance permettant d'envisager la vie comme n'étant pas composée exclusivement d'obstacles et d'une dose de méfiance qui permet de se protéger face aux aléas de la vie. Lorsque conquise une première fois, la confiance demeure difficile à ébranler et permet d'envisager les difficultés de la vie comme des éléments surmontables et temporaires (Bergeron et Bois, 1999, p. 69).

Stade 2: autonomie ou honte et doute (de 2 à 4 ans)

Bergeron et Bois (1999) résument le deuxième stade psychosexuel et sa résolution de la façon suivante. Le

---

Tableau 4.1 *Stade 1 d'Erikson*

Partie 1 Résolution du stade de la confiance ou de la méfiance

Mésadaptation	◀ Tendance positive	◀ Force adaptative	◀ Tendance négative	◀ Inadaptation
Confiance naïve	CONFIANCE	**ESPOIR**	MÉFIANCE	Retrait affectif et social
Dépendance affective		L'espoir se compose à la fois d'une dose de confiance permettant de comprendre que la vie ne comporte pas seulement des obstacles et d'une dose de méfiance permettant de se protéger des aléas de la vie.		Difficulté d'abandon

Partie 2 Attitudes éducatives favorisant le développement de la confiance

• **Assurer à l'enfant un environnement calme, stable et sécurisant**	◀ L'enfant a besoin d'une constance dans les soins. Des changements trop fréquents de gardiennes ou de garderies peuvent créer une insécurité. De même un environnement familial stressant peut influencer le caractère de l'enfant. L'enfant devient généralement plus exigeant et manifeste son inconfort par des cris et des pleurs incessants.
• **Ne pas laisser l'enfant pleurer trop longtemps avant de le satisfaire**	Chaque enfant évolue selon un rythme particulier. Souvent, l'on croit qu'un enfant peut « se gâter », particulièrement au cours des huit premiers mois de sa vie, alors qu'il cherche seulement à combler un manque important. Certains enfants ont un besoin de proximité plus fort que d'autres pour se sécuriser. Le besoin d'être caressé, d'être pris dans les bras, de se coller à l'autre varie considérablement d'un enfant à l'autre. Il s'agit de reconnaître les particularités de chacun afin de favoriser l'émergence de sa confiance.
• **Lui permettre de vivre la séparation tout en lui assurant une présence sécurisante**	Certains parents démontrent rapidement de l'anxiété lorsque l'enfant n'est pas dans leur champ de vision. Cette émotion est ressentie par l'enfant et peut retarder son désir d'exploration, qui lui permet d'apprendre à avoir confiance dans sa capacité d'affronter les difficultés de son environnement immédiat.
• **Favoriser les contacts de l'enfant avec d'autres personnes significatives**	Pour consolider sa confiance, l'enfant doit apprendre à établir des relations avec différentes personnes à l'extérieur de son environnement familial. Ainsi, des contacts avec la famille élargie, les amis, les personnes qui viennent à la maison sont des occasions pour l'enfant d'adopter de nouveaux comportements lui permettant d'augmenter sa confiance en soi.

(*Source:* Bergeron et Bois, 1999, p. 69 et 70.)

tableau 4.2 présente la récapitulation de cette résolution ainsi que les attitudes éducatives proposées aux parents.

> Pour acquérir son autonomie, l'enfant doit apprendre à contrôler son corps et c'est pourquoi l'acquisition de la propreté devient un enjeu essentiel au cours de ce stade.
>
> Au niveau moteur, l'enfant a déjà acquis le contrôle de la marche lui permettant d'agrandir son univers. Au niveau relationnel, d'une relation symbiotique avec la personne maternante, son réseau social s'étend maintenant aux deux parents. Son système nerveux également plus mature lui permet l'acquisition de deux modes de fonctionnement: retenir et laisser aller et ce qu'il apprend sur le contrôle de son corps se déplace rapidement à tout son environnement; il veut décider et choisir ce qui lui plaît. Cela ne se fait pas sans opposition. Son désir parfois violent de conquérir son autonomie déclenche des réactions agressives, de l'obstination, de l'entêtement. C'est la période du «Je suis capable, je veux le faire». La recherche de son autonomie passe donc par une différenciation entre ses besoins et ceux des personnes significatives. Bien sûr, il doit être guidé dans son effort pour atteindre le contrôle mais une attitude rigide et sévère peut nuire au développement de son autonomie. Au lieu d'être rassuré sur sa propre capacité de retenir et laisser aller au bon moment, il se fiera davantage aux personnes extérieures pour déterminer le moment indiqué pour un bon apprentissage.
>
> Le doute et la honte constituent la tendance négative du stade lorsque l'enfant rencontre trop souvent l'échec dans sa tentative de contrôler son corps et son environnement. Erikson définit la honte comme étant une «colère tournée contre soi». Cela implique que ce ne sont pas les personnes contrôlantes qui sont mauvaises, mais plutôt le MOI qui est incapable de réussir. Le sentiment d'être vu par les autres dans cette incapacité amène la honte, constituant ainsi un frein à l'autonomie.
>
> Le doute provient de la prise de conscience de sa vulnérabilité, de son incapacité à se défendre si quelqu'un le menace [...]. Le doute provoque chez l'enfant le désir de se protéger contre ceux qui en voudraient à son autonomie [...].

Résolution du stade

Tout comme la confiance de base se développe en équilibre avec la méfiance, l'acquisition de l'autonomie ne peut se réaliser en l'absence de toute forme de honte et de doute. Il est normal pour l'enfant d'expérimenter des échecs temporaires ou encore de ralentir son désir de contrôle lorsque le milieu présente des dangers. L'enfant est soumis à des émotions agressives qu'il n'arrive pas toujours à dominer pendant cette phase. Il doit alors se confronter à ses parents qui souvent doivent lui imposer des limites, nécessaires à sa propre sécurité. L'enfant apprend à être autonome en respectant l'intégrité des autres. L'absence de contrainte pendant ce stade favorise une exagération du pôle positif et crée une mésadaptation que l'on retrouve dans:

- une forte impulsivité
- un entêtement

Cependant, des interventions trop fréquentes et sévères génèrent une honte et un doute prononcés qui peuvent amener l'enfant à vouloir contrôler l'environnement de manière obsessive afin d'enrayer ce doute. L'extension du pôle négatif peut également apparaître dans des comportements inadaptés tels que:

- l'inhibition
- la lâcheté

Tableau 4.2   *Stade 2 d'Erikson*

Partie 1 Résolution du stade de l'autonomie ou de la honte et du doute

Mésadaptation	Tendance positive	Force adaptative	Tendance négative	Inadaptation
Impulsivité	AUTONOMIE	**VOLONTÉ**	DOUTE DE SOI	Inhibition
Entêtement		La volonté est un attribut qui se compose d'attitudes liées à la croyance en sa capacité d'agir (autonomie) et à la reconnaissance de notre incapacité à tout comprendre (doute).	HONTE DE SOI	Lâcheté

Partie 2 Attitudes éducatives favorisant le développement de l'autonomie

• **Ne jamais frapper un enfant**	La tape sur les fesses est un moyen encore utilisé pour réprimander un enfant. Il ne s'agit certes pas de la meilleure manière de solutionner un problème chez un très jeune enfant. Chez un enfant plus âgé, la tape sur les fesses ne lui enseignera aucunement à prendre ses responsabilités et à développer un sentiment d'autonomie, mais l'incitera davantage à rester dépendant de l'adulte et à imiter ce comportement agressif.
• **Éviter les contrôles sévères, les horaires rigides**	Le désir de voir son enfant être propre rapidement amène parfois l'imposition de règles sévères dans l'apprentissage de la propreté pouvant entraîner deux types de conséquences: • une opposition beaucoup plus forte de l'enfant dans son apprentissage qui retardera l'acquisition de la propreté; • une soumission aux règles sévères avec une régression possible (épisode énurétique) au moment où l'enfant vivra de l'anxiété.
• **Être sensible au rythme d'apprentissage de l'enfant**	Chaque enfant est unique et, en ce sens, ne doit jamais être comparé à un autre. Un enfant peut réussir rapidement à acquérir les habiletés liées à une phase de son développement, mais s'attarder dans une autre. En général, le contrôle entier des intestins ne se fait pas avant l'âge de 2 ans et peut même se poursuivre jusqu'à l'âge de 4 ans sans qu'il soit le symptôme d'un problème grave chez l'enfant.
• **Favoriser des expériences nouvelles dans son milieu**	La manipulation de nouveaux objets permet à l'enfant d'apprendre à mieux contrôler son milieu. Une crainte trop grande chez les parents peut constituer une entrave à l'expérimentation active de l'enfant et à la conscience de ses capacités. Une observation prudente est préférable à une interdiction, car l'enfant apprend sur lui-même autant dans ses réussites que dans ses échecs. Le milieu d'expérimentation doit cependant être sécuritaire afin de faciliter le développement de l'autonomie de l'enfant.

(*Source*: Bergeron et Bois, 1999, p. 72 et 73.)

L'intégration des deux pôles fait apparaître la volonté, force adaptative du stade, qui permet la recherche d'autonomie malgré les échecs. La volonté implique la détermination de l'enfant à s'accomplir. Elle est le produit de l'interaction entre le désir d'autonomie de l'enfant et le doute associé à ses capacités réelles de contrôler son environnement. Les deux parents constituent à ce stade le noyau des relations significatives de l'enfant. Leur rôle consiste à adopter des attitudes éducatives qui favoriseront l'acquisition de son autonomie tout en lui faisant prendre conscience de ses limites (Bergeron et Bois, 1999, p. 70 à 72).

Selon Freud et Erikson, il semble donc que l'élément clé de cette période réside dans l'équilibre entre les nouvelles aptitudes et les nouveaux besoins d'autonomie de l'enfant d'une part, et le besoin des parents de protéger l'enfant et de maîtriser son comportement d'autre part.

Théorie de l'attachement

Les études récentes sur les rapports parents-enfant portent la marque de la théorie de l'attachement, en particulier des travaux de John Bowlby (1969, 1973, 1980, 1988a, 1988b). Bowlby a été influencé par la pensée psychanalytique, et il accorde une importance majeure aux premières relations entre la mère et son enfant, ainsi qu'à des concepts évolutionnistes et éthologiques. Selon lui, les enfants naissent avec une propension naturelle à rechercher des liens émotionnels forts avec leurs parents. De telles relations ont une valeur de *survie,* car elles assurent nourriture et bien-être au nourrisson. Ce système d'interactions est composé d'un répertoire de comportements instinctifs qui instaurent et entretiennent une certaine proximité entre les parents et l'enfant ou entre toutes personnes unies par un lien affectif.

Les travaux de Bowlby et ceux de Mary Ainsworth (1972, 1982, 1989 ; Ainsworth *et al.,* 1978) reposent sur plusieurs concepts clés : le lien affectif, l'attachement et les comportements d'attachement.

Ainsworth définit le **lien affectif** comme «un lien relativement durable qui accorde de l'importance au partenaire en raison de son caractère unique et irremplaçable. Dans un lien affectif, on désire préserver l'intimité avec le ou la partenaire» (1989, p. 711). L'**attachement** est un type particulier de lien affectif qui fait intervenir un sentiment de sécurité. Quand vous êtes attaché à une personne, vous éprouvez (ou recherchez) un sentiment de sécurité et de bien-être en sa présence. Cette personne vous sert de «base de sécurité» à partir de laquelle il vous est possible d'explorer le monde.

En d'autres termes, la relation qui unit l'enfant à ses parents est un attachement, mais il n'en est pas de même de la relation qui unit les parents à l'enfant. En général, les parents ne se sentent pas plus en sécurité en présence

de l'enfant et ils n'ont pas recours à lui comme à une base de sécurité. Par contre, la relation qu'entretient un adulte avec un ami intime ou un conjoint comporte toutes les caractéristiques de l'attachement au sens d'Ainsworth et Bowlby.

L'attachement et les liens affectifs ne peuvent être observés directement, car ce sont des états internes. On ne peut en déduire l'existence que par l'examen des **comportements d'attachement**, c'est-à-dire les manifestations qui permettent à l'enfant ou à l'adulte de maintenir une certaine proximité avec l'être auquel il est attaché. Parmi les manifestions possibles, citons le fait de sourire, d'échanger des regards, d'appeler une personne située à l'autre bout d'une pièce, de la toucher, de s'agripper à elle, de pleurer. Il faut souligner qu'il n'existe pas de lien direct entre l'intensité de l'attachement montré par un enfant (ou un adulte) et le nombre de comportements d'attachement. Les comportements d'attachement s'observent surtout au moment où le sujet a besoin de soins, de soutien ou de réconfort. Le nourrisson reste longtemps dans une telle situation de dépendance. Un enfant plus âgé (ou un adulte) est plus porté à manifester des comportements d'attachement quand il a peur ou lorsqu'il est fatigué ou anxieux. Ce sont les *caractéristiques* de ces comportements, et non pas leur fréquence, qui permettent de mesurer l'intensité et la qualité de l'attachement ou des liens affectifs.

Les psychologues du développement croient que les deux premières années de vie constituent une période sensible pour le développement de l'attachement chez l'enfant. Ils affirment qu'un enfant qui ne réussit pas à établir une relation intime, un contact étroit avec la personne qui s'occupe de lui et lui prodigue des soins, risque de présenter plus tard des troubles de la personnalité et des problèmes sociaux. Les études portant sur des enfants dont les circonstances de vie n'ont pas permis ce contact essentiel avec une personne qui leur donnait des soins, comme les enfants élevés dans des orphelinats ou des enfants hospitalisés pour de longues périodes, semblent

---

Lien affectif : Lien relativement durable dans lequel le partenaire est important, car il est perçu comme un individu unique et irremplaçable.

Attachement : Lien affectif puissant qui unit une personne à une autre, dans lequel la présence du partenaire produit un sentiment de sécurité chez l'individu. C'est ce type de lien que l'enfant établit avec sa mère.

Comportements d'attachement : Ensemble des comportements (probablement) spontanés qu'une personne manifeste envers une autre, qui visent à établir ou à maintenir l'attachement et l'attention, comme le sourire chez le jeune enfant ; comportements qui reflètent un attachement.

confirmer ces observations (DeAngelis, 1997; Fahrenfort *et al.*, 1996). Par exemple, les enfants qui sont adoptés après avoir passé plus de deux ans dans un orphelinat sont plus susceptibles de souffrir d'un **désordre réactionnel de l'attachement** comparativement aux enfants qui ont été adoptés très tôt dans leur enfance (DeAngelis, 1997). Les enfants qui présentent un désordre réactionnel de l'attachement semblent incapables d'établir des relations intimes avec qui que ce soit, y compris les parents adoptifs. Les longs séjours en foyer d'accueil sont aussi associés à des déficiences cognitives (Castle *et al.*, 1999). Même les enfants

qui n'ont pas passé plus de deux ans dans un foyer sont plus susceptibles de présenter des retards de développement et des difficultés émotionnelles s'ils sont adoptés tard dans l'enfance (DeAngelis, 1997). L'encadré intitulé « Sujet de discussion » traite de l'adoption et du développement. Nous allons parler plus en détail de l'attachement et des liens affectifs dans la section suivante.

> **Désordre réactionnel de l'attachement :** Trouble affectif qui apparaît chez l'enfant et l'empêche d'établir des relations sociales intimes.

SUJET DE DISCUSSION

L'adoption et le développement

La plupart des personnes qui adoptent un enfant pensent que, si ce dernier reçoit assez d'amour et d'affection ainsi qu'un soutien approprié, il va se développer sur le plan cognitif et émotionnel comme l'aurait fait leur enfant biologique. Vous devez en savoir assez maintenant sur le développement humain pour comprendre que ce n'est pas si simple. D'un côté, plusieurs aspects du tempérament et de la personnalité de l'enfant sont héréditaires. Par conséquent, un enfant adopté est plus susceptible qu'un enfant biologique d'être différent de ses parents sur le plan de ces traits, ce qui peut constituer une source de problèmes. Par exemple, si deux parents qui sont extrêmement timides adoptent un enfant qui est très extraverti, ils peuvent percevoir les comportements de l'enfant comme difficiles et même « anormaux » d'une certaine façon, plutôt que comme simplement différents de leurs comportements à eux.

Les parents adoptifs doivent aussi tenir compte des conditions de vie de l'enfant avant l'adoption, de façon à être réalistes dans leurs attentes vis-à-vis de l'enfant. Les enfants qui sont adoptés avant l'âge de 6 mois et qui n'ont pas vécu en foyer d'accueil ni subi de mauvais traitements ne présentent généralement pas de différences par rapport aux enfants non adoptés quant à la sécurité de l'attachement, au développement cognitif et à l'adaptation sociale. Cette observation se vérifie, que les parents adoptifs et l'enfant appartiennent ou non à la même race ou à la même nationalité (Juffer et Rosenboom, 1997). Par exemple, dans une étude portant sur 211 adolescents adoptés dans des familles suédoises à un âge très jeune, 90 % des enfants adoptés se percevaient comme Suédois, même si nombre d'entre eux n'étaient pas issus du continent européen et possédaient des caractéristiques physiques sensiblement différentes de celles du peuple suédois (Cederblad *et al.*, 1999). De telles découvertes autorisent à penser que l'éducation d'un enfant adopté à faible risque et celle d'un enfant biologique diffèrent peu.

Cependant, les enfants qui sont adoptés plus tard, qui ont des antécédents de mauvais traitements ou de négligence ou qui sont demeurés en foyer d'accueil pendant de longues périodes sont plus susceptibles de présenter des problèmes à la fois cognitifs et émotionnels comparativement à des enfants non adoptés (Castle *et al.*, 1999; Marcovitch *et al.*, 1997; O'Connor, Bredenkamp et Rutter, 1999; Roy, Rutter et Pickles, 2000; Verhulst et Versluis-Den Bieman, 1995). Une étude a démontré

que 91 % des enfants qui ont été adoptés après avoir été maltraités, négligés ou placés en foyer d'accueil souffrent de troubles émotionnels, même si leur adoption a eu lieu en moyenne 9 ans plus tôt (Smith, Howard et Monroe, 1998). Il n'est donc pas surprenant que les parents de ces enfants témoignent d'un stress plus grand associé à l'éducation de l'enfant comparativement à des parents qui ont adopté des enfants qui ne présentaient pas de tels antécédents ou à des parents qui élevaient leurs enfants biologiques (Mainemer, Gilman et Ames, 1998). Par conséquent, les parents qui adoptent ces enfants doivent s'attendre à ce que leur éducation ne soit pas facile.

Cependant, certains facteurs doivent être pris en considération par les parents qui adoptent des enfants à risque élevé. En premier lieu, ces enfants sont dans une meilleure situation de développement que leurs pairs qui demeurent en centre d'accueil ou qui sont retournés auprès de leurs parents biologiques qui les maltraitent ou les négligent (Bohman et Sigvardsson, 1990). De plus, en dépit du risque plus élevé que présentent ces enfants, la grande majorité d'entre eux ne diffèrent guère des enfants non adoptés sur le plan du fonctionnement social et émotionnel au moment où ils atteignent l'adolescence avancée et l'âge adulte (Brand et Brinich, 1999; Cederblad *et al.*, 1999).

En deuxième lieu, la tâche d'élever un enfant à risque peut être considérablement facilitée si on suit des ateliers sur l'art d'être parent (Juffer *et al.*, 1997). Les parents adoptifs devraient profiter des cours offerts par l'organisme responsable de l'adoption. Si aucun cours n'est offert, ils devraient faire appel à leurs ressources communautaires.

Enfin, au premier signe de difficulté, les parents adoptifs devraient s'adresser à un travailleur social ou à un psychologue. En fait, selon les psychologues du développement, les organismes qui trouvent des familles adoptives ou des familles de placement à long terme pour des enfants à risque élevé devraient épauler ces familles en leur procurant des services thérapeutiques après l'adoption (Mainemer, Gilman et Ames, 1998; Minty, 1999; Smith, Howard et Monroe, 1998). Les thérapeutes peuvent fournir une aide précieuse pour les tâches quotidiennes, comme l'apprentissage de la propreté, et enseigner aux parents des stratégies leur permettant de faire face aux comportements qui témoignent de troubles émotionnels sévères, comme l'automutilation.

PAUSE-APPRENTISSAGE

Perspectives théoriques

- Définissez le stade oral et le stade anal selon Freud. Quelles en sont les tâches respectives ?

- Définissez le stade de la confiance ou de la méfiance selon Erikson. Quelle en est la force adaptative ? Quelles sont les conséquences d'une mésadaptation et d'une inadaptation ?

- Définissez le stade de l'autonomie ou de la honte et du doute selon Erikson. Quelle en est la force adaptative ? Quelles sont les conséquences d'une mésadaptation et d'une inadaptation ?

- Distinguez le lien affectif de l'attachement dans la théorie de l'attachement.

Concepts et mots clés

- **attachement** (p. 121) • **comportements d'attachement** (p. 121)
- **désordre réactionnel de l'attachement** (p. 122) • **espoir** (p. 119)
- **fixation** (p. 118) • **inadaptation** (p. 119) • **lien affectif** (p. 121)
- **mésadaptation** (p. 119) • **stade de l'autonomie ou de la honte et du doute** (p. 120) • **stade de la confiance ou de la méfiance** (p. 118)

DÉVELOPPEMENT DES RELATIONS SOCIALES

Pour comprendre les premières relations qui s'établissent entre le parent et l'enfant, il faut regarder les deux côtés de l'équation. Nous allons donc étudier le développement du lien affectif des parents à l'enfant d'une part et de l'enfant aux parents d'autre part, ainsi que les variations dans la qualité de ce lien.

DÉVELOPPEMENT DU LIEN AFFECTIF DES PARENTS À L'ENFANT

À travers les soins qu'ils procurent — changer les couches, préparer la nourriture, donner le bain, manifester une attention constante —, la majorité des parents répondent aux besoins de leur enfant d'une façon qui favorise le développement d'un lien affectif intime.

Lien maternel initial Si vous lisez les journaux, vous avez certainement déjà vu un article dans lequel on affirmait l'importance cruciale du contact immédiat de la mère (ou du père) avec le nouveau-né pour qu'un lien solide puisse se tisser entre eux. Cette affirmation repose essentiellement sur les travaux de deux pédiatres, Marshall Klaus et John Kennell (1976), qui ont avancé l'hypothèse que les premières heures après la naissance représentaient une

« période critique » dans le développement du lien affectif de la mère avec son enfant. Selon eux, les mères qui sont privées de ce contact immédiat risquent d'établir des liens moins forts avec leur bébé et, par conséquent, courent des risques élevés de présenter un dysfonctionnement dans le rôle parental.

Cette hypothèse ainsi que les recherches connexes de ces pédiatres ont largement contribué à modifier les pratiques d'accouchement, notamment la présence désormais normale du père à l'accouchement. Loin de nous l'intention de revenir en arrière sur ces progrès, même s'il apparaît maintenant que l'hypothèse de Klaus et Kennel est erronée. Le contact immédiat ne semble être ni indispensable ni suffisant pour former des liens affectifs durables entre les parents et l'enfant (Myers, 1987).

Quelques études font état d'un certain nombre d'effets positifs à court terme des premiers contacts. Dans les jours qui suivent la naissance, les mères qui ont bénéficié de ce premier contact avec leur enfant font preuve d'une plus grande tendresse à l'égard du bébé et le contemplent davantage que les mères pour qui ce contact n'a eu lieu que quelques heures après l'accouchement (de Chateau, 1980). Il existe peu d'indications d'effets durables. Deux à trois mois après la naissance, les mères qui ont eu un contact immédiat avec leur nourrisson ne leur sourient pas plus et ne le prennent pas plus dans leurs bras que les mères qui ont eu un contact différé.

On n'observe des indices d'effets durables que chez deux groupes particuliers de mères. Ainsi, le contact immédiat semble déterminant chez les mères qui accouchent de leur premier enfant et chez celles qui présentent un risque élevé de problèmes dans la fonction parentale, par exemple les mères très jeunes ou provenant d'un milieu défavorisé. Chez ces dernières, un contact prolongé ou immédiat avec l'enfant durant ses premiers jours de

Cette mère sait manifestement ce qu'il faut faire pour obtenir un sourire de son enfant !

vie semble diminuer le risque de problèmes subséquents, comme les mauvais traitements ou la négligence (O'Connor *et al.,* 1980). Toutefois, pour la majorité des mères, le contact immédiat ou prolongé ne semble pas être un élément indispensable dans la formation d'un lien affectif fort (Wong, 1993).

Synchronie   La possibilité pour le parent et l'enfant d'instaurer un système mutuel d'interactions de comportements d'attachement joue un rôle beaucoup plus critique dans la formation du lien parents-enfant. Voici une description des échanges que l'on peut observer entre le bébé et ses parents: le bébé manifeste ses besoins en pleurant ou en souriant et, quand on le prend dans les bras, il se calme ou se blottit. Il regarde ses parents quand ceux-ci le regardent. Les parents entrent à leur tour dans cette «danse à deux» en usant de leur propre répertoire (peut-être inné) de comportements attentionnés. Ils prennent le bébé dans leurs bras quand il pleure, réagissent quand le bébé a faim ou signale d'autres besoins, sourient quand il sourit et échangent un regard avec lui quand il les regarde. Certains chercheurs et théoriciens décrivent ce phénomène comme une «danse interactive», qui est en fait le développement de la **synchronie** (Isabella, Belsky et von Eye, 1989).

Tous les adultes ont la même expression exagérée de surprise quand ils parlent et jouent avec un bébé. La bouche est grande ouverte lorsqu'ils sourient, les sourcils sont haussés et le front est plissé.

Nous semblons tous savoir, et c'est là l'un des aspects les plus fascinants de ce processus, comment s'exécute cette danse interactive. La plupart des adultes entrent spontanément dans le jeu lorsqu'ils se trouvent en présence d'un très jeune enfant: ils sourient et haussent les sourcils, tout en ayant les yeux grands ouverts. Nous modifions également notre voix en présence d'un bébé. Dans une étude sur les interactions mère-enfant chez les mères chinoises, allemandes et américaines, Hanus et Mechthild Papousek (1991) ont constaté que non seulement toutes les mères observées prenaient une voix aiguë aux intonations mélodieuses, mais aussi qu'elles utilisaient les mêmes séquences d'intonations. Par exemple, elles avaient toutes tendance à employer des inflexions ou des tonalités ascendantes pour faire participer leur bébé à l'interaction, et des inflexions descendantes pour le réconforter.

Cependant, même si nous pouvons exécuter tous ces comportements d'attachement avec un grand nombre d'enfants, nous ne créons pas de lien affectif avec le bébé que nous avons amusé au restaurant ou à l'épicerie du quartier. Pour l'adulte, l'élément critique dans la formation d'un lien affectif authentique semble être la possibilité de construire une véritable synchronie, en répétant cette danse jusqu'à ce que les partenaires se répondent de façon harmonieuse et avec plaisir. Cela prend du temps et de nombreuses répétitions, et certains parents (et enfants) deviennent plus doués que d'autres dans ce domaine. Par exemple, selon certaines recherches, le fait que la mère imite les intonations de la voix de l'enfant et que l'enfant réponde à ces vocalisations constitue une composante importante de la relation de synchronie (Masur et Rodemaker, 1999). En général, plus le processus est régulier et prévisible, plus il semble être satisfaisant pour les parents et plus le lien qui les unit à l'enfant s'en trouve consolidé. Le développement de la synchronie semble bien plus important pour l'établissement d'un lien parental solide que le contact initial à la naissance.

Par ailleurs, la qualité de la synchronie établie entre le parent et l'enfant semble favoriser le développement cognitif de ce dernier. Des psychologues du développement ont découvert que les enfants de 6 à 8 mois qui avaient établi un degré de synchronie élevé avec leurs parents avaient souvent un vocabulaire plus élaboré à l'âge de 2 ans ainsi que des résultats plus élevés à des tests d'intelligence à l'âge de 3 ans, comparativement à leurs pairs dont le degré de synchronie avec les parents était moindre (Saxon *et al.,* 2000).

Synchronie: Système mutuel d'interaction établi entre l'enfant et la personne qui s'en occupe, appelé aussi «danse interactive».

Lien paternel   Il faut noter que la plupart des recherches que nous avons mentionnées ont été réalisées avec les mères des enfants. Malgré tout, plusieurs de ces principes semblent s'appliquer de la même façon au père. La qualité du lien paternel, au même titre que celui de la mère, semble beaucoup plus tributaire de la réciprocité des interactions que du contact immédiat après la naissance. Le fait que les pères disposent du même répertoire de comportements d'attachement que les mères favorise le développement d'une telle réciprocité. Au cours des premières semaines, le père touche le nourrisson, lui parle et le cajole de la même façon que la mère (Parke et Tinsley, 1981).

Après quelques semaines toutefois, on constate une spécialisation dans le comportement des parents envers le nourrisson. Les pères passent plus de temps à jouer physiquement avec l'enfant. Les mères passent plus de temps à prodiguer quotidiennement les soins et elles parlent et sourient davantage au bébé (Parke et Tinsley, 1981). Cela ne signifie pas pour autant que le lien qui unit le père à son enfant est moins fort, mais seulement que ses comportements d'attachement sont typiquement différents de ceux de la mère. On ne sait pas encore si ces différences dans le comportement des parents reflètent la définition culturelle des rôles (environnement) ou si elles sont innées ou instinctives.

Les pères jouent physiquement avec leur enfant plus souvent que les mères.

DÉVELOPPEMENT DU LIEN AFFECTIF DE L'ENFANT AUX PARENTS

Tout comme le lien affectif des parents à l'enfant, le lien affectif, ou attachement, du bébé aux parents apparaît graduellement. Bowlby (1969) définit trois étapes dans le développement de l'attachement de l'enfant, représentées dans la figure 4.3.

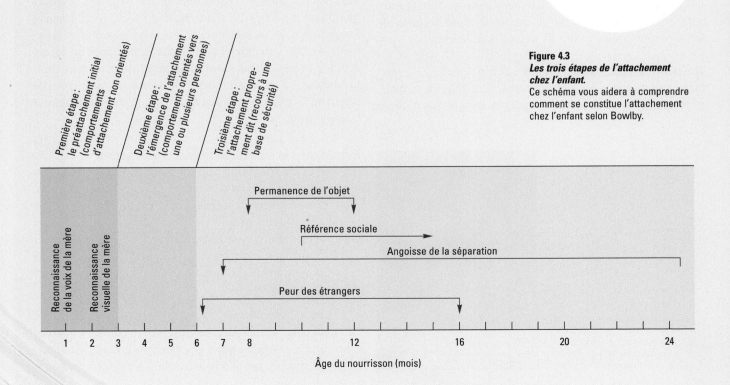

Figure 4.3
Les trois étapes de l'attachement chez l'enfant.
Ce schéma vous aidera à comprendre comment se constitue l'attachement chez l'enfant selon Bowlby.

Première étape : le préattachement (comportements initial d'attachement non orientés)

Deuxième étape : l'émergence de l'attachement (comportements orientés vers une ou plusieurs personnes)

Troisième étape : l'attachement proprement dit (recours à une base de sécurité)

Permanence de l'objet

Référence sociale

Angoisse de la séparation

Reconnaissance de la voix de la mère

Reconnaissance visuelle de la mère

Peur des étrangers

1   2   3   4   5   6   7   8   12   16   20   24

Âge du nourrisson (mois)

Première étape: le préattachement À l'instar de Piaget, Bowlby pense que l'enfant débute dans la vie avec un répertoire de comportements innés qui l'orientent vers les autres et qui signalent ses besoins. Mary Ainsworth décrit ces comportements comme «favorisant la proximité», c'est-à-dire qu'ils rapprochent les gens. Comme vous le savez déjà, le nourrisson peut pleurer, regarder dans les yeux, s'agripper, se blottir et réagir aux soins attentionnés en se laissant réconforter. Cependant, au début, ainsi que le mentionne Mary Ainsworth, «ces comportements d'attachement sont simplement émis, sans être adressés à une personne particulière» (1989, p. 710).

À ce stade, peu de signes témoignent de l'existence d'un véritable attachement qui pourtant commence alors à se développer. Le bébé construit ses «attentes», ses schèmes, sa capacité de distinguer son père et sa mère des autres. Cette interaction sans heurts, prévisible, qui renforce le lien affectif qui unit les parents à l'enfant constitue le fondement de l'attachement naissant de l'enfant.

Deuxième étape: l'émergence de l'attachement Vers l'âge de 3 mois, le bébé commence à faire preuve de plus de discrimination dans ses comportements d'attachement. Il sourit davantage aux personnes qui s'occupent régulièrement de lui, alors qu'il sourit moins spontanément à un étranger. En dépit de cette évolution, le bébé n'est pas encore complètement attaché. Les comportements «favorisant la proximité» sont encore dirigés vers plusieurs individus privilégiés, mais personne n'est encore devenu sa «base de sécurité». À ce stade, les enfants ne font montre d'aucune anxiété particulière quand ils sont séparés de leurs parents et ils n'ont pas peur des étrangers.

Troisième étape: l'attachement Selon Bowlby, le véritable attachement ne se forme que vers l'âge de 6 mois. À ce stade, la nature des comportements d'attachement

change. Le bébé qui utilisait des signaux sur le mode «viens ici» (favorisant le rapprochement) passe à ce que Ainsworth appelle la «recherche de la proximité» en manifestant des comportements sur le mode «va là-bas». Parce que l'enfant de 6 à 7 mois commence à se déplacer en rampant et en marchant à quatre pattes, il peut se déplacer vers la personne qui s'occupe de lui, tout comme il peut l'inciter à venir à lui. À cet âge, la «personne la plus importante» pour l'enfant lui sert également de «base de sécurité», à partir de laquelle il explore le monde. Ce comportement constitue un élément clé traduisant la présence de l'attachement.

Il faut tout de même préciser que tous les enfants ne sont pas aussi exclusifs dans leur attachement, même à ce stade précoce. Il se peut que des enfants de cet âge fassent preuve d'un attachement fort envers les deux parents, ou envers un parent et une autre personne qui prend soin de lui, comme une gardienne ou un grand-parent. Cependant, lorsqu'ils sont en situation de stress, ces bébés montrent malgré tout une préférence marquée pour l'une de ces personnes, à l'exclusion des autres.

Une fois que l'enfant a clairement développé un attachement, soit entre 6 et 8 mois, on assiste à l'apparition de plusieurs comportements connexes. Parmi ces comportements apparaît la *référence sociale*. L'enfant de 10 mois peut distinguer les différentes expressions faciales d'autrui grâce à ses nouvelles habiletés et il les utilise pour orienter son comportement d'attachement. Il faut rappeler ici que le comportement du bébé est toujours guidé par la recherche d'une base de sécurité. Il observe l'expression de sa mère ou de son père avant de s'aventurer vers de nouvelles expériences. À peu près au même âge, les bébés manifestent également deux autres comportements d'attachement en présence de leur base de sécurité: la peur envers les étrangers et une résistance à la séparation.

Résistance à la séparation et peur des étrangers Il est rare que ces comportements apparaissent avant l'âge de 5 ou 6 mois. En général, ils s'intensifient entre 12 et 16 mois, puis disparaissent progressivement. Les résultats de recherche ne concordent pas tous sur ce point, mais il semblerait que le premier comportement à se manifester soit la peur des étrangers, suivie par la résistance à la séparation qui dure plus longtemps. Ce modèle est illustré dans la figure 4.3.

On a observé une augmentation de la peur et de l'anxiété chez des enfants de différentes cultures, et aussi bien chez les enfants nord-américains élevés à la maison que chez ceux qui vont à la garderie. Tout semble indiquer

Les pères qui consacrent plus de temps aux soins quotidiens de leur enfant semblent bénéficier d'un attachement plus fort de la part de ce dernier.

que ce processus soit lié à la séquence du développement cognitif ou du moins à un processus de maturation correspondant à l'âge (Kagan, Kearsley et Zelazo, 1978).

Cependant, même si l'apparition de ces deux phénomènes est commune à la plupart des enfants, l'intensité du sentiment de peur ne l'est pas. Les enfants réagissent différemment devant les étrangers ou les situations nouvelles. Certaines de ces différences reflètent les variations individuelles dans le tempérament (Kagan, 1994), que nous aborderons un peu plus loin. Un sentiment de peur grandissante peut traduire une réaction à un bouleversement récent ou à une situation stressante, comme un déménagement ou un changement d'emploi des parents. Quelle que soit l'origine des variations de l'intensité de la peur, ce phénomène disparaît généralement chez le trottineur vers le milieu de la deuxième année. À partir de 7 ou 8 mois, âge auquel les attachements profonds commencent à se manifester, l'enfant préfère son père ou sa mère à un étranger. Lorsqu'il est en présence de ses deux parents, l'enfant sourit aux deux ou se rapproche des deux, sauf s'il a peur ou s'il se trouve dans une situation de stress. Dans ces conditions, et surtout entre l'âge de 8 et 24 mois, l'enfant se tourne vers sa mère plutôt que vers son père (Lamb, 1981).

VARIATIONS DANS LA QUALITÉ DE L'ATTACHEMENT

Presque tous les bébés semblent connaître les trois étapes du développement de l'attachement décrites par Bowlby; toutefois, la *qualité* de l'attachement diffère d'un enfant à l'autre.

Modèle interne de l'attachement   Durant les premiers mois de la vie, où il crée un premier modèle interne du concept de soi, l'enfant élabore également un modèle interne de l'attachement à travers ses interactions et ses expériences avec ses parents et les personnes importantes dans sa vie. Ce modèle interne de l'attachement constitue en fait un premier modèle interne des relations sociales. Ces modèles internes de l'attachement et des relations sociales comprennent divers éléments, tels que l'assurance ou non que la personne à laquelle l'enfant est attaché sera disponible et accessible, les attentes de l'enfant en matière d'affection ou de rejet, et l'assurance que l'autre constitue réellement une «base de sécurité» pour l'exploration du monde qui l'entoure.

Le modèle interne de l'attachement apparaît vers la fin de la première année de vie, puis continue de s'élaborer et de se consolider durant les quatre ou cinq premières années. À l'âge de 5 ans, la majorité des enfants

ont nettement établi un modèle interne de la mère (ou de la personne qui s'occupe d'eux), un modèle interne du concept de soi et un modèle interne des relations sociales. Une fois établis, ces modèles façonnent les expériences, fournissent des explications, et influent sur la mémoire et l'attention. Nous nous rappelons les expériences qui concordent avec nos modèles et nous oublions celles qui n'y correspondent pas — ou nous n'en tenons pas compte. En termes piagétiens, nous assimilons plutôt les données qui se conforment à notre modèle. Fait plus important encore, le modèle influe sur le comportement de l'enfant: celui-ci tente essentiellement de recréer, dans chaque nouvelle relation, le modèle qui lui est familier. Alan Sroufe (1988, p. 23) donne un exemple pour illustrer ce point:

> Ce qu'un enfant considère comme un rejet sera tout à fait anodin pour un autre enfant. Ce qui peut paraître réconfortant pour l'un peut sembler confus et ambigu pour l'autre. Prenons l'exemple d'un enfant qui s'approche d'un camarade pour jouer. Si celui-ci le rejette, il peut s'en aller bouder dans un coin. Toutefois, un autre enfant devant la même réaction négative pourrait aller voir un autre compagnon, établir une relation positive et jouer avec lui. Les expériences de rejet de ces deux enfants sont très différentes. Chacun reçoit une confirmation de son modèle interne des relations sociales très différente.

Attachements sécurisants et attachements insécurisants

Tous les théoriciens qui étudient l'attachement s'entendent pour dire que l'attachement initial est l'élément qui influe le plus sur la création des modèles internes de l'attachement et des relations sociales de l'enfant. Mary Ainsworth (Ainsworth *et al.*, 1978) a conçu un système de classification pour les divers types d'attachement initial, qui est aujourd'hui utilisé dans le monde entier. Elle fait une distinction entre un attachement sécurisant et un attachement insécurisant, qu'elle évalue en utilisant une technique d'observation standardisée appelée **Situation insolite** (*Strange Situation*), dans laquelle la présence ou l'absence de la mère et celles d'un étranger sont systématiquement contrôlées.

La situation insolite, utilisée principalement avec des enfants âgés de 12 à 18 mois, consiste en une suite de 8 épisodes se déroulant dans un laboratoire, au cours desquels on observe l'enfant placé successivement dans les situations suivantes:
- avec sa mère (Épisode 1),
- avec sa mère et un étranger (Épisode 2),
- seul avec l'étranger (Épisode 3),

> **Situation insolite:** Suite d'épisodes utilisée par Mary Ainsworth et d'autres chercheurs dans des études sur l'attachement. Il s'agit d'observer un enfant en présence de la mère, seul avec un étranger, complètement seul et, enfin, en présence de la mère et d'un étranger.

- tout seul pendant quelques minutes (Épisode 4),
- de nouveau avec sa mère (Épisode 5),
- seul de nouveau (Épisode 6),
- de nouveau seul avec l'étranger (Épisode 7),
- et enfin avec l'étranger et sa mère (Épisode 8).

À partir de leurs réactions dans ces différentes situations, et particulièrement lors des réunions avec leur mère, Ainsworth propose de classer les enfants selon trois types de modèles d'attachement: 1) **attachement sécurisant**, 2) **attachement insécurisant de type fuyant**, 3) **attachement insécurisant de type ambivalent**. Mary Main décrit un quatrième type de modèle d'attachement **l'attachement insécurisant de type désorganisé** (Main et Soloman, 1990).

Le tableau 4.3 présente une liste des caractéristiques des enfants selon le type du modèle d'attachement. En lisant ces descriptions, on remarque que le fait que l'enfant pleure ou non, lorsqu'il est séparé de sa mère, ne constitue pas un indicateur valable de son type d'attachement. Certains enfants présentent un attachement sécurisant pleurent, d'autres non, et cela s'applique également aux enfants présentant un attachement insécurisant. Il faut étudier le modèle de comportement qu'adopte l'enfant face à la Situation insolite, et non un seul comportement particulier.

Les chercheurs ont observé ces divers types d'attachement au cours d'études effectuées dans différents pays, et le modèle d'enfants présentant un attachement sécurisant reste le modèle le plus courant (65 %), alors que le modèle insécurisant de type fuyant et le modèle insécurisant de type ambivalent se retrouvent chez 21 % et 14 % respectivement des enfants étudiés (van IJzendoorn et Kroonenberg, 1988).

Puisque les travaux actuels qui portent sur le sentiment de sécurité lié à l'attachement ont de nombreuses ramifications dans plusieurs domaines théoriques et pratiques, nous allons maintenant étudier les caractéristiques et les implications respectives des types d'attachement.

Origines des attachements sécurisants et des attachements insécurisants

D'où proviennent ces différences observées dans les types d'attachement? Nous savons que les enfants anxieux sont plus susceptibles d'être issus de milieux socioéconomiques défavorisés, de familles présentant des antécédents de mauvais traitements ou de familles dont la mère a connu une dépression clinique sévère (Cichetti et Barnett, 1991; Spieker et Booth, 1988). Mais ces informations ne nous renseignent pas sur ce qui se passe entre l'enfant et les parents, c'est-à-dire sur le processus d'interaction qui est à l'origine de l'attachement sécurisant ou insécurisant.

Selon des études récentes, l'un des facteurs déterminants de l'établissement d'un attachement sécurisant semble être la *disponibilité émotionnelle* de la personne qui s'occupe de l'enfant et lui prodigue des soins (Birengen, 2000). Une personne émotionnellement disponible est *capable* d'établir un attachement émotionnel avec l'enfant et *désire* le faire. Les parents qui sont aux prises avec des difficultés économiques ou qui sont émotionnellement perturbés (dépression) peuvent être tellement accaparés par leurs propres problèmes qu'ils sont incapables de s'investir émotionnellement dans la relation parents-enfant. Ces parents sont peut-être capables de répondre aux besoins physiques de l'enfant, mais sont incapables de répondre à ses besoins émotionnels ou ne le désirent pas.

Un autre facteur déterminant de l'établissement d'un attachement sécurisant semble être la *réaction appropriée* des parents à l'enfant (Isabella, 1995; Pederson et Moran, 1995; Pederson *et al.,* 1990; Seifer *et al.,* 1996). Une réaction appropriée à l'enfant ne signifie pas seulement que les parents aiment leur enfant ou qu'ils en prennent soin, mais aussi qu'ils réagissent au bon moment et de façon appropriée aux signaux qu'il émet. Ils sourient à l'enfant lorsqu'il sourit, ils lui parlent lorsqu'il gazouille, ils le prennent dans leurs bras lorsqu'il pleure, etc. (Ainsworth et Marvin, 1995). Les enfants des parents qui présentent ces comportements dès les premiers mois sont plus susceptibles d'avoir acquis un attachement sécurisant à l'âge de 12 mois (Heinicke *et al.,* 2000).

Notre conviction que ce type de réponse à l'enfant constitue un élément clé d'un attachement sécurisant a été grandement renforcée par l'étude expérimentale réalisée en Hollande par Dymphna van den Boom (1994). Van den Boom a contacté 100 mères issues d'un milieu

Attachement sécurisant: Modèle d'attachement caractérisé par le fait que l'enfant recherche la proximité de ses parents après une séparation ou un stress et qu'il a recours à eux comme base de sécurité pour explorer son environnement.

Attachement insécurisant de type fuyant: Modèle d'attachement caractérisé par le fait que l'enfant évite le contact avec les parents après une séparation et ne manifeste pas de préférence entre des étrangers et ses parents.

Attachement insécurisant de type ambivalent: Modèle d'attachement caractérisé par le fait que l'enfant manifeste peu de comportements d'exploration, qu'il semble grandement perturbé lorsqu'il est séparé de ses parents, et que ces derniers ne parviennent pas vraiment à le consoler et à le rassurer lorsqu'ils sont de retour.

Attachement insécurisant de type désorganisé: Modèle d'attachement caractérisé par le fait que l'enfant semble troublé ou inquiet après une séparation et adopte des comportements contradictoires envers ses parents, comme se diriger vers sa mère tout en regardant ailleurs.

Tableau 4.3	*Comportement d'enfants âgés de 12 mois présentant un attachement sécurisant ou un attachement insécurisant dans la Situation insolite d'Ainsworth*
Attachement sécurisant	L'enfant se sépare facilement de sa mère et se met à explorer la pièce. Lorsqu'il est effrayé ou se sent menacé, il recherche activement le contact et s'avère aisément consolable (il n'évite pas le contact et ne résiste pas au contact établi par sa mère). Lorsqu'il la retrouve après une absence, il l'accueille de façon positive. Elle est capable de le calmer lorsqu'il est bouleversé. Il préfère nettement sa mère à un étranger.
Attachement insécurisant de type fuyant	L'enfant évite le contact avec sa mère, surtout lorsqu'il la retrouve après une absence. Il ne résiste pas aux efforts de contact de sa mère, mais n'essaie pas lui-même d'établir le contact. Il traite sa mère et un étranger à peu près de la même façon.
Attachement insécurisant de type ambivalent	L'enfant explore peu la pièce, il est prudent face à l'étranger. Il se montre bouleversé lorsqu'on le sépare de sa mère, mais elle ne réussit pas à le réconforter à son retour. L'enfant peut soit rechercher, soit éviter le contact, selon le moment. Il peut manifester de la colère envers sa mère lorsqu'il la retrouve ; il résiste aux efforts d'un étranger pour le réconforter et s'approcher de lui.
Attachement insécurisant de type désorganisé	L'enfant semble sidéré, désorienté ou inquiet. Il peut éviter le contact, puis rechercher un contact très étroit. Il peut présenter des modèles conflictuels, comme se rapprocher de sa mère tout en ayant le regard fuyant ; il peut exprimer des émotions sans relation apparente avec les personnes présentes.

(*Sources :* Ainsworth *et al.*, 1978 ; Main et Solomon, 1990 ; Carlson et Sroufe, 1995.)

socioéconomique défavorisé dont les enfants avaient été préalablement évalués comme présentant une irritabilité élevée peu après leur naissance. La moitié de ces mères ont été sélectionnées de façon aléatoire afin de constituer un groupe qui devait suivre trois ateliers de sensibilisation et de formation visant à améliorer leur réceptivité (réaction appropriée) aux besoins de leur enfant. L'autre moitié des mères n'a pas reçu une telle aide. Lorsque les bébés eurent atteint l'âge de 12 mois, van den Boom a observé les mères interagir avec leur enfant à la maison. Elle a aussi observé les mères et leur enfant au cours de la Situation insolite. Les mères qui avaient participé aux ateliers étaient devenues plus réceptives à leur enfant, et ces derniers étaient plus susceptibles de présenter un attachement sécurisant ; cette différence était encore notable à l'âge de 18 mois (van den Boom, 1995).

Il apparaît donc qu'une faible réceptivité est un élément clé et commun aux différents types d'attachement insécurisant. Cependant, chaque type d'attachement insécurisant semble aussi posséder des origines distinctes. Par exemple, le modèle insécurisant de type désorganisé s'observe généralement chez les enfants maltraités et dans les familles où l'un des parents souffre d'un traumatisme non résolu dans sa propre enfance, comme des actes de violence ou la mort d'un parent très tôt au cours de la vie (Cassidy et Berlin, 1994 ; Main et Hesse, 1990). Un modèle insécurisant de type ambivalent est plus commun quand la mère n'est pas constante dans ses réactions et manque de fiabilité quant à sa disponibilité pour l'enfant. La mère peut ne pas être accessible psychologiquement pour de nombreuses raisons, mais le point commun est la dépression. Lorsque la mère rejette l'enfant et refuse le contact avec lui régulièrement (et non de manière intermittente), ce dernier est plus susceptible de présenter un modèle d'attachement insécurisant de type fuyant. Ce modèle d'attachement s'observe aussi chez les enfants dont les mères sont excessivement importunes ou exigeantes à l'égard de l'enfant (Isabella, 1995).

Continuité du type d'attachement   L'attachement sécurisant d'un enfant demeure-t-il stable ou évolue-t-il dans le temps ? Est-ce qu'un enfant ayant un attachement sécurisant à 12 mois le possédera encore à 24 mois ou à 36 mois ? Un enfant d'âge scolaire manifestera-t-il ce même sentiment d'attachement ? Il s'agit là de questions très importantes pour les chercheurs et les théoriciens qui tentent de découvrir si la négligence, les mauvais traitements infligés pendant la petite enfance, ou toute autre source d'attachement faible, peuvent avoir des effets permanents. Les enfants qui ont subi des mauvais traitements à un très jeune âge peuvent-ils s'en remettre plus tard ? Un enfant présentant un attachement sécurisant dès son très jeune âge sera-t-il toujours protégé contre les adversités de la vie ?

Comme d'habitude, la réponse est mitigée ! Lorsque le milieu familial ou les conditions de vie de l'enfant sont suffisamment structurés, le type d'attachement (sécurisant ou insécurisant) demeure généralement stable. Claire Hamilton, par exemple, a évalué le type d'attachement — sécurisant ou insécurisant — chez un groupe d'adolescents qui avaient été déjà évalués durant leur enfance (Hamilton, 1995). Les résultats montrent que 16 des 18 adolescents qui possédaient un attachement insécurisant à l'âge 12 mois présentaient toujours le même type d'attachement à l'âge de 17 ans, alors que 7 des 11 adolescents qui possédaient un attachement sécurisant manifestaient toujours ce type d'attachement. De la même façon dans une étude allemande (Wartner *et al.*, 1994), 82 % des enfants d'un groupe appartenant à la classe moyenne ont été classés dans la même catégorie d'attachement à l'âge de 6 ans qu'à l'âge de 1 an. Cependant, lorsque le milieu de l'enfant change considérablement — lorsqu'il commence à aller à la garderie, que la grand-mère vient vivre à la maison ou que les parents divorcent ou déménagent par exemple —, l'attachement de l'enfant peut changer, passant de sécurisant à insécurisant ou vice versa. Ainsi, Everett Waters et ses collaborateurs ont suivi un groupe d'enfants blancs de classe moyenne de 1 an à 21 ans. Les enfants qui ont changé de type d'attachement pendant ce long intervalle de temps ont presque tous connu des périodes difficiles, telles la mort d'un parent, des violences physiques ou sexuelles ou une maladie sérieuse (Waters *et al.,* 1995).

Le fait même que le type d'attachement puisse se modifier ne réfute pas la notion d'attachement comme modèle interne des relations sociales. Bowlby affirme que, pendant les deux ou trois premières années, le modèle particulier d'attachement d'un enfant est en quelque sorte propre à chaque *relation* donnée. Ainsi, des études récentes sur l'attachement des trottineurs à l'égard du père ou de la mère ont montré que, dans environ 40 % des cas, l'enfant démontre un attachement sécurisant à l'un de ses parents et un attachement insécurisant à l'autre, qu'il s'agisse de la mère ou du père (Fox, Kimmerly et Schafer, 1991). C'est la qualité de chaque relation qui détermine la sécurité de l'enfant dans cette paire. Si la relation change sensiblement, le sentiment de sécurité de l'enfant à l'égard de la personne peut également changer. Selon Bowlby, les modèles internes de l'attachement et des relations avec les autres deviennent propres à l'*enfant* vers l'âge de 4 ou 5 ans; l'enfant les applique dans ses relations, et ces modèles deviennent ainsi plus résistants au changement. C'est alors que l'enfant tend à imposer ces modèles à ses nouvelles relations, y compris à ses professeurs et à ses pairs.

Un enfant peut se « rétablir » d'un attachement initial insécurisant, tout comme il peut perdre un attachement sécurisant. Ainsi, l'attachement de l'enfant peut se consolider ou s'affaiblir. Toutefois, la continuité de l'attachement au fil du temps est plus courante parce que les relations des enfants sont relativement stables durant les premières années de vie et parce que, une fois que le modèle interne d'attachement est bien implanté, il tend à se perpétuer.

Effets à long terme de la qualité de l'attachement

L'intérêt que nous avons manifesté envers la classification d'Ainsworth provient de son utilité pour prédire une grande variété de comportements tant chez les trottineurs que chez les enfants plus âgés. Les enfants ayant un atta-

chement sécurisant sont généralement plus sociables, plus positifs dans leurs comportements envers leur fratrie et leurs pairs, moins dépendants de leurs professeurs, et ils font preuve d'une plus grande maturité émotionnelle à l'école et dans d'autres situations sociales (p. ex. Carlson et Sroufe, 1995; Leve et Fagor, 1995; Jacobsen *et al.,* 1997).

Des études ont montré la continuité du modèle d'attachement. Les adolescents qui avaient été évalués comme ayant un attachement sécurisant durant leur enfance ou qui, à partir d'entrevues, ont été classés comme ayant un attachement sécurisant à l'adolescence font preuve de plus d'habiletés sociales, ont plus d'ami(e)s intimes et sont plus susceptibles de posséder des qualités de chef ainsi qu'une meilleure estime de soi (Black et McCartney, 1995; Lieberman, Doyle et Markiewicz, 1995; Ostoja *et al.,* 1995; Jacobsen et Hofman, 1997). Les adolescents ayant un attachement insécurisant, particulièrement ceux qui présentent un attachement insécurisant de type fuyant, ont moins d'ami(e)s qui les soutiennent et sont plus susceptibles d'avoir des relations sexuelles plus tôt et d'adopter des comportements sexuels à risque (O'Beirne et Moore, 1995).

Ces observations sont appuyées par les résultats d'une étude portant sur des enfants dont les antécédents d'attachement initial étaient connus. Alan Sroufe et ses collaborateurs (Sroufe, Carlson et Schulman, 1993; Urban *et al.,* 1991) ont suivi jusqu'à l'âge de 11 ans un groupe d'enfants dont la moitié présentait un attachement sécurisant et l'autre moitié présentait à part égale les deux principaux types d'attachement insécurisants. L'observation s'est déroulée dans une colonie de vacances spécialement conçue pour cette étude. Les moniteurs du camp classaient chaque enfant selon des caractéristiques précises, et les observateurs notaient le temps que l'enfant passait avec les autres enfants ou avec les moniteurs. Bien entendu, ni les moniteurs ni les observateurs ne connaissaient le type d'attachement initial de l'enfant. Les résultats furent concluants : les enfants qui avaient un attachement initial sécurisant montraient une plus grande confiance en soi et de plus grandes habiletés sociales. Ils collaboraient davantage avec les moniteurs, faisaient preuve d'émotions plus positives et avaient une perception plus réaliste de leurs capacités à effectuer une tâche. Ils ont créé un réseau d'amitiés plus étendu, surtout avec d'autres enfants ayant un attachement sécurisant, et se sont engagés dans des activités plus complexes lorsqu'ils jouaient en groupe. Au contraire, la majorité des enfants qui avaient des antécédents d'attachement insécurisant ont présenté des modèles de comportements déviants à l'âge de 11 ans, tels que l'isolement loin des pairs, des comportements bizarres, de la passivité, de l'hyperactivité ou une agressivité excessive. Très peu d'enfants ayant un attachement sécurisant ont adopté ces modèles de comportements déviants.

La qualité de l'attachement durant l'enfance est aussi un facteur prédictif de la sociabilité de l'individu à l'âge adulte (Van Lange *et al.,* 1997). Dans l'ensemble, les études effectuées sur l'attachement font ressortir les effets à long terme du modèle interne de l'attachement ou du modèle interne des relations avec les autres, établis durant la première année de vie. Toutefois, ces modèles peuvent changer, et il nous reste beaucoup à apprendre sur les facteurs qui tendent à maintenir ou à altérer ces modèles initiaux.

Développement des relations sociales

- Comment le lien affectif des parents à l'enfant se développe-t-il ?

- Qu'est-ce que la synchronie (ou danse interactive) ?

- Expliquez ce que l'on entend par « spécialisation dans le comportement des parents envers le nourrisson ».

- Expliquez les trois étapes du processus de l'attachement de l'enfant aux parents.

- Quelles sont les conséquences de l'échec de l'attachement ?

- À quel moment apparaissent la peur des étrangers et la résistance à la séparation ? Comment peut-on expliquer ces comportements ?

- Quels sont les différents types d'attachement et leurs caractéristiques respectives ?

Concepts et mots clés

- **attachement insécurisant de type ambivalent** (p. 128)
- **attachement insécurisant de type désorganisé** (p. 128)
- **attachement insécurisant de type fuyant** (p. 128) • **attachement sécurisant** (p. 128) • **situation insolite** (p. 127) • **synchronie** (p. 124)

PARCOURS INDIVIDUELS : TEMPÉRAMENT

Lorsqu'ils commencent à développer simultanément leur concept de soi et leur modèle interne d'attachement, les bébés ne sont pas totalement démunis. Chaque bébé possède dès la naissance des caractéristiques innées, des modes et des styles de réaction qui lui sont propres. Ces prédispositions innées influent sur la réaction des autres envers chaque enfant ainsi que sur la façon dont chaque enfant comprend ou interprète ses expériences.

En général, les psychologues utilisent le terme **personnalité** pour décrire les différences dans la façon dont les enfants et les adultes réagissent aux objets et aux personnes qui les entourent. Ces différences individuelles qui persistent dans le comportement semblent apparaître durant l'enfance et l'adolescence à partir d'un ensemble de prédispositions émotionnelles et comportementales innées (McCrae *et al.,* 2000). C'est cet ensemble de prédispositions présentes à la naissance que l'on appelle le **tempérament**. Le tempérament serait donc une sorte de « matrice fondamentale » à partir de laquelle se développe la personnalité de l'enfant et de l'adulte (Rothbart, Ahadi et Evans, 2000).

La distinction entre le tempérament et la personnalité est analogue à celle qui existe entre le génotype et le phénotype. Le génotype détermine les modèles fondamentaux (héritage génétique original), alors que le phénotype est le produit de l'influence des expériences particulières subséquentes sur ces modèles fondamentaux. De la même façon, le tempérament constitue le modèle fondamental, alors que la personnalité est le produit de l'influence d'une myriade d'expériences de vie sur ce modèle fondamental. Nous parlerons dans les chapitres ultérieurs des variations observées dans la personnalité des individus ; nous allons aborder dans la section suivante les recherches qui portent sur les variations du tempérament chez l'enfant.

Dimensions du tempérament

Les psychologues qui étudient le tempérament des enfants ne s'entendent toujours pas sur la meilleure façon de décrire les dimensions clés des différences observées sur le plan du tempérament. Les premiers théoriciens les plus influents dans ce domaine ont été Thomas et Chess (1977), qui proposent une liste de neuf dimensions du tempérament :
- le niveau d'activité de l'enfant (bouge beaucoup ou peu),
- le rythme biologique (régularité des fonctions biologiques comme s'alimenter ou dormir),
- le rapprochement ou le retrait (face à une nouvelle stimulation),
- l'adaptabilité aux expériences nouvelles,
- le seuil de réaction (quantité de stimulations nécessaire pour réagir),

Personnalité : Ensemble des différents modes de réaction aux objets et aux personnes qui sont particuliers à un individu et relativement durables.

Tempérament : Prédispositions émotionnelles et comportementales innées, comme le niveau d'activité, qui sont à l'origine de la personnalité.

Si ce poupon est toujours aussi souriant que sur la photographie, nous pouvons dire qu'il a un tempérament facile. Puisqu'il reçoit divers types de soins de la personne qui s'occupe de lui, l'enfant facile vit différentes expériences pendant la petite enfance et l'enfance, ce qui va influer sur le développement de son modèle interne de concept de soi.

- l'intensité de la réaction(faible ou forte),
- la qualité de l'humeur (positive ou négative),
- la propension à la distraction,
- la capacité d'attention et la persistance.

Thomas et Chess ont également découvert que les variations de ces neuf dimensions peuvent être regroupées en trois types fondamentaux de tempérament: 1) l'enfant facile (environ 40 % des enfants), 2) l'enfant difficile (environ 10 % des enfants), 3) l'enfant lent à s'adapter (environ 15 % des enfants). Les autres enfants (35 %) n'entrent pas dans une catégorie précise. La notion d'«enfant difficile» a fait l'objet de beaucoup d'attention ces dernières années. Ce sont ces trois types de tempérament (présentés au tableau 4.4) qui ont exercé la plus grande influence sur le plan théorique.

D'autres chercheurs, Buss et Plomin (Bluss, 1989; Buss et Plomin,1984, 1986) ont décrit trois dimensions

fondamentales du tempérament, soit l'activité, l'émotivité et la sociabilité. Le questionnaire qu'ils ont élaboré pour évaluer ces trois dimensions a été largement utilisé dans des études portant sur les enfants et les adultes. Voici une brève description de ces trois dimensions.

- Activité: variations dans le rythme, la vigueur et la persistance.
- Émotivité: variations dans la propension à devenir facilement ou intensément bouleversé ou contrarié (accompagnées d'un sentiment de peur et de colère).
- Sociabilité: variations dans la disposition à se rapprocher des autres et à être récompensé par les interactions sociales. Fort sentiment de responsabilité envers autrui.

Aucune de ces deux approches n'a vraiment réussi à s'imposer. Les chercheurs qui s'intéressent au tempérament tentent encore d'en établir les dimensions clés. Cependant, cinq aspects du tempérament semblent maintenant faire l'objet d'un certain consensus (Ahadi et Rothbart, 1994; Belsky, Hsieh et Crnic, 1996; Kagan, 1994; Martin, Wisenbaker et Huttunen, 1994).

- Niveau d'activité: tendance à bouger souvent et de façon vigoureuse, plutôt que de demeurer passif et immobile.
- Approche émotionnelle positive: tendance à aller vers les personnes nouvelles (objets ou situations) plutôt que de les éviter. Cette réaction initiale de l'enfant à un nouveau stimulus est généralement accompagnée d'une émotion positive. Dimension semblable à ce que Buss et Plomin appellent la sociabilité.
- Inhibition: tendance à avoir une réaction de peur ou d'évitement face aux nouvelles personnes, aux nouvelles situations et aux nouveaux objets. Cette dimension a été particulièrement étudiée par Jerome Kagan et ses collaborateurs (p. ex. 1994; Kagan, Reznick et Snidman, 1990), qui y voient le précurseur de ce qu'on appelle couramment la timidité.
- Réponse émotionnelle négative: tendance à réagir avec colère, agitation, force et irritabilité. Seuil de tolérance à

Tableau 4.4	*Les trois types de tempérament selon Thomas et Chess*
Tempérament facile (40 %)	L'enfant facile a des fonctions biologiques régulières: il dort bien et mange à des heures régulières. Il aborde les nouveaux événements de façon positive et avec confiance. Il est généralement de bonne humeur et s'adapte facilement au changement.
Tempérament difficile (10 %)	L'enfant difficile a des fonctions biologiques moins régulières, de sorte qu'il lui faut plus de temps pour acquérir des habitudes normales de sommeil et d'alimentation. Ce type d'enfant réagit vigoureusement et négativement au changement; il pleure et est souvent irritable. D'ailleurs, ses pleurs sont plus stridents et plus irritants que les pleurs de l'enfant facile (Boukydis et Burgess, 1982).
Tempérament lent à s'adapter (15 %)	L'enfant lent à s'adapter présente peu de réactions intenses (qu'elles soient positives ou négatives). Face aux choses nouvelles ou aux personnes nouvelles, il fait preuve d'une certaine résistance passive. Par exemple, au lieu de pleurer et de recracher violemment sa nourriture, l'enfant se contentera de laisser la nourriture tomber de sa bouche, tout en s'opposant doucement à tout effort subséquent pour le nourrir. Son adaptation à une nouvelle personne ou à une nouvelle expérience s'avère cependant généralement positive.

(*Sources*: Thomas et Chess, 1977; Boukydis et Burgess, 1982.)

la frustration peu élevé. Dimension que Thomas et Chess associent au tempérament difficile et que Buss et Plomin appellent l'émotivité.

- Capacité d'attention et persistance : capacité à maintenir sa concentration sur une tâche et à diriger son attention et ses efforts.

Il ne s'agit manifestement pas d'une liste complète, et les chercheurs qui s'intéressent au tempérament s'efforcent encore d'établir un inventaire des dimensions du tempérament qui ferait l'unanimité. Nous croyons néanmoins que ces aspects du tempérament font l'objet d'un large consensus dans le monde de la recherche. Il reste cependant des questions importantes, par exemple : D'où proviennent les caractéristiques du tempérament ? Persistent-elles au cours de l'enfance et de l'âge adulte ?

Origine génétique du tempérament

Tous les chercheurs ou presque qui étudient le tempérament des bébés considèrent que les différences observées sont *innées* et résultent d'un modèle génétique ou d'une expérience prénatale. L'idée avancée ici est relativement proche de la notion des « prédispositions innées » que nous avons abordée dans les chapitres précédents. La différence fondamentale se situe dans le fait que ces prédispositions sont *individuelles* et non communes à l'ensemble des enfants.

Ces conclusions semblent corroborées tant par des études portant sur la personnalité à l'âge adulte que par des études portant sur le tempérament durant l'enfance (Goldsmith, Buss et Lemery, 1995 ; Rose, 1995). Des études effectuées sur des jumeaux dans de nombreux pays montrent que les jumeaux identiques se ressemblent plus sur le plan du tempérament ou de la personnalité que les jumeaux fraternels (Rose, 1995). Par exemple, Robert Plomin, Robert Emde et plusieurs collaborateurs (Emde *et al.*, 1992 ; Plomin *et al.*, 1993) ont étudié 100 paires de

jumeaux identiques et 100 paires de jumeaux fraternels à l'âge de 14 et 20 mois. À chacun de ces âges, on a demandé aux mères d'évaluer leurs enfants selon les dimensions du tempérament décrites par Buss et Plomin. On a également observé les réactions (niveau d'inhibition) de chacun des enfants lorsqu'il était en présence d'un adulte étranger et d'un nouveau jouet dans un espace de jeu en laboratoire. L'enfant s'approchait-il de l'adulte étranger ou du nouveau jouet ou demeurait-il près de sa mère ? Le tableau 4.5 présente les résultats de cette recherche. Les corrélations entre les scores du tempérament dans les quatre dimensions évaluées sont considérablement plus élevées chez les jumeaux identiques que chez les jumeaux fraternels, ce qui indique un important effet génétique.

Certains théoriciens du tempérament vont plus loin : ils voient, dans les différences fondamentales du comportement des enfants, des variations dans les modèles physiologiques sous-jacents (Gunnar, 1994 ; Rothbart, Derryberry et Posner, 1994). Les études effectuées par Jerome Kagan illustrent ce type d'hypothèse. Selon Kagan, les différences dans l'inhibition du comportement trouvent leur origine dans des seuils de stimulation différents de certaines régions du cerveau, soit l'amygdale cérébelleuse et l'hypothalamus, qui régissent les réactions à l'incertitude (Kagan, 1994 ; Kagan, Reznick et Snidman, 1990 ; Kagan, Snidman et Arcus, 1993). La stimulation de ces régions du cerveau entraîne des augmentations de la tension musculaire et du rythme cardiaque. On suppose que les enfants timides ou inhibés ont un *faible* seuil de tolérance à ces stimulations. Ainsi, ils deviennent plus facilement tendus et vigilants en situation d'incertitude. Il semblerait également qu'ils interprètent beaucoup plus de situations comme étant incertaines (Kagan, Reznick et Snidman, 1990). Nous n'héritons donc pas d'un trait héréditaire qui s'appelle « timidité » ou quelque chose d'équivalent, mais bien d'une propension du cerveau à réagir de façon particulière (Davidson, 1994).

Tableau 4.5   *Similarité du tempérament chez des jumeaux identiques et des jumeaux fraternels*

Échelle du tempérament	Corrélations à 14 mois		Corrélations à 20 mois	
	Identiques	Fraternels	Identiques	Fraternels
Évaluation par les parents				
• Émotivité	0,35*	−0,02	0,51*	−0,05
• Activité	0,50*	−0,25	0,59*	−0,24
• Sociabilité	0,35*	0,03	0,51*	0,11
Observation				
• Inhibition comportementale	0,57*	0,26*	0,45*	0,17

*Indique que la corrélation est statistiquement significative.

(*Source* : Adapté de Plomin *et al.*, 1993, tableau 2, p. 1364.)

Continuité du tempérament

La plupart des personnes qui étudient le tempérament des enfants supposent que le tempérament persiste de l'enfance à l'âge adulte. Aucun théoricien cependant n'affirme que les dispositions initiales du tempérament demeurent les mêmes au fil des expériences. Néanmoins, si les modèles fondamentaux du tempérament créent des sortes de «prédispositions innées» qui influent sur le mode d'interaction de l'individu, alors on devrait observer une certaine continuité du tempérament dans le temps à travers ces comportements particuliers. Une telle continuité se traduirait par des corrélations au moins modestes entre les mesures d'une certaine dimension du tempérament d'une catégorie d'âge à l'autre.

Les résultats de recherches récentes portant sur des périodes assez étendues allant de la petite enfance à l'enfance semblent indiquer une certaine continuité dans le tempérament. Par exemple, des chercheurs australiens ont trouvé que, dans un groupe de 450 enfants évalués par leur mère, divers aspects du tempérament (irritabilité, coopération, rythme biologique, persistance, rigidité et tendance à aller vers un étranger plutôt que de l'éviter) étaient constants de la petite enfance à l'âge de 8 ans (Pedlow *et al.*, 1993). De même, dans une étude longitudinale américaine portant sur des enfants suivis de 1 an à 12 ans, Diana Guerin et Allen Gottfried (1994a, 1994b) ont noté une forte continuité dans les évaluations des parents à propos des traits associés à leurs enfants difficiles et à propos d'autres aspects du tempérament (comportements d'approche ou de retrait, humeur positive ou négative et niveau d'activité).

Kagan a aussi remarqué une forte continuité autour des mêmes âges en ce qui concerne la mesure de l'inhibition. Ses résultats étaient fondés sur l'observation du comportement de l'enfant plutôt que sur l'évaluation du tempérament par les mères. Il a noté que la moitié des

L'hérédité des traits de personnalité chez les jumeaux adultes

Au cours des dix dernières années, bon nombre de nouvelles études rigoureuses effectuées sur des jumeaux adultes ont montré à plusieurs reprises que les jumeaux identiques se ressemblent plus que les jumeaux fraternels sur une grande variété de mesures touchant la personnalité ainsi que sur des mesures évaluant le tempérament en fonction des catégories de Bluss et Plomin (Loehlin, 1992).

Par exemple, un groupe de chercheurs incluant Nancy Pedersen et Robert Plomin (Bergeman *et al.*, 1993 ; Pedersen *et al.*, 1988) ont utilisé des registres suédois très détaillés et à jour. Ces registres contiennent des renseignements sur 25 000 paires de jumeaux nés entre 1886 et 1958. À partir de ces renseignements, les chercheurs ont pu retrouver 99 paires de jumeaux identiques et 229 paires de jumeaux fraternels qui avaient été élevés séparément. Puis, ils les ont comparées à des paires de jumeaux qui avaient grandi ensemble. Sur les dimensions de l'émotivité, de l'activité et de la sociabilité, les jumeaux identiques se ressemblaient plus que les jumeaux fraternels. Le degré de ressemblance était plus faible (mais significatif) chez les jumeaux identiques élevés séparément, mais ces paires de jumeaux se ressemblaient malgré tout plus que les paires de jumeaux fraternels élevés séparément.

La Minnesota Twin Study est une étude de moindre envergure, mais qui a connu un grand retentissement aux États-Unis (Tellegen *et al.,* 1988 ; Bouchard, 1984), et a fait l'objet de nombreux articles dans des revues qui s'adressent au grand public. Dans cette étude, les chercheurs se sont surtout intéressés aux jumeaux identiques qui ont été élevés séparément : ils ont même organisé des rencontres entre ces jumeaux identiques, qui se voyaient ainsi pour la première fois de leur vie. Grâce à des tests standard de personnalité, ils ont découvert un modèle maintenant bien connu : les jumeaux identiques se ressemblent beaucoup plus que les jumeaux fraternels, même s'ils n'ont pas été élevés ensemble. Ce résultat est vrai pour des comportements, tels que l'émoti-

vité positive et négative (qui est semblable à la dimension de l'émotivité de Buss et Plomin), et pour des comportements beaucoup moins évidents, tels que le sens du «potentiel social» et le bien-être. Même l'évaluation d'une dimension comme le traditionalisme, soit une affinité pour les valeurs traditionnelles et un grand respect pour l'autorité établie, montre une plus grande corrélation entre les jumeaux identiques qu'entre les jumeaux fraternels.

La presse populaire s'est davantage intéressée aux résultats, beaucoup moins précis mais étonnants, concernant les préférences vestimentaires, les champs d'intérêt, la posture et le langage corporel, la vitesse et le débit d'élocution, les plaisanteries préférées et les passe-temps de jumeaux identiques n'ayant pas été élevés ensemble.

> Des jumeaux masculins qui ne s'étaient jamais rencontrés, avaient tous deux la même allure décontractée : une barbe, une coupe de cheveux identique, des lunettes à monture en métal et une chemise sport de style anglais... D'autres jumeaux transportaient les mêmes articles ou presque dans leurs trousses de voyage, notamment la même eau de Cologne et la même marque de dentifrice... Une autre paire avait les mêmes peurs et phobies. Les deux avaient peur de l'eau et avaient adopté la même stratégie d'adaptation : ils avançaient dans la mer jusqu'à ce que l'eau atteigne leurs genoux et n'allaient pas plus loin. (Holden, 1987, p. 18.)

Il est difficile d'imaginer quel type de processus génétique pourrait expliquer les préférences pour une coupe de cheveux ou un dentifrice. Toutefois, on ne peut mettre ces résultats de côté simplement parce qu'il est difficile de les expliquer. Finalement, ces résultats indiquent qu'il existe une forte composante génétique dans de nombreux aspects de la personnalité et des réactions émotives que les chercheurs s'intéressant au tempérament essaient de définir et d'observer chez les enfants.

enfants de son étude longitudinale qui avaient été préalablement évalués comme présentant un degré élevé de pleurs et d'activité motrice en réponse à une situation nouvelle lorsqu'ils étaient âgés de 4 mois adoptaient les mêmes comportements dans une situation identique à l'âge de 8 ans. De plus, les trois quarts des enfants évalués comme ayant un faible degré d'inhibition à 4 mois appartenaient toujours à cette catégorie après l'âge de 2 ans (Young, Fox et Zahn-Waxler, 1999) et même après l'âge de 8 ans (Kagan, Snidman et Arcus, 1993).

Ainsi, les bébés qui abordent leur environnement avec un certain enthousiasme et une attitude positive continuent d'être plus positifs une fois parvenus à l'adolescence, alors que les bébés qui témoignent d'un degré élevé d'inhibition comportementale font encore preuve de timidité des années plus tard. De la même façon, les bébés grincheux au tempérament difficile présentent toujours ces mêmes aspects du tempérament dix ans plus tard (Kagan, Snidman et Arcus, 1993). D'autres recherches indiquent également que les différences de tempéraments sont stables de l'âge préscolaire à l'âge adulte (Caspi, 2000).

Tempérament et environnement

Il est clair cependant que le tempérament ne détermine pas la personnalité de façon inéluctable. Les expériences particulières de l'enfant jouent un rôle crucial dans ce domaine. Certaines interactions du tempérament et de l'environnement tendent à renforcer des prédispositions innées du tempérament. En voici trois exemples.

Chacun de nous (y compris les jeunes enfants) *choisit* ses expériences, processus que Sandra Scarr considère comme étant «un choix effectué à l'intérieur de notre propre créneau» (Scarr et McCartney, 1983); cette idée est proche du concept de continuité cumulative que nous avons étudié au chapitre 1. Nous choisissons d'être actifs dans les domaines que nous connaissons bien et dans lesquels nous nous sentons en confiance. Ainsi, les enfants présentant un degré de sociabilité élevé recherchent les contacts avec les autres et les enfants présentant un degré d'activité faible sont plus susceptibles de choisir des activités sédentaires, comme les casse-tête ou les jeux de société plutôt que le football ou le soccer.

De la même façon, le tempérament peut influer sur la manière d'*interpréter* une expérience donnée; ce facteur nous permet de mieux comprendre comment deux enfants appartenant à la même famille peuvent vivre les mêmes interactions familiales et les mêmes événements de façon totalement différente. Imaginez, par exemple,

une famille qui déménage souvent, comme une famille de militaires. Si un des enfants possède une forte prédisposition innée à l'inhibition comportementale, les nombreux changements et les nouvelles expériences vont provoquer chez lui de plus en plus de réactions de crainte. L'enfant en vient à anticiper chaque déménagement comme une expérience redoutable et est plus susceptible d'interpréter sa vie familiale comme fortement stressante. Un autre enfant de la même famille muni d'une forte prédisposition innée qui le pousse à aller vers les autres (comportement d'approche) interprète les déménagements comme des expériences stimulantes et est plus susceptible de considérer son enfance comme positive.

Il existe un troisième facteur de l'environnement qui tend à renforcer les prédispositions innées du tempérament, soit la tendance des parents (et d'autres personnes appartenant au monde de l'enfant) à réagir de façon différente à des types de tempéraments différents. L'enfant sociable qui sourit souvent est plus susceptible de provoquer des sourires et des interactions positives de la part des parents, simplement parce qu'il a renforcé leur comportement par son tempérament positif. Buss et Plomin (1984) ont suggéré que, en général, les enfants dont le tempérament se situe dans la moyenne des dimensions du tempérament s'adaptent à leur environnement, tandis que ceux dont le tempérament penche vers les extrêmes, comme les enfants difficiles, forcent leur environnement à s'adapter à eux. Ainsi, on pourrait dire que les enfants difficiles sont plus souvent punis que les autres enfants et reçoivent, par le fait même, moins de soutien et de stimulation de la part des parents (Luster, Boger et Hannan, 1993; Rutter, 1978).

Toutefois, même si les conclusions de Buss et Plomin reposent sur des faits établis, elles ne rendent pas compte de l'énorme complexité du processus. Premièrement, les parents sensibles, qui réagissent bien et possèdent de bonnes habiletés parentales, peuvent atténuer grandement les effets négatifs des aspects extrêmes du tempérament de leurs enfants. Un exemple particulièrement intéressant à ce titre nous provient des travaux de Megan Gunnar et de ses collaborateurs (Gunnar, 1994) qui ont étudié un groupe d'enfants présentant un degré d'inhibition élevé et qui différaient cependant quant au type d'attachement à leur mère. Dans une série d'études (Colton *et al.*, 1992), ils ont découvert que les enfants qui possèdent un degré d'inhibition élevé et dont l'attachement est insécurisant présentent les réponses physiologiques habituelles à une situation nouvelle ou à une difficulté. Cependant, les enfants qui possèdent un degré d'inhibition élevé et dont l'attachement est sécurisant n'ont pas une réaction physiologique aussi

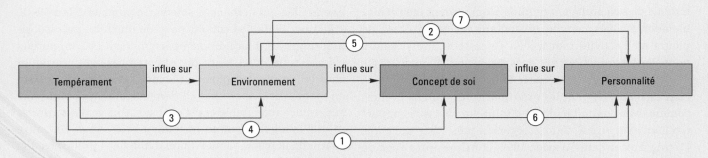

Figure 4.4
Modèle interactif de la personnalité.

intense à une situation nouvelle ou à une difficulté. Ainsi, l'attachement sécurisant de l'enfant semble avoir modifié la réponse physiologique habituelle liée au tempérament de l'enfant. À plus long terme, le type d'attachement peut éviter que l'enfant consolide un tempérament associé à une inhibition ou une timidité extrêmes.

Par conséquent, alors que plusieurs facteurs de l'environnement tendent à renforcer les aspects fondamentaux du tempérament de l'enfant, créant ainsi une stabilité et une continuité du tempérament et de la personnalité au fil du temps, les facteurs environnementaux peuvent aussi entraîner l'enfant vers de nouveaux modèles ou l'aider à maîtriser des formes extrêmes de réactions physiologiques fondamentales.

Synthèse des théories de la personnalité

On peut définir la personnalité comme étant un modèle de comportement unique à chaque individu. Nous venons d'étudier différentes théories explicatives, qui sont autant de points de vue différents sur les origines de la personnalité. Chaque théorie est en partie confirmée par les recherches et, si nous retenons les principaux éléments de chacune, nous obtenons un modèle interactif de la personnalité qui est illustré à la figure 4.4.

Cette synthèse veut illustrer le fait que la personnalité de l'enfant est constituée de la somme de son tempérament, de ses expériences (les modèles particuliers de renforcement qu'il a reçus et l'influence de son environnement familial) et de son concept de soi. Cependant, la personnalité n'est pas formée par simple addition de ces trois forces indépendantes. Ces forces agissent les unes sur les autres de façon fort complexe, et le processus est interactif.

Ainsi, le tempérament héréditaire est toujours le point de départ, la base sur laquelle tout sera construit (voir la flèche 1). La façon dont les parents traitent l'enfant a toujours un grand effet (voir la flèche 2). Cependant, ces deux éléments ne sont pas indépendants l'un de l'autre. La façon dont l'enfant est traité dépend aussi de son tempérament (voir la flèche 3). Les enfants coléreux et difficiles sont traités très différemment des enfants calmes, faciles et souriants. Par exemple, on punit davantage les enfants difficiles, ce qui augmente le risque d'accroître leur comportement déplaisant.

Le tempérament et l'environnement influent tous deux, et tour à tour, sur le concept de soi de l'enfant. La prise de conscience par l'enfant qu'il existe et qu'il possède des qualités propres est à la base de la formation du concept de soi (voir les flèches 4 et 5). Le concept de soi influe à son tour sur la personnalité (voir la flèche 6). Enfin, la personnalité influe sur l'environnement (voir la flèche 7).

La personnalité est donc fonction du tempérament hérité et du genre de stimulations et de soins que les parents procurent à l'enfant. Les actions des parents sont à leur tour influencées par le tempérament et la personnalité naissante de l'enfant, et leur capacité d'apporter un soutien à l'enfant (habiletés parentales) est tributaire d'un large éventail d'événements de leur vie quotidienne. Tous ces éléments contribuent à former le concept de soi de l'enfant qui sert de médiateur dans ces interactions en suscitant certains comportements qui deviennent par la suite résistants au changement.

Évidemment, nos connaissances sont encore très fragmentées. Cependant, cette combinaison des différentes théories de la personnalité et la mise en évidence de l'interaction des facteurs causals offrent un portrait plus juste de notre unicité.

Parcours individuels : tempérament

- Qu'est-ce que le tempérament ? la personnalité ?

- Quelles sont les caractéristiques de l'enfant facile ? de l'enfant difficile ? de l'enfant lent à s'adapter ?

- Décrivez les cinq dimensions du tempérament qui font l'objet d'un certain consensus chez les chercheurs.

- Le tempérament est-il d'origine génétique et présente-t-il une continuité dans le temps ? Expliquez vos réponses.

- Expliquez les facteurs de l'environnement qui tendent à renforcer le tempérament.

Concepts et mots clés

- **personnalité** (p. 131) • **tempérament** (p. 131) • **tempérament difficile** (p. 132) • **tempérament facile** (p. 132) • **tempérament lent à s'adapter** (p. 132)

ENVIRONNEMENT : INFLUENCE DE LA FAMILLE

L'enfant ne se développe pas en vase clos, à l'abri des influences extérieures. Une des influences les plus déterminantes est l'influence de la famille, et plus particulièrement le style d'éducation des parents.

FONCTIONNEMENT DE LA FAMILLE

Les recherches sur le tempérament nous indiquent combien il est important de comprendre l'influence de la famille sur le comportement social et sur la personnalité en formation de l'enfant. Depuis des années, les psychologues tentent de déterminer la meilleure façon de décrire les nombreuses variations observées dans le style d'éducation adopté par les familles. À l'heure actuelle, la conceptualisation la plus productive est toujours celle de Diana Baumrind (1972), qui met l'accent sur quatre aspects du fonctionnement de la famille :
- l'encadrement attentif et chaleureux,
- la fermeté et la clarté de la discipline,
- les exigences quant au niveau de maturité,
- la qualité de la communication entre les parents et l'enfant.

Chacune de ces quatre dimensions est liée, indépendamment des trois autres, à plusieurs comportements de l'enfant. Les enfants qui ont des parents attentifs et chaleureux, comparativement à ceux qui ont des parents qui les rejettent, font preuve d'un attachement plus sécurisant durant les deux premières années de la vie et possèdent une plus grande estime de soi. Ils sont aussi plus ouverts, plus altruistes, plus réceptifs à la détresse ou à la souffrance des autres. Leur Q.I. est plus élevé à la maternelle et au primaire, et ils sont moins susceptibles d'adopter des comportements délinquants à l'adolescence ou des comportements criminels à l'âge adulte (Maccoby, 1980; Maughan, Pickles et Quinton, 1995; Simons, Robertson et Downs, 1989; Stormshak *et al.*, 2000). Plusieurs études portant sur des enfants et des adolescents évoluant dans des milieux défavorisés et difficiles démontrent qu'un niveau élevé d'affection parentale est associé à une meilleure compétence scolaire et sociale (Masten et Coastworth, 1998). Au contraire, l'hostilité parentale est associée à une performance scolaire déclinante et à des risques élevés de délinquance (Melby et Conger, 1996). On a aussi montré que le degré et la clarté de la discipline exercée par les parents sur l'enfant avaient une grande portée. Les parents qui établissent des règles claires et les appliquent de manière constante ont des enfants qui sont moins enclins à être rebelles ou désobéissants; vous reconnaîtrez ce modèle dans les recherches de Gerald Patterson, dont nous avons parlé au chapitre 1. Leurs enfants sont aussi plus compétents, plus sûrs d'eux (Kurdek et Fine, 1994) et moins agressifs (Patterson, 1980).

Le *type* de discipline qu'utilisent les parents est aussi très important. La situation idéale pour l'enfant serait celle où les parents ne sont pas restrictifs à l'excès, expliquent le pourquoi des choses et évitent de recourir aux punitions physiques, comme la fessée (voir l'encadré « Le monde réel », p. 139).

Les enfants se trouvent aussi dans une situation idéale lorsque leurs parents possèdent de grandes attentes (ce que Baumrind appelle de « grandes exigences quant à la maturité »). Ces enfants ont en effet une plus grande estime de soi, font preuve de plus de générosité envers les autres et de plus d'altruisme et sont moins agressifs.

Enfin, une bonne communication régulière entre les parents et l'enfant semble également donner des résultats plus positifs. Il est aussi important d'écouter l'enfant que de lui parler. Idéalement, les parents devraient faire sentir à l'enfant que ce qu'il a à dire vaut la peine d'être écouté, que ses idées ont de la valeur et qu'il faut en tenir compte au moment de prendre des décisions familiales. On a découvert que les enfants provenant de familles qui véhiculent ces idées ont une plus grande maturité sociale et affective (Bell et Bell, 1982; Baumrind, 1971).

DIFFÉRENTS STYLES D'ÉDUCATION

Chacune des caractéristiques familiales que nous venons d'évoquer, prise séparément, peut être significative mais, dans la réalité, aucune ne se présente seule. Elles se combinent et suivent des modèles. Baumrind a donc décrit trois de ces modèles ou styles d'éducation:

- le *style permissif*, empreint d'affection mais comprenant peu d'exigences, peu de discipline et peu de communication;
- le *style autoritaire*, où l'on retrouve beaucoup de discipline et d'exigences, mais peu d'affection et de communication;
- le *style démocratique*, où l'on retrouve une bonne dose de ces quatre dimensions.

Eleanor Maccoby et John Martin (1983) ont proposé une variante des catégories de Baumrind, que nous présentons à la figure 4.5 et qui nous paraît encore plus fonctionnelle. Ces chercheurs séparent les familles selon deux dimensions: le niveau d'exigence et de discipline d'une part, et le degré d'acceptation ou de rejet d'autre part. L'intersection de ces deux dimensions crée donc quatre styles, dont trois correspondent d'assez près aux comportements permissif, autoritaire et démocratique de Baumrind. Le modèle de Maccoby et Martin ajoute un quatrième style, le comportement *désengagé* ou *indifférent*, que les recherches actuelles présentent comme le plus dommageable des quatre. Nous allons maintenant décrire brièvement chacun de ces quatre styles d'éducation.

Style autoritaire   Les enfants qui grandissent dans des familles au **style d'éducation autoritaire**, c'est-à-dire où le niveau d'exigence et de discipline est élevé mais où les démonstrations de chaleur ou d'affection sont relativement rares, font preuve en général de moins d'habileté dans leurs interactions avec les pairs que les enfants provenant d'autres types de familles, et ils ont en général

une faible estime de soi. Certains de ces enfants paraissent réservés. D'autres manifestent parfois une grande agressivité ou certains signes qui portent à croire qu'ils ne se maîtrisent pas. L'apparition ou non de ces dernières caractéristiques dépendrait en partie de l'habileté des parents à appliquer différentes mesures disciplinaires. Les recherches de Patterson montrent en effet que l'enfant qui ne se maîtrise pas provient le plus souvent d'une famille où les parents sont autoritaires par inclination naturelle, mais manquent d'habileté pour faire respecter les limites ou les règles qu'ils ont imposées.

Style permissif   Les enfants qui grandissent dans des familles au **style d'éducation permissif** présentent eux aussi certains aspects négatifs. Steinberg et Dornbusch ont trouvé qu'ils réussissent un peu moins bien à l'école pendant leur adolescence, qu'ils sont en général plus agressifs (surtout si les parents sont justement permissifs à l'égard de l'agressivité) et qu'ils manquent de maturité dans leurs comportements avec les pairs et à l'école. Ils assument moins de responsabilités et se montrent moins indépendants.

Style démocratique   Les résultats les plus souvent positifs ont été associés au **style d'éducation démocratique**, dans lequel les parents font preuve d'un niveau élevé de discipline et de chaleur tout à la fois, posent des limites claires, mais répondent aussi aux besoins individuels de l'enfant. Les enfants élevés dans de telles familles jouissent en général d'une meilleure estime de soi, sont plus indépendants, tout en étant plus susceptibles de se soumettre aux demandes de leurs parents, et adoptent également des comportements altruistes. Ils ont confiance en eux, visent l'excellence à l'école, où ils obtiennent d'ailleurs de meilleurs résultats (Dornbusch *et al.*, 1987; Steinberg, Elmen et Mounts, 1989; Crockenberg et Litman, 1990).

Style désengagé   À l'opposé, les résultats les plus souvent négatifs sont associés au **style d'éducation désengagé**

Niveau d'exigence et de discipline	Niveau d'acceptation ou de rejet	
	Acceptation élevée: affectueux	**Acceptation faible (rejet): insensible**
Élevé	Démocratique, fondé sur la réciprocité.	Autoritaire, fondé sur le pouvoir.
Faible	Permissif, indulgent.	Désengagé, indifférent, insouciant, négligent.

Figure 4.5
Styles d'éducation.
Maccoby et Martin se sont inspirés du modèle de Baumrind pour obtenir ce nouveau système à deux dimensions. (*Source*: Adapté de Maccoby et Martin, 1983, figure 2, p. 39.)

Style d'éducation autoritaire: Un des trois styles d'éducation décrits par Baumrind, caractérisé par un niveau élevé de discipline et d'exigences, et un faible niveau d'affection et de communication.

Style d'éducation permissif: Un des trois styles d'éducation définis par Baumrind, caractérisé par un niveau élevé d'affection et un faible niveau de discipline, d'exigences et de communication.

Style d'éducation démocratique: Un des trois styles d'éducation décrits par Baumrind, caractérisé par un niveau élevé de discipline, de chaleur, d'exigences et de communication.

Style d'éducation désengagé: Style d'éducation décrit par Maccoby et Martin, caractérisé par l'indifférence et par l'absence de soutien adéquat pour l'enfant.

Doit-on punir physiquement un enfant?

En Suède, il existe une loi qui interdit l'usage de la punition physique contre un enfant (Palmérus et Scarr, 1995). Dans de nombreux pays cependant, en Amérique (Holden, Coleman et Schmidt, 1995) comme en Europe, l'usage de la punition physique est répandu. La plupart des parents qui l'utilisent pensent que la punition physique est un moyen efficace de corriger un comportement. À la question «Devrais-je punir physiquement mon enfant?», la réponse est maintenant claire et nette: «Non!» Nous savons tous que cela est plus facile à dire qu'à faire. Pourtant, les connaissances actuelles sur les effets des punitions physiques, dont la fessée, nous paraissent justifier cette réponse.

À court terme, une punition physique amène effectivement l'enfant à cesser le comportement précis que vous n'aimez pas qu'il adopte, et la punition physique réduit même *temporairement* les chances que l'enfant répète ce comportement. Puisque c'était là votre objectif, il semble bien que la punition physique soit une stratégie efficace. Toutefois, même à court terme, la punition physique comporte déjà des effets secondaires indésirables. L'enfant a peut-être interrompu son mauvais comportement, mais après une punition physique, il est sûrement en train de pleurer, ce qui est désagréable en soi. Or les pleurs sont un comportement qu'une deuxième punition physique n'arrêtera certainement pas: il est pratiquement impossible de mettre fin aux pleurs d'un enfant en lui administrant une fessée, par exemple! Vous avez donc échangé un comportement déplaisant pour un autre, et vous ne pouvez plus utiliser la même punition pour corriger ce second comportement déplaisant (les pleurs).

Voici un autre effet secondaire à court terme: vous recevez vous-même un renforcement à recourir à la punition physique chaque fois que votre objectif est atteint. Vous vous *conditionnez* en quelque sorte à punir physiquement votre enfant la prochaine fois, et vous venez de créer un cercle vicieux.

À long terme, les effets sont indubitablement négatifs. Premièrement, quand vous le frappez, votre enfant vous voit recourir à la force ou à la violence physique pour résoudre un problème ou pour faire accomplir aux autres ce que vous voulez qu'ils fassent. Vous offrez donc à votre enfant un modèle de comportement que vous ne voulez justement pas qu'il adopte.

Deuxièmement, en vous associant de façon répétée à l'événement désagréable et douloureux de la punition physique, vous minez votre image positive aux yeux de votre enfant. Avec le temps, vous en arriverez à ne plus pouvoir utiliser efficacement quelque renforcement que ce soit. À la fin, même vos félicitations ou votre affection perdront de leur efficacité à influencer le comportement de votre enfant, ce qui constitue un lourd tribut à payer.

Troisièmement, il y a souvent un très puissant message émotionnel sous-entendu qui accompagne la punition physique: colère, rejet, irritation, aversion envers l'enfant. Même les enfants très jeunes saisissent facilement ce message (Rohner, Kean et Cournoyer, 1991). La punition physique sert donc à créer un climat familial de rejet plutôt que de chaleur, avec tout ce que cela comporte de conséquences négatives.

Enfin, différentes études révèlent que les enfants qui reçoivent des punitions physique, tout comme les enfants qui sont victimes d'actes de violence, font preuve à un âge plus avancé d'un niveau d'agressivité élevé et n'obtiennent qu'une faible popularité auprès de leurs pairs. Ils manifestent aussi une faible estime de soi, une instabilité émotionnelle plus grande, un taux de détresse psychologique et de dépression plus important et un taux élevé de délinquance et de comportements criminels (Laub et Sampson, 1995; Rohner *et al.*, 1991; Strassberg *et al.*, 1994; Turner et Finkelhor, 1996). Les adultes qui, enfants, ont été punis physiquement sont plus enclins à la dépression comparativement à des adultes qui n'ont que rarement ou jamais été punis physiquement (Straus, 1995), et ils présentent des risques élevés de connaître plus souvent les problèmes typiques de l'âge adulte, comme la difficulté à conserver un emploi, le divorce, la violence conjugale et la criminalité (Maughan, Pickles et Quinton, 1995). Tous ces effets négatifs sont particulièrement évidents si la punition physique est sévère et irrégulière, et les risques de conséquences désastreuses pour l'enfant sont quand même présents lorsque la punition physique est modérée.

Nous n'affirmons pas qu'il ne faut jamais punir un enfant! Nous disons simplement que les punitions physiques, comme la fessée, ne sont jamais une bonne façon de s'y prendre. Crier ou hurler après un enfant ne constitue pas une alternative non plus. Une agression verbale marquée de la part d'un parent envers un enfant est aussi associée à des conséquences négatives pour l'enfant, y compris un risque élevé de délinquance ainsi que de violence à l'âge adulte (Straus, 1991b). Somme toute, la leçon incontournable de cet exposé, vous l'aurez compris, est que frapper un enfant ou utiliser une forme trop sévère de discipline produisent des conséquences négatives chez l'enfant.

---

ou indifférent. Nous avons vu plus haut, dans la section portant sur les attachements sécurisants et insécurisants, que l'une des caractéristiques familiales courantes chez les enfants à l'attachement de type fuyant était la «non-disponibilité psychologique» de la mère. La mère est soit déprimée, soit submergée par d'autres problèmes dans sa vie, si bien qu'elle n'a tout simplement pas établi de lien affectif profond avec son enfant. Quelle qu'en soit la raison, ces enfants continuent de manifester des troubles dans leurs relations avec les pairs et avec les adultes pendant de nombreuses années.

Style parental et tempérament

L'interaction entre le style parental et le tempérament de l'enfant semble être un autre facteur déterminant. Par exemple, les parents démocratiques utilisent souvent un style de discipline que l'on peut qualifier de **discipline inductive**, soit une forme de discipline dans laquelle on explique à l'enfant pourquoi un comportement est à

Discipline inductive: Style de discipline dans lequel les parents expliquent à l'enfant pourquoi un comportement est mauvais.

proscrire (Hoffman, 1970). Ce type de discipline aide l'enfant à mieux maîtriser son comportement et lui apprend à envisager une situation selon une autre perspective que la sienne. Les enfants de parents autoritaires font preuve de plus d'agressivité, de perte de maîtrise de soi et sont plus sujets à des crises que les enfants de parents qui utilisent une discipline inductive (Kochanska, 1997b; Kochanska *et al.*, 1996). Cependant, les recherches portant sur la discipline inductive autorisent à penser que cette forme de discipline n'est pas efficace avec tous les enfants. Les enfants qui ont des tempéraments difficiles ou qui sont physiquement actifs et aiment courir des risques semblent avoir besoin de plus de fermeté dans la discipline (Kochanska, 1997a). En fait, les conclusions portant sur la supériorité de la discipline inductive ou du style démocratique suscitent la controverse. Ces effets positifs observés peuvent être simplement dus au fait que les parents *adaptent* leurs réactions au comportement de l'enfant.

En dépit de la complexité des facteurs associés au style parental, on peut retenir certaines conclusions de ces recherches. Premièrement, il semble évident que les enfants sont influencés par le « climat familial » ou le style parental. Il est très probable que ces effets persisteront longtemps à l'âge adulte, bien que nous ne disposions pas des données longitudinales nécessaires pour étayer cette hypothèse. Deuxièmement, on pense généralement que seuls les styles permissif ou autoritaire existent; mais la recherche sur le style démocratique révèle sans aucun doute que l'on peut être à la fois affectueux et ferme, et que les enfants réagissent à cette combinaison de manière très positive.

Environnement : influence de la famille

- Selon Baumrind, quatre aspects du fonctionnement de la famille influent sur le style d'éducation. Quels sont-ils ?

- Quels sont les styles d'éducation décrits par Baumrind et par Maccoby et Martin ? Quelles en sont les conséquences ?

- Doit-on punir physiquement un enfant ? Pourquoi ?

Concepts et mots clés

- **style d'éducation autoritaire** (p. 138) • **style d'éducation démocratique** (p. 138) • **discipline inductive** (p. 139) • **style d'éducation désengagé** (p. 138) • **style d'éducation permissif** (p. 138)

UN DERNIER MOT

La plupart des psychologues s'entendent pour affirmer que l'enfant crée deux importants modèles internes au cours des deux premières années de la vie. Le premier est le modèle interne des relations avec les autres, basé sur la qualité de l'attachement; quoique sujet à changement, il influe sur la plupart, sinon sur la totalité, des futures relations interpersonnelles de l'enfant. Le second est le modèle interne du concept de soi; contrairement au modèle des relations avec les autres, il n'apparaît que durant l'enfance. Comme vous allez le découvrir dans les chapitres suivants, le modèle interne du concept de soi subira des modifications significatives durant l'enfance et l'adolescence.

RÉSUMÉ

DÉVELOPPEMENT DE LA PERSONNALITÉ

- Au cours des premiers mois, l'enfant franchit les premières étapes menant à l'élaboration d'un concept de soi, le moi existentiel (ou moi subjectif). Il comprend alors qu'il a une existence propre séparée de celle de sa mère et qu'il peut agir sur les objets ou les personnes qui l'entourent. Il acquiert aussi la notion de sa propre permanence en tant que personne.

- Au cours de la deuxième année de vie, le bébé élabore son concept de soi en tant qu'objet dans le monde, doté de caractéristiques, telles que le genre, la taille, etc. C'est ce qu'on appelle le moi différentiel (ou moi catégoriel).

- Dès l'âge de 2 mois, les bébés réagissent différemment aux expressions faciales de joie ou de tristesse de leur mère. Au même moment, ils sont capables d'utiliser un répertoire d'expressions faciales pour traduire leurs propres émotions.

- À la naissance, les bébés expriment des émotions primaires alors que, vers 2 ans, les enfants expriment des émotions sociales ou des émotions de conscience de soi.

- Freud a décrit deux stades du développement de la personnalité au cours des premières années de vie : le stade oral et le stade anal. La tâche principale de chaque stade est respectivement le sevrage et l'apprentissage de la propreté.

- Erikson a aussi décrit deux stades du développement de la personnalité au cours des premières années : le stade de la confiance ou de la méfiance et le stade de l'autonomie ou du doute et de la honte. La force adaptatrice du moi de chacun des stades est respectivement l'espoir et la volonté.

- Selon la théorie de l'attachement, une distinction importante doit être faite entre le lien affectif (un lien durable établi avec un partenaire unique) et l'attachement, qui nécessite un sentiment de sécurité et une base de sécurité. On peut déduire qu'il existe un attachement grâce à l'existence de comportements d'attachement.

- Les psychologues du développement croient que les deux premières années de vie constituent une période sensible pour l'établissement de l'attachement de l'enfant. Les enfants qui ne peuvent pas établir d'attachement avec une personne qui leur prodigue des soins durant cette période risquent de souffrir d'un désordre réactionnel de l'attachement.

DÉVELOPPEMENT DES RELATIONS SOCIALES

- Le développement du lien affectif des parents à l'enfant s'élabore en deux étapes, dont la seconde apparaît comme la plus significative : 1) un lien initial très fort peut s'instaurer dans les quelques heures qui suivent la naissance ; 2) ce lien peut être renforcé par la répétition de comportements affectifs réciproques qui s'imbriquent les uns dans les autres et qui se renforcent mutuellement (synchronie).

- L'échec de la formation du lien affectif des parents peut être attribuable au fait que l'enfant ne possède pas le pouvoir de séduction nécessaire ou que les parents présentent des carences dans leur interaction avec l'enfant. Dans les deux cas, les conséquences peuvent être la négligence ou les mauvais traitements.

- Les pères, tout comme les mères, établissent des liens affectifs forts avec l'enfant. Toutefois, les pères interagissent physiquement sous forme de jeu avec l'enfant plus souvent que les mères. De leur côté, les enfants nourrissent un attachement aussi fort envers leur père qu'envers leur mère.

- Selon Bowlby, l'attachement de l'enfant à la mère, ou à la personne qui s'occupe de lui, se développe selon une série d'étapes débutant par un attachement relativement aveugle envers n'importe quelle personne de son entourage. Puis, le nourrisson s'attache à une ou plusieurs personnes en particulier. Vers 6 mois, il perçoit la personne qui s'occupe de lui comme une « base de sécurité » : ce comportement traduit la présence d'un attachement manifeste.

- Entre 6 et 12 mois, les bébés manifestent une certaine crainte à l'égard des étrangers et protestent lorsqu'on les sépare de la personne préférée.

- L'enfant peut éprouver un attachement sécurisant autant à l'égard de sa mère que de son père.

- Les enfants diffèrent entre eux quant à la sécurité de l'attachement initial et au modèle interne de l'attachement qu'ils acquièrent par la suite. L'enfant présentant un attachement sécurisant utilise son parent comme une base de sécurité à partir de laquelle il explore le monde, et il peut facilement être consolé. Des études effectuées dans de nombreux pays signalent que l'attachement sécurisant est la forme la plus répandue d'attachement, mais qu'il existe des différences entre les cultures quant à la fréquence des différents types d'attachements insécurisants.

RÉSUMÉ

- La sécurité de l'attachement initial est relativement stable; un attachement sécurisant est renforcé par une attention et une réaction appropriées des parents.

- Les enfants ayant un attachement sécurisant font preuve de plus de compétences sociales, de plus de curiosité et de persévérance devant les nouvelles tâches. Ils semblent également plus matures.

PARCOURS INDIVIDUELS : TEMPÉRAMENT

- Les théoriciens étudient les différences individuelles dans les styles de réponses des enfants à différentes stimulations pour comprendre le tempérament. Le tempérament peut être défini comme un ensemble de prédispositions innées formant le substrat émotionnel de la personnalité. Les bébés possèdent ainsi des tempéraments différents à la naissance, et ils ne réagissent pas de la même façon aux objets et aux personnes.

- Les théoriciens ne s'entendent toujours pas sur la meilleure façon de décrire les dimensions du tempérament. Thomas et Chess ont décrit neuf dimensions qu'ils regroupent selon trois types de tempérament (facile, difficile et lent à s'adapter). Buss et Plomin ont décrit trois dimensions fondamentales : le niveau d'activité, l'émotivité et la sociabilité.

- Il se dégage un certain consensus autour d'une description du tempérament selon cinq dimensions : le niveau d'activité, l'approche émotionnelle positive, l'inhibition, la réponse émotionnelle négative et la capacité d'attention et de persistance.

- Il semble évident que le tempérament a une composante génétique. De plus, le tempérament présente une certaine continuité, que ce soit durant la petite enfance ou entre l'âge préscolaire et l'âge adulte.

- Le tempérament n'est pas uniquement déterminé par l'hérédité ou par des processus physiologiques sous-jacents ; les prédispositions génétiques du tempérament façonnent à la fois les interactions de l'enfant avec le monde extérieur et les réponses des personnes à l'enfant.

ENVIRONNEMENT : INFLUENCE DE LA FAMILLE

- Baumrind a étudié quatre aspects du fonctionnement de la famille : l'encadrement attentif et chaleureux, la fermeté et la clarté de la discipline, les exigences quant au niveau de maturité et la qualité de la communication.

- Les styles d'éducation influent sur le développement de l'enfant. Le style démocratique, qui comprend beaucoup d'affection, des règles clairement établies, une bonne communication et des exigences élevées, est associé aux résultats les plus positifs. Le style négligent ou indifférent est associé aux résultats les plus négatifs.

- Les enfants sont également influencés par leurs expériences sociales.

DÉVELOPPEMENT DE LA PERSONNALITÉ

Développement du concept de soi

- Première étape : le moi existentiel
- Deuxième étape : le moi différentiel

Développement du moi émotionnel

- Reconnaissance de l'expression des émotions
- Émotions primaires et émotions sociales
- Premières composantes du moi

Perspectives théoriques

Approche de Freud : développement psychosexuel	Approche d'Erikson : développement psychosocial	Théorie de l'attachement
- Stade oral Tâche principale : sevrage - Stade anal Tâche principale : apprentissage de la propreté	- Stade de la confiance ou de la méfiance Force adaptative : espoir - Stade de l'autonomie ou de la honte et du doute Force adaptative : volonté	- Comportements d'attachement - Désordre réactionnel de l'attachement

DÉVELOPPEMENT DES RELATIONS SOCIALES

Développement du lien affectif des parents à l'enfant

- Lien maternel initial
- Synchronie
- Lien paternel

Développement du lien affectif (attachement) de l'enfant aux parents

- Première étape : le préattachement
- Deuxième étape : l'émergence de l'attachement
- Troisième étape : l'attachement
- Résistance à la séparation et peur des étrangers

Variations dans la qualité de l'attachement

- Modèle interne de l'attachement

Attachements sécurisants et insécurisants	Effets à long terme de la qualité de l'attachement

- Origine de ces attachements
- Continuité du type d'attachement

PARCOURS INDIVIDUELS : TEMPÉRAMENT

Dimensions du tempérament	Tempérament et environnement	Continuité du tempérament

Origine génétique du tempérament	Synthèse des théories de la personnalité

ENVIRONNEMENT : INFLUENCE DE LA FAMILLE

Fonctionnement de la famille

- Encadrement attentif et chaleureux
- Fermeté et clarté de la discipline
- Exigences quant au niveau de maturité
- Qualité de la communication entre les parents et les enfants

Différents styles d'éducation

- Style autoritaire
- Style permissif

- Style démocratique
- Style désengagé

Style parental et tempérament

- Discipline inductive

Pourquoi des interludes? *Cet interlude étant le premier, nous allons commencer par vous expliquer l'objectif de cette rubrique. Les chapitres de ce manuel suivent l'ordre chronologique des différentes périodes du développement humain afin de vous permettre d'acquérir les rudiments des caractéristiques fondamentales de chaque âge de la vie. Cependant, comme la recherche en psychologie a tendance à étudier un seul sujet à la fois, par exemple l'attachement, les capacités perceptives ou le langage, nos descriptions suivront le même modèle. Dans les interludes, nous nous efforcerons donc de réunir les différents aspects du développement pour vous présenter une vision plus homogène des données sur le nourrisson (l'enfant, l'adolescent ou l'adulte).*

Ces interludes nous permettront également d'examiner, même si ce n'est que brièvement, l'influence de certains facteurs externes sur les processus fondamentaux du développement humain. En effet, il est important de toujours garder à l'esprit l'influence de l'environnement social dans lequel l'enfant ou l'adulte évolue.

Ainsi, dans chaque interlude, poserons-nous toujours les trois questions essentielles suivantes: Quelles sont les **caractéristiques fondamentales** *du développement à cette période? Quels sont les* **processus fondamentaux** *qui semblent façonner les modèles de développement? Quelles sont les* **autres forces** *qui influent sur le développement?*

Synthèse du développement durant les premières années

Caractéristiques fondamentales des premières années

Le tableau à la fin de l'interlude présente une synthèse des différents modèles de développement que nous avons abordés dans les deux derniers chapitres. Les rangées correspondent aux différents aspects du développement et les colonnes, aux âges où ils apparaissent. Il faut lire le tableau à la fois verticalement et horizontalement.

L'impression dominante que l'on a du nouveau-né – en dépit de ses remarquables aptitudes et capacités –, c'est qu'il fonctionne sur pilotage automatique. Certaines règles établies par des prédispositions ou des schèmes innés semblent dicter la façon dont l'enfant observe, écoute, explore le monde et se conduit avec les autres.

Ces prédispositions ou schèmes innés ont une particularité remarquable: ils amènent manifestement l'enfant et la personne qui s'en occupe à développer une synchronie ou «danse interactive» et un attachement mutuel. Pensez par exemple à l'enfant nourri au sein. Le bébé possède les réflexes des points cardinaux, de succion et de déglutition nécessaires à la tétée. Dans cette position, le visage de la mère se trouve à la distance focale idéale des yeux de son bébé. Les traits du visage de la mère, en particulier son nez et sa bouche, sont précisément le genre de stimuli susceptibles d'attirer l'attention du bébé. D'autre part, le nourrisson est particulièrement sensible au registre sonore de la voix humaine, surtout aux sons aigus. C'est pourquoi le nourrisson perçoit facilement la voix aiguë et mélodieuse qu'emploie généralement sa mère lorsqu'elle s'adresse à lui. Durant l'allaitement, une hormone appelée *cortisol* est libérée dans le sang de la mère. Elle produit un effet de relaxation sur la mère et la rend plus consciente des signaux de l'enfant. Tous les deux, l'enfant et l'adulte, sont alors prêts à communiquer l'un avec l'autre.

Un changement important survient de toute évidence entre la 6e et la 8e semaine, lorsque ces réactions instinctives font place peu à peu à des comportements plus volontaires. L'enfant porte un regard différent sur les objets: il essaie apparemment d'identifier la nature de l'objet plutôt que de situer son emplacement. Il commence à discriminer nettement entre les visages, sourit davantage, fait ses nuits et, en règle générale, devient plus réceptif.

À cause de ces changements chez l'enfant, et aussi parce qu'il faut généralement de 6 à 8 semaines à la plupart des mères afin de récupérer physiquement de l'accouchement (et à la mère et au père pour s'ajuster conjointement à la nouvelle routine), on observe des changements importants dans les interactions mère-enfant à ce moment. La routine des soins à l'enfant continue bien sûr (ainsi que le plaisir de changer les couches), mais comme l'enfant demeure éveillé pendant de plus longues périodes, sourit et utilise davantage le contact visuel, les échanges entre les parents et l'enfant deviennent plus animés, plus enjoués et plus réguliers.

Une fois ces changements survenus, l'enfant semble connaître une brève période de consolidation entre l'âge de 5 et 6 mois. Naturellement, les changements continuent durant cette période de consolidation. Les changements neurologiques en particulier sont très rapides, et les régions du cortex cérébral associées aux changements moteurs et perceptifs continuent leur maturation. D'importants changements perceptifs se produisent avec l'émergence de la perception de la profondeur, le transfert intermodal et l'identification de structures visuelles et sonores. Mais, en dépit de tous ces changements, une sorte d'équilibre existe durant cette période ; cet équilibre est altéré par une série de nouveaux changements entre 7 et 9 mois.

On assiste alors à l'émergence d'une nouvelle variété remarquablement étendue de capacités et de comportements : 1) le bébé acquiert un attachement central fort, suivi quelques mois plus tard par l'apparition de la peur des étrangers et d'une anxiété lors de la séparation ; 2) l'enfant commence à se déplacer de façon plus autonome (bien que très lentement et de façon hésitante au début) ; 3) la communication entre l'enfant et ses parents change de façon substantielle, car le bébé commence à utiliser le langage gestuel pour se faire comprendre, puis s'engage dans des jeux d'imitation et, enfin, saisit ses premiers mots ; 4) la permanence de l'objet passe à un autre niveau, et l'enfant comprend désormais que les objets et les gens continuent d'exister même lorsqu'ils sont hors de vue. Encore une fois, ces changements modifient considérablement la relation parents-enfant et nécessitent la recherche d'un nouvel équilibre, d'une nouvelle consolidation, d'un nouveau système.

Le bébé continue de progresser graduellement à partir de ce nouvel ensemble d'habiletés : il apprend quelques mots

nouveaux, commence à marcher et consolide son attachement central jusqu'à l'âge de 18 ou 20 mois. À ce moment, le développement cognitif et le développement du langage semblent faire un énorme bond en avant. Nous aborderons cette série de changements dans les prochains chapitres.

Processus fondamentaux

À quoi sont dus tous ces changements ? N'importe quelle énumération succincte de leurs causes serait inévitablement simplificatrice. Néanmoins, on peut citer quatre processus clés qui, selon nous, façonnent les changements indiqués dans le tableau.

MATURATION PHYSIQUE   Avant tout, il est évident que l'horloge biologique se manifeste de manière particulièrement bruyante au cours des tout premiers mois. Ce n'est qu'à l'adolescence ou à l'âge adulte avancé que l'on pourra noter de nouveau un tel modèle de maturation à l'œuvre. Au cours des premières années, la croissance phénoménale des dendrites et des synapses constitue vraisemblablement un processus clé. Le changement de comportement que l'on observe à l'âge de 2 mois, par exemple, paraît dicté précisément par ces changements innés, lorsque les synapses atteignent un degré de développement suffisant dans le cortex pour soutenir et régir davantage le comportement de l'enfant.

Quelle que soit son importance, cette programmation innée n'en demeure pas moins *dépendante* de la présence d'une stimulation minimale d'un environnement « prévisible » (Greenough, Black et Wallace, 1987). En effet, si le cerveau est conçu pour créer certaines synapses, ce mécanisme doit être déclenché par un type particulier d'expériences. Puisque la majorité des bébés disposent d'un environnement minimal, leur développement moteur, cognitif et perceptif est quasiment identique. Mais cela ne veut certainement pas dire que l'environnement n'est pas important.

EXPLORATIONS DE L'ENFANT L'exploration par l'enfant du monde qui l'entoure constitue un autre processus fondamental. L'enfant naît *prêt* à explorer son environnement, à apprendre de ses expériences, mais il lui reste néanmoins à comprendre les liens particuliers existant entre la vue et l'ouïe, à distinguer le visage de sa mère de celui des autres personnes, à prêter attention aux tonalités propres au langage qu'il entend, à découvrir que ses actions entraînent certaines conséquences, etc.

De toute évidence, la maturation physiologique et l'exploration de l'enfant sont intimement liées dans une boucle de rétroaction. Les changements rapides des systèmes nerveux, osseux et musculaire permettent une exploration de plus en plus étendue, qui influe à son tour sur les capacités perceptives et cognitives de l'enfant, ce qui entraîne des répercussions sur la structure du cerveau.

Par exemple, de nombreuses données nous apprennent que la marche à quatre pattes – capacité qui s'appuie sur un ensemble de changements physiques liés à la maturation – modifie considérablement la compréhension que l'enfant a du monde. Avant qu'il se déplace de façon indépendante, le bébé semble situer les objets par rapport à son propre corps seulement. Lorsqu'il est capable de se déplacer à quatre pattes, il commence à situer les objets grâce à des repères fixes (Bertenthal, Campos et Kermoian, 1994). À son tour, ce changement contribue probablement au développement de la capacité de l'enfant de se percevoir en tant qu'objet dans l'espace.

ATTACHEMENT La relation qui unit l'enfant à la personne qui lui prodigue des soins constitue manifestement un autre processus fondamental. Selon nous, Bowlby a vu juste en soulignant la *prédisposition innée* que possèdent tous les enfants à créer un lien d'attachement. Il faut toutefois noter que les expériences particulières que vit l'enfant dans ce domaine semblent avoir un effet plus déterminant que pour d'autres aspects du développement. De nombreux environnements offrent un soutien « convenable » à la croissance physique, perceptive et cognitive de l'enfant au cours des premiers mois. Par contre, en ce qui concerne l'établissement d'un attachement central sécurisant, l'éventail des environnements acceptables semble plus restreint.

Par ailleurs, l'attachement ne se développe pas sur une voie indépendante. Son émergence est fonction des changements liés à la fois à la maturation et à l'exploration de l'enfant. Ainsi, la compréhension de la permanence de l'objet peut être une condition préalable à l'apparition d'un attachement fondamental. Comme le demande John Flavell, « Comment un enfant pourrait-il se languir et chercher une personne de façon constante lorsqu'il est incapable intellectuellement de se faire une représentation mentale de cette personne en son absence ? » (1985, p. 135).

On peut aussi retourner la question en posant comme hypothèse que l'établissement d'un attachement sécurisant favorise le développement cognitif, ou tout au moins influe sur ce dernier. Ainsi, les enfants qui font preuve d'un attachement sécurisant se montrent plus persévérants dans leurs jeux et élaborent le concept d'objet (permanence de l'objet) plus rapidement (Bates *et al.*, 1982). On peut expliquer cette corrélation par le fait que l'enfant présentant un attachement sécurisant se sent plus confiant pour explorer le monde qui l'entoure à partir de la base de sécurité que constitue la personne qui s'occupe de lui. Il s'aventure plus facilement et fait donc des expériences plus riches et plus variées, susceptibles de stimuler un développement cognitif (et neurologique) plus rapide.

MODÈLES INTERNES On peut également considérer l'attachement comme une sous-catégorie d'un processus plus vaste, soit la création de modèles internes. Selon Seymour Epstein (1991), le bébé commence ni plus ni moins à élaborer une « théorie de la réalité ». Dans cette optique, une telle théorie comprend au moins quatre éléments :

- une croyance quant au degré auquel son environnement est un lieu de plaisir ou de souffrance ;

- une croyance quant au degré auquel son environnement possède un sens et est prévisible, maîtrisable et juste ou, au contraire, capricieux, chaotique et impossible à maîtriser ;

- une croyance quant au degré auquel il peut faire confiance à son entourage ;

- une croyance quant au degré de sa valeur personnelle.

Selon Epstein et ses partisans (Bretherton, 1991), cette théorie de la réalité trouve ses origines dans la petite enfance, en particulier dans les relations avec les personnes qui prodiguent les soins et les autres personnes de l'entourage. Epstein estime même que les croyances ancrées dans l'enfance sont les plus fondamentales et, par conséquent, les plus durables et les plus résistantes aux changements à un âge ultérieur. Les psychologues n'admettent pas tous la « théorie de la réalité » d'Epstein. Cependant, la plupart reconnaissent maintenant que le bébé crée au moins deux modèles internes déterminants, l'un du concept de soi et l'autre des relations avec les autres (attachement). Le modèle interne de l'attachement semble bien développé vers l'âge de 18 à 24 mois, alors que le modèle interne

du concept de soi subit plusieurs transformations au cours des années suivantes. Ce n'est qu'à l'âge de 6 ou 7 ans que l'enfant acquiert une perception de sa valeur *globale* – caractéristique que l'on appelle souvent l'estime de soi (Harter, 1987, 1990).

Influences sur les processus fondamentaux

La caractéristique majeure du développement pendant les premières années, et qu'il vous faut retenir, est la résistance et la solidité des quatre processus fondamentaux (Masten, Best et Garmezy, 1990). Cependant, il arrive que l'enfant dévie de la trajectoire normale en raison de plusieurs circonstances.

TROUBLES ORGANIQUES   Les troubles organiques constituent l'influence potentielle la plus évidente, qu'ils soient causés par des anomalies génétiques, des maladies héréditaires ou des agents tératogènes intervenus au cours de la grossesse. Même dans ces cas-là, il existe une interaction entre la nature et la culture. Nous avons vu au chapitre 2 que les conséquences à long terme de ces dommages peuvent être plus ou moins graves selon la qualité de l'environnement dans lequel l'enfant évolue, tant du point de vue de la richesse de la stimulation que du point de vue du soutien reçu.

ENVIRONNEMENT FAMILIAL   On peut analyser de deux façons au moins l'influence du milieu familial. La première consiste à définir un environnement « idéal », qui fournirait un maximum de soutien et de richesse de stimulations, et favoriserait donc le développement optimal de l'enfant. Les recherches effectuées dans ce sens confirment que l'environnement idéal pour l'enfant comprend une grande variété d'objets à explorer et des occasions de les explorer librement, ainsi que des adultes chaleureux, attentifs et sensibles qui parlent souvent à l'enfant et réagissent aux signaux qu'il manifeste (Bradley *et al.*, 1989).

La seconde méthode d'analyse consiste à étudier les effets des environnements très pauvres en stimulations et en soutien affectif. De nombreux théoriciens comme Horowitz considèrent que la majorité des environnements permettent généralement un développement normal. Seuls les milieux qui dévient considérablement de la norme causeront des problèmes sérieux et persistants, surtout si l'enfant s'avère lui-même très vulnérable. Cette catégorie comprend les négligences graves et les mauvais traitements, une dépression prolongée chez un parent, la persistance de bouleversements ou de stress au sein de la famille. Paradoxalement, ces deux méthodes d'analyse de la famille nous semblent aussi pertinentes l'une que l'autre. Pour l'essentiel des aspects du développement durant les premières années, la plupart des environnements sont « assez convenables » pour permettre une croissance normale. Pour autant, cela ne signifie pas que tous les bébés dont l'environnement familial ne présente pas de lacunes importantes vont se développer de façon optimale. Les variantes quant à la richesse de l'environnement, aux bonnes réactions et au soutien affectif des parents influent non seulement sur le modèle interne de l'attachement, mais probablement aussi sur la motivation de l'enfant, sur le contenu de son concept de soi, sur sa détermination à explorer le monde ainsi que sur ses connaissances personnelles. On peut noter ultérieurement les répercussions de telles différences sur le développement, lorsque l'enfant doit faire face aux tâches scolaires et aux interactions avec d'autres enfants.

INFLUENCES SUR LA FAMILLE   Nous avons déjà abordé cette question, mais permettez-nous d'y revenir : le bébé fait partie d'une famille, mais la famille fait elle-même partie d'un plus grand système économique, culturel et social, ce qui entraîne des répercussions directes ou indirectes sur l'enfant. En voici deux exemples.

Il est avant tout évident que la situation économique des parents exerce de multiples conséquences sur l'expérience de vie de l'enfant. Les familles défavorisées sont moins en mesure de fournir un environnement sûr et rassurant à leurs enfants, et les enfants de ces familles sont plus susceptibles d'avoir un régime alimentaire inadéquat. Ces différences sont énormes. Pourtant, les effets ne sont pas immédiatement perceptibles : les bébés élevés dans un milieu défavorisé n'ont pas l'air si différent des bébés élevés dans un milieu plus aisé. Les différences commencent à être manifestes vers l'âge de 2, 3 ou 4 ans.

On peut également penser à un autre exemple indépendant de la classe sociale ; il s'agit du soutien social que reçoivent les parents eux-mêmes et qui influe sur le développement de l'enfant. Les mères ou les pères qui ont le sentiment de bénéficier d'un soutien physique et émotionnel satisfaisant (que ce soutien provienne du conjoint ou des parents et amis) sont en mesure de répondre aux demandes de leur enfant de façon plus chaleureuse et plus conséquente et avec une meilleure

maîtrise de soi (Crnic *et al.,* 1983 ; Taylor, Casten et Flickinger, 1993). Les effets pour l'enfant semblent positifs sur plusieurs points (Melson, Ladd et Hsu, 1993). Par exemple, les enfants dont les parents peuvent s'appuyer sur de solides amitiés ont une scolarité plus longue que les enfants dont les parents ne reçoivent pas un tel soutien (Hofferth, Boisjoly et Duncan, 1995).

Les effets du soutien social chez les parents sont particulièrement évidents lorsqu'ils vivent un stress intense, comme une perte d'emploi, une pauvreté chronique, une grossesse non désirée chez une adolescente, l'éducation d'un enfant handicapé ou de tempérament difficile, un divorce ou simplement une grande fatigue. Susan Crockenberg (1981) nous en donne un exemple : elle a trouvé que les enfants présentant un tempérament irritable étaient plus susceptibles de nourrir un attachement insécurisant à l'égard de leurs mères, seulement lorsque ces dernières ne bénéficiaient pas d'un soutien social adéquat. Quand les mères croient que le soutien dont elles disposent est suffisant, leurs enfants

Résumé de la trame du développement durant l'enfance

Aspect du développement	Âge (mois)				
	0	2	4	6	8
Développement physique		Augmentation de l'activité corticale.	Cherche à atteindre les objets.	S'assoit.	Se tient debout ; marche à quatre pattes.
Développement perceptif	Nombreuses capacités perceptives à la naissance. Distingue visuellement sa mère des étrangers.	Cherche à identifier les objets.	Perçoit les structures visuelles et sonores ; transfert intermodal.	Reconnaît les expressions faciales.	
Développement cognitif	Imitation possible de certaines expressions faciales. Mémoire spécifique à 1 semaine.		Début de la permanence de l'objet.		Permanence de l'objet bien établie ; coordonne ses actions afin de résoudre les problèmes.
Développement du langage		Gazouillement.		Babillage.	Langage gestuel ; comprend quelques mots.
Développement de la personnalité et des relations sociales	Sourire social spontané. Stade oral selon Freud. Stade de la confiance ou de la méfiance selon Erikson.		Premiers signes d'attachement ; différenciation entre soi et les autres.		Attachement marqué.

qui présentent un tempérament irritable éprouvent plus tard un attachement sécurisant.

Cet effet « tampon » du soutien social peut même être démontré expérimentalement. Jacobson et Frye (1991) ont réparti au hasard 46 femmes enceintes issues d'un milieu défavorisé dans un groupe témoin et dans un groupe expérimental de soutien qui se réunissait avant la naissance et au cours de l'année suivante. Lorsque Jacobson et Frye ont évalué l'attachement des enfants à 14 mois, ils ont observé que ceux dont la mère faisait partie du groupe de soutien présentaient un attachement plus fort que ceux dont la mère ne bénéficiait pas d'un tel soutien.

UN DERNIER MOT   L'une des impressions prédominantes qui se dégage de la plupart des recherches actuelles sur le nourrisson, c'est qu'il est doté de bien plus de capacités qu'on ne l'a pensé pendant longtemps. Il naît avec un meilleur bagage d'habiletés qu'on ne le croyait. Il est en mesure d'apprendre beaucoup de choses des expériences qu'il vit. Cependant, il ne faut pas s'enthousiasmer outre mesure des grandes capacités du bébé : ce n'est pas un enfant de 6 ans, et nous devons faire preuve de prudence quant à ses prodigieuses habiletés. Comme vous allez le voir dans les prochains chapitres, l'enfant d'âge préscolaire fait des pas de géant dans plusieurs domaines.

			Âge (mois)			
10	**12**	**14**	**16**	**18**	**20**	**22**
	Marche seul		Émondage dendritique et synaptique			
		Imitation différée ; découverte de *nouvelles* solutions aux problèmes.			Commence à manipuler mentalement les symboles.	
	Premier mot.			Vocabulaire de 3 à 50 mots.		
Peur des étrangers et résistance à la séparation.			S'amuse avec les enfants de son âge.	Conscience de soi manifeste. Stade anal selon Freud. Stade de l'autonomie ou du doute et de la honte selon Erikson.		

5

CHAPITRE

L'âge préscolaire et scolaire :
développement physique et cognitif

*S*i vous observez un enfant de 18 mois jouer près de sa mère ou de son père, vous remarquerez qu'il ne s'éloigne que très peu d'eux. Il jettera sans doute régulièrement un coup d'œil vers ses parents afin de s'assurer que sa base de sécurité est toujours présente. Observez cet enfant quelques années plus tard: il sera probablement en train de jouer dans une autre pièce, avec un copain. Il peut demander à l'occasion à son père ou à sa mère de venir voir ce qu'il a fabriqué. Il s'assure régulièrement que ses parents ne sont pas loin mais, dans l'ensemble, il se sent à l'aise d'être un peu plus à l'écart. Ces changements ne nous apparaissent pas aussi évidents que les changements physiques et cognitifs qui caractérisent l'âge scolaire, mais ils sont néanmoins importants. Entre 2 et 6 ans, l'enfant qui était un trottineur dépendant se transforme en un être compétent, bavard, social et prêt à fréquenter l'école.

Les recherches effectuées sur les enfants de 6 à 12 ans sont beaucoup moins nombreuses que celles sur les enfants d'âge préscolaire et les adolescents. Il est cependant établi que des progrès cognitifs majeurs sont accomplis à cet âge de la vie et que les habitudes acquises à l'âge scolaire auront une portée non seulement sur l'adolescence, mais également sur la vie adulte. Le début de la scolarisation constitue en soi un changement majeur remarquable: l'enfant doit alors apprendre les compétences et les rôles qui sont caractéristiques de sa culture.

DÉVELOPPEMENT PHYSIQUE À L'ÂGE PRÉSCOLAIRE

Nous avons abordé dans le chapitre 3 les nombreux changements rapides que subit le corps de l'enfant durant les deux premières années de vie. Les changements physiques qui se produisent à l'âge préscolaire, soit entre 2 et 6 ans, sont moins spectaculaires et moins nombreux. Dans le système nerveux, de nouvelles synapses se créent, et la myélinisation suit son cours pendant que l'enfant explore le monde. Cependant, le rythme des changements est nettement plus lent si on le compare avec celui des premiers mois de vie.

Ces changements plus graduels se combinent pour permettre à l'enfant de progresser continuellement sur le plan du développement moteur. Ils ont un caractère moins radical par rapport à l'apprentissage de la marche, mais c'est grâce à eux que l'enfant d'âge préscolaire va acquérir des habiletés qui accroîtront nettement son indépendance et ses capacités d'exploration.

De même, les changements de taille et de poids se succèdent à un rythme beaucoup plus lent au cours des années préscolaires et scolaires que durant les deux premières années de vie. Entre l'âge de 2 ans et l'adolescence, l'enfant gagne de 5 à 8 cm et prend environ 2,7 kg par année.

À l'âge de 3 ans, la plupart des enfants peuvent conduire un tricycle.

HABILETÉS MOTRICES

Le tableau 5.1, qui est similaire au tableau 3.1, présente les principales habiletés de locomotion, de posture et de manipulation qui sont acquises au cours des années préscolaires. Dès l'âge de 5 ou 6 ans, l'enfant est capable de se déplacer avec confiance dans toutes les directions, de monter à bicyclette et d'utiliser ses mains pour exécuter des gestes et des mouvements relativement précis, notamment ramasser, tenir et manipuler de petits objets comme un crayon ou des ciseaux. Il a aussi acquis une coordination visuelle et motrice qui lui permet de donner un coup de pied sur un ballon ou de frapper une balle à l'aide d'un bâton. Les mouvements volontaires et assurés de l'enfant de 5 ans sont impressionnants en comparaison des mouvements involontaires et mal assurés d'un enfant de 18 mois. Il importe cependant de ne pas oublier que ces habiletés se développent graduellement. L'enfant de 3 ans possède une certaine habileté, mais sa motricité fine commence tout juste à se manifester. Quant à l'enfant de 5 ou 6 ans, il est encore malhabile quand il utilise un crayon et des ciseaux, car tout son corps est en mouvement, comme lorsqu'il lance une balle ou botte un ballon. Il est donc essentiel que les enseignants du préscolaire soient parfaitement conscients de ces limites sur le plan moteur.

CERVEAU ET SYSTÈME NERVEUX

Entre 2 et 6 ans, le cerveau continue sa croissance, mais à un rythme plus lent que durant les deux premières années de vie. Cela ne signifie pas pour autant que le développement du cerveau soit terminé. Certains changements neurologiques importants se produisent durant cette période et semblent être la base des développements prodigieux de la pensée et du langage qui caractérisent l'âge préscolaire.

Latéralisation du cerveau Le **corps calleux** est la structure du cerveau qui relie les hémisphères droit et gauche du cortex cérébral. Sa croissance et sa maturation durant l'âge préscolaire accompagnent la spécialisation fonctionnelle hémisphérique ; ce processus est appelé **latéralisation du cerveau**.

La figure 5.1 illustre la latéralisation fonctionnelle du cerveau chez 95 % des êtres humains ; ce modèle est appelé *dominance de l'hémisphère gauche*. Chez une petite

Corps calleux : Masse de fibres nerveuses qui relie l'hémisphère droit et l'hémisphère gauche du cortex cérébral.

Latéralisation du cerveau : Processus par lequel les fonctions cérébrales sont divisées entre les deux hémisphères du cortex.

Tableau 5.1	*Étapes du développement des habiletés motrices entre 2 et 6 ans*		
Âge	**◀ Habiletés de locomotion**	**◀ Habiletés de posture**	**◀ Habiletés de manipulation**
18 à 24 mois	Court (20 mois); marche bien (24 mois); monte des escaliers en posant les deux pieds sur chaque marche.	Pousse et tire des boîtes ou des jouets sur roues; dévisse les couvercles sur les pots.	Montre des signes de préférence pour l'une des deux mains; empile quatre à six cubes; tourne les pages d'un livre une à la fois; ramasse des objets sans perdre l'équilibre.
2 à 3 ans	Court aisément; grimpe sur un meuble et en descend sans aide.	Pousse et traîne de gros jouets autour d'obstacles.	Ramasse de petits objets (des céréales, par exemple); lance une petite balle en se tenant debout.
3 à 4 ans	Monte les escaliers en posant un pied par marche; saute sur les deux pieds; marche sur la pointe des pieds.	Pédale et conduit un tricycle; marche dans toutes les directions en tirant un gros jouet.	Attrape une grosse balle en tendant les bras; découpe du papier avec des ciseaux; tient un crayon entre le pouce et les deux premiers doigts de la main.
4 à 5 ans	Monte et descend des escaliers en posant un pied par marche; se tient debout, court et marche sur la pointe des pieds.		Frappe une balle avec un bâton; attrape une balle; donne un coup de pied sur un ballon; enfile des perles mais pas une aiguille; tient un crayon de façon appropriée.
5 à 6 ans	Saute d'un pied à l'autre; marche sur une ligne étroite; glisse, se balance.		Joue assez bien à des jeux de ballon; enfile une aiguille et fait quelques points.

(*Sources*: Connolly et Dalgliesh, 1989; The Diagram Group, 1977; Fagard et Jacquet, 1989; Mathew et Cook, 1990; Thomas, 1990a.)

proportion des 5 % restants, les fonctions sont inversées; ce modèle est appelé *dominance de l'hémisphère droit*. Les neurologues croient que ce sont les gènes qui décident des fonctions qui vont être latéralisées et de celles qui ne le seront pas, parce qu'un certain degré de latéralisation est déjà présent chez le fœtus (de Lacoste, Horvath et Woodward, 1991). Par exemple, les fœtus, tout comme les adultes, orientent leur tête de façon à présenter l'oreille droite pour écouter le langage. Le son qui pénètre dans l'oreille droite est acheminé vers l'hémisphère gauche du cerveau pour y être interprété. Cette découverte donne à entendre que la latéralisation du langage est déjà présente chez la plupart des fœtus. Cependant, la latéralisation du langage n'est pas terminée avant la fin de l'âge préscolaire (Spreen, Risser et Edgell, 1995).

Formation réticulée et hippocampe   La myélinisation des neurones de la formation réticulée est un aspect important du développement du cerveau chez l'enfant d'âge préscolaire. Nous avons vu au chapitre 3 que la formation réticulée est la structure du cerveau qui régularise l'attention et la concentration. Les neurones d'une autre structure du

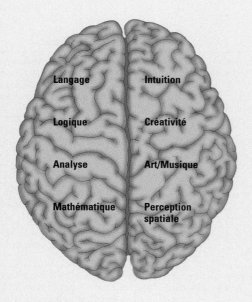

Figure 5.1
Latéralisation du cerveau.
Les fonctions du cerveau sont latéralisées
comme on peut le constater sur cette figure. Les
neurologues croient que la latéralisation de base
du cerveau est d'origine génétique, alors que le
moment précis de la latéralisation de chaque
fonction est déterminé par l'interaction des
gènes et de l'expérience.

cerveau, l'**hippocampe**, sont aussi myélinisés durant cette période (Tanner, 1990). L'hippocampe joue un rôle dans le transfert de l'information de la mémoire à court terme à la mémoire à long terme. La maturation de cette structure est probablement à l'origine de l'amélioration du fonctionnement de la mémoire durant les années préscolaires (Rolls, 2000).

Dominance de la main droite ou de la main gauche La tendance à utiliser la main droite ou la main gauche constitue un autre aspect important du développement neurologique de l'enfant d'âge préscolaire (Tanner, 1990). Les scientifiques ont longtemps pensé que le nombre de droitiers s'accroissait en même temps que le degré d'alphabétisation, et que les parents et les enseignants encourageaient les enfants à utiliser leur main droite en leur apprenant à écrire. C'est ainsi que la dominance de la main droite se transmettait d'une génération à l'autre par l'intermédiaire de l'instruction. En examinant des squelettes provenant d'une époque antérieure à l'écriture, les archéologues ont découvert que la proportion de droitiers et de gauchers était comparable à celle que l'on observe aujourd'hui, soit 83 % de droitiers, 14 % de gauchers et 3 % d'ambidextres (Steele et Mayes, 1995). D'après

cette découverte, la prédominance des droitiers serait d'origine génétique. On a d'ailleurs identifié récemment un gène dominant pour les droitiers et on croit que la plupart des gens reçoivent une copie de ce gène de chacun de leurs parents (Talan, 1998).

SANTÉ

Les jeunes enfants d'âge préscolaire requièrent encore des examens médicaux périodiques ainsi qu'une variété de vaccins leur assurant une immunisation contre certaines maladies. Les médecins établissent une distinction entre les maladies *aiguës* et les maladies *chroniques*. Les maladies aiguës englobent toutes les maladies qui se développent rapidement et durent moins de trois mois, tels le rhume ou la grippe. Les maladies chroniques comprennent les maladies qui durent plus de trois mois, voire des années ou toute la vie, tels le diabète, la dystrophie musculaire ou l'asthme.

Les maladies aiguës sont tout aussi courantes chez les jeunes enfants que chez les nourrissons. En Amérique du Nord, l'enfant d'âge préscolaire subit entre quatre et six périodes de maladies aiguës chaque année, le rhume et la grippe étant les plus répandues (Sulkes, 1998). En revanche, seulement 1 enfant d'âge préscolaire sur 10 est atteint d'une maladie chronique quelconque. Les maladies les plus courantes sont liées au système respiratoire, comme les allergies, l'asthme, les bronchites chroniques ou les sinusites (Starfield, 1991). Les allergies constituent la première cause d'hospitalisation chez les enfants de ce groupe d'âge.

À tous les âges, les enfants qui connaissent des niveaux de stress élevés ou des perturbations familiales importantes sont plus susceptibles d'être malades. Par exemple, une importante étude réalisée aux États-Unis montre que les enfants vivant dans une famille monoparentale (seuls avec leur mère) souffrent davantage d'asthme, ont plus de maux de tête et présentent généralement une plus grande vulnérabilité à toutes sortes de maladies que les enfants élevés avec leurs parents biologiques (Dawson, 1991). La figure 5.2 propose une comparaison des niveaux de vulnérabilité aux maladies établis dans cette étude en fonction de la structure familiale de l'enfant. Les scores de vulnérabilité ont été calculés à partir d'un questionnaire proposé aux parents et portant sur la santé de l'enfant. On peut voir sur la figure que le score moyen est seulement

Hippocampe : Structure du cerveau qui joue un rôle dans l'apprentissage et la mémoire.

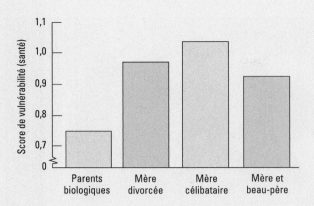

Figure 5.2
***Niveau de vulnérabilité aux maladies
selon la structure familiale.***
Si on suppose que les enfants vivant dans
une famille monoparentale ou dans une famille
reconstituée sont plus exposés au stress
(hypothèse corroborée par la recherche),
les résultats présentés dans cette figure montrent
clairement un lien entre l'exposition au stress
et des taux élevés de maladies. (*Source :* Dawson,
1991, tableau 3, p. 577.)

de 1 pour un score total possible de 9, ce qui signifie que la plupart des enfants sont relativement en bonne santé. Il semble cependant évident que le fait de vivre dans une structure familiale plus exposée au stress augmente la vulnérabilité aux maladies, même si on enlève de l'équation des facteurs tels que la race, le revenu et la scolarité de la mère.

Les accidents représentent également une source de danger. Au Québec comme en France, ils constituent la première cause de mortalité chez les enfants de 1 à 4 ans (Statistique Canada, 1997 ; Institut national de la statistique et des études économiques (INSEE), France, 2000). Quel que soit l'âge, les garçons sont plus fréquemment victimes d'accidents que les filles, peut-être parce qu'ils sont plus actifs et s'adonnent à des activités potentiellement plus dangereuses. Chez les enfants d'âge préscolaire, les accidents à la maison sont les plus courants : chute, coupure, empoisonnement accidentel, brûlures, etc. Les accidents de voiture représentent la deuxième principale cause de blessures chez les enfants de cet âge. Toutefois, le taux d'accidents graves et de décès à la suite de tels accidents a considérablement chuté ces dernières années en raison de l'adoption d'une loi qui impose l'utilisation d'un siège pour les nourrissons et les trotteurs voyageant en voiture (Christophersen, 1989).

DÉVELOPPEMENT PHYSIQUE À L'ÂGE SCOLAIRE

Comme nous l'avons souligné dans l'introduction de ce chapitre, le début de l'apprentissage scolaire constitue un changement majeur dans l'existence des enfants en raison des exigences auxquelles ils doivent désormais répondre.

CHANGEMENTS PHYSIQUES

Le fait que l'âge scolaire fasse figure de parent pauvre dans la recherche est sans doute attribuable à l'absence de changements physiques majeurs pendant cette période. Les changements se produisent de façon continue, mais jamais brutale. Le processus de croissance établi dans les dernières années préscolaires se poursuit ; l'enfant grandira de 5 à 7 cm et prendra environ 2,5 kg par année. La plupart des capacités motrices importantes sont acquises au moins dans leur plus simple expression dès l'âge de 6 ou 7 ans. Les changements physiques qui surviennent durant le milieu de l'enfance favorisent de façon importante l'amélioration des capacités motrices. Entre 6 et 12 ans, on constate notamment une augmentation de la vitesse d'exécution, une amélioration graduelle de la coordination et une plus grande compétence dans l'exécution d'activités physiques précises. Par exemple, un enfant de 5 ans peut effectuer un bond (sans élan) d'environ 0,85 m, alors qu'un enfant de 11 ans atteint 1,60 m (Cratty, 1979).

Les programmes de vaccination permettent de prémunir les jeunes enfants contre plusieurs maladies.

La coordination visuelle et la coordination motrice s'améliorent aussi beaucoup (Thomas, Yan et Stelmach, 2000). L'enfant peut dribbler avec un ballon et tirer au but avec une plus grande précision.

L'acquisition de la motricité fine constitue un autre changement physique important de l'âge scolaire ; elle permet à l'enfant d'écrire, de jouer de la plupart des instruments de musique, de dessiner, de découper et de développer plusieurs autres habiletés liées à la motricité fine.

Les filles d'âge scolaire possèdent une longueur d'avance sur les garçons sur le plan de la maturation en général. Elles présentent un peu plus de tissu adipeux et un peu moins de masse musculaire que les garçons, ce qui rend le plus souvent les garçons un peu plus rapides et un peu plus forts physiquement. Cependant, la différence sexuelle est minime ; ainsi, un garçon de 9 ans peut courir à une vitesse de 5 mètres par seconde et une fille de 10 ans, à une vitesse de 5,3 mètres par seconde (Cratty, 1979).

C'est aussi à cette période que s'amorcent les changements qui entraîneront finalement la puberté. Les changements hormonaux pubertaires peuvent s'amorcer dès l'âge de 8 ans chez les filles et vers 9 ou 10 ans chez les garçons. Même si le processus est enclenché durant les premières années d'apprentissage scolaire, ce n'est qu'à l'adolescence qu'il prend toute son ampleur.

CERVEAU ET SYSTÈME NERVEUX

Deux changements majeurs se produisent dans le cerveau à l'âge scolaire (Spreen, Risser et Edgell, 1995). Premièrement, chez l'enfant de 6 à 8 ans, on assiste à une croissance rapide de nouvelles synapses ainsi qu'à une augmentation de la densité du cortex cérébral dans les aires sensorielles et motrices. La croissance de ces aires est associée à l'amélioration de la dextérité manuelle ainsi qu'à une meilleure coordination visuelle et motrice. Deuxièmement, entre 10 et 12 ans, on observe également une croissance rapide de nouvelles synapses ainsi qu'une augmentation de la densité du cortex cérébral, mais dans le lobe frontal du cerveau cette fois (van der Molen et Molenaar, 1994). Comme on pouvait s'y attendre, les aires corticales qui gouvernent la logique et la planification, deux fonctions cognitives qui s'améliorent grandement durant cette période, se situent précisément dans le lobe frontal.

La myélinisation se poursuit durant l'âge scolaire, particulièrement au niveau de la formation réticulée et plus précisément au niveau des fibres nerveuses qui relient la formation réticulée au lobe frontal. Ces connexions sont essentielles pour l'enfant parce qu'elles

Les garçons d'âge scolaire sont plus forts et plus rapides que les filles du même âge. Cependant, les filles bénéficient d'une meilleure coordination motrice.

permettent une amélioration sensible des fonctions cérébrales associées au lobe frontal. Comme vous le savez, la formation réticulée gouverne l'attention, et de nombreux chercheurs ont observé que la régulation de l'attention augmente de façon significative durant l'âge scolaire (Lin, Hsiao et Chen, 1999).

Attention sélective   La myélinisation permet au lobe frontal et à la formation réticulée de travailler ensemble. En conséquence, l'enfant de 6 à 12 ans va acquérir une nouvelle habileté que l'on nomme attention sélective. L'**attention sélective** est la capacité de centrer son activité cognitive sur les éléments importants d'un problème ou d'une situation, un peu comme un adulte le fait. Par exemple, supposons qu'un enfant reçoive toujours sa copie d'examen imprimée sur une feuille blanche et qu'un jour, son professeur lui donne une copie d'examen imprimée sur une feuille bleue. C'est l'attention sélective qui permet à l'enfant de ne pas se laisser distraire par ce détail et de se concentrer sur les questions d'examen. Certains enfants plus jeunes vont être dérangés par cette nouvelle couleur, et leur performance au test sera moins bonne.

Aires associatives   Les neurones des aires associatives deviennent aussi fortement myélinisés à l'âge scolaire. Les **aires associatives** gouvernent les fonctions sensorielles,

Attention sélective : Capacité à se concentrer sur les éléments importants d'un problème ou d'une situation.

Aires associatives : Régions du cerveau qui abritent les fonctions sensorielles, motrices et intellectuelles.

L'enfant et les sports

Dans la plupart des pays industrialisés aujourd'hui, les enfants désertent les rues et les cours des maisons pour se joindre à des équipes sportives organisées ou à des groupes, tels que des équipes de soccer ou de football, de hockey, de baseball ou de natation. De nombreux enfants s'inscrivent à un programme sportif dès l'âge de 6 ou 7 ans, souvent avec un grand enthousiasme. La participation semble toutefois connaître un sommet vers l'âge de 11 ans pour décliner par la suite. Pourquoi en est-il ainsi?

Les enfants délaissent le sport à cause de la trop grande importance accordée à la compétition et à la victoire à tout prix. Les entraîneurs amateurs ont souvent une piètre compréhension des habiletés motrices initiales d'un enfant de 6 ou 7 ans. Lorsqu'ils voient un enfant qui éprouve des difficultés à botter un ballon de soccer et à courir avec, ou un enfant qui patine difficilement, ils ont tendance à le taxer d'enfant malhabile ou qui manque de coordination. Dès lors, ils accordent à ces enfants qui possèdent des habiletés normales pour leur âge moins de temps de jeu et moins d'encouragements. Ce sont les enfants qui présentent les meilleures habiletés, les enfants étoiles, ceux qui sont précoces sur le plan de la coordination motrice, qui reçoivent le plus d'attention et de temps de jeu sur le terrain ou sur la patinoire.

En fait, les enfants de 6 ou 7 ans sont bien trop jeunes pour jouer sur un terrain de baseball grandeur nature ou pour prendre part à des compétitions sportives (Kolata, 1992). Il est préférable d'attendre que l'enfant ait atteint au moins l'âge de 9 ou 10 ans avant de le laisser participer à des compétitions; avant cet âge, il peut apprendre et perfectionner les habiletés de base du sport qui l'intéresse en pratiquant des exercices qui lui plaisent, qui tiennent compte de son niveau d'habiletés motrices et qui lui permettent d'effectuer le plus de mouvements possible. De toutes les activités sportives, le soccer et la natation remplissent le mieux ces conditions, non seulement parce qu'ils requièrent un bon exercice aérobique (échanges cardiovasculaires), mais aussi parce que les habiletés exigées correspondent à celles d'un enfant de 6 ou 7 ans. Le baseball, au contraire, ne constitue pas un bon sport pour un enfant de cet âge, parce qu'il demande une coordination

visuelle et motrice (œil et main) pour frapper une petite balle avec un bâton, dextérité que la plupart des enfants de cet âge ne possèdent pas. Vers l'âge de 10 ans, la plupart des enfants sont en mesure de jouer correctement au baseball, mais ils devront attendre un peu plus longtemps pour pratiquer des sports comme le tennis.

Si vous voulez encourager votre enfant à s'investir dans une activité sportive, choisissez-la avec soin. Laissez l'enfant essayer plusieurs activités afin de voir dans laquelle il s'amuse le plus. Veillez à l'inscrire dans un programme où tous les enfants sont traités sur un pied d'égalité et reçoivent un entraînement approprié ainsi que des encouragements, et dans lequel l'esprit de compétition n'est pas exacerbé. Il est aussi impératif de ne pas trop pousser l'enfant à obtenir de bons résultats. La performance vient avec le temps et doit se situer au niveau de l'enfant (l'enfant doit se comparer à lui-même). Sinon, votre enfant risque d'abandonner autour de 10 ou 11 ans, comme nombre d'enfants, en disant qu'il ne se sent pas assez bon ou qu'il ne trouve plus aucun plaisir à pratiquer son sport.

---

motrices et intellectuelles du cerveau. Les neurologues croient que la myélinisation de ces aires contribue à l'augmentation de la vitesse du traitement de l'information chez l'enfant. Supposons par exemple que vous demandiez à un enfant de 6 ans et à un enfant de 12 ans d'identifier des images d'objets, tels qu'une bicyclette, une pomme, un bureau, un chien, et ce, le plus rapidement possible. L'enfant de 12 ans va nommer les objets représentés plus rapidement que celui de 6 ans. Cette amélioration du traitement de l'information est probablement aussi associée à l'amélioration de la mémoire que l'on observe durant cette période (Kail, 1990).

Perception spatiale Un autre changement important à l'âge scolaire touche l'hémisphère droit du cerveau. Il s'agit

de la latéralisation de la **perception spatiale**, c'est-à-dire la capacité de reconnaître et de comprendre les mouvements des objets dans l'espace. Vous utilisez votre perception spatiale lorsque vous imaginez un nouvel agencement des meubles de votre chambre. La perception des objets, tout comme celle des visages, se latéralise vers l'âge de 6 ans, alors que la perception spatiale plus complexe, comme la lecture de cartes routières, ne se latéralise pas complètement avant l'âge de 8 ans. En général, les enfants de 8 ans et plus peuvent comprendre la différence entre

Perception spatiale: Capacité à comprendre et identifier les mouvements des objets dans l'espace.

les expressions «c'est à *ma* droite» et «c'est à *ta* droite», alors que les enfants plus jeunes sont incapables de distinguer la droite de la gauche selon différentes perspectives. La latéralisation de la perception spatiale peut aussi être associée à une plus grande efficacité sur le plan de l'apprentissage des mathématiques et des stratégies de résolution de problèmes.

SANTÉ

Les enfants d'âge scolaire sont généralement en bonne santé. Le taux de maladies des enfants de ce groupe d'âge est, en moyenne, légèrement inférieur à celui des enfants d'âge préscolaire. À l'école élémentaire, les enfants contractent environ quatre à six fois par année une maladie aiguë; la plupart du temps, il s'agit de rhumes et de grippes. Le problème le plus souvent signalé est la difficulté à dormir, qui touche 10% de la population d'âge scolaire (Owens *et al.,* 2000). Les parents de ces enfants ne s'aperçoivent généralement pas de ce problème, jusqu'à ce qu'un médecin ou une infirmière pose directement la question à l'enfant. Au Canada, les problèmes respiratoires demeurent la première cause d'hospitalisation chez les enfants de 5 à 9 ans. Par ailleurs, les blessures par accident (véhicule motorisé et bicyclette) sont toujours la première cause de mortalité dans ce groupe d'âge (Institut canadien de la santé infantile, 1998).

Obésité   Les maladies chroniques et aiguës ne constituent pas le seul danger pour la santé de l'enfant. Mis à part les accidents, l'obésité constitue le risque le plus important pour la santé de l'enfant. L'obésité se définit par un poids corporel supérieur de 20% ou plus au poids normal en fonction de la taille. L'obésité est un excès de graisses corporelles qui est évalué à l'aide de l'indice de masse corporelle (IMC). Environ 15% des adolescents en Amérique du Nord sont obèses, et l'incidence de ce problème augmente de façon constante depuis les 30 dernières années. La situation est sensiblement la même dans les autres pays industrialisés. Par exemple, des chercheurs en Italie ont observé que 23,4% d'un échantillon de garçons de 10 ans et 12,7% de filles du même groupe d'âge étaient obèses (Maffeis *et al.,* 1993). En France, 12% des enfants sont obèses comparativement à 20% aux États-Unis (Institut national de la santé et de la recherche médicale (INSERM), France, 2001). L'obésité est le trouble de l'alimentation le plus répandu chez les enfants et les adolescents. Le fait d'être obèse durant l'enfance augmente sensiblement les risques d'obésité à l'âge adulte.

L'obésité semble être le résultat de l'interaction entre une prédisposition génétique, certains facteurs environne-

mentaux qui favorisent la surconsommation de nourriture et la sédentarité (ou un faible niveau d'exercice physique). Des études portant sur des jumeaux et des enfants adoptés font état d'une composante génétique indéniable. Les jumeaux adultes, même ceux qui ont été élevés séparément, présentent des poids corporels presque similaires. De la même façon, les enfants adoptés et élevés par des parents obèses risquent moins de devenir obèses que des enfants naturels de parents obèses (Stunkard *et al.,* 1990). Le fait qu'un enfant possédant une prédisposition génétique à l'obésité devienne obèse dépend de son bilan énergétique, c'est-à-dire de l'équilibre entre les apports d'énergie par l'alimentation et les dépenses d'énergie par l'exercice physique. Les enfants obèses ont tendance à choisir des activités plus sédentaires et à faire peu d'exercice. Certaines études établissent un lien entre le temps consacré par un enfant à regarder la télévision et son surplus de poids, peut-être parce que les enfants qui passent beaucoup de temps devant la télévision en ont moins pour s'adonner à l'exercice physique (Dietz et Gortmaker, 1985).

L'obésité influe sur l'expérience sociale de l'enfant et de l'adolescent durant les années scolaires, et ses effets peuvent se faire sentir jusqu'à l'âge adulte. L'obésité est aussi à l'origine de problèmes de santé à long terme. Chez les adultes, les personnes obèses ont une espérance de vie plus courte et des risques élevés d'accidents cardiovasculaires et d'hypertension artérielle. Par ailleurs, l'obésité provoque des troubles sévères du comportement alimentaire chez certains adolescents, telles la boulimie et l'anorexie mentale. Beaucoup d'enfants d'âge scolaire, bien au fait des normes culturelles de minceur, suivent déjà un régime alimentaire (Mellin, Irwin et Scully, 1992).

Maltraitance et négligence   Chaque année, des millions d'enfants sont victimes de mauvais traitements physiques, de sévices sexuels ou de négligence. L'âge moyen des enfants négligés ou maltraités est de 7 ans. Légalement, la maltraitance, sous sa forme active, se définit par l'emploi de la force physique d'une façon répétée et consciente sur un enfant. Les mauvais traitements peuvent être d'ordre psychologique, affectif et sexuel. Sous sa forme passive, la maltraitance (ou la négligence) se définit par la privation répétée et consciente des besoins de l'enfant (soins, nourriture, amour, etc.) (Sulkes, 1998). Cette définition est cependant difficile à appliquer dans la pratique. Par exemple, si les parents d'un enfant de 2 ans lui permettent de jouer seul à l'extérieur de la maison et qu'il se fracture le bras, la blessure de l'enfant est-elle le résultat d'un accident ou d'une négligence? Tel est le type de dilemmes auxquels doivent faire face de nombreux spécialistes de l'enfance (médecins, travailleurs sociaux, infirmières, etc.). Les médecins hésitent à porter des accusations contre les parents dans des situations semblables, mais ils sont également soucieux de protéger l'enfant contre des sévices potentiels (Sulkes, 1998). Par ailleurs, les valeurs culturelles sur ce qui constitue un comportement acceptable ou non acceptable envers un enfant rendent très difficile l'établissement de normes relatives aux mauvais traitements. Ce qui constitue un acte de violence dans une culture ne l'est pas forcément dans une autre.

Divers facteurs de risque peuvent expliquer les causes des mauvais traitements: les facteurs socioculturels, les caractéristiques de l'enfant, les caractéristiques de la personne violente et les facteurs de stress familiaux (Bittner et Newberger, 1981). Les mauvais traitements sont associés aux interactions quotidiennes entre les parents et les enfants en fonction de ces facteurs. Par exemple, lorsqu'un parent réprimande un enfant pour avoir renversé son verre de lait, plusieurs facteurs peuvent se conjuguer et provoquer la réaction violente du parent. Ce qui différencie alors un parent violent d'un parent non violent est la présence ou non d'un certain nombre de ces facteurs de risque qui déterminent la réponse émise par le parent dans une situation normale de stress familial.

Les facteurs socioculturels comprennent les valeurs personnelles et culturelles qui permettent de considérer la violence physique infligée à un enfant comme une situation moralement acceptable. Les parents sont plus susceptibles d'être violent envers leur enfant si leur système de valeurs ne leur impose pas de limites quant à l'utilisation de la violence physique pour punir ou éduquer un enfant. Selon les sociologues, ces valeurs sont d'origine culturelle et s'appuient sur la croyance que l'enfant est la propriété du parent et non un être humain possédant des droits individuels (Mooney, Knox et Schacht, 2000). De plus, les parents qui vivent dans une communauté dont les membres adhèrent à ces valeurs et agissent selon elles sont plus susceptibles de devenir des parents violents.

Plusieurs caractéristiques des parents et des enfants jouent un rôle dans la maltraitance. Nous avons vu au chapitre 4 que, dès la naissance, un système mutuel d'interaction (synchronie) crée généralement un lien affectif profond et solide entre les parents et leur enfant. L'interaction qui s'établit dans la maltraitance peut être causée par le fait qu'un enfant malade, prématuré ou handicapé ne manifeste pas de manière adéquate les comportements d'attachement requis pour attirer et conserver l'attention de ses parents (van IJzendoorn *et al.*, 1992). Ces habiletés peuvent faire défaut à l'un ou l'autre des deux parents.

On sait, par exemple, que les mères déprimées réagissent moins rapidement aux signaux émis par leur bébé et qu'elles ont une attitude plus négative, voire hostile, à l'endroit de leur progéniture (Field, 1995). De plus, la consommation de drogue par un parent peut empêcher l'établissement du lien affectif ou nuire à son développement. La négligence ou les mauvais traitements sont parfois, mais pas toujours, les conséquences d'un tel échec. Certaines études montrent aussi que les enfants qui présentent un tempérament difficile sont plus susceptibles d'être victimes de violence que les autres enfants à risque (Sulkes, 1998).

Les facteurs de stress associés à la famille incluent la pauvreté, le chômage et les conflits entre les parents (Sulkes, 1998). Gardez à l'esprit qu'il est rare qu'un seul facteur puisse provoquer une situation de violence; c'est la combinaison de plusieurs de ces facteurs qui augmente la probabilité qu'un enfant en soit victime.

Certains enfants qui sont fréquemment ou sévèrement maltraités présentent le *syndrome de stress post-traumatique* (Kendall-Tackett, Williams et Finkelhor, 1993; Margolin et Gordis, 2000; Morrisette, 1999; Pynoos, Steinberg et Wraith, 1995). Ce trouble comprend des niveaux extrêmes d'anxiété, des souvenirs récurrents d'épisodes de mauvais traitements, des cauchemars et des troubles du sommeil. Les enfants maltraités sont aussi plus susceptibles d'éprouver des difficultés scolaires durant l'enfance, de consommer de la drogue à l'adolescence et d'avoir un rythme de croissance du cerveau plus lent que les enfants non maltraités (Glaser, 2000; Malinosky-Rummell et Hansen, 1993; Rogosch, Cicchetti et Aber, 1995).

La prévention des mauvais traitements commence par l'éducation. Il faut informer les parents des conséquences potentielles de certains gestes, comme le fait de secouer un enfant qui peut causer des dommages au cerveau. Par ailleurs, les parents doivent savoir que le fait de maltraiter un enfant constitue un crime, même si leur intention était de le discipliner. Dans les cas les plus flagrants de mauvais traitements, soit la violence physique et les sévices sexuels, la loi en vigueur en Amérique du Nord et en Europe fait obligation à tout témoin de signaler la situation aux autorités compétentes en la matière. La violence et la négligence appellent des interventions différentes. La première nécessite l'intervention des autorités, alors que la seconde requiert souvent l'aide d'un intervenant pour enseigner au parent à prendre soin de son enfant. Les parents à risque peuvent suivre des ateliers qui leur expliquent le développement de l'enfant et qui leur apprennent des méthodes appropriées pour éduquer un enfant (Mooney, Knox et Schacht, 2000b).

PAUSE-APPRENTISSAGE

Développement physique à l'âge préscolaire et à l'âge scolaire

- Qu'est-ce qu'une maladie aiguë et une maladie chronique ? Donnez des exemples de chacune.

- Quelles sont les principales causes d'hospitalisation et de décès chez les enfants d'âge préscolaire et scolaire ?

- Résumez les changements physiques qui se produisent à l'âge préscolaire et à l'âge scolaire.

- Décrivez birèvement les changements qui affectent le cerveau et le système nerveux à l'âge préscolaire et à l'âge scolaire.

Concepts et mots clés

- **aires associatives** (p. 156) • **attention sélective** (p. 156) • **corps calleux** (p. 152) • **hippocampe** (p. 154) • **latéralisation du cerveau** (p. 152) • **perception spatiale** (p. 157)

DÉVELOPPEMENT COGNITIF À L'ÂGE PRÉSCOLAIRE

Nous venons de voir les changements physiques prodigieux qui se produisent chez l'enfant d'âge préscolaire et d'âge scolaire. Nous allons maintenant aborder les changements cognitifs qui surviennent au cours de la même période et qui sont tout aussi spectaculaires. Étape par étape, nous allons essayer de comprendre comment se construit la pensée de l'enfant de l'âge préscolaire à l'âge scolaire.

APPROCHE DE PIAGET : LA PÉRIODE PRÉOPÉRATOIRE

Durant la période sensorimotrice, l'intelligence de l'enfant repose sur la perception et la sensation immédiate : l'action prime sur la pensée. L'enfant n'agit que sur le mode de l'« ici et maintenant » ; il est incapable de se faire une représentation mentale des objets et des événements. Le stade 6 de cette période est un moment de transition au cours duquel émergent les premières représentations internes ou *symboles,* c'est-à-dire que l'enfant commence à utiliser des images, des mots ou des actions qui veulent dire autre chose que leur sens premier. Il peut également manipuler mentalement ces symboles. Le passage à la **période préopératoire** signifie que l'intelligence de l'enfant devient plus conceptuelle et symbolique et qu'elle fonctionne donc sur le mode représentatif. « C'est l'étape où les faits

et gestes de l'enfant peuvent non seulement s'exprimer dans l'action, mais d'abord être vécus sur le plan même de la pensée. Désormais, la pensée précède l'action » (Bergeron et Bois, 1999, p. 109).

Conduites symboliques

L'élément clé de la période préopératoire est donc le début de la fonction symbolique. On observe clairement ce changement dans les premières *conduites symboliques,* notamment l'*imitation différée* (dans le temps et dans l'espace), qui consiste à imiter un modèle en l'absence de ce modèle, et le *jeu symbolique.* Chez l'enfant de 2 ou 3 ans, un balai peut se transformer en cheval ou un cube, en train (Walker-Andrews et Kahana-Kalman, 1999). Certaines recherches transculturelles ont permis de constater que le jeu symbolique est un phénomène universel (Haight *et al.,* 1999). L'utilisation de symboles se produit en même temps que l'émergence du langage et l'apparition des premiers mots (DeLoache, 1995). L'enfant peut comprendre les symboles graphiques comme les lettres (Callaghan, 1999). D'ailleurs, lorsque l'enfant apprend à mieux manipuler les symboles, on remarque aussi que sa mémoire s'améliore et qu'il cherche de façon plus systématique des objets perdus ou cachés (résolution de problèmes).

Mis à part l'utilisation des symboles, Piaget a décrit sur un mode plutôt négatif la pensée de l'enfant d'âge préscolaire : il s'est principalement attardé sur ce que l'enfant n'arrive pas à faire. Cependant, des études plus récentes donnent une vue d'ensemble beaucoup plus positive. Nous allons comparer ces deux points de vue en décrivant plusieurs dimensions clés de la pensée de l'enfant, d'abord selon Piaget, puis selon des chercheurs plus près de nous.

Piaget divise la période de l'intelligence préopératoire en deux sous-périodes : 1) la pensée préconceptuelle (ou pensée symbolique), qui s'étend de 2 à 4 ans, et 2) la pensée intuitive, qui s'étend de 4 à 7 ans.

Pensée préconceptuelle : de 2 à 4 ans

L'enfant de 2 ans peut se représenter mentalement des actions et il peut aussi prévoir les conséquences de ces actions. Il commence à acquérir une certaine compréhension de la notion de *causalité,* c'est-à-dire le lien de cause à effet entre des événements. Il comprend qu'une

---

Période préopératoire : Selon Piaget, deuxième période importante du développement cognitif, entre 2 et 7 ans, et dont le début est caractérisé par la capacité d'utiliser des symboles.

action peut devenir le moyen d'atteindre un but. La *pensée préconceptuelle* présente quatre caractéristiques liées au processus de raisonnement de l'enfant: les préconcepts, l'égocentrisme intellectuel, le raisonnement transductif et la pensée animiste.

Préconcepts   Lorsque l'enfant élabore ses premières représentations internes des objets et des événements, il associe les propriétés communes de ces objets et événements et il construit alors ses premiers concepts. Toutefois, ces concepts ne sont pas aussi complets et logiques que ceux d'un adulte: c'est pourquoi on les appelle *préconcepts* (Lefrançois, 1999). Les préconcepts permettent à l'enfant d'effectuer des classifications simples afin d'identifier les objets de façon sommaire. On peut comparer ces préconcepts avec les schèmes élaborés par l'enfant dans la théorie de Piaget. L'enfant de 2 ans construit de nombreux concepts rudimentaires des objets, des personnes et des événements de son environnement. Il sait qu'un chien possède quatre pattes et une tête et qu'il jappe. Cependant, il est généralement incapable de distinguer les individus d'une même espèce. Piaget (1951) illustre cette notion de pensée préconceptuelle par l'exemple de son fils Laurent qui avait montré un escargot du doigt lors d'une randonnée en forêt; quelques minutes plus tard, à la vue d'un autre escargot, Laurent, éberlué, avait été convaincu qu'il s'agissait du même escargot. Cette incapacité à reconnaître que des objets semblables peuvent appartenir à une même classe, tout en demeurant des objets différents, constitue un exemple de pensée préconceptuelle. L'enfant qui a croisé cinq pères Noël différents dans la même journée et qui continue de croire qu'il s'agit d'un seul et même personnage présente également un exemple de pensée préconceptuelle.

Égocentrisme intellectuel   Au début de la pensée préconceptuelle, l'enfant construit une représentation à partir de sa façon de voir, de sa préconception. Les observations de Piaget l'ont mené à la conclusion que les enfants de la période préopératoire n'abordent les choses que de leur point de vue en fonction de leur propre gamme de références: c'est ce que Piaget appelle l'*égocentrisme intellectuel* (Piaget, 1954). L'égocentrisme intellectuel est au cœur de plusieurs comportements observés tout au long de la période préopératoire.

L'enfant préopératoire est incapable de prendre *conscience du point de vue des autres*. Cela ne veut pas dire que l'enfant est égoïste: il croit tout simplement que tout le monde pense comme lui. Il est centré sur son propre point de vue et ne peut pas être objectif. Le dessin de la figure 5.3 présente une expérimentation classique de

Figure 5.3
Perspective chez l'enfant.
Cette situation expérimentale est semblable à celle utilisée par Piaget pour étudier l'égocentrisme intellectuel chez l'enfant. On demande d'abord à l'enfant de choisir la photographie qui illustre la façon dont elle voit les trois montagnes, puis de choisir la photographie qui représente la façon dont la poupée voit les trois montagnes. La plupart des enfants d'âge préscolaire choisissent deux fois la même photographie: celle qui illustre les montagnes selon leur propre point de vue ou perspective.

Piaget pour étudier la notion d'égocentrisme intellectuel. On montre d'abord à l'enfant une scène en trois dimensions où sont disposées trois montagnes de différentes formes et couleurs. Parmi une série d'illustrations, on demande à l'enfant de choisir celle qui représente la scène qu'il voit. La plupart des enfants d'âge préscolaire réussissent cette partie de l'exercice sans trop de difficulté. Par la suite, l'examinateur demande à l'enfant de choisir l'illustration qui montre comment une autre personne (la poupée) placée à un endroit différent voit la scène. À ce moment, les enfants d'âge préscolaire éprouvent des difficultés et choisissent souvent l'illustration qui montre leur propre point de vue des montagnes (Flavell *et al.*, 1981; Gzesh et Surber, 1985). L'enfant est incapable de prendre conscience que les autres voient les choses selon une perspective physique différente de la sienne. Cette incapacité de comprendre le point de vue des autres s'étend aussi au domaine des pensées et des sentiments.

Le *langage égocentrique* que l'on observe chez l'enfant du même âge en est un exemple éloquent. L'enfant peut se parler tout seul, même en présence d'autres enfants. Il peut aussi ne prêter aucune attention à ce que les autres enfants lui disent.

L'*expression des émotions* constitue un autre exemple d'égocentrisme dans des situations particulières. Par exemple, un enfant qui désirait un cadeau précis (un jeu) mais qui, en ouvrant la boîte, découvre un vêtement (une paire de chaussettes) peut afficher ouvertement sa déception en fronçant les sourcils et en adoptant un air renfrogné, inconscient du fait que son visage peut être vu par les autres et révéler ainsi ses véritables sentiments par rapport à son cadeau (Feldman, 1992).

Dans le *jeu de cache-cache,* l'enfant peut se cacher en se couvrant la tête d'un oreiller, même si le reste de son corps demeure découvert. L'enfant pense alors que, s'il ne peut pas voir les autres, les autres ne peuvent pas le voir non plus. Il suppose que les autres voient de la même façon que lui.

Raisonnement transductif   Il existe deux formes principales de raisonnement: le raisonnement inductif et le raisonnement déductif. Le *raisonnement déductif* consiste à passer du général au particulier (d'une loi générale aux applications particulières). Ainsi, en partant du fait que les herbivores se nourrissent exclusivement de végétaux, je peux conclure qu'une espèce d'herbivores, tels que l'éléphant, se nourrit de végétaux. À l'opposé, le *raisonnement inductif* consiste à partir d'observations ou d'exemples particuliers pour parvenir à une conclusion ou à une loi générale (du particulier au général). J'observe la façon dont plusieurs oiseaux d'une même espèce construisent leurs nids (certaines hirondelles) et je peux conclure (généraliser) qu'un oiseau de cette espèce va construire son nid de la façon observée. Le *raisonnement transductif,* quant à lui, ne procède pas du général au particulier (inductif) ni du particulier au général (déductif), mais bien d'un événement particulier à un autre événement particulier. L'enfant construit un lien superficiel entre deux événements. Cela ressemble au raisonnement inductif à la différence que le raisonnement est basé sur une seule observation particulière. Ainsi, chez l'enfant d'âge préscolaire, la logique paraît parfois «illogique». Par exemple, une petite fille qui n'avait pas fait sa sieste ne voulait pas prendre son repas du soir car, disait-elle, ce n'était pas encore l'après-midi. Elle avait correctement associé la sieste et l'après-midi, mais avait incorrectement prêté à ce lien un caractère directement causal. Le raisonnement transductif peut parfois conduire à une déduction correcte, mais la plupart du temps ce type de raisonnement est boiteux. Par exemple, si A vole et que B vole, alors B = A. Si A est un oiseau et que B est aussi un oiseau, alors A = B et vice-versa. Si, par contre, A est un avion et que B est un oiseau, alors le processus de raisonnement transductif conduit à une conclusion erronée. C'est pourquoi

certains enfants affirment avec une certitude déconcertante des invraisemblances qui leur semblent à eux tout à fait logiques.

Pensée animiste   La *pensée animiste* prête des caractéristiques humaines (des intentions, des sentiments, des humeurs et une conscience) aux objets naturels ou fabriqués et aux événements. «L'enfant qui se cogne à une table dit qu'elle est méchante»; il peut dire aussi que la lune le suit lors d'une promenade nocturne (Piaget, 1960). La pensée animiste se rencontre principalement chez les enfants de 2 à 4 ans, mais rarement au-delà de cet âge. Plus près de nous, un auteur à succès, Stephen King, utilise brillamment cette forme de pensée afin de réveiller en nous des peurs irrationnelles qui viennent de notre enfance et qui sont associées à l'animisme. Vous souvenez-vous de cette poupée qui avait cligné de l'œil ou de l'arbre qui projetait une ombre menaçante dans votre chambre? Cette forme de pensée magique selon laquelle les objets sont vivants se retrouve principalement dans l'explication des phénomènes naturels (le soleil, la lune, le vent et les nuages). On nomme *artificialisme* la «démarche de l'enfant [...] par laquelle il attribue les éléments et les phénomènes naturels à l'action de l'homme ou à celle d'un être imaginaire qui œuvrerait comme un homme. Par exemple, l'enfant affirme que les lacs [ont été faits pour se baigner et qu'ils] ont été creusés par des hommes qui ont amené l'eau dans des tuyaux» (artificialisme, Larousse 1999, p. 91). Finalement, les premières relations de causalité portent la marque de l'animisme parce que, comme nous venons de le voir, les relations établies sont d'ordre subjectif; l'enfant attribue en effet un rôle actif à un objet ou à un événement sans tenir compte de leurs propriétés propres.

Pensée intuitive: de 4 à 7 ans

Pendant cette sous-période, «l'enfant n'envisage plus la réalité à partir de ce qu'il éprouve mais devient davantage en mesure d'envisager les choses comme étant de plus en plus extérieures à lui-même. L'égocentrisme perd graduellement de sa puissance. L'enfant commence à accorder aux choses une existence indépendante de sa propre volonté ou [de sa propre] activité. C'est maintenant sa perception visuelle qui lui sert à saisir sa réalité, bien que [la première] lui joue parfois des tours» (Bergeron et Bois, 1999, p. 114). La plupart des enfants résolvent plusieurs problèmes correctement, sans toutefois utiliser une logique appropriée. Le raisonnement de l'enfant est intuitif: il est centré sur les aspects perceptifs et caractérisé par des erreurs dans les premières classifications et par une moralité hétéronome.

Intuition   La *pensée intuitive* (qui s'oppose à la pensée rationnelle) est une pensée qui ne parvient pas encore à faire des liens entre différents éléments ni à établir des relations d'emboîtement. Elle constitue une transition entre l'intelligence symbolique (préconceptuelle) et l'intelligence opératoire. Elle est la première ébauche de la pensée opératoire parce qu'elle opère sur le réel, sur ce que l'enfant voit et sur la compréhension qu'il se fait de la réalité, mais elle est incomplète parce qu'elle ne peut se détacher des aspects perceptifs et qu'elle demeure irréversible ou à sens unique. Piaget donne un exemple édifiant pour illustrer ce phénomène. Il demande à un enfant d'introduire dans un cylindre opaque trois boules de différentes couleurs qui se superposent. La première à être insérée est bleue, suivie par une jaune et une rouge. Piaget demande d'abord à l'enfant d'identifier la couleur de la boule qui est sur le dessus lorsque le cylindre est placé verticalement. L'enfant sait pertinemment quelle boule est sur le dessus. Alors, Piaget imprime au cylindre une rotation de 180 degrés et demande à l'enfant quelle boule est maintenant sur le dessus. Puis, l'expérimentateur peut effectuer une rotation complète et varier par la suite : un tour et demi, deux tours, et ainsi de suite. Piaget a découvert que, aussi longtemps que les enfants d'âge préscolaire pouvaient suivre la boule dans ses déplacements (imaginer sa position), ils pouvaient répondre correctement. Toutefois, ces enfants ne peuvent découvrir une autre façon de répondre. Ils ne peuvent déduire de leurs observations une règle qui leur permettrait de répondre correctement (quel que soit le nombre de rotations, par exemple). Ils ne peuvent tirer de conclusions. Ils résolvent le problème par intuition et non par logique. Les enfants semblent connaître les réponses à toutes sortes de questions, sans qu'il y ait de fondement logique dans leur façon d'appréhender le mode de fonctionnement du monde.

Centration sur les aspects perceptifs Le fait que la perception domine la pensée de l'enfant de cet âge est clairement démontré par la notion de conservation. Ainsi, Piaget était convaincu que l'enfant d'âge préscolaire était captif de l'apparence des objets ; ce thème domine encore la recherche chez les enfants de cet âge. L'enfant sensorimoteur doit acquérir un certain degré de compréhension de l'identité des objets et finit par se rendre compte que les objets continuent d'exister même s'il ne les voit plus (permanence de l'objet). Cependant, certains objets, bien que leur apparence semble avoir été modifiée, demeurent identiques – ils sont conservés selon la terminologie de Piaget –, et cette conservation déconcerte l'enfant d'âge préscolaire.

Le tableau 5.2 présente une récapitulation des types de conservation étudiés par Piaget. Dans chaque cas, on présente deux objets identiques à l'enfant, puis on lui demande de confirmer l'identité des objets par rapport au poids, à la substance, à la longueur ou au nombre. Ensuite, après avoir déplacé ou déformé l'un des objets, on demande à l'enfant si les objets sont toujours identiques. Le concept de *conservation* fait donc référence à la compréhension par l'enfant que toute quantité de matière ou de liquide est conservée ou demeure identique (identité), quelles que soient les transformations que subit son apparence. Les enfants reconnaissent rarement ce type de conservation avant l'âge de 5 ans ; Piaget explique cette situation par le fait que les enfants sont si absorbés par l'apparence du changement qu'ils ne se concentrent pas sur l'aspect inchangé et sous-jacent. Ils sont centrés sur un seul aspect de la réalité au détriment des autres, comme si cet élément particulier de la situation (ou de l'objet) devenait l'élément unique : c'est ce que l'on nomme la *centration*. Par exemple, si on transvide deux verres d'eau identiques et contenant la même quantité de liquide, l'un dans un verre étroit et l'autre dans un verre plus évasé, l'enfant affirmera que le verre étroit contient plus de liquide parce que le niveau d'eau monte plus haut. Il est centré sur un seul aspect du problème et néglige les autres données. C'est encore cette forme de pensée qui fait qu'un enfant se concentre sur la longueur de l'aiguille et oublie tout le reste lorsqu'il doit recevoir une injection. C'est ainsi que « les échanges interpersonnels sont si difficiles à cet âge et [que] la collaboration véritable ne peut pratiquement pas exister. L'enfant qui veut le camion de son petit frère n'est pas en mesure de comprendre intellectuellement le désir de l'autre. Il ne peut envisager que le sien propre et tente par tous les moyens de s'approprier l'objet convoité » (Bergeron et Bois, 1999, p. 108). La figure 5.4 illustre la centration sur les aspects perceptifs chez un enfant au cours de la période préopératoire à l'aide du test de conservation des liquides.

Premières classifications Piaget s'est particulièrement intéressé à l'aptitude de l'enfant à classer des objets : à regrouper des objets par ensembles ou par catégories et à utiliser des propriétés abstraites ou concrètes, telles que la couleur, la forme ou même des étiquettes linguistiques, afin d'effectuer ces regroupements. Il s'agit du début de la construction de l'intelligence, c'est-à-dire du développement de la capacité à établir des catégories (catégorisation). Le processus de *classification* ou catégorisation est essentiel pour regrouper les informations et séparer l'important du superflu, ce qui permet à l'individu de se retrouver dans un océan de stimulations. Piaget a distribué à de jeunes enfants des ensembles d'objets ou des images de personnes, d'animaux ou de jouets et il leur a demandé de regrouper les éléments qui allaient ensemble ou qui étaient semblables (Piaget et Inhelder, 1959). Il a ainsi découvert une progression marquée des habiletés de classification selon l'âge.

Tableau 5.2	*Récapitulation des caractéristiques de la période préopératoire*		
Pensée préconceptuelle (2 à 4 ans)		**Pensée intuitive (4 à 7 ans)**	
Préconcepts	Les objets similaires sont perçus comme étant identiques.	Intuition	On insère trois boules de couleurs différentes dans un cylindre. On fait faire une rotation au cylindre (de bas en haut), et l'enfant doit prédire l'ordre des boules. Il peut le faire si la rotation est lente et s'il peut imaginer le déplacement (le suivre avec les yeux).
Égocentrisme intellectuel	L'enfant est caché sous une table, mais la moitié de son corps dépasse sous la nappe. S'il ne peut pas voir les autres, les autres ne peuvent pas le voir non plus.	Centration sur les aspects perceptifs	L'enfant admet en A que les deux boules de pâte à modeler sont identiques. En B, l'une des boules est divisée en cinq petites boules. L'enfant croit que la quantité de pâte à modeler a changé. A B
Raisonnement transductif	Un chien a quatre pattes et des poils, une moufette a quatre pattes et des poils; donc la moufette doit être un chien. Raisonnement du particulier au particulier.	Premières classifications	L'enfant réalise que beaucoup de fleurs sont des marguerites et que certaines sont des roses, mais à la question: «Y a-t-il plus de fleurs que de marguerites?», il répond: «Plus de marguerites.»
Pensée animiste	La lune semble bouger lorsque je me déplace, alors elle doit me suivre. Certains objets inanimés se comportent comme s'ils étaient vivants.	Moralité hétéronome	Un petit garçon a mis de l'ordre dans sa chambre et, lorsque sa mère est rentrée du travail, elle l'a puni. Un autre petit garçon a été désagréable avec sa sœur toute la journée mais, lorsque sa mère est rentrée du travail, elle lui a donné une friandise. Lequel des deux a mal agi? Les enfants répondent habituellement que c'est le premier, car il a été puni. C'est la conséquence de l'action qui détermine le caractère positif ou négatif du comportement.

Figure 5.4
Centration sur les aspects perceptifs à la période préopératoire.
Quel verre contient le plus de liquide ? Sur la photo de gauche, la fillette vient de mettre la même quantité de liquide dans deux verres identiques puis, après avoir transvidé le liquide d'un verre dans un verre plus étroit, elle se fie à la hauteur du liquide pour affirmer (photo de droite) qu'il y en a plus dans le nouveau verre.

Première étape : Les enfants de 2 à 3 ans, devant un ensemble, alignent généralement des formes ou des dessins sur une rangée, sans lien apparent, ce que Piaget appelle des *collections figurales*. Les différents objets sont classés selon des règles qui changent en cours de route. L'enfant peut décider qu'un objet va avec tel autre, qu'un camion va avec une auto parce qu'ils sont tous deux de la même couleur. La balle jaune, par contre, va avec le bâton bleu (balle et bâton). Enfin, le crayon jaune va avec la balle de la même couleur. Ce type particulier de raisonnement associé à la classification s'appelle le *raisonnement syncrétique*. La caractéristique principale du raisonnement syncrétique est que les règles changent constamment et que l'enfant ne voit pas l'utilité d'utiliser une règle de façon constante. Cette forme de pensée magique est anarchique et exclut toute forme de rigueur ; c'est un luxe que nous ne pouvons plus nous permettre à l'âge adulte.

Seconde étape : L'enfant de 4 ans commence à trier et à regrouper les objets de façon plus systématique, en utilisant d'abord une caractéristique commune, comme la forme, puis deux caractéristiques ou plus à la fois, comme la taille et la forme.

En dépit de cette évolution, l'enfant a encore beaucoup de chemin à faire. L'enfant à la période préopératoire ne comprend toujours pas le principe de l'**inclusion des classes**, c'est-à-dire que certaines classes englobent d'autres classes, qu'un ensemble peut faire partie d'autres ensembles : par exemple, les chiens font partie de la classe des animaux, les roses font partie de la classe des fleurs.

Un enfant qui comprend l'inclusion des classes ne se contente pas d'utiliser des mots, tel *animal*, pour désigner plusieurs types de créatures. Il comprend également les relations logiques qui existent entre les classes.

Moralité hétéronome   Le **développement moral** est intimement lié au progrès réalisé dans le développement cognitif, notamment sur le plan de l'égocentrisme intellectuel. Les psychologues du développement qui se penchent sur le développement moral observent le raisonnement des enfants à propos de la moralité, leur attitude face aux transgressions morales et leur comportement devant des dilemmes moraux (Feldman, 2001). On distingue plusieurs approches dans l'étude du développement moral (Langford, 1995).

Piaget (1957) a été l'un des premiers chercheurs à s'intéresser au développement moral de l'enfant. Selon lui, la pensée de l'enfant préopératoire est caractérisée par une **moralité hétéronome** ou *moralité de contrainte*, qui s'observe principalement entre 4 et 7 ans, alors que la

Inclusion des classes : Relation entre les classes d'objets, de sorte qu'une classe subordonnée est comprise dans une classe générique (par exemple, les bananes font partie de la classe des fruits).

Développement moral : Changements observés chez l'individu relativement au sens de la justice, au bien et au mal ainsi qu'au comportement associé aux questions morales.

Moralité hétéronome (ou moralité de contrainte) : Premier stade d'acquisition de la moralité selon Piaget, dans lequel les règles sont perçues comme étant inflexibles et immuables.

pensée de l'enfant opératoire est caractérisée par une *moralité autonome* (de 7 à 12 ans). La moralité hétéronome se définit comme suit.

- Pour l'enfant les règles sont fixes, immuables et imposées par l'autorité. Ainsi, les enfants appliquent les règlements des jeux de façon très rigide, supposant qu'il n'existe qu'une seule façon de jouer et que les autres sont mauvaises. Cependant, la pensée intuitive de l'enfant de cet âge ne peut saisir toutes les subtilités des règles de fonctionnement d'un jeu; on observe alors souvent un groupe d'enfants jouant ensemble mais appliquant chacun de son côté ses propres règles. Piaget affirme que chaque enfant peut gagner à ce type de jeu parce que gagner est associé à avoir du plaisir plutôt qu'à entrer en compétition avec les autres.

- La conséquence apparente et immédiate de l'action détermine son caractère positif ou négatif. Si l'action mène à une récompense ou à du plaisir, elle est nécessairement bonne. Si, par contre, elle provoque une punition ou entraîne de la douleur, elle est nécessairement mauvaise. L'enfant qui a cassé le plus grand nombre d'assiettes ou qui a volé le plus grand nombre d'objets est celui qui a le plus mal agi, et il devrait être puni selon la quantité d'objets brisés ou volés.

- Les enfants doivent une obéissance absolue à l'autorité représentée par les adultes (DeVries, 1997). Les règles élaborées par les adultes possèdent donc un caractère sacré et inviolable. Les adultes ont forcément raison: ils ne peuvent pas se tromper. Les enfants obéissent également aux adultes parce que ces derniers sont leurs principales sources de renforcement ou de punition.

- Les enfants parvenus à ce stade de moralité ne comprennent pas le caractère intentionnel ou accidentel d'un comportement ou d'une action: c'est la conséquence de l'action qui prime. Les enfants ne tiennent pas compte de l'intention du geste; le fait que l'enfant ait agi sciemment ou non n'a aucune importance.

- Les enfants croient également à une **justice immanente**. Enfreindre les règles établies entraîne donc une punition immédiate. Les enfants d'âge préscolaire croient que, s'ils font quelque chose de mal, ils vont être immédiatement punis, même s'il n'y a aucun témoin de leur mauvaise action. Les enfants se montrent souvent sévères dans les punitions qu'ils suggèrent.

NOUVELLES PERSPECTIVES SUR LA PÉRIODE PRÉOPÉRATOIRE

Des recherches récentes effectuées sur la pensée des enfants âgés de 2 à 7 ans soulignent que l'enfant possède plus d'habiletés cognitives que ne le laissent entendre les observations de Piaget.

Égocentrisme

Des recherches effectuées sur la conscience du point de vue des autres montrent que les enfants âgés de 2 ou 3 ans sont capables de comprendre que les autres personnes voient ou expérimentent les choses de façon différente. L'**égocentrisme** observé durant la période préopératoire serait un égocentrisme qui concernerait plutôt les habiletés cognitives que les habiletés sociales. C'est ainsi que les enfants de cet âge adapteront leur discours ou leurs jeux en fonction de leurs compagnons. Ils jouent différemment selon qu'ils sont en présence de personnes plus jeunes ou plus âgées, et modifient leur façon de parler lorsqu'ils s'adressent à un enfant plus jeune ou à un enfant handicapé (Brownell, 1990; Guralnick et Paul-Brown, 1984).

Il existe un écart entre les enfants de 2 et 3 ans et ceux de 4 et 5 ans dans la prise de conscience du point de vue des autres. Cet écart n'est qu'un aspect de l'important changement dont l'enfant fait l'expérience vers l'âge de 4 ans, et qui l'amène à la pensée opératoire selon Piaget.

Distinction entre l'apparence et la réalité

John Flavell a découvert que, avant l'âge de 4 ans, les enfants confondent l'apparence et la réalité. Il a présenté des objets à des enfants sous des éclairages de différentes couleurs, faisant ainsi changer la couleur de l'objet. Il a également mis des masques sur des animaux pour qu'ils ressemblent à d'autres animaux. Lors de ces études, les enfants de 2 et 3 ans jugeaient constamment les objets sur leur apparence. Toutefois, les enfants de 5 ans étaient capables de distinguer l'apparence de la réalité et savaient que certains objets n'étaient pas «vraiment» rouges malgré l'éclairage rouge, ou que le chat qui portait un masque de chien était «vraiment» un chat (Flavell, Green et Flavell, 1989; Flavell *et al.*, 1987).

La procédure la plus connue de Flavell est celle de l'éponge. Si vous montrez à des enfants n'ayant pas encore 4 ans une éponge que l'on a peinte de façon qu'elle ressemble à une roche, ils diront que l'objet ressemble soit à une éponge et qu'il s'agit d'une éponge, soit à une roche et que c'est une roche. Cependant, les enfants de 4 et 5 ans arrivent à faire la différence entre les deux; ils se rendent

---

Justice immanente: Croyance que le fait d'enfreindre une règle entraîne une punition immédiate.

Égocentrisme: État cognitif dans lequel l'individu (généralement un enfant) considère les choses uniquement selon son propre point de vue, sans se rendre compte qu'il existe d'autres perspectives.

Marjolaine est capable d'adapter son langage aux besoins de son petit frère, ce qui indique que l'égocentrisme des enfants d'âge préscolaire touche plutôt le domaine intellectuel que le domaine social.

compte que l'éponge ressemble à une roche mais qu'il s'agit bien d'une éponge (Flavell, 1986). Ainsi, l'enfant plus âgé comprend qu'un même objet peut être présenté de différentes façons.

En utilisant le même type de matériel, les chercheurs se sont aussi demandé si un enfant pouvait comprendre la notion de *fausse croyance* (ou *fausse impression*). Après avoir fait toucher l'éponge (roche) à l'enfant et lui avoir posé des questions sur l'apparence de la roche et sur ce qu'elle est « en réalité », ils lui ont posé les questions suivantes : « Jean (un ami du sujet) n'a pas touché à cet objet ; il ne l'a pas pressé. Si Jean regarde cet objet de cet endroit, de quoi s'agira-t-il selon lui ? d'une roche ou d'une éponge ? » (Gopnik et Astington, 1988, p. 35). En général, les enfants de 3 ans pensent que Jean croira qu'il s'agit d'une éponge, alors que les enfants de 4 à 5 ans savent que, puisque Jean n'a pas touché l'éponge, il croira à tort qu'il s'agit d'une roche. Ainsi, l'enfant de 4 à 5 ans comprend qu'une autre personne peut être trompée par la fausse apparence d'une chose. Des études réalisées sur des enfants au Japon, en Chine et dans une tribu pygmée du Cameroun ont également montré cette évolution. Entre l'âge de 3 et 5 ans, tous les enfants arrivent à effectuer ce saut conceptuel (Bowler, Briskman et Grice, 1999 ; Avis et Harris, 1991 ; Flavell *et al.*, 1983 ; Gardner *et al.*, 1988).

Des chercheurs ont également découvert que la *conservation* et la prise de conscience du point de vue des autres s'inscrivent dans le même processus de base, notamment la compréhension du lien entre l'apparence et la réalité. La majorité des études sur la conservation confirment les observations de Piaget (Ciancio *et al.*, 1999 ;

Sophian, 1995). Bien qu'ils comprennent en partie la conservation lorsqu'on leur simplifie la tâche qu'ils doivent exécuter (Gelman, 1972 ; Wellman, 1982), la plupart des enfants plus jeunes n'arrivent pas à résoudre infailliblement les problèmes de conservation avant l'âge de 5 ou 6 ans, et même plus tard (p. ex. Sophian, 1995). Ils ne peuvent pas dire par exemple : « Lorsque je transvide du jus de fruits d'un verre évasé dans un verre étroit, le niveau de jus de fruits atteint dans le verre étroit est plus élevé, et la quantité de jus semble augmenter alors qu'elle est en réalité identique. » Ainsi, la conservation ne peut être saisie par l'enfant avant qu'il ait réalisé des progrès substantiels dans la compréhension de la distinction entre l'apparence et la réalité, ce qui se produit vers 5 ans et plus.

Théorie de l'esprit

De nombreux théoriciens (Astington et Gopnik, 1991 ; Gopnik et Wellman, 1994 ; Harris, 1989) croient que l'enfant de 4 ans acquiert une nouvelle façon de penser plus sophistiquée : *un ensemble d'idées qui expliquent les pensées, les croyances et les désirs des autres*, soit une **théorie de l'esprit** (ou théorie de la pensée). L'enfant de cet âge commence à comprendre qu'il n'est pas possible de prévoir ce que feront les autres simplement en observant une situation ; les désirs et les convictions d'une autre personne doivent également être pris en considération. Ainsi, l'enfant élabore différentes théories concernant les pensées, les croyances et les désirs des autres et leur influence sur leur comportement.

La théorie de l'esprit ne surgit pas subitement à l'âge de 4 ans. À 18 mois déjà, les enfants comprennent de façon rudimentaire que les gens (mais pas les objets inanimés) fonctionnent selon des objectifs et des intentions (Meltzoff, 1995). Les enfants de 3 ans arrivent en partie à relier la pensée ou les sentiments des gens et leurs comportements. Ils savent qu'une personne qui désire une chose tentera de l'obtenir et qu'elle peut continuer de la désirer, même si elle ne peut pas l'obtenir (Lillard et Flavell, 1992). Cependant, ils ne comprennent pas encore le principe fondamental selon lequel les actions de chaque personne sont basées sur sa propre *représentation* de la réalité qui peut différer de la situation réelle. Les gens agissent selon leur croyance ou leur sentiment, même si leur croyance est fausse ou que leur sentiment est inapproprié dans une situation donnée. Par

Théorie de l'esprit : Aspect de la pensée chez l'enfant de 4 ou 5 ans qui commence à comprendre non seulement que les autres ne pensent pas comme lui, mais aussi qu'ils ont un processus de raisonnement différent du sien.

exemple, une personne qui se sent triste, même si elle a connu du succès, va se comporter comme une personne triste et non pas selon le succès observé. Il s'agit là d'un aspect de la théorie de l'esprit qui semble absent chez les enfants de 3 ans, mais qui émerge clairement vers l'âge de 4 ou 5 ans.

Il est évident qu'il y a encore de nombreux aspects relatifs à la pensée d'autrui que l'enfant de 4 ou 5 ans ne saisit pas. L'enfant de cet âge comprend que les autres personnes pensent, mais il n'a pas encore saisi que ces mêmes personnes peuvent penser à *lui*. Un enfant de 4 ans saisit bien l'affirmation suivante : « Je sais que tu sais. » Toutefois, il ne comprend pas encore complètement que le processus est réciproque, c'est-à-dire que l'on peut affirmer aussi : « Tu sais que je sais. » De plus, ce n'est pas avant l'âge de 6 ans qu'un enfant peut comprendre que les connaissances peuvent s'acquérir par le biais de l'infé-rence. Par exemple, des chercheurs ont montré à des en-fants de 4 ans et 6 ans deux jouets de différentes couleurs (Pillow, 1999) qu'ils ont cachés par la suite dans des boîtes opaques. Puis ils ont ouvert une boîte et ont montré à une poupée le jouet contenu dans la boîte. Quand on a demandé aux enfants si la poupée savait maintenant quelle était la couleur du jouet contenu dans chacune des boîtes, seuls les enfants de 6 ans ont répondu de façon affirmative.

Cette réciprocité de la pensée semble apparaître entre 5 et 7 ans chez la plupart des enfants (Perner et Wimmer, 1985 ; Sullivan, Zaitchik et Tager-Flusberg, 1994). Cette évolution revêt une importance particulière, car elle semble être une condition nécessaire à l'établissement de véritables relations d'amitié à l'âge scolaire. En fait, la vitesse à laquelle un enfant d'âge préscolaire développe la théorie de l'esprit constitue un bon facteur prédictif de ses habiletés sociales ultérieures durant les années scolaires (Moore, Barresi et Thompson, 1998 ; Watson *et al.*, 1999).

Théorie de l'esprit et développement   Les psychologues du développement ont découvert qu'il existe une corréla-tion entre la théorie de l'esprit et la performance à des épreuves piagétiennes ainsi qu'à d'autres épreuves s'inté-ressant à l'égocentrisme et à la distinction entre l'appa-rence et la réalité (Melot et Houde, 1998 ; Yirmiya et Shulman, 1996). De plus, les jeux de simulation (ou jouer à faire semblant) semblent contribuer au développement de la théorie de l'esprit. Lorsqu'ils sont pratiqués avec d'autres enfants, ces jeux de simulation sont fortement associés à la théorie de l'esprit (Dockett et Smith, 1995 ; Schwebel, Rosen et Singer, 1999). Ces observations ont aussi été faites dans une recherche transculturelle (Tan-Niam, Wood et O'Malley, 1998).

Les habiletés langagières, comme la connaissance de mots, tels que vouloir, avoir besoin, penser ou se souvenir, qui expriment des sentiments, des désirs ou des pensées, sont aussi associées à la théorie de l'esprit (Astington et Jenkins, 1995). Il semblerait en effet qu'un certain degré d'habiletés langagières soit une condition nécessaire au développement de la théorie de l'esprit. Les psychologues du développement ont observé que les enfants de 3 à 6 ans échouent à des tests de distinction de l'apparence et de la réalité s'ils n'ont pas atteint un certain seuil d'habi-letés langagières (Astington et Jenkins, 1999 ; Jenkins et Astington, 1996 ; Watson *et al.*, 1999).

D'autres recherches appuient cette découverte. Des chercheurs ont ainsi noté que les enfants présentant une déficience qui affecte le développement du langage, comme la surdité congénitale ou la déficience intellec-tuelle, acquièrent la théorie de l'esprit moins rapidement que les autres enfants (Peterson et Siegal, 1995 ; Sicotte et Stemberger, 1999). D'autres chercheurs ont également remarqué que, chez les personnes présentant une défi-cience intellectuelle, la progression vers la théorie de l'esprit est plutôt prédite par le degré d'habiletés langa-gières atteint que par le type de déficience intellectuelle (Bauminger et Kasari, 1999 ; Peterson et Siegal, 1999 ; Yirmana *et al.*, 1998 ; Yirmana *et al.*, 1996).

La prise de conscience de plus en plus grande par l'enfant de la façon dont la pensée fonctionne est aussi apparente dans d'autres habiletés. Par exemple, entre 3 et 5 ans, les enfants comprennent que, si l'on veut répondre correctement au problème de l'éponge et de la roche, il faut nécessairement toucher l'éponge ou la roche ou la tenir dans ses mains. Le fait de la regarder seulement ne fournit pas assez d'information (Flavell, 1993 ; O'Neill, Astington et Flavell, 1992). De la même façon, les enfants de 4 ans (mais non de 3 ans) savent que, pour se souvenir

Ces bambins de 2 à 3 ans savent déjà que les actions des autres personnes sont influencées par leurs idées et leurs sentiments, mais ils ne comprennent sans doute pas encore les fausses impressions.

À TRAVERS LES CULTURES

La distinction entre l'apparence et la réalité dans d'autres cultures

Un nombre considérable de recherches effectuées dans diverses cultures confirment qu'il existe un changement marqué vers l'âge de 4 ans dans la compréhension qu'ont les enfants de l'apparence et de la réalité ainsi que de la notion de fausse croyance. Nous serions ainsi en présence d'un modèle universel de développement.

Jeremy Avis et Paul Harris (1991) ont adapté un test standard afin d'évaluer la notion de fausse croyance chez le peuple Baka du Cameroun. Les Baka sont des chasseurs-cueilleurs qui vivent en communauté dans des campements. Chaque enfant a été évalué dans sa propre hutte avec du matériel qui lui était familier. Les enfants ont observé un adulte du nom de Mopfana (un membre de la tribu) mettre des amandes dans un bol possédant un couvercle. Après le départ de Mopfana, un autre adulte, membre de la tribu, a dit aux enfants qu'ils allaient jouer un tour à Mopfana : ils allaient cacher les amandes dans un pot. Puis il a demandé aux enfants ce que Mopfana allait faire à son retour. Allait-il chercher les amandes dans le bol ou dans le pot ? Le second adulte a aussi demandé aux enfants si Mopfana serait content ou triste *avant* d'enlever le couvercle du bol et *après* l'avoir enlevé. Les plus jeunes enfants de 2 et 3 ans ainsi que ceux au début de leur quatrième année ont le plus souvent répondu que Mopfana chercherait les amandes dans le pot ou qu'il serait triste avant de chercher dans le bol, alors que les enfants à la fin de leur quatrième année et ceux de 5 ans ont presque toujours donné la bonne réponse aux trois questions.

De la même façon, quand Flavell a présenté son éponge qui ressemble à une roche à des enfants chinois de 3 ans, ils ont été tout aussi désorientés que des enfants américains ou anglais du même âge. Par contre, les enfants chinois de 5 ans (comme les enfants des autres nationalités) n'ont eu aucune difficulté à répondre correctement au problème (Flavell, Green et Flavell 1989).

En utilisant un problème différent, mais toujours dans le domaine de la distinction entre l'apparence et la réalité, Paul Harris et ses collaborateurs (Harris *et al.,* 1989) ont demandé à des enfants de diverses cultures comment les personnages d'une histoire se sentaient *vraiment* et quelles émotions *apparaissaient* sur leur visage.

> Véronique joue avec son amie. À la fin de la partie, Véronique gagne alors que son amie perd. Véronique essaie de cacher son sentiment de joie, de crainte que son amie ne veuille plus jouer avec elle (Harris, 1989, p. 134).

Lorsqu'on leur raconte ce genre d'histoires, les enfants de 4 ans interrogés en Grande-Bretagne et aux États-Unis n'ont aucune difficulté à dire quelle émotion le personnage va ressentir vraiment, mais ils éprouvent quelque difficulté à dire quelle sera l'expression de son visage ; à 5 ou 6 ans par contre, les enfants saisissent la différence possible. Harris a fait les mêmes observations au Japon (Gardner *et al.,* 1988), et Joshi et MacLean (1994) ont noté les mêmes résultats en Inde, en dépit du fait que les cultures japonaise et indienne mettent davantage l'accent sur la dissimulation des émotions que les cultures américaine ou anglaise. On observe également les mêmes changements chez des enfants chinois et européens (Flavell *et al.,* 1983 ; Tardif et Wellman, 2000).

Ainsi, dans ces cultures bien différentes, il semble se produire un changement intérieur commun entre l'âge de 3 et 5 ans. Durant ces années, tous les enfants semblent comprendre une vérité fondamentale au sujet de la distinction entre l'apparence et la réalité, et ils semblent tous élaborer une théorie de l'esprit.

---

ou pour oublier quelque chose, il faut l'avoir appris ou avoir été en contact avec cette chose auparavant (Lyon et Flavell, 1994). Ces changements sont importants, car ils semblent constituer les premiers signes de ce que les psychologues appellent la *métamémoire* et la *métacognition,* c'est-à-dire la conscience de nos propres processus de mémorisation et la conscience de nos processus d'acquisition de la connaissance (mémoire et résolution de problèmes). À l'âge de 4 ou 5 ans, les enfants n'en sont qu'à leurs premières armes concernant ces processus, et il leur reste encore beaucoup de chemin à parcourir.

VUE D'ENSEMBLE DE LA PÉRIODE PRÉOPÉRATOIRE

La plupart des recherches ont corroboré dans l'ensemble les résultats sur la séquence fondamentale de développement élaborée par Piaget. Cependant, si nous rassemblons les informations que nous venons d'étudier, il semble que l'enfant d'âge préscolaire peut utiliser certaines formes de la pensée logique que Piaget considérait comme inexistantes durant cette période préopératoire. Dès l'âge de 4 ans et de façon plus évidente encore à 5 ans, l'enfant peut adopter le point de vue des autres et il commence à comprendre que les comportements des gens reposent sur leurs croyances et leurs sentiments.

Ainsi, Piaget aurait quelque peu sous-estimé les âges d'accession à ces formes de pensée. La transition fondamentale que Piaget situait autour de 6 et 7 ans, semblerait plutôt se produire autour de 4 ou 5 ans. C'est d'ailleurs autour de 4 ans que se produit un ensemble de changements, dont la fausse croyance, la distinction entre l'apparence et la réalité, la prise de conscience du point de vue des autres et la théorie de l'esprit.

Cependant, pour que l'enfant d'âge préscolaire exprime ces formes de réflexion relativement avancées, il faut lui faciliter la tâche en lui proposant un problème familier, en lui donnant des indices particuliers et en éliminant toutes distractions. L'enfant d'âge préscolaire ne semble pas expérimenter le monde ni traiter l'information selon un ensemble de règles générales ou de principes que l'on retrouve chez des enfants plus âgés; par exemple, il ne peut pas transposer (généraliser) aisément une notion apprise dans un contexte donné à une situation semblable, mais non identique. C'est précisément ce processus d'adoption de règles générales qui, selon Piaget, caractérise la transition vers la période des opérations concrètes.

Période préopératoire

- Expliquez les notions suivantes: préconcept, raisonnement inductif et raisonnement syncrétique, animisme et artificialisme.

- Quelles sont les différentes manifestations de l'égocentrisme à l'âge préscolaire?

- Expliquez ce qu'est la pensée intuitive.

- Qu'est-ce que l'on entend par centration sur les aspects perceptifs? Donnez un exemple.

- Expliquez les termes suivants: collections figurales, inclusion des classes et conservation.

- Expliquez ce que l'on entend par la distinction entre l'apparence et la réalité ainsi que par la théorie de l'esprit.

Concepts et mots clés

- **artificialisme** (p. 162) • **causalité** (p. 160) • **centration** (p. 163)
- **classification** (p. 163) • **collections figurales** (p. 165) • **conservation** (p. 163) • **développement moral** (p. 165) • **égocentrisme** (p. 166)
- **fausse croyance** (p. 167) • **inclusion des classes** (p. 165) • **justice immanente** (p. 166) • **moralité hétéronome** (p. 165) • **pensée animiste** (p. 162) • **pensée intuitive** (p. 162) • **pensée préconceptuelle** (p. 161)
- **préconcepts** (p. 161) • **période de préopératoire** (p. 160)
- **raisonnement syncrétique** (p. 165) • **raisonnement transductif** (p. 162)
- **théorie de l'esprit** (p. 167)

DÉVELOPPEMENT COGNITIF À L'ÂGE SCOLAIRE

Au milieu de l'enfance, de nombreux changements cognitifs se produisent, surtout au moment où l'enfant fait son entrée à l'école.

APPROCHE DE PIAGET: LA PÉRIODE DES OPÉRATIONS CONCRÈTES

L'émergence de nouvelles habiletés que l'on peut observer entre l'âge de 5 et 7 ans repose sur tous les petits change-

ments que l'on a constatés chez l'enfant d'âge préscolaire. Toutefois, selon Piaget, l'enfant fait un grand bond en avant lorsqu'il découvre qu'une certaine logique gouverne les choses et les relations entre elles. Dans la construction de ses connaissances, l'enfant est capable d'extraire de ses observations certaines règles internes: il commence à comprendre que le jeu comporte des règles qui peuvent lui permettre d'éviter les erreurs et les pièges typiques de la période préopératoire. Il élabore alors graduellement un ensemble de règles et de stratégies d'exploration et d'interaction avec le monde qui l'entoure. Piaget nomme ce nouvel ensemble d'habiletés les *opérations concrètes*. Les opérations sont des façons de manipuler mentalement les objets entre eux. «En d'autres mots, ce sont des actions intériorisées. Lorsque ces actions portent sur des objets visibles, elles deviennent des opérations concrètes et, lorsqu'elles portent sur des propositions verbales, elles deviennent des opérations formelles» (Bergeron et Bois, 1999, p. 115). La période des opérations formelles apparaît à l'adolescence, nous l'aborderons dans le chapitre 7.

> Comme le mentionnent Thomas et Michel (1994), le terme concret ne signifie pas nécessairement que l'enfant doit toucher réellement des objets réels pour résoudre un problème, mais signifie que le problème donné porte sur des objets identifiables, qui sont directement perçus ou imaginés. L'exemple suivant illustre cette distinction.
>
> **Période des opérations concrètes:** Si Alice a deux pommes et que Carole lui en donne trois de plus, combien de pommes Alice aura-t-elle en tout?
>
> **Période des opérations formelles:** Voici deux quantités qui ensemble forment un tout. Si on augmente la première quantité et que le tout demeure le même, qu'arrive-t-il à la deuxième quantité? (Bergeron et Bois, 1999, p. 115.)

Chaque opération concrète est une sorte de règle interne qui porte sur les objets et leurs relations. Plusieurs opérations concrètes semblent être acquises entre 5 et 7 ans. La figure 5.5 donne un exemple d'une opération ou d'une règle qui est acquise pendant la période opératoire. Lorsque l'on demande à des enfants de tracer la ligne qui indique le niveau d'eau de deux bocaux inclinés, les enfants de la période préopératoire tracent généralement une ligne qui suit l'inclinaison de la base du bocal (pensée intuitive), alors que les enfants de la période opératoire ont compris la règle de l'horizontalité et admettent que, quelle que soit l'inclinaison du bocal, la ligne devrait suivre un plan horizontal, soit la surface de la table, et non la base du bocal.

Conduites opératoires

Piaget décrit un ensemble d'opérations concrètes puissantes, abstraites et internes: la réversibilité, la sériation, les opérations sur les nombres, la conservation (conscience

(a)   (b)

Figure 5.5
Bocal incliné.
Les jeunes enfants (période préopératoire) dessinent généralement le niveau d'eau d'un bocal incliné comme le montre l'illustration (a). Ils le dessinent ainsi non parce qu'ils ont déjà vu quelque chose de semblable dans le monde réel, mais parce que, selon la logique qu'ils utilisent, le niveau d'eau suit la base du bocal. Les enfants de la période opératoire comprennent qu'il existe une règle (ou une opération) que l'on doit appliquer et qui permet de résoudre ce problème (voir l'illustration (b)), c'est-à-dire que, quelle que soit la position du bocal, le niveau de l'eau est toujours parallèle à la base de la table (notion d'horizontalité).

des transformations), la classification (inclusion des classes), la logique inductive et la moralité autonome.

Réversibilité   De toutes ces opérations concrètes, Piaget pensait que la *réversibilité* — la possibilité que les actions et les opérations mentales puissent s'inverser — était la plus cruciale. La réversibilité permet à l'enfant d'effectuer une opération et de retourner à son point de départ. L'enfant comprend alors que certaines transformations sont susceptibles d'être annulées par une transformation inverse. Par exemple, le boudin de pâte à modeler de l'expérience de conservation peut être retransformé en boule, et l'eau peut être reversée dans le verre plus petit et plus large. Cette compréhension élémentaire de la réversibilité des actions sous-tend d'autres acquisitions réalisées durant cette période. Par exemple, si vous maîtrisez l'opération de la réversibilité, vous savez que, si A est plus grand que B, alors B est plus petit que A. La capacité de comprendre la hiérarchie des classes, comme *Fido, épagneul, chien* et *animal,* repose aussi sur la capacité de concevoir la réversibilité de la relation des objets entre eux. La réversibilité permet également d'aller au-delà de l'intuition, de faire des liens, d'établir des relations entre les actions et de faire appel à la logique. Ainsi, la compréhension de la réversibilité est associée au développement des premières structures logiques chez l'enfant.

Sériation   La *sériation* consiste à ordonner des éléments en séquence, par exemple du plus petit au plus grand ou du plus foncé au plus pâle. Il s'agit de placer divers éléments selon un ordre croissant ou un ordre décroissant. En général, les enfants de 3 à 5 ans auxquels on demande d'ordonner une série de tiges de différentes longueurs vont établir une série partielle: ils vont ranger l'une des extrémités, habituellement le sommet des tiges, et oublier d'aligner les bases. Puis ils réussiront à ordonner les éléments par essais et erreurs (tâtonnement). Ce n'est que vers 7 ou 8 ans qu'ils vont appliquer une méthode systématique qui consiste à comparer les éléments (tiges) par paires successives afin de découvrir lequel est le plus petit. Cette façon de procéder constitue une opération, c'est-à-dire une règle interne que l'enfant applique systématiquement en vue de résoudre le problème. Ainsi, l'enfant compare chaque élément avec un autre pour vérifier s'il est plus grand que les précédents et plus petit que les suivants. C'est ce que Piaget appelle la réversibilité par réciprocité. Cela signifie que l'enfant est désormais capable d'ordonner une série simple et, en outre, d'intercaler un nouvel élément à l'intérieur de la série.

Opérations sur les nombres   La compréhension du *concept de nombre* suit une progression établie. Très tôt, l'enfant est capable d'apprécier l'importance relative de diverses collections d'objets. Les expériences de Spelke ont permis de démontrer que, dans une situation de transfert intermodal entre la vision et l'audition, les enfants de 6 à 8 mois différencient un ensemble de deux éléments d'un ensemble de trois éléments selon la méthode des préférences visuelles (Starkey, Spelke et Gelman, 1990). Une certaine notion de «peu» par rapport à «beaucoup», de «singulier» par rapport à «pluriel», de «petit» par rapport à «grand» existe très tôt. La distinction de collections comportant un nombre plus élevé d'éléments pose beaucoup plus de difficultés. Ce n'est pas avant l'âge de 3 ou 4 ans que les enfants sont capables de discriminer entre des collections de quatre, cinq ou six éléments (Strauss et Curtis, 1984). En dépit de cette compréhension précoce de la cardinalité (aspect quantitatif du nombre), les enfants ne comprennent pas la conséquence de l'addition de nombres, tels que 2 + 2, avant l'âge de 4 ou 5 ans (Huttenlocher, Jordan et Levine, 1994). Les aspects perceptifs sont toujours dominants au cours de la période préopératoire, et la quantité d'objets est souvent confondue avec l'espace occupé (non-conservation du nombre). Cependant, dès l'âge de 4 ans, la compréhension des nombres est assez avancée pour que l'enfant préopératoire effectue des additions et des soustractions simples et compare différentes quantités avec succès (Donlan, 1998). C'est au début de la période opératoire que les enfants vont être en mesure d'appliquer avec constance la règle qui veut que l'addition entraîne une augmentation et la soustraction, une diminution. Tout comme le développement de la classification permet de comprendre l'aspect cardinal du nombre, la compréhension de la sériation permet d'assimiler la propriété ordinale (qui marque l'ordre, le rang) et de réaliser des opérations plus complexes d'addition, de soustraction, de multiplication ou de division.

Conservation   Nous avons vu que, à la période préopératoire (âge préscolaire), l'enfant était centré sur les aspects perceptifs d'une situation et ne pouvait pas comprendre le concept de conservation, c'est-à-dire que toute quantité de matière ou de liquide est conservée ou demeure identique (identité), quelles que soient les transformations que subit son apparence. Vers l'âge de 6 ans, l'enfant est en mesure de se décentrer (*décentration*), c'est-à-dire de se libérer du phénomène perceptif et ainsi de prendre conscience des transformations. À cet âge, presque tous les enfants comprennent le concept de conservation de la substance, du liquide et du nombre. Le concept de conservation du poids est acquis vers l'âge de 7 ou 8 ans, et celui de la conservation du volume vers 10 ou 11 ans. Le tableau 5.3 dresse la liste des sept types de conservation étudiés par Piaget. Dans chaque cas, on présente deux objets identiques à l'enfant, puis on lui demande de confirmer l'identité des objets par rapport au poids, à la substance, à la longueur ou au nombre. Puis, après avoir déplacé ou déformé l'un des objets, on demande à l'enfant si les objets sont toujours identiques. Les enfants reconnaissent rarement ce type de conservation avant l'âge de 5 ans; Piaget explique cette situation par le fait que les enfants sont si absorbés par l'apparence du changement qu'ils ne se concentrent pas sur l'aspect inchangé et sousjacent. Différentes stratégies peuvent permettre à l'enfant d'arriver à ce type de compréhension:
- la réversibilité: «Si je le remets dans sa forme initiale, ce sera le même objet»;
- l'addition ou la soustraction: «On n'a rien ajouté ni rien enlevé, donc rien n'a changé»;
- la compensation (porter attention à plus d'un élément à la fois): «C'est plus gros, mais plus mince; c'est donc la même chose».

Classification   L'enfant préopératoire de 4 ans, comme nous l'avons vu, commence à trier et à regrouper plus systématiquement les objets, d'abord en utilisant une caractéristique commune, comme la forme, puis deux caractéristiques ou plus à la fois, comme la taille et la forme. L'enfant opératoire commence à traiter les classes et les relations entre les classes dans un système unifié. Il est capable d'effectuer une classification multiple. La figure 5.6 donne un exemple d'un type de matrice utilisé pour étudier la compréhension de la classification multiple chez les enfants. La tâche consiste à trouver quel

objet doit se retrouver dans la case qui contient un point d'interrogation. Pour réussir, l'enfant doit identifier les deux classes pertinentes (forme et couleur). Inhelder et Piaget (1964) rapportent que les enfants de 4 à 6 ans sélectionnent les objets qui appartiennent à au moins une des deux classes dans 85 % des problèmes présentés. Cependant, ils choisissent l'objet unique qui fait partie des deux classes dans seulement 15 % des cas. Vers 9 ou 10 ans, la grande majorité des enfants choisissent l'objet qui relève des deux classes pertinentes, soit le triangle rouge (Siegler, 2001).

Vers l'âge de 7 ou 8 ans, l'enfant progresse énormément dans la classification: il saisit pour la première fois le principe de l'*inclusion des classes*. L'enfant comprend alors que le même objet peut appartenir à plusieurs catégories à la fois et que ces catégories ont un rapport logique entre elles. Les bananes sont incluses dans la classe des fruits qui font eux-mêmes partie de la classe des aliments, et ainsi de suite. Les enfants préopératoires comprennent aussi que les bananes sont des fruits, mais ils ne comprennent pas complètement les relations entre les classes.

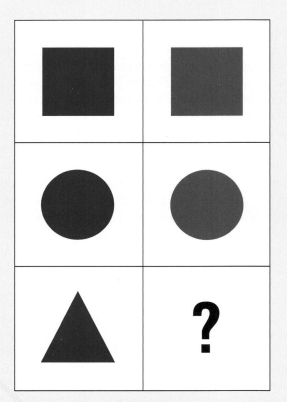

Figure 5.6
Matrice pour étudier la classification.
La plupart des enfants de la période préopératoire et au début de la période opératoire affirment que c'est un triangle bleu ou un cercle rouge qui doit compléter la matrice.

Tableau 5.3	*Sept types de conservation étudiés par Piaget, avec les réponses typiques d'enfants d'âge préopératoire et d'âge opératoire concret*			
Type de conservation et âge d'accession	◀ **Disposition**	◀ **Transformation**	◀ **Réponse de l'enfant**	
			Âge préopératoire	**Âge opératoire concret**
Nombre (6 à 7 ans)	Deux rangées parallèles de même longueur contenant le même nombre de pièces de monnaie. L'enfant convient de l'égalité de ces deux rangées.	On augmente ou on diminue l'écart entre les pièces, ou on les dispose autrement. On demande à l'enfant s'il y a le même nombre de pièces dans les deux rangées.	La rangée du bas contient plus de pièces parce qu'elle est plus longue.	Le nombre de pièces dans chaque rangée n'a pas changé.
Liquide (6 à 7 ans)	Deux verres identiques contenant la même quantité d'eau et un grand verre étroit. L'enfant convient que les deux verres contiennent la même quantité de liquide.	On verse le liquide d'un verre dans le grand verre étroit. On demande à l'enfant s'il y a la même quantité de liquide dans chaque verre.	Le grand verre contient plus d'eau.	Les deux verres contiennent la même quantité d'eau.
Longueur (7 à 8 ans)	Deux crayons de longueur identique et de même taille. L'enfant convient que les deux crayons ont la même longueur.	On déplace un crayon vers la gauche ou la droite pour que la pointe d'un des crayons ressorte. On demande à l'enfant si les deux crayons sont de la même longueur.	Le crayon du bas est le plus long.	Les deux crayons sont de la même longueur.
Substance (7 à 8 ans)	Deux boules identiques d'argile. L'enfant admet que les deux boules contiennent la même quantité d'argile.	On donne la forme d'un boudin à l'une des boules. On demande à l'enfant si le boudin et la boule contiennent la même quantité d'argile.	Le boudin contient plus d'argile.	La boule et le boudin contiennent la même quantité d'argile.
Surface ou espace (7 à 8 ans)	Deux prés d'égale surface où sont disposées un nombre identique de maisons. L'enfant doit admettre l'égalité des surfaces.	On change la disposition des maisons et on demande à l'enfant dans quel pré une vache aurait le plus d'herbe à manger.	Le pré de droite contient la plus grande quantité d'herbe.	Les deux prés contiennent la même quantité d'herbe.
Poids (9 à 10 ans)	Trois boîtes de poids identique sont disposées côte à côte.	Les trois boîtes sont disposées l'une sur l'autre. On demande à l'enfant si le poids des boîtes est le même dans les deux dispositions.	Les boîtes empilées sont plus lourdes.	Les poids sont identiques, quelle que soit la disposition des boîtes.
Volume (11 à 12 ans)	Un objet immergé à la verticale dans un contenant d'eau.	Le même objet immergé à l'horizontale dans un autre contenant d'eau. On demande si le niveau d'eau déplacé est le même dans les deux cas.	L'objet immergé à l'horizontale va déplacer moins d'eau que l'objet immergé à la verticale.	Le déplacement d'eau est le même dans les deux cas.

Piaget étudiait généralement ce concept en laissant d'abord les enfants créer eux-mêmes leur propres classes et sous-classes, et en leur posant ensuite des questions. Un enfant de 5 ans ½ jouait ainsi avec des fleurs et avait composé deux bouquets, dont un gros bouquet de marguerites et un plus petit, de fleurs variées. Piaget (Piaget et Inhelder, 1959, p. 108) engagea la conversation avec l'enfant:

> Piaget: Si je fais un bouquet avec toutes les marguerites et que toi, tu fais un bouquet avec toutes les fleurs, lequel sera le plus gros?
>
> L'enfant: Le tien.
>
> Piaget: Et maintenant si je cueille toutes les marguerites d'un pré, restera-t-il d'autres fleurs?
>
> L'enfant: Oui.

L'enfant comprend qu'il existe d'autres fleurs que les marguerites, mais ne comprend pas du tout que toutes les marguerites sont des fleurs, c'est-à-dire qu'une petite classe subordonnée est *incluse* dans une plus grande classe. C'est au début de la période opératoire que l'enfant saisit le principe de l'inclusion des classes.

Ce changement est clairement démontré par les résultats d'une étude qui compte parmi les plus intéressantes sur ce sujet. Mosher et Hornsby (1966) ont montré à des enfants de 6 à 11 ans une série de 42 images représentant des animaux, des personnes, des jouets et des appareils. L'expérimentateur pensait à une image en particulier et les enfants devaient deviner laquelle en posant des questions auxquelles il ne répondait que par «oui» ou par «non».

Le sujet dispose de plusieurs moyens pour résoudre le problème et déterminer les questions qu'il posera. Il peut fonctionner par essais et erreurs en pointant du doigt une image après l'autre et en demandant: «Est-ce celle-ci?» jusqu'à ce qu'il trouve la bonne. Mosher et Hornsby appellent ce procédé *balayage d'hypothèses*. Le sujet peut aussi classer mentalement les images selon une hiérarchie de classes, puis poser des questions sur une classe à la fois. Il peut ainsi commencer par la question suivante: «Est-ce que c'est un jouet?» Si la réponse est affirmative, il peut poser des questions sur une sous-catégorie de l'objet: «Est-ce un jouet rouge?» Mosher et Hornsby nomment cette stratégie la *recherche par élimination*. On peut constater, en se reportant à la figure 5.7, que les enfants de 6 ans essaient surtout de deviner (balayage d'hypothèses). Vers l'âge de 8 ans toutefois, la plupart des enfants utilisent une stratégie cognitive plus élaborée, la recherche par élimination, ce qui reflète le passage à ce que Piaget appelle la **période des opérations concrètes**.

Logique inductive   Comme nous l'avons vu précédemment, c'est au cours de la période opératoire qu'apparaît une première forme de logique. L'enfant développe sa capacité de faire des liens et d'associer des actions; il s'agit de la **logique inductive**, qui consiste essentiellement à passer du particulier au général. L'enfant de cet âge peut induire un principe général de son expérience personnelle. Par exemple, il peut constater en s'amusant que, s'il ajoute un jouet à un ensemble de jouets et qu'il fait ensuite le compte, il y en a un de plus. Il comprend qu'il n'aura pas besoin de recompter chaque fois tous les jouets et qu'il lui suffira d'appliquer une règle, soit le total précédent plus 1. L'enfant de 4 ou 5 ans s'arrête à cette conclusion, mais l'enfant de 7 ou 8 ans applique cette observation au principe général selon lequel ajouter, c'est toujours aller en augmentant.

Les enfants d'âge scolaire sont de très bons observateurs scientifiques et ils aiment cataloguer et compter les variétés d'arbres et les espèces d'oiseaux ou découvrir les

> **Période des opérations concrètes:** Période du développement que Piaget situe entre 6 et 12 ans, au cours de laquelle sont acquises les opérations mentales, telles que la soustraction, la réversibilité et la classification.
>
> **Logique inductive:** Forme de raisonnement qui consiste à passer du particulier au général, de l'expérience à des règles générales, et qui est caractéristique de la pensée opératoire concrète.

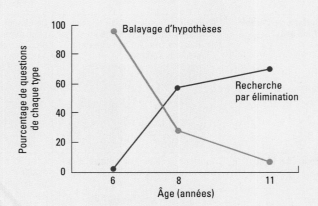

Figure 5.7
Jeu des 20 questions.
Lorsque des enfants de 6 ans jouent aux «20 questions» avec des images, leurs questions ont presque toutes la forme de devinettes ou d'hypothèses (Est-ce celle-ci?). Les enfants de 8 ans sont plus portés à utiliser la stratégie de recherche par élimination qui repose sur leur capacité de classifier des images selon des catégories hiérarchisées, en posant des questions comme «Est-ce un jouet?» (*Source:* Mosher et Hornsby, 1966, p. 91.)

mœurs des cochons d'Inde. Ils ne maîtrisent pas encore très bien la **logique déductive**, qui permet de passer du général au particulier, par exemple émettre des hypothèses à partir d'une théorie. La logique déductive exige beaucoup plus d'aptitudes que la logique inductive. L'individu doit imaginer des faits ou des événements dont il n'a jamais fait l'expérience ; c'est une aptitude que l'enfant ne possède pas encore à la période des opérations concrètes. Même si son développement cognitif est assez avancé, l'enfant de cet âge est encore très attaché aux faits concrets, à ses propres observations et à ses expériences personnelles.

La découverte des caractéristiques de la pensée chez l'enfant à l'école élémentaire conduit à une importante application pratique : les enfants apprennent les sciences (et d'autres matières) beaucoup plus facilement si la matière est présentée d'une façon concrète, avec beaucoup d'expériences pratiques et d'expérimentations inductives. Ils apprennent moins facilement lorsque les concepts scientifiques et théoriques sont présentés selon un mode déductif (Saunders et Shepardson, 1987).

Moralité autonome   Selon Piaget, l'enfant de la période des opérations concrètes passe d'une moralité hétéronome, où il considère les règles et l'autorité comme extérieurs à lui, à une **moralité autonome** (ou **moralité de coopération**), où il a intégré en partie les règles. À ce stade, son égocentrisme diminue, et ses interactions et habiletés sociales augmentent. Ses jugements deviennent moins catégoriques et plus souples, et il peut comprendre le point de vue des autres. Il se montre plus réceptif à l'apprentissage des normes sociales, du respect mutuel et de la coopération entre les personnes. La moralité autonome comprend aussi les éléments suivants :

- Entre 7 et 10 ans, les jeux des enfants acquièrent un caractère de plus en plus social. Les enfants ont appris les règles formelles des jeux : ils savent qu'il y a une façon correcte de jouer une partie et ils jouent en respectant ces règles. Comme ils comprennent tous de la même manière, les règles demeurent en grande partie immuables. Vers 10 ans, les enfants comprennent que les règles peuvent être modifiées si tout le monde est d'accord, car les règles et les lois sont créées pour répondre à leurs besoins et peuvent être modifiées selon leur désir et leur volonté.
- Les enfants comprennent également le caractère intentionnel ou accidentel d'un comportement ou d'une action. Comme nous venons de le voir, ce n'est plus la conséquence de l'action qui prime.
- La punition doit aussi avoir un caractère éducatif. Le coupable doit reconnaître ses torts, et la victime doit être dédommagée. On doit tenir compte de l'intention du geste lorsque l'on doit déterminer la nature de la punition à imposer.

Le tableau 5.4 présente une récapitulation des caractéristiques de la période des opérations concrètes.

Nouvelles perspectives sur la période des opérations concrètes

Nous allons présenter maintenant l'état actuel des recherches effectuées sur la pensée des enfants âgés de 7 à 12 ans. Ces recherches ont permis soit de confirmer, soit de nuancer les résultats obtenus par Piaget.

Études sur la compétence   Si l'enfant emploie des formes générales de logique dans toutes ses expériences, le bagage de connaissances qu'il possède ne devrait pas influer sur la forme de logique qu'il utilise. Par exemple, un enfant qui n'a jamais vu d'images de dinosaures, mais qui maîtrise le concept de classification, devrait être autant en mesure de classer des dinosaures que l'enfant qui a joué avec des dizaines de figurines de dinosaures. Un enfant qui comprend le principe de la transitivité (si A est plus grand que B et B est plus grand que C, alors A est plus grand que C) devrait être capable de faire la démonstration de cette habileté aussi bien avec des objets qu'il ne connaît pas qu'avec des objets qui lui sont familiers. Dans les faits, ce n'est toutefois pas le cas.

De nombreuses études montrent que la connaissance préalable constitue un élément déterminant. Les enfants et les adultes qui connaissent bien un sujet ou un type d'objets, que ce soit les dinosaures, les cartes de hockey ou les mathématiques, n'ont pas la même perception du sujet ou de l'objet qu'un novice. Ces personnes catégorisent l'information de leur sphère de connaissances de façon plus complexe et plus hiérarchisée. Ils utilisent des formes de logique plus élaborées quand il s'agit d'un domaine qui relève de leur **compétence** et ils mémorisent plus facilement l'information relative à ce domaine. Par exemple, une étude effectuée en Allemagne a démontré que des enfants amateurs de football européen de 2e et de

---

Logique déductive : Forme de raisonnement qui consiste à passer du général au particulier, d'une règle à un exemple précis, ou d'une théorie à une hypothèse, et qui est caractéristique de la pensée opératoire formelle.

Moralité autonome (ou moralité de coopération) : Deuxième stade de l'acquisition de la moralité selon Piaget où les jugements de l'enfant deviennent plus souples et réfléchis, et où il peut comprendre le point de vue des autres.

Compétence : Connaissance que possède une personne d'un sujet particulier. Il est impossible de mesurer directement la compétence.

Tableau 5.4 *Récapitulation des caractéristiques de la période des opérations concrètes*

Réversibilité : si A = B, alors B = A	Un garçon affirme qu'il a une sœur, mais que sa sœur n'a pas de frère (préopératoire) ; puis il comprend que, s'il a une sœur, celle-ci a nécessairement un frère (lui) (opératoire concret).
Sériation	Les éléments d'une série sont présentés dans le désordre, et on demande à l'enfant de les ordonner selon un ordre décroissant (du plus grand au plus petit). La rangée de gauche est le travail effectué par un enfant de 3 ans ½ (préopératoire). La rangée de droite a été construite par un enfant de 8 ans (opératoire concret).
Opérations sur les nombres	L'enfant comprend que le nombre peut être une classe, une relation et un dénombrement. Il intègre les opérations simples (règles de base) de l'addition et de la soustraction. Un peu plus tard, il assimilera les opérations (règles) de division et de multiplication. Il devient de plus en plus souple quant au transfert de ces apprentissages.
Conservation	L'enfant prend conscience des transformations effectuées sur la matière. Il comprend que deux quantités identiques demeurent identiques malgré une transformation de l'apparence, dans la mesure où rien n'est ajouté ni enlevé aux deux quantités. L'enfant passe par une première étape où il nie la conservation (période préopératoire) à une deuxième étape intermédiaire (pensée intuitive) où il affirme que la conservation a lieu dans certains cas, lorsque les changements ne sont pas trop apparents, mais pas dans d'autres. Il ne peut expliquer la conservation que dans de rares cas. À la troisième étape, il affirme qu'il y a conservation et peut l'expliquer dans tous les cas selon les principes établis (réversibilité, addition ou soustraction et compensation).
Classification	L'enfant accède à une compréhension fondamentale, celle de l'inclusion des classes. Il assimile la théorie des ensembles. Un objet peut appartenir simultanément à deux ensembles : un premier ensemble (les vaches) et un second ensemble plus grand (les animaux de la ferme). Les spaghettis sont des pâtes alimentaires et des aliments. L'ensemble A est inclus dans l'ensemble B.
Logique inductive	Cette première forme de la logique permet à l'enfant de déduire de ses observations et des informations qu'il a accumulées, des règles et des principes qui expliquent le fonctionnement du réel. Cette logique va donc du particulier (observations et informations) à un principe général (règles). L'enfant peut pour la première fois opérer sur le concret, le réel. Il arrive à des conclusions basées sur plusieurs expériences personnelles.
Moralité autonome	Un jour, la mère de Pierrot s'était absentée pour aller faire des courses à l'épicerie. Désireux de rendre service, Pierrot décida de mettre la table pour le repas. En prenant la vaisselle dans l'armoire, il fit un faux mouvement et cassa trois assiettes. De son côté, son frère Luc profita de l'absence de sa mère pour prendre une collation et cassa un verre en se versant du jus de fruits. Les deux enfants sont-ils également fautifs ou y en a-t-il un qui est plus coupable que l'autre ? Pourquoi ? (Cloutier et Renaud, 1990.) L'enfant opératoire est capable de prendre en considération l'intention du geste dans l'évaluation d'une responsabilité. C'est Luc qui serait le plus fautif dans cette situation, parce qu'il n'a pas agi dans le but d'aider sa mère, mais a plutôt profité de son absence pour manger.

4e année retenaient plus facilement une liste de termes se rapportant à ce sport que des enfants du même âge qui ne regardaient que rarement les matchs de football (Schneider et Bjorklund, 1992 ; Schneider *et al.,* 1995). De plus, on remarque que cette compétence ne semble pas s'étendre à des tâches similaires (Ericsson et Crutcher, 1990). Dans l'étude allemande par exemple, il n'y avait aucune différence entre les amateurs de football et les novices en ce qui a trait à la mémorisation d'une liste de termes qui n'avaient aucun rapport avec ce sport. Un autre chercheur a montré que la connaissance préalable d'un sujet donné, tels que les dinosaures, permettait aux adultes comme aux enfants de catégoriser les informa-

tions relatives aux dinosaures d'une façon beaucoup plus complexe et de mieux les hiérarchiser. Ces personnes analysaient plus logiquement ces informations et les retenaient mieux (Ni, 1998).

Les travaux sur la compétence effectués par Michelene Chi et ses collaborateurs (Chi, Hutchinson et Robin, 1989 ; Chi et Ceci, 1987) comptent parmi les plus intéressants. Dans son étude la plus connue (1978), Chi a trouvé que les experts du jeu d'échecs pouvaient se rappeler l'emplacement des pièces sur l'échiquier beaucoup plus rapidement et avec plus de précision que les amateurs, *même lorsque ces experts étaient des enfants et les amateurs, des adultes.*

La connaissance préalable, ou compétence, permet à ces enfants qui savent jouer aux échecs d'avoir une meilleure performance qu'un adulte novice.

Les jeunes enfants sont des novices dans presque tous les domaines, alors que les enfants plus âgés ont de meilleures connaissances dans plusieurs domaines. Il est donc possible que l'apparente différence dans les stratégies cognitives ou dans le fonctionnement entre les jeunes enfants et les enfants plus âgés soit seulement l'effet d'un plus grand bagage de connaissances et d'une plus grande expérience plutôt que le produit de changements liés aux stades dans les structures cognitives de base.

Or, Piaget reconnaissait lui-même que l'expérience constitue un élément essentiel des processus du développement cognitif. Il semble de plus en plus évident que la performance de l'enfant varie grandement selon sa compétence, la clarté ou la simplicité des directives, la familiarité avec le matériel et d'autres facteurs situationnels. Il demeure cependant qu'il existe une grande différence dans la manière dont l'enfant de 2 ans et celui de 8 ans abordent les problèmes, et cette différence ne dépend pas seulement de l'expérience.

Vue d'ensemble de la période des opérations concrètes

Les chercheurs qui ont fondé leurs travaux de recherche sur la description de la période des opérations concrètes s'entendent généralement sur la séquence et l'apparition de la plupart des types d'opérations observés par Piaget. Ils ont constaté, à l'instar de Piaget, que le concept de conservation du liquide et de la substance apparaît au début de cette période, suivi du concept de conservation du poids et du volume (Piaget a appelé *décalage horizontal* le fait que, à l'intérieur d'une même période de développement, les enfants ne réussissent pas à généraliser leur raisonnement et à l'appliquer à des contenus différents.)

Quelques années plus tard, ils ont aussi observé que les enfants appartenant à ce groupe d'âge peuvent utiliser la logique inductive, mais échouent aux tâches qui exigent une logique déductive (Markovitz, Schleifer et Fortier, 1989).

Période des opérations concrètes

- Définissez le terme « opérations concrètes » dans la théorie de Piaget.

- Pourquoi la réversibilité est-elle si importante pour Piaget ?

- Expliquez comment évoluent les notions de sériation et de nombre chez l'enfant.

- Citez les trois types d'arguments utilisés par les enfants pour expliquer la conservation.

- Expliquez le balayage d'hypothèses et la recherche par élimination pour la classification.

- Expliquez la notion d'inclusion des classes.

- Qu'est-ce que la logique inductive et la logique déductive ?

- Que nous apprennent les études sur la compétence ?

Concepts et mots clés

- **balayage d'hypothèses** (p. 174) • **compétence** (p. 175) • **concept de nombre** (p. 171) • **décalage horizontal** (p. 177) • **décentration** (p. 172) • **inclusion des classes** (p. 172) • **logique déductive** (p. 175) • **logique inductive** (p. 174) • **moralité autonome** (p. 175) • **période des opérations concrètes** (p. 174) • **recherche par élimination** (p. 174) • **réversibilité** (p. 171) • **sériation** (p. 171)

APPROCHE DU TRAITEMENT DE L'INFORMATION

Les théoriciens qui, comme Piaget, étudient la structure cognitive se demandent à quelles structures de logique l'enfant a recours pour résoudre un problème, et comment ces structures se modifient avec l'âge. Les théoriciens du **traitement de l'information**, pour leur part, se demandent quels processus intellectuels l'enfant utilise lorsqu'il doit effectuer une tâche, et comment ces processus pourraient changer avec l'âge. L'objectif de cette approche est donc d'étudier les processus cognitifs qui sont à la base du traitement de l'information (Klahr, 1992).

Traitement de l'information : Troisième approche de l'étude du développement cognitif, qui s'attache aux changements survenant avec l'âge et aux différences individuelles dans les processus intellectuels fondamentaux.

La métaphore à la base de l'approche du traitement de l'information permet de concevoir l'esprit humain comme un ordinateur. Le matériel de base (*hardware*) de la cognition serait la physiologie du cerveau, les neurones et le tissu conjonctif, et le logiciel (*software*) de la cognition, l'ensemble des stratégies ou programmes qui utilisent le matériel de base. Pour comprendre la cognition, il faut connaître la *capacité de traitement* (puissance du processeur) du matériel de base et la *nature* des programmes adaptés à l'exécution de tâches données. Pour comprendre le *développement* cognitif, il faut savoir s'il y a des modifications dans la capacité de traitement de base du système ou dans la nature des programmes utilisés. Le processeur devient-il plus puissant avec l'âge? De nouveaux types de programmes apparaissent-ils avec l'âge? Sinon, il se peut que tous les programmes existent dès la naissance, mais que l'enfant doive graduellement apprendre à les utiliser. Avant de nous pencher sur ces questions, nous allons étudier un processus cognitif fondamental, celui de la mémorisation.

Mémorisation

Selon l'approche du traitement de l'information, la première étape de la mémorisation est l'**encodage**. L'encodage consiste à organiser l'information sous une forme appropriée afin de la stocker dans la mémoire et de pouvoir la récupérer par la suite. La deuxième étape est le **stockage** de l'information qui permet de conserver le matériel encodé. La troisième étape est la **récupération,** ou *recouvrement,* qui permet de retrouver l'information emmagasinée dans la mémoire afin de l'utiliser. On pense que l'information retenue est transformée par encodage de façon à être intégrée à un réseau déjà existant de connais-

sances et d'informations que l'individu a construit, appelé **schéma cognitif**. On peut comparer le schéma cognitif au modèle interne parce qu'il regroupe les connaissances, les expériences, les croyances et les attentes concernant un sujet particulier. Même lorsqu'elle n'est pratiquement pas déformée, l'information est toujours simplifiée lors de l'encodage.

La plupart des chercheurs qui s'intéressent à la mémoire intègrent les étapes de la mémorisation dans un modèle présentant trois systèmes de mémoire, soit la mémoire sensorielle, la mémoire à court terme et la mémoire à long terme. Selon ce modèle d'organisation de la mémoire, l'information circulerait à travers les trois systèmes (voir la figure 5.8).

Certains chercheurs du développement affirment que les enfants de la période préopératoire ne sont pas capables de résoudre des problèmes typiques de la période opératoire, comme la conservation, parce que la capacité de leur mémoire à court terme est insuffisante. Ce n'est que vers 6 ou 7 ans que les enfants sont en mesure de dégager suffisamment d'espace de travail dans leur mémoire à court terme afin de traiter plus d'information (Case, 1985, 1997).

Encodage : Transformation de l'information sous une forme appropriée au stockage et à la récupération.

Stockage : Façon de conserver l'information encodée.

Récupération : Recouvrement de l'information stockée dans la mémoire afin de l'utiliser.

Schéma cognitif : Réseau d'information déjà existant auquel est intégrée une nouvelle information.

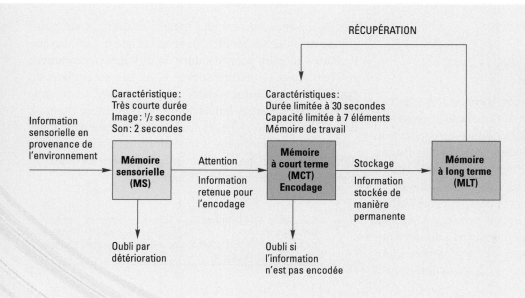

Figure 5.8
Modèle de la mémoire selon l'approche du traitement de l'information.
Selon ce modèle, l'information circule à travers la mémoire sensorielle, est encodée dans la mémoire à court terme et est stockée dans la mémoire à long terme où elle sera récupérée.

Une des preuves à l'appui de cette hypothèse provient des études sur la portée de la mémoire. Dans ces études, le sujet doit se rappeler une liste d'éléments énoncés à haute voix (lettres, chiffres ou mots), puis il doit répéter toute la liste dans le même ordre. La première liste est généralement très courte. Ensuite, on ajoute un élément à la liste jusqu'à ce que le sujet ne puisse plus la répéter sans faire d'erreur. La figure 5.9 illustre les résultats de quelques études sur la mémoire des lettres chez les enfants et les adultes (Dempster, 1981). On peut constater que la portée (empan) de la mémoire augmente progressivement pendant l'enfance. Une meilleure efficacité permettrait ainsi de libérer l'« espace mémoire » pour le stockage de l'information (Schneider et Pressley, 1989). Il semblerait donc que l'efficacité augmente sensiblement avec l'âge et que ce changement soit à l'origine des changements cognitifs importants survenant à l'âge scolaire (Case, 1985 ; Halford *et al.*, 1994 ; Kuhn, 1992).

Le recours plus fréquent à diverses *stratégies* cognitives – les techniques que nous utilisons pour simplifier ou fractionner une tâche cognitive – constitue une autre façon d'améliorer l'efficacité de la mémoire. De nombreuses études sur le traitement de l'information cherchent à comprendre l'apparition de ces stratégies, par exemple la recherche sur les stratégies de mémorisation.

Stratégies mnémoniques Si la capacité maximale normale de mémorisation était de six ou sept éléments, comme le laissent entendre les données de la figure 5.9, nous aurions des problèmes à nous rappeler une liste plus longue, comme une liste d'épicerie. La solution réside dans l'utilisation de diverses stratégies de mémorisation dont quelques-unes sont décrites dans le tableau 5.5. Vous pouvez répéter une liste plusieurs fois, grouper les éléments par thèmes (par exemple tous les ingrédients nécessaires pour une recette de gâteau), créer un scénario qui intègre tous les éléments ou mémoriser la route que vous devez emprunter pour faire vos courses.

À quel moment les enfants commencent-ils à avoir recours à de telles stratégies ? Pendant longtemps, la plupart des psychologues ont pensé que l'usage spontané de stratégies n'apparaissait pas avant 6 ans, ce qui correspond au début de la période des opérations concrètes de Piaget (Keeney, Cannizzo et Flavell, 1967). Des recherches plus récentes parviennent cependant à des conclusions légèrement différentes. Premièrement, on observe des signes de l'utilisation de stratégies de mémorisation dans des conditions optimales dès l'âge de 2 ou 3 ans (DeLoache, 1989 ; DeLoache *et al.*, 1985). Cependant, en grandissant, les enfants se servent de méthodes de plus en plus efficaces comme aide-mémoire. Deuxièmement, l'enfant passe

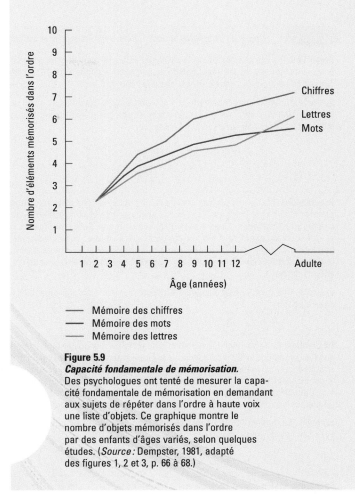

Figure 5.9
Capacité fondamentale de mémorisation.
Des psychologues ont tenté de mesurer la capacité fondamentale de mémorisation en demandant aux sujets de répéter dans l'ordre à haute voix une liste d'objets. Ce graphique montre le nombre d'objets mémorisés dans l'ordre par des enfants d'âges variés, selon quelques études. (*Source :* Dempster, 1981, adapté des figures 1, 2 et 3, p. 66 à 68.)

d'une période où il n'emploie pas de stratégie à une période où il en utilisera si on les lui explique ou si on lui rappelle de les utiliser, pour finalement s'en servir spontanément. Troisièmement, en grandissant, et particulièrement entre 6 et 12 ans, l'enfant a recours à ces stratégies de manière de plus en plus efficace et les applique à un nombre croissant de situations. On remarque alors des changements non seulement dans la quantité de stratégies utilisées, mais aussi dans la qualité de ces stratégies.

Acquisition des automatismes

Les enfants deviennent plus efficaces dans le traitement de l'information à l'âge scolaire parce que c'est à cet âge qu'ils acquièrent leurs premiers automatismes. On peut définir l'**automatisme** comme l'habileté à se rappeler les informations ou les connaissances en provenance de la

Automatisme : Habileté à récupérer l'information de la mémoire à long terme sans utiliser les capacités de la mémoire à court terme.

Tableau 5.5	*Quelques stratégies mnémoniques courantes pour le traitement de l'information lors de la mémorisation*

Répétition. Il s'agit sans doute de la stratégie la plus utilisée. Elle suppose une répétition mentale ou vocale, ou une répétition de mouvements (comme dans l'apprentissage de la danse). Elle est utilisée dans certains cas dès l'âge de 2 ans.

Exemple : Un numéro de téléphone qu'on cherche dans l'annuaire et qu'on doit composer une fois l'annuaire refermé, ou la cote d'un ouvrage qu'on vient de lire et que l'on se répète mentalement jusqu'au rayon de la bibliothèque.

Organisation. Il s'agit de classer des idées, des objets ou des mots selon des catégories pour les mémoriser. Par exemple, tous les animaux, tous les ingrédients nécessaires pour une recette de lasagne ou les pièces d'échecs du roque. Cette stratégie de regroupement se raffine avec l'exercice d'une activité particulière ou avec la connaissance d'un sujet précis, car on peut apprendre ou découvrir des catégories en explorant ou en manipulant une série d'objets. La stratégie de regroupement à l'état primaire se retrouve chez les enfants de 2 ans.

Exemple : Une personne se souvient de sa liste d'épicerie en regroupant les articles selon des catégories.

Élaboration. Cette stratégie de mémorisation consiste à imaginer un lien entre deux objets ou plus. La méthode de mémorisation utilisée pour se rappeler les conjonctions de coordination (mais ou et donc car ni or ?) est un genre d'élaboration au même titre que le fait d'associer le nom d'une personne que vous venez de rencontrer à un objet ou à un mot. Cette stratégie n'est pas utilisée spontanément par tous, et elle n'est employée plus fréquemment et plus efficacement que bien plus tard au cours du développement.

Exemple : Se rappeler les noms des enfants d'un quartier en associant le nom d'un enfant avec son lieu de résidence.

Recherche systématique. Lorsque vous cherchez à vous rappeler quelque chose, vous pouvez passer votre mémoire au crible afin de trouver l'objet de votre recherche. Les enfants de 3 et 4 ans peuvent utiliser ce type de recherche pour des objets tangibles, mais ils ne sont pas très habiles à « fouiller » leur mémoire. L'enfant apprend donc les stratégies de recherche pour le monde tangible, puis les applique plus tard à des recherches internes.

Exemple : Essayer de se rappeler où peut se trouver un objet égaré.

(*Source :* Flavell, 1985.)

mémoire à long terme sans utiliser la capacité de la mémoire à court terme. Par exemple, quand un enfant répond 56 à la question « combien font 8 × 7 ? », sans prendre le temps d'y penser, il a développé un automatisme concernant cet aspect particulier de la table de multiplication. Les automatismes sont indispensables au bon fonctionnement du traitement de l'information, car ils permettent de libérer la mémoire à court terme pour des tâches plus complexes. Les enfants d'âge scolaire qui acquièrent rapidement des automatismes en mathématiques, comme dans l'exemple que nous venons de mentionner, apprennent plus rapidement d'autres habiletés cognitives complexes (Jensen et Whang, 1994).

Les automatismes s'acquièrent principalement par l'expérience. Par exemple, lorsque les enfants font leurs premiers pas, ils doivent se concentrer sur l'action de marcher. Après quelques semaines de pratique, la marche devient un automatisme, et l'enfant peut marcher tout en poursuivant le chat ou en cherchant une balle. C'est également de cette façon qu'un adulte peut penser à sa liste d'épicerie tout en conduisant son automobile vers le supermarché parce que les habiletés de conduite et le trajet qu'il doit suivre sont automatisés. C'est à l'âge scolaire que l'enfant semble commencer à « automatiser » une grande quantité d'informations et d'habiletés, et ce, à un rythme plus rapide qu'auparavant.

Règles de la résolution de problèmes

Les chercheurs qui étudient le traitement de l'information ont observé une progression qualitative dans un autre domaine, la résolution de problèmes. Nous avons vu que le traitement de l'information devient plus efficace en partie à cause de l'émergence de nouvelles stratégies cognitives. Mais comment ces nouvelles stratégies apparaissent-elles ? Robert Siegler suppose qu'elles émergent directement de l'expérience de l'enfant, c'est-à-dire par essais et erreurs et par l'expérimentation (Siegler, 2001). Les études de Siegler sur le développement font partie des travaux les plus connus sur ce sujet (Siegler, 1976, 1978, 1981, 1984). L'approche de Siegler se situe à la croisée de la théorie piagétienne et de la théorie du traitement de l'information. Ce chercheur soutient que le développement cognitif consiste à acquérir un ensemble de règles fondamentales qui sont ensuite appliquées selon l'expérience, à un nombre de plus en plus grand de problèmes. Il n'existe pas de stades, seulement des séquences.

Dans une expérience basée sur cette approche, Siegler utilise une balance et une série de chevilles disposées sur chaque bras et conçues pour recevoir des disques (voir la figure 5.10). On demande à l'enfant de prédire de quel côté la balance penchera selon la position et le nombre de disques. Pour résoudre le problème, l'enfant doit tenir compte du nombre de disques placés sur chaque bras de la balance ainsi que de leur position. Toutefois, les enfants ne trouvent pas la solution immédiatement. Siegler pense que les enfants résoudront le problème en utilisant quatre règles successives dans un ordre précis.

- La règle I, qui est fondamentalement une règle « préopératoire », ne tient compte que d'une donnée : le poids. L'enfant qui applique cette règle prédit que le bras qui comporte le plus de disques, quel que soit leur emplacement sur les chevilles, penchera.

L'expérience de la bascule peut apprendre à ces enfants le fonctionnement d'une balance.

- La règle II est une règle transitoire. L'enfant s'appuie toujours sur le nombre de disques pour étayer son jugement. Toutefois, s'il y a le même nombre de disques de chaque côté, il tient compte de la distance par rapport au pivot.
- La règle III est une règle opératoire concrète. L'enfant essaie de prendre en considération simultanément les deux données, soit la distance et le poids. Toutefois, lorsque l'information est contradictoire (dans le cas où un bras comporte plus de disques près du pivot, par exemple), l'enfant tentera de deviner.
- La règle IV tient compte du poids et de la distance en utilisant la formule appropriée (la distance multipliée par le poids pour chaque côté).

Siegler a découvert que pratiquement tous les enfants accomplissent cette tâche et d'autres tâches semblables comme s'ils employaient l'une de ces règles, et que ces règles sont toujours utilisées dans le même ordre. Les très jeunes enfants se comportent comme s'ils n'obéissaient à aucune règle (ils devinent ou ils agissent aléatoirement, d'après les observations de Siegler). Lorsqu'une règle est appliquée, c'est invariablement la règle I qui est formulée en premier dans la séquence. Toutefois, le passage d'une règle à l'autre est fonction de l'expérience. Si les enfants peuvent se familiariser avec la balance, faire des prédictions et constater de quel côté elle penchera, beaucoup passeront rapidement aux étapes subséquentes de la séquence de règles.

Ainsi, Siegler tente de décrire la séquence logique que suivent les enfants, qui n'est pas sans rappeler la description de la succession des stades de Piaget. Toutefois, Siegler estime que ce n'est pas tant l'âge que l'expérience qui détermine l'ordre d'apparition de la réponse dans la séquence.

Figure 5.10
Expérience de la balance.
Cette balance est semblable à celle que Siegler a utilisée dans son étude. Elle était maintenue par un levier pendant que l'expérimentateur plaçait des poids sur une ou plusieurs chevilles, d'un côté ou de l'autre. À chaque nouvelle combinaison de poids, on demandait à l'enfant de prédire de quel côté pencherait la balance une fois le levier retiré. (*Source :* Adapté de Siegler, 1981, p. 7.)

Si elle ne trouve pas ce qu'elle cherche après quelques essais seulement, cette petite fille d'âge préscolaire aura de la difficulté à concevoir d'autres méthodes de recherche ou à imaginer d'autres endroits où orienter sa recherche. Les enfants d'âge scolaire disposent d'un plus grand nombre de stratégies et les utilisent avec plus de souplesse.

Métacognition et processus d'exécution

Les chercheurs en traitement de l'information ont un autre champ de prédilection : l'étude du processus par lequel les enfants parviennent à savoir ce qu'ils connaissent. Nous avons abordé ces notions chez l'enfant d'âge préscolaire. Si l'on vous donne une liste d'objets à mémoriser, par exemple, et que l'on vous demande ensuite quelle méthode vous avez utilisée pour mémoriser chaque objet, vous pourriez expliquer votre façon de procéder. Vous pourriez même avoir réfléchi à diverses stratégies de mémorisation avant de choisir la plus efficace. Vous pourriez aussi indiquer de bonnes méthodes d'étude ou les types de tâches les plus ardues, et pourquoi elles le sont. Voilà des exemples de **métamémoire** ou de **métacognition**, soit la connaissance des processus de mémorisation et d'acquisition. Lorsque les théoriciens du traitement de l'information font référence à ces facultés, ils parlent de **processus d'exécution** ; en effet, ces facultés supposent une planification et une organisation centralisées, un peu comme le font, par exemple, les directeurs d'entreprise.

Il semble évident que la performance de l'enfant dans l'exécution de nombreuses tâches aura tendance à s'améliorer avec l'apparition des facultés métacognitives, parce qu'il pourra dorénavant être en mesure de suivre de près et de mesurer sa propre performance ou encore de reconnaître le moment où l'utilisation d'une stratégie particulière est appropriée ou non. Des études ont montré que les enfants de 4 et 5 ans font preuve d'une telle capacité d'évaluation (Schneider et Pressley, 1989), mais que celle-ci ne se manifeste que rarement avant cet âge et qu'elle augmente de façon considérable après l'âge scolaire. Les processus d'exécution peuvent corroborer les fonde-

ments de nombreux changements que Piaget associait à la période des opérations concrètes. Par exemple, les enfants de 10 ans sont plus susceptibles que les enfants de 8 ans de comprendre qu'être attentif à une histoire demande un effort (Parault et Schwanenflugel, 2000).

PAUSE-APPRENTISSAGE

Approche du traitement de l'information

- En quoi l'approche du traitement de l'information diffère-t-elle de la théorie de Piaget ?

- Expliquez les notions d'encodage, de stockage et de récupération dans le processus de mémorisation.

- Quelles sont les caractéristiques des trois systèmes de mémoire ?

- Existe-t-il des changements dans la capacité de traitement de l'information ? Expliquez votre réponse.

- Expliquez les stratégies courantes du traitement de l'information dans la mémorisation et précisez à quel moment les enfants commencent à utiliser de telles stratégies.

- Expliquez la notion d'automatisme ainsi que les quatre règles présentées dans le problème de la balance de Siegler en précisant la séquence d'acquisition.

- Qu'est-ce que la métacognition et la métamémoire ?

Concepts et mots clés

- **automatisme** (p. 179) • **élaboration** (p. 180) • **encodage** (p. 178)
- **métacognition** (p. 182) • **métamémoire** (p. 182) • **organisation** (p. 180)
- **processus d'exécution** (p. 182) • **recherche systématique** (p. 180)
- **récupération** (p. 178) • **répétition** (p. 180) • **schéma cognitif** (p. 178)
- **stockage** (p. 178) • **traitement de l'information** (p. 177)

APPROCHE DES DIFFÉRENCES INDIVIDUELLES

Au cœur de la continuité du développement se retrouve évidemment une infinité de variations individuelles. Puisque Piaget et les tenants de sa théorie ne se sont jamais intéressés à ces variations, presque toute l'information sur les différences individuelles dans le fonction-

Métamémoire : Sous-catégorie de la métacognition. Connaissance de ses propres processus de mémorisation.

Métacognition : Connaissance de ses propres processus de réflexion : savoir ce que l'on sait et la façon dont on l'a appris et mémorisé.

Processus d'exécution : Sous-ensemble du traitement de l'information comprenant des stratégies d'organisation et de planification. Synonyme de métacognition et de métamémoire.

nement cognitif au cours des années de l'apprentissage scolaire provient d'études sur le Q.I. ou sur la performance scolaire.

Premiers tests Le premier test structuré d'intelligence a été publié en 1905 par deux Français, Alfred Binet et Théodore Simon (Binet et Simon, 1905). Dès le départ, le test avait un but pratique, soit déterminer les enfants susceptibles d'éprouver des difficultés scolaires. C'est d'ailleurs pourquoi les éléments des premiers tests étaient de nature scolaire : le vocabulaire, la compréhension des faits et des relations et le raisonnement mathématique et verbal. L'enfant peut-il décrire la différence entre le bois et le verre ? Le jeune enfant peut-il toucher son nez, ses oreilles et sa tête ? Peut-il dire lequel de deux poids est le plus lourd ?

Le système de mesure de l'intelligence élaboré par Binet et Simon a été traduit et adapté par Lewis Terman et ses collaborateurs à l'université Stanford (Terman, 1916 ; Terman et Merrill, 1937) de façon qu'on puisse l'utiliser aux États-Unis. Les différentes révisions de Terman, appelées **test de Stanford-Binet,** comportent une série de six éléments distincts dans chaque test pour chaque groupe d'âge. Lorsqu'un enfant passe ce test, on lui soumet les éléments en ordre croissant de difficulté jusqu'à ce que le sujet ne puisse accomplir aucune des tâches d'un groupe d'âge donné. Terman a initialement décrit la performance d'un enfant sous forme d'un score appelé **quotient intellectuel (Q.I.).** On calcule le score en comparant l'âge réel du sujet (en années et en mois) avec son *âge mental,* c'est-à-dire le groupe d'âge le plus élevé atteint lors du test. Ainsi, un enfant de 6 ans qui répond correctement à tous les items correspondant à son groupe d'âge, mais qui ne réussit pas à répondre aux items correspondant au groupe d'âge de 7 ans, aurait l'âge mental d'un enfant de 6 ans. L'équation utilisée pour calculer le Q.I. est la suivante :

$$\frac{\text{âge mental}}{\text{âge réel}} \times 100 = \text{Q.I.}$$

Le Q.I. est supérieur à 100 lorsque l'âge mental est supérieur à l'âge réel ; il est inférieur à 100 lorsque l'âge mental est inférieur à l'âge réel.

Cette méthode de calcul du Q.I. n'est plus en usage aujourd'hui, même dans les révisions modernes du test de Stanford-Binet ou de l'échelle d'intelligence de Wechsler pour enfants (WISC-3). On compare maintenant le score obtenu par l'enfant avec les scores obtenus par des enfants du même groupe d'âge réel. Il n'en demeure pas moins qu'un Q.I. de 100 est un Q.I. moyen ; des scores supérieurs à 100 correspondent à des performances au test supérieures à la moyenne. Les deux tiers des enfants ont des scores se situant entre 85 et 115 ; environ 95 % se classent entre 70 et 130. On considère que les enfants qui ont un score supérieur à 130 sont **doués,** alors que ceux qui ont un score inférieur à 70 souffrent d'une **déficience intellectuelle.** La figure 5.11 montre la courbe de distribution normale du Q.I. Il faut veiller à ne pas appliquer l'étiquette de déficience intellectuelle à un enfant s'il ne présente pas également des troubles majeurs d'adaptation, tels que l'incapacité de s'habiller ou de manger seul, l'incapacité d'interagir seul avec d'autres enfants ou l'incapacité de répondre aux demandes du programme normal de l'école (suivre le rythme des autres élèves). Certains

Test de Stanford-Binet : Test d'intelligence conçu par Lewis Terman et ses collaborateurs qui se sont inspirés des premiers tests de Binet et Simon.

Quotient intellectuel (Q.I.) : À l'origine, rapport entre l'âge mental et l'âge réel. Aujourd'hui, comparaison de la performance d'un enfant avec celle d'autres enfants de son âge.

Doué : Qui a un Q.I. très élevé (au-dessus de 140 ou de 150) ; qui possède des aptitudes remarquables dans un ou plusieurs domaines particuliers, comme les mathématiques et la mémoire.

Déficience intellectuelle : Insuffisance dans le développement cognitif que présente une personne qui a un Q.I. très faible, généralement inférieur à 70.

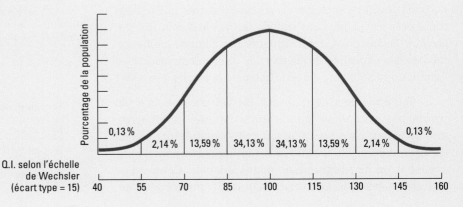

Figure 5.11
Distribution du Q.I.
Les résultats aux tests de Q.I. forment ce que les mathématiciens appellent une courbe normale de distribution, la fameuse « courbe en cloche » dont vous avez sûrement déjà entendu parler. Les deux côtés de la courbe sont identiques. D'autres caractéristiques humaines, comme la taille, ont également une distribution normale, mais elles sont relativement rares.

enfants dont les scores de Q.I. sont faibles s'avèrent néanmoins capables de fonctionner adéquatement dans une classe normale et ne devraient pas être étiquetés comme déficients intellectuels.

Tests modernes L'échelle d'intelligence de Wechsler pour enfants (WISC–3) est le test le plus utilisé aujourd'hui par les psychologues pour mesurer l'intelligence. David Wechsler (1974) a établi un instrument de mesure qui s'intéresse à 10 types de problèmes différents, dont le niveau de difficulté pour chacun va de très facile à très difficile. Les 10 épreuves se divisent en deux sous-groupes : le premier vérifie l'acquisition d'habiletés verbales, comme le vocabulaire, la compréhension de la similarité entre les objets, les connaissances générales et l'arithmétique ; le deuxième sous-groupe vérifie l'acquisition d'habiletés non verbales, comme l'agencement d'images dans le but de raconter une histoire, l'assemblage d'objets ou la reproduction d'un modèle construit à l'aide de cubes. De nombreux psychologues considèrent que cette distinction entre habiletés verbales et habiletés non verbales est très utile, car un résultat particulièrement faible dans l'un ou l'autre sous-groupe peut permettre de déceler certains troubles d'apprentissage scolaire.

Stabilité et prévisibilité des tests Puisque ces tests ont d'abord été conçus en vue de mesurer la performance scolaire d'un élève, il est évidemment essentiel de savoir s'ils sont efficaces. Les résultats des recherches sur cette question sont relativement homogènes : la corrélation entre les scores obtenus par l'enfant d'âge préscolaire aux tests de Q.I. et ses notes scolaires se situe entre 0,50 et 0,60 (Carver, 1990 ; Brody, 1992 ; Neisser *et al.*, 1996). Cette corrélation est forte, mais elle n'est pas parfaite. Ces tests nous indiquent que, dans l'ensemble, les enfants qui ont des scores de Q.I. élevés seront de meilleurs élèves que les autres. Cependant, le succès scolaire dépend aussi de nombreux autres facteurs, tels que la motivation de l'élève, son intérêt et sa persévérance, si bien que certains enfants ayant obtenu des scores de Q.I. élevés n'ont pas de bons résultats scolaires, alors que d'autres qui ont eu des scores de Q.I. plus bas sont des élèves brillants. À l'âge scolaire, les tests de Q.I. constituent cependant de meilleurs indices des capacités intellectuelles ultérieures, principalement en raison de la stabilité accrue des scores aux tests.

Toutefois, l'utilité des tests de Q.I. au primaire ne réside pas tant dans leurs caractéristiques prédictives que dans la possibilité qu'ils offrent, conjointement avec d'autres données, d'identifier les enfants qui pourraient avoir besoin de programmes mieux adaptés. Cette utilisation des tests de Q.I. rejoint l'objectif que s'était fixé

Binet il y a plus de cent ans. Malgré tout, les fonctions diagnostiques que l'on prête aux tests de Q.I. soulèvent la à controverse.

Tests de performance

Le **test de performance**, très répandu pour mesurer les capacités intellectuelles des enfants d'âge scolaire, constitue un autre type d'instrument de mesure que vous avez certainement déjà expérimenté. Les tests de performance sont conçus pour évaluer des données *précises* apprises à l'école. L'enfant à qui l'on fait passer un test de performance ne se verra pas attribuer un score de Q.I., mais sa performance sera comparée avec celle d'autres enfants de même niveau dans l'ensemble du pays.

La principale différence entre ces tests et les tests de Q.I. est que les tests de Q.I. mesurent les capacités de base, soit la *compétence* sous-jacente, alors que le test de performance évalue l'apprentissage de l'enfant (sa *performance*). Il s'agit d'une distinction importante. Nous possédons tous vraisemblablement une limite supérieure de capacités que nous pouvons atteindre dans des conditions idéales, quand nous sommes motivés, bien portants et reposés. Étant donné que ces conditions idéales sont rarement réunies, notre performance se situe habituellement au-dessous de notre capacité hypothétique ou de notre potentiel.

Approche des différences individuelles

- Quelle est la différence entre performance et compétence ?
- Quelles sont les limites d'utilisation des tests de Q.I. ?
- Pourquoi est-il impossible de mesurer la compétence ?

Concepts et mots clés

- **compétence** (p. 184) • **déficience intellectuelle** (p. 183) • **doué** (p. 183) • **échelle d'intelligence de Weschler pour enfants (WISC-3)** (p. 184) • **quotient intellectuel (Q.I.)** (p. 183) • **performance** (p. 184) • **test de performance** (p. 184) • **test de Standford-Binet** (p. 183)

Échelle d'intelligence de Wechster pour enfants (WISC-3) : Instrument de mesure de l'intelligence qui est le plus utilisé aujourd'hui par les psychologues.

Test de performance : Test conçu pour évaluer les capacités d'apprentissage d'un enfant dans une matière donnée, comme l'orthographe ou le calcul mathématique.

UN DERNIER MOT

Pendant les années d'âge préscolaire, les enfants avancent à pas de géant sur le plan physique et intellectuel. En effet, ils passent de la pensée symbolique à la pensée préconceptuelle et à la pensée intuitive. Au cours de la période préopératoire, ils élaborent aussi une théorie de l'esprit qui leur permet de comprendre suffisamment bien comment les autres pensent. Ils s'expriment maintenant avec aisance et sont beaucoup plus agiles physiquement que durant les premières années de leur vie. Ils gagnent petit à petit une certaine indépendance.

L'entrée à l'école coïncide aussi avec une explosion sur le plan du développement cognitif. L'accession à la pensée opératoire permet aux enfants de tirer de leurs observations, des règles et des principes sur la façon dont fonctionne leur environnement. L'école favorise l'apprentissage des compétences et des rôles associés à leur culture. Ces changements cognitifs et physiques à l'âge scolaire constituent la base des changements ultérieurs observés durant l'adolescence et l'âge adulte.

RÉSUMÉ

DÉVELOPPEMENT PHYSIQUE

ÂGE PRÉSCOLAIRE ET SCOLAIRE

- Le développement physique est plus lent chez l'enfant de 2 à 6 ans que chez le nourrisson. Les capacités motrices continuent de s'améliorer graduellement et deviennent plus précises entre 6 et 12 ans.

- Les enfants d'âge préscolaire contractent entre deux et six maladies aiguës par année. Les maladies chroniques sont moins communes. À l'âge scolaire, les maladies sont moins courantes, mais elles se manifestent régulièrement. Les autres problèmes de santé dans ce groupe d'âge sont liés aux problèmes respiratoires et aux accidents.

- Des changements significatifs concernant la latéralisation du cerveau se produisent entre 2 et 6 ans. La prédominance de la main droite ou de la main gauche est associée à la latéralisation du cerveau.

- Le cerveau connaît une croissance rapide entre 6 et 8 ans et entre 10 et 12 ans. Ce développement neurologique permet une amélioration de l'attention sélective, de la vitesse du traitement de l'information ainsi que de la perception spatiale.

- Le taux de maladies chez les enfants d'âge scolaire est, en moyenne, légèrement inférieur à celui des enfants d'âge préscolaire. L'obésité constitue un danger pour la santé de ces enfants de même que la maltraitance et la négligence.

DÉVELOPPEMENT COGNITIF

APPROCHE DE PIAGET : LA PÉRIODE PRÉOPÉRATOIRE (ÂGE PRÉSCOLAIRE)

- Selon Piaget, la période préopératoire commence entre 18 et 24 mois, au moment où l'enfant commence à utiliser la fonction symbolique ou représentation mentale.

- La période préopératoire se divise en deux sous-périodes : la pensée préconceptuelle, qui va de 2 à 4 ans, et la pensée intuitive, qui va de 4 à 7 ans.

- La pensée préconceptuelle se caractérise par les préconcepts, l'égocentrisme intellectuel, le raisonnement transductif et la pensée animiste.

• La pensée intuitive se caractérise par l'intuition, la centration sur les aspects perceptifs, les premières classifications et la moralité hétéronome.

• Les nouvelles perspectives de recherche concernant la période préopératoire portent sur l'égocentrisme, la distinction entre l'apparence et la réalité, et la théorie de l'esprit.

APPROCHE DE PIAGET: LA PÉRIODE DES OPÉRATIONS CONCRÈTES (ÂGE SCOLAIRE)

• Selon Piaget, la pensée de l'enfant subit des changements importants vers l'âge de 6 ou 7 ans lorsque certaines habiletés cognitives comme la réversibilité, la sériation, le concept de nombre, la conservation, la classification et la moralité autonome se développent.

• Durant la période des opérations concrètes, l'enfant apprend également à utiliser la logique inductive, mais il n'utilise pas encore la logique déductive.

• Des études sur la compétence mettent davantage l'accent que les travaux de Piaget sur le rôle de l'expérience et de la compétence dans l'évolution de la pensée chez l'enfant.

APPROCHE DU TRAITEMENT DE L'INFORMATION

• Selon le modèle de la mémoire que présente l'approche du traitement de l'information, l'information passe d'abord par la mémoire sensorielle, puis elle est encodée (ou transformée) dans la mémoire à court terme afin d'être stockée dans la mémoire à long terme et utilisée (récupérée) plus tard.

• La plupart des théoriciens du traitement de l'information s'entendent pour dire qu'il y a une amélioration sur le plan de la rapidité et de l'efficacité du traitement de l'information à l'âge scolaire.

• L'augmentation de l'efficacité se mesure aussi à l'utilisation accrue avec l'âge des divers types de stratégies de traitement de l'information, notamment les stratégies de mémorisation. Les enfants d'âge préscolaire utilisent déjà ces stratégies, mais les enfants d'âge scolaire les utilisent plus fréquemment et avec plus de souplesse.

• À l'âge scolaire, la plupart des enfants acquièrent également des automatismes et des processus d'exécution qui leur permettent de maîtriser leurs habiletés cognitives et de planifier ainsi leurs activités intellectuelles.

APPROCHE DES DIFFÉRENCES INDIVIDUELLES

• Les différences individuelles dans le fonctionnement cognitif à l'âge scolaire ont d'abord été évaluées au moyen des tests de Q.I. et des tests de performance.

• Certains enfants présentent des difficultés d'apprentissage à l'école dont un trouble associé à la lecture appelé dyslexie. D'autres enfants présentent un niveau d'activité excessive et des problèmes d'attention que l'on nomme hyperactivité associée à un déficit de l'attention (HDA).

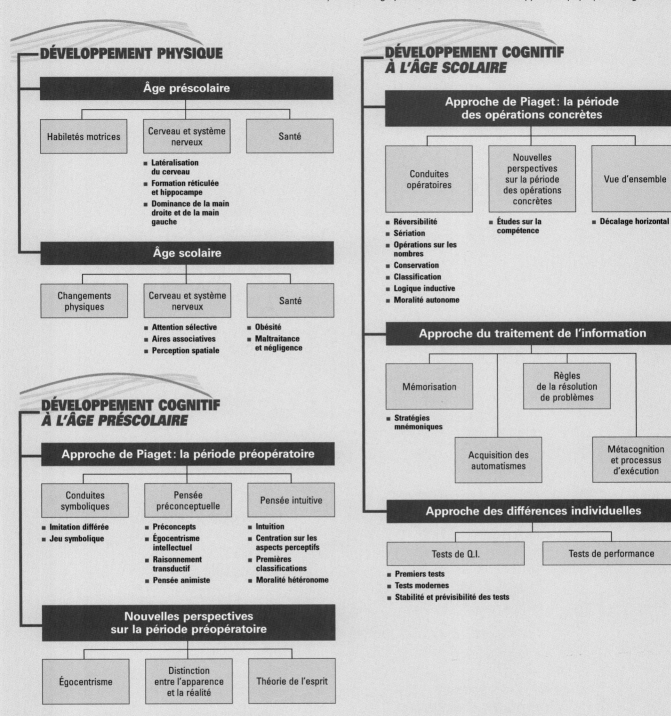

6

CHAPITRE

L'âge préscolaire et scolaire :
développement
de la personnalité
et des relations sociales

DÉVELOPPEMENT DE LA PERSONNALITÉ

Évolution du concept de soi *à l'âge préscolaire*

Évolution du concept de soi *à l'âge scolaire*

Perspectives théoriques

DÉVELOPPEMENT DES RELATIONS SOCIALES

Attachement

Relations avec les parents

Relations avec les pairs

Amitié

Ségrégation sexuelle

Comportement prosocial

Agressivité

PARCOURS INDIVIDUELS

Du tempérament à la personnalité

Estime de soi

Statut social : popularité et rejet

Structures familiales et divorce

ENVIRONNEMENT : PAUVRETÉ

*S*i vous demandez à un échantillon d'adultes de vous nommer les caractéristiques les plus marquantes du développement des enfants entre 2 et 6 ans, ils vont sûrement vous parler des habiletés sociales grandissantes de l'enfant. L'enfant qui vient de franchir la période «terrible» de 2 ans devient de plus en plus habile à jouer et à interagir avec ses pairs. À 5 et 6 ans, il peut soutenir une conversation intéressante. Il est certain que les nouvelles habiletés langagières constituent un élément clé du développement durant cette période, mais le changement le plus évident pour l'enfant de 5 ans est incontestablement le fait qu'il soit devenu un «être social» comparativement au trottineur de 2 ans.

Prenons l'exemple de Joëlle, une fillette de 7 ans. Sa mère, qui fait des études supérieures en psychologie, l'utilise souvent comme cobaye dans ses travaux pratiques. Un matin qu'elle demande à sa fille ce qu'elle va mettre pour aller à l'école, celle-ci lui répond: «Veux-tu vraiment le savoir ou est-ce encore une de tes enquêtes de psychologie?» Comme la plupart des enfants de 6 à 12 ans, Joëlle veut que sa mère la considère comme une personne plutôt que comme un enfant de 7 ans parmi d'autres. Les enfants de cet âge commencent à comprendre qu'ils sont uniques et veulent que leur particularité soit reconnue par leurs parents et leur entourage.

DÉVELOPPEMENT DE LA PERSONNALITÉ

La personnalité est le produit des interactions entre le tempérament et l'environnement. Au moment où il développe sa conscience de soi, l'enfant construit, à partir de ses expériences et de sa compréhension du monde, son propre concept de soi. Il devient alors un troisième intervenant dans l'élaboration de sa propre personnalité.

ÉVOLUTION DU CONCEPT DE SOI À L'ÂGE PRÉSCOLAIRE

Nous avons vu au chapitre 4 que l'enfant de 18 à 24 mois commence à développer ce que Lewis appelle le moi différentiel. Le trottineur comprend déjà qu'il est un sujet dans le monde et qu'il possède différentes caractéristiques. De 2 à 6 ans, l'enfant élabore davantage son concept de soi, mais toujours dans la même direction. À la fin de cette période, un enfant peut généralement se décrire à partir d'un grand nombre de critères. Cependant, ces premiers concepts de soi utilisent surtout des critères concrets.

Le concept de soi de l'enfant d'âge préscolaire revêt aussi un caractère concret d'une autre façon: l'enfant a tendance à se décrire à partir de ses caractéristiques personnelles visibles (s'il est un garçon ou une fille, quelle est son apparence, avec qui il joue, où il habite, ce qu'il réussit le mieux) plutôt qu'à partir de ses qualités plus stables, plus intérieures. De toute évidence, ce modèle suit en tous points ce que nous savons du développement cognitif à cet âge. C'est en effet au cours de cette période que les enfants tendent à accorder de l'attention à l'apparence des objets plutôt qu'à leurs propriétés durables.

Moi émotionnel: compréhension et maîtrise des émotions

Nous avons appris qu'un enfant de 10 à 12 mois peut différencier une expression faciale positive d'une expression faciale négative, parce qu'il fait des *références sociales*. Nous savons aussi que les enfants de moins de 2 ans vivent dans l'instant présent: «ici et maintenant». S'ils désirent quelque chose, ils le veulent immédiatement. Lorsqu'ils sont fatigués, ils pleurent; lorsqu'ils ont faim, ils veulent manger tout de suite. Ils sont impatients et ont beaucoup de difficulté à reporter la satisfaction d'un besoin ou le résultat d'un travail à plus tard. Ils résistent mal à la tentation.

À 4 ans, l'enfant associe les émotions qu'il observe chez les autres avec les circonstances qui génèrent l'expression de ces émotions. Par exemple, il va comprendre qu'une personne peut se sentir triste si elle subit un

échec, et joyeuse si elle connaît un succès. L'enfant de cet âge comprend également que certaines émotions n'apparaissent que dans des situations qui mettent en jeu une relation spécifique entre le désir et la réalité. Il remarque, par exemple, qu'une personne qui n'arrive pas à obtenir un objet convoité ou qui perd un objet qui lui tenait à cœur éprouve généralement de la tristesse (Harris, 1989).

L'enfant d'âge préscolaire apprend à maîtriser et à adapter l'expression de ses émotions (Dunn, 1994). Quand un jeune enfant est bouleversé, ce sont ses parents qui l'aident à maîtriser son émotion en le consolant, en le réconfortant ou simplement en le retirant physiquement de la situation problématique. À l'âge préscolaire, l'enfant assume de plus en plus la maîtrise de ses émotions. Les enfants de 2 ans parviennent de façon minimale à maîtriser leurs sentiments de cette façon, alors qu'un enfant de 5 ou 6 ans y parvient beaucoup mieux. Cependant, il existerait une différence entre les garçons et les filles quant à la maîtrise de l'intensité des émotions fortes. Les filles réussissent mieux que les garçons à masquer l'expression d'émotions négatives, telles que la déception (Davis, 1995). Une série de recherches montrent aussi que l'habileté à maîtriser ses émotions chez les enfants d'âge préscolaire ou au début du primaire est associée à un faible niveau de troubles du comportement à l'école (Eisenberg *et al.*, 1996a).

Le développement du moi émotionnel durant les années préscolaires s'appuie principalement sur l'apprentissage de la maîtrise des émotions. Cette maîtrise passe graduellement des parents à l'enfant lui-même. Ici encore, le tempérament de l'enfant joue un rôle important. Par exemple, un enfant dont le tempérament est difficile durant les premières années de sa vie est plus susceptible d'avoir des difficultés à maîtriser ses émotions durant les années préscolaires (Schmitz *et al.*, 1999). De plus, les enfants prématurés ou ceux qui ont connu des retards au niveau du langage entre 1 et 2 ans éprouvent plus de difficulté à maîtriser leurs émotions à l'âge préscolaire (Carson, Klee et Perry, 1998; Schothorst et van Engeland, 1996).

Un second aspect de la maîtrise des émotions est la nécessité pour l'enfant d'apprendre les règles sociales pour exprimer ses émotions. Quand et où est-il approprié d'exprimer différents sentiments? Quelle forme devrait prendre cette expression? Quand devons-nous rire? Quand devons-nous nous en abstenir? Les enfants de 3 ans apprennent, par exemple, qu'il y a des moments où ils doivent sourire, même s'ils n'en ont pas envie. Ainsi commence l'habitude du sourire social, ou sourire de convenance, qui se différencie du sourire naturel ou spontané. Au fil des années, les enfants apprennent également à exprimer des émotions de convenance, telles que la fausse colère ou le faux dégoût (Izard et Malatesta, 1987). Ils apprennent, en outre, à dissimuler leurs sentiments dans de nombreuses situations. Cette dernière habileté à masquer ou à cacher ses sentiments semble associée à l'apparition de la théorie de l'esprit. Le fait qu'un enfant cache une émotion afin de ne pas blesser une autre personne présuppose que l'enfant a conscience de ce qui peut blesser cette personne. De la même façon, l'enfant d'âge préscolaire qui apprend à simuler des émotions afin d'obtenir ce qu'il veut, en pleurant ou en souriant par exemple, est nécessairement conscient que ses parents vont réagir de la façon qu'il souhaite aux émotions qu'il fait semblant d'exprimer. La maîtrise de soi au début de l'âge préscolaire serait ainsi liée à l'habileté, à l'âge scolaire, de suivre les règles morales et de penser en fonction de ce qui est bon ou mauvais (Kochanska, Murray et Coy, 1997).

Cependant, les attentes des parents associées à l'âge de l'enfant ainsi que leurs comportements envers l'enfant constituent également des facteurs importants dans la maîtrise des émotions. Les parents utilisent généralement des demandes et des interdits pour apprendre aux enfants de moins de 2 ans à maîtriser leurs émotions. Par exemple, si vous observez des parents avec leurs enfants dans une salle d'attente, vous pouvez noter que le parent répète constamment à son enfant de moins de 2 ans qui manifeste des signes d'impatience de ne pas faire ceci ou de faire cela. Il finira par le prendre sur ses genoux pour lui lire une histoire. Au contraire, un enfant d'âge préscolaire va chercher, de sa propre initiative, une activité pour s'occuper. Ces enfants vont trouver une revue ou un livre qui les intéressent et demander à leur parent de leur faire la lecture ou le feuilleter seul. Devant cette maturité émotionnelle, les parents attendent de leurs enfants d'âge préscolaire une bonne maîtrise de leurs émotions et ils utilisent souvent des instructions verbales plutôt qu'une sanction physique afin de leur enseigner cette maîtrise. Ainsi, l'enfant entre 2 et 6 ans intègre graduellement les normes et les demandes sociales et se les approprie plus en plus.

Ce processus d'internalisation (passage d'un contrôle externe à un contrôle interne) jumelé à une amélioration du contrôle de soi se construit aussi à partir des premières manifestations du développement, principalement à partir de l'apprentissage du langage. Comme nous l'avons déjà mentionné, les enfants utilisent, dès l'âge de 2 ans, une sorte de langage égocentrique pour contrôler ou diriger leur propre comportement. Par exemple, l'enfant de 2 à 3 ans qui joue seul se donne des instructions et décrit ce qu'il fait : « Non, pas là », « Je mets ça là » (Furrow, 1984).

Un tel langage qui permet une sorte d'autorégulation s'atténue considérablement au cours des années scolaires, mais ne disparaît pas complètement. On peut l'observer à l'occasion chez des enfants plus vieux et même chez des adultes lorsqu'ils sont aux prises avec un problème difficile (Bivens et Berk, 1990).

L'amélioration du langage chez l'enfant aide aussi les parents à mieux communiquer avec lui. Ils peuvent ainsi expliquer les règles qui régissent les comportements, et l'enfant peut alors les intégrer. Ce processus d'internalisation est aussi soumis aux mêmes interactions familiales que le développement de l'attachement durant la première année, soit l'affection parentale, la sensibilité, la responsabilité et l'apprentissage des méthodes de contrôle centrées sur l'enfant.

Moi social

L'émergence du concept de soi chez l'enfant se manifeste également dans sa conscience croissante de lui-même en tant que joueur participant au grand jeu de la société. Dès l'âge de 2 ans, le trottineur a appris un vaste éventail de « scénarios » sociaux, des routines de jeu ou d'interaction avec son entourage. Case (1991) fait observer que le trottineur commence alors à comprendre implicitement son propre rôle dans ces scénarios. Il commence donc à se percevoir comme un « élément actif » dans certaines situations ou comme le « patron » quand il ordonne à un autre enfant de faire quelque chose. Cette perception apparaît notamment dans les jeux sociodramatiques, quand les enfants se mettent à adopter des rôles définis : « Moi, je serai le père, et toi, tu seras la mère » ou « C'est moi le chef ». Dans la foulée, l'enfant d'âge préscolaire saisit peu à peu sa place au sein du réseau des rôles familiaux : il a des frères, des sœurs, une mère, etc.

Moi sexué

L'un des aspects les plus fascinants de l'émergence du concept de soi chez l'enfant d'âge préscolaire est le développement du **concept de genre**. L'enfant de cet âge doit accomplir plusieurs tâches interreliées. Sur le plan cognitif, il doit apprendre la nature de la catégorie « genre » : une personne est un garçon ou une fille pour toujours, et les vêtements ou la longueur des cheveux n'y changent rien. Cette acquisition cognitive se nomme le concept de genre. Sur le plan social, l'enfant doit apprendre quels sont

Concept de genre : Conscience de son propre sexe, et compréhension de la permanence et de la constance du genre sexuel.

Voici un exemple de rôle sexuel appris durant l'âge préscolaire.

les comportements qui sont associés au fait d'être un garçon ou une fille. En d'autres mots, il doit apprendre le **rôle sexuel** qui est approprié à son genre.

DÉVELOPPEMENT DU CONCEPT DE GENRE

À partir de quel moment l'enfant comprend-il qu'il est un garçon ou une fille? On peut distinguer trois étapes dans la compréhension du concept de genre.

La première étape porte sur l'**identité sexuelle**, qui correspond simplement à la capacité pour un enfant d'identifier correctement son propre genre et celui des autres (garçon, fille, homme ou femme). Dès l'âge de 9 à 12 mois, les bébés traitent les visages d'hommes et de femmes comme s'ils appartenaient à des catégories différentes (Fagot et Leinbach, 1993). Durant l'année suivante, les enfants apprennent des étiquettes verbales qui appartiennent à ces catégories. Si vous montrez à un enfant de 2 ans une série de photographies d'enfants du même sexe et plusieurs autres photographies d'enfants du sexe opposé et que vous lui demandez de se reconnaître parmi ces photographies, la plupart des enfants choisiront alors la bonne catégorie de photographies (même sexe qu'eux). La plupart des enfants à environ 3 ans peuvent aussi déterminer correctement le sexe des autres. La longueur des cheveux et les vêtements constitueraient les indices clés leur permettant d'effectuer ces distinctions.

Durant la deuxième étape, appelée **stabilité du genre**, l'enfant comprend que le genre est une caractéristique permanente que l'on conserve tout au long de la vie. Des chercheurs ont mesuré cette compréhension en posant à des enfants des questions comme «Quand tu étais bébé, étais-tu un bébé fille ou un bébé garçon?» et «Quand tu seras adulte, seras-tu une maman ou un papa?» La plupart des enfants comprennent la stabilité du genre vers l'âge de 4 ans (Slaby et Frey, 1975).

Finalement, au cours de la troisième étape, la **constance du genre**, l'enfant conçoit qu'une personne demeure du même sexe, même si son apparence, par exemple ses vêtements ou la longueur de ses cheveux, semble différente de celle de son genre. Par exemple, les garçons ne se changent pas en filles en laissant pousser leurs cheveux ou en portant des robes. Il peut paraître étrange qu'un enfant conscient du fait qu'il va rester du même sexe tout au long de sa vie (qui comprend donc la stabilité du genre) puisse néanmoins éprouver de la confusion quant aux effets des changements de vêtements ou d'apparence. Pourtant, l'existence d'une séquence en trois étapes est attestée par de nombreuses études, comprenant des études effectuées auprès d'enfants d'autres cultures: au Kenya, au Népal, au Belize et aux îles Samoa (Munro, Shimmin et Munroe, 1984).

La logique sous-jacente de cette séquence apparaîtra peut-être plus clairement si nous établissons un parallèle entre la constance du genre et le concept de conservation de Piaget. La conservation implique la reconnaissance qu'un objet demeure fondamentalement le même, que son aspect extérieur change ou non. La constance du genre est en quelque sorte une «conservation du genre» et n'est généralement comprise que vers 5 ou 6 ans, en même temps que les autres types de conservation (Marcus et Overton, 1978).

En somme, entre 18 et 24 mois, les enfants connaissent leur propre sexe et celui des personnes qui les entourent, mais ils n'intègrent le concept de genre que vers l'âge de 5 ou 6 ans.

Rôle sexuel: Modèle de conduites propre à chaque sexe. La connaissance du rôle sexuel se manifeste dans le comportement différentiel et dans le comportement approprié à chaque sexe.

Identité sexuelle: Première étape dans le développement du concept de genre: l'enfant identifie correctement son sexe et celui des autres.

Stabilité du genre: Deuxième étape dans le développement du concept de genre: l'enfant comprend que le sexe d'une personne ne peut pas changer au cours de sa vie.

Constance du genre: Troisième et dernière étape dans le développement du concept de genre: l'enfant comprend que le sexe ne change pas malgré la présence de changements externes, tels que l'habillement ou la longueur des cheveux.

DÉVELOPPEMENT DU RÔLE SEXUEL ET DES STÉRÉOTYPES SEXUELS

Reconnaître qu'on est un garçon ou une fille et comprendre que nous allons le demeurer toute notre vie est une chose en soi, mais apprendre ce qui se rattache à l'étiquette du genre sexuel dans une culture donnée constitue une autre étape vitale de l'acquisition du concept de genre. Les chercheurs dans ce domaine ont étudié ces notions selon deux approches : d'une part, en demandant aux enfants quelles étaient les caractéristiques associées aux garçons et aux filles (hommes ou femmes) et ce que les garçons et les filles aimaient faire (deux aspects associés aux stéréotypes sexuels) ; d'autre part, les chercheurs ont demandé aux enfants si c'était correct de jouer à la poupée pour un garçon et de grimper à un arbre pour une fille ou d'effectuer d'autres activités sexuelles croisées (des aspects associés aux rôles sexuels).

Dans toutes les cultures, les adultes présentent des rôles sexuels clairement stéréotypés. De plus, le contenu de ces rôles sexuels stéréotypés est relativement identique. Des études transculturelles, menées dans 28 pays par John Williams et Deborah Best (1990), montrent que des traits spécifiques associés aux hommes et aux femmes font partie des stéréotypes des enfants aussi bien que de ceux des adultes, et ce, dans presque toutes les cultures, y compris des cultures non occidentales, comme en Thaïlande, au Pakistan et au Nigéria. Ainsi, les femmes sont perçues comme faibles, affectueuses, douces, sensibles et tendres, alors que les hommes sont perçus comme agressifs, forts, cruels et rudes. Dans la plupart des cultures, les hommes sont aussi perçus comme compétents, habiles, assertifs et capables d'accomplir des choses, alors que les femmes sont chaleureuses, expressives, diplomates, tranquilles, gentilles et conscientes des sentiments des autres, mais elles présentent des lacunes quant à leur compétence, leur indépendance et leur logique.

Les études portant sur les enfants démontrent que ces stéréotypes s'apprennent très tôt dans la vie. Dès l'âge de 2 ans, les enfants associent certaines tâches et certaines attributions aux hommes et aux femmes : l'aspirateur, la cuisinière et la nourriture «vont avec» les femmes, tandis que les voitures et les outils «vont avec» les hommes (Weinraub *et al.*, 1984). Vers 3 ou 4 ans, les enfants peuvent assigner des occupations, des jouets et des activités à chacun des sexes ; à l'âge de 5 ans, ils commencent même à associer certains traits de personnalité aux hommes ou aux femmes ; toutes ces notions sont bien intégrées et consolidées à l'âge de 8 ou 9 ans (Martin, 1993 ; Serbin, Powlishta et Gulko, 1993).

On retrouve un modèle très semblable dans des études portant sur les idées que se font les enfants de ce que devraient être les hommes et les femmes (ou les garçons et les filles). Une étude effectuée par William Damon (1977, p. 242) illustre ce dernier point de façon particulièrement éloquente. Ce chercheur a raconté à des enfants de 4 à 9 ans l'histoire de Georges, un petit garçon qui aimait jouer à la poupée. Les parents de Georges lui disent que seules les petites filles jouent avec des poupées, pas les petits garçons. Le chercheur a ensuite posé aux enfants les questions suivantes :

Pourquoi les gens disent-ils à Georges de ne pas jouer avec des poupées ?

Ont-ils raison de le faire ?

Y a-t-il une règle qui interdise aux garçons de jouer avec des poupées ?

Que devrait faire Georges ?

Est-ce que Georges a le droit de jouer avec des poupées ?

Les enfants de 4 ans ne voyaient aucun problème à ce que Georges joue à la poupée. Selon eux, il n'y avait pas de règle qui l'interdisait et, si George en avait envie, il pouvait le faire. Les enfants de 6 ans, au contraire, disaient que c'était «mal» que Georges joue avec des poupées. Vers l'âge de 9 ans, les enfants savaient distinguer ce que les garçons font habituellement de ce que les filles font habituellement, et ils savaient déterminer ce qui était «mal». Par exemple, un garçon a expliqué que briser des vitres était mal, mais que jouer avec des poupées n'était pas mal de la même manière : «On ne doit pas casser des vitres. Et, si on joue avec des poupées, bon, on peut, mais d'habitude les garçons ne font pas ça.»

Il semble que les enfants de 5 et 6 ans, qui ont admis que le genre est permanent, soient en quête d'une *règle* dictant la conduite des garçons et des filles (Martin et Halverson, 1981). Ils obtiennent des informations en observant les adultes, en regardant la télévision, en retenant

À mesure qu'ils intègrent le concept de genre sexuel, les enfants modifient leur perception de ce qui est acceptable pour une fille et de ce qui est acceptable pour un garçon.

Les comportements sexuels croisés durant l'enfance

Vous devez vous demander s'il existe un lien quelconque entre l'adoption d'un comportement sexuel croisé durant l'enfance et l'homosexualité. Pour découvrir si ce lien existe, il faudrait recueillir des données longitudinales. En d'autres mots, il faudrait suivre le développement de jeunes enfants qui présentent ces comportements jusqu'à l'adolescence et l'âge adulte afin d'observer combien parmi eux seront homosexuels. Jusqu'à maintenant, aucune donnée de ce genre n'existe, mais de nombreux chercheurs ont mené des études rétrospectives dans lesquelles on interroge des adultes sur leurs souvenirs d'enfance. Une revue de ces types d'enquêtes démontre qu'une majorité d'hommes et de femmes homosexuels se souviennent d'avoir déjà participé à des activités sexuelles croisées au début de leur enfance (Bailey et Zucker, 1995).

Il est cependant important de préciser qu'un grand nombre d'adultes hétérosexuels, particulièrement des femmes, se souviennent également d'avoir participé à des activités sexuelles croisées pendant leur enfance. En fait, dans une étude portant sur des étudiantes de collèges américains, la moitié d'entre elles affirment s'être comportées en garçonnes au début de leur enfance (Burn *et al.*, 1996). Si l'on considère que la prévalence du lesbianisme chez les Américaines est de 2 à 3 %, il est évident que la proportion de femmes qui se rappellent avoir été garçonnes excède fortement la proportion de lesbiennes dans la population des femmes adultes.

Par contre, selon ces études rétrospectives, de nombreux psychologues croient que les comportements sexuels croisés qui sont très marqués, comme ceux d'un enfant qui exprime constamment le désir d'appartenir au sexe opposé pendant une longue période, sont probablement associés au développement d'une orientation homosexuelle, tant chez les hommes que chez les femmes (Zuger, 1990). De plus, au moins une étude rapporte que les souvenirs des hommes homosexuels concernant leurs comportements sexuels croisés durant l'enfance sont corroborés par leurs mères (Bailey, Nothnagel et Wolfe, 1995). Encore une fois, la corrélation est loin d'être parfaite. Des hommes hétérosexuels se souviennent d'avoir exprimé de tels désirs au début de leur enfance, et la plupart des hommes homosexuels n'ont jamais exprimé le désir d'être une femme (Phillips et Over, 1992).

Finalement, nous savons que la mémoire des adultes concernant les expériences de leur enfance est en grande partie faussée et qu'elle est influencée par leurs schèmes de référence actuels (Bahrick, Hall et Berger, 1996). De plus, compte tenu que ces événements peuvent être liés au développement ultérieur d'un comportement homosexuel, les adultes homosexuels (et leurs parents) se remémorent peut-être plus facilement les épisodes de comportements sexuels croisés comparativement aux adultes hétérosexuels. En résumé, il faut être très prudent dans l'analyse de ces données, et les parents ne doivent pas accorder trop d'importance aux comportements sexuels croisés observés au début de l'enfance.

les étiquettes qu'on appose aux différentes activités (par exemple «Les garçons ne pleurent pas»). Au début, les enfants traitent ces informations comme des règles morales absolues. Ils comprennent plus tard qu'il s'agit de conventions sociales, et c'est alors seulement que leur conception du rôle sexuel devient plus flexible et que leurs stéréotypes s'atténuent quelque peu (Katz et Ksansnak, 1994).

De façon similaire, de nombreux préjugés au sujet des autres, tels que les préjugés touchant les personnes d'une autre race, les personnes qui parlent une autre langue ou les personnes obèses, connaissent un sommet au moment de l'entrée à l'école et déclinent par la suite au cours de l'enfance et de l'adolescence (Doyle et Aboud, 1995; Powlishta *et al.*, 1994).

DÉVELOPPEMENT DU COMPORTEMENT ASSOCIÉ AU RÔLE SEXUEL

Le dernier élément de l'équation est le comportement qu'affiche l'enfant vis-à-vis des enfants de son sexe et du sexe opposé. Les chercheurs ont découvert que les comportements associés au rôle sexuel pouvaient s'observer beaucoup plus tôt qu'on ne l'avait d'abord imaginé. Ils se manifestent dès l'âge de 18 à 24 mois, quand les enfants commencent à montrer leur préférence pour des jouets sexuellement stéréotypés, comme les poupées pour les filles ou les camions et les cubes pour les garçons. Ces comportements sont observés quelques mois avant que les enfants puissent identifier correctement leur propre genre sexuel (O'Brien, 1992). À l'âge de 3 ans, les enfants commencent à démontrer une préférence pour les compagnons de jeu du même sexe qu'eux, au moment où ils n'ont pas encore acquis la stabilité du genre sexuel (Maccoby, 1988, 1990; Maccoby et Jacklin, 1987). Une autre observation intrigue: les enfants au début de l'âge préscolaire semblent accorder plus d'attention aux comportements de leurs compagnons de jeu du même sexe qu'à ceux du sexe opposé. Les interactions entre compagnons du même sexe semblent enseigner à l'enfant les comportements sexuels appropriés. Ainsi, les garçons plus vieux modèlent les comportements des garçons plus jeunes et leur enseignent ce qu'il faut faire pour «être masculin», et il en va de même pour les filles (Danby et Baker, 1998).

Durant cette période, on observe aussi des **comportements sexuels croisés**, c'est-à-dire des garçons qui agissent en filles et des filles qui agissent en garçons. Généralement, les comportements de garçonnes sont

Comportement sexuel croisé: Comportement atypique pour son propre sexe, mais typique du sexe opposé.

mieux tolérés par les adultes et les pairs (Sandnabba et Ahlberg, 1999). Il n'est donc pas étonnant que les comportements sexuels croisés soient davantage observés chez les filles que chez les garçons (Etaugh et Liss, 1992). Le fait d'être garçonne pour une fille ne semble pas interférer avec l'épanouissement d'une personnalité «féminine» à l'âge adulte et lui permet même de développer des caractéristiques positives, telle l'affirmation de soi (Burn, O'Neil et Nederend, 1996).

Par ailleurs, les adultes et les pairs découragent fortement les garçons qui adoptent un comportement sexuel croisé de «fillette». Ainsi, les garçons qui jouent à la poupée ou qui agissent de façon «efféminée» sont plus susceptibles d'être ridiculisés par leurs pairs, leurs parents ou leurs professeurs (Martin et Little, 1990). Ces réactions des adultes semblent être associées à la peur que l'enfant deviennent homosexuel (Sandnabba et Ahlberg, 1999).

Cependant, on ne peut affirmer que la préférence pour les jeux sexuels croisés observés chez les garçons soit le résultat de l'influence des adultes ou des pairs. Nous savons toutefois que ces comportements apparaissent tôt et persistent davantage dans le cas des garçons, ce qui laisse supposer que cette préférence se manifeste avant que l'environnement ne puisse exercer une influence (Blakemore, Larue et Olejnik, 1979). Les chercheurs ont démontré qu'il est difficile de modifier, par le façonnement ou le renforcement, les préférences des garçons pour les jeux sexuels croisés (Weisner et Wilson-Mitchell, 1990).

EXPLICATIONS DE L'ACQUISITION DES RÔLES SEXUELS

Les théoriciens de presque toutes les écoles de psychologie ont tenté d'expliquer cette étape du développement. On peut résumer ces tentatives en quatre modèles : le modèle psychanalytique, le modèle de l'apprentissage social, le modèle piagétien et le modèle du schème du genre.

- Selon Freud, le *concept d'identification* au parent du même sexe (que nous aborderons plus loin dans ce chapitre) permet d'expliquer pourquoi l'enfant adopte les comportements qui sont appropriés à son sexe. Cependant, cette théorie n'explique pas pourquoi les enfants manifestent des comportements sexuels bien avant l'âge de 4 ou 5 ans, qui est l'âge de l'apprentissage de l'identification.
- Pour les théoriciens de *l'apprentissage social*, comme Bandura (1977a) et Mischel (1966, 1970), les parents jouent un rôle primordial dans la formation des attitudes et des comportements liés aux rôles sexuels chez leurs enfants. Il semble en effet que les parents encouragent les activités sexuellement stéréotypées chez leurs enfants dès l'âge de 18 mois, non seulement en leur achetant des jouets différents selon leur sexe, mais

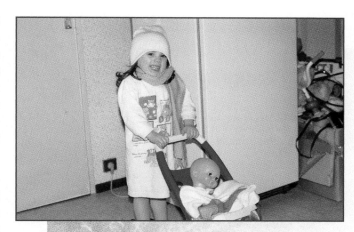

Vers l'âge de 2 ou 3 ans, le choix des jouets indique déjà des différences marquées dans les rôles sexuels. Laissés à eux-mêmes, les garçons choisissent des cubes ou des camions. Les filles du même âge choisiront des poupées, un service à thé ou des déguisements.

également en réagissant de façon plus positive quand leurs fils jouent avec des cubes ou des camions et quand leurs filles jouent avec des poupées (Fagot et Hagan, 1991 ; Lytton et Romney, 1991). Cette différence sur le plan du renforcement serait particulièrement évidente pour les garçons. En outre, de nouvelles données indiquent que les trottineurs dont les parents récompensent souvent le choix de jouets ou de jeux conformes à leur identité sexuelle, et dont les mères favorisent les rôles sexuels traditionnels dans la famille, apprennent à différencier les genres plus tôt que les trottineurs dont les parents accordent moins d'importance à ce type de choix (Fagot et Leinbach, 1989 ; Fagot, Leinbach et O'Boyle, 1992).

Pourtant, malgré leur utilité, ces découvertes ne répondent pas à toutes les questions, notamment parce que la différence observée sur le plan des renforcements liés aux comportements masculins et aux comportements féminins est moins nette qu'on pourrait le croire. En fait, cette différence n'est probablement pas assez marquée pour rendre compte de la discrimination très précoce et très vive qu'établissent les enfants entre les sexes. En effet, même les enfants dont les parents semblent traiter leurs filles et leurs garçons de façon pratiquement identique apprennent malgré tout à étiqueter les genres et manifestent des préférences envers les compagnons de jeu de même sexe qu'eux.

- Selon une troisième école de pensée, principalement fondée sur la théorie de Piaget par Lawrence Kohlberg, l'aspect crucial du processus serait la compréhension du *concept de genre* par l'enfant (1966 ; Kohlberg et Ullian,

Si vous demandez à un enfant de 4 ans et à un enfant de 8 ans de décrire cette fillette, vous obtiendrez probablement des descriptions très différentes. Le plus jeune enfant décrira sûrement des caractéristiques physiques, alors que l'enfant plus âgé mettra davantage l'accent sur les sentiments ou sur d'autres caractéristiques plus stables.

1974). Une fois que l'enfant a saisi qu'il est pour toujours un garçon ou une fille, il devient très important pour lui d'apprendre à se comporter de façon à se conformer à la catégorie à laquelle il appartient. D'après Kohlberg, une fois que l'enfant a pris conscience de la constance du genre, on devrait observer chez lui une imitation systématique des personnes du même sexe. La plupart des études entreprises en ce sens ont permis de vérifier l'hypothèse de Kohlberg. Les enfants deviendraient effectivement plus sensibles aux modèles de leur propre sexe après avoir compris la constance du genre (Frey et Ruble, 1992). Toutefois, la théorie de Kohlberg n'explique pas le fait évident que les enfants adoptent des comportements sexuels explicites, notamment dans le choix de leurs jouets, bien avant d'avoir pleinement saisi le concept de genre.

- L'explication actuellement la plus fonctionnelle est habituellement désignée sous le nom de **schème du genre** (Martin, 1991; Martin et Halverson, 1981). De la même façon qu'on peut considérer le concept de soi comme un «schème» au sens de Piaget ou une «théorie du moi», on peut considérer la compréhension du genre chez l'enfant comme un schème. Le schème du genre commence à se développer aussitôt que l'enfant note des différences entre les hommes et les femmes, qu'il reconnaît son propre sexe et qu'il est capable de distinguer les deux groupes avec une certaine cohérence: ces trois habiletés apparaissent vers l'âge de 2 ou 3 ans. Peut-être parce que le genre est une catégorie nettement binaire, les enfants semblent comprendre très tôt qu'il s'agit là d'une distinction essentielle, et la catégorie leur sert en quelque sorte d'aimant pour obtenir de nouvelles informations. En termes piagétiens, une fois que l'enfant a établi ne serait-ce qu'un schème très primitif du genre, de très

nombreuses expériences peuvent ensuite y être assimilées. Ainsi, dès que ce schème est conçu, les enfants se mettent à exprimer des préférences pour des compagnons de jeu de leur sexe ou des activités traditionnellement associées à leur sexe (Martin et Little, 1990).

L'enfant d'âge préscolaire apprend tout d'abord certaines distinctions assez globales sur les types d'activités ou de comportements qui conviennent à chaque sexe, aussi bien en observant les autres enfants qu'à l'aide des renforcements qu'il reçoit de ses parents. Ils apprennent aussi quelques scénarios sexuels, c'est-à-dire une séquence entière d'actions qui sont habituellement attribuées à un genre sexuel, comme la préparation d'un repas ou la construction d'une maison (Levy et Fivush, 1993), tout comme ils apprennent d'autres scénarios sociaux associés à leur âge. Puis, de 4 à 6 ans, l'enfant explore un ensemble d'associations plus subtiles et plus complexes liées à son genre: ce que les enfants du même sexe que lui aiment ou n'aiment pas, comment ils jouent, comment ils parlent, avec quel type de personnes ils s'associent volontiers. C'est seulement vers l'âge de 8 à 10 ans que l'enfant intègre tous ces éléments dans une compréhension de plus en plus complexe du sexe opposé (Martin, Wood et Little, 1990).

La différence la plus marquante entre cette théorie et celle de Kohlberg réside dans le fait que, pour qu'un schème du genre se dessine, il n'est pas nécessaire que l'enfant ait compris que le genre est permanent. Au moment où la constance du genre est acquise, vers 5 ou 6 ans, l'enfant conçoit une règle ou un schème plus élaboré de «ce que font les gens qui sont comme moi» et traite cette «règle» comme il traite toutes les autres règles, c'est-à-dire en règle absolue. Plus tard, l'application de cette règle deviendra plus flexible. Par exemple, il saura que les garçons ne jouent généralement pas à la poupée, mais qu'ils peuvent le faire s'ils le veulent.

ÉVOLUTION DU CONCEPT DE SOI *À L'ÂGE SCOLAIRE*

Comme nous l'avons vu précédemment, l'enfant construit son moi différentiel (conscience de soi), son moi émotionnel et son moi social, et dès l'âge de 5 ou 6 ans, la plupart des enfants se définissent en fonction de plusieurs critères, tels la taille et le genre. Cependant, ces premières perceptions de soi ont un caractère très concret, souvent

---

Schème du genre: Schème fondamental, créé par l'enfant dès l'âge de 18 mois ou moins, qui lui permet de catégoriser les gens, les objets, les activités et les qualités selon le sexe.

lié à des contextes précis. Pendant les années scolaires, l'enfant ajoute une nouvelle composante à son concept de soi: le **moi psychologique**. L'enfant comprend alors qu'il possède des traits psychologiques permanents et qu'il a donc une personnalité qui lui est propre. On observe ainsi une transition vers une définition de soi plus abstraite, plus comparative et plus générale. Un enfant de 6 ans se décrira comme «intelligent» ou «bête», alors qu'un enfant de 10 ans aura tendance à faire une description comparative ressemblant à celles-ci: «Je suis plus intelligent que la plupart des enfants» ou «Je ne suis pas aussi bon au hockey que mes amis» (Rosenberg, 1986; Ruble, 1987). Durant les années scolaires, les enfants délaissent donc les caractéristiques externes pour adopter des qualités internes et stables dans leur description du concept de soi. Par exemple, l'enfant aura davantage tendance à se décrire en fonction de ses sentiments et de ses idées, de la qualité de ses relations et des traits généraux de sa personnalité. Plus l'enfant avance vers l'adolescence, plus cette évolution se confirme et plus le concept de soi devient complexe.

Certains de ces thèmes sont illustrés dans une étude de Montemayor et Eisen qui date de 1977. On a demandé à plusieurs enfants de 9 à 18 ans de fournir 20 réponses à la question «Qui suis-je?». Les chercheurs ont observé que les jeunes enfants utilisaient encore couramment des caractéristiques de surface (externes) pour se décrire comme dans l'exemple qui suit.

> Mon nom est Pierre-Luc. J'ai les yeux bruns. J'ai les cheveux bruns. J'ai 9 ans. J'ADORE le sport. Nous sommes 7 enfants dans notre famille. J'ai beaucoup d'amis. Je demeure sur la rue De Lorimier. Je suis un garçon. J'ai un oncle qui mesure au moins 2 mètres 10. Je vais à l'école du Plateau, et mon professeur s'appelle M. Gendron. Je joue au soccer (foot) et je suis le garçon le plus intelligent de la classe. J'ADORE la nourriture. J'ADORE le plein air. J'ADORE l'école. (p. 317)

Maintenant, lisez la description de soi d'une fille de 11 ans.

> Mon nom est Caroline. Je suis un être humain. Je suis une fille. Je suis une personne loyale. Je ne suis pas très belle. J'ai des résultats scolaires moyens. Je suis une bonne violoncelliste. Je suis un peu grande pour mon âge. J'aime plusieurs garçons. J'aime plusieurs filles. Je suis un peu vieux jeu. Je suis une très bonne nageuse. J'essaie d'aider les gens. Parfois, je suis impatiente. Je ne suis pas bien aimée par certains gars et filles. Je ne sais pas si les garçons m'aiment ou non. (p. 317-318)

Cette fille, comme les autres jeunes de son âge, se décrit selon des caractéristiques externes; elle met également l'accent sur ses croyances, la qualité de ses relations interpersonnelles et ses traits de personnalité. Ainsi, au fur et à mesure que l'enfant traverse la période des opérations concrètes, son concept de soi devient plus complexe, plus relatif (tendance à se comparer aux autres), moins dépendant des caractéristiques externes et davantage centré sur les sentiments et les idées.

La description des autres suit une trajectoire très similaire, du concret à l'abstrait, de l'éphémère à la stabilité. Lorsque l'on demande à un enfant d'âge préscolaire de décrire une personne, il s'intéresse essentiellement à des caractéristiques externes: son apparence, l'endroit où elle vit, ce qu'elle fait. Quand les jeunes enfants emploient des termes qui servent à évaluer des caractéristiques internes, ils ont tendance à utiliser des termes généraux, par exemple gentil, méchant, bon ou mauvais. De plus, les jeunes enfants ne semblent pas être capables de concevoir ces qualités comme des traits constants de la personne, applicables en toutes situations et permanents (Rholes et Ruble, 1984). En d'autres termes, les enfants de 6 à 7 ans n'ont pas développé le concept de ce que nous pourrions appeler la «conservation de la personnalité», selon la terminologie piagétienne.

Par contre, vers l'âge de 7 ou 8 ans, l'enfant commence à se décrire en utilisant davantage des notions psychologiques et à construire sa perception globale de son estime de soi. On assiste alors à l'émergence d'une vision d'ensemble, ou à l'apparition du concept de conservation de la personnalité. L'enfant insiste sur les traits ou les qualités d'une personne et suppose que ces traits seront observables dans plusieurs situations différentes (Gnepp et Chilamkurti, 1988).

Concept de soi à l'âge préscolaire et scolaire

- Expliquez comment évoluent le moi émotionnel et le moi social durant les années préscolaires.

- Quelles sont les étapes du développement du concept de genre chez l'enfant?

- Quelles sont les quatre hypothèses qui expliquent l'acquisition des rôles sexuels?

- Expliquez le concept de conservation de la personnalité.

- Expliquez les changements qui surviennent dans le développement du concept de soi pendant les années scolaires.

Concepts et mots clés

- **comportement sexuel croisé** (p. 194) • **concept de genre** (p. 191) • **constance du genre** (p. 192) • **identité sexuelle** (p. 192) • **moi psychologique** (p. 197) • **rôle sexuel** (p. 192) • **schème du genre** (p. 196) • **stabilité du genre** (p. 192)

Moi psychologique: Compréhension des traits internes de la personnalité qui sont stables.

PERSPECTIVES THÉORIQUES

Freud et Erikson ont essayé de décrire les changements dans la personnalité de l'enfant et dans ses relations avec les autres. Même si avons présenté leurs théories dans le premier chapitre, nous allons les revoir brièvement.

Approche de Freud: développement psychosexuel

Stade phallique   Le stade le plus connu est certainement le stade phallique, puisqu'il correspond au complexe d'Œdipe. Selon Freud, le jeune garçon de 4 ou 5 ans commence à manifester un attachement sexuel envers sa mère, de sorte que son père devient un rival sur ce plan. Son père dort avec sa mère, la serre dans ses bras, l'embrasse et, de façon générale, jouit avec elle d'une intimité physique inaccessible au petit garçon. L'enfant voit aussi son père comme un symbole d'autorité puissant et menaçant, dont le pouvoir ultime est de le castrer. Il est alors tiraillé entre son désir envers sa mère et sa crainte de la puissance paternelle.

La plupart de ces sentiments et des conflits qui en résultent sont inconscients. Le garçon ne montre pas ouvertement de sentiments ou un comportement à caractère sexuel envers sa mère. Mais le résultat de ce conflit, qu'il soit inconscient ou non, est le même: c'est l'anxiété. Comment le jeune garçon peut-il maîtriser cette anxiété? Dans la perspective de Freud, l'enfant réagit par un processus défensif d'identification: il «intègre» l'image de son père et tente d'adapter son propre comportement à cette image. En essayant de s'identifier à son père le plus possible, non seulement il réduit les chances d'être attaqué par son père, mais il acquiert également un peu de son pouvoir. En outre, c'est cette image du «père intériorisé» qui servira de noyau au surmoi.

Un processus identique se produit chez les filles. La fillette perçoit sa mère comme une rivale pour obtenir l'attention sexuelle de son père, et la craint en même temps. À l'instar du jeune garçon, elle résout le problème grâce à l'**identification au parent du même sexe.**

Le développement optimal requiert un environnement qui puisse satisfaire les besoins uniques de chaque période. Le bébé a besoin d'une stimulation orale et anale suffisante. Un jeune garçon de 4 ans a besoin de la présence d'un père à qui il puisse s'identifier et d'une mère à qui il pourra manifester son attachement sexuel. Un environnement inadéquat au cours des premières années de la vie laissera un résidu de problèmes irrésolus et de besoins inassouvis qui seront alors transportés dans les prochains stades.

Période de latence   Freud considère qu'entre 6 et 12 ans l'énergie sexuelle est relativement inactive, comme s'il s'agissait d'une période d'attente, d'accalmie psychosexuelle pendant laquelle il ne se produirait rien de très important. La sexualité n'est plus aussi exclusive ni dominante (Cloutier et Renaud, 1990) qu'au cours de la période phallique. L'enfant consacre davantage de temps à parfaire ses connaissances scolaires, à interagir avec ses pairs de même sexe et à intégrer de nouveaux modèles sociaux. Comme nous l'avons mentionné dans le premier chapitre, on observe pendant cette période le **développement des mécanismes de défense**, c'est-à-dire de stratégies inconscientes et normales qui permettent de réduire l'anxiété associée à des situations ou des expériences particulières. La résolution de cette période de latence passe donc principalement par le *développement des mécanismes de défense* et l'*identification aux pairs du même sexe*.

Approche d'Erikson: développement psychosocial

Stade 3: initiative ou culpabilité   Le troisième stade défini par Erikson, qui correspond à peu près au stade phallique chez Freud, met encore une fois l'accent sur les nouvelles capacités de l'enfant de 3 à 5 ou 6 ans. Au stade de l'initiative ou de la culpabilité, l'enfant de 4 ans est capable de planifier des actions et de prendre des initiatives afin d'atteindre un objectif particulier. Il utilise et perfectionne ses nouvelles aptitudes cognitives et tente de conquérir le monde qui l'entoure. Il essaie d'aller dans la rue tout seul; il démonte entièrement un jouet et, s'il n'arrive pas à l'assembler de nouveau correctement, il jette toutes les pièces en l'air. C'est une période d'actions énergiques et de comportements que les parents trouveront peut-être agressifs. Il arrive que l'enfant aille trop loin dans son attitude vigoureuse, ou que les parents le restreignent ou le punissent trop: dans les deux cas, il en résultera vraisemblablement de la culpabilité. Il faut bien entendu une certaine dose de culpabilité, sans quoi l'enfant n'acquerrait pas une conscience ou une maîtrise de soi. C'est pourquoi l'indulgence complète n'est certainement pas recommandée. Toutefois, trop de culpabilité peut inhiber la créativité de l'enfant et ses interactions spontanées avec les autres (voir le tableau 6.1).

Identification au parent du même sexe : Principale tâche du stade phallique.

Développement des mécanismes de défense : Une des principales tâches de la période de latence.

Identification aux pairs du même sexe : Une des tâches importantes de la période de latence.

Résolution du stade   Concernant la résolution du stade, on lit dans Bergeron et Bois (1999, p. 74) :

> À ce stade, la culpabilité est nécessairement liée à l'esprit d'initiative. La libido érotisant les organes génitaux, l'enfant se livre à l'exploration de son corps et de celui des autres. Réprimander trop sévèrement l'enfant dans ses initiatives, notamment au niveau de sa sexualité, peut avoir pour conséquence de développer chez lui une inadaptation dans ses rapports futurs avec les autres et pourra se manifester par :
>
> de l'inertie,
>
> un manque d'initiative.
>
> À l'opposé, lorsqu'un manque de vigilance parentale amène l'enfant à faire tout ce qu'il veut sans aucune contrainte, le développement du pôle positif est alors exagéré et peut créer une mésadaptation qui se retrouve dans :
>
> un caractère impitoyable,
>
> une attitude malfaisante.
>
> Malgré les difficultés, la capacité de se fixer un **but**, la force adaptative du stade, émerge lorsque les deux pôles sont bien intégrés. La capacité de l'enfant à se fixer des buts suppose qu'il prenne des initiatives, mais également qu'il reconnaisse ses limites afin d'établir des objectifs réalisables. Le soutien familial doit protéger l'enfant d'expériences et d'échecs trop fortement ressentis et favoriser l'acquisition d'un bon équilibre dans ses relations familiales et sociales.

Stade 4 : travail ou infériorité   Le thème dominant du stade du travail ou de l'infériorité est l'apprentissage. Entre 6 et 12 ans, l'enfant doit assimiler les habiletés élémentaires requises dans sa culture, y compris les habiletés scolaires et manuelles (utilisation d'outils), ainsi que les normes culturelles. Devant l'immense quantité de connaissances à acquérir, la tâche consiste à prendre goût au travail et à devenir compétent, tout en évitant le sentiment d'infériorité associé à l'échec. Erikson croit que ce quatrième stade est plus calme que les précédents parce que les pulsions internes sont moins violentes (Cloutier et Renaud, 1990). L'énergie libérée peut alors être réinvestie dans la socialisation (voir le tableau 6.2).

But : Force adaptative du stade de l'initiative ou de la culpabilité.

Tableau 6.1   *Stade 3 d'Erikson*

Partie 1 Résolution du stade de l'initiative ou de la culpabilité

Mésadaptation	Tendance positive	Force adaptative	Tendance négative	Inadaptation
Caractère impitoyable	INITIATIVE	**BUT**	CULPABILITÉ	Inertie
Attitude malfaisante		La capacité de pouvoir se fixer des buts se compose à la fois de l'aptitude à prendre des initiatives (initiative), mais aussi de la connaissance qu'une énergie mal canalisée peut provoquer des conséquences fâcheuses (culpabilité). Les buts aident à planifier l'action et à prévoir les conséquences.		Manque d'initiative

Partie 2 Attitudes éducatives favorisant l'acquisition de l'initiative

• **Permettre à l'enfant d'apprivoiser ses émotions**	S'il est normal pour un enfant de rechercher la sécurité auprès de ses parents afin de contrôler ses peurs, il est normal pour un parent de vouloir éviter à son enfant de vivre des expériences traumatisantes. Par exemple, lorsque l'enfant fait un cauchemar, il arrive que celui-ci veuille poursuivre sa nuit en dormant dans le lit de ses parents. Cependant, il est préférable que l'enfant, une fois rassuré, demeure dans son lit et qu'on lui apprenne à apprivoiser son univers intérieur. Vouloir le protéger en lui permettant de finir sa nuit dans le lit parental peut au contraire nuire à sa capacité de trouver en lui des ressources pour dominer ses peurs. *(pas d'accord)*
• **Apprendre l'intimité à l'enfant en lui apprenant à respecter celle de ses parents**	L'apprentissage de l'intimité devient un élément important dans l'éducation de l'enfant à ce stade de son développement. On sait que l'enfant, à cette période de sa vie, recherche sa place dans la famille. Or, les parents doivent imposer des limites à une trop forte ingérence de l'enfant dans leur vie conjugale. Tout en le rassurant sur l'affection qu'on lui porte, il faut aider l'enfant à distinguer entre ses propres besoins affectifs et ceux de ses parents. C'est en lui apprenant à respecter la vie intime de ses parents qu'il sera en mesure de comprendre et de développer le sens de sa propre intimité.
• **Favoriser les initiatives de l'enfant et répondre à ses questions**	Permettre à l'enfant beaucoup de liberté dans le choix de ses activités favorisera son sens de l'initiative. De la même façon, les parents qui prennent le temps de répondre aux questions de l'enfant, qui ne le ridiculisent pas et qui n'interviennent pas négativement renforceront ce goût d'exploration et de découverte. Laisser entendre à l'enfant que son comportement ou son initiative est ridicule fera, au contraire, surgir un sentiment de culpabilité qui persistera pendant les stades suivants.
• **Dédramatiser les échecs en insistant sur les réussites**	La tolérance à l'égard des erreurs de l'enfant est indispensable au bon développement de son image et de son estime de soi. Il suffit parfois de lui montrer comment réparer ses erreurs pour le motiver à continuer à prendre des initiatives pour atteindre un but fixé (Bergeron et Bois, 1999).

(*Source :* A. Bergeron et Y. Bois, 1999, p. 74-75.)

Tableau 6.2   *Stade 4 d'Erikson*

Partie 1   Résolution du stade du travail ou de l'infériorité

Mésadaptation	◀ Tendance positive	◀ Force adaptative	◀ Tendance négative	◀ Inadaptation
Virtuosité étroite	GOÛT DU TRAVAIL	**COMPÉTENCE**	INFÉRIORITÉ	Peur des responsabilités
Leadership intolérant		La compétence se compose à la fois de la connaissance de nos ressources et de nos capacités (travail) de même que de l'expérience d'avoir pu mesurer ses limites (infériorité).		Manque d'ambition
				Peur d'échouer

Partie 2   Attitudes éducatives favorisant l'acquisition de la compétence

• **S'intéresser aux activités de l'enfant**	L'enfant revient souvent de l'école avec beaucoup d'informations sur ce qu'il a réalisé. Faire plaisir à ses parents constitue souvent la principale motivation des réalisations de l'enfant de cet âge. Or, la fatigue, le stress et le manque de temps empêchent parfois les parents de s'intéresser suffisamment aux activités de leur enfant. Pourtant, un accueil et une écoute favorables de leur part l'incitent à s'engager davantage dans ses activités. Cela permet en même temps à l'enfant de prendre conscience de sa propre valeur.
• **L'initier à des tâches à sa portée et qui ont un effet dans son réseau social**	L'école et le milieu familial favorisent souvent la prise de responsabilités par l'enfant. Ce dernier est capable de faire son lit, de laver la vaisselle ou d'entretenir avec un adulte un petit jardin. Il faut cependant que les tâches effectuées soient adaptées à son niveau de compétence. S'assurer que la tâche convoitée est dans les limites raisonnables de ce que l'enfant peut accomplir, lui fixer des standards réalistes de réussite et lui expliquer de façon détaillée la marche à suivre sont des exemples d'attitude parentale aidante. Il est aussi important d'insister auprès de l'enfant pour qu'il tienne ses engagements.
• **Instaurer une discipline de travail à la maison**	Le travail scolaire est exigeant, et l'enfant doit se soumettre à des habitudes de vie lui permettant d'offrir le meilleur rendement possible. Certains enfants travaillent mieux en arrivant à la maison, alors que d'autres ont besoin d'une période de détente avant de pouvoir se concentrer et accomplir leurs travaux. Il est essentiel que les parents repèrent le moment le plus propice pour l'exécution des devoirs et des leçons et veillent à ce que l'enfant respecte sa routine quotidienne.
	Lorsque l'enfant n'est pas soumis à un horaire régulier, il peut retarder constamment l'exécution des tâches scolaires et, même parfois, les éviter complètement. La négociation quotidienne quant à l'heure des travaux devient épuisante, génère des tensions et suscite la résistance de l'enfant à se concentrer. L'établissement de limites claires rassure l'enfant et, lorsque la routine est bien instaurée, il est plus facile par la suite d'être souple lors d'occasions spéciales.
	Il en est de même pour établir les heures de détente et de coucher. Une trop grande variation des heures de coucher pendant la semaine ne favorise pas l'équilibre du sommeil. L'enfant se concentre alors très bien certains jours, alors que d'autres jours servent à récupérer la fatigue accumulée. Les performances scolaires de l'enfant peuvent subir de grandes variations et rendre difficile l'évaluation de son potentiel scolaire réel.
• **Favoriser un lien constant entre l'école et la maison**	Lorsque les parents et les intervenants scolaires établissent une communication ouverte et deviennent complices, l'enfant en bénéficie grandement. Il ne s'agit pas pour les parents de se substituer au professeur, mais de considérer que l'école possède une connaissance différente de leur enfant et que celui-ci laisse parfois apparaître dans ce milieu des traits de caractère qu'on ne soupçonne pas à la maison.
	Il arrive parfois que les parents critiquent les interventions scolaires pour corriger un comportement de l'enfant jugé inapproprié. Celui-ci peut alors comprendre qu'il est appuyé, que ses parents approuvent son comportements non désirés et il peut manifester encore plus de résistance à se conformer aux règles et obligations du milieu scolaire. Les incompréhensions entre le milieu scolaire et le milieu parental doivent être discutées sans la présence de l'enfant. Tenir compte du bien-être de l'enfant et de son évolution positive constituent la base sur laquelle la communication entre l'école et la famille doit s'établir.

(*Source*: A. Bergeron et Y. Bois, 1999, p. 78-79.)

Résolution du stade   Selon Bergeron et Bois (1999), cette période est celle du travail artistique, des loisirs multiples et des jeux d'équipe. La compétition spontanée permettra à l'enfant de se mesurer aux autres et de se découvrir certains talents et certaines aptitudes. L'enfant apprend à se concentrer sur des tâches productives, et leur réussite génère un sentiment de **compétence**. C'est le goût du travail qui constitue l'enjeu majeur de ce stade. À l'école, l'enfant doit affronter pour la première fois une évaluation comparative systématique et formelle. Le milieu familial et le milieu scolaire doivent tenir compte du rythme d'apprentissage unique de chaque enfant afin de le protéger contre des expériences néfastes à son développement. Bergeron et Blois (1999, p. 77) estiment que:

> la compétence, c'est l'aptitude de l'enfant à agir adéquatement selon la situation, autant dans les contacts sociaux que dans les tâches à effectuer. Elle se développe par l'intégration des forces constructrices des deux tendances du stade. C'est la réussite dans certains domaines qui renforce le sentiment de compétence et qui constitue la force adaptative du stade.

Compétence: Force adaptative du stade du travail ou de l'infériorité.

Mais l'enfant ne rencontre pas le succès dans toutes ses entreprises. Ressentir de l'infériorité est inévitable puisque la compétition fait partie de la vie sociale de l'enfant. Il apprend ainsi à connaître ses forces et ses faiblesses et à mieux cibler ses champs d'intérêt. C'est en expérimentant autant l'échec que la réussite que l'enfant trouve son équilibre. […] On retrouve donc dans le développement de la compétence la capacité de connaître ses ressources (travail) et ses limites (infériorité), qui serviront de balises réalistes dans les engagements et responsabilités futurs.

Comme dans les stades antérieurs, l'exagération du pôle positif empêche autant la bonne résolution du stade que l'exagération du pôle négatif. Une survalorisation déformée et flatteuse des réalisations de l'enfant à cet âge peut s'avérer aussi dommageable qu'une dévalorisation abusive. L'enfant survalorisé résout son stade dans la mésadaptation (sentiment de compétence irréaliste) pouvant se traduire par des comportements :

– de virtuosité étroite et rigide,
– de leadership intolérant blâmant les autres des insuccès potentiels,
– de vantardise.

À l'opposé, une résolution négative du stade causée par un sentiment d'infériorité trop important crée une inadaptation de l'enfant et peut initier chez lui :

– la peur des responsabilités,
– le manque d'ambition,
– la certitude d'échouer avant même de débuter les activités à réaliser.

Il est donc essentiel pendant ce stade d'être le plus près possible des expériences vécues par l'enfant afin de faciliter chez lui une compréhension plus juste du sens de ses réussites autant que de celui de ses échecs.

Modèle des relations sociales de Hartup

Ni Freud ni Erikson n'ont beaucoup parlé du rôle des pairs dans le développement de l'enfant ; récemment, un grand nombre de théoriciens ont souligné l'importance vitale des interactions avec les pairs. Willard Hartup (1996) croit que chaque enfant a besoin d'expérimenter deux types de relations : les relations verticales et les relations horizontales. Une relation verticale suppose un attachement à une personne qui possède un pouvoir social ou des connaissances plus étendues, comme un parent ou un enseignant. Les relations de ce type sont complémentaires plutôt que réciproques : le parent éduque l'enfant et le dirige dans son cheminement, tandis que l'enfant demande de l'attention et doit obéir et acquiescer. Les relations horizontales, à l'opposé, sont réciproques et égalitaires : les individus qui les entretiennent, soit les pairs du même âge, détiennent un pouvoir social équivalent.

Selon Hartup, les relations horizontales et les relations verticales remplissent des fonctions différentes auprès de l'enfant. Elles sont essentielles au développement d'habiletés sociales appropriées. Les relations verticales assurent à l'enfant la protection et la sécurité dont il a besoin. L'enfant va élaborer ses modèles internes et apprendre les habiletés sociales fondamentales à l'aide de ces relations. Quant aux relations horizontales — les liens d'amitié, les relations avec les pairs et avec les frères et sœurs —, elles permettent à l'enfant de mettre en pratique ces habiletés. C'est aussi dans les relations horizontales que l'enfant acquiert des habiletés sociales, telles la coopération, la compétition et l'intimité, qu'il ne peut apprendre qu'à l'aide des relations entre individus égaux.

Perspectives théoriques

- Définissez le stade phallique et la période de latence selon Freud. Quelles en sont les tâches respectives ?

- Définissez le stade de l'initiative ou de la culpabilité selon Erikson et expliquez la tâche qui lui est associée.

- Quelles sont les attitudes éducatives favorisant l'acquisition de l'initiative ?

- Définissez le stade de la compétence ou de l'infériorité selon Erikson et expliquez la tâche qui lui est associée.

- Quelles sont les attitudes éducatives favorisant l'acquisition de la compétence ?

- Expliquez ce que Hartup entend par relations verticales et relations horizontales.

Concepts et mots clés

- **but** (p. 199) • **compétence** (p. 200) • **développement des mécanismes de défense** (p. 198) • **identification au parent du même sexe** (p. 198) • **identification aux pairs du même sexe** (p. 198)

DÉVELOPPEMENT DES RELATIONS SOCIALES

De toute évidence, les deux types de relations établis par Hartup, les relations horizontales et les relations verticales, influent l'un sur l'autre, bien que la théorie et les données empiriques soient deux choses différentes. Nous allons commencer par traiter des relations verticales et, en particulier, de la relation entre l'enfant et ses parents avant d'aborder les relations avec les pairs.

ATTACHEMENT

À l'âge préscolaire

Nous avons vu au chapitre 4 que, dès l'âge de 12 mois, le bébé est normalement capable de montrer son attachement à la personne qui s'occupe de lui. Le bébé témoigne de son attachement par un large éventail de comportements : il sourit, pleure, se blottit, fait des *références sociales* et recourt à sa *base de sécurité*. À l'âge de 2 ou 3 ans, cet attachement n'est pas moins fort, même si plusieurs des comportements qui y sont associés disparaissent graduellement. Les enfants de cet âge sont suffisamment avancés sur le plan cognitif pour comprendre leur mère quand elle explique qu'elle doit partir et qu'elle reviendra : l'anxiété de la séparation s'estompe. Bien entendu, les comportements d'attachement ne s'éclipsent pas complètement. Les enfants de 3 ou 4 ans veulent encore s'asseoir sur les genoux de papa ou de maman ; il est probable qu'ils rechercheront encore la proximité au retour de leur mère. Dans des situations qui ne sont ni terrifiantes ni stressantes cependant, l'enfant est capable de s'éloigner de plus en plus de sa base de sécurité sans détresse apparente. Il peut affronter son anxiété de séparation potentielle en négociant des ententes avec ses parents : par exemple, « je vais être de retour à la maison après ta sieste » (Crittenden, 1992).

La qualité de l'attachement permet également de prédire le comportement de l'enfant pendant les années préscolaires. Les enfants qui ont connu un attachement sécurisant présentent peu de problèmes de comportement durant cette période. Par contre, les enfants qui ont connu un attachement insécurisant manifestent un plus grand nombre de comportements colériques et agressifs envers leurs pairs et les adultes en situation d'interaction sociale, comme à la garderie ou à la maternelle (DeMulder, Denham, Schmidt et Mitchell, 2000).

Pour la plupart des enfants, la relation d'attachement semble se modifier autour de l'âge de 4 ans. Bowlby décrit ce changement comme une *réorientation des relations*

En marche vers l'indépendance... Les enfants d'âge préscolaire, surtout ceux qui ont établi un lien d'attachement sécurisant, sont beaucoup moins craintifs à l'idée de s'éloigner de leur base de sécurité.

de l'enfant. Un peu comme dans l'attachement initial, le bébé doit comprendre que sa mère va continuer d'exister, même si elle n'est pas là (permanence de l'objet) ; de la même façon, l'enfant d'âge préscolaire saisit que la relation continue d'exister même quand les partenaires de la relation ne sont pas ensemble. À cet âge également, le modèle interne d'attachement de l'enfant semble se généraliser à toutes ses relation selon Bowlby. Les enfants de 4 et 5 ans ont par conséquent plus de chances d'appliquer leur modèle interne aux nouvelles relations qu'ils établissent, incluant les relations avec les pairs. Les enfants qui ont connu un attachement sécurisant sont ainsi plus susceptibles d'établir des relations positives avec leurs enseignants de prématernelle que les enfants qui ont connu un attachement insécurisant (De Mulder *et al.*, 2000).

À l'âge scolaire

À l'instar des enfants d'âge préscolaire, les enfants d'âge scolaire ne manifestent des comportements d'attachement, comme s'agripper ou pleurer, qu'en situation de stress, par exemple lors de la première journée d'école, d'une maladie, d'une crise familiale ou de la mort d'un animal de compagnie.

Cependant, on commettrait une grave erreur en présumant que l'attachement s'est affaibli. Durant les années scolaires, l'enfant a toujours besoin d'être sécurisé par ses parents. Il compte sur leur présence, leur soutien, leur affection (Buhrmester, 1992), et il reste profondément influencé par leur jugement. Le qualité de l'attachement de l'enfant d'âge scolaire à ses parents est associée à son habileté à maintenir son amitié avec ses pairs (Lieberman, Doyle et Markiewicz, 1999). De plus, les attitudes positives envers les pairs sont associées au type d'attachement des enfants de cet âge (Anan et Barnett, 1999).

RELATIONS AVEC LES PARENTS

À l'âge préscolaire

Le rôle des parents change du tout au tout au cours de la période préscolaire. Dans les premiers mois de la vie d'un enfant, les parents doivent surtout lui donner beaucoup de chaleur et d'affection et être attentifs à ses besoins afin d'établir une relation d'attachement sécurisante et de soutenir son développement physiologique. Mais dès que l'enfant devient plus indépendant sur les plans physique, linguistique et cognitif, c'est la nécessité de le discipliner qui devient l'aspect central de la tâche des parents. Les parents sont soucieux d'apprendre à l'enfant à acquérir son autonomie physique et à maîtriser son comportement. Ils s'inquiètent de son apprentissage de la propreté, de ses crises de colère, de ses défis à l'autorité et de ses disputes avec ses frères et sœurs. Ils recourent fréquemment à la discipline. Cependant, s'ils exercent trop de discipline, l'enfant ne pourra pas suffisamment explorer le monde autour de lui; s'ils n'en exercent pas assez, l'enfant va devenir rebelle et n'assimilera pas les habiletés sociales nécessaires à l'interaction harmonieuse avec ses pairs et avec les autres adultes.

Obéissance et rébellion

Pendant la période préscolaire, l'autonomie grandissante de l'enfant de 2 ans le place de plus en plus souvent dans des situations où il désire quelque chose, alors que ses parents veulent autre chose. Contrairement à la croyance populaire au sujet de la période « terrible » de 2 ans, les enfants de cet âge se soumettent en réalité bien plus souvent qu'ils ne résistent. Ils sont beaucoup plus susceptibles de réagir aux demandes concernant leur sécurité, comme « ne touche pas à ça, c'est chaud », aux interdits, comme « ne déchire pas ce livre », aux demandes d'attente, comme « je ne peux pas te parler maintenant, je suis au téléphone », ou aux ordres, comme « il est l'heure d'aller te coucher ». En résumé, les enfants de cet âge se soumettent plus souvent qu'autrement. (Gralinski et Kopp, 1993). Lorsqu'ils résistent, ils le font surtout passivement en refusant simplement de faire ce qu'on leur demande. En fait, l'enfant ne dit « non » ou ne défie véritablement son parent qu'un petit nombre de fois (Kuczynski *et al.*, 1987). Les refus catégoriques deviennent plus communs à l'âge de 3 ou 4 ans, de même que les négociations actives avec les parents.

De nombreux psychologues croient qu'il faut distinguer les simples refus (que ce soit le simple « non » ou le « je ne veux pas ») de la rébellion, dans laquelle le refus de l'enfant s'accompagne de colère, de crises de rage ou de pleurs (Crockenberg et Litman, 1990). Il semble que le refus soit un aspect important et sain de l'affirmation du moi, et qu'il soit lié à la présence d'attachements sécurisants ainsi qu'à une plus grande maturité (Matas, Arend et Sroufe, 1978). La rébellion, par contre, serait liée à un attachement insécurisant ou à des mauvais traitements.

La rébellion directe s'estompe au cours des années préscolaires. On assiste à moins de crises de rage, de pleurs ou à tout autre emportement équivalent chez un enfant de 6 ans que chez un enfant de 2 ans, notamment parce que les aptitudes cognitives et linguistiques de l'enfant ont suffisamment évolué pour lui permettre de recourir davantage à la négociation. Ces changements cognitifs se manifestent également dans les échanges de l'enfant avec ses pairs.

À l'âge scolaire

À l'âge scolaire, un changement apparaît dans la relation parents-enfant. La nécessité de mesures disciplinaires s'estompe graduellement. Les sujets à l'ordre du jour comprennent désormais les tâches que l'enfant doit accomplir régulièrement à la maison, la réussite scolaire que l'on attend de lui et les libertés qu'on peut lui accorder (Furnham, 1999; Maccoby, 1984). Est-ce que Sébastien peut aller chez un de ses amis sans avoir préalablement demandé la permission à ses parents? Jusqu'à quelle distance de la maison peut-on permettre à Mélanie d'aller à bicyclette? Dans beaucoup de sociétés non occidentales, les parents doivent apprendre à l'enfant de cet âge des tâches précises, comme le travail agricole et les soins à prodiguer aux enfants plus jeunes ou aux animaux; ce sont des tâches qui s'avèrent souvent indispensables à la survie de la famille.

Les progrès du développement cognitif à l'âge scolaire permettent aussi à l'enfant de mieux comprendre les relations et les rôles familiaux. Par exemple, les enfants de 9 ans comprennent que les rôles des parents diffèrent des rôles des conjoints (Jenkins et Buccioni, 2000). Ainsi, un enfant de 9 ans peut mieux comprendre qu'un enfant de 5 ans que ses parents vont continuer à l'aimer de la même façon, même s'ils ne sont plus ensemble. Émotionnellement, l'expérience du divorce des parents peut se vivre difficilement, mais les enfants d'âge scolaire comprennent mieux cognitivement cet événement.

Les enfants d'âge scolaire comprennent aussi que les conflits entre leurs parents surviennent lorsque les conjoints ont des objectifs différents (Jenkins et Buccioni, 2000). De plus, alors que l'enfant d'âge préscolaire croit que la meilleure façon de régler un conflit est que l'un des parents se soumette à l'argument de l'autre, l'enfant d'âge scolaire comprend que les parents peuvent arriver à un compromis.

On observe aussi à l'âge scolaire le développement d'une capacité de plus en plus grande d'autorégulation chez l'enfant qui consiste à se conformer aux directives et aux règles parentales sans supervision directe de la part de ces derniers. Les attentes des parents quant à cette **habileté d'autorégulation** chez l'enfant diffèrent selon l'âge et la culture d'appartenance (Savage et Gauvain, 1998). Certaines études démontrent qu'il y aurait aussi des attentes parentales différentes selon le sexe de l'enfant.

Habileté d'autorégulation : Capacité de l'enfant à se conformer aux règles et directives parentales sans supervision directe.

Par exemple, les mères adressent des demandes différentes aux garçons et aux filles. Elles semblent offrir le même soutien aux deux sexes, mais elles accordent davantage d'autonomie aux garçons qu'aux filles (Prinstein et La Greca, 1999). Les attentes des parents quant à l'autorégulation de leur enfant affectent aussi le comportement d'autorégulation de ce dernier. Ainsi, des attentes élevées jumelées à une supervision parentale serrée afin de s'assurer que les demandes sont satisfaites, sont associées à une plus grande compétence d'autorégulation (Rodrigo, Janssens et Ceballos, 1999).

Vous devez vous souvenir que ces comportements parentaux sont associés au style d'éducation démocratique. Baumrind (1991) nous propose des données intéressantes à cet égard provenant d'une analyse qu'elle a effectuée à partir d'un petit échantillon longitudinal. À partir d'interviews et d'observations directes, elle a classifié le style interactif de chaque parent lorsque les enfants étaient d'âge préscolaire. Elle a, par la suite, mesuré le niveau de compétence sociale (habileté) des enfants à l'âge de 9 ans. Ceux qu'elle a classés comme « compétents » étaient à la fois assertifs et responsables dans leurs inter-relations, ceux classés comme « partiellement compétents » présentaient une lacune évidente dans l'une ou l'autre des habiletés mentionnées, alors que les enfants classés comme « incompétents » ne présentaient aucune de ces habiletés. Les résultats de son étude montrent que les enfants provenant de familles démocratiques étaient pour la plupart classés comme « compétents », alors que ceux appartenant à des familles négligentes étaient classés comme « incompétents ».

RELATIONS AVEC LES PAIRS

À l'âge préscolaire

L'expérience familiale exerce une influence déterminante sur la personnalité émergente de l'enfant et sur l'établissement de ses relations sociales, en particulier durant les années préscolaires où il passe encore une grande partie de son temps avec ses parents et ses frères et sœurs. Mais, au cours de la période de 2 à 6 ans, les relations avec les pairs prennent de plus en plus d'importance. Après l'âge de 6 ans, les relations avec les pairs deviennent même plus importantes que les relations parents-enfant.

À tout âge, les enfants sont susceptible de passer du temps à jouer seul, un modèle que l'on nomme le *jeu solitaire*. Cependant, les enfants commencent à s'intéresser aux autres enfants dès l'âge de 6 mois. Si l'on assoit deux bébés de cet âge sur le sol, face à face, ils vont se regarder, se toucher, se tirer les cheveux, imiter les actions de l'autre

et se sourire. De 14 à 18 mois, on peut observer deux enfants ou plus qui s'amusent ensemble avec des jouets. Parfois, ils coopèrent, parfois ils jouent simplement l'un à côté de l'autre avec des jouets différents, un modèle de jeu que l'on appelle communément le *jeu parallèle*. Les trottineurs de cet âge montrent de l'intérêt pour un autre enfant en le regardant et en produisant des sons. Toutefois, ce n'est pas avant 18 mois que nous pouvons commencer à observer des *jeux associatifs* qui sont plus coordonnés, par exemple lorsqu'un trottineur chasse un autre enfant ou imite l'action d'un autre enfant avec un jouet. À l'âge de 3 ou 4 ans cependant, les enfants sont plus organisés et jouent davantage ensemble, préférant nettement passer du temps entre pairs plutôt qu'en solitaire. C'est l'étape du *jeu coopératif*. Les interactions entre enfants de cet âge consistent surtout à s'amuser, en particulier à des jeux de construction ou des jeux de rôles : ils construisent des choses ensemble, s'amusent dans le carré de sable ou jouent avec des poupées, des camions ou des déguisements. Dans toutes ces interactions, on peut observer des comportements positifs et négatifs, de l'agressivité et de l'altruisme (Hartup, 1992).

Comme nous l'avons vu dans le chapitre précédent, le jeu est associé au développement cognitif. Il est aussi associé au développement des **habiletés sociales**, un ensemble de comportements qui permet d'être accepté comme partenaire de jeu ou comme ami par les autres.

Habiletés sociales : Ensemble de comportements qui permettent habituellement d'être accepté comme partenaire de jeu ou comme ami dans un groupe.

Il est plus courant d'observer le partage d'activités physiques entre des parents et un enfant d'âge scolaire que des démonstrations d'affection. Cela ne signifie pas pour autant que l'attachement de l'enfant diminue.

Par exemple, certains chercheurs se sont intéressés aux habiletés sociales requises pour *entrer dans un groupe*. Les enfants qui possèdent de bonnes habiletés sociales prennent le temps d'observer ce qu'un groupe fait avant d'essayer de s'intégrer à l'activité du groupe. Les enfants qui ne possèdent pas de bonnes habiletés sociales essaient d'obtenir l'acceptation du groupe par des comportements agressifs ou en interrompant l'activité du groupe. Les psychologues du développement ont découvert que les enfants qui possèdent de pauvres habiletés sociales sont souvent rejetés par les pairs (Fantuzzo, Coolahan et Mendez, 1998). Le rejet par les pairs constitue aussi un facteur important du développement social futur.

Selon certaines études récentes, il existe des différences sexuelles concernant les raisons et les conséquences des pauvres habiletés sociales. Par exemple, une étude a démontré que les filles de 3 ans qui ont de pauvres habiletés sociales passent plus de temps à des jeux parallèles qu'à des jeux coopératifs (Sims, Hutchins et Taylor, 1997). À l'opposé, les filles qui possèdent de meilleures habiletés sociales s'engagent davantage dans le jeu coopératif que dans le jeu parallèle. De plus, les filles qui possèdent de pauvres habiletés sociales à cet âge sont plus susceptibles de présenter des troubles mentaux ultérieurement parce que la séquence normale de jeu à l'âge préscolaire (solitaire, parallèle, associatif et coopératif) est associée au développement social ultérieur chez l'enfant (Howes et Matheson, 1992 ; Maguire et Dunn, 1997).

La même étude a également indiqué que les garçons de 3 ans qui présentent de pauvres habiletés sociales ont tendance à être plus agressifs et plus souvent rejetés par leurs pairs. Ils répondent habituellement à ce rejet en devenant encore plus agressifs et perturbateurs (Sims, Hutchins et Taylor, 1997). Ces enfants agressifs semblent en outre être enfermés dans un cercle vicieux : leur comportement agressif conduit au rejet par les pairs, qui à son tour entraîne plus d'agressivité. Ce modèle de relations peut amener un enfant à se construire un modèle interne de relations sociales qui inclut les comportements agressifs, ce qui l'amène à se comporter constamment de façon agressive lors des interactions sociales.

À cause des risques inhérents aux pauvres habiletés sociales, les psychologues du développement ont conçu des programmes visant à les améliorer afin de prévenir d'éventuels problèmes. Par exemple, on a enseigné à des enfants de 4 et 5 ans qui possédaient peu d'habiletés sociales des phrases précises et des trucs pour se faire accepter dans un groupe de pairs (Doctoroff, 1997). De plus, on a demandé aux pairs d'encourager ces enfants à utiliser leurs nouvelles habiletés sociales. Pour la majorité des enfants, ces programmes produisent des gains immédiats au niveau de l'acceptation sociale. Cependant, on ne peut pas encore affirmer qu'ils peuvent prévenir des difficultés sociales ultérieures.

À l'âge scolaire

Durant les années scolaires, la plus grande transformation dans les relations est l'importance grandissante du groupe d'amis. Les rapports verticaux avec les parents et les enseignants sont loin de disparaître, mais les enfants de 7 à 10 ans préfèrent jouer avec des enfants de leur âge. Ces jeux occupent pratiquement tout le temps des enfants quand ils ne sont pas à l'école, à table, au lit ou devant la télévision (Timmer, Eccles et O'Brien, 1985).

Dans leur groupe d'amis, les enfants apprécient particulièrement le fait d'« avoir des activités ensemble ». Si vous demandez à des enfants de cet âge ce qui soude leur groupe, ils répondront souvent qu'il s'agit de la pratique d'activités communes : faire de la bicyclette, jouer à la corde, etc. Il est peu probable qu'ils mentionnent l'attitude ou les valeurs comme base de formation de leur groupe ou comme mode de fonctionnement.

AMITIÉ

À l'âge préscolaire

Dès l'âge de 18 mois, les enfants manifestent des signes d'amitié. Ce type de relations peut devenir un lien privilégié pour l'apprentissage de la réciprocité et de l'intimité. Carollee Howes (1983, 1987) a observé que, dès l'âge de 14 à 24 mois, certains enfants montrent à la garderie une préférence marquée pour l'un ou l'autre de leurs compagnons de jeu tout au long de l'année. En se basant sur une définition un peu plus stricte de l'amitié (pour être considérés comme des amis, deux enfants devaient passer au moins 30 % de leur temps ensemble), Robert Hinde et ses collaborateurs (Hinde *et al.*, 1985) ont découvert que, dans un groupe d'enfants de 3 à 5 ans, seulement 20 % d'entre eux manifestaient des signes d'amitié stable. À l'âge de 4 ans, 50 % de ces enfants répondaient à ce critère d'amitié.

Ces amitiés précoces semblent moins durables et sont davantage basées sur la *proximité et les champs d'intérêt communs* pour le jeu que les amitiés qui s'établissent entre enfants plus âgés. Cependant, les paires d'amis d'âge préscolaire font quand même preuve dans une situation nouvelle de plus d'amitié, plus de réciprocité et plus de soutien mutuel ; ils ont également plus d'interactions prolongées, plus de comportements positifs et moins de comportements négatifs que les paires d'enfants qui n'ont pas établi de liens d'amitié. De plus, le fait d'avoir eu un ami au début de l'enfance est associé à une meilleure compétence sociale durant les années d'âge scolaire (Maguire et Dunn, 1997).

À l'âge scolaire

Le changement le plus important observé dans les relations à l'âge scolaire est sans contredit l'importance de plus en plus grande des pairs, particulièrement les amis intimes. Les travaux de Robert Selman (1980) et de Thomas Berndt (1983, 1986) montrent que, durant le primaire, la première conception de l'amitié (proximité physique) cède le pas à une nouvelle conception dont l'élément clé semble être la confiance réciproque. Les amis sont dorénavant des personnes qui s'entraident et qui se font confiance. Parce que cet âge est aussi celui où la compréhension des autres s'appuie moins sur des caractéristiques externes et davantage sur des caractéristiques psychologiques, il n'est pas étonnant de constater que les amis sont désormais perçus comme des personnes spéciales, dont les qualités dépassent la simple proximité physique. En effet, la générosité et la gentillesse deviennent des éléments importants de la définition de l'amitié pour beaucoup d'enfants de ce groupe d'âge.

Développement cognitif et évolution de l'amitié   L'image qui apparaît lorsque l'on met en place toutes les pièces de ce casse-tête est celle d'un enfant dont le centre d'attention se déplace de l'aspect extérieur vers l'aspect intérieur. Les nouvelles habiletés cognitives de l'enfant d'âge scolaire lui permettent de comprendre le concept de conservation, notamment parce qu'il peut mettre de côté les apparences trompeuses de changement pour se concentrer sur ce qui est constant : il voit ainsi au-delà de l'apparence physique et recherche la cohérence profonde qui l'aidera à interpréter son propre comportement et celui des autres.

Selman propose un autre lien entre la pensée et les relations au cours de ces années. Comme nous l'avons vu dans le chapitre précédent, l'enfant d'âge préscolaire peut se faire une idée des pensées des autres, mais il ne comprend pas encore que d'autres personnes puissent lire dans les siennes. En d'autres termes, l'enfant de 4 ans peut comprendre l'énoncé suivant : « Je sais que tu sais. » Cependant, il ne comprend pas encore l'étape suivante de cette régression potentiellement infinie : « Je sais que tu sais que je sais. » Cet aspect réciproque de la perspective, ce que Piaget nomme la réversibilité, semble être saisi à un moment donné au début du primaire. Selman soutient

que ce n'est qu'au moment où l'enfant comprend la réciprocité de la perspective que l'on peut observer de véritables relations de réciprocité entre amis. C'est seulement à ce moment que des qualités, telles la confiance ou l'honnêteté, deviennent primordiales dans la conception de l'amitié des enfants.

Dans tout ceci, il est difficile de distinguer clairement les causes et les effets. Nous ne devrions pas nécessairement présumer que c'est la locomotive cognitive qui tire le wagon des relations, même si cela demeure une possibilité. Il est également plausible que l'enfant tire des leçons importantes au sujet de l'écart entre les apparences et la réalité, les qualités extérieures et intérieures, dans le jeu avec ses pairs et dans les interactions avec ses parents et ses professeurs. Quelle que soit la direction de la causalité, il semble évident que les relations que l'enfant entretient avec les autres reflètent et façonnent à la fois sa propre compréhension de lui-même et sa compréhension de ses rapports avec les autres.

Différences sexuelles dans l'amitié   La nature des rapports entre amis varie selon le sexe, quoiqu'il y ait des thèmes communs aux deux sexes. Entre autres, les filles et les garçons ont plus d'amis à l'âge scolaire qu'à l'âge préscolaire. Dans une étude, John Reisman et Susan Shorr (1978) ont constaté que les élèves de 2e année du primaire pouvaient nommer chacun quatre amis ; en première année du secondaire, ce nombre passait à sept. Durant ces mêmes années, plusieurs de ces amitiés deviennent plus stables, elles peuvent durer un an et plus (Cairns et Cairns, 1994).

Les enfants de ce groupe d'âge traitent aussi différemment leurs amis et les étrangers. Ils se montrent plus polis avec les étrangers ou encore avec les personnes qui ne sont pas leurs amis. Avec leurs copains, ils sont plus ouverts et leur accordent plus d'attention : ils se sourient, se regardent et se touchent les uns les autres plus souvent qu'ils le font avec des enfants de leur âge qui ne sont pas leurs amis. Cependant, les enfants d'âge scolaire sont plus critiques face à leurs amis et sont plus souvent en conflit avec eux (Hartup, 1996). Lorsque ces conflits surviennent, ils sont plus soucieux de régler leurs problèmes avec leurs amis qu'avec des enfants qui ne sont pas leurs amis. Ainsi, l'amitié devient un lien qui permet à l'enfant d'apprendre à gérer les conflits de toutes sortes (Newcomb et Bagwell, 1995).

Les amitiés chez les garçons et chez les filles présentent également des différences intéressantes. Waldrop et Halverson (1975) stipulent que les relations d'amitié chez les garçons sont plutôt du style « étendues », alors que les relations d'amitié chez les filles sont plus « intenses ».

Les groupes d'amis chez les garçons comptent plus de membres et acceptent davantage les nouveaux venus que les groupes de filles. Les garçons jouent le plus souvent à l'extérieur de la maison et parcourent un territoire plus vaste. Les filles sont plus portées à jouer à deux ou dans des groupes plus restreints et plus exclusifs ; elles passent aussi plus de temps à l'intérieur de la maison ou près de la maison ou de l'école (Benenson, 1994 ; Gottman, 1986).

Les amitiés chez les garçons semblent davantage centrées sur la compétition et la domination que les amitiés chez les filles (Maccoby, 1995). Dans les faits, nous observons des niveaux de compétition plus élevés entre des garçons qui ont des liens d'amitié qu'entre des garçons qui sont étrangers ; c'est le contraire de ce que l'on observe chez les filles. Les filles semblent plus soucieuses de parvenir à un accord que les garçons : elles sont plus conciliantes et communiquent davantage. Leaper (1991) a observé deux fois plus souvent chez les paires de garçons que chez les paires de filles de 7 et 8 ans la présence d'un «langage contrôlant», qui incluait des commentaires de rejet, des ordres, de la manipulation, de la résistance ou de la provocation. On ne remarque pas cette différence chez les enfants de 4 et 5 ans.

SÉGRÉGATION SEXUELLE

À l'âge préscolaire

Les enfants d'âge préscolaire se lient plus souvent d'amitié avec des enfants du même sexe, même les enfants de 2 ou 3 ans. L'amitié peut fréquemment être observée chez les enfants de 3 ou 4 ans.

À l'âge scolaire

À l'âge scolaire, les relations entre pairs s'établissent presque exclusivement entre enfants du même sexe. C'est d'ailleurs un phénomène qui s'observe dans les cultures du monde entier (Cairns et Cairns, 1994 ; Harkness et Super, 1985). Les garçons jouent avec les garçons et les filles, avec les filles, chacun dans des endroits distincts et à des jeux différents.

Les champs d'intérêt et les activités partagées constituent les critères des amitiés au début de l'âge scolaire. Par exemple, les jeux physiques et rudes sont communs dans les interactions entre garçons, mais la plupart des filles évitent ces types de jeux. Ainsi, à cause de ces préférences, les garçons ont davantage d'occasions de côtoyer en société d'autres garçons. Ce faisant, ils acquièrent des habiletés sociales en fréquentant d'autres garçons et apprennent peu d'habiletés sociales typiques des filles,

La ségrégation sexuelle est à son apogée durant l'âge scolaire : les garçons jouent avec les garçons et les filles, avec les filles.

telle l'ouverture de soi (*self-disclosure*) (Phillipsen, 1999). Par conséquent, les garçons établissent des groupes de pairs stables caractérisés par une hiérarchie basée sur les habiletés associées aux bagarres et aux jeux rudes (Pelligrini et Smith, 1998). Un modèle semblable existe chez les filles. La ségrégation sexuelle commence avec les activités partagées et mène par la suite à l'acquisition d'habiletés sociales qui seront plus utiles dans les interactions avec les filles qu'avec les garçons.

Cependant, il existe des rituels de violation territoriale entre ces deux groupes lors de jeux typiques, comme la poursuite («Tu ne peux pas m'attraper, la la la lalère» suivi d'une poursuite accompagnée des cris des filles) (Thorne, 1986). En général, les filles et les garçons entre 6 et 12 ans font un effort particulier pour éviter d'avoir des contacts entre eux et démontrent un net favoritisme envers leur propre sexe (Graham *et al.*, 1998) ainsi que des stéréotypes négatifs envers le sexe opposé (Powlishta, 1995). Si on leur demande de choisir entre un compagnon de jeu du sexe opposé ou un compagnon d'une autre

LES CULTURES

La ségrégation sexuelle chez les enfants de cultures différentes

Plusieurs des affirmations que nous avons faites au sujet du développement de l'enfant sont exclusivement basées sur des recherches effectuées en Amérique du Nord ou dans d'autres pays occidentaux industrialisés. Il est toujours utile de se demander si l'on peut remarquer les mêmes changements dans le développement ou les mêmes modèles de comportement chez des enfants élevés dans un autre contexte culturel. Dans le cas de la ségrégation sexuelle, la réponse est très claire : ce que l'on observe dans les cours de récréation nord-américaines se produit dans le reste du monde.

Une étude sur les enfants kipsigis dans un hameau kenyan illustre bien cette thèse (Harkness et Super, 1985). Au moment de la recherche, ce hameau était constitué de 54 familles vivant de l'agriculture traditionnelle, dont le principal outil est la houe, et de l'élevage de bétail. Les femmes s'occupent des enfants, de la cuisine ainsi que de l'approvisionnement en bois et en eau. Les hommes sont responsables du bétail et du labourage et participent à la vie politique de leur communauté.

Pour mener à bien cette étude, les chercheurs se sont rendus dans le hameau à différents moments de la journée afin de noter le sexe des compagnons de chaque enfant. Ils ont observé peu de ségrégation sexuelle parmi les enfants de moins de 6 ans, mais une nette division chez les enfants de 6 à 9 ans. Dans ce groupe d'âge, les deux tiers des camarades des garçons étaient des garçons et les trois quarts des camarades des filles étaient des filles. L'écart était encore plus grand quand on observait le sexe de l'enfant à qui chaque enfant destinait ses demandes d'attention : 72 % des garçons et 84 % des filles s'intéressaient à des enfants du même sexe.

Ces chiffres reflètent une ségrégation moins systématique que celle communément observée en Amérique du Nord. Cependant, il est remarquable qu'elle soit aussi marquée dans une société où les enfants passent le plus clair de leur temps à l'intérieur de leur concession (en Afrique, maison et cour closes par une enceinte) avec leurs frères et sœurs comme uniques compagnons de jeu.

Ces données ne signifient pas que le contexte ou la culture soit sans effet. Au contraire, le peuple kipsigis encourage certaines formes de ségrégation sexuelle en distribuant des tâches différentes aux garçons et aux filles. En Occident, les enfants qui fréquentent des écoles «progressistes», dont le postulat idéologique est l'égalité des rôles sexuels, font preuve de moins de ségrégation dans leurs jeux que les enfants inscrits dans les écoles traditionnelles (Maccoby et Jacklin, 1987). Cependant, même dans ces écoles progressistes, la majorité des contacts se font entre enfants du même sexe. Somme toute, il semble bien que, lorsqu'ils sont libres de choisir leurs compagnons de jeu, les enfants de 6 à 9 ans préfèrent nettement la compagnie d'enfants du même sexe.

race, les enfants d'âge scolaire préfèrent jouer avec un enfant d'une autre race (Maccoby et Jacklin, 1987). Les modèles de ségrégation sexuelle sont donc clairement définis dans l'amitié à l'âge scolaire. Par exemple, quand les chercheurs demandent à un enfant quel compagnon de jeu un enfant fictif préférerait, les réponses des enfants d'âge scolaire sont principalement orientées vers le genre sexuel (Halle, 1999).

COMPORTEMENT PROSOCIAL

Les relations entre pairs comprennent un autre aspect important que les psychologues du comportement appellent le **comportement prosocial**. Il s'agit d'une série de comportements «intentionnels, volontaires, ayant pour but d'aider l'autre» (Eisenberg, 1992). Dans le langage ordinaire, c'est essentiellement ce qu'on nomme l'**altruisme**. Ce type de comportements évolue également avec l'âge.

À l'âge préscolaire

On peut observer les premiers comportements altruistes chez les enfants de 2 et 3 ans, au moment où ils commencent à montrer un intérêt réel à jouer avec d'autres enfants. Les enfants de cet âge s'offrent pour aider un autre enfant qui s'est blessé, prêtent leurs jouets ou quelque autre trésor ou essaient de réconforter un autre enfant ou un adulte qui paraît triste ou en détresse (Zahn-Waxler et Radke-Yarrow, 1982 ; Zahn-Waxler *et al.*, 1992 ; Marcus, 1986). Les enfants de cet âge n'ont généralement pas élaboré leur théorie de l'esprit et ne possèdent qu'une compréhension très rudimentaire du fait que les autres peuvent avoir des sentiments différents des leurs. Mais, de toute évidence, ils comprennent suffisamment les émotions d'autrui pour y réagir en offrant sympathie et soutien quand ils voient un enfant ou un adulte blessé ou triste. L'égocentrisme dont il font preuve à cet âge est davantage intellectuel ou perceptif que social.

Les comportements altruistes des enfants diffèrent beaucoup de l'un à l'autre. Les jeunes enfants qui témoignent plus d'empathie et d'altruisme que leurs pairs sont aussi ceux qui maîtrisent bien leurs propres émotions. Ils vivent régulièrement des émotions positives et à l'occasion des émotions négatives (Eisenberg *et al.*, 1996b). Ces variations dans les degrés d'empathie et d'altruisme semblent associées à l'éducation de l'enfant. De plus, les

Altruisme ou comportement prosocial : Comportement d'une personne qui vient en aide aux autres, leur donne de son temps ou partage avec eux ce qui lui appartient, sans intérêt personnel évident.

enfants qui font preuve de nombreux comportements prosociaux durant les années préscolaires conservent ces comportements à l'âge adulte (Eisenberg *et al.*, 1999).

À l'âge scolaire

Les changements dans les comportements prosociaux évoluent après l'âge préscolaire vers deux modèles différents. Il semble que la fréquence de certains comportements prosociaux augmente avec l'âge. Par exemple, si vous donnez à un enfant l'occasion de partager ses friandises avec un autre enfant en disant que ce dernier n'en a pas, les enfants plus âgés seront portés à offrir une plus grande part de leurs friandises que les enfants plus jeunes. La propension à rendre service tend elle aussi à s'accroître avec l'âge jusqu'à l'adolescence. Toutefois, tous les comportements prosociaux ne suivent pas nécessairement cette tendance. Le geste de réconforter un autre enfant, par exemple, est plus courant chez les enfants d'âge préscolaire et du début du primaire que chez les enfants plus âgés (Eisenberg, 1992).

AGRESSIVITÉ

On définit l'**agressivité** comme un comportement dont l'intention manifeste est de blesser une autre personne ou d'abîmer un objet. Les interactions agressives sont communes au début de l'enfance.

À l'âge préscolaire

Tous les enfants d'âge préscolaire font preuve, au moins à l'occasion, de comportements agressifs, le plus souvent après avoir subi une frustration. Cependant, la forme et la fréquence de l'agressivité changent au cours de la période préscolaire, comme le résume le tableau 6.3.

Le premier changement porte sur le passage de l'agressivité physique à l'agressivité verbale. Quand les enfants de 2 à 3 ans sont indisposés ou frustrés, ils sont plus enclins à lancer des objets ou à frapper les autres. À mesure que leurs aptitudes linguistiques progressent toutefois, ils délaissent l'agressivité physique et font davantage appel à l'agressivité verbale, telles les railleries et les injures; de la même façon, leur rébellion envers leurs parents se manifeste par des stratégies verbales plutôt que physiques.

Agressivité: Ensemble de comportements physiques ou verbaux qui visent intentionnellement à nuire à quelqu'un ou à causer des dommages à un objet.

LE MONDE RÉEL

Comment élever les enfants afin qu'ils soient ouverts et altruistes

De plus en plus d'études (résumées dans Eisenberg, 1992) s'intéressent à certaines stratégies propres à l'éducation des enfants, qui seraient liées à un taux plus élevé de comportements altruistes ou attentionnés chez l'enfant. Nous en présentons quelques-unes ci-dessous.

- *Créer un climat familial chaleureux et fondé sur l'amour.* Vous ne serez pas étonné d'apprendre que les parents chaleureux, réconfortants et attentifs aux besoins de l'enfant tendent à avoir des enfants qui sont plus serviables, plus ouverts et plus attentionnés envers les autres. Cet effet est encore plus important cependant, quand l'attention témoignée est accompagnée d'explications claires.

- *Donner des explications et établir des règles.* Les enfants altruistes ont des parents qui établissent clairement leurs règles au sujet de ce qu'ils doivent faire et ne pas faire (par exemple «Il ne faut jamais frapper les autres!»). Les parents expliquent aussi aux enfants les conséquences de leurs actions («Si tu frappes Julie, ça va lui faire mal»). Le parent facilite alors chez son enfant le passage de l'égocentrisme initial à la prise de conscience des sentiments et des pensées des autres. Il est aussi important d'établir des lignes de conduite et des principes positifs, comme «C'est toujours bien d'aider les autres» ou «On devrait partager ce qu'on possède avec ceux qui n'ont pas autant que nous».

- *Reconnaître les comportements altruistes.* Une troisième stratégie consiste à reconnaître les comportements altruistes comme faisant partie de la personnalité même de l'enfant: «Tu es vraiment un enfant serviable!» ou «Tu rends vraiment des services aux autres». Cette stratégie est efficace avec des enfants de 7 ou 8 ans, à peu près à l'âge où l'enfant commence à comprendre de façon globale sa personnalité et son estime de soi. En présentant à l'enfant ses comportements comme preuves de ses qualités personnelles, telles l'amabilité, la générosité ou l'attention, il se peut que le parent influe sur le modèle interne de l'enfant. À partir de ce moment, l'enfant essaiera de faire en sorte que ses actions soient conformes à ce modèle.

- *Amener l'enfant à faire des choses utiles.* Les parents favorisent également l'habitude de rendre service en donnant à leurs enfants la possibilité de faire des choses vraiment utiles. Les enfants peuvent aider à faire la cuisine (ce qui constitue une activité éducative), s'occuper des animaux, fabriquer des jouets à l'intention d'enfants hospitalisés ou défavorisés, participer à la préparation d'un repas pour une voisine en deuil, montrer à leurs jeunes frères et sœurs de nouveaux jeux. À l'âge scolaire, aider d'autres élèves semble avoir le même effet. Cependant, il ne faut pas forcer l'enfant à se comporter de la sorte; il faut vraiment que l'enfant ait l'impression que le geste vient de lui.

- *Façonner les comportements généreux et attentionnés.* La stratégie la plus efficace pour le parent consiste peut-être à adopter devant son enfant un comportement généreux, attentionné et obligeant. S'il y a divergence entre ce que le parent dit et ce qu'il fait, l'enfant va imiter ses actions et non ses paroles. Le parent établira en vain des règles si ce qu'il fait n'est pas en accord avec les règles établies. Si l'objectif du parent est de faire naître chez son enfant l'altruisme, il est nécessaire qu'il montre l'exemple.

Tableau 6.3	*Changements dans la forme et la fréquence de l'agressivité entre 2 et 8 ans*	
	◀ **De 2 à 4 ans**	◀ **De 4 à 8 ans**
Agressivité physique	À son maximum.	En déclin.
Agressivité verbale	Relativement rare à 2 ans ; augmente à mesure que les habiletés linguistiques de l'enfant s'améliorent.	Forme d'agressivité dominante.
But de l'agressivité	Agressivité de type « instrumental », ayant pour but d'obtenir ou d'endommager un objet plutôt que de blesser quelqu'un.	Agressivité de type « hostile » plus marquée, ayant pour objectif de blesser une personne physiquement ou moralement.
Contexte de l'agressivité	Le plus souvent après un conflit avec les parents.	Le plus souvent après un conflit avec les pairs.

(*Sources :* Goodenough, 1931 ; Hartup, 1974 ; Cummings *et al.*, 1986.)

Le déclin de l'agression physique pendant cette période reflète aussi le déclin de l'égocentrisme durant l'âge préscolaire associé à une meilleure compréhension des pensées et des sentiments des autres enfants. Un autre facteur lié au déclin de l'agression physique est l'émergence d'une hiérarchie de **dominance**.

On peut généralement observer la **hiérarchie de dominance** dès l'âge préscolaire (Strayer, 1980). Dans un groupe d'enfants qui jouent ensemble régulièrement, certains enfants l'emportent presque toujours sur tous les autres, alors que d'autres, qui sont placés au bas de la hiérarchie, perdent au contraire presque toujours contre tous les autres. Cette connaissance qu'a l'enfant du perdant et du gagnant contribue généralement à réduire la fréquence des agressions physiques.

Un second changement dans la qualité de l'agression durant les années préscolaires porte sur la transition d'une agressivité plus instrumentale au début vers une agressivité plus hostile par la suite. L'agression instrumentale vise à obtenir ou briser un objet, alors que l'agression hostile vise à blesser ou dominer une personne. Ainsi, Gabrielle, âgée de 3 ans, fait preuve d'agressivité instrumentale lorsqu'elle pousse son amie dans le carré de sable pour lui arracher son jouet. Par contre, lorsque Gabrielle se fâche contre Véronique et la traite d'idiote, elle fait alors preuve d'agressivité hostile.

Quelle est l'origine des comportements agressifs ? Pourquoi sont-ils aussi communs chez les enfants ? Quels facteurs les favorisent ? Quels facteurs peuvent contribuer à les maîtriser ? Les psychologues ont relevé quelques facteurs clés.

Frustration Un groupe de psychologues américains (Dollard *et al.*, 1939) affirmait que l'agression est toujours précédée de la frustration et que la frustration est toujours suivie par l'agression. Cette hypothèse au sujet de la frustration et de l'agression s'est avérée non fondée par

la suite. Toutes les frustrations ne mènent pas nécessairement à l'agression, mais la frustration augmente le risque d'agression. Les trottineurs et les enfants d'âge préscolaire sont souvent frustrés parce qu'ils ne peuvent pas toujours faire ce qu'ils auraient le goût de faire et parce qu'ils ne peuvent pas toujours exprimer clairement leurs besoins. Au fur et à mesure que l'enfant développe ses habiletés à communiquer, à planifier et à organiser ses activités, son degré de frustration diminue et les agressions ouvertes diminuent.

Lorsque Gabrielle pousse Véronique afin d'obtenir son jouet, Gabrielle est renforcée dans son comportement parce qu'elle obtient ce qu'elle veut (le jouet). Ainsi, son comportement (pousser l'autre) risque de se répéter, car il amène une conséquence positive. Si cette expérience se répète régulièrement, Gabrielle est susceptible d'adopter ce type de comportement plus tard afin d'obtenir ce qu'elle veut. Cette mécanique de l'apprentissage et du *renforcement* joue un rôle vital dans le développement des modèles de comportements agressifs. Le travail de Gérald Patterson que nous avons abordé au premier chapitre constitue à ce titre un bon exemple. Quand les parents cèdent devant les crises et les colères de leur enfant, ils se trouvent à renforcer les comportements qu'ils déplorent. Sans le vouloir, ils contribuent à mettre en place un modèle d'agression et de défiance qui deviendra par la suite fortement ancré chez l'enfant.

Le *façonnement* joue aussi un rôle clé dans l'apprentissage des comportements agressifs. Les enfants apprennent des comportements agressifs en observant les autres

Dominance : Degré dans une hiérarchie auquel un individu accède quand il est considéré régulièrement comme le gagnant dans des situations d'affrontement social.

Hiérarchie de dominance : Type d'organisation sociale qui établit un rapport de dominance entre les « gagnants » et les « perdants ».

(Bandura, Ross et Ross, 1961, 1963). Par exemple, les enfants d'âge préscolaire ont appris des comportements d'attaque en regardant l'émission *Power Ranger*. Les enfants apprennent aussi que l'agression est un moyen efficace ou accepté de résoudre des problèmes en observant les réactions agressives de leurs parents ou d'autres personnes. De plus, les parents qui utilisent régulièrement les punitions physiques avec leurs enfants ont des enfants plus agressifs que les parents qui ne sont pas des modèles d'agressivité (Eron, Huesmann et Zelli, 1991). Lorsque les enfants peuvent observer plusieurs comportements agressifs dans leur entourage et que ces comportements sont généralement récompensés, alors il ne faut pas s'étonner que ces enfants adoptent des comportements identiques.

Des psychologues du développement avancent même l'idée que l'enfant lui-même façonne son environnement de façon que son comportement soit renforcé. Par exemple, les garçons agressifs de 4 ans ont tendance à se regrouper avec d'autres garçons agressifs afin de former des groupes stables. Les garçons qui font partie de ces groupes développent leur propre mode d'interaction et encouragent socialement les gestes agressifs des autres membres du groupe (Farver, 1996). Ces groupes agressifs évoluent ainsi au cours de l'enfance et l'adolescence.

Agressivité caractérielle   Peu importe la cause, la plupart des enfants deviennent moins agressifs durant les années préscolaires. Il existe, cependant, certains enfants pour qui les comportements agressifs deviennent littéralement un mode de vie, selon une observation corroborée par plusieurs chercheurs (Hart *et al.*, 1997 ; Henry *et al.*, 1996 ; Newman *et al.*, 1997). Ceux-ci se sont penchés sur les causes de tels comportements que les psychologues nomment *agressivité caractérielle* pour la différencier de l'agressivité normale observée au cours du développement de l'enfant.

Certains psychologues du développement soutiennent la thèse d'une origine génétique de l'agressivité caractérielle (Plomin, 1990), alors que d'autres estiment que l'agressivité caractérielle est avant tout associée à un environnement agressif, par exemple une famille agressive (Dodge, 1993). Des facteurs familiaux autres que l'abus, comme une absence d'affection et une discipline coercitive, semblent également associés à l'agressivité caractérielle, particulièrement chez les garçons (McFayden-Ketchumm *et al.*, 1996).

Approche cognitive et sociale   Des recherches sur les liens entre la cognition et le comportement social mentionnent que les enfants fortement agressifs ne sont pas parvenus, comparativement à leurs pairs, à com-

RAPPORT DE RECHERCHE

La violence physique chez les jeunes enfants

Un chercheur québécois, Richard E. Tremblay (Tremblay, Jopel *et al.*, 1999), mène depuis 1984 des études longitudinales (qui consistent à suivre les mêmes sujets pendant de très longues périodes) sur plus de 4 000 enfants. Il a été surpris de découvrir que la violence physique ne s'acquiert pas avec l'âge, au contact par exemple de la télévision, mais qu'elle est déjà présente chez la plupart des très jeunes enfants. Elle est même à son comble entre 2 et 3 ans ½. Qui n'a pas vu un petit frapper, hurler, taper du pied, se rouler par terre ou empoigner une bonne touffe de cheveux de son petit voisin ? Chez un adulte, les mêmes agissements sont socialement inacceptables.

Le processus de socialisation joue donc un rôle essentiel dans le contrôle de la violence. C'est pourquoi il est nécessaire que les parents aient eux-mêmes appris à contrôler leur violence. Selon ce chercheur, environ 4 % des individus ne parviennent pas à maîtriser leur agressivité physique, et ce, quel que soit le contexte social.

Les premiers travaux de Richard E. Tremblay ont porté sur des délinquants adultes, ce qui l'a amené à conclure qu'il était déjà trop tard pour intervenir efficacement. Il s'est donc tourné vers les adolescents, puis vers les enfants de la maternelle, pour finalement comprendre que les problèmes de comportements étaient présents avant la maternelle. Il a donc convaincu le gouvernement du Québec de mettre en place un vaste programme de soutien aux jeunes parents à risque, de la grossesse jusqu'à la maternelle. L'intervention précoce auprès de familles à risque, en fait dès la conception de l'enfant, est la façon la plus efficace, selon lui, d'éviter le développement des troubles de comportement. Ces familles à risque sont constituées de jeunes parents qui ont souvent fait appel aux services sociaux, qui ont des problèmes de toxicomanie, de santé mentale, de violence conjugale ou familiale, qui sont pauvres, sous-scolarisés ou qui présentent un taux de détresse psychologique alarmant.

Enfin, toujours selon Tremblay, il ne faut pas pour autant abandonner les interventions auprès des adolescents et des adultes. En outre, certains chercheurs estiment qu'il « y a un danger à dire que tout est joué avant 3 ans » et, surtout, « à mettre une étiquette sur le front d'un enfant dès l'âge de 3 ans ».

(*Source :* Adapté de Claudette Samson, « Les germes de la délinquance présents dès l'enfance », *Le Soleil*, 22 sept. 2001, p. A-23.)

prendre l'intentionnalité des gestes des autres (Crick et Dodge, 1994). Nous avons vu dans le chapitre sur le développement moral que l'enfant comprend ce qu'est un geste intentionnel (en opposition à un geste accidentel) entre 3 et 5 ans. Ces recherches démontrent que les enfants agressifs raisonnent comme des enfants de 2 à 3 ans quant à la compréhension des intentions des autres. Par exemple, ils sont plus susceptibles de percevoir un geste accidentel, tel tomber sur quelqu'un pendant un

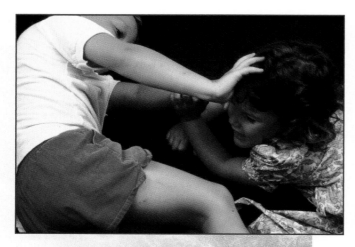

Les psychologues distinguent l'agression directe dont l'intention est de blesser de l'agression accidentelle qui survient lorsque les enfants jouent un peu rudement.

match de soccer, comme un geste intentionnel qui commande une vengeance. Les recherches établissent cependant qu'on peut enseigner à ces enfants agressifs à mieux comprendre la notion d'intentionnalité des gestes des autres et ainsi diminuer leur agressivité (Crick et Dodge, 1996). Cet entraînement, qui implique aussi des techniques pour maîtriser la colère, aide les enfants agressifs à mieux interpréter les actions des autres (caractère intentionnel ou accidentel d'un geste). L'agressivité, sous cet angle, serait le résultat d'une sorte de déviation du parcours cognitif normal au début de l'âge préscolaire.

À l'âge scolaire

Le recours à l'agressivité physique diminue durant les années préscolaires, alors que le recours à l'agressivité verbale augmente. Cette tendance se poursuit à l'âge scolaire. L'incidence d'agressions physiques et de querelles diminue encore, en même temps qu'augmente le recours à l'insulte et aux remarques désobligeantes visant à porter atteinte à l'estime de soi d'un autre enfant plutôt qu'à son intégrité physique. Les enfants apprennent alors les règles de leur culture qui régissent l'agressivité (quand et comment il est approprié d'exprimer de la colère et de l'agressivité). Dans la plupart des cultures, cela signifie que la colère est de plus en plus dissimulée et que l'agressivité est de plus en plus maîtrisée avec l'âge (Underwood, Coie et Herbsman, 1992).

Les chercheurs ont également découvert une différence sexuelle dans le degré d'agressivité. À tout âge, les garçons se montrent plus agressifs, plus tranchants et plus dominants (Fabes, Knight et Higgins, 1995). En outre, les garçons d'âge scolaire approuvent ouvertement les comportements agressifs de leurs pairs (Rodkin *et al.*, 2000). Les garçons sont aussi très fortement représentés parmi les enfants chez qui on a diagnostiqué des troubles du comportement: cette appellation désigne des comportements antisociaux ou agressifs, tels la brutalité, la désobéissance, les discussions sans fin, une forte irritabilité et des comportements menaçants ou tapageurs.

Le tableau 6.4 présente des données représentatives, compilées grâce à une importante enquête menée au Canada (Offord, Boyle et Racine, 1991). Pour cette étude, parents et enseignants ont rempli un questionnaire décrivant chaque comportement observé chez l'enfant. Le tableau ne contient que les informations fournies par les enseignants, mais celles provenant des parents arrivent à peu près aux mêmes conclusions. Il est clair que les garçons remportent le championnat de l'agressivité dans toutes les catégories. Cette même étude a permis de diagnostiquer des troubles du comportement chez 6,5 % des garçons et chez seulement 1,8 % des filles.

De tels résultats semblent indiquer que les garçons sont généralement plus agressifs que les filles. Cependant, il est nécessaire de nuancer cette conclusion. Les filles expriment-elles leur agressivité de la même façon que les

Tableau 6.4	*Pourcentage de garçons et de filles de 4 à 11 ans ayant des comportements agressifs selon leurs enseignants*			
Comportement		**Garçons**		**Filles**
Mesquinerie envers les autres		21,8		9,6
Agression physique envers les autres		18,1		4,4
Participation à de nombreuses bagarres		30,9		9,8
Destruction de ses biens personnels		10,7		2,1
Destruction des biens des autres		10,6		4,4
Menace d'agression physique		13,1		4,0

(*Source*: Offord, Boyle et Racine, 1991, adapté du tableau 2.3, p. 39.)

Les effets des jeux vidéo

En Amérique du Nord, les enfants passent plus de temps à jouer à des jeux vidéo qu'à toute autre activité de loisirs (Interactive Digital Software Association, 1998). Les anthropologues affirment que les jeux vidéo constituent un des outils par lesquels les sociétés industrialisées enseignent aux enfants les habiletés techniques et intellectuelles dont ils auront besoin lorsqu'ils seront adultes (Greenfield, 1994). Plusieurs études considèrent que les jeux vidéo améliorent les habiletés de perception spatiale (Greenfield, Brannon et Lohr, 1994). La perception spatiale est associée à la réussite en mathématiques, qui constitue une habileté très prisée dans le monde industrialisé. Ainsi, les explications anthropologiques donnent un sens à la prolifération de ces jeux dans le monde moderne. En dépit du fait que les jeux vidéo semblent favoriser le développement cognitif, les chercheurs du développement qui s'intéressent à l'effet de ces jeux sur le développement social et émotionnel nous appellent à la prudence quant à leur utilisation. En effet, on retrouve le thème de la violence et du pouvoir dans 75 % de ces jeux. De plus, la majorité des joueurs (dont 70 à 80 % sont des garçons) préfèrent des jeux vidéo violents à tout autre type de jeux vidéo (Funk et Buchman, 1999).

Les chercheurs ont découvert que le fait de jouer à des jeux vidéo violents provoque une augmentation directe des comportements agressifs et que, chez des enfants qui sont déjà plus agressifs que les autres enfants de leur âge, cet effet se fait sentir à long terme (Anderson et Dill, 2000). Les enfants qui jouent à des jeux vidéo violents 90 minutes et plus par jour éprouvent également des niveaux élevés d'anxiété et ont un seuil de tolérance à la frustration plus bas que leurs pairs (Mediascope, 1999). D'ailleurs, même une courte exposition aux jeux vidéo violents en laboratoire augmente le niveau d'hostilité chez les participants (Anderson et Dill, 2000).

Les jeux vidéo violents semblent aussi associés à un ensemble plus vaste de préférences allant des stimuli violents aux comportements agressifs. Ainsi, les enfants qui aiment les émissions de télévision violentes et qui préfèrent aussi les jeux vidéo violents sont plus agressifs envers leurs pairs (Mediascope Inc., 1999). Cette observation vaut autant pour les garçons que pour les filles. La plupart des filles ne s'intéressent pas aux jeux violents, mais celles qui s'y intéressent sont plus agressives physiquement que la moyenne. Par conséquent, les parents qui s'aperçoivent que l'agressivité et la violence prédominent dans les activités récréatives de leurs enfants et dans leurs interactions avec leurs pairs devraient s'inquiéter du fait que leurs enfants passent beaucoup de temps à jouer à des jeux vidéo (Funk *et al.*, 2000).

garçons ? De récentes études ont permis d'observer que les filles expriment un type d'agressivité que l'on peut qualifier d'**agressivité relationnelle** plutôt que d'utiliser l'agression physique ou les injures. L'agression physique blesse les autres par le biais de dommages physiques ou de menaces de dommages physiques, alors que le but de l'agression relationnelle est de blesser l'estime de soi de l'autre, ou de rompre ses relations avec les pairs, en utilisant le chantage, la menace d'exclusion («Je ne vais pas t'inviter à ma fête si tu fais ça»), les commérages cruels ou les expressions faciales de dédain. Les enfants considèrent cette forme d'agression indirecte comme foncièrement très blessante pour leur personne et ils évitent généralement les autres enfants qui y ont recours, de la même façon qu'ils rejettent leurs pairs qui font usage de l'agression physique (Casas et Mosher, 1995; Cowan et Underwood, 1995; Crick et Grotpeter, 1995; Rys et Bear, 1997).

Les filles sont plus susceptibles d'utiliser l'agressivité relationnelle avec d'autres filles qu'avec des garçons. On peut observer ce modèle au début du primaire, particulièrement autour de la 4e et la 5e année. Par exemple, dans une récente étude portant sur 500 enfants de la 3e à la 6e année du primaire, Nicky Crick a observé que 17,4 % des filles utilisaient l'agressivité relationnelle à un niveau élevé contre 2 % chez les garçons, le contraire de ce que l'on observe pour l'agressivité physique (Crick et Grotpeter, 1995). Nous ne savons pas si cette différence provient d'une particularité hormonale, d'un apprentissage effectué dès

Agressivité relationnelle : Agressivité qui vise à blesser l'estime de soi d'une autre personne ou de rompre ses relations avec les pairs, en utilisant le chantage, la menace d'exclusion, les commérages cruels ou les expressions faciales de dédain.

les premières années de la vie ou bien d'une combinaison de ces deux causes. Tout ce que nous savons, c'est qu'il existe un lien entre le taux d'agressivité physique et le taux de testostérone (Susman *et al.*, 1987), particulièrement chez les adolescents et les adultes. Cependant, nous n'avons aucune idée d'où peut venir la propension des filles à utiliser davantage l'agressivité relationnelle.

Il existe une autre forme d'agressivité que l'on peut qualifier de « réactionnelle », c'est-à-dire une agressivité qui fait suite à un geste qui nous a blessé. L'**agressivité réactionnelle** est une forme de représailles ou de vengeance en réaction au comportement des autres. Ce type d'agressivité augmente chez les garçons et les filles entre 6 et 12 ans (Astor, 1994). Le développement de ce type d'agressivité est associé au développement de la compréhension cognitive du caractère intentionnel ou accidentel d'un geste, comme nous venons de le voir dans un paragraphe précédent. Ainsi, si un enfant échappe son crayon par terre en classe et qu'une autre enfant marche dessus sans le voir et le brise, la plupart des enfants de 8 ans vont comprendre que le geste est accidentel et ils ne chercheront pas à se venger. Cependant, les enfants de plus de 8 ans perçoivent les gestes intentionnels différemment. Par exemple, disons qu'un enfant prend intentionnellement le crayon d'un autre enfant et le lance par la fenêtre. La plupart des enfants de plus de 8 ans vont chercher un moyen de retourner l'ascenseur à l'enfant qui a agi ainsi. En fait, les enfants qui ne cherchent pas à se venger dans de telles situations sont aussi plus susceptibles d'être socialement incompétents et d'être victimes de leurs pairs par la suite (Astor, 1994).

Les pairs approuvent généralement l'agressivité réactionnelle, mais la plupart des parents et des enseignants essaient de montrer aux enfants que, comme tout autre geste intentionnel visant à blesser une personne, l'agressivité réactionnelle est inacceptable. La recherche démontre que les enfants peuvent apprendre des techniques non agressives afin de gérer les situations qui mènent à l'agressivité réactionnelle. Dans un de ces programmes d'intervention, les psychologues ont réussi à changer les comportements individuels des enfants en modifiant le climat émotionnel de l'école. Les enseignants et les enfants, au cours de ce programme, apprenaient des stratégies sociales positives afin de contrer le climat de violence qui régnait à l'école (Flannery *et al.*, 2000). Par exemple, on encourageait autant les enseignants que les enfants à se complimenter plutôt qu'à se critiquer. La recherche démontre que, lorsqu'un tel programme est mis en œuvre quotidiennement dans une classe pendant un an et plus, la fréquence des comportements agressifs diminue, alors que celle des comportements prosociaux

augmente. Finalement, les interactions agressives entre les enfants du primaire peuvent être communes, mais elles ne constituent pas un aspect inévitable du développement.

Développement des relations sociales

- Expliquez cette affirmation : « Le rôle des parents doit changer dès que l'enfant devient plus indépendant. »
- Qu'entend-on par « habileté d'autorégulation » ? Comment évolue cette habileté durant l'enfance ?
- Comment évolue l'attachement à l'âge préscolaire et scolaire ?
- Quelle distinction doit-on faire entre le simple refus et la rébellion ?
- Comment évoluent les relations avec les pairs à l'âge préscolaire et scolaire ?
- Comment évolue la ségrégation sexuelle pendant l'enfance ?
- Définissez le comportement altruiste ou prosocial.
- Quels sont les changements qui apparaissent dans la forme et la fréquence de l'agressivité entre de 2 et 8 ans ?
- Quelles sont les causes possibles des comportements agressifs ?
- Expliquez les notions d'agressivité relationnelle et réactionnelle.

Concepts et mots clés

- **altruisme ou comportement prosocial** (p. 208) • **agressivité** (p. 209)
- **agressivité réactionnelle** (p. 214) • **agressivité relationnelle** (p. 213)
- **dominance** (p. 210) • **habileté d'autorégulation** (p. 203) • **habiletés sociales** (p. 204) • **hiérarchie de dominance** (p. 210)

PARCOURS INDIVIDUELS

Jusqu'ici, nous avons parlé surtout des modèles de développement qui sont communs à la plupart des enfants. Nous allons maintenant nous pencher sur les variations dans le tempérament, l'estime de soi et le statut social, qui comptent parmi les variations individuelles les plus importantes.

DU TEMPÉRAMENT À LA PERSONNALITÉ

Les variations dans le tempérament des enfants (par exemple s'ils sont faciles ou difficiles) se stabilisent relativement au cours des années préscolaires et scolaires (Novosad et Thoman, 1999 ; Ruben *et al.*, 1999). On peut

Agressivité réactionnelle : Forme de représailles ou de vengeance en réaction à une agression.

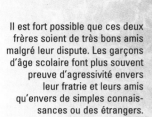

Il est fort possible que ces deux frères soient de très bons amis malgré leur dispute. Les garçons d'âge scolaire font plus souvent preuve d'agressivité envers leur fratrie et leurs amis qu'envers de simples connaissances ou des étrangers.

noter également un lien entre les tempéraments difficiles et les problèmes de comportement présents et futurs. En effet, les enfants de 3 ou 4 ans ayant un tempérament difficile sont plus susceptibles de manifester une plus grande agressivité, un comportement délinquant ou d'autres troubles du comportement au cours de l'enfance, de l'adolescence et de l'âge adulte (Bates, 1989 ; Caspi *et al.*, 1995 ; Moffit, 1993 ; Chess et Thomas, 1984). De même, les enfants d'âge préscolaire qui sont timides sont plus susceptibles d'éprouver des difficultés émotionnelles plus tard dans leur enfance (Sanson *et al.*, 1996 ; Schwartz, Snidman et Kagan, 1996). Il est important de comprendre, cependant, qu'il s'agit là d'une *probabilité*. La majorité des enfants d'âge préscolaire chez qui on a décelé un tempérament difficile ne présentent pas de problèmes de comportement plus tard, bien que cette probabilité soit plus élevée. En fait, on peut dire qu'un tempérament difficile crée une certaine *vulnérabilité* chez l'enfant. Si l'enfant vulnérable a des parents qui le soutiennent, lui témoignent de l'amour et sont capables de composer efficacement avec son tempérament difficile, l'enfant ne manifestera pas de problèmes sociaux plus sérieux. Au contraire, si les parents rejettent leur enfant ou ne possèdent pas les habiletés nécessaires en matière d'éducation, ou encore si la famille doit affronter d'autres sources de stress, l'enfant difficile et vulnérable courra plus de risques d'éprouver de sérieuses difficultés à entretenir de bonnes relations avec les autres (Bates, 1989 ; Fish, Stifter et Belsky, 1991).

ESTIME DE SOI

Les enfants d'âge préscolaire se décrivent eux-mêmes de plusieurs façons, mais les travaux de Susan Harter montrent que ces descriptions ne constituent pas une évaluation globale de l'enfant avant l'âge de 7 ou 8 ans (Harter,

1990). Les enfants d'âge scolaire sont prêts à expliquer ce qu'ils pensent d'eux-mêmes en tant que personne, à dire s'ils sont heureux ou s'ils aiment la façon dont ils mènent leur vie. Au cours des années scolaires, les enfants s'aperçoivent que leurs habiletés se différencient de plus en plus et ils portent de nouveaux jugements sur leur apparence physique, leurs habiletés scolaires et sportives, leur acceptabilité sociale, leurs amitiés et leurs relations avec leurs parents (Harter, 1990 ; Marsh, Craven et Debus, 1999). L'**estime de soi** relève d'une telle évaluation globale.

Pour Harter, le niveau d'estime de soi est le produit de deux jugements ou évaluations.

• Premièrement, à l'aide de ses nouvelles habiletés cognitives, chaque enfant remarque un certain écart entre *ce qu'il aimerait être* (ou ce qu'il pense devoir être) et *la façon dont il se perçoit*. Quand cet écart est faible, l'estime de soi est généralement élevée. Quand l'écart est important — et que l'enfant se sent incapable d'atteindre ses propres objectifs ou de vivre en accord avec ses propres valeurs —, l'estime de soi se trouve amoindrie. Par exemple, l'estime de soi sociale, c'est-à-dire le jugement que l'on porte sur ses habiletés sociales, est plus élevée chez les enfants populaires que chez ceux qui sont rejetés par leurs pairs (Jackson et Bracken, 1998). Cependant, tous les enfants n'ont pas les mêmes attentes. Certains attachent beaucoup d'importance aux résultats scolaires, alors que d'autres privilégient les qualités sportives ou les amitiés. Selon Harter (1987, 1990), l'élément clé de l'estime de soi est l'importance de l'écart entre ce qui est désiré et ce que l'enfant pense avoir accompli. Ainsi, un enfant qui accorde

Estime de soi : Jugement global porté sur sa propre valeur ; satisfaction que l'on retire de la façon dont on se perçoit.

La crise du jeune Mathieu caractérise son tempérament difficile. Ce jeune enfant est plus susceptible d'éprouver des problèmes de comportement au cours de l'enfance et de l'adolescence. Une telle prédiction peut ne pas se réaliser cependant, car certains enfants qui modifient suffisamment leur comportement connaissent un parcours plus normal durant leur enfance.

beaucoup d'importance aux prouesses sportives, mais qui n'est pas assez robuste ou qui n'a pas la coordination requise pour exceller dans les sports, aura une estime de soi plus faible qu'un autre enfant tout aussi chétif et manquant de coordination, mais qui ne valorise pas autant les aptitudes sportives. De la même manière, le fait d'exceller dans un domaine, tels le chant, les échecs ou l'aptitude à communiquer avec sa mère, n'augmentera l'estime de soi d'un enfant qu'à la condition que ce dernier accorde de l'importance à ce talent particulier.

- Deuxièmement, l'estime de soi dépend de la *qualité du soutien que l'enfant pense recevoir des personnes qui l'entourent*, particulièrement de ses parents et de ses pairs (Franco et Levitt, 1998). On peut mesurer, chez les enfants qui perçoivent que les autres les aiment généralement tels qu'ils sont, une plus grande estime de soi que chez les enfants qui se sentent globalement moins soutenus.

Les deux facteurs peuvent se *combiner* de manière particulièrement *destructrice* si l'enfant perçoit que le soutien de ses parents dépend de son succès dans certains domaines : l'obtention de bonnes notes, l'admission dans l'équipe de football, la popularité auprès des autres enfants. Si l'enfant ne se montre pas à la hauteur de ce qu'on attend de lui, il subira à la fois un accroissement de l'écart entre son idéal et ses réalisations et la perte de l'appui de ses parents.

Stabilité de l'estime de soi

Quel est le degré de persistance de la bonne ou de la mauvaise estime de soi au cours de la vie ? Est-ce que l'enfant de 3e année qui a une faible estime de soi est voué à se sentir inférieur le reste de ses jours ?

Nombre d'études longitudinales à court terme portant sur des élèves du primaire et du secondaire révèlent que l'estime de soi globale est relativement constante à court terme, mais elle l'est beaucoup moins à long terme (sur une période de plusieurs années). La corrélation entre deux résultats d'estime de soi obtenus dans l'espace de quelques mois est le plus souvent d'à peu près 0,60. Après plusieurs années, la corrélation n'est généralement plus que d'environ 0,40 (Alsaker et Olweus, 1992 ; Block et Robins, 1993). Par conséquent, il est vrai qu'un enfant qui possède une haute estime de soi à l'âge de 8 ou 9 ans aura davantage tendance à posséder aussi cette caractéristique à l'âge de 10 ou 11 ans. Mais il est également vrai qu'il existe d'importantes variations entre les périodes de stabilité. L'estime de soi est une donnée particulièrement variable au début de l'adolescence, entre 11 et 12 ans, ce qui confirme le point de vue de Harter. En effet, au cours

de cette période, les normes que s'imposent les enfants ont tendance à changer en même temps que l'enfant passe du primaire au secondaire et de la prépuberté à la puberté (Harter, 1990). Plus tard dans l'adolescence, l'estime de soi devient une donnée plus stable, bien qu'elle ne soit pas totalement constante.

Conséquences des variations dans l'estime de soi

L'un des résultats les plus évidents des travaux sur l'estime de soi indique qu'il existe une forte corrélation négative entre l'estime de soi et la dépression au cours de l'enfance et de l'adolescence. Plus le résultat du test d'estime de soi est bas, plus l'enfant se décrit lui-même comme déprimé. Les corrélations dans plusieurs des études effectuées par Harter sont de l'ordre de $-0,67$ à $-0,80$, soit des résultats particulièrement élevés pour une étude de ce genre (Harter, 1987 ; Renouf et Harter, 1990). Il faut cependant garder à l'esprit qu'il ne s'agit que d'indices de corrélation : ils ne prouvent pas l'existence d'une relation de cause à effet entre une faible estime de soi et la dépression.

Origine des différences dans l'estime de soi

D'où proviennent les différences dans l'estime de soi ? On peut considérer au moins trois sources.

- De toute évidence, les valeurs et les attitudes des parents et des pairs influent sur l'importance que l'enfant accordera à certaines qualités et habiletés. Les normes pour l'apparence imposées par les pairs (trop grand, trop petit) ainsi que le contexte culturel sont des facteurs déterminants pour l'estime de soi à tout âge. De même, l'importance que les parents attribuent à la réussite scolaire est un facteur important dans les attentes personnelles de l'enfant dans ce domaine.
- La perception qu'a l'enfant de sa compétence ou de son acceptation par les autres est forgée par ses expériences

Le fait de compter un but pour cette fille va augmenter son estime de soi uniquement si elle accorde une grande importance au fait d'être bonne dans les sports.

personnelles de réussite et d'échec dans différents domaines, par exemple les travaux scolaires, les relations avec les pairs, les jeux et les sports.

- La façon dont un enfant est catalogué et jugé par les autres constitue un autre élément de l'équation. Nous en venons à nous percevoir comme les autres nous perçoivent (Cole, 1991). Les enfants à qui l'on dit souvent qu'ils sont « beaux », « intelligents » ou « athlétiques » auront généralement une plus haute estime de soi que les enfants à qui l'on répète qu'ils sont « stupides », « maladroits » ou « gaffeurs ». Un enfant qui revient de l'école avec un bulletin contenant des C et des B, à qui ses parents disent « C'est très bien, mon chéri, nous ne nous attendons pas à ce que tu obtiennes des A dans toutes les matières », tire des conclusions sur les attentes de ses parents et sur la façon dont ces derniers jugent ses habiletés.

À partir de ces trois sources, l'enfant construit ses propres représentations de ce qu'il devrait être et de ce qu'il est. Encore une fois, on constate le rôle essentiel que jouent le modèle interne créé par l'enfant lui-même et les interactions avec les parents et les pairs, qui sont le creuset dans lequel ce modèle interne prend forme. Comme le modèle interne d'attachement, le modèle interne de l'estime de soi de l'enfant n'est pas fixé une fois pour toutes. L'estime de soi est modifiée par les changements dans les jugements des autres aussi bien que par les changements dans l'expérience de l'enfant de la réussite ou de l'échec. Cependant, une fois créé, le modèle interne tendra à persister, parce que l'enfant choisira souvent des expériences qui confirment et renforcent son concept de soi et parce que l'environnement social, qui comprend l'évaluation de l'enfant par les parents, a tendance à être également constant.

STATUT SOCIAL : POPULARITÉ ET REJET

Le **statut social** durant l'enfance fait référence au classement d'un enfant selon son niveau de popularité. L'enfant peut être populaire, négligé ou rejeté. La recherche démontre que le type de rejet qu'un enfant subi par ses pairs tend à être constant au cours de l'enfance et de l'adolescence. Les enfants rejetés le restent dans la majorité des cas. Même lorsqu'ils quittent cette catégorie, il est très rare qu'ils accèdent à un très haut niveau d'acceptation par les autres (Asher, 1990).

Les psychologues qui se sont penchés sur la question des enfants rejetés sont récemment arrivés à la conclusion qu'une importante distinction entre deux groupes d'enfants impopulaires s'impose. Les groupes les plus fréquemment étudiés ont été les **enfants** ouvertement **rejetés** par les

autres. Si vous demandez à des enfants de faire une liste des pairs avec qui ils ne voudraient pas jouer ou si vous observez quels enfants sont laissés pour compte lors des jeux, vous pouvez mesurer ce type de rejet dans ce groupe d'enfants. L'autre groupe est celui des **enfants négligés**. Les enfants appartenant à cette catégorie sont aimés de façon raisonnable, mais n'ont pas de relations amicales intimes et sont rarement choisis comme le préféré de leurs pairs. Les enfants négligés ont fait l'objet de moins d'études que les enfants rejetés. Cependant, une conclusion préliminaire semble indiquer que les effets de la négligence persistent moins longtemps que ceux du rejet (Wentzel et Asher, 1995). Néanmoins, les enfants négligés sont plus sujets à la dépression et à la solitude que les enfants acceptés par leurs pairs (Cillessen *et al.*, 1992 ; Rubin *et al.*, 1991).

Caractéristiques des enfants rejetés et des enfants populaires Certaines caractéristiques déterminant la popularité ou l'impopularité d'un enfant échappent à sa maîtrise. Les enfants beaux ou physiquement plus imposants sont généralement populaires. Le fait d'être différent des autres enfants peut aussi amener un enfant à être rejeté ou négligé. Par exemple, les enfants timides possèdent habituellement peu d'amis (Fordham et Stevenson-Hinde, 1999). De même, les enfants très créatifs sont rejetés, tout comme les enfants qui ont de la difficulté à maîtriser leurs émotions (Aranha, 1997 ; Maszk, Eisenberg et Guthrie, 1999).

Il semble que les éléments les plus déterminants du rejet concernent moins l'aspect physique de l'enfant que son comportement social. La plupart des études démontrent que les enfants populaires se comportent de façon positive, altruiste, non punitive et non agressive à l'endroit des autres enfants. Ils expliquent ce qu'ils veulent, prennent en considération ce que désirent leurs compagnons de jeu, attendent leur tour avant de parler et sont capables de maîtriser leurs émotions fortes. Ils sont aussi capables de bien évaluer les émotions des autres (Underwood, 1997).

Il existe deux types d'enfants rejetés. Les enfants *rejetés/repliés* s'aperçoivent à un moment donné qu'ils ne sont pas aimés par leurs pairs (Harrist *et al.*, 1997). Après plusieurs tentatives infructueuses pour s'intégrer à un groupe et être acceptés de celui-ci, ils abandonnent et se replient sur eux-mêmes. La conséquence de

Statut social : Classement selon le niveau de popularité d'un enfant : un enfant peut être populaire, négligé ou rejeté.

Enfants négligés : Enfants qui sont aimés de façon raisonnable par leurs pairs, mais qui n'ont pas de relations intimes.

Enfants rejetés : Enfants qui sont ouvertement rejetés par leurs pairs.

ce comportement est souvent la solitude. Les enfants *rejetés/agressifs* sont bien sûr agressifs, perturbateurs et non coopératifs; ils croient habituellement qu'ils sont aimés par leurs pairs (Zakriski et Coie, 1996). Plusieurs semblent incapables de maîtriser l'expression de leurs émotions fortes (Eisenberg *et al.*, 1995; Pettit *et al.*, 1996). Ils interrompent plus souvent leurs compagnons de jeu et sont incapables d'attendre systématiquement leur tour.

Telle est la conclusion qui ressort de diverses recherches, qui comprennent notamment quelques études transculturelles. Par exemple, l'agression et les comportements perturbateurs sont associés au rejet et à l'impopularité chez les enfants chinois aussi bien que chez les enfants américains (Chen, Rubin et Li, 1995; Chen, Rubin et Sun, 1992). Comme nous venons de le souligner, les comportements agressifs perdurent jusqu'à l'âge adulte chez certains individus. Cependant, les résultats de la recherche mentionnent que l'agressivité risque davantage de devenir une caractéristique stable chez les enfants qui sont à la fois agressifs et rejetés par leurs pairs.

Naturellement, tous les enfants agressifs ne sont pas rejetés. Chez les filles, l'agressivité, qu'elle soit physique ou relationnelle, semble habituellement mener au rejet par les pairs. Chez les garçons cependant, l'agressivité peut mener soit au rejet ou à la popularité (Rodkin *et al.*, 2000).

De plus, indépendamment de la popularité ou non du garçon agressif, ses amis proches semblent tout aussi agressifs que lui. Par conséquent, l'agressivité semble avoir la préséance dans ces relations. En d'autres termes, les garçons qui sont agressifs ont tendance à rechercher la compagnie de garçons qui leur ressemblent et le fait de partager une telle amitié ne rend pas nécessairement l'autre membre de la paire plus agressif. (Poulin et Boivin, 2000). La recherche démontre aussi que les enfants ont une attitude plus positive envers les pairs agressifs dont l'agressivité semble être principalement liée aux représailles ainsi qu'envers ceux qui présentent à la fois des comportements prosociaux et agressifs (Coie et Cillessen, 1993; Newcomb, Bukowski et Pattee, 1993; Poulin et Boivin, 1999). L'approbation sociale n'augmente pas le niveau d'agressivité, mais semble aider à le maintenir; les interventions visant à réduire le niveau d'agressivité n'ont pratiquement pas d'effet sur les garçons agressifs et populaires (Phillips, Schwean et Saklofske, 1997).

Les enfants négligés se débrouillent assez bien à l'école, mais ils sont davantage sujets à la dépression et à la solitude que ne le sont les enfants populaires (Cilessen *et al.*, 1992; Rubin *et al.*, 1991; Wentzel et Asher, 1995). Cela est particulièrement évident chez les filles qui semblent valoriser davantage la popularité que les garçons (Oldenburg et Kerns, 1997). Les enfants négligés peuvent à l'occasion changer de catégorie et se joindre à un groupe d'enfants populaires.

STRUCTURES FAMILIALES ET DIVORCE

Pour bien comprendre le développement humain, il est important d'examiner la façon dont la structure familiale influe sur le développement de l'enfant. Vous serez sans doute surpris de constater combien il est rare de nos jours en Amérique du Nord qu'un individu passe toute son enfance et toute son adolescence auprès de ses deux parents naturels. Donald Hernandez, dans son remarquable livre, *Les enfants de l'Amérique* (1993), estime qu'à peine 40 à 45% des enfants nés en 1980 aux États-Unis vivront encore avec leurs deux parents naturels à l'âge de 18 ans. Chez les enfants de race noire, ce pourcentage tombe à 20%, alors qu'il se situe à 55% pour les Américains d'origine européenne.

Dans la plupart des pays industrialisés au cours des dernières décennies, le nombre d'unions libres, de divorces, de remariages et de familles reconstituées a considérablement augmenté, de même que le nombre de personnes vivant seules. L'un des aspects les plus notables de cette évolution réside dans la hausse du nombre de familles monoparentales. Au milieu des années 1980, cette proportion s'établissait à 5% au Japon et 15% en Australie, en Angleterre et en Suède comparativement à 25% aux États-Unis (Burns, 1992). À l'heure actuelle, le nombre de familles monoparentales au Canada approche le million, ce qui représente une famille sur cinq ayant des enfants (Statistique Canada, 2000). On retrouve le même pourcentage en France, alors qu'au recensement de 1999, 20% des familles étaient monoparentales (Institut national d'études démographiques (INED), France, 2001). Parce que les cultures sont complexes, les données obtenues au sujet de l'effet de la structure familiale sur le développement de l'enfant ne peuvent pas se transposer partout. Cependant, il apparaît clairement que les recherches qui ont pour sujet les effets de ces changements de structure sur les modèles d'interaction familiale et sur les enfants n'ont pas réussi à suivre le rythme de ces changements. Les diverses variantes des familles reconstituées, en particulier, ont encore été très peu étudiées, même si on se penche de plus en plus sur cette question. Ce qui semble évident, c'est que la structure familiale la plus souvent associée à des conséquences positives est celle des deux parents naturels.

Le divorce est sans nul doute un événement traumatisant pour l'enfant. Il est important de noter toutefois que certains effets négatifs du divorce sont dus à des facteurs qui étaient présents avant le divorce, tels le tempérament difficile de l'enfant ou des conflits permanents entre les deux parents (Cherlin, Chase-Lansdale et McRae, 1998). Il faut aussi garder à l'esprit que le divorce ne constitue pas une variable isolée. Les enfants sont probablement affectés par une multitude de facteurs associés au divorce, comme les conflits parentaux, la pauvreté, l'interruption de la routine journalière, etc. (Hetherington, Bridges et Insabella, 1998). Pour cette raison, les enfants dont les parents se séparent ou qui demeurent ensemble tout en continuant de se quereller continuellement sont susceptibles de vivre les mêmes effets négatifs associés au divorce (Ingoldsby *et al.*, 1999). Voici quelques exemples de lacunes associées au divorce et à diverses structures familiales.

- Dans les premières années qui suivent un divorce, les enfants deviennent plus rebelles, plus négatifs, plus agressifs, plus déprimés ou plus colériques. S'ils fréquentent déjà l'école, leurs performances scolaires chutent généralement, au moins pendant un certain temps (Furstenberg et Cherlin, 1991 ; Hetherington et Clingempeel, 1992 ; Morrison et Cherlin, 1995 ; Pagani *et al.*, 1997).

- À l'adolescence, les enfants issus du divorce sont plus susceptibles que leurs pairs de devenir précoces sexuellement, de consommer des drogues et de l'alcool et de s'engager dans des comportements criminels (Kurtz et Tremblay, 1995 ; Wallerstein et Lewis, 1998).

Les conséquences à long terme de l'agressivité et du rejet des pairs durant l'enfance

Nous vous présentons brièvement les résultats de quelques études longitudinales constatant un lien entre le rejet des pairs ou un degré élevé d'agressivité (ou les deux) au primaire et les perturbations ou les troubles du comportement durant l'adolescence et l'âge adulte.

- À la suite d'une étude longitudinale qui a duré 22 ans, Leonard Eron a montré l'existence d'un lien entre un degré élevé d'agressivité envers les pairs vers l'âge de 8 ans et différentes formes d'agressivité qui se manifestent vers l'âge de 30 ans, dont « les actes criminels, les infractions au code de la route, des condamnations pour conduite en état d'ébriété, la violence conjugale et la sévérité avec laquelle ces sujets punissent leurs propres enfants » (Eron, 1987, p. 439).

- Dans une étude effectuée à l'Université Concordia au Québec, Lisa Serbin (Serbin *et al.*, 1991) a étudié plusieurs milliers d'enfants qui, en 1re et 4e année du primaire et en 1re année du secondaire, avaient été qualifiés par leurs pairs de personnes très agressives, renfermées ou les deux. Un important groupe témoin d'enfants non agressifs et non renfermés a également fait l'objet d'une étude. Les filles et les garçons agressifs avaient obtenu de moins bons résultats scolaires au cours du secondaire. À l'âge adulte, les enfants autrefois agressifs étaient beaucoup plus prédisposés à commettre des actes criminels que les enfants du groupe témoin. Chez les hommes, le rapport était de 4 pour 1 : 45,5 % des hommes agressifs ont comparu devant un tribunal contre seulement 10,8 % des hommes non agressifs. Chez les femmes, le rapport était de 2 pour 1 : 3,8 % contre 1,8 %.

- Farrington (1991) a évalué un groupe de 400 garçons issus de la classe ouvrière en Angleterre, à partir de l'âge de 8 ans jusqu'à la trentaine. Les garçons que leurs enseignants jugeaient très agressifs à l'âge de 8, 10 et 12 ans se décrivaient souvent eux-mêmes, à l'âge de 32 ans, comme bataillleurs : ils portaient une arme ou avaient souvent des altercations avec les policiers. Ils étaient aussi deux fois plus prédisposés que les enfants moins agressifs à commettre un crime violent (20,4 % contre 9,8 %), deux fois plus susceptibles d'être au chômage, plus enclins à battre leur conjointe et deux fois plus

sujets à être arrêtés pour conduite en état d'ébriété.

Il semblerait que le risque de présenter des problèmes de développement soit plus élevé chez les garçons qui sont à la fois rejetés et agressifs, comme le démontre l'étude suivante.

- John Coie et ses collègues (Coie *et al.*, 1995) ont suivi un groupe d'environ 1 000 enfants de la 3e année du primaire à la 4e année du secondaire. Les garçons de ce groupe qui étaient à la fois agressifs et rejetés par leurs pairs en 3e année étaient beaucoup plus susceptibles de présenter des problèmes de délinquance ou d'autres problèmes comportementaux au secondaire que tout autre groupe de garçons incluant ceux qui étaient agressifs, mais non rejetés par leurs pairs. Du côté des filles, l'agressivité, et non le rejet par les pairs, était associée à des problèmes comportementaux subséquents. D'autres études corroborent ces résultats (Crick et Ladd, 1993 ; Woodward et Ferguson, 2000).

Vous vous souvenez sans doute que nous avons mentionné que les garçons agressifs sont plus susceptibles de mal interpréter les intentions des autres et de percevoir un geste accidentel comme étant délibéré (Coie *et al.*, 1999 ; Zakriski et Coie, 1996). Rappelez-vous également que les enfants d'âge scolaire tendent à percevoir leurs pairs qui ne se vengent pas d'actes agressifs commis envers eux comme étant socialement incompétents. Ajoutez à ce portrait que les enfants agressifs et rejetés sont psychologiquement et socialement pris dans un double piège. Leur développement incomplet (immature) au niveau cognitif et social les prédisposent à croire que les autres sont hostiles et que leurs pairs attendent d'eux qu'ils se vengent en réaction à des actes d'agression. Toutefois, parce qu'ils ont de la difficulté à discriminer entre les actions qui méritent des représailles et celles qui n'en méritent pas, les gestes qu'ils posent provoquant davantage le rejet de leurs pairs que leur approbation. C'est ainsi que les facteurs psychologiques et les caractéristiques sociales uniques de l'âge scolaire se conjuguent pour façonner le comportement de l'enfant et le rendre résistant au changement. Malheureusement, les études longitudinales démontrent que, pour plusieurs de ces enfants, ce modèle persiste à l'âge adulte.

- Les effets indésirables du divorce semblent être beaucoup plus importants chez les garçons que chez les filles, bien que les filles soient plus perturbées à l'adolescence que les garçons. Certaines recherches indiquent cependant que les effets chez les filles seraient différés, rendant la mesure encore plus difficile à établir. Conséquemment, des études longitudinales montrent souvent que les filles subissent autant de conséquences négatives que les garçons, et même davantage (Amato, 1993 ; Hetherington, 1991a, 1991b).

- Certaines études démontrent que la sévérité de la réaction au divorce peut varier en fonction de l'âge de l'enfant. Selon une étude longitudinale (Pagani *et al.*, 1997), les enfants de 12 ans dont les parents avaient divorcé alors qu'ils étaient à l'âge préscolaire subissaient des conséquences plus négatives que des enfants de 12 ans dont les parents avaient divorcé alors qu'ils étaient à l'âge scolaire. Contrairement à l'hypothèse issue de la théorie freudienne, rien n'indique que l'effet perturbateur du divorce soit plus prononcé chez les enfants traversant la période œdipienne. Les enfants d'âge préscolaire semblent généralement ceux qui montrent le plus de détresse par des pleurs prolongés ou des perturbations dans leurs habitudes de sommeil ou d'alimentation. Toutefois, les adolescents sont plus susceptibles de faire preuve de colère ou d'agressivité. Finalement, ni l'intensité des problèmes, ni les conséquences à long terme ne semblent plus graves à un âge donné qu'à un autre.

- Le divorce a des effets négatifs à long terme. Ceux dont les parents ont divorcé présentent plus de risques de problèmes de santé mentale à l'âge adulte, quoique la majorité des enfants du divorce ne connaissent pas de tels problèmes (Chase-Lansdale, Cherlin et Kiernan, 1995 ; Cherlin, Chase-Lansdale et McRae, 1998 ; Wallerstein et Lewis, 1998). De nombreux jeunes adultes dont les parents ont divorcés manquent de ressources financières et du soutien émotionnel nécessaire au succès de leurs études supérieures. La majorité d'entre eux affirment avoir peur de s'engager dans des relations intimes avec un partenaire (Wallerstein et Lewis, 1998). Il n'est donc pas surprenant de constater que les adultes dont les parents ont divorcé sont plus susceptibles de divorcer à leur tour.

- Les enfants qui vivent dans une famille reconstituée (avec un beau-père ou une belle-mère) sont plus sujets à la délinquance, présentent davantage de problèmes de comportements à l'école et sont moins scolarisés que les enfants vivant dans des familles traditionnelles (Lee *et al.*, 1994 ; Pagani *et al.*, 1997)

- Parmi les enfants qui ont grandi dans une famille monoparentale (dont la mère était divorcée ou célibataire), on compte deux fois plus de personnes qui ont décroché de

Dans les familles monoparentales, le père ou la mère doit faire preuve de débrouillardise afin de donner à ses enfants le soutien et la supervision dont ils ont besoin.

l'école, deux fois plus de personnes qui ont eu un enfant avant d'avoir 20 ans et moins de personnes qui vont se trouver un emploi stable dans la vingtaine (McLanahan et Sandefur, 1994).

- Les enfants de mères adolescentes particulièrement risquent d'éprouver des difficultés. Ces enfants à l'âge préscolaire présentent un retard dans leur développement cognitif et social comparativement à leurs pairs (Coley et Chase-Lansdale, 1998).

Comment pouvons-nous interpréter ces différentes informations ? Nous croyons que l'effet sur les enfants des familles reconstitués est moins positif que celui des familles traditionnelles pour trois raisons :

- D'abord, les familles monoparentales ou issues du divorce présentent une baisse importante des ressources disponibles pour l'enfant, notamment sur le plan financier et émotionnel. Avec un seul parent, la famille dispose d'un seul revenu et d'un seul adulte pour répondre aux besoins émotionnels de l'enfant. Des études américaines indiquent, par exemple, que la baisse du revenu s'établit entre 40 et 50 % après un divorce (Smock, 1993). Le remariage ajoute un second adulte dans le système familial et tend à atténuer ces difficultés, bien que cette nouvelle situation en amène de nouvelles (Hetherington *et al.*, 1999).

- En second lieu, tout changement familial implique des bouleversements importants, que ce soit la naissance d'un nouvel enfant, un divorce ou un remariage. Les adultes comme les enfants s'adaptent lentement et difficilement au retrait ou à l'ajout d'une autre personne dans le système familial (Hetherington et Stanley-Hagan, 1995). La période de remue-ménage peut s'étaler sur plusieurs années, pendant lesquelles les parents trouvent souvent difficile de maintenir une bonne supervision et un bon soutien envers leurs enfants. Les parents peuvent envisager certaines mesures afin de pallier cette situation (voir l'encadré «Le monde réel», p. 222), même si certaines perturbations demeurent inévitables.

- Finalement, et c'est peut-être le plus important, le danger qui guette les familles monoparentales, divorcées ou recomposées (mère/beau-père ou père/belle-mère) est de glisser d'un style éducatif de type démocratique vers d'autres styles moins optimaux pour le développement de l'enfant. Nous observons ce changement dans les années qui suivent un divorce quand le parent qui assume la charge des enfants (généralement la mère) se sent dépassé ou déprimé et éprouve des difficultés à assurer un environnement chaleureux. Nous remarquons également cette situation dans les familles reconstituées qui utilisent dans un moins grand pourcentage un style éducatif de type démocratique que dans les familles traditionnelles. Il faut comprendre ici qu'élever un enfant dans un style éducatif de type démocratique implique un faible taux de comportements dérangeants et une très bonne adaptation psychologique de l'enfant, *quelle que soit la structure familiale dans laquelle l'enfant est élevé*. Les styles éducatifs de type autoritaire et de type désengagé sont associés à des conséquences négatives pour l'enfant, quel que soit l'événement qui les provoque : une perte d'emploi, un remariage ou un autre événement stressant (Goldberg, 1990).

En fin de compte, c'est le soutien et le climat familial qui semblent constituer les éléments clés pour l'enfant. Si le climat et le soutien familial se détériorent au moment où le changement de structure se produit, les conséquences peuvent alors s'avérer désastreuses. Toutefois, le contraire peut aussi se produire. D'autres études portant sur de vastes échantillons de familles reconstituées ne dépeignent pas toujours la situation d'une façon négative. De nombreux parents de familles monoparentales sont capables de surmonter ces difficultés et d'assurer à l'enfant un bon climat familial ainsi qu'un bon soutien dans son développement. Après tout, la grande majorité des enfants issus de familles monoparentales ou reconstituées ne présenteront pas de problèmes de comportement ni ne deviendront délinquants, et près de 40 % d'entre eux vont mener à terme des études supérieures (McLanahan et Sandefur, 1994). Cependant nous devons prendre conscience qu'un système familial instable offre, par le fait même, moins de soutien à l'enfant.

De nombreuses familles construisent un réseau social que l'on appelle la *famille étendue*, une structure familiale qui inclut les parents, les grands-parents, les oncles et tantes, les cousins et cousines, etc. Ces familles étendues semblent avoir un effet protecteur sur les enfants qui grandissent dans une famille à parent unique (Wilson, 1995). Les grands-mères, par exemple, semblent fournir un soutien affectif important aux enfants de mères adolescentes (Coley et Chase-Lansdale, 1998).

Autres structures familiales

Il existe peu de recherches sur les autres types de structures familiales. Par exemple, les recherches sur les grands-parents qui ont la garde de leurs petits-enfants s'intéressent aux effets de l'expérience d'être parent chez des adultes âgés. Les chercheurs se sont aperçu que les réponses des grands-parents aux problèmes des enfants sont sensiblement les mêmes que celles des parents âgés (Daly et Glenwick, 2000). Toutefois, le stress associé au fait d'être parent quand il est combiné aux effets du vieillissement physique rend les adultes âgés plus susceptibles de vivre des périodes d'anxiété et de dépression, comparativement à des adultes plus jeunes dans des situations similaires (Burton, 1992, Jendrek, 1993). Les psychologues cependant possèdent peu d'informations sur la façon dont les enfants réagissent au fait que leurs grands-parents deviennent leurs parents.

Une autre structure familiale a fait l'objet de débats animés au cours des dernières années. Les recherches sur les parents homosexuels (hommes et femmes) se sont intéressées au développement de l'identité et de l'orientation sexuelles chez leurs enfants (Bailey *et al.*, 1995). Ces études démontrent que les enfants élevés par des parents homosexuels développent leur identité sexuelle de la même façon que les enfants élevés par des parents hétérosexuels. De plus, ils sont aussi susceptibles d'être hétérosexuels (Golombok et Tasker, 1996).

Quelques études ont été menées sur le développement cognitif et social des enfants élevés par des couples homosexuels. La majorité de ces études démontrent qu'il n'y a pas de différence entre les enfants élevés par des couples homosexuels et des enfants élevés par des couples hétérosexuels (Fitzgerald, 1999 ; Patterson, 1997). Cependant, ces études portent sur des gais et des lesbiennes qui ont majoritairement élevés leurs enfants biologiques, alors qu'ils étaient hétérosexuels. Très peu d'études témoignent de l'expérience des enfants élevés exclusivement dans un contexte homosexuel, et encore moins d'études ont comparé des enfants élevés par un couple homosexuel et des enfants élevés dans une famille monoparentale dont le parent est homosexuel.

Dans une étude récente impliquant 80 enfants d'âge scolaire qui ont été conçu par insémination artificielle (Chan, Raboy et Patterson, 1998), les chercheurs ont comparé l'évolution de ces enfants à travers 4 types de structures familiales : un couple de lesbiennes, une mère monoparentale lesbienne, un couple hétérosexuel et une mère monoparentale hétérosexuelle. L'étude n'a trouvé aucune différence dans le développement cognitif et social de ces enfants. Les chercheurs ont cependant observé que les mêmes variables – le stress parental, les conflits entre les parents et l'affection parentale – étaient présentes quand des problèmes apparaissaient dans le développement des enfants des quatre groupes étudiés. Ces résultats, comme ceux obtenus avec les familles biparentales ou monoparentales, démontrent que le développement de l'enfant dépend davantage de la façon dont les parents interagissent avec l'enfant que du type de structure familiale.

ENVIRONNEMENT : PAUVRETÉ

Nous allons maintenant aborder une composante environnementale qui joue un rôle particulièrement déterminant au cours de l'âge scolaire : la pauvreté.

Durant les premières années de l'enfance, lorsque les jeunes passent le plus clair de leur temps avec un parent, une gardienne, leurs frères ou sœurs, ils peuvent être protégés contre certains des dangers inhérents à un environnement pauvre. Toutefois, durant les années du primaire, lorsqu'ils empruntent seuls les rues pour se rendre à l'école et en revenir et pour jouer avec leurs pairs, les enfants subissent bien plus fortement les effets de la pauvreté et de la dégradation urbaine. Et, bien sûr, puisqu'ils n'ont généralement pas bénéficié d'une grande partie des diverses formes de stimulation intellectuelle nécessaires pour réussir à l'école, ils ont des taux élevés de difficultés et d'échecs scolaires. Ainsi, les enfants pauvres élevés en milieu urbain sont de moins en moins nombreux à obtenir un diplôme d'études secondaires (Garbarino *et al.*, 1991).

Les causes de l'échec scolaire sont complexes, mais il est à peu près certain que le stress chronique que subissent les enfants pauvres constitue un facteur déterminant. À ce titre, de nombreux enfants des quartiers défavorisés montrent tous les symptômes du *syndrome de stress post-traumatique* que nous avons abordé au chapitre précédent, incluant des niveaux extrêmes d'anxiété, des troubles du sommeil, de l'irritabilité et des troubles de concentration (Garbarino *et al.*, 1992 ; Owen , 1998). De plus, leurs enseignants entretiennent peu d'attentes envers eux (McLoyd, 1998). Tous ces facteurs combinés à la mauvaise santé physique, à l'instabilité du soutien intellectuel et émotionnel à la maison, au manque de ressources d'apprentissage, que sont les livres et un ordinateur, mènent en grande partie à l'échec scolaire (McLoyd, 1998).

LE MONDE RÉEL

Pour adoucir les effets d'un divorce

Étant donné le nombre élevé de divorces dans notre société, une importante proportion des lecteurs de cet ouvrage divorceront avant que leurs enfants aient quitté la maison. Il n'existe aucun moyen pour éliminer tous les effets perturbateurs qu'un tel événement aura sur vos enfants, mais nous pouvons vous en suggérer quelques-uns qui les limiteront le plus possible et qui vous permettront d'atténuer le choc de la séparation.

1. Essayez d'imposer le moins de changements possible à vos enfants. Autant que faire se peut, laissez-les à la même école, dans la même maison, dans la même garderie, etc.

2. Si vos enfants sont adolescents, il est recommandé qu'ils vivent avec le parent du même sexe. Toutefois, les données dont nous disposons ne nous mènent pas toutes à la même conclusion, mais il semblerait que ce soit l'arrangement le moins générateur de stress (Lee *et al.*, 1994). Vous pouvez aussi envisager la possibilité que les enfants passent un temps égal avec chacun des parents. Certaines études indiquent que cet arrangement offre un meilleur soutien psychologique à l'enfant comparativement au soutien offert à un enfant qui vit uniquement avec l'un des parents (Bucchanan, Maccoby et Dornsbush, 1991).

3. N'attendez pas de vos enfants qu'ils vous fournissent un soutien émotionnel. Entretenez votre réseau social d'entraide et utilisez-le abondamment. Demeurez en contact avec vos amis, rapprochez-vous de ceux qui sont dans la même situation que vous, devenez membre d'un groupe de soutien. Mettez en œuvre tous les moyens pour prendre soin de vous-même et répondre à vos besoins.

4. Aidez vos enfants à rester en contact avec le parent qui n'a pas la garde. Si c'est vous, restez le plus possible en contact avec eux, appelez-les souvent, voyez-les régulièrement, assistez aux réunions de parents à l'école, etc.

5. Si vous et votre ex-conjoint avez des conflits, essayez de toutes vos forces de ne pas vous disputer devant les enfants. Des conflits ouverts entre les parents produisent des effets négatifs chez l'enfant, que les parents soient divorcés ou non (Amato, 1993 ; Coiro, 1995 ; Insabella, 1995). Le divorce en soi est une épreuve difficile pour l'enfant mais, lorsqu'il est associé à des conflits ouverts des parents, il peut entraîner alors les pires conséquences.

6. Quoi que vous viviez, n'utilisez surtout pas les enfants comme intermédiaires et ne parlez pas en mal de votre ex-conjoint devant eux. Les enfants qui se sentent pris entre deux parents sont plus susceptibles de manifester divers types de symptômes indésirables, comme la dépression ou les problèmes de comportement (Buchanan, Maccoby et Dornbusch, 1991).

Ces conseils ne sont pas faciles à suivre lorsque l'on doit faire face à ses propres bouleversements émotionnels à la suite d'un divorce. Mais si vous y arrivez, vos enfants souffriront moins.

Cependant, la plupart des enfants exposés à la pauvreté se développent normalement. Pour différencier les enfants pauvres qui se développent normalement des enfants pauvres qui présentent des difficultés, les psychologues du développement parlent de stress accumulé (McLoyd, 1998). Par exemple, si l'alcoolisme de l'un des parents s'ajoute à la pauvreté, les risques de conséquences négatives pour l'enfant sont plus grands (Malo et Tremblay, 1997). Pour les enfants qui grandissent dans un quartier défavorisé, ces combinaisons de stress sont malheureusement souvent présentes. Toutefois, les enfants exposés au stress ne présentent pas tous la même vulnérabilité. Selon des études effectuées sur des *enfants résistants et vulnérables* (Masten et Coatsworth, 1998; Miliotis, Sesma et Masten, 1999; Schmitt *et al.*, 1999), une série de caractéristiques ou de circonstances semblent protéger certains enfants des effets nuisibles du stress et des perturbations.

- Un quotient intellectuel élevé chez l'enfant.
- Les soins d'adultes compétents, qui utilisent un style éducatif de type démocratique par exemple (une bonne supervision des parents semble particulièrement importante).
- Des écoles efficaces.
- Un attachement initial sécurisant de l'enfant à l'égard du parent.
- Une bonne participation de la communauté (un bon réseau de soutien constitué d'amis, de la famille ou de voisins).
- Un emploi stable pour chacun des parents.

De façon plus générale, les psychologues du développement soutiennent que la caractéristique clé de l'enfant résistant est ce qu'ils appellent la compétence, qui englobe à la fois les aptitudes cognitives et interpersonnelles. L'enfant qui possède les aptitudes sociales nécessaires pour acquérir au moins une popularité moyenne auprès de ses pairs et pour établir et maintenir des amitiés intimes sera davantage en mesure de ne pas succomber au stress familial. L'enfant qui possède les aptitudes cognitives requises pour comprendre ce qui se passe et qui peut élaborer des stratégies de rechange pour faire face aux problèmes est aussi protégé contre les pires effets du stress. Il est à noter que les enfants qui vivent dans un pays en guerre sont exposés aux même facteurs de stress.

Parcours individuels et environnement

- Existe-t-il un lien entre un tempérament difficile et des problèmes de comportement présents et futurs ? Pourquoi ?
- Quelles sont les origines des différences observées dans l'estime de soi ? Expliquez votre réponse.
- Selon Harter, le degré d'estime de soi est le produit de deux jugements. Quels sont-ils ?
- Qu'entend-on par une « combinaison particulièrement destructrice » de l'estime de soi ?
- Quelle différence existe-t-il entre les enfants rejetés et les enfants négligés ?
- Quels sont les effets possibles du divorce chez l'enfant ?
- Dressez le portrait d'un enfant socialement compétent.

Concepts et mots clés

- **enfants négligés** (p. 217) • **enfant rejetés** (p. 217) • **estime de soi** (p. 215) • **statut social** (p. 217)

UN DERNIER MOT   Les changements cognitifs qui touchent l'enfant de 2 à 6 ans ont des répercussions importantes sur le développement de sa personnalité et de ses relations sociales. Les relations avec sa famille et ses pairs, ainsi que son concept de soi se transforment parce que l'enfant peut maintenant utiliser des symboles afin d'exprimer sa pensée et de communiquer. L'enfant qui acquiert de nouvelles habiletés sociales devient cependant plus vulnérable aux facteurs environnementaux.

Les interactions sociales avec les parents et les pairs constituent la base des expériences à l'âge scolaire. Ces interactions permettent l'apparition du moi psychologique ainsi que le développement de l'estime de soi. Les facteurs environnementaux sont toujours très importants, car ils influent sur la trajectoire de vie de la personne durant cette période.

RÉSUMÉ

DÉVELOPPEMENT DE LA PERSONNALITÉ

CONCEPT DE SOI *À L'ÂGE PRÉSCOLAIRE*

- L'enfant d'âge préscolaire se définit lui-même (c'est-à-dire qu'il détermine son concept de soi) selon un ensemble de critères objectifs, mais il est incapable d'évaluer globalement sa propre valeur (son estime de soi). Le développement du moi émotionnel durant les années préscolaires porte principalement sur l'acquisition de la maîtrise des émotions. Cette maîtrise passe graduellement des parents à l'enfant lui-même.

- L'enfant d'âge préscolaire développe son moi social en saisissant peu à peu qu'il a un rôle à jouer au sein du réseau familial (frères, sœurs, parents).

- Entre 2 et 6 ans, la plupart des enfants traversent trois étapes menant à la compréhension de leur rôle sexuel : ils prennent d'abord conscience de leur identité sexuelle et de celle des autres, puis ils comprennent la stabilité du genre et, finalement, ils se rendent compte, vers 5 ou 6 ans, de la constance du genre.

- Au cours de la même période, les enfants apprennent les comportements « appropriés » à leur genre. Vers l'âge de 5 ou 6 ans, la plupart des enfants ont mis au point des règles relativement rigides régissant ce que les garçons et les filles sont censés faire ou ne pas faire.

- Ni les explications de Freud ni celles de Kohlberg sur le développement du concept de genre ne sont satisfaisantes. Les explications des théoriciens de l'apprentissage social sont plus convaincantes, parce que les parents renforcent effectivement les comportements qui leur semblent appropriés à chaque genre. La théorie courante la plus fonctionnelle est la théorie du schème du genre, qui allie certains éléments de la théorie de Piaget et de la théorie de l'apprentissage social.

CONCEPT DE SOI *À L'ÂGE SCOLAIRE*

- À l'âge scolaire, le concept de soi et la description des autres deviennent plus abstraits, plus comparatifs et plus généralisés.

PERSPECTIVES THÉORIQUES

- Freud et Erikson ont décrit deux stades dans le développement de la personnalité au cours des années préscolaires et scolaires : le stade phallique et la période de latence dans la théorie de Freud, ainsi que le stade de l'initiative ou de la culpabilité et le stade du travail ou de l'infériorité dans la théorie d'Erikson.

- La résolution du stade phallique passe par l'identification au parent du même sexe, tandis que la résolution de la période de latence passe par l'acquisition de mécanismes de défense et l'identification aux pairs du même sexe.

- La force adaptative du stade de l'initiative est la capacité de se fixer un but, alors que l'enjeu majeur du stade du travail est de développer un sentiment de compétence par le goût du travail.

- Durant cette période, les relations verticales (parents et figures d'autorité) ainsi que les relations horizontales (pairs) jouent un rôle important. C'est en jouant avec ses pairs que l'enfant apprend les relations de réciprocité (la collaboration et la compétition).

DÉVELOPPEMENT DES RELATIONS SOCIALES

- L'attachement de l'enfant à ses parents demeure fort durant l'enfance. Toutefois, les comportements d'attachement sont moins visibles à mesure que l'enfant grandit, sauf en cas de situations stressantes.

- Les enfants d'âge préscolaire se rebellent plus ou refusent plus fréquemment de se soumettre à l'influence parentale que les enfants plus jeunes. Le refus catégorique cependant est en déclin entre l'âge de 2 et 6 ans. Ces changements sont clairement liés aux progrès linguistiques et cognitifs de l'enfant. À l'âge scolaire, le besoin de mesures disciplinaires s'estompe. La question centrale devient alors le degré d'autonomie à accorder à l'enfant.

RÉSUMÉ

- Le jeu avec les pairs se met en place même avant l'âge de 2 ans et devient de plus en plus important au cours des années préscolaires. À l'âge scolaire, les relations entre les pairs occupent une place de plus en plus grande. La ségrégation sexuelle dans les activités de groupe entre pairs atteint son plus haut niveau durant ces années et se manifeste dans toutes les cultures.

- On observe des amitiés à court terme, fondées principalement sur la proximité, chez les enfants d'âge préscolaire. La plupart de ces amitiés se nouent entre enfants du même sexe. Les enfants d'âge scolaire perçoivent davantage leurs amitiés comme des relations réciproques où la générosité et la confiance sont des éléments importants.

- Ces changements sont équivalents aux changements cognitifs que l'on observe au cours des mêmes années, notamment l'importance réduite que les enfants accordent à l'apparence.

- La ségrégation sexuelle qui apparaît durant l'âge préscolaire devient totale au milieu de l'âge scolaire.

- Dès l'âge de 2 ans, les enfants peuvent montrer des comportements altruistes envers les autres; la fréquence de ces comportements augmente à mesure que s'accroît la capacité chez l'enfant de se mettre à la place des autres.

- L'agressivité envers les pairs est plus physique chez les enfants de 2 et 3 ans et plus verbale chez les enfants de 5 et 6 ans.

- Le comportement agressif peut être associé à la frustration, au renforcement et au façonnement par les pairs ou les parents, à une origine génétique (agressivité caractérielle) ou à un développement cognitif insuffisant.

- L'agressivité peut être relationnelle (visant à blesser l'amour-propre d'une personne) ou réactionnelle (en réponse à une agression).

PARCOURS INDIVIDUELS

- Les comportements sociaux des enfants sont très différents selon leur tempérament. Les enfants qui ont un tempérament difficile sont plus susceptibles de manifester un jour des troubles du comportement ou de la délinquance que les enfants qui ont un tempérament facile.

- L'estime de soi semble être formée de deux facteurs: l'écart que perçoit un enfant entre ses buts et ses réalisations, et le degré de soutien social qu'il peut recevoir de ses pairs et de ses parents.

- Les enfants rejetés socialement sont caractérisés par un niveau élevé d'agressivité ou de brutalité, et un faible niveau d'assentiment et d'obligeance. Les enfants agressifs ou rejetés sont plus susceptibles de présenter des troubles de comportement durant l'adolescence ainsi que diverses difficultés au cours de leur vie adulte.

- Les enfants rejetés sont plus sujets à interpréter le comportement des autres comme menaçant et hostile. Ils ont donc des modèles internes de relations différents.

- La structure familiale influe aussi sur le développement de l'enfant. Généralement, les structures familiales qui diffèrent de celle formée par les deux parents biologiques sont associées à des conséquences négatives. À la suite d'un divorce, les enfants présentent des troubles de comportements pendant plusieurs années. Le style parental peut aussi changer au cours de cette période et devenir plus autoritaire.

ENVIRONNEMENT: PAUVRETÉ

- Une grande proportion d'enfants grandissent dans la pauvreté et sont exposés à de graves dangers et à la violence quotidienne.

- Le stress associé à cet environnement contribue à la faiblesse des résultats scolaires. Il existe cependant des facteurs de protection qui permettent à l'enfant de mieux affronter ce stress.

DÉVELOPPEMENT DE LA PERSONNALITÉ

Évolution du concept de soi *à l'âge préscolaire*

Moi émotionnel	Moi social	Moi sexué

- Maîtrise des émotions

Développement du concept de genre	Développement du rôle sexuel et des stéréotypes sexuels	Explications de l'acquisition des rôles sexuels

- Première étape : identité sexuelle
- Deuxième étape : stabilité du genre
- Troisième étape : constance du genre

- Comportements sexuels croisés

- Concept d'identification
- Renforcement parental
- Compréhension du concept de genre
- Schème du genre

Évolution du concept de soi *à l'âge scolaire*

- Apparition du moi psychologique
- Des caractéristiques externes vers les qualités internes
- Concept de conservation de la personnalité

Perspectives théoriques

Approche de Freud : développement psychosexuel	Approche d'Erikson : développement psychosocial	Modèle des relations sociales de Hartup

- Stade phallique : identification au parent du même sexe
- Période de latence : développement des mécanismes de défense ; identification aux pairs du même sexe

- Stade de l'initiative ou de la culpabilité Force adaptative : but
- Stade du travail ou de l'infériorité Force adaptative : compétence

- Relations verticales avec les figures de l'autorité
- Relations horizontales avec les pairs

DÉVELOPPEMENT DES RELATIONS SOCIALES

Attachement

Âge préscolaire	Âge scolaire

- Diminution des comportements d'attachement
- Réorientation des relations
- Généralisation du modèle interne

- Relations avec les pairs

Relations avec les parents

Âge préscolaire	Âge scolaire

- Obéissance et rebellion

- Habileté d'autorégulation

Relations avec les pairs

Âge préscolaire	Âge scolaire

- Jeu solitaire, parallèle et associatif
- Habiletés sociales

- Importance grandissante du groupe d'amis

Amitié

Âge préscolaire	Âge scolaire

- Proximité physique
- Champs d'intérêt communs

- Confiance réciproque
- Intimité
- Différences sexuelles

Ségrégation sexuelle

Âge préscolaire	Âge scolaire

Comportement prosocial (altruisme)

Âge préscolaire	Âge scolaire

Agressivité

Âge préscolaire	Âge scolaire

- Hiérarchie de dominance
- De l'agressivité physique à l'agressivité verbale
- Frustation : renforcement et façonnement
- Agressivité caractérielle
- Approche cognitive et sociale

- Agressivité relationnelle
- Agressivité réactionnelle

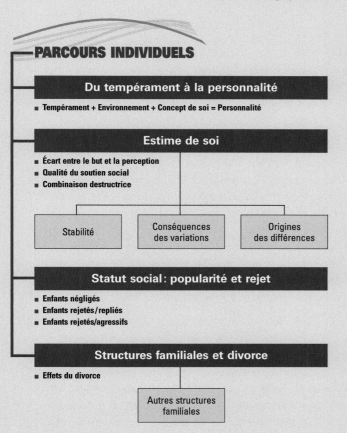

PARCOURS INDIVIDUELS

Du tempérament à la personnalité

- Tempérament + Environnement + Concept de soi = Personnalité

Estime de soi

- Écart entre le but et la perception
- Qualité du soutien social
- Combinaison destructrice

Stabilité	Conséquences des variations	Origines des différences

Statut social : popularité et rejet

- Enfants négligés
- Enfants rejetés / repliés
- Enfants rejetés/agressifs

Structures familiales et divorce

- Effets du divorce

Autres structures familiales

ENVIRONNEMENT: PAUVRETÉ

- Syndrome de stress post-traumatique
- Enfants résistants et vulnérables
- Facteurs de protection

Synthèse du développement à l'âge préscolaire et scolaire

Caractéristiques fondamentales de l'âge préscolaire

Ce deuxième interlude vous propose un tableau, à la page 230, qui résume cette période de l'enfance, qu'est l'âge préscolaire. Ce tableau présente les changements qui surviennent dans les habiletés et les comportements chez l'enfant à l'âge préscolaire, c'est-à-dire entre 2 et 6 ans. L'impression dominante de cette période est qu'elle constitue une transition lente, mais extrêmement importante, de la dépendance du bébé à l'indépendance de l'enfant. L'enfant d'âge préscolaire se déplace désormais facilement et communique de plus en plus clairement. Il prend conscience qu'il est une personne distincte dotée de qualités qui lui sont propres. Il acquiert également les habiletés sociales et cognitives qui lui permettent d'interagir plus souvent et de manière plus satisfaisante avec ses compagnons de jeu. Au cours de cette période, la pensée de l'enfant se décentre, devient moins égocentrique et moins captive de l'apparence extérieure des choses.

Au début, ces nouvelles habiletés et cette nouvelle indépendance de l'enfant ne s'accompagnent pas d'une maîtrise de ses émotions. L'enfant de 2 ans est très habile à faire des choses ; il est aussi très frustré de ne pouvoir tout faire. S'il voit quelque chose, il court après ; s'il veut quelque chose, il le lui faut tout de suite ! S'il est frustré, il pleurniche, crie ou hurle. Quelle merveilleuse invention que le langage ! La principale source du conflit qui oppose les parents et l'enfant de cet âge vient de l'imposition par les parents de limites à l'enfant, non seulement pour sa propre survie, mais également pour lui inculquer la maîtrise de ses émotions.

Les années préscolaires se démarquent également comme la période où commencent à germer les habiletés sociales et la personnalité de l'enfant (qui seront probablement celles de l'adulte qu'il deviendra). Le processus d'attachement durant la petite enfance continue d'être formateur parce qu'il contribue à façonner le modèle interne des relations sociales que crée l'enfant. Toutefois, entre l'âge de 2 et 6 ans, ce modèle initial

est révisé et consolidé. Les modèles interactifs qui en résultent tendent à persister au cours du primaire et même au-delà. L'enfant de 3, 4 ou 5 ans qui est capable de partager, de bien interpréter les signaux des autres, d'être attentif à l'autre, tout en maîtrisant son agressivité et son émotivité, sera probablement, vers 8 ans, un enfant populaire et socialement compétent. À l'opposé, l'enfant d'âge préscolaire désobéissant et hostile est beaucoup plus susceptible de devenir un écolier impopulaire et agressif (Campbell *et al.*, 1991 ; Patterson, Capaldi et Bank, 1991).

Processus fondamentaux à l'âge préscolaire

De toute évidence, de nombreuses forces entrent en jeu pour amener les changements qui ont lieu au cours de l'âge préscolaire, à commencer par deux immenses progrès cognitifs : la capacité de l'enfant de 18 à 24 mois d'utiliser des symboles et l'élaboration rapide, entre 3 et 5 ans, d'une théorie de l'esprit plus complexe.

UTILISATION DES SYMBOLES   L'utilisation des symboles se manifeste dans plusieurs aspects de la vie de l'enfant : par exemple dans son acquisition rapide du langage,

dans son approche des tâches cognitives ainsi que dans ses jeux, où l'enfant est désormais capable de « faire semblant » en utilisant un objet donné pour représenter quelque chose d'autre. La capacité d'employer plus adroitement le langage influe considérablement sur le comportement social : en permettant de remplacer, par exemple, l'agressivité physique par l'agressivité verbale, les crises de colère ou les comportements provocants par la négociation avec les parents.

THÉORIE DE L'ESPRIT L'émergence d'une théorie de l'esprit plus complexe a également des répercussions très importantes, en particulier sur le plan social. Les nouvelles aptitudes de l'enfant à interpréter et à comprendre le comportement d'autrui constituent le fondement de nouvelles interactions avec les pairs et les parents. Il n'est probablement pas fortuit que l'on observe pour la première fois des amitiés individuelles entre enfants, à ce moment où leur égocentrisme chute de manière radicale.

Les changements cognitifs jouent aussi un rôle prépondérant qui se reflète dans l'importance grandissante de plusieurs schèmes fondamentaux. Outre le fait de posséder un modèle interne d'attachement de plus en plus global, l'enfant de 2 ou 3 ans développe parallèlement un concept de soi et un schème du genre qui contribuent à la formation de sa personnalité et de son comportement social.

INTERACTIONS AVEC LES PAIRS Bien que ces changements cognitifs revêtent une grande importance, ils ne constituent pas les seules forces causales en présence. Le jeu avec les pairs est tout aussi fondamental, et il est rendu possible par les nouvelles habiletés physiques et cognitives que l'on observe chez l'enfant de 2 ans. Quand les enfants s'amusent ensemble, ils élargissent l'expérience de chacun avec des objets et se proposent mutuellement de nouvelles façons de « faire semblant», ce qui favorise leur développement cognitif. Les conflits et les désaccords représentent également une part cruciale du jeu chez l'enfant, car non seulement influent-ils sur les habiletés sociales émergentes, mais ils favorisent également l'émergence de la théorie de l'esprit. Quand deux enfants sont en désaccord sur la façon d'expliquer une situation, ou qu'ils défendent de manière

opiniâtre leurs points de vue, cela favorise leur prise de conscience qu'il existe d'autres perspectives que la leur, d'autres façons de penser ou de faire.

Ainsi, les interactions sociales constituent le théâtre où se développent les habiletés cognitives, comme l'avait suggéré Vygotski. Dans une étude récente, Charles Lewis a découvert que les enfants qui possèdent plusieurs frères et sœurs ou qui interagissent régulièrement avec de nombreux adultes comprennent plus rapidement ce que les autres pensent et les motivations qui régissent leurs comportements que les enfants qui ont un environnement social plus limité (Lewis, Freeman et Maridaki-Kassotaki, 1995). De la même façon, Jenkins et Astington (1996) ont remarqué que les enfants provenant de familles nombreuses élaborent plus rapidement leur théorie de l'esprit. Quelques-unes des nouvelles recherches démontrent aussi que les enfants qui possèdent un attachement sécurisant comprennent plus vite la notion de fausse croyance (fausse impression) et d'autres aspects de la théorie de l'esprit que les enfants dont l'attachement n'est pas sécurisant (Charman, Redfern et Fonagy, 1995 ; Steele, Holder et Fonagy, 1995). Cela vient renforcer l'idée de l'importance des interactions sociales pour le développement cognitif de l'enfant.

Bien entendu, le jeu en compagnie d'autres enfants contribue également au développement du concept de genre. En remarquant que les autres enfants sont soit des filles, soit des garçons, et en observant les jouets que préfèrent les garçons et les filles, l'enfant franchit la première étape du long apprentissage des rôles sexuels.

INTERACTIONS FAMILIALES Les interactions sociales, particulièrement les interactions avec les parents, modifient ou renforcent les comportements sociaux initiaux de l'enfant. Par conséquent, le comportement parental quant à l'application de la discipline revêt un caractère crucial. Les travaux de Gerald Patterson montrent à quel point les parents qui sont incapables de maîtriser l'impulsivité et les demandes d'indépendance de leur trottineur risquent de renforcer ses comportements désobéissants et perturbateurs, même si leur intention était tout autre (Patterson *et al.*, 1991).

Influences sur les processus fondamentaux à l'âge préscolaire

La capacité de la famille à soutenir le développement de l'enfant au cours de la période préscolaire est déterminée autant par les habiletés et les connaissances des parents que par le niveau de stress extérieur auquel ils doivent faire face et la qualité du soutien sur lequel ils peuvent compter dans leur vie personnelle (Crockenberg et Litman, 1990). D'une part, les mères qui subissent un stress important sont plus particulièrement susceptibles de se montrer sévères et négatives envers leurs enfants,

ce qui entraîne une augmentation des comportements provocants et désobéissants chez ces derniers (Webster-Stratton, 1988). D'autre part, l'attitude maternelle négative semble liée à la persistance des comportements désobéissants au primaire. Ainsi, dans une étude longitudinale réalisée auprès d'un groupe d'enfants désobéissants (Campbell et Ewing, 1990 ; Campbell *et al.*, 1991), Susan Campbell a observé que, chez les enfants de 3 ans qu'on avait qualifiés de « difficiles », ceux qui présentaient une amélioration à l'âge de 6 ans étaient ceux dont la mère s'était montrée moins négative.

Résumé de la trame du développement à l'âge préscolaire

ASPECT DU DÉVELOPPEMENT	Âge (années)				
	2	**3**	**4**	**5**	**6**
Développement physique	Court facilement ; monte les marches une à la fois.	Pédale sur un tricycle ; utilise des ciseaux ; dessine.	Monte les escaliers en mettant un pied sur chaque marche ; lance un gros ballon avec le pied ou les mains.	Saute et sautille ; réussit quelques jeux de ballon avec plus d'adresse.	Saute à la corde ; monte à bicyclette.
Développement cognitif	Utilisation des symboles ; séquences de jeu en deux et trois étapes.	Classification surtout par fonction.	Début de la classification systématique par forme, taille ou couleur ; logique transductive.	Maîtrise des différents types de conservation.	
		Capacité à adopter la perspective physique des autres ; début de la théorie de l'esprit.	Théorie plus complexe de l'esprit ; notion de fausse impression.		
Développement du langage	Phrases de deux mots.	Phrases de trois et de quatre mots ; flexions grammaticales.	Amélioration constante des inflexions, des temps passés, du genre et du nombre, des phrases passives, etc.		
Développement de la personnalité et du concept de soi	Définition de soi selon la taille, l'âge, le sexe.			Définition de soi fondée sur les propriétés physiques ou les habiletés.	
	Identité sexuelle.		Stabilité du genre.		Constance du genre.
	Stade de l'autonomie ou de la honte et du doute selon Erikson.	Stade de l'initiative ou de la culpabilité selon Erikson.			
	Stade anal selon Freud.	Stade phallique selon Freud.			
Développement des relations sociales	Diminution des manifestations d'attachement, présentes surtout en situation de stress.				
	Dans les jeux avec les pairs, accepte de jouer à tour de rôle.	Quelques manifestations d'altruisme ; choix de partenaires du même sexe (début).	Premiers signes d'amitiés individuelles.	Négociation plus fréquente avec les parents (remplace le défi).	
	Agressivité principalement physique.		Agressivité de plus en plus verbale.	Jeu sociodramatique.	Jeux de rôle.

Bien entendu, le stress de la mère n'est pas le seul facteur à l'origine de son attitude négative envers l'enfant. Les mères déprimées sont elles aussi plus susceptibles de manifester cette tendance (Conrad et Hammen, 1989), de même que les mères issues de familles défavorisées, qui ont connu une attitude négative et une discipline sévère dans leur enfance. Toutefois, étant donné que le stress et le manque de soutien social personnel font partie de l'équation, il en résulte que l'enfant d'âge préscolaire, comme l'enfant de tout âge, subit l'influence aussi bien de forces sociales que des interactions familiales.

Caractéristiques fondamentales de l'âge scolaire

Le tableau de la page 234 présente un résumé des changements et des continuités du développement à l'âge scolaire. Vous pouvez constater que l'enfant présente de nombreux changements graduels : ses habiletés physiques augmentent ; il accorde nettement moins d'importance à l'apparence des choses ; il porte une plus grande attention à la compréhension des qualités et des attributs d'autrui ; il accorde une plus grande importance aux rôles des pairs. La seule période au cours de laquelle il semble y avoir un changement plus rapide est celle qui marque la transition entre l'âge préscolaire et l'âge scolaire. À la fin de l'âge scolaire, la puberté entraîne un autre ensemble de changements rapides.

TRANSITION ENTRE L'ÂGE DE 5 ET 7 ANS   On a remarqué une transition importante autour de cet âge dans de nombreuses cultures. On semble reconnaître universellement que l'enfant de 6 ans est en quelque sorte qualitativement différent de l'enfant de 5 ans : il est plus responsable et plus à même de comprendre des notions complexes. Chez les Kipsigis du Kenya par exemple, on dit que l'enfant de 6 ans acquiert pour la première fois le *ng'omnotet*, c'est-à-dire l'intelligence (Harkness et Super, 1985). Le fait que l'enfant commence à fréquenter l'école à cet âge reflète une reconnaissance, explicite ou implicite, de cette transition fondamentale.

Les psychologues qui ont étudié le développement durant cette transition ont noté toute une série de changements.

- Sur le plan cognitif, on observe une transition vers ce que Piaget appelle la période des opérations concrètes. L'enfant comprend maintenant les problèmes de conservation, de classification et d'inclusion de classes. De façon plus générale, il semble accorder moins d'attention aux propriétés externes (apparence) des objets et plus d'attention aux propriétés internes (sous-jacentes). C'est ce que l'on peut constater dans la compréhension qu'a l'enfant des objets physiques, mais également dans sa compréhension de lui-même et de ses relations avec les autres. Dans les études portant sur le traitement de l'information, on remarque parallèlement une augmentation rapide de l'usage des stratégies d'exécution (métacognition) chez l'enfant.

- Pour ce qui est du concept de soi, c'est vers l'âge de 7 ou 8 ans que l'enfant est capable d'évaluer globalement sa propre valeur (son estime de soi).

- Dans les relations avec les pairs, surtout dans les amitiés individuelles, la ségrégation sexuelle est presque totale vers l'âge de 6 ou 7 ans.

L'apparente convergence de tous ces changements est impressionnante et confirme apparemment l'existence d'un stade piagétien. En surface du moins, il se produit un changement dans la structure fondamentale de la pensée qui se reflète dans tous les aspects du fonctionnement de l'enfant. Mais, bien que ces changements soient importants, il n'est pas évident que, dans l'ensemble, il s'agisse d'une transformation structurale majeure, rapide et dominante vers une toute nouvelle façon de penser et d'établir des relations. Tous les enfants ne font pas cette transition soudainement sur tous les plans de la pensée ou dans toutes leurs relations.

Par exemple, même si la transition vers un concept de soi plus abstrait est évidente vers l'âge de 6 ou 7 ans, elle se produit graduellement et se poursuit toujours à l'âge de 11 ou 12 ans. De même, un enfant peut arriver à comprendre la conservation de la quantité (substance) vers l'âge de 5 ou 6 ans, mais il ne comprend généralement pas la conservation du poids avant plusieurs années.

En outre, l'expérience (la compétence), ou le manque d'expérience, influe considérablement sur le progrès cognitif de l'enfant. Ainsi, bien que les psychologues s'entendent généralement pour dire qu'un ensemble de changements importants se produit vers cet âge, la plupart d'entre eux conviennent du fait qu'il n'y a pas de réorganisation rapide ou soudaine du mode de fonctionnement chez l'enfant.

Processus fondamentaux à l'âge scolaire

En essayant de rendre compte des transitions dans le développement à l'âge scolaire, nous avons eu tendance dans ce manuel à décrire les changements cognitifs comme fondamentaux — une condition nécessaire, mais non suffisante — pour modifier les relations avec les autres ainsi que la perception de soi durant cette période. L'émergence de l'estime de soi illustre bien cette notion. Pour acquérir une bonne estime de soi, l'enfant doit dépasser les caractéristiques superficielles et il doit utiliser la logique inductive. L'enfant semble parvenir à une évaluation globale de sa propre valeur (son estime de soi) au moyen d'un processus cumulatif et inductif.

De même, la qualité des relations que l'enfant entretient avec ses pairs et ses parents repose, en partie, sur la compréhension cognitive fondamentale de la réciprocité et la prise de conscience du point de vue d'autrui. L'enfant saisit maintenant que les autres tentent de le comprendre tout autant qu'il tente de les comprendre. L'enfant âgé de 8 ou 9 ans peut dire de ses amis qu'ils ont confiance l'un en l'autre, ce qui est impossible pour un enfant de 5 ans.

Les théories sur l'âge scolaire ont privilégié l'aspect cognitif du développement pendant des décennies, principalement à cause de l'influence prépondérante de la théorie de Piaget. Ce penchant a été partiellement corrigé

au cours des dernières années, au fur et à mesure que la recherche a permis d'approfondir les connaissances sur l'importance fondamentale du groupe de pairs et de l'expérience sociale chez l'enfant. Deux aspects soustendent cette révision théorique. Premièrement, il est devenu évident que c'est dans les interactions sociales, surtout dans les jeux avec d'autres enfants, que s'acquiert une grande part de l'expérience sur laquelle s'appuient les progrès cognitifs de l'enfant. Deuxièmement, on s'est rendu compte que les relations sociales constituent un ensemble unique de demandes, à la fois cognitives et interactives.

L'individu en tant qu'objet de la pensée n'est tout simplement pas comme une roche, un gobelet d'eau ou une motte d'argile, car l'individu agit intentionnellement et peut révéler ou dissimuler des informations sur lui-même. De plus, contrairement aux relations avec les objets, les relations humaines ont un caractère mutuel et réciproque. Les autres personnes vous répondent, réagissent à votre chagrin, vous offrent des objets ou se fâchent.

L'enfant doit aussi apprendre les normes sociales, c'est-à-dire ces règles qui régissent les interactions sociales, telles que les règles de la politesse, les règles de bien-séance qui indiquent le moment où l'on peut parler ou non, les règles relatives à la hiérarchie, le pouvoir ou l'autorité. Ces normes évoluent selon l'âge de l'enfant, de telle sorte que ce dernier doit constamment apprendre un nouvel ensemble de rôles et de règles sur ce qu'il a le droit de faire ou non. Une des raisons de ces modifications des normes sociales est de répondre au développement des facultés cognitives chez l'enfant et de refléter également les changements de son rôle dans la société. Prenons, par exemple, l'ensemble des changements qui surviennent lorsque l'enfant commence à aller à l'école. Les normes associées au rôle de l'« écolier » sont très différentes de celles liées au rôle du « petit enfant ». La classe au primaire est plus encadrée et mieux organisée que la prématernelle ou la garderie, les attentes concernant l'obéissance sont plus élevées, et l'enfant doit apprendre un plus grand nombre d'exercices et de leçons. Ces changements finiront par influer sur le mode de pensée de l'enfant.

Même si on ne connaît pas encore précisément le rôle que jouent les changements physiques dans le développement de l'enfant de cet âge, il est évident que certains changements physiques se produisent. Les filles, tout particulièrement, passent par les premières étapes de la puberté au primaire. Toutefois, on ignore si le rythme du développement physique au cours de ces années est relié de quelque façon que ce soit au rythme des progrès de l'enfant sur le plan cognitif ou social. Il n'y a quasiment pas de recherches démontrant l'existence d'un lien entre la première rangée du tableau (développement physique) et n'importe quelle autre rangée (autres types de développement). On sait seulement que les enfants plus grands, mieux coordonnés et plus précoces sont susceptibles d'avoir une croissance cognitive plus rapide et d'être plus populaires auprès de leurs pairs. Manifestement, il s'agit d'un domaine dans lequel il reste encore beaucoup de recherches à effectuer.

Influences sur les processus fondamentaux

RÔLE DE LA CULTURE   La plupart des notions abordées dans ce manuel concernant l'enfant d'âge scolaire (et des autres âges également) sont presque toutes basées sur des recherches menées auprès d'enfants de cultures occidentales. Nous avons tenté d'en peser le pour et le contre dans cette démarche, mais il faut sans cesse se demander si les schèmes observés sont caractéristiques d'une culture particulière ou s'ils reflètent des modèles de développement sous-jacents communs à tous les enfants.

À l'âge scolaire, il existe des différences évidentes entre les expériences des enfants des cultures occidentales et celles des enfants de villages africains, polynésiens ou autres dans lesquels les familles vivent essentiellement de l'agriculture vivrière et où l'école ne constitue pas une activité dominante dans la vie des enfants (Weisner, 1984). Dans de telles cultures, l'enfant de 6 ou 7 ans est considéré comme intelligent et responsable, et on lui confie des rôles réservés aux adultes. On lui donne volontiers la responsabilité de ses frères et sœurs plus jeunes. Il apprend aussi, avec un adulte, les compétences dont il aura besoin, tels le transport de l'eau, l'agriculture ou l'élevage des animaux. Dans certaines cultures d'Afrique de l'Ouest ou de Polynésie, il est courant que l'enfant de cet âge soit envoyé dans un foyer nourricier, soit avec des membres de sa famille, soit comme apprenti. De tels enfants ont évidemment un ensemble très différent de tâches sociales à apprendre durant l'âge scolaire. Ils n'ont pas besoin d'apprendre comment se lier d'amitié ou comment interagir avec des enfants étrangers. Au contraire, dès un très jeune âge, ils doivent prendre leur place au sein d'un réseau actif de rôles et de relations. Pour l'enfant occidental, les rôles sont moins prescrits, et les choix pour la vie adulte sont beaucoup plus variés.

Cependant, les différences de vie entre les enfants occidentaux et non occidentaux ne doivent pas cacher les similitudes véritables. Dans toutes les cultures, les enfants de cet âge se lient d'amitié avec d'autres personnes, se livrent à une ségrégation sexuelle dans leurs groupes de jeux, acquièrent la compréhension cognitive de la réciprocité, apprennent les notions de base de ce que Piaget appelle les opérations concrètes ainsi que certaines habiletés de base requises pour leur vie adulte. Ces similitudes ne sont pas insignifiantes. Elles soulignent le caractère puissant du modèle de développement commun, même au cœur de variations évidentes dans l'expérience.

Résumé de la trame du développement à l'âge scolaire

ASPECT DU DÉVELOPPEMENT	Âge (années)						
	6	7	8	9	10	11	12
Développement physique	Saute à la corde; saute; apprend à faire de la bicyclette.	Fait de la bicyclette à deux roues.	Virtuose de la bicyclette.	Début de la puberté chez certaines filles.		Début de la puberté chez certains garçons.	
Développement cognitif	Constance du genre; différentes habiletés sur le plan des opérations concrètes, y compris la conservation, l'inclusion de classes, les différentes stratégies de mémorisation et les stratégies d'exécution (métacognition).		Logique inductive; meilleure utilisation des nouvelles habiletés d'exécution des opérations concrètes; conservation du poids.			Conservation du volume.	
Développement de la personnalité et du concept de soi	Concept de soi de plus en plus abstrait, moins attaché à l'apparence; descriptions des autres de plus en plus basées sur des qualités internes et durables. Sens global de l'estime de soi. Amitié basée sur la confiance réciproque.						
Développement des relations sociales	Période de latence selon Freud. Stade de la compétence ou de l'infériorité selon Erikson. Ségrégation sexuelle presque totale dans le jeu et les amitiés. Amitié durable, se poursuivant au fil des années.						

La période de
l'adolescence

Dans cette troisième partie, nous abordons la période de l'adolescence. Dans les chapitres 7 et 8, nous nous penchons sur le développement physique et cognitif et sur le développement des relations sociales et de la personnalité chez l'adolescent, en tenant toujours compte des changements et de la continuité au cours du développement.

On peut diviser l'adolescence en deux parties, soit le début de l'adolescence marqué par l'apparition des premiers signes de la puberté, et la fin de l'adolescence au cours de laquelle la maturité sexuelle est atteinte. Au début de l'adolescence, les changements pubertaires font que l'horloge biologique est particulièrement active et bat au même rythme chez presque tous les adolescents. La puberté s'accompagne de nouvelles interrogations sur l'indépendance, sur l'autonomie et sur les règles sociales. L'horloge sociale se fait également entendre, notamment avec le groupe de pairs. Par ailleurs, la pensée formelle permet à l'adolescent de jeter un nouveau regard sur lui-même et de mieux comprendre sa personnalité et son environnement.

CHAPITRE

7

L'adolescence :
développement
physique et cognitif

*L'*an passé, pendant la période des Fêtes, en entrant dans la maison de ma mère, j'ai croisé un grand jeune homme de 1,75 m qui m'a saluée gentiment. Occupée à transporter mes effets personnels, je ne lui ai pas trop porté attention en me disant que ce devait être l'ami d'une de mes nièces. Tout d'un coup, j'ai eu un flash. Mais ce regard, c'est celui de Sébastien. Je l'ai rejoint, estomaquée devant l'ampleur des changements. J'avais gardé l'image du « petit Sébastien » de mon album de photos, un garçon au visage rond qui souriait timidement. J'avais maintenant devant moi un grand jeune homme musclé, à la voix grave, qui me dépassait d'une tête et demie.

Le mot adolescence est généralement employé pour désigner la période qui va de 12 à 20 ans. En réalité, la période couverte par l'adolescence est relativement vague. Si nous désirons y inclure le processus physique de la puberté, nous devons considérer que l'adolescence commence avant 12 ans, surtout dans le cas des filles, chez qui la puberté débute parfois vers 8 ou 9 ans. Un enfant qui entre à l'école secondaire à 11 ans est-il, de ce fait, un adolescent ? Par ailleurs, peut-on dire d'un jeune homme de 18 ans marié, père de famille et occupant un emploi, qu'il est un adolescent ?

Il est plus logique de concevoir l'adolescence comme la période entre l'enfance et l'âge adulte que comme une tranche d'âge précise. Il s'agit d'une période de transition durant laquelle l'enfant change physiquement, mentalement et émotionnellement pour devenir un adulte. Le début et la durée de cette transition diffèrent d'une société à l'autre, mais aussi d'une personne à l'autre au sein d'une même culture. Dans notre culture, cette période s'étend de 12 à 18 ans environ, et même davantage pour les personnes qui poursuivent leurs études.

Les changements physiques et émotionnels liés à l'adolescence sont tellement spectaculaires qu'on la considère souvent comme une période remplie de tumulte et de stress. Cette description amplifie bien sûr le degré de bouleversement émotionnel que vivent la plupart des adolescents. Cependant, on ne peut pas négliger l'importance de ce processus, ne serait-ce qu'à cause des changements physiques considérables qui surviennent à la puberté.

DÉVELOPPEMENT PHYSIQUE

Les nombreux changements corporels liés à la puberté sont largement régis par les hormones, qui jouent un rôle central dans la métamorphose physique à l'adolescence.

RÔLE DES HORMONES

Les hormones sont secrétées par les **glandes endocrines.** Elles régissent la croissance pubertaire et les changements physiques de différentes façons. Parmi les glandes endocrines, la plus importante est l'**hypophyse** : en effet, elle déclenche la production hormonale des autres glandes. Par exemple, l'hormone de croissance est sécrétée par l'hypophyse 10 semaines après la conception. Elle contribue à stimuler la croissance extrêmement rapide des cellules et des organes corporels. Comme nous l'avons mentionné au chapitre 2, la testostérone est produite avant la naissance dans les testicules du fœtus masculin et elle influe à la fois sur le développement des organes génitaux mâles et sur certains aspects du développement du cerveau.

Après la naissance, le rythme de croissance est régi en grande partie par la thyroxine et par la somatotrophine (l'hormone de croissance de l'hypophyse). La thyroxine est sécrétée en grande quantité pendant les deux premières années de la vie, puis son taux chute et demeure stable jusqu'à l'adolescence (Tanner, 1990).

Les androgènes sécrétés par les testicules et les ovaires ainsi que par les glandes surrénales demeurent à des taux extrêmement bas jusqu'à l'âge de 7 ou 8 ans, âge où les glandes surrénales commencent à sécréter davantage d'androgènes ; il s'agit du premier signal des changements de la puberté (Shonkoff, 1984). Après cette

étape, il se produit une séquence complexe de changements hormonaux, représentée schématiquement dans le tableau 7.1.

La synchronisation de ces changements varie beaucoup d'un enfant à l'autre, mais la séquence demeure la même. Le processus débute par un signal de l'hypothalamus, la région du cerveau située sous le thalamus et qui joue un rôle vital dans la régulation d'une variété de comportements, comme manger et boire, ou dans les comportements sexuels. Au début de la puberté, le thalamus transmet un signal à l'hypophyse, qui commence alors à sécréter, en plus grande quantité, les **gonadotrophines**. À leur tour, ces hormones stimulent le développement des glandes situées dans les testicules et les ovaires, qui dès lors synthétisent plus d'hormones, la testostérone chez les garçons et une forme d'œstrogènes, appelée œstradiol, chez les filles. Au cours de la puberté, le taux de testostérone est multiplié par 18 chez les garçons, alors que le taux d'œstradiol est multiplié par 8 chez les filles (Biro *et al.*, 1995 ; Nottelmann *et al.*, 1987).

Au même moment, l'hypophyse sécrète aussi trois autres hormones qui interagissent avec les hormones sexuelles et influent sur la croissance. Vous pouvez

---

Glandes endocrines : Glandes comprenant les surrénales, la thyroïde, l'hypophyse, les testicules et les ovaires. Elles sécrètent des hormones à l'intérieur de la circulation sanguine, lesquelles régissent la croissance physique et la maturation sexuelle.

Hypophyse : Glande endocrine qui joue un rôle majeur dans la régulation de la maturation physique et sexuelle. Elle stimule la production hormonale des autres glandes endocrines.

Gonadotrophines : Hormones responsables du développement des organes sexuels.

Tableau 7.1   *Fonctions des principales hormones intervenant dans le développement physique*

Glande(s)	Hormone(s) sécrétée(s)	Fonction dans la régulation de la croissance
Hypophyse ①	Hormones de croissance ; hormones de libération	Influent sur la vitesse de la maturation physique ; transmettent des signaux permettant à d'autres glandes d'amorcer la sécrétion d'hormones.
Thyroïde ②	Thyroxine	Influe sur le développement normal du cerveau et sur le rythme global de la croissance.
Surrénales ③	Androgènes	Participent à certains changements durant la puberté, surtout dans le développement des caractères sexuels secondaires chez les filles (poussée de croissance et pilosité pubienne).
Testicules (chez les garçons) ④	Testostérone	Joue un rôle essentiel dans la formation des organes génitaux mâles avant la naissance ; déclenche aussi la séquence de changements des caractères sexuels primaires et secondaires à la puberté chez les garçons (poussée de croissance, pilosité pubienne et faciale, changements génitaux).
Ovaires (chez les filles) ④	Œstrogènes (Œstradiol)	Influent sur le développement du cycle menstruel et le développement des seins chez les filles, mais modifient moins les caractères sexuels secondaires que la testostérone chez les garçons.

À TRAVERS LES CULTURES

Les rituels d'initiation des adolescents

Le passage de l'enfance au statut d'adulte est tellement important que de nombreuses sociétés ont promu et marqué ce passage à l'aide de rites et de rituels. Il existe de nombreuses variations dans le contenu de ces rituels, mais certaines pratiques sont particulièrement répandues (Cohen, 1964).

L'une de ces pratiques, plus courante pour les garçons que pour les filles, consiste à séparer l'enfant de sa famille, ce que les anthropologues appellent l'isolation. L'enfant passe la journée avec sa famille, mais dort ailleurs ou vit dans un logement séparé avec d'autres garçons ou des membres de la famille. Cette séparation se produit généralement au tout début de l'adolescence, quelque temps avant le véritable rituel d'initiation. Dans les cultures traditionnelles hopi et navajo par exemple, les garçons ne dorment généralement plus avec leur famille dès l'âge de 8 ou 10 ans ; chez les Kurtatchi de la Mélanésie, les garçons doivent se soumettre à une cérémonie d'isolation vers l'âge de 9 ou 10 ans, après quoi ils dorment dans une hutte particulière destinée aux garçons et aux hommes célibataires (Cohen, 1964). Cette pratique symbolise évidemment la séparation de l'enfant de sa famille et marque ainsi la venue de l'âge adulte. Toutefois, elle souligne aussi le fait que l'enfant « appartient » non seulement à la famille, mais aussi au groupe familial plus large que représente la société ou la tribu.

La différenciation entre hommes et femmes constitue également l'un des thèmes de ces rituels. Dans de nombreuses cultures par exemple, les tabous de nudité n'interviennent qu'à l'adolescence. Jusque-là, il n'y a aucun inconvénient à ce que les garçons et les filles se voient nus ; à l'adolescence, cela n'est plus convenable. Dans certaines cultures, les adolescents n'ont pas le droit de parler aux membres de la famille du sexe opposé, et cette règle s'applique parfois jusqu'à ce que le frère ou la sœur se marie (Cohen, 1964). Cette pratique semble avoir au moins deux fonctions. Premièrement, elle renforce le tabou de l'inceste, qui revêt une grande importance pour éviter les unions consanguines. Deuxièmement, elle marque le début de la période de la vie où hommes et femmes affichent des modes de vie très différents. Les garçons et les filles ont depuis longtemps commencé à apprendre les tâches propres à leur sexe, mais ce rôle s'ancre beaucoup plus profondément à l'adolescence.

Ces deux modèles peuvent former la toile de fond du rituel d'initiation lequel est normalement bref et intense. Durant cette période – généralement en groupe et séparément pour les membres de chaque sexe –, les jeunes sont initiés par leurs aînés aux pratiques coutumières de la tribu. Ils apprennent des rituels ou des pratiques religieuses particulières, comme la langue hébraïque (l'hébreu) pour se préparer à la barmitsva dans la tradition juive. Ils apprennent aussi l'histoire et les chansons de leur tribu ou de leur peuple. Souvent, le processus comprend une mise en scène et revêt une certaine pompe.

En général, la mutilation physique ou certaines épreuves font partie de l'initiation. Les garçons sont circoncis ou subissent des incisions de façon à créer certains dessins de cicatrice sur leur corps ; ils sont également envoyés dans la jungle afin de subir une purification spirituelle ou de prouver leur virilité en accomplissant un exploit quelconque.

Cette pratique est moins courante dans les rituels d'initiation des filles, mais il existe néanmoins des épreuves physiques et des mutilations, telles que l'excision du clitoris, les coups de fouet ou la scarification.

Chez les Hopi, par exemple, garçons et filles sont soumis à des rituels précis au cours desquels on leur apprend les rites religieux du culte katchina et on leur donne des coups de fouet. Après cette cérémonie, ils peuvent participer pleinement aux pratiques religieuses des adultes. Chez les Malekula du Vanuatu (anciennement les Nouvelles-Hébrides), les garçons sont circoncis et isolés. Les filles subissent une initiation peu avant le mariage, plutôt qu'à la puberté : on leur arrache les deux incisives supérieures et elles doivent rester isolées pendant dix jours.

Dans le contexte nord-américain moderne, tout comme dans la plupart des cultures occidentales, il n'existe pas de rituels d'initiation universels, mais les nombreux changements de statut ainsi que certaines expériences présentent des caractéristiques communes avec les rites de passage traditionnels de l'adolescence. On ne sépare pas délibérément les adolescents de leur famille ou des adultes, mais on les confine à un milieu scolaire, ce qui revient à les séparer de tout le monde, sauf de leurs pairs. Les camps d'initiation pour les jeunes qui entrent à l'armée constituent un parallèle plus évident, car les recrues sont envoyées dans des endroits isolés et subissent différentes épreuves physiques avant d'être admises.

Il n'y a pas si longtemps, dans notre culture, les garçons et les filles du secondaire ne fréquentaient pas les mêmes écoles. Dans les écoles mixtes, les cours d'éducation physique étaient souvent donnés séparément. De même, certains cours stéréotypés étaient offerts uniquement aux femmes ou aux hommes, comme les cours d'économie domestique ou ceux de mécanique.

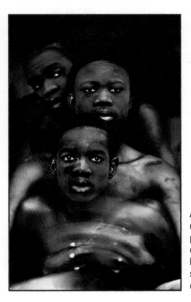

Au cours du rituel d'initiation de la tribu Kota au Congo, on peint les visages des garçons en bleu de façon à leur donner l'apparence du fantôme, symbole de leur enfance désormais révolue.

De nombreux autres changements dans le statut légal marquent le passage à l'âge adulte dans les cultures occidentales modernes. Les jeunes peuvent obtenir un permis de conduire à l'âge de 16 ans et ils sont admis à la projection des films pour adultes à l'âge de 17 ans. À l'âge de 18 ans, ils acquièrent le droit de vote, ils peuvent se marier et s'engager dans l'armée sans le consentement de leurs parents et, dans les cas d'infraction à la loi, ils comparaissent devant le tribunal pour adultes plutôt que devant le tribunal pour enfants.

Ces différents vestiges des modèles d'initiation sont peu présents dans notre société moderne, comparativement à de nombreuses autres cultures. En conséquence, le passage au statut d'adulte est beaucoup moins net pour les jeunes gens qui vivent dans les pays industrialisés. C'est sans doute la raison pour laquelle de nombreux adolescents de notre société cherchent à se singulariser en s'habillant ou en se coiffant de façon particulière, par exemple.

Au Liberia, la tradition veut que les filles participent à une cérémonie rituelle en se peignant le corps afin de marquer le début de l'adolescence.

cependant observer dans le tableau 7.1 que l'interaction est légèrement différente chez les garçons et chez les filles. Ainsi, la poussée de croissance et le développement de la pilosité pubienne sont davantage soumis à l'influence de l'androgène surrénal chez les filles que chez les garçons. Cette hormone « mâle » qui est chimiquement très semblable à la testostérone est nécessaire pour produire une poussée de croissance chez les filles. Pour les garçons, l'androgène surrénal est moins important, probablement parce qu'ils possèdent déjà dans leur sang une hormone « mâle », la **testostérone.**

En fait, il n'est pas juste de parler d'hormones « mâles » et d'hormones « femelles », car les hommes et les femmes possèdent une certaine quantité de chacune de ces hormones (**œstrogènes** ou œstradiol et testostérone ou androgènes) ; la différence réside principalement dans le taux relatif des deux. De plus, ces taux diffèrent chez les individus de même sexe. Ainsi, certains hommes possèdent un peu plus de testostérone ou moins d'œstrogènes, alors que la proportion est plus équilibrée chez d'autres. De même, certaines femmes peuvent avoir des taux relativement élevés de testostérone, et d'autres, moins.

On ne comprend pas encore très bien comment prend fin (ou diminue) la production hormonale à la fin de la puberté. On sait cependant que les taux des hormones de croissance et des gonadotrophines produites dans l'hypophyse chutent et que le rythme des changements corporels ralentit graduellement à l'âge adulte.

Tous ces changements hormonaux se traduisent par deux séries de changements physiques : premièrement, on peut observer un ensemble de changements indépendants du processus de reproduction (caractères sexuels secondaires) dans la taille, la morphologie, la musculature, le tissu adipeux et les organes corporels (cœur et poumons) ; deuxièmement, on note des changements au niveau des organes sexuels (caractères sexuels primaires) qui touchent la reproduction. Ces changements amènent à maturité le pénis, le scrotum et les testicules, permettant alors la production de sperme chez les garçons, alors que chez les filles, ce sont le vagin, l'utérus et les ovaires qui sont amenés à maturité, ces derniers produisant par la suite les ovules.

CHANGEMENTS CORPORELS

Cerveau   Le cerveau connaît deux périodes de croissance majeure durant l'adolescence. La première poussée de croissance se produit entre 13 et 15 ans (Spreen, Risser et Edgell, 1995). Pendant cette période, le cortex cérébral s'épaissit et le réseau neuronal devient plus efficace. De plus, le cerveau produit et consomme plus d'énergie au cours de cette croissance que lors des années qui la précèdent et la suivent (Fisher et Rose, 1994). Cette croissance et cette dépense d'énergie se localisent principalement dans la région du cerveau qui contrôle les habiletés spatiales et les fonctions motrices. Par conséquent, ces habiletés sont de loin supérieures chez un adolescent de 15 ans comparativement à un enfant du primaire.

Testostérone : Principale hormone mâle secrétée par les testicules.

Œstrogènes : Hormones sexuelles femelles sécrétées par les ovaires.

Les neuropsychologues Kurt Fisher et Samuel Rose croient qu'un nouveau réseau neuronal se développe durant cette période. Ce nouveau réseau neuronal serait qualitativement différent et constituerait le support de la nouvelle pensée abstraite et des progrès dans les processus cognitifs de l'adolescent (Fisher et Rose, 1994). Cette hypothèse découle de nombreuses études faisant état de changements majeurs dans l'organisation du cerveau entre l'âge de 13 et 15 ans, d'où les changements qualitatifs apparaissant dans le fonctionnement cognitif après l'âge de 15 ans.

La seconde période de changements majeurs du cerveau se situe autour de l'âge de 17 ans et se poursuit jusqu'au début de l'âge adulte (Van der Molen et Molenaar, 1994). Cette fois, le changement s'effectue dans le lobe frontal du cortex cérébral (Davies et Rose, 1999), région du cerveau qui contrôle la logique et la planification. Ainsi, il n'est pas surprenant de constater que les adolescents plus âgés diffèrent passablement des jeunes adolescents lorsqu'ils doivent résoudre des problèmes qui font appel à ces fonctions cognitives.

Taille Un des changements les plus remarquables à l'adolescence est la taille. Dans les chapitres précédents, nous avons vu que, durant la petite enfance, le poupon grandit très rapidement, soit de 25 à 30 cm durant la première année. Le trottineur et l'enfant d'âge scolaire grandissent beaucoup moins vite. La troisième phase débute à l'adolescence, alors qu'une poussée de croissance spectaculaire est déclenchée par la forte augmentation des hormones de croissance dans l'organisme. Au cours de cette phase, l'adolescent peut grandir de 8 à 15 cm par an. Après cette poussée de croissance, commence la quatrième phase au cours de laquelle l'adolescent continue de grandir et de prendre du poids jusqu'à ce qu'il ait atteint sa taille adulte. Vous pouvez suivre cette courbe de croissance à la figure 7.1. Les filles atteignent généralement leur taille adulte autour de l'âge de 16 ans, alors que les garçons continuent à grandir jusqu'à l'âge de 18 ou 20 ans (Tanner, 1990).

Morphologie Les différentes parties du corps de l'enfant n'atteignent pas leur taille adulte au même rythme. Ainsi, la morphologie et les proportions du corps de l'adolescent passent par de nombreux changements successifs. Les mains et les pieds arrivent d'abord à maturité. Ensuite vient le tour des bras et des jambes, le tronc étant la partie qui se transforme le plus tardivement. Les pieds des enfants deviennent rapidement trop grands pour leurs souliers, les jambes trop longues pour leur pantalon et les bras trop grands pour leurs manches de chemise. Par contre, un maillot de bain peut être seyant plus longtemps,

même quand les autres parties du corps se sont transformées. En raison de cette asymétrie des parties du corps, on pense souvent que les adolescents sont gauches ou manquent de coordination. Pourtant, les recherches infirment cette croyance populaire. Robert Malina, qui a effectué des recherches poussées sur le développement physique, n'a pas trouvé un moment précis du processus de croissance où l'on pouvait constater chez l'adolescent une baisse systématique de coordination ou d'habileté dans l'exécution des tâches physiques (Malina, 1990).

La tête et le visage des enfants se transforment au cours de l'enfance et de l'adolescence. À l'âge scolaire, la taille et la forme de la mâchoire de l'enfant se modifient pour accueillir les nouvelles dents. À l'adolescence, la mâchoire et le front deviennent plus proéminents. Ces transformations rendent souvent le visage anguleux et osseux (surtout chez les garçons), contrairement à ce que l'on observe avant la puberté, comme vous pouvez le remarquer sur les photographies de la figure 7.2.

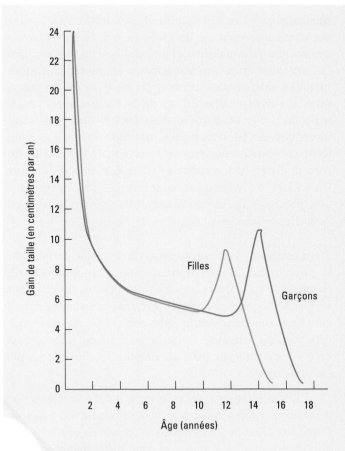

Figure 7.1
Poussée de croissance à l'adolescence.
Ces courbes reflètent le gain de taille par an, de la naissance à l'adolescence, avec une poussée remarquable à l'adolescence. (*Sources:* Tanner, 1978, p. 14; Malina, 1990.)

Figure 7.2
Transformation du visage à l'adolescence.
Ces photographies du même garçon avant, pendant et après sa puberté témoignent des transformations frappantes de la forme de la mâchoire et du front qui modifient considérablement la physionomie des adolescents. Les mêmes changements transforment le visage des filles, mais de façon beaucoup moins marquée.

Musculature   Les fibres musculaires, tel le tissu osseux, subissent une poussée de croissance à l'adolescence, et deviennent plus massives et plus denses. En conséquence, la force musculaire des adolescents augmente considérablement en quelques années. On observe un accroissement du tissu musculaire et de la force qui en résulte aussi bien chez les garçons que chez les filles, mais l'augmentation est beaucoup plus marquée chez les garçons. Cette différence substantielle au niveau de la force illustre bien la différence sexuelle quant à la masse musculaire. Chez l'homme adulte, la masse musculaire représente à peu près 40 % de la masse corporelle, contre seulement 24 % chez la femme adulte.

Tissu adipeux   Le tissu adipeux, emmagasiné surtout sous la peau, constitue une autre composante essentielle du corps. Ce tissu adipeux sous-cutané apparaît chez le fœtus vers la 34e semaine et atteint un premier point culminant vers le 9e mois qui suit la naissance. Puis, l'épaisseur de cette couche adipeuse diminue peu à peu jusqu'à l'âge de 6 à 7 ans environ, pour augmenter de nouveau jusqu'à l'adolescence.

Encore une fois, on note un écart très net entre les deux sexes quant à ce modèle de développement. À la naissance, les filles ont une masse adipeuse légèrement plus importante que les garçons, et cette différence s'accentue graduellement pendant l'enfance et s'impose de manière frappante à l'adolescence. Une étude récemment réalisée auprès d'un nombre élevé d'adolescents canadiens (Smoll et Schutz, 1990) a montré que 21,8 % de la masse corporelle des filles en 1re année du secondaire était constituée de tissu adipeux, comparativement à 24 % chez les filles en 5e année du secondaire. La masse adipeuse représentait respectivement 16,1 % et 14 % chez les garçons du même âge. Ainsi, pendant et après la puberté, la masse adipeuse augmente chez les filles et baisse chez les garçons, tandis que la masse musculaire augmente chez les garçons et baisse chez les filles.

Comme pour le tissu musculaire, les différences sexuelles sont en partie attribuables au mode de vie ou au degré d'activité physique. Les filles et les femmes très athlétiques, comme les coureuses de marathon et les danseuses de ballet, possèdent une masse adipeuse qui se rapproche de celle du garçon moyen. Cependant, chez les filles et les garçons qui ont une condition physique équivalente, on constate que la masse adipeuse des garçons est toujours inférieure à celle des filles.

Cœur et poumons   La puberté provoque aussi des changements importants dans certains organes vitaux. Ainsi, le cœur et les poumons augmentent considérablement de volume et la fréquence cardiaque diminue. Ces deux changements sont plus marqués chez les garçons que chez les filles, ce qui contribue à augmenter leur potentiel. Avant l'âge de 12 ans, les garçons et les filles possèdent une force, une rapidité et une endurance comparables, encore que, même à cet âge, les garçons soient avantagés par leur plus faible quantité de masse adipeuse. Après la puberté, les garçons ont nettement l'avantage dans ces trois caractéristiques physiques (Smoll et Schutz, 1990).

Changements corporels

- Nommez les principales glandes endocrines et les hormones qu'elles sécrètent, et expliquez leurs rôles respectifs.

- Décrivez le processus du signal de la puberté et le processus hormonal qui suit.

- Pourquoi est-il trompeur de parler d'hormones mâles et d'hormones femelles?

- Qu'est-ce que la poussée de croissance?

- Expliquez les changements physiques qui surviennent à la puberté en ce qui concerne le cerveau, la taille, la morphologie, la musculature, le tissu adipeux, le cœur et les poumons.

Concepts et mots clés

- **glandes endocrines** (p. 238) • **gonadotrophines** (p. 238) • **hypophyse** (p. 238) • **œstrogènes** (p. 240) • **testostérone** (p. 240)

MATURATION SEXUELLE

Les changements hormonaux qui se produisent à la puberté déclenchent aussi le développement de la maturation sexuelle. Le tableau 7.2 présente les changements des *caractères sexuels primaires*, tels que les testicules, le scrotum et le pénis chez l'homme et les ovaires, l'utérus et le vagin chez la femme, et des *caractères sexuels secondaires*, tels que le développement des seins chez les filles ou l'apparition de la barbe chez les garçons.

Chacun de ces changements physiques apparaît selon une séquence prédéterminée. Chaque séquence se divise en cinq stades, comme l'avait proposé Tanner (1978):
- Le premier stade reflète la période prépubère.
- Le deuxième stade représente les premiers signes de changement pubertaire.
- Les troisième et quatrième stades sont des étapes intermédiaires.
- Le cinquième stade est l'atteinte de la maturité sexuelle.

Le tableau 7.3 donne un aperçu de ces séquences pour chaque sexe. La connaissance de ces séquences est utile aux médecins, car elle leur permet de répondre aux interrogations des adolescents qui se demandent où ils en sont dans leur développement pubertaire.

Développement sexuel chez les filles

Des études effectuées en Europe et en Amérique du Nord auprès de préadolescentes et d'adolescentes (Malina, 1990) montrent que, chez les filles, les divers changements séquentiels sont imbriqués dans une structure particulière. Les premières étapes sont marquées par le début de la transformation des seins et l'apparition de la pilosité pubienne. Elles sont suivies par le sommet de la poussée de croissance et par le quatrième stade, soit le développement des seins et de la pilosité pubienne. C'est alors seulement qu'apparaissent les premières règles. La **ménarche**, ou apparition des premières règles, survient généralement

Ménarche: Apparition des premières règles chez les jeunes filles.

Tableau 7.2	*Changements des caractères sexuels primaires et secondaires*		
	Filles	**Communs**	**Garçons**
Caractères sexuels primaires	Croissance des ovaires, du vagin et de l'utérus		Croissance des testicules, du scrotum et du pénis
Caractères sexuels secondaires	Développement des seins	Pilosité axillaire	Barbe
	Élargissement des hanches (pelvis)	Pilosité pubienne	Élargissement des épaules
	Augmentation de la masse adipeuse	Changements cutanés	Augmentation de la masse musculaire
		Mue de la voix	
		Poussée de croissance (taille et ossature)	
		Morphologie (corps et visage)	
		Organes corporels (cœur et poumons)	

Tableau 7.3	Stades du développement pubertaire selon Tanner		
Développement des seins chez la femme		**Stade**	**Développement génital chez l'homme**
Aucun changement, mis à part une légère élévation du mamelon.		1	Les testicules, le scrotum et le pénis ont la même forme et les mêmes dimensions qu'au cours de l'enfance.
Stade du bourgeonnement des seins. Les seins et les mamelons sont surélevés. Le diamètre de l'aréole s'agrandit.		2	Le scrotum et les testicules se développent légèrement. La peau du scrotum rougit et change de texture. Toutefois, le pénis ne se développe pas ou très peu.
Les seins et les aréoles grossissent et sont encore plus proéminents que dans le stade 2, bien que les contours ne soient pas nettement démarqués.		3	Le pénis s'allonge légèrement. Les testicules et le scrotum continuent de grossir.
L'aréole et le mamelon forment une saillie au-dessus du contour du sein.		4	Le pénis devient plus gros et plus large. Le gland se développe. Les testicules et le scrotum grossissent encore, et la peau du scrotum devient plus foncée.
Au stade de la maturité, seul le mamelon est proéminent. L'aréole épouse le contour du sein.		5	Les organes génitaux ont maintenant atteint leur grosseur et leur taille adulte.

(*Source*: Petersen et Taylor, 1980, p. 127.)

deux ans après les premiers changements visibles et n'est suivie que par le dernier stade du développement des seins et de la pilosité pubienne. Vous pouvez étudier l'ensemble du développement pubertaire dans la partie supérieure de la figure 7.3. Chez les filles vivant dans les pays industrialisés, l'apparition des premières règles survient en moyenne entre l'âge de 12 ans ½ et 13 ans ½. Ainsi, 95 % des filles ont leurs premières règles entre l'âge de 11 et 15 ans (Malina, 1990).

Il est intéressant de noter que le moment précis de l'apparition de la ménarche a changé de façon importante au cours du dernier siècle. En 1840, l'âge moyen de la ménarche dans les pays industrialisés s'établissait autour de 17 ans. Dans la population européenne, l'âge moyen a diminué de façon constante depuis ce temps, soit à un rythme de quatre mois par décennie (Roche, 1979), un phénomène que les psychologues appelle la **tendance séculaire**. Cette tendance était principalement causée par des changements importants dans le style de vie et l'alimentation, particulièrement dans la quantité de protéines ingurgitées.

La ménarche ne traduit pas une pleine maturité sexuelle. La jeune fille peut concevoir peu après l'établissement de la menstruation, mais les premières règles seront irrégulières pendant un certain temps. En fait, aucun ovule n'est produit dans les trois quarts des cycles de la première année et la moitié des cycles de la deuxième et de la troisième année suivant l'apparition des premières règles (Vihko et Apter, 1980).

Cette irrégularité initiale dans l'ovulation et dans le rythme des cycles menstruels entraîne d'importantes conséquences d'ordre pratique sur le comportement des adolescentes sexuellement actives. Elle contribue notamment

à répandre chez les jeunes adolescentes la fausse impression qu'elles ne peuvent pas devenir enceintes, car elles sont «trop jeunes». Par ailleurs, l'irrégularité menstruelle compromet la fiabilité de toutes les formes de contraception basées sur le rythme d'ovulation, même chez les jeunes filles qui possèdent suffisamment de connaissances de base sur la reproduction — ce qui n'est pas souvent le cas — pour savoir que la période de plus grande fertilité est celle de l'ovulation.

Développement sexuel chez les garçons

Chez les garçons, comme chez les filles, la poussée de croissance atteint un sommet vers la fin du développement pubertaire. Les données de Malina (1990) donnent à penser que le garçon termine généralement le deuxième, le troisième et le quatrième stade du développement génital ainsi que le deuxième et le troisième stade de développement de la pilosité pubienne avant d'arriver au sommet de la poussée de croissance. L'apparition de la barbe et la mue de la voix surviennent vers la fin du développement pubertaire, comme on peut le voir dans la partie inférieure de la figure 7.3.

Le moment où les garçons produisent un sperme viable n'est pas clairement défini à l'intérieur du déroulement pubertaire, bien que certaines données récentes situent cet événement entre l'âge de 12 et 14 ans, habituellement avant que le garçon ait atteint le sommet de sa poussée de croissance (Brooks-Gunn et Reiter, 1990).

Tendance séculaire : Modèle de changements observés dans les caractéristiques de plusieurs cohortes, comme le changement systématique de l'âge moyen de la ménarche ou des changements dans le poids et la taille.

Deux faits particulièrement intéressants ressortent des séquences du développement pubertaire. Premièrement, les filles sont visiblement en avance de deux ans sur les garçons dans ce processus de développement. La plupart d'entre vous se souviennent sûrement de cette période, à la fin du primaire ou au début du secondaire, où les filles sont soudainement plus grandes que les garçons et présentent des ébauches de caractères sexuels secondaires, tandis que les garçons sont encore prépubères. Deuxièmement, alors que la séquence semble très logique à l'intérieur de chaque type de développement physiques (comme le développement des seins ou de la pilosité pubienne), il existe de nombreuses variations dans les séquences de chaque type de développement. Nous avons donné ici un aperçu général du développement moyen, mais bien des individus dévient de cette norme. Par exemple, un garçon parvenu au stade 2 du développement génital a peut-être déjà atteint le stade 5 du développement de la pilosité pubienne. De même, une fille peut passer par plusieurs stades de développement de la pilosité pubienne avant que ses seins commencent à changer, ou encore avoir ses règles beaucoup plus tôt que dans la séquence moyenne. Les physiologistes s'expliquent mal ces divergences, mais il est important d'en tenir compte lorsqu'on se penche sur le cas particulier d'un adolescent.

Puberté précoce ou tardive

Le modèle de développement décrit dans ce chapitre donne des indications sur le modèle général le plus courant ; il ne rend pas compte des variations par rapport à ce modèle. Qu'arrive-t-il aux jeunes filles qui ont leurs premières règles à 10 ans ou aux garçons dont la poussée de croissance ne se produit pas avant l'âge de 16 ans ? Vivront-ils leur puberté de manière différente ?

Chez les adolescents, des individus du même âge (12 et 13 ans par exemple) peuvent se situer à différents paliers de maturation sexuelle, soit du stade 1 au stade 5. Ces variations peuvent entraîner certaines répercussions, en particulier chez un enfant d'une précocité peu commune ou dont le développement est anormalement tardif.

De nombreuses recherches sur cette question ont conduit à l'élaboration d'une hypothèse un peu complexe, mais qui démontre bien l'importance des modèles internes. Selon cette hypothèse, chaque enfant possède un modèle interne de ce que doit être l'âge « normal » ou souhaitable de la puberté (Faust, 1983 ; Lerner, 1985, 1987 ; Petersen, 1987). Chaque fille possède un modèle interne du « bon moment » pour le développement de ses seins ou l'apparition de sa première menstruation. Chaque garçon

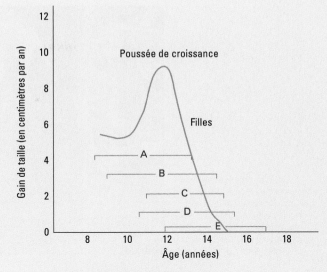

A : Développement des seins : stade 2
B : Développement de la pilosité pubienne : stade 2
C : Ménarche
D : Développement des seins : stade 4
E : Développement de la pilosité pubienne : stade 5

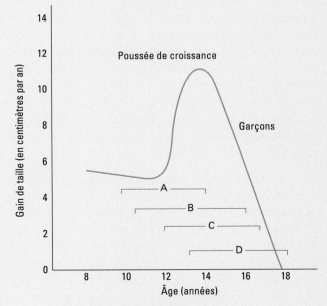

A : Développement génital : stade 2
B : Développement de la pilosité pubienne : stade 2
C : Développement génital : stade 4
D : Développement de la pilosité pubienne : stade 5

Figure 7.3
Séquence du développement pubertaire.
Vous pouvez suivre ici la séquence type du développement pubertaire chez les filles (figure du haut) et chez les garçons (figure du bas), avec la croissance à différents âges ainsi que le moment d'apparition des divers changements physiques. Notez l'apparition tardive de la menstruation chez les filles et le fait que les filles ont deux ans d'avance sur les garçons. (*Sources :* Biro *et al.,* 1995 ; Chumlea, 1982 ; Garn, 1980 ; Malina, 1990 ; Tanner, 1978.)

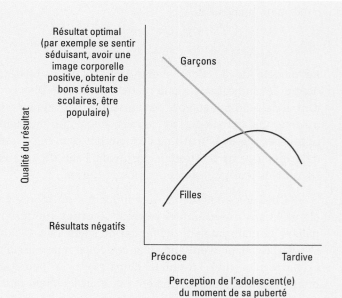

Les filles ont généralement deux ans d'avance au niveau de la croissance physique comparativement aux garçons. Vous pouvez le constater sur cette photographie qui présente deux adolescents du même âge.

possède un modèle interne ou une représentation du moment opportun de l'apparition de sa barbe et de la mue de sa voix. Selon cette hypothèse, c'est l'écart entre les attentes des adolescents et la réalité qui détermine les répercussions psychologiques, comme c'est l'écart entre les objectifs fixés et leur réalisation qui détermine l'estime de soi. Les adolescents dont la puberté commence à un moment qui ne répond pas à leurs attentes éprouveront des problèmes à accepter leur puberté, ils auront tendance à être moins bien dans leur peau, à être moins satisfaits de leur corps et, par le fait même, ils auront de la difficulté à se faire des amis.

À l'heure actuelle, dans notre culture, la puberté se situe entre l'âge de 12 et 14 ans. Avant cet âge, on parle de *puberté précoce* et après, de *puberté tardive*. Les filles qui l'atteignent à ce moment sont considérées comme dans la moyenne, mais les garçons sont perçus comme précoces. On constate que, dans ces cas, ces deux groupes bénéficient d'un meilleur équilibre psychologique. De plus, les garçons précoces jouissent d'un avantage supplémentaire; en effet, ils ont souvent une morphologie mésomorphe qui correspond au stéréotype de la virilité: des épaules larges et une masse musculaire imposante. Grâce à ces caractères physiques, ils excellent dans le sport.

Le graphique de la figure 7.4 illustre ces données. Les garçons précoces (morphologie mésomorphe et puberté qui survient au moment «normal») sont doublement avantagés; suivent les garçons et les filles qui ont un développement normal. Les plus désavantagés sont les garçons au développement tardif et les filles précoces, ce que confirment les dernières recherches. Les filles précoces, parce qu'elles subissent des changements

physiques majeurs avant l'âge de 11 ou 12 ans, ont généralement une perception négative de leur apparence physique. Elles se trouvent trop grosses, par exemple. Ces filles sont aussi plus susceptibles de s'attirer des ennuis à l'école et à la maison, de joindre des groupes de pairs présentant des problèmes de comportement, et elles ont plus tendance à être déprimées (Alsaker, 1995; Rierdan et Koff, 1993; Silbereisen et Kracke, 1993). Il semble également qu'une puberté très tardive chez la fille entraîne certains effets négatifs, mais ces effets sont beaucoup moins évidents que chez les garçons. Chez les garçons, la relation est essentiellement linéaire. En effet, les garçons précoces ont une bonne image d'eux-mêmes, connaissent de bons résultats scolaires, sont équilibrés et très populaires (Duke *et al.,* 1982).

Dans presque toutes ces études, la précocité ou le retard du développement sont définis en fonction des changements physiques. Les résultats sont encore plus clairs lorsque les chercheurs interrogent les adolescents sur leur modèle interne de précocité ou de retard. Par exemple, Rierdan, Koff et Stubbs (1989) ont découvert que, chez les filles, le négativisme associé à leur première

Figure 7.4
Puberté précoce et puberté tardive.
Selon ce modèle des effets de la puberté précoce ou tardive, la meilleure situation pour les filles est d'être dans la moyenne, tandis que la meilleure situation pour les garçons est d'être précoce. Pour les deux sexes toutefois, c'est la perception de la précocité ou du retard et non sa réalité chronologique qui semble critique. (*Source:* Adapté de Tobin-Richards *et al.,* 1983, p. 137.)

menstruation est lié à leur perception de la précocité. Parmi celles qui se perçoivent comme précoces, nombreuses sont celles qui vivent une expérience négative. Toutefois, cette expérience négative n'est pas rattachée à l'apparition des premières règles.

Ce lien entre le modèle interne et les résultats est particulièrement manifeste dans une étude effectuée par Jeanne Brooks-Gunn (Brooks-Gunn et Warren, 1985 ; Brooks-Gunn, 1987). Dans un groupe de danseuses de ballet de 14 à 18 ans, dont certaines étaient danseuses dans une école nationale, il était préférable d'avoir un corps très mince et quasiment prépubère. Brooks-Gunn a remarqué que celles qui avaient accédé très tardivement à la puberté avaient une meilleure image d'elles-mêmes que celles dont le développement avait été normal. Par contre, chez les jeunes filles du même âge qui ne dansaient pas, l'apparition normale des premières règles était associée à une meilleure image corporelle que chez celles qui accusaient un retard.

Il semblerait donc que la divergence entre le modèle désiré par l'adolescent et son modèle réel a plus d'importance et plus de conséquences que l'âge réel auquel a lieu le développement pubertaire. De fait, on observe chez les adolescents des effets communs liés à une puberté précoce ou tardive, d'où l'importance, pour prédire les effets d'un développement précoce ou tardif chez un adolescent, de connaître son modèle interne.

SANTÉ

Bien que les adolescents souffrent moins de maladies aiguës que les nourrissons et les enfants d'âge préscolaire et primaire, on les retrouve fréquemment en consultation dans les centres hospitaliers. Nombre d'entre eux se croient en plus mauvaise santé qu'ils ne le sont réellement et peuvent signaler des symptômes physiques en réaction à ce qu'il perçoivent comme un rejet de leurs parents ou de leurs pairs (Wickrama *et al.,* 1998). Au contraire, les adolescents qui pensent recevoir un bon soutien émotionnel de leurs parents se considèrent comme en bonne santé et présentent moins de symptômes physiques (Wickrama, Lorenz et Conger, 1997).

Le taux de mortalité augmente sensiblement à l'adolescence, et les principales causes sont les accidents impliquant des véhicules motorisés et les suicides (que nous aborderons dans le prochain chapitre). Les adolescents de toutes les cultures semblent présenter ce que Jeffrey Arnett (1995) décrit comme des comportements axés vers une recherche de sensations fortes, telles que la conduite à des vitesses excessives ou la consommation d'alcool et de drogue. Cette recherche de sensations fortes s'accom-

Les jeunes filles au développement pubertaire précoce, comme celle qui est au centre, vivent moins d'expériences positives et plus de dépressions au cours de leur adolescence que les jeunes filles qui atteignent leur puberté dans la norme ou tardivement.

pagne d'imprudences et d'insouciances qui peuvent causer des accidents mortels. Par exemple, les adolescents attachent moins souvent leur ceinture de sécurité que les adultes. Si la compétence des jeunes conducteurs est rarement mise en cause, il y a aujourd'hui plus d'arrestations d'adolescents au volant en état d'ébriété qu'il n'y en a eu au cours des vingt dernières années. Afin de réduire les accidents impliquant des adolescents, plusieurs États américains ont adopté une législation qui impose aux adolescents un permis de conduire par étapes (Cobb, 2000). Ainsi, les adolescents peuvent conduire à l'âge de 16 ans, mais ils doivent présenter un dossier vierge (sans accidents ni contraventions) pendant une certaine période avant d'être autorisés à conduire sans restriction.

Comportements à risque

Les comportements à risque semblent être plus communs à l'adolescence qu'à toute autre période de la vie. On peut tenter d'expliquer ces comportements à risque par l'égocentrisme propre à l'adolescence, que l'on appelle la fabulation personnelle (voir la page 256).

Cependant, si on en croit Jessor (1992), ces comportements à risque semblent favoriser chez l'adolescent l'atteinte d'importants objectifs de développement sur le plan social et psychologique :

- l'acceptation par les pairs et leur respect ;
- la recherche d'une autonomie (processus de séparation et d'individuation) dans le respect des parents ou des autres figures d'autorité ;
- la capacité d'affronter l'anxiété ou l'échec ;
- la recherche de la maturité.

Lorsqu'elle se regarde dans le miroir, cette jeune fille de 15 ans se trouve sûrement trop grasse.

Richard Jessor affirme que ces objectifs sont primordiaux et normaux pour l'adolescent. Et, lorsque des comportements à risque, tels que fumer, boire ou avoir des relations sexuelles précoces, lui permettent d'atteindre ces objectifs, il ne les abandonnera que si d'autres comportements sont possibles et plus acceptables, mais non moins efficaces. Jessor confirme ce que plusieurs chercheurs ont noté : les adolescents les plus susceptibles de présenter des comportements à risque sont ceux qui entrent dans l'adolescence avec peu d'habiletés sociales et qui disposent de peu de solutions de remplacement pour atteindre leurs objectifs personnels et sociaux. Les adolescents particulièrement imprudents et insouciants sont plus susceptibles d'obtenir de piètres résultats scolaires, d'avoir été rejetés très tôt par les pairs, d'être négligés à la maison ou de vivre une combinaison de ces problèmes (Robins et McEvoy, 1990). Ces adolescents se dirigent vers d'autres adolescents qui partagent leurs idées et dont le modèle interne social est semblable. De plus, ceux qui ne sont pas engagés dans des activités parascolaires ou pour qui la popularité est importante adopteront davantage des comportements à risque (Carpenter, 2001, Stein, Roeser et Markus, 1998).

Les comportements sexuels à risque (relations avec de multiples partenaires ou relations non protégées) représentent une autre menace pour l'adolescent. Ainsi, chez les filles, les grossesses non désirées (que nous aborderons dans le chapitre suivant) ont augmenté en Amérique du Nord durant les vingt dernières années. La transmission de maladies vénériennes constitue toujours un problème majeur et le sida est devenu une des causes de mortalité les plus importantes. Les adolescents qui s'adonnent à des expériences homosexuelles, à la prostitution ou à la consommation de drogues intraveineuses sont les plus menacés.

Bien que l'activité sexuelle chez les garçons soit en corrélation avec le taux de testostérone contenu dans le sang, les facteurs sociaux semblent influer sur cette activité plus que les hormones (Halpern *et al.*, 1993 ; Udry et Campbell, 1994). En fait, des études transculturelles donnent à penser que les facteurs associés au comportement sexuel sont identiques même chez les adolescents qui, comme à Taiwan, ont peu d'activités sexuelles (Wang et Chou, 1999). Les plus précoces en ce domaine vivent généralement dans des quartiers défavorisés, là où les jeunes adolescents sont davantage laissés à eux-mêmes et où l'on permet un certain laxisme en matière de sexualité. Ces jeunes sont plus susceptibles aussi de consommer de l'alcool. Nombre d'entre eux ont été maltraités ou négligés dans leur enfance (Herrenkohl *et al.*, 1998).

Les filles sexuellement actives ont généralement connu une ménarche hâtive, elles ont manifesté peu d'intérêt pour les études, elles ont commencé à fréquenter des garçons relativement jeunes et elles ont été victimes d'abus sexuels (Billy, Brewster et Grady, 1994 ; Howell *et al.*, 1994 ; Miller *et al.*, 1998 ; Small et Luster, 1994). Quel que soit le groupe, plus ces facteurs sont présents dans la vie d'un individu, plus il est susceptible d'être sexuellement actif.

On relève chez les adolescents un autre comportement à risque : la consommation d'alcool et de drogue. Les statistiques révèlent que la consommation de drogue était en déclin en Amérique du Nord jusqu'à 1992, mais que, depuis, elle a augmenté. L'usage combiné de drogue et d'alcool est courant au Québec, et ce phénomène s'observe autant chez les filles que chez les garçons (Enquête sociale et de santé auprès des enfants et des adolescents québécois, 1999).

Les adolescents à la recherche de sensations fortes sont donc plus enclins à consommer de la drogue et de l'alcool (Donohew *et al.*, 1999). Ils se joindront souvent aux adolescents qui ont les mêmes tendances. Le style d'autorité parentale peut aussi prédisposer à la recherche de sensations fortes. Le style démocratique s'avère le plus favorable pour les jeunes adolescents (Pilgrim *et al.*, 1999).

Boulimie et anorexie mentale

On constate chez les adolescents des pays industrialisés, en particulier, une augmentation de l'incidence de deux troubles de l'alimentation: la boulimie et l'anorexie mentale. Ces troubles font ressortir l'effet des valeurs culturelles de la société ainsi que l'importance des modèles internes pour l'adolescent.

La **boulimie** se caractérise par «une préoccupation obsessionnelle du poids, des épisodes récurrents de gavage accompagnés par un sentiment subjectif de perte de maîtrise et le recours abusif au vomissement, à l'exercice physique ou aux purgatifs dans le but de contrer les effets de la goinfrerie» (Attie, Brooks-Gunn et Petersen, 1990). L'alternance de périodes de bombance et de frugalité est normale chez les individus, peu importe leur poids. Ce n'est qu'au moment où l'excès s'accompagne d'une purge qu'apparaît le syndrome boulimique. Les personnes boulimiques ne sont pas nécessairement minces, mais elles sont obsédées par leur poids, ont honte de leur comportement et sont souvent déprimées. La boulimie se caractérise physiquement aussi par de nombreuses caries dentaires (une conséquence des vomissements répétitifs), une irritation de l'estomac, une température corporelle sous la normale, une perturbation des hormones et une perte de cheveux (Palla et Litt, 1988). L'incidence de la boulimie a grimpé en flèche au cours des dernières décennies, surtout chez les adolescentes et les jeunes femmes adultes de race blanche.

L'**anorexie mentale** est moins fréquente que la boulimie, mais elle peut être mortelle. Ce syndrome se caractérise par «une diète extrême, une peur intense de prendre du poids, une perception faussée de son propre corps, des exercices excessifs et un refus obstiné de se maintenir à un poids normal» (Attie *et al.*, 1990). Chez les filles et les femmes anorexiques (on ne compte que très peu d'hommes), la perte de poids finit par produire une variété de symptômes physiques associés à la sous-alimentation: une perturbation du sommeil, une *aménorrhée* (interruption des règles), une insensibilité à la douleur, une perte de cheveux, une pression artérielle faible, des problèmes cardiovasculaires ainsi qu'une température corporelle sous la normale. La perception corporelle de la personne anorexique est tellement faussée qu'elle peut se regarder dans le miroir et trouver qu'elle présente un surplus de poids alors que l'image reflétée est squelettique. Entre 10 et 15% des jeunes anorexiques se laissent littéralement mourir de faim, d'autres succombent à un dysfonctionnement cardio-vasculaire majeur (Deter et Herzog, 1994).

L'incidence de l'anorexie est difficile à établir. Dans les pays industrialisés, environ 1 fille sur 500 est anorexique (Graber *et al.* 1994). Ce nombre est beaucoup plus élevé chez certains sous-groupes soumis à de fortes pressions, comme les danseuses de ballet et les athlètes de haut niveau chez qui une minceur extrême est fortement recherchée et valorisée (Stoutjesdyk et Jevne, 1993). Au Canada, environ 4% des jeunes filles souffrent de l'un ou l'autre de ces troubles alimentaires.

CAUSES DES TROUBLES ALIMENTAIRES

Bien qu'il soit pratiquement impossible de préciser leur influence respective, on peut classer les facteurs qui influent sur les troubles alimentaires en quatre catégories.

Facteurs biologiques Une composante génétique, c'est-à-dire un facteur héréditaire, serait associée à l'anorexie. Certains neurotransmetteurs responsables de la régulation endocrinienne dans le cerveau seraient également en cause.

Facteurs socioculturels La minceur extrême véhiculée par les médias dans notre société correspond à une image inaccessible, voire malsaine, de la femme idéale que les adolescentes assimilent. L'affirmation sociale de l'adolescente semble conditionnée par l'image de ce corps ultra-mince qu'elle devra maîtriser pour en faire un instrument de puissance et non de plaisir. Même les programmes de conditionnement mettent l'accent sur la minceur plutôt que sur le maintien d'un poids santé et d'une bonne forme physique.

Facteurs individuels Un terreau propice aux troubles alimentaires est constitué d'un tempérament à risque, en particulier une grande sensibilité au jugement des autres, d'une immaturité affective, d'un refus de devenir adulte, d'une faible estime de soi, d'un sentiment d'impuissance ou d'inaptitude, d'une très grande compétitivité et de l'association de l'apparence physique au succès.

Facteurs familiaux Une mauvaise communication au sein de la famille, le manque d'autonomie des divers membres, la rigidité et la surprotection des parents, ainsi que des antécédents familiaux de troubles alimentaires, d'alcoolisme et de dépression peuvent créer un contexte favorable à l'apparition de troubles alimentaires.

Boulimie: Trouble caractérisé par «une préoccupation obsessionnelle du poids, des épisodes récurrents de gavage, accompagnés par un sentiment subjectif de perte de maîtrise et le recours abusif au vomissement, à l'exercice physique ou aux purgatifs dans le but de contrer les effets de la goinfrerie» (Attie *et al.*, 1990, p. 410).

Anorexie mentale: Syndrome caractérisé par «la volonté de perdre du poids, une peur intense de prendre du poids, une perception faussée de son propre corps et un refus obstiné de se maintenir à un poids normal» (Attie *et al.*, 1990, p. 410).

Maturation sexuelle et santé

- Expliquez les changements qui surviennent dans les caractères sexuels primaires et secondaires à la puberté.

- L'apparition des premières menstruations signifie-t-elle que la jeune fille a atteint la maturité sexuelle?

- Existe-t-il une différence entre les filles et les garçons en ce qui concerne le développement pubertaire? Expliquez votre réponse.

- Indiquez la séquence dans chaque type de développement pubertaire.

- Expliquez le rôle du modèle interne dans les répercussions psychologiques de la puberté précoce et tardive.

- Quel est le moment idéal pour l'apparition de la puberté (précoce, moyenne, tardive) si on est une fille? si on est un garçon? Expliquez votre réponse.

- Les comportements à risque s'appliquent à quels domaines? Donnez des exemples avec les explications requises.

- Qu'est-ce que la boulimie? Qu'est-ce que l'anorexie mentale? Quelles en seraient les causes?

Concepts et mots clés

- **anorexie mentale** (p. 249) • **boulimie** (p. 249) • **ménarche** (p. 243)
- **puberté précoce** (p. 246) • **puberté tardive** (p. 246) • **tendance séculaire** (p. 244)

DÉVELOPPEMENT COGNITIF

La plupart des adolescents parviennent à effectuer des types de raisonnement qui leur semblaient jusque-là inaccessibles. Piaget fut le premier à tenter d'expliquer ce changement dans le mode de pensée des adolescents.

APPROCHE DE PIAGET: PÉRIODE DES OPÉRATIONS FORMELLES

Piaget conclut, à la suite de ses observations, que la **période des opérations formelles** émerge rapidement à l'adolescence, soit entre l'âge de 12 et 16 ans. Cette période comporte six caractéristiques qui sont présentées dans le tableau 7.4.

1) **Du concret à l'abstrait.** L'adolescent passe d'un mode de pensée qui opère sur le réel à un mode de pensée qui peut opérer sur des propositions abstraites ou sur des hypothèses. Il apprend à raisonner de façon logique sur des concepts abstraits. L'une des premières étapes de ce processus est la capacité d'étendre ses habiletés de raisonnement opératoire concret à des objets qu'il ne peut pas manipuler et à des situations dont il n'a jamais fait l'expérience. Sa réflexion ne se limite plus à des objets tangibles et à des événements réels, comme le fait le jeune enfant de la période des opérations concrètes, mais elle porte sur des situations abstraites.

2) **Du réel au possible.** L'adolescent commence à envisager toutes les possibilités d'une situation afin de combiner mentalement les différentes relations possibles. La capacité de raisonner sur des propositions abstraites libère l'intelligence du réel et la rend indépendante du contenu.

3) **Prévision des conséquences à long terme.** Cette habileté est manifestement essentielle à l'adolescent qui doit penser à l'avenir de façon systématique. L'adolescent pense aux diverses options et possibilités qui s'offrent à lui: aller ou ne pas aller à l'université, se

> **Période des opérations formelles:** Dans la théorie de Piaget, il s'agit de la quatrième et dernière période importante du développement cognitif. Elle apparaît à l'adolescence, lorsque l'enfant devient capable de manipuler et d'organiser autant les idées que les objets.

Tableau 7.4   *Sommaire des caractéristiques des opérations formelles*

Du concret à l'abstrait. La pensée n'est plus limitée à des contenus concrets ou perceptibles: elle peut porter sur des données abstraites, des hypothèses ou des propositions. Exemple: À quoi ressemblerait un monde où les habitants n'auraient pas de mémoire?

Du réel au possible. Toutes les possibilités d'une situation peuvent être envisagées. Exemple: Un homme conduit sa voiture sur la route; à un moment donné, la voiture quitte la route et frappe un arbre. Quelles pourraient être les causes de cet accident?

Prévision des conséquences à long terme. C'est la capacité de prévoir les conséquences de ses actions et d'amorcer une réflexion sur l'avenir. Exemple: Quel sera mon avenir si je fais des études supérieures? Si je n'en fais pas? Quel métier vais-je exercer plus tard?

Résolution systématique des problèmes. L'élaboration d'une méthode pour solutionner des problèmes se fait à partir de la connaissance des données du problème, de la planification et l'exécution de la solution. Exemple: Le problème du pendule ou celui des produits chimiques.

Logique déductive. L'exploration, à partir d'un principe général, de différentes propositions (hypothèses qui s'avèrent vraies ou fausses) permet d'arriver à une ou à des applications pertinentes. Exemple: Si tous les A sont B et tous les B sont C, alors tous les A sont C. La déduction permet de trouver la pertinence d'une ou de plusieurs propositions.

Développement moral. Selon Kolhberg, deux stades correspondent à l'adolescence: le stade de la concordance interpersonnelle (bon garçon/bonne fille) au début de l'adolescence et le stade de la conscience du système social (la loi et l'ordre) à la fin de l'adolescence.

marier ou ne pas se marier, avoir ou ne pas avoir d'enfants. Il peut envisager les conséquences futures d'actes présents, ce qui favorise la planification à long terme (Lewis, 1981). Il peut alors mieux concilier son comportement avec ses objectifs.

Piaget stipule que ces trois changements dans la pensée de l'adolescent (du concret à l'abstrait, du réel au possible et la prévision des conséquences à long terme) sont au centre d'un changement plus global au niveau du raisonnement qu'il appelle le **raisonnement hypothético-déductif**, soit la capacité de tirer des conclusions à partir de prémisses hypothétiques.

4) Résolution systématique des problèmes. Les opérations formelles se caractérisent par la capacité de recherche systématique et méthodique qui permet de trouver une solution à un problème. La pensée hypothético-déductive permet à l'adolescent de générer plusieurs hypothèses de résolution d'un problème particulier, d'en vérifier la pertinence pour finalement tirer les conclusions appropriées. Pour étudier cette méthode

> **Raisonnement hypothético-déductif :** Capacité de tirer des conclusions de prémisses hypothétiques.

Différences sexuelles dans la perception de l'image corporelle chez les adolescents

Une étude de Susan Paxton et de ses collaborateurs (Paxton *et al.,* 1991) effectuée auprès des élèves d'une école secondaire australienne démontre bien le fait que l'obsession du poids n'est pas l'apanage des Nord-Américains et souligne aussi l'effet de cette préoccupation sur la représentation corporelle interne des jeunes filles.

Au total, 562 adolescents, de la 1re à la 4e année du secondaire, devaient indiquer leur taille et leur poids, et préciser s'ils le trouvaient trop bas, adéquat ou trop élevé. Ils devaient aussi envisager ce que le fait d'être plus minces changerait à leur vie et décrire les moyens qu'ils adoptaient pour maîtriser leur poids, notamment les régimes et l'exercice physique.

Paxton fait état de plusieurs résultats particulièrement intéressants. Premièrement, parmi les adolescents dont le poids était proportionné à leur taille, seulement 6,8 % des garçons considéraient avoir un surplus de poids, alors que 30,1 % des filles se percevaient comme trop grosses. De plus, la majorité de ces filles pensaient qu'être plus minces les rendraient plus heureuses et quelques-unes croyaient même que cela les rendrait plus intelligentes. Les garçons, au contraire, pensaient qu'être plus minces pourrait avoir des effets négatifs.

Il n'était donc pas étonnant que cette différence dans la perception de la minceur se reflète dans les habitudes alimentaires de cet échantillonnage. Près de 23 % des filles ont déclaré qu'elles suivaient des régimes accélérés au moins de temps à autre et 4 % ont avoué qu'elles suivaient de tels régimes une ou deux fois par semaine. Les pourcentages correspondants chez les garçons étaient respectivement de 9 % et de 1 %. Même si le taux était très bas pour les deux sexes, plus de filles que de garçons ont admis prendre des anorexigènes (médicaments qui diminuent la sensation de faim) et des laxatifs, et recourir aux vomissements. Encore une fois, on observe ici l'effet des modèles internes.

Les causes de ces désordres alimentaires sont inconnues. Certains théoriciens ciblent des facteurs biologiques, comme une dysfonction du cerveau dans le cas des boulimiques, qui présentent souvent des ondes cérébrales anormales. D'autres théoriciens proposent une explication psychanalytique, telle que la peur de devenir adulte. La meilleure explication semble toutefois résider dans l'écart entre la représentation que se fait la jeune fille du corps qu'elle aimerait avoir (le modèle interne) et la perception qu'elle a de son propre corps. La fréquence de ces deux syndromes augmente parce que les corps minces, presque prépubères,

font office de canons esthétiques dans de nombreux pays occidentaux. La culture occidentale contribue à la prévalence de ces désordres alimentaires : les filles (beaucoup plus que les garçons) apprennent très jeunes, de façon explicite et implicite, combien il importe d'être jolie ou séduisante et que la minceur est l'un des critères les plus importants de la beauté. Il semble, selon une étude, que les jeunes filles sont tout aussi influencées par les croyances qu'entretiennent leur mère sur la minceur et son pouvoir de séduction que par leurs propres croyances (Hill et Franklin, 1998). Par contre, les modèles de mannequins extrêmement minces semblent influencer seulement les filles qui sont déjà insatisfaites de leur corps (Rabasca, 1999).

La boulimie et l'anorexie mentale apparaissent particulièrement à l'adolescence, car une augmentation du tissu adipeux accompagne la puberté chez la jeune femme. Cela est particulièrement évident chez les jeunes filles dont le développement pubertaire est précoce (Graber *et al.,* 1994 ; Killen *et al.,* 1992). Une jeune fille précoce persuadée que la minceur est l'un des principaux critères de la beauté, et que la beauté est essentielle au bonheur, risque davantage d'être victime de boulimie ou d'anorexie, surtout si elle pense que son corps ne reflète pas ce credo de la beauté qu'elle a intériorisé (Attie et Brooks-Gunn, 1989 ; Striegel-Moore, Silberstein et Rodin, 1986 ; Rolls, Fedoroff et Guthrie, 1991).

Selon une étude longitudinale, la maladie mentale est associée à ces troubles alimentaires : les jeunes femmes qui ont été anorexiques à l'adolescence sont plus susceptibles de souffrir d'un désordre mental à l'âge adulte (Nilsson *et al.,* 1999). Les troubles obsessionnels-compulsifs (TOC) de la personnalité, un besoin excessif de contrôler son environnement, semblent particulièrement prévaloir dans ce groupe. Les auteurs de l'étude soulignent cependant que les difficultés mentales de ces jeunes femmes ne sont pas la conséquence directe d'un trouble alimentaire, mais que les deux problèmes semblent plutôt associés à un facteur commun : une tendance à avoir une perception déformée de la réalité.

Des recherches de ce type montrent l'importance du processus cognitif dans toutes les facettes du développement de l'enfant : la santé, l'estime de soi et les comportements sociaux. Ces processus cognitifs semblent connaître une autre transformation à l'adolescence, un changement que Piaget décrit comme le début de la période des opérations formelles.

appelée **résolution systématique des problèmes,** Piaget et sa collaboratrice, Barbel Inhelder, ont présenté à des adolescents des problèmes complexes provenant pour la plupart du domaine des sciences physiques (Inhelder et Piaget, 1958). Dans l'un d'eux, *le problème du pendule*, les sujets se sont vu attribuer plusieurs cordes de différentes longueurs et une série d'objets de poids variés pouvant être attachés à une corde pour faire un pendule. On leur avait enseigné que, pour mettre le pendule en marche, il fallait donner une impulsion au poids, tout en variant la force initiale de cette impulsion, et en laissant tomber le poids à des hauteurs différentes. La tâche du sujet consistait à trouver quel facteur ou quelle combinaison de facteurs déterminait la «période» (vitesse) d'oscillation du pendule, soit la durée d'un mouvement complet : la longueur de la corde, le poids de l'objet, la force de l'impulsion ou la hauteur du poids. (À noter que seule la longueur de la corde influe sur la période d'oscillation du pendule.)

Pour résoudre ce problème, un enfant parvenu à la période des opérations concrètes essaiera plusieurs combinaisons de facteurs en faisant varier la longueur de la corde, en plaçant des poids différents, en donnant des impulsions variées à diverses hauteurs. Il utilisera, par exemple, un poids lourd avec une longue corde, puis un poids léger avec une petite corde. Comme la longueur de la corde et le poids auront été modifiés en même temps, il lui sera impossible de tirer une conclusion concernant l'effet spécifique de chacun des facteurs. Comme son approche du problème n'est pas systématique, il risque de reprendre des combinaisons déjà essayés et d'en oublier d'autres.

Les adolescents parvenus à la période des opérations formelles adoptent généralement une approche plus systématique. Ils réfléchissent d'abord à la question et élaborent ensuite un plan pour produire de manière systématique toutes les combinaisons possibles des facteurs impliqués. Ils vont expérimenter avec un seul des quatre facteurs à la fois en le faisant varier, tout en maintenant les autres facteurs constants. Ils placeront un objet lourd au bout de chaque longueur de corde, puis ils renouvelleront l'opération en accrochant un objet léger aux trois longueurs de corde. Ils procéderont de la manière la plus systématique qui soit pour découvrir ce qui fait varier la durée du mouvement du pendule. Ils pourront ainsi obtenir des données pertinentes et les interpréter de manière appropriée. Bien sûr, tous les adolescents et tous les adultes ne sont pas aussi méthodiques et organisés dans leur approche. On constate néanmoins une différence notable dans la

stratégie utilisée par un enfant de 10 ans et un adolescent de 15 ans, qui est passé des opérations concrètes aux opérations formelles.

Une autre expérience, celle effectuée sur *des produits chimiques,* illustre bien le fonctionnement de la pensée formelle et concrète. L'enfant dispose de quatre flacons contenant des substances incolores différentes et d'un flacon «spécial» contenant un mélange composé d'une ou de plusieurs de ces substances. Lorsqu'on ajoute une autre substance dans le flacon «spécial», on obtient un contenu de couleur jaune. L'enfant doit trouver les combinaisons chimiques nécessaires à l'apparition et à la disparition de la couleur jaune et préciser le rôle joué par chacune des substances. Les enfants au stade des opérations concrètes essaient de nombreuses combinaisons sans noter systématiquement ce qu'ils font. S'ils obtiennent la couleur jaune, il vont souvent arrêter à cette étape et conclure que c'est la solution originale et que toutes les substances chimiques qui la composent sont nécessaires pour obtenir cette couleur. Par contre, les adolescents au stade des opérations formelles essaient les seize combinaisons possibles et découvrent finalement que deux d'entres elles provoquent l'apparition de la couleur jaune.

5) Logique déductive. Un autre aspect de la transformation de la pensée est l'apparition de la logique déductive dans le répertoire des capacités de l'enfant. Nous avons vu au chapitre 5 que l'enfant parvenu à la période des opérations concrètes est en mesure d'utiliser un raisonnement inductif, c'est-à-dire qu'il peut aboutir à une conclusion ou à une règle en se basant sur des expériences ou des observations individuelles. La *logique déductive*, qui constitue une forme de raisonnement plus sophistiquée, suppose une relation de type «si..., alors», impliquant une hypothèse de départ : «Si tous les êtres sont égaux, alors vous et moi sommes égaux.» Dès l'âge de 4 ou 5 ans, les enfants peuvent saisir une telle relation si l'hypothèse de départ est vérifiable dans les faits. Par contre, c'est seulement à l'adolescence qu'il est possible de saisir cette relation logique fondamentale et de l'appliquer (Ward et Overton, 1990). Il n'est donc par surprenant que les adolescents puissent apprendre et comprendre des règles et des principes scientifiques plus facilement que les enfants du primaire.

Une grande part de la logique scientifique est de type déductif. On part d'une théorie, d'un principe général

Résolution systématique des problèmes : Processus qui permet de trouver une solution à un problème en validant les facteurs un à un.

pour émettre des propositions et arriver à une application particulière: «Si cette théorie est vraie, nous devrions observer tel phénomène.» Dans cette démarche, on va bien au-delà de l'observation. On se penche sur des choses ou des événements que l'on n'a jamais vus et dont on n'a jamais fait l'expérience, mais qui devraient être observables et vérifiables. Cette transformation de la pensée atteste la continuité du processus de décentration qui commence beaucoup plus tôt dans le développement cognitif. L'enfant de la période préopératoire se libère graduellement de sa perspective égocentrique afin de pouvoir tenir compte de la perspective physique ou émotionnelle des autres. Pendant la période des opérations formelles, l'adolescent fait un autre pas en avant en se libérant des contingences de ses expériences particulières.

6) **Développement moral**. Nous avons déjà abordé, dans le chapitre 5, la théorie du développement moral de Piaget: moralité hétéronome à l'âge préscolaire et autonome à l'âge scolaire. Lawrence Kohlberg a poursuivi les travaux de Piaget et présente deux stades correspondant à l'adolescence: le stade de la concordance interpersonnelle (bon garçon/bonne fille) au début de l'adolescence et le stade de la conscience du système social (la loi et l'ordre) à la fin de l'adolescence.

Nouvelles perspectives sur la période des opérations formelles

La plupart des travaux sur les opérations formelles tentent de répondre à deux questions fondamentales:

1. Est-ce qu'il se produit vraiment un changement dans la façon de penser à l'adolescence et, si tel est le cas, quand se produit-il?

2. Comment expliquer qu'on n'observe pas ce changement chez tous les adolescents?

EXISTE-T-IL VRAIMENT UN CHANGEMENT?

Toutes les recherches récentes corroborent la théorie de Piaget concernant l'existence d'un nouveau degré de raisonnement chez les adolescents. Comme le dit Edith Neimark (1982, p. 493):

> De très nombreuses indications issues d'une série de tâches sélectionnées tendent à prouver que les adolescents et les adultes sont capables de prouesses logiques, lesquelles prouesses sont hors d'atteinte pour des enfants plus jeunes dans des conditions normales, et que ces capacités se développent assez rapidement entre l'âge de 11 et 15 ans.

De fait, de nouvelles caractéristiques de la pensée émergent à l'adolescence, notamment la perception de l'univers des possibilités et la capacité d'utiliser un raisonnement déductif. Comme Flavell (1985, p. 98) le mentionne, la pensée de l'enfant d'âge scolaire est axée sur la réalité empirique, alors que celle de l'adolescent se projette dans un monde de spéculation et de possibilité.

Une étude transversale de Susan Martorano (1977) fournit une bonne illustration de cette théorie d'un changement cognitif. Elle a fait passer un test qui comportait 10 tâches différentes faisant appel à une ou plusieurs opérations formelles à un échantillon composé de 20 filles appartenant à 4 classes différentes: 6ᵉ année du primaire, 2ᵉ et 4ᵉ années du secondaire et 1ʳᵉ année du collégial. La figure 7.5 illustre les résultats obtenus. Vous observerez que les filles plus âgées réussissent mieux, en général, et que l'amélioration la plus considérable survient entre 13 et 15 ans.

Vous pouvez constater aussi que les problèmes ne comportent pas tous le même degré de difficulté, comme c'est le cas dans les problèmes classiques des opérations concrètes (voir la figure 5.8). Les problèmes des opérations formelles qui obligent l'enfant à prendre simultanément en considération deux ou plusieurs facteurs étaient plus ardus pour les sujets de Martorano que ceux qui demandaient à l'enfant de rechercher toutes les possibilités logiques. Par exemple, dans le problème le plus facile à résoudre, celui des *jetons de couleur*, l'enfant doit découvrir combien on peut combiner de paires de différentes couleurs avec six jetons de couleurs distinctes. Ce problème demande de la réflexion et une organisation des solutions possibles. Le problème le plus difficile requiert la compréhension de multiples facteurs qui doivent être pris en considération simultanément. Le problème de la balance, très similaire au problème utilisé par Siegler pour étudier le développement des règles, demande à l'enfant de prédire si deux poids différents, suspendus à des distances variables de chaque

Les classes de sciences du secondaire pourraient être le premier lieu qui fait appel à la logique déductive.

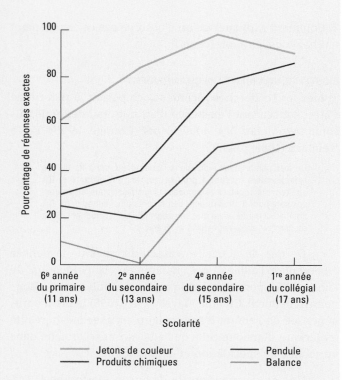

Figure 7.5
Étude de Martorano.
Dans cette étude transversale, 20 filles de chaque groupe d'âge ont été évaluées à partir de 4 problèmes formels. Pour 3 des 4 problèmes, on peut observer une augmentation rapide de l'habileté entre 13 et 15 ans. Les problèmes ne comportent pas tous le même degré de difficulté. (*Source:* Martorano, 1977, p. 670.)

côté de la balance, vont s'équilibrer. Pour résoudre ce problème avec les opérations formelles, l'adolescent doit prendre simultanément en considération les facteurs que sont le poids et la distance. Les observations de Piaget et les résultats obtenus par Martorano montrent que cette capacité survient très tard dans le développement.

Les opérations formelles semblent aussi permettent à l'adolescent de comprendre le langage figuré, comme les métaphores, à un niveau plus élevé. Par exemple, un proverbe comme « Pierre qui roule n'amasse pas mousse » est habituellement interprété de façon littérale par les enfants de 6 à 11 ans. À 12 ou 13 ans, la plupart des adolescents peuvent comprendre cette expression, mais ce n'est qu'un peu plus tard qu'ils peuvent l'insérer dans leur langage quotidien (Gibbs et Beitel, 1995).

Dans une recherche plus pratique, Catherine Lewis (1981) a démontré que les nouvelles habiletés cognitives de l'adolescent modifient sa façon de prendre des décisions.

Lewis a soumis des dilemmes difficiles à des adolescents de 12, 15 et 17 ans, comme le fait de décider si l'on doit subir une intervention chirurgicale délicate visant à corriger une difformité importante du visage. Or, 42 % des adolescents âgés de 17 ans ont mentionné les possibilités futures dans leurs réponses, comparativement à 11 % des adolescents âgés de 13 ans.

Par exemple, concernant le problème de la chirurgie esthétique, un adolescent de 17 ans a répondu : « Bien, vous devez considérer plusieurs choses… qui peuvent être importantes plus tard dans votre vie. Ce geste peut-il avoir des conséquences sur votre avenir et sur les personnes que vous rencontrerez ? » Un adolescent âgé de 12 ans, a répondu ainsi à la même question : « Les questions auxquelles je penserais avant de subir une telle opération sont celles-ci : Est-ce que les filles vont refuser de sortir avec toi ? Combien va coûter cette opération ? Est-ce que les gars de l'école vont encore me harceler ? »

Comme vous pouvez le constater, l'adolescent de 12 ans répond selon son groupe d'âge, il pense en termes concrets et en fonction du « ici et maintenant », alors que celui de 17 ans considère ce qui peut arriver dans l'avenir. Il faut considérer cependant que, dans l'étude de Lewis, près de 3 adolescents sur 5 âgés de 17 ans n'ont pas abordé dans leurs réponses les conséquences à long terme. Regardez de nouveau la figure 7.5, de 50 à 60 % seulement des adolescents de 17 ans ont eu recours à la pensée formelle pour résoudre les deux problèmes (pendule et balance).

ATTEIGNONS-NOUS TOUS LA PÉRIODE DES OPÉRATIONS FORMELLES ?

Il semble que non. Les premières données de Piaget mentionnaient la possibilité que de nombreux adolescents n'atteignent pas la pensée formelle. Keating (1980) estime que 50 à 60 % seulement des 18 à 20 ans dans les pays industrialisés semblent parfois se servir des opérations formelles, et qui plus est, de façon régulière. Dans l'étude de Martorano, 10 % seulement des sujets de 1re année du collégial ont utilisé les opérations formelles dans la résolution de tous les problèmes, et aucun des élèves plus jeunes n'a démontré cette capacité. Des études récentes ont enregistré les mêmes taux que ceux observés durant les années 60, 70 et 80 (Bradmetz, 1999). Dans les pays non industrialisés, ce taux est encore plus bas. Pourquoi ? Il existe plusieurs explications.

Premièrement, il est possible que les méthodes de mesure des opérations formelles soient tout simplement trop compliquées ou trop confuses. Quand les directives sont émises clairement, que l'on donne des indices ou que l'on explique préalablement certaines règles aux sujets, les adolescents sont capables d'utiliser certains aspects des opérations formelles.

Deuxièmement, la compétence et l'expérience du sujet jouent un rôle primordial. La plupart d'entre nous possédons certaines habiletés formelles, mais nous ne les appliquons que dans le cadre de tâches ou de sujets qui nous sont familiers. Par exemple, une enseignante en psychologie utilise le raisonnement formel, car c'est un domaine qu'elle connaît bien. Cependant, cette même personne sera beaucoup moins douée pour appliquer ce type de raisonnement à la réparation de son automobile si elle ne s'intéresse pas à la mécanique. Willis Overton et ses collaborateurs (Overton *et al.*, 1987) ont trouvé dans leurs recherches un nombre considérable d'indications qui confirmeraient cette hypothèse. Ils ont montré que 90 % des adolescents pouvaient résoudre des problèmes de logique très complexes si on leur présentait un contenu familier, alors que la moitié seulement pouvaient résoudre un problème logique identique présenté de façon abstraite.

Troisièmement, la plupart de nos tâches et expériences quotidiennes ne nécessitent pas le recours aux opérations formelles : les opérations concrètes suffisent. Par conséquent, nos facultés cognitives se sclérosent et nous appliquons toujours le même mode de raisonnement aux nouveaux problèmes qui se présentent à nous. Nous pouvons hausser notre réflexion d'un cran dans certaines circonstances, en particulier lorsque quelqu'un nous enjoint de le faire, mais il reste que nous utilisons peu les opérations formelles. Chez les adultes, une étude a démontré que la pensée formelle correspondait au nombre d'années de scolarité. On retrouvait davantage cette forme de pensée chez les personnes plus instruites (Mwamwenda, 1999).

L'utilisation de la pensée formelle peut différer sensiblement pour cette adolescente égyptienne comparativement à un adolescent d'Amérique du Nord ou d'Europe occidentale.

Pensez-vous qu'une mécanicienne compétente, comme cette jeune femme sur la photographie, recourt aux opérations formelles dans son travail ?

Le fait que l'on observe davantage les opérations formelles chez les jeunes ou les adultes des pays industrialisés peut être interprété de la même manière. La présence des techniques de pointe et la complexité de nos vies font que la pensée formelle est davantage sollicitée. Si l'on pousse ce raisonnement jusqu'au bout, tous les adolescents et adultes ne souffrant pas de déficience intellectuelle seraient dotés d'une capacité de logique formelle, mais seuls ceux dont le style de vie l'exige en maîtriseraient réellement l'usage.

APPROCHE DU TRAITEMENT DE L'INFORMATION : TRANSFORMATIONS GRADUELLES DES HABILETÉS COGNITIVES

Contrairement à Piaget qui considère les nouvelles habiletés cognitives de l'adolescent comme le résultat d'une évolution marquée par des stades ou des périodes de croissance accélérées, les tenants de l'approche du traitement de l'information affirment que les adolescents connaissent une croissance graduelle et continue de leurs habiletés cognitives, notamment *la capacité d'extraire, d'utiliser et de stocker l'information*. Les adolescents traitent l'information plus rapidement et plus efficacement, ils sont plus conscients de leurs processus mnémoniques et ont davantage de connaissances que les plus jeunes (Kail, 1990, 1997). De ce point de vue, les changements touchant les processus du traitement de l'information sont au cœur même de l'importante transformation des habiletés mentales observées durant l'adolescence.

Cette transformation est provoquée par les changements suivants :

• la façon dont les adolescents perçoivent le monde qui les entoure ;

- le développement de stratégies afin d'affronter des nouvelles situations;
- la classification des données et des faits observés;
- l'amélioration des capacités mnémoniques et perceptuelles (Burbules et Lin, 1988; Pressley et Schneider, 1997; Wellman et Gelman, 1992).

Les progrès effectués pendant l'adolescence sont énormes. Quoique l'intelligence générale mesurée par les tests de Q.I. demeure sensiblement la même, les habiletés verbales, spatiales et mathématiques augmentent ainsi que la capacité mnémonique. Les adolescents sont capables de porter attention à plus d'un élément à la fois, tel qu'étudier pour un examen de psychologie en écoutant AC/DC. Par contre, les résultats de ce mariage sont discutables.

De plus, les adolescents connaissent une amélioration remarquable et très sophistiquée de leur capacité à comprendre les éléments d'un problème, à saisir des concepts abstraits et à penser de façon hypothétique aux différentes possibilités inhérentes à une situation particulière. Ils connaissent mieux le monde. Leur capacité mnémonique et leur capacité à stocker des connaissances augmentent au fur et à mesure qu'ils sont exposés à de nouvelles informations (Pressley, 1987). Dans l'ensemble, on observe une amélioration marquée des habiletés mentales jusqu'autour de la vingtaine.

Ce sont les processus de métacognition qui seraient responsables de ce bond cognitif prodigieux chez l'adolescent. La métacognition, rappelons-le, est la prise de conscience par un individu de ses processus de pensée et d'acquisition des connaissances ainsi que de son habileté à utiliser ces processus. Par exemple, plus l'adolescent prend conscience de sa capacité à stocker l'information, mieux il évalue le temps requis à la préparation d'un examen. Ces améliorations notables lui permettent d'être plus efficace dans le traitement des nouvelles connaissances qu'il acquiert (Garner et Alexandre, 1989; Landine et Stewart, 1998; Nelson, 1990, 1994).

D'un autre coté, ces bonds prodigieux dans le traitement de l'information n'entraînent pas que des conséquences positives; ils peuvent être aussi à l'origine d'une introspection prononcée et d'une conscience de soi exacerbée.

Égocentrisme à l'adolescence

Pierre-Luc est furieux contre ses parents. Il les trouve injustes d'exiger qu'il rende des comptes après leur avoir emprunté la voiture familiale. Amélie est en colère contre Carolane parce que cette dernière s'est acheté des boucles d'oreilles identiques aux siennes et qu'elle insiste pour les porter à l'école. Julie-Pierre est furieuse contre son professeur de biologie qui a donné un examen très difficile. Ces trois adolescents sont très fâchés. Pourtant, leurs raisons de l'être semblent injustifiées au regard d'un observateur. Ces sentiments exacerbés seraient-ils liés à l'égocentrisme caractéristique de l'adolescence?

Selon David Elkind, psychologue du développement, l'adolescence favorise un état de centration sur soi dans lequel l'adolescent perçoit le monde à partir de son seul point de vue (Elkind, 1967, 1985). L'égocentrisme rend les adolescents très rébarbatifs à toute figure d'autorité, incapables d'accepter la critique et particulièrement prompts à trouver les fautes dans les comportements des autres. L'égocentrisme correspondrait davantage à un état cognitif qui apparaîtrait de manière récurrente et sous diverses formes tout au long du développement qu'à un stade précis.

Ce type d'égocentrisme explique le fait que l'adolescent se croit parfois le centre d'intérêt, ce que Elkind décrit comme la perception d'avoir un **auditoire imaginaire**. S'appuyant sur ses nouvelles habiletés métacognitives, il imagine facilement que les autres parlent de lui et il se construit des scénarios afin de comprendre ce que les autres pensent de lui. L'auditoire imaginaire est présent chez l'étudiant qui, assis en classe, est certain que le professeur ne regarde que lui et personne d'autre. Il est présent aussi chez le joueur de ballon-panier qui s'imagine que tous les spectateurs n'ont d'yeux que pour lui.

L'égocentrisme provoque aussi une autre distorsion de la pensée chez l'adolescent: la croyance que sa propre expérience est unique. La **fabulation personnelle** est la tendance à percevoir ses propres idées et sentiments comme uniques et très importants. Par exemple, les adolescents qui vivent une rupture amoureuse ont le sentiment que jamais personne n'a ressenti une blessure aussi profonde, que personne n'a été traité avec autant de méchanceté et que, par le fait même, personne ne comprend ce qu'ils éprouvent. La fabulation personnelle de l'adolescent serait une extension du phénomène du compagnon imaginaire observé chez l'enfant de 3 ans. Au début de l'adolescence, la fabulation porte à des rêveries où les identifications aux héros de romans, de films ou de bandes dessinées prennent un caractère quasi réel.

Auditoire imaginaire: Conviction chez l'adolescent que les personnes qui l'entourent se préoccupent autant de ses propres pensées et sentiments que lui-même.

Fabulation personnelle: Croyance que ce qui nous arrive est unique, exceptionnel, et n'est partagé par aucune autre personne.

Ce phénomène est aussi accompagné d'un sentiment d'invulnérabilité, une forme de «pensée magique» face au danger (Klacznski, 1997). Les adolescentes peuvent penser, par exemple, qu'elles n'ont pas à se protéger lors d'une relation sexuelle parce qu'elles ne peuvent tomber enceinte ou contracter une maladie transmise sexuellement comme le sida. Combien d'adolescents conduisent en état d'ébriété parce qu'ils se perçoivent comme des conducteurs émérites, toujours maîtres de la situation ! Les comportements à risque des adolescents sont généralement associés à la fabulation personnelle. (Arnett, 1995 ; Dolcini *et al.*, 1989 ; Lightfoot, 1997). Il existe d'autres formes d'égocentrisme chez l'adolescent comme la conscience de soi excessive et le narcissisme ; ces formes s'expriment notamment par l'écriture d'un «journal intime», par la critique de l'autorité et par le chauvinisme (la production musicale de ma génération est bien meilleure que celle de ta génération).

Développement cognitif

- Expliquez les six caractéristiques de la pensée formelle.

- Existe-t-il un changement réel dans la structure cognitive à l'adolescence ? Expliquez votre réponse.

- Comment peut-on expliquer le fait que tous les individus n'atteignent pas le niveau de la pensée formelle ?

- Quels changements cognitifs surviennent à l'adolescence concernant l'approche du traitement de l'information ?

- Expliquez les notions d'auditoire imaginaire et de fabulation personnelle.

Concepts et mots clés

- **auditoire imaginaire** (p. 256) • **approche du traitement de l'information** (p. 255) • **égocentrisme à l'adolescence** (p. 256)
- **fabulation personnelle** (p. 256) • **logique déductive** (p. 252) • **période des opérations formelles** (p. 250) • **raisonnement hypothético-déductif** (p. 251) • **résolution systématique des problèmes** (p. 252)

DÉVELOPPEMENT DU RAISONNEMENT MORAL

Le raisonnement moral est le processus par lequel un individu élabore son jugement sur ce qui lui est permis ou ou non de faire. De nombreux changements clés dans le raisonnement moral semblent coïncider soit avec l'adolescence, soit avec l'émergence du raisonnement formel. Nous allons donc aborder maintenant ce champ fascinant de la théorie et de la recherche appliquée.

Théorie de Kohlberg

Bien que Piaget lui-même ait été le premier à proposer une description du développement du raisonnement moral (Piaget, 1932), c'est le nom de Lawrence Kohlberg (Colby *et al.*, 1983, Kohlberg, 1976, 1981) qui reste associé à cette théorie. Kohlberg a été l'un des premiers à instaurer la pratique de l'évaluation du raisonnement moral. Pour ce faire, il présente à l'adolescent une série de dilemmes sous forme d'histoires dont chacune met en évidence un problème moral particulier, comme la valeur de la vie humaine. Le dilemme de Heinz est l'un des plus connus.

> Quelque part en Europe, une femme est atteinte d'une forme rare de cancer et risque de mourir. Il n'existe qu'un seul médicament qui puisse la sauver. Il s'agit d'une forme de radium qu'un pharmacien a découvert et qu'il vend dix fois plus cher que le prix réel de fabrication. Le coût de fabrication du médicament s'élève à 200 $ et il en demande 2 000 $. Heinz, le mari de la femme malade, a bien essayé de réunir cette somme auprès de ses amis, mais il n'a pu obtenir que 1 000 $. Il demande donc au pharmacien de lui laisser le remède à moitié prix ou de lui permettre de payer plus tard, car sa femme est en train de mourir. «Pas question, dit le pharmacien. J'ai découvert ce médicament et j'entends bien qu'il me rapporte.» Alors Heinz, désespéré, entre par effraction dans la pharmacie et vole le médicament dont sa femme a besoin. (Kohlberg et Elfenbein, 1975, p. 621.)

Après que l'enfant ou l'adolescent eut entendu cette histoire, on lui a posé une série de questions : Heinz a-t-il bien fait de voler le médicament ? Qu'aurait fait Heinz s'il n'avait pas aimé sa femme ? Cela aurait-il changé quelque chose ? Et si la personne mourante lui avait été étrangère, est-ce que Heinz aurait quand même dû voler le médicament ?

Sur la base des solutions à de tels dilemmes, Kohlberg a conclu qu'il existait trois principaux niveaux de raisonnement moral, comportant chacun deux sous-stades, comme on peut le voir dans le tableau 7.6.

Au niveau 1, celui de la **morale préconventionnelle,** les jugements de l'enfant (de l'adolescent et même de l'adulte) reposent sur des sources d'autorité présentes dans son environnement immédiat et physiquement supérieures à lui, en général les parents. Comme l'enfant décrit les autres par des caractéristiques surtout externes, les critères qu'il utilise pour distinguer le bien du mal sont plus externes qu'internes. Plus précisément, ce sont les résultats ou les conséquences de ses actions qui en déterminent la valeur morale.

> **Morale préconventionnelle :** Premier niveau dans le développement du raisonnement moral proposé par Kohlberg. Le jugement moral est surtout fonction des conséquences des actes, et est orienté par les notions d'obéissance et de punition. Il dépend aussi des autorités extérieures.

Tableau 7.6	*Stades du développement moral selon Kohlberg*

Niveau 1 : Morale préconventionnelle

Stade 1: Orientation vers la punition et l'obéissance. L'enfant décide de ce qui est bien ou mal sur la base des actions pour lesquelles il est puni ou récompensé. L'obéissance est perçue comme une valeur en soi, mais l'enfant obéit parce que l'adulte possède un pouvoir supérieur au sien.	*Stade 2*: Relativisme instrumental. L'enfant se plie aux règles qui satisfont son intérêt immédiat. Ce qui entraîne des conséquences plaisantes est nécessairement bien. L'enfant comprend les relations de réciprocité et peut saisir que chacun agit en fonction de son intérêt personnel.

Niveau 2 : Morale conventionnelle

Stade 3: Concordance interpersonnelle. La famille ou le petit groupe dont l'enfant fait partie deviennent importants. Les actions morales sont celles qui correspondent aux attentes des autres. L'intérêt personnel fait place à un début de conscience sociale. L'intention manifeste est de plaire aux autres et de se conformer au groupe d'appartenance (famille et pairs).	*Stade 4*: Conscience du système social (la loi et l'ordre). On observe un déplacement des préoccupations centrées sur la famille et les groupes proches de l'enfant vers une société plus élargie. Le bien consiste à consentir à accomplir son devoir. On ne remet pas en question les lois et l'on doit maintenir l'intégrité du système social. Les lois ont été instituées pour le bien-être de tous et elles doivent être respectées, sauf en cas extrême. Une moralité sociale apparaît au détriment des intérêts personnels.

Niveau 3 : Morale postconventionnelle ou principes moraux

Stade 5: Contrat social et droits individuels. L'action doit tendre vers « le meilleur pour le plus grand nombre ». L'adolescent ou l'adulte sait qu'il existe différents points de vue et que les valeurs sont relatives. Une moralité personnelle apparaît chez la personne qui assume les conséquences de ses actes. Les lois et les règles doivent être respectées pour préserver l'ordre social, mais elles peuvent être modifiées de façon démocratique et par consensus. Toutefois, certaines valeurs sont absolues, comme l'importance de la vie humaine. Les principes de liberté et d'égalité entre les humains doivent être défendus à tout prix.	*Stade 6*: Principes éthiques universels. L'adulte développe des principes éthiques librement choisis, une moralité universelle qui va au-delà de tout autre considération. Comme les lois suivent normalement ces principes, elles doivent être respectées. Mais lorsque apparaît une contradiction entre la loi et la conscience, c'est la conscience qui prédomine. À ce stade, les principes éthiques auxquels on se conforme font partie d'un système de valeurs et de principes clairs, intégrés, bien pesés et observés de façon conséquente

(*Sources*: Adapté de Kohlberg, 1976, et de Lickona, 1978.)

Au stade 1 de ce niveau, *l'orientation vers la punition et l'obéissance*, l'enfant s'en remet aux conséquences physiques d'une action pour juger si ce qu'il fait est bien ou mal. S'il est puni, c'est donc mal ; s'il ne l'est pas, c'est donc bien. Il obéit aux adultes parce qu'ils sont plus grands et plus forts que lui.

Au stade 2 de ce niveau, le *relativisme instrumental*, l'enfant se comporte selon le principe que l'on doit faire ce qui mérite des récompenses et éviter ce qui entraîne des punitions. C'est pour cette raison que l'on parle parfois d'hédonisme naïf. Si une action est agréable ou entraîne un résultat plaisant, elle est nécessairement bonne. On observe chez l'enfant un début de préoccupation pour les autres à cette période, mais seulement si cette préoccupation peut être exprimée dans un contexte où il peut en tirer avantage. Il peut alors conclure des ententes comme : « Si tu m'aides, je t'aiderai aussi. » Il va tenir compte des besoins et des intentions d'autrui, mais dans la mesure où ça lui est profitable. Dans ses relations avec l'autre, son intérêt personnel prime.

Voici quelques réponses à des variantes du dilemme de Heinz, qu'ont proposées des enfants et des adolescents de différentes cultures, parvenus au stade 2 (Snarey, 1985, p. 221).

> Il devrait voler la nourriture pour sa femme, parce que si elle meurt il devra payer pour les funérailles et cela coûte beaucoup d'argent. (Taïwan)

> Il devrait voler le médicament parce qu'il doit empêcher la mort de sa femme pour ne pas passer sa vie dans la solitude. (Porto Rico)

> (Supposez que ce n'est pas sa femme qui meurt de faim, mais son meilleur ami, devrait-il voler la nourriture pour son ami ?) Oui, car un jour, quand il aura faim, son ami pourra l'aider. (Turquie)

Au niveau 2, celui de la **morale conventionnelle**, on observe un déplacement du jugement fondé sur les conséquences extérieures et le bénéfice personnel vers des jugements basés sur les règles ou les normes édictées par le groupe d'appartenance de l'enfant, que ce soit la famille, le groupe de pairs, l'Église ou la nation. L'enfant considère que ce que le groupe de référence définit comme bien est bien et il intériorisera profondément ces normes.

Le stade 3 (le premier stade du niveau 2) est celui de la *concordance interpersonnelle* (parfois appelé *stade du bon garçon et de la bonne fille*). Les enfants parvenus à ce stade pensent que le bon comportement est celui qui plaît aux autres. Ils valorisent la confiance, la loyauté, le respect, la gratitude et les relations mutuelles suivies. Andy, un garçon interrogé au stade 3 par Kohlberg (1964, p. 401), s'exprimait en ces termes :

> **Morale conventionnelle :** Deuxième niveau du raisonnement moral proposé par Kohlberg. Le jugement est fonction des valeurs et des règles du groupe auquel appartient la personne.

Pouvez-vous dire en regardant cette photographie à quel stade ou à quel niveau de raisonnement faisaient appel ces manifestants anti-apartheid pour appuyer leurs revendications?

J'essaie de faire des choses pour mes parents, car ils ont toujours fait des choses pour moi. J'essaie de faire tout ce que ma mère me dit de faire, j'essaie de lui faire plaisir. Par exemple, elle voudrait que je devienne médecin et moi aussi je le veux et elle m'aide à y arriver.

Ce troisième stade se caractérise aussi par le fait que l'enfant commence à émettre des jugements qui portent autant sur les intentions que sur les actes. Si quelqu'un commet un acte répréhensible sans le faire exprès ou en pensant bien faire, sa faute est moins grave que s'il l'avait commis avec l'intention de mal faire.

Au stade 4 (le second stade de la *morale conventionnelle),* l'enfant se tourne vers un groupe social élargi pour édifier ses normes. Kohlberg parle du stade de la *conscience du système social (la loi et l'ordre),* compte tenu des préoccupations manifestées par l'enfant de faire son devoir, en respectant l'autorité et en observant les règles et les lois. L'enfant attache moins d'importance à l'assentiment des autres (contrairement au stade 3) et il met davantage l'accent sur l'adhésion à un système complexe de régulation sociale. Toutefois, le bien-fondé de ce système n'est jamais remis en cause.

La transition vers le niveau 3, celui de la **morale postconventionnelle** ou des principes moraux, est marquée par de nombreux changements, dont le plus remarquable est un déplacement de la source d'autorité. Au premier niveau, l'enfant voit l'autorité comme émanant totalement de l'extérieur. Au deuxième niveau, les jugements ou les règles provenant de l'extérieur sont intériorisés, mais ils ne sont pas remis en question ou analysés. Au troisième niveau, apparaît un nouveau type d'autorité, impliquant des choix individuels et des jugements personnels fondés sur des principes librement choisis.

Au stade 5 de ce niveau, que Kohlberg appelle l'orientation vers le *contrat social et les droits individuels,* on observe le début de l'édification de principes moraux librement choisis. Règles, lois et règlements ne sont pas perçus comme inutiles: ce sont des moyens permettant d'assurer la justice et l'équité. À ce niveau de raisonnement moral, les gens sont aptes à juger à quel moment les règles, les règlements et les lois doivent être ignorés ou amendés. Un système politique démocratique doit comporter des dispositions qui permettent l'amendement des lois et qui autorisent la protestation.

Dans sa version originale sur le développement moral, Kohlberg fait état d'un sixième stade, l'orientation vers *les principes éthiques universels.* Les sujets qui fonctionnent à ce niveau moral assument la pleine responsabilité de leurs actes, lesquels reposent sur des principes fondamentaux et universels comme la justice et le respect élémentaire de la personne. Par la suite, Kohlberg s'est longuement interrogé sur la logique et la nécessité de cette conclusion de la séquence et sur l'existence réelle d'un tel niveau moral (Kohlberg, 1978; Kohlberg, Levine et Hewer, 1983; Kohlberg, 1984). Il semblerait que de tels principes moraux universels ne guident le raisonnement moral que de quelques individus hors du commun, ceux qui consacrent leur vie entière à des causes humanitaires, comme mère Teresa ou Gandhi.

En conclusion, il est important de comprendre que le stade ou le niveau de jugement moral d'une personne ne dépend pas de ses choix moraux particuliers (qu'il s'agisse d'un jeune ou d'un adulte), mais du type de logique inhérente et de la source d'autorité sur lesquels repose la justification de ces choix. Par exemple, les deux possibilités dans le dilemme de Heinz (Heinz doit-il voler le médicament ou non?) se défendent de manière logique à tous les stades. Nous avons déjà donné des exemples du stade 2 pour légitimer le vol du médicament, voici une justification du même choix au stade 5, tirée d'une étude réalisée en Inde (Snarey, 1985, p. 223, dans Vasudev, 1983, p. 7).

(Le vol de Heinz est-il justifiable s'il vise à sauver un animal domestique au lieu de sa femme?)

Si Heinz sauve la vie d'un animal, son acte est louable. Le bon usage d'un médicament consiste à l'administrer à celui qui en a besoin. Il y a quand même une différence, bien sûr: la vie humaine est plus évoluée et elle occupe donc une plus grande importance dans le grand ordre de la nature. Cependant, la vie d'un animal n'est pas dénuée d'importance...

Morale postconventionnelle (ou principes moraux): Troisième niveau du raisonnement moral proposé par Kohlberg. Le jugement est fonction de la justice, des droits individuels et des besoins de la société.

Si vous comparez cette réponse à celles qui sont citées plus haut, vous pouvez constater une nette différence dans la forme de raisonnement, même si l'action à justifier reste exactement la même.

Kohlberg soutient que la séquence du raisonnement moral qu'il a établie est universelle et organisée de manière hiérarchique, de la même façon que Piaget pensait que les stades du développement cognitif qu'il avait définis respectaient une telle séquence. Autrement dit, chaque stade possède une cohérence interne et précède un autre stade dans une progression constante. Les individus ne peuvent pas «revenir en arrière» dans cette séquence, mais seulement évoluer dans le sens d'une progression, si évolution il y a. Kohlberg ne prétend pas que tous les individus évoluent à travers les six stades, ni même que l'adhésion à un stade corresponde à un âge précis, mais il insiste sur le caractère immuable et universel de la séquence. Nous allons maintenant poser un regard critique sur ces propositions.

ÉVALUATION DE LA THÉORIE DE KOHLBERG

Âge et raisonnement moral   Les résultats de Kohlberg, confirmés par plusieurs autres chercheurs (Rest, 1983; Walker, de Vries et Trevethan, 1987; Colby *et al.*, 1983), montrent que le raisonnement moral préconventionnel (stades 1 et 2) domine chez les élèves du primaire et que le stade 2 est encore présent chez de nombreux jeunes adolescents. La morale conventionnelle (stades 3 et 4) s'observe principalement chez les sujets en pleine adolescence et demeure la forme de raisonnement de prédilection chez l'adulte. La morale postconventionnelle (stades 5 et 6) apparaît beaucoup plus rarement, même chez les adultes. Ainsi, on a évalué que 13% seulement des hommes dans la quarantaine et dans la cinquantaine qui ont participé à une étude longitudinale menée à Berkeley faisaient montre d'un raisonnement moral appartenant au stade 5 (Gibson, 1990). Vous pouvez observer la tendance selon l'âge à la figure 7.6. Cette figure reflète les résultats que Kohlberg a obtenus dans une étude longitudinale réalisée auprès de 58 garçons, d'abord interrogés à l'âge de 10 ans, puis de façon périodique pendant près de 20 ans (Colby *et al.*, 1983).

Séquence des stades   La séquence proposée par Kohlberg dans laquelle les stades se suivent les uns les autres semble confirmée. Dans de nombreuses études longitudinales à long terme effectuées auprès d'adolescents et de jeunes adultes aux États-Unis, en Israël et en Turquie (Colby *et al.*, 1983; Nisan et Kohlberg, 1982; Snarey, Reimer et Kohlberg, 1985), le changement de la forme de raisonnement suit presque toujours l'ordre proposé. Les

sujets ne sautent pas de stades et seulement 5 à 7% des cas indiquent une régression, un taux qui concorde avec nos connaissances de la fiabilité de la mesure utilisée.

Universalité   Cette séquence de stades est-elle un phénomène propre à la culture occidentale, ou Kohlberg aurait-il levé le voile sur un processus universel? À ce jour, des variantes des dilemmes de Kohlberg ont été utilisées auprès d'enfants de 27 cultures distinctes, occidentales et non occidentales, industrialisées et non industrialisées.

John Snarey, qui a commenté et analysé ces nombreuses études, constate plusieurs faits qui viennent étayer la thèse de Kohlberg: (1) Dans les études portant sur des enfants, on observe constamment un progrès dans le stade de raisonnement utilisé. (2) Les quelques études longitudinales font état de «données se recoupant de façon frappante» (1985, p. 215), où les sujets progressent généralement dans la séquence et régressent rarement. (3) On observe que le niveau le plus élevé n'est pas le même

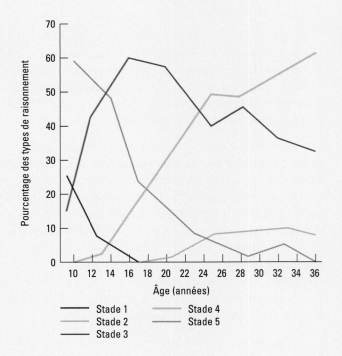

Figure 7.6
Raisonnement moral et âge.
Ces données sont tirées d'une étude longitudinale à long terme réalisée par Colby et Kohlberg auprès d'un groupe de garçons périodiquement exposés à des dilemmes moraux de Kohlberg, de l'âge de 10 ans jusqu'au début de la vie adulte. À mesure qu'ils grandissaient, le stade ou le niveau de leurs réponses changeait, avec une apparition très nette de la morale conventionnelle au moment du secondaire. Le raisonnement moral postconventionnel est rare à n'importe quel âge. (*Source*: Colby *et al.*, 1983, p. 46.)

dans toutes les cultures. Dans les sociétés urbaines complexes (aussi bien occidentales que non occidentales), le stade 5 est typiquement le niveau le plus élevé observé, tandis que les cultures que Snarey qualifie de «folkloriques» plafonnent au stade 4. L'ensemble de ces données corrobore l'universalité de la séquence des stades de Kohlberg.

CRITIQUE DE LA THÉORIE DE KOHLBERG

Les critiques ont reproché à Kohlberg de ne pas envisager tous les aspects du «raisonnement moral». Kohlberg lui-même le reconnaît dans ses écrits ultérieurs (Kohlberg, Levine et Hewer, 1983) : son propos porte sur le développement du raisonnement en ce qui concerne les questions de *justice et d'équité*. Il serait également intéressant de se pencher sur d'autres problèmes éthiques que la justice, comme l'empathie ou les relations interpersonnelles. Dans ce domaine, Carol Gilligan a fourni la critique la plus connue.

Éthique de la bienveillance selon Gilligan   Outre le fait que l'échantillon de Kohlberg ait été uniquement composé de garçons, Carol Gilligan (1982a, 1982b, 1987 ; Gilligan et Wiggins, 1987) reproche essentiellement à Kohlberg de mettre l'accent sur la justice et l'équité en tant que facteurs déterminants du raisonnement moral. Selon Gilligan, il existerait deux «orientations morales» distinctes : la justice et la bienveillance envers les autres, chacune ayant son propre prédicat, soit de ne pas traiter les autres de façon inéquitable (justice), soit de ne pas laisser quelqu'un dans le besoin (bienveillance). Les garçons comme les filles apprennent ces deux principes moraux et les appliquent dans les dilemmes de leur vie quotidienne (Skoe *et al.*, 1999). Cependant, pour Gilligan, les filles auraient une prédisposition à l'empathie et aux relations interpersonnelles, tandis que les garçons tendraient vers la justice et l'équité. En raison de cette distinction, les deux sexes percevraient les dilemmes moraux de façon différente.

Si l'on tient compte des données sur la différence sexuelle dans les styles d'interactions et dans les modèles d'amitié (voir le chapitre 6), l'hypothèse de Gilligan est séduisante. Il est possible que les filles recherchent davantage l'intimité dans leurs relations avec les autres, et qu'elles utilisent ainsi des critères différents dans leur évaluation de dilemmes moraux. Néanmoins, dans les faits, la recherche sur les dilemmes moraux n'a pas prouvé que les garçons seraient plus soucieux d'équité ni que les filles raisonneraient davantage en fonction de considérations bienveillantes à l'égard d'autrui. Plusieurs études portant sur des adultes traduisent bien une telle tendance (Lyons, 1983 ; Wark et Krebs, 1996), mais les travaux effectués auprès d'enfants et d'adolescents ne

reflètent généralement pas cette différence (Jadack *et al.*, 1995 ; Smetana, Killen et Turiel, 1991 ; Walker, de Vries et Trevethan, 1987). De plus, certaines recherches sur ce sujet démontrent que cette différence, si elle existe, ne s'observe que dans la culture nord-américaine (Skoe *et al.*, 1999).

Jugement moral et comportement   Certains critiques de Kohlberg ont également invoqué le fait que le comportement ne correspond pas toujours au niveau de raisonnement moral. Or, Kohlberg n'a jamais affirmé qu'il devait exister une correspondance exacte entre les deux. Le fait d'employer un raisonnement du stade 4 (raisonnement conventionnel) ne garantit pas que vous ne tricherez jamais ou que vous serez toujours gentil avec votre mère. La forme de raisonnement qu'un jeune adulte applique aux problèmes moraux devrait malgré tout *influer* sur ses choix moraux dans la vie réelle. En outre, Kohlberg pense que, plus un adolescent a atteint un niveau élevé de raisonnement moral, plus le lien avec son comportement sera étroit. Ainsi, les jeunes gens dont le raisonnement a atteint le stade 4 ou 5 seraient davantage enclins à se conformer à leurs propres règles de raisonnement que les enfants dont le raisonnement moral se situe à des niveaux inférieurs.

Évolution du raisonnement moral

- Expliquez les trois niveaux et les six stades de la théorie de Kohlberg sur le développement du raisonnement moral.

- Que peut-on dire de cette théorie en ce qui concerne l'âge, la séquence des stades et son universalité ?

- Quelle critique principale Gilligan formule-t-il à l'égard de la théorie de Kohlberg ?

- Est-ce que le jugement moral correspond au comportement ? Pourquoi ?

Concepts et mots clés

- **morale conventionnelle** (p. 258) • **morale postconventionnelle** (p. 259) • **morale préconventionnelle** (p. 257)

ENVIRONNEMENT: VÉCU SCOLAIRE

Nous avons vu au chapitre 5 que l'expérience de l'école constituait un facteur déterminant dans le développement de l'enfant. Nous allons maintenant voir comment cette expérience continue d'être tout aussi importante dans la vie de l'adolescent.

Tout comme l'expérience scolaire est formatrice pendant l'enfance, l'école agit comme une force centrale dans la vie des adolescents, mais l'effet est différent. Durant l'enfance, l'expérience scolaire est centrée sur l'apprentissage d'un ensemble complet d'habiletés fondamentales et de connaissances : apprendre à lire, à compter et à écrire. Bien que les élèves à l'école secondaire acquièrent plus de connaissances et que l'apprentissage favorise le développement de la pensée formelle, la scolarité joue de nombreuses autres fonctions. L'école secondaire n'est pas seulement un lieu d'expérimentation de nouvelles habiletés sociales hétérosexuelles pour l'adolescent, c'est aussi un lieu où la société tente de façonner les attitudes et le comportement des jeunes gens afin de les préparer à la vie adulte. Les écoles secondaires offrent ainsi des cours d'économie, de sexualité et d'instruction civique, et elles favorisent la réflexion sur des questions d'actualité. Les conseillers d'orientation guident également l'adolescent dans le choix de ses études collégiales et universitaires ou d'une carrière professionnelle. Par ailleurs, les activités sportives organisées offrent des chances de succès (ou d'échecs) parascolaires.

Malgré ces divers rôles éducatifs de l'école secondaire, c'est à la réussite scolaire que la plupart des chercheurs se sont intéressés ; en effet, la société considère la réussite scolaire comme une mesure clé du succès ou de l'échec du parcours de l'adolescence. Nous allons donc nous pencher sur les deux pôles du continuum, soit les adolescents qui mènent leurs études à bien et ceux qui les abandonnent.

Persévérance et réussite

Le meilleur indicateur de la performance scolaire d'un élève à l'école secondaire est le Q.I. S'il est vrai que les enfants issus de la classe moyenne sont plus portés à réussir leurs études que ceux qui sont issus d'un milieu défavorisé, l'appartenance à la classe sociale n'est que très faiblement liée à la réussite scolaire. En effet, pour chaque groupe ethnique et pour chaque classe sociale, les élèves qui ont un Q.I. élevé ont plus de chances d'obtenir de bonnes notes, de mener à bien leurs études secondaires et de poursuivre des études supérieures.

De plus, le Q.I. d'un adolescent et ses résultats scolaires peuvent être jusqu'à un certain point un facteur prédictif de son succès professionnel à l'âge adulte (Barrett et Depinet, 1991). Par exemple, de nombreuses études sur les emplois militaires montrent une corrélation de 0,45 à 0,55 entre les scores obtenus aux tests de Q.I. par les jeunes gens à leur arrivée dans l'armée et leur succès ultérieur dans divers emplois (Ree et Earles, 1992).

Ainsi, l'école secondaire ne représente pas seulement une expérience scolaire : c'est un milieu dans lequel les adolescents apprennent divers aspects du rôle adulte, expérimentent de nouvelles relations sociales et se comparent aux autres sur le plan intellectuel et athlétique.

En dehors de l'armée, on trouve la même relation générale, même si l'instruction représente un facteur clé. Les étudiants qui ont un Q.I. élevé ou de très bons résultats scolaires au secondaire sont portés à faire des études supérieures. Cette constatation s'applique autant aux enfants élevés dans un milieu défavorisé qu'à ceux issus de la classe moyenne (Barrett et Depinet, 1991). En effet, les scores de Q.I. sont de meilleurs indicateurs du degré de scolarité ultérieur d'une personne que la classe sociale dont elle provient (Brody, 1992). Le degré de scolarité atteint a un effet considérable sur le choix de carrière d'un jeune adulte (Rosenbaum, 1984).

En conclusion, les enfants doués ont plus de facilité à faire leurs travaux scolaires, et leur succès scolaire leur permet d'acquérir une plus grande confiance en leur efficacité personnelle. Ceux qui réussissent, même s'ils proviennent de milieux défavorisés ou qu'ils affrontent des obstacles du même type, ont des parents qui nourrissent à leur égard des aspirations élevées (Brooks-Gunn, Guo et Furtenberg, 1993) ou qui utilisent un style d'éducation démocratique. Ainsi, quelle que soit la situation économique de la famille ou le groupe ethnique d'appartenance, les adolescents ont de meilleurs résultats scolaires si leurs parents établissent des règles claires, encouragent la réussite, sont chaleureux et compréhensifs et ont de grandes capacités de communication. Le milieu familial influe donc sur la réussite scolaire et vice-versa.

Décrochage

Le revers de la médaille, c'est le décrochage scolaire. Au Québec, environ 43 % des garçons et 28 % des filles qui entreprennent des études secondaires abandonnent en cours de route (Filion et Mongeon, 1993). Dans le cas des décrocheurs, la classe sociale constitue un bien meilleur indicateur que le groupe ethnique. Les adolescents qui grandissent dans des familles défavorisées sont davantage portés à abandonner leurs études secondaires que les adolescents issus de familles plus aisées.

Le décrochage scolaire s'explique de plusieurs façons : l'aversion pour l'école, de faibles résultats scolaires, le renvoi de l'établissement ou la nécessité de trouver un emploi pour aider la famille. Bien que cette liste ne tienne pas compte du caractère complexe des raisons qui poussent un adolescent à abandonner ses études, certains de ces facteurs nous permettent de prédire quels enfants vont décrocher du système scolaire. Dans une étude longitudinale touchant plus de 500 enfants, Robert et Berveley Cairns (1994) ont découvert deux facteurs prédictifs importants associés au décrochage scolaire : des insuccès répétitifs, voire même redoubler une année, et des comportements agressifs. Plus de 80 % des garçons et 50 % des filles présentant ces deux facteurs à la fin du primaire n'ont jamais terminé leurs études secondaires. Chez les filles participant à cette étude, le fait de donner naissance à un enfant ou le fait de se marier étaient aussi fortement corrélés au décrochage ; d'ailleurs, une grossesse hâtive survient plus fréquemment chez les adolescentes qui cumulent les échecs scolaires ou qui connaissent un niveau élevé d'agressivité. Il n'est pas facile dans cette situation de départager la cause et l'effet. D'autres facteurs peuvent aussi intervenir, tels l'estime de soi et le sentiment d'être prêtes à entrer dans le monde adulte.

Ces dernières années, en raison de la difficile conjoncture économique, de nombreux élèves en sont venus à la conclusion qu'un diplôme d'études secondaires ne leur servirait à rien pour trouver un emploi. Cependant, les adolescents qui s'appuient sur un raisonnement aussi radical pour abandonner leurs études se trompent dans leurs prédictions à long terme. Le taux de chômage est plus élevé parmi les décrocheurs que dans n'importe quel autre groupe, et ceux qui dénichent un emploi ont un salaire moins élevé que ceux qui possèdent un diplôme d'études secondaires. Les études secondaires offrent donc nombre d'avantages et ceux qui s'en privent diminuent considérablement leurs chances de réussite.

PAUSE-APPRENTISSAGE

Environnement : vécu scolaire

- Quels sont les facteurs de la réussite scolaire ?
- Quelles sont les causes du décrochage ?

UN DERNIER MOT

L'adolescence, c'est l'apparition des changements physiques de la puberté. Or, nombreux sont ceux qui, à tort, ne la voit que comme une période noire, ponctuée de problèmes et de tumultes tant pour le jeune que pour ses parents et son entourage. De plus, il n'existe pas de guide de survie à l'usage des parents qui ont des adolescents.

L'adolescence est aussi marquée par un bond phénoménal sur le plan de la pensée. Une pensée abstraite permet de comprendre des situations, telles que l'exploitation des peuples par certains systèmes politiques. L'usage de la pensée opératoire amorcé durant l'enfance prend son envol à l'adolescence et permet d'explorer l'univers de la spéculation et des possibilités. Ce sont ces changements physiques spectaculaires associés aux changements cognitifs majeurs qui permettent à l'être humain d'effectuer la transition entre l'enfance et l'âge adulte.

DÉVELOPPEMENT PHYSIQUE

CHANGEMENTS HORMONAUX ET CORPORELS

- L'adolescence est définie non seulement comme une période de changements pubertaires, mais aussi comme une période de transition entre l'enfance et l'âge adulte. Cette transition est marquée par des rituels d'initiation dans de nombreuses cultures.

- Les changements physiques de l'adolescence sont provoqués par un ensemble complexe de changements hormonaux, débutant vers l'âge de 8 ou 9 ans. De très importantes augmentations des gonadotrophines, dont les œstrogènes et la testostérone, sont au cœur de ce processus.

- Les effets se traduisent par une croissance rapide de la taille et une augmentation de la masse musculaire et adipeuse. Les garçons deviennent plus musclés, et la masse corporelle des filles contient plus de tissu adipeux.

- Les changements hormonaux provoquent l'apparition des caractères sexuels primaires associés à la reproduction ainsi que des caractères sexuels secondaires, non directement liés à la reproduction.

MATURATION SEXUELLE

- Chez les filles, la maturation sexuelle se traduit par un ensemble de changements commençant dès l'âge de 8 ou 9 ans. Les premières règles arrivent généralement deux ans après l'apparition de ces signes.

- La maturation sexuelle se produit plus tard chez les garçons. Elle se caractérise par une poussée de croissance apparaissant un an ou plus après le début du développement génital.

- La précocité comme le retard du développement pubertaire ont des répercussions psychologiques. En général, des effets négatifs découlent d'un grand écart entre ce qui, pour l'adolescent, constitue le moment normal de l'apparition de la puberté et ce qu'il perçoit comme le moment réel de sa propre puberté. Dans la culture nord-américaine contemporaine, les filles qui ont un développement pubertaire très précoce ainsi que les garçons qui ont un développement pubertaire très tardif sont plus enclins à vivre cette expérience de manière négative.

SANTÉ

- Les adolescents ont un peu moins de maladies aiguës que les enfants, mais sont plus souvent victimes d'accidents mortels. Ils affichent également un taux élevé de comportements à risque incluant des relations sexuelles non protégées, la consommation d'alcool et de drogue, la conduite automobile à une vitesse excessive, etc.

- La consommation d'alcool et de drogue, en déclin depuis plusieurs décennies, est maintenant en croissance en Amérique du Nord. Les consommateurs à risque sont les adolescents qui présentent aussi des problèmes de comportements et qui connaissent peu de succès scolaires.

- La boulimie et l'anorexie mentale semblent être des désordres réactionnels liés aux critères de minceur véhiculés par la société. Ils sont aussi rattachés à la perception que les adolescentes ont de leur propre corps et du corps idéal.

DÉVELOPPEMENT COGNITIF

APPROCHE DE PIAGET

- Piaget propose une quatrième période importante du développement cognitif à l'adolescence, soit la période des opérations formelles. Elle se caractérise par la capacité d'appliquer des opérations de la période opératoire concrète non seulement aux objets, mais aussi aux idées et aux hypothèses. La capacité de passer du concret à l'abstrait, du réel au possible ainsi que la prévision des conséquences à long terme de ses actes sont des caractéristiques de cette période.

RÉSUMÉ

- La logique déductive et la résolution systématique des problèmes font également partie de la pensée formelle.

- Des chercheurs ont démontré que certains adolescents ont atteint le stade de la pensée formelle, mais qu'ils ne l'utilisent pas tous de façon constante.

APPROCHE DU TRAITEMENT DE L'INFORMATION

- L'adolescent traite l'information d'une nouvelle façon. Ce changement lui permet d'être plus efficace dans l'organisation de sa pensée, de mieux stocker et classifier les faits, les informations et les connaissances qu'il acquiert, de développer des stratégies afin d'affronter de nouvelles situations, de penser de façon hypothétique et d'accorder son attention à plus d'un sujet à la fois (faire plusieurs tâches en même temps).

- L'égocentrisme, ou le fait d'être excessivement centré sur soi, incite l'adolescent à se créer un auditoire imaginaire et à recourir à la fabulation personnelle.

DÉVELOPPEMENT DU RAISONNEMENT MORAL

- Une autre facette de la pensée de l'adolescent est le développement de nouveaux stades de raisonnement moral. Kohlberg divise le raisonnement moral en six stades, organisés en trois niveaux.

- Le raisonnement moral de niveau préconventionnel est basé sur l'obéissance stricte aux normes édictées par l'autorité. Il présente deux stades et est utilisé à l'âge préscolaire et scolaire. Au premier stade, ce qui est puni est nécessairement mauvais et, au second stade, l'intérêt personnel prédomine dans les relations avec l'autre.

- Le niveau conventionnel couvre toute la période de l'adolescence jusqu'à l'apparition d'une conscience sociale. Au stade 3, l'adolescent cherche à se conformer aux attentes des autres et, au stade 4, il comprend qu'il faut respecter la loi pour maintenir l'ordre social.

- Au niveau postconventionnel qui correspond à la fin de l'adolescence, les valeurs universelles dépassent l'intérêt individuel. Au stade 5, le principe de l'égalité prévaut, et l'adolescent comprend qu'on peut changer les lois de façon démocratique. Au stade 6, les valeurs humaines universelles sont primordiales, librement choisies et respectées.

- Des données de recherche semblent confirmer la théorie de Kohlberg que ces niveaux et ces stades se suivent selon un ordre précis et qu'on les retrouve selon cette même séquence dans toutes les cultures étudiées.

- On reproche au modèle de Kohlberg de tenir compte seulement du raisonnement concernant la justice et l'équité. Selon Gilligan, les individus peuvent aussi raisonner en se basant sur la bienveillance et les relations interpersonnelles ; les filles seraient davantage portées à utiliser ce dernier modèle. Mais la recherche n'appuie pas Gilligan sur ce point.

ENVIRONNEMENT : VÉCU SCOLAIRE

- L'environnement scolaire joue un rôle particulièrement formateur dans l'expérience de l'adolescent. Ceux qui réussissent à l'école ont un Q.I. élevé et sont issus de familles démocratiques. Ceux qui abandonnent leurs études ont souvent des comportements agressifs ou de mauvais résultats scolaires.

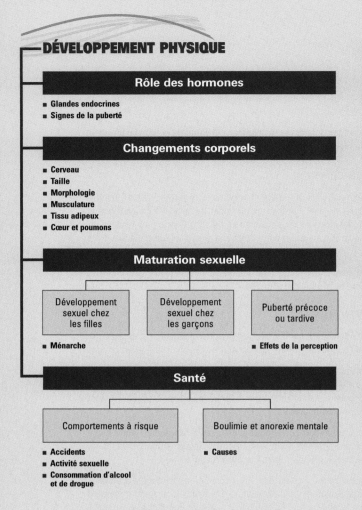

DÉVELOPPEMENT PHYSIQUE

Rôle des hormones

- Glandes endocrines
- Signes de la puberté

Changements corporels

- Cerveau
- Taille
- Morphologie
- Musculature
- Tissu adipeux
- Cœur et poumons

Maturation sexuelle

| Développement sexuel chez les filles | Développement sexuel chez les garçons | Puberté précoce ou tardive |

- Ménarche
- Effets de la perception

Santé

| Comportements à risque | Boulimie et anorexie mentale |

- Accidents
- Activité sexuelle
- Consommation d'alcool et de drogue

- Causes

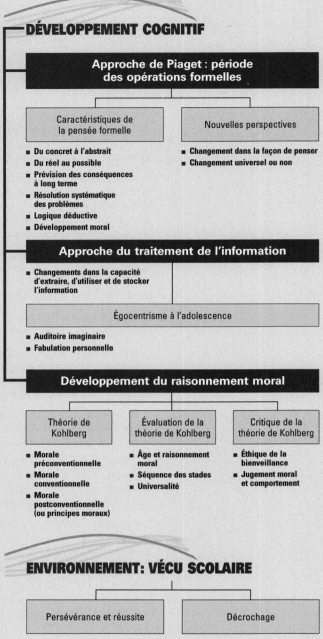

DÉVELOPPEMENT COGNITIF

Approche de Piaget : période des opérations formelles

| Caractéristiques de la pensée formelle | Nouvelles perspectives |

- Du concret à l'abstrait
- Du réel au possible
- Prévision des conséquences à long terme
- Résolution systématique des problèmes
- Logique déductive
- Développement moral

- Changement dans la façon de penser
- Changement universel ou non

Approche du traitement de l'information

- Changements dans la capacité d'extraire, d'utiliser et de stocker l'information

Égocentrisme à l'adolescence

- Auditoire imaginaire
- Fabulation personnelle

Développement du raisonnement moral

| Théorie de Kohlberg | Évaluation de la théorie de Kohlberg | Critique de la théorie de Kohlberg |

- Morale préconventionnelle
- Morale conventionnelle
- Morale postconventionnelle (ou principes moraux)

- Âge et raisonnement moral
- Séquence des stades
- Universalité

- Éthique de la bienveillance
- Jugement moral et comportement

ENVIRONNEMENT: VÉCU SCOLAIRE

| Persévérance et réussite | Décrochage |

CHAPITRE

8

L'adolescence :
développement
de la personnalité
et des relations sociales

*D*emandez à un garçon de 8 ans quel métier il veut exercer plus tard. Il y a de fortes chances qu'il vous donne une réponse précise, comme pompier, vétérinaire ou artiste. Posez la même question à un adolescent de 15 ans, et il vous répondra probablement de façon très différente, par exemple «Eh bien! Je pense à plusieurs possibilités. Je sais que je veux faire des études supérieures, mais je ne sais pas dans quel établissement et ce que je vais étudier. Les sciences peut-être...» Cette réponse de l'adolescent est typique: elle est plus réfléchie, plus interrogative et plus orientée vers l'avenir que celle de l'enfant. Un tel changement peut refléter le fait que l'adolescent prenne de plus en plus conscience qu'il se rapproche du moment où il devra prendre des décisions importantes concernant sa vie. Il témoigne de nouvelles préoccupations: devenir autonome, c'est-à-dire gagner sa vie, comprendre qui il est et ce qu'il va faire de sa vie. L'indépendance et l'identité constituent les thèmes centraux de ce chapitre.

DÉVELOPPEMENT DE LA PERSONNALITÉ

Alors que la pensée devient plus abstraite à l'adolescence, le concept de soi se complexifie par rapport à ce qu'il était durant l'enfance. C'est ce que nous allons découvrir dans cette section.

ÉVOLUTION DU CONCEPT DE SOI

On note une évolution de l'aspect cognitif du concept de soi au cours de l'adolescence. Quelles modifications le concept de soi en tant que personne et en tant qu'être sexué connaît-il ? Comment le concept de soi influe-t-il sur le développement de l'estime de soi ?

Aspect cognitif du concept de soi

Au cours des années du primaire, le concept de soi de l'enfant s'appuie de moins en moins sur les qualités externes et de plus en plus sur les caractéristiques internes qui sont plus durables. Cette transformation continue pendant l'adolescence, alors que la définition de soi devient de plus en plus abstraite. Vers la fin de l'adolescence, le concept de soi subit une réorganisation caractérisée par une nouvelle orientation sur le plan sexuel, professionnel et idéologique. Nous avons cité au chapitre 6 quelques-uns des qualificatifs que se donnaient des enfants d'âge scolaire (9 et 11 ans). Voici la réponse d'une adolescente de 17 ans à la question « Qui suis-je ? », posée par Montemayor et Eisen (1977, p. 318).

> Je suis un être humain. Je suis une fille. Je suis une personne. Je ne sais pas qui je suis. Je suis Capricorne. Je suis indécise. Je suis ambitieuse. Je suis très curieuse. Je ne suis pas individualiste. Je suis solitaire. Je suis pour la démocratie. Je suis radicale. Je suis conservatrice. Je suis athée. Je ne suis pas une personne qu'on peut classer. D'ailleurs, je ne veux pas être classée.

Il est évident que, pour se définir, cette jeune fille fait moins référence à ses caractéristiques physiques ou à ses aptitudes qu'un jeune enfant. Elle se décrit en utilisant des caractéristiques abstraites ou idéologiques.

L'étude de Montemayor et Eisen illustre bien ces changements. Les réponses des sujets à la question « Qui suis-je ? » ont été classées dans diverses catégories, selon qu'elles faisaient référence aux caractéristiques physiques (« Je suis grand », « J'ai les yeux bleus ») ou aux idéologies (« Je suis pour la démocratie », « Je crois en Dieu », etc.). Comme vous pouvez le constater, l'apparence physique est une dimension très importante au cours de la préadolescence et au début de l'adolescence, mais elle tend à s'atténuer au terme de l'adolescence, une période où l'idéologie et les croyances sont plus marquées. Vers la fin de l'adolescence, la plupart des jeunes se définissent à l'aide de traits durables, de leur philosophie personnelle et de normes morales (Damon et Hart, 1988).

Des études récentes effectuées par Harter montrent également que le concept de soi devient plus différencié au cours de l'adolescence, selon le rôle assumé par l'adolescent, comme élève, avec ses parents, dans ses relations amicales et amoureuses (Harter et Monsour, 1992). Le concept de soi devient plus souple, car les catégories sont moins rigides.

Il est important de préciser qu'une fois le concept de soi formé et bien établi, il commence à exercer une influence remarquable sur le comportement de l'adolescent. Par exemple, les adolescents qui possèdent un concept de soi scolaire fort (de bonnes habiletés d'étude) s'inscrivent à des cours plus difficiles que les adolescents dont le concept de soi scolaire est faible. De plus, les adolescents ont tendance à choisir des disciplines dans lesquelles ils pensent avoir de bonnes habiletés et évitent les matières où ils se sentent faibles (Marsh et Yeung, 1997). Le concept de soi scolaire de l'adolescent est le résultat d'une comparaison interne de ses performances à un concept de soi scolaire idéal et d'une comparaison externe avec les performances de ses pairs (Bong, 1998). Il semble aussi que la perception de sa compétence dans une discipline puisse affecter la perception de ses habiletés dans d'autres domaines. Par exemple, un échec en mathématiques est susceptible d'affecter le concept de soi en mathématiques bien sûr, mais aussi dans d'autres disciplines. Il semblerait que le concept de soi à l'adolescence soit hiérarchisé : la perception des compétences dans plusieurs domaines constitue la base du concept de soi scolaire (Yeung, Chui et Lau, 1999). Ainsi, chaque adolescent choisit systématiquement des activités, des expériences et des environnements qui sont en accord avec ce qu'il croit de lui-même.

Le concept de soi social permet de prédire aussi le comportement. Les psychologues du développement ont observé que les adolescents qui sont en rupture avec leur famille, comme les fugueurs, se perçoivent également comme moins compétents dans les relations familiales que les adolescents qui ont de bonnes relations avec leurs parents, leurs frères et leurs sœurs (Swaim et Bracken, 1997). Un adolescent qui croit qu'il ne peut se faire des amis effectue des choix différents de l'adolescent qui a beaucoup d'amis. Ces croyances influent sur presque tous les domaines. Plusieurs d'entre elles apparaissent tôt et, quoiqu'elles soient relativement sensibles aux changements, elles agissent un peu comme une prédiction qui se réalise et, par le fait même, elles contribuent à orienter la trajectoire de vie d'une personne au cours de l'âge adulte.

Concept de soi en tant qu'être sexué

Pour illustrer le fait que le concept de soi devient plus souple à l'adolescence, appuyons-nous sur l'évolution du concept de soi en tant qu'être sexué. Les enfants de 7 et 8 ans semblent traiter les catégories du genre sexuel comme s'il s'agissait de règles immuables, mais les adolescents s'aperçoivent qu'elles sont des conventions sociales et qu'il existe une vaste gamme de comportements au sein de chaque groupe sexuel (Katz et Ksansnak, 1994). Les attitudes et les comportements des parents jouent un rôle majeur dans la compréhension qu'a l'adolescent du genre et des rôles sexuels (Castellino *et al.*, 1998 ; Ex et Janssens, 1998 ; Jackson et Tein, 1998). De plus, les différentes croyances au sujet du genre et des rôles sexuels qu'entretenait l'enfant semblent se fusionner dans un concept que l'adolescent élabore pour formuler ses propres idées concernant son genre et son identité personnelle ainsi que ses relations sociales (Mallet, Apostolidis et Paty, 1997). Au milieu de l'adolescence, la plupart des adolescents ont abandonné la présomption de la supériorité de leur genre (ce que nous faisons est meilleur et préférable) (Powlishta *et al.*, 1994). Ainsi, une minorité significative d'adolescents et de jeunes adultes commencent à se définir en utilisant à la fois des traits masculins et féminins. Ils manifestent alors ce que Bem qualifie de conception androgyne des rôles des femmes et des hommes dans notre société.

Au début des recherches sur le concept des rôles sexuels, les psychologues opposaient nettement masculinité et féminité en les plaçant dans un même continuum. Une personne pouvait présenter soit des traits féminins ou des traits masculins, mais jamais les deux à la fois.

AVANT   Masculin ◄─────► Féminin

Toutefois, les travaux de Sandra Bem (1974) et de Janet Spence et Robert Helmreich (1978) ont montré qu'il est possible pour un individu d'exprimer à la fois les aspects féminins et masculins de sa personnalité, par exemple la sensibilité et l'indépendance, la tendresse et l'affirmation de soi.

Selon cette nouvelle approche des rôles sexuels, la masculinité et la féminité sont conçues comme étant deux dimensions distinctes. Une personne peut posséder chacune de ces dimensions à un degré faible ou élevé ou posséder les deux dimensions à la fois.

MAINTENANT   Masculin (faible) ───────► (élevé)
                 Féminin (faible) ───────► (élevé)

Les termes utilisés pour décrire les quatre possibilités découlant de ce modèle à deux dimensions sont présentés dans la figure 8.1. Les deux modèles traditionnels des rôles sexuels sont les modèles féminin et masculin.

Deux nouveaux modèles apparaissent lorsqu'on considère les rôles sexuels selon la nouvelle approche : le **modèle sexuel androgyne**, qui possède des traits masculins et des traits féminins marqués, et le **modèle sexuel indifférencié**, qui est dépourvu de traits masculins ou féminins.

De nombreuses études sont arrivées à la conclusion qu'environ 25 à 35 % des élèves américains du secondaire se définissent comme étant androgynes (Boldizar, 1991 ; Rose et Montemayor, 1994). Plus de filles que de garçons se classent dans le groupe androgyne, et plus de filles se retrouvent dans la dimension masculine que de garçons dans la dimension féminine. En outre, les modèles masculin et androgyne sont associés à une haute estime de soi, et ce, tant chez les adolescents que chez les adolescentes (Burnett, Anderson et Heppner, 1995 ; Boldizar, 1991 ; Rose et Montemayor, 1994). Cette observation semble indiquer que les garçons et les filles valorisent les caractéristiques qui définissent les stéréotypes masculins, telles l'indépendance et la compétitivité, une sorte de « préjugé » favorable au genre masculin. Ainsi, un jeune garçon peut développer une haute estime de soi et avoir du succès auprès de ses pairs en adoptant un rôle sexuel

Modèle sexuel androgyne : Modèle présentant un degré élevé de caractéristiques masculines et féminines.

Modèle sexuel indifférencié : Modèle présentant un faible degré de caractéristiques masculines et féminines.

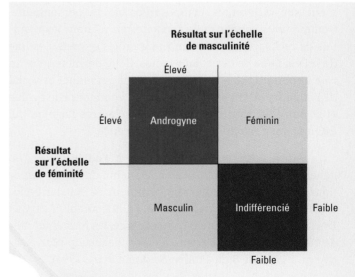

Figure 8.1
Modèles des rôles sexuels.
Selon cette façon de conceptualiser la masculinité et la féminité, chaque personne posséderait chacune des dimensions à un degré différent. Lorsque chaque dimension est divisée, on obtient quatre « modèles ».

masculin traditionnel. Pour les filles par contre, l'adoption d'un rôle sexuel féminin traditionnel sans caractéristiques masculines semble entraîner un risque de faible estime de soi, voire de piètres relations avec les pairs (Rose et Montemayor, 1994). Par conséquent, s'il est acceptable – et même souhaitable – que les enfants créent des règles rigides relativement aux rôles sexuels, il est nécessaire que les adolescents les bouleversent. Cela est particulièrement important pour les filles chez qui un concept de soi androgyne est davantage associé à des conséquences positives.

Cependant, des recherches transculturelles mentionnent que l'adoption du modèle masculin ou androgyne pour une fille peut conduire à une baisse de l'estime de soi. Par exemple, selon une étude portant sur des filles israéliennes, les préadolescentes qui étaient «garçonnes», ou qui se définissaient elles-mêmes comme masculines, étaient moins populaires et avaient une estime de soi moins grande que les préadolescentes qui adoptaient des caractéristiques féminines (Lobel, Slone et Winch, 1997). Par conséquent, pour interpréter ces résultats, il est important de considérer la culture. Une société peut valoriser les rôles masculins et décourager les filles de s'aventurer dans cette voie, comme nous l'avons observé en Afghanistan avec le régime des Talibans.

Estime de soi

Le concept de soi en tant que personne, homme ou femme, jouant un rôle particulier dans la société influe directement sur différentes composantes de la personnalité. Comme nous venons de le constater en relatant les résultats de recherches sur le concept de rôles sexuels, l'estime de soi est l'une de ces composantes. Cette dernière joue un rôle important dans le développement personnel et social de l'adolescent. On peut se demander comment elle évolue et si, outre les rôles sexuels, il existe d'autres facteurs qui influent sur l'estime de soi à l'adolescence.

Ainsi, l'estime de soi change à l'adolescence : en général, elle diminue légèrement au début de l'adolescence pour augmenter ensuite régulièrement et substantiellement (Harter, 1990 ; Wigfield *et al.*, 1991 ; Diehl, Vicary et Deike, 1997). Vers la fin de l'adolescence, les jeunes adultes de 19 ou 20 ans ont une estime de soi beaucoup plus positive qu'à l'âge de 8 ou 11 ans (Seidman *et al.*, 1994).

Cette brève diminution de l'estime de soi au début de l'adolescence semble davantage liée au changement d'école et aux changements pubertaires simultanés qu'à l'âge chronologique (Harter, 1990). Des chercheurs ont surtout remarqué cette baisse chez les élèves qui arrivent très jeunes au secondaire (Wigfield *et al.*, 1991). Lorsque la transition est plus graduelle, on n'observe aucune baisse de l'estime de soi au début de l'adolescence.

PAUSE-APPRENTISSAGE

Évolution du concept de soi

- Décrivez l'évolution du concept de soi depuis la petite enfance.
- Qu'est-ce qui caractérise le concept de soi à l'adolescence ?
- Qu'entend-on par modèle sexuel androgyne et modèle sexuel indifférencié ?
- Expliquez l'évolution de l'estime de soi du début à la fin de l'adolescence.

Concepts et mots clés

- **modèle sexuel androgyne** (p. 271) • **modèle sexuel indifférencié** (p. 271)

PERSPECTIVES THÉORIQUES

À cette étape du développement, la question «Qui suis-je ?» devient primordiale pour l'individu en croissance. Le concept de soi est remis en question à cause des transformations sexuelles à la puberté ainsi que des nouvelles capacités intellectuelles et physiques qui caractérisent l'adolescence.

Approche de Freud : développement psychosexuel

Le stade génital, le dernier stade psychosexuel défini par Freud, apparaît à l'adolescence et au début de l'âge adulte (voir le chapitre 1). Les pulsions sexuelles «endormies» pendant la période de latence se réveillent sous l'effet des changements physiologiques, et ces nouvelles pulsions sexuelles sont dirigées vers des pairs du sexe opposé. Le principal but psychosexuel de ce stade est l'ouverture à la sexualité adulte (Cloutier et Renaud, 1990). Selon la perspective de Freud, le mariage et la procréation constituent une adaptation saine au stade génital. Cependant, il croit qu'une fixation à un stade antérieur pourrait entraver la réalisation de cet objectif chez l'adolescent et l'adulte. Cela est particulièrement vrai lors d'une fixation au stade phallique qui peut mener à une déviation ou à une dysfonction sexuelle.

Ce groupe de jeunes garçons est plus susceptible de développer une estime de soi élevée comparativement à celle des filles du même âge parce que les deux groupes (garçons et filles) accordent de l'importance à certains traits de personnalité typiquement masculins plutôt qu'à des traits typiquement féminins.

Les mécanismes de défense couramment employés par les adolescents, et décrits par Anna Freud, sont l'*intellectualisation*, la *formation réactionnelle* et l'*ascétisme*. Comme nous l'avons mentionné dans le premier chapitre, l'intellectualisation permet à l'adolescent d'avoir recours à l'abstraction et à la généralisation devant une situation conflictuelle qui générerait trop d'angoisse, s'il reconnaissait y être personnellement impliqué. Souvent, l'analyse de la situation est froide et sans émotions. La formation réactionnelle dispense l'adolescent d'utiliser le refoulement, puisque à des tendances inacceptables sont substituées des tendances opposées qui deviennent permanentes. Ainsi, l'adolescent peut adopter un comportement ou une attitude qui est à l'opposé de ce qu'il est ou pense réellement. Cela lui donne la possibilité de faire diminuer l'angoisse associée à un sentiment inconscient en exprimant son contraire au niveau conscient. Finalement, l'ascétisme (qui n'a pas été abordé dans le chapitre 1) est le refus par l'adolescent de toutes les jouissances corporelles, même les plus innocentes. En astreignant l'adolescent à un régime strict, ce mécanisme de défense lui permet de protéger son moi contre les nouvelles exigences pulsionnelles qui sont une source d'angoisse. Ce dernier mécanisme de défense peut être associé à certains comportements de l'adolescent, comme les régimes alimentaires ou même l'anorexie.

Approche d'Erikson : développement psychosocial

On peut aborder le concept de soi chez l'adolescent différemment, notamment selon l'approche d'Erikson. Dans sa description du dilemme devant lequel se trouve l'adolescent qui doit choisir entre l'identité et la diffusion de rôle, Erikson souligne que, pour parvenir à la maturité de l'identité sexuelle et professionnelle, l'adolescent doit réexaminer son identité et les rôles qu'il doit assumer. L'adolescent doit faire son bilan personnel : Qui suis-je ? D'où est-ce que je viens ? Où vais-je ? Ces questions sont individuelles et privées, et personne ne peut répondre pour autrui. L'adolescent doit acquérir une perception de soi intégrée de ce qu'il est et désire être, et du rôle sexuel approprié. Le risque réside dans la confusion qu'entraîne la profusion des rôles qui s'offrent à l'adolescent. Erikson pense que le sentiment d'identité de l'enfant s'effondre au début de l'adolescence en raison de la croissance corporelle rapide et des changements sexuels liés à la puberté. Selon lui, la pensée de l'adolescent pendant cette période devient une sorte de moratoire entre l'enfance et l'âge adulte. L'ancienne identité ne suffit plus. L'adolescent doit se forger une nouvelle identité qui l'aidera à trouver sa place parmi la multitude des rôles de la vie adulte : rôle professionnel, rôle sexuel, rôle religieux. Les nombreux choix de rôles qui s'offrent à lui sèment inévitablement la confusion dans son esprit. Voici comment Erikson (1980, p. 97-98) perçoit ce phénomène.

> En général, c'est d'abord l'incapacité de se forger une identité professionnelle qui perturbe l'adolescent. Pour se retrouver, il s'identifie à outrance au héros de la clique ou du groupe, jusqu'à en arriver temporairement à une perte d'identité apparemment complète [...]. Il devient excessivement sectaire, intolérant, cruel : il exclut les personnes qui sont « différentes », que ce soit sur le plan de la couleur de la peau ou de la culture [...] et souvent, divers aspects insignifiants comme l'habillement et les mimiques (gestes, comportements) deviennent des critères de sélection arbitraires qui font qu'une personne sera ou ne sera pas admise au sein du groupe. Il est important de comprendre [...] qu'une telle intolérance constitue une défense nécessaire contre un sens de diffusion de l'identité, ce qui est inévitable à cette période de la vie.

Pour l'adolescent, la clique ou la bande constitue une base de sécurité à partir de laquelle il trouvera une solution à son processus d'identité. Chaque adolescent doit acquérir une vision intégrée de lui-même, incluant son propre modèle de croyances, ses aspirations professionnelles et ses relations avec autrui. L'identité globale est formée de plusieurs composantes qui peuvent être rendues à divers niveaux d'évolution. Voici quelques exemples.

- Identité professionnelle : Que vais-je faire dans la vie ?
- Identité sexuelle : Quelles conduites sexuelles dois-je adopter ?
- Identité religieuse : Quelles sont mes croyances religieuses ?
- Identité quant au style de vie : Quelles seront mes habitudes de vie, ma façon de vivre ?
- Identité sur le plan amical : Comment vais-je développer mes relations d'amitié ?
- Identité récréative : Comment vais-je occuper mes temps de loisirs ?

- Identité amoureuse : Quel genre d'amoureux est-ce que je veux être ?
- Identité politique : Quelles sont mes opinions politiques ?

Résolution du stade   Les changements pubertaires, l'investigation pour connaître la perception que les autres ont de lui, les relations avec ses pairs et ses parents permettent à l'adolescent de définir sa nouvelle identité. La force caractéristique de ce stade est la fidélité « qui maintient une relation étroite entre la confiance de l'enfance et la foi de la maturité ». Cette fidélité se construit au fur et à mesure que le besoin d'être conseillé se déplace des figures parentales vers des mentors ou des personnes d'influence (Houde, 1991).

Comme dans les stades antérieurs, l'exagération du pôle positif empêche autant la bonne résolution du stade que l'exagération du pôle négatif. Ainsi, une survalorisation du sentiment de l'identité démontre une mésadaptation pouvant se traduire par des comportements

- fanatiques (adhésion rigide à une idéologie ou à un système de croyances),
- intolérants envers tout ce qui est hors normes,
- extrémistes dans les jugements.

À l'opposé, une résolution négative du stade peut amener un sentiment de confusion ou de diffusion de rôle trop important chez l'adolescent témoignant ainsi d'une inadaptation pouvant se traduire par

- une répudiation de l'altérité (refus de reconnaître et d'accepter l'autre pour ce qu'il est),
- un sentiment d'aliénation durable (comportements antisociaux et marginalité),
- de nombreux changements de personnages selon le contexte immédiat,
- une incapacité d'établir des relations intimes et vraies.

Les parents doivent accompagner, et non diriger, l'adolescent dans sa quête d'un sens clair de son identité. La conduite des parents doit se modifier afin de répondre à leur nouveau rôle d'agent de socialisation de l'adolescent (voir le tableau 8.1).

Approche de Marcia ; développement de l'identité

Presque toutes les recherches actuelles sur la formation de l'identité de l'adolescent sont basées sur la description des **états d'identité,** proposée par James Marcia (Marcia, 1966,

---

Tableau 8.1   *Stade de l'identité ou de la diffusion de rôle selon Erikson*

Partie 1 Résolution du stade

Mésadaptation	◀ Tendance positive	◀ Force adaptative	◀ Tendance négative	◀ Inadaptation
Fanatisme	IDENTITÉ	**FIDÉLITÉ** Ce stade fournit l'occasion à la personne de développer son sentiment d'identité souvent par l'expression du moi dans des rôles variés et expérimentaux.	CONFUSION	Répudiation

Partie 2 Attitudes éducatives favorisant l'acquisition de la fidélité

• Se respecter mutuellement.	◀ En tout temps, il faut garder à l'esprit le respect de l'autre personne. Cette règle s'applique dans toutes les interactions sociales, et ce, autant pour le parent que pour l'adolescent.
• Maîtriser ses émotions.	Il ne faut jamais se laisser emporter et agir sous le coup de l'émotion. Cette règle s'applique à toutes les situations et à toutes les périodes de la vie. La colère est toujours mauvaise conseillère. De plus, il faut toujours bien réfléchir avant de prendre une décision. Une fois la décision prise, on doit revoir la situation après un certain temps, car les choses, avec un peu de recul, apparaissent parfois différemment.
• Adopter une approche du type « gagnant-gagnant ».	Il faut rechercher des solutions ou des compromis qui permettent aux deux parties d'être satisfaites. Une situation où il y a un perdant déclaré génère toujours beaucoup de frustration.
• Préciser les messages.	Lors d'une sortie, le parent doit s'entendre avec son adolescent pour qu'il revienne à la maison à une heure raisonnable. Mais qu'entend-on par raisonnable ? Quel est le sens d'une heure raisonnable pour un parent et pour un adolescent ?
• S'ouvrir aux possibles.	Lors d'une négociation, le parent doit mettre toutes les options sur la table et ne pas fermer certaines avenues. Il est important d'envisager toutes les possibilités d'une situation.
• Agir de bonne foi.	Il ne faut pas avoir d'agenda caché. Certains parents expédient leurs adolescents dans un camp d'été afin de pouvoir partir en vacances en paix par la suite.
• Distinguer le comportement de la personne.	Un parent peut reprocher un geste ou un comportement à son adolescent, mais il ne peut lui reprocher sa personnalité ou sa façon d'être. Un parent peut agir sur le comportement dérangeant pour le corriger, mais il ne peut pas changer la personnalité, le moi profond, de son enfant.

(*Source :* Conférence de R. Cloutier, 1994.)

1980). Selon ce chercheur, la quête de l'identité de l'adolescent se divise en deux parties, le *questionnement* et l'*engagement*. Le questionnement est une période de crise et de prise de décisions où les anciennes valeurs et les choix antérieurs sont remis en question. Il peut apparaître progressivement ou soudainement. Le résultat du processus de questionnement consiste en une forme d'engagement dans un rôle précis ou une idéologie particulière. Si vous conjuguez ces deux éléments, comme dans la figure 8.2, vous constaterez que l'on définit quatre états d'identité :

- **l'identité en phase de réalisation** : l'adolescent a traversé une crise et a pris des engagements pour atteindre des objectifs idéologiques ou occupationnels ;
- **l'identité en moratoire** : l'adolescent se questionne sans prendre d'engagement ;
- **l'identité forclose** : l'adolescent a pris un engagement sans pour autant avoir remis en question ses choix antérieurs ; il a simplement adopté les valeurs de ses parents ou de sa culture ;
- **l'identité diffuse** : l'adolescent n'a pas traversé de période de crise et n'a pas pris d'engagement ; la diffusion exprime soit un stade précoce de la formation d'identité (avant une crise), soit un échec dans la prise d'un engagement au terme de la crise.

Il est impossible d'affirmer que tous les adolescents traversent une crise d'identité, parce qu'il n'existe aucune étude longitudinale qui couvre cette période. Toutefois, on dispose de nombreuses études transversales, dont huit

que Alan Waterman (1985) a combinées en une seule analyse. Nous pouvons en extraire quelques observations intéressantes. Premièrement, les adolescents n'atteignent généralement pas l'identité en phase de réalisation au secondaire, mais au collégial (17 à 19 ans). Deuxièmement, l'identité en moratoire est un état d'identité relativement peu courant, sauf durant les années du collégial. Donc, si la plupart des adolescents traversent une crise d'identité, cette crise se produit relativement tard et ne dure pas très longtemps. Troisièmement, environ un tiers des adolescents de tout âge ont atteint l'identité forclose, ce qui peut indiquer que bon nombre d'entre eux ne traversent aucune crise, mais qu'ils suivent plutôt un modèle bien défini. Ce modèle devrait se retrouver dans les pays non industrialisés où les enfants sont censés suivre les traces de leurs parents sur le plan professionnel et sexuel. Pour en savoir plus sur l'influence de la culture sur le développement de l'identité, consultez l'encadré « L'identité ethnique à l'adolescence ».

Il faut noter cependant que ces observations ont été faites sur des adolescents qui sont encore aux études et peuvent ainsi donner une fausse image du processus de formation d'identité pour des adolescents qui sont déjà sur le marché du travail et qui ne peuvent se payer le luxe d'une longue période de questionnement. De plus, le développement cognitif n'est pas forcément associé intimement à la formation de l'identité, comme le croient Marcia et Erikson. Certaines recherches indiquent que les adolescents les plus avancés sur le plan cognitif et sur le plan du traitement de l'information sont aussi les adolescents qui sont les moins susceptibles d'avoir atteint le statut d'identité achevée de Marcia (Klaczynski, Fauth et Swanger, 1998). Cette observation pourrait nous permettre de comprendre pourquoi ce processus se produit à des âges plus avancés que ne l'avaient prévu Erikson et Marcia.

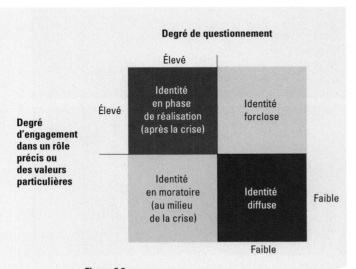

Figure 8.2
États d'identité à l'adolescence selon Marcia.
Marcia a défini quatre états d'identité à partir de la théorie d'Erikson. Pour acquérir pleinement son identité, l'adolescent doit traverser une crise de questionnement de ses objectifs et de ses valeurs ; à l'issue de laquelle il s'engage dans un rôle précis ou il adopte un ensemble de valeurs. (*Source :* Marcia, 1980.)

États d'identité : Quatre états décrits par James Marcia qui sont définis selon la position d'un individu par rapport à deux dimensions : la présence ou l'absence d'un questionnement (d'une remise en question), et la présence ou l'absence d'un engagement par rapport à un rôle ou des valeurs.

Identité en phase de réalisation : Un des quatre états d'identité proposés par Marcia. Il est associé à la résolution d'un questionnement (d'une crise) donnant lieu à un nouvel engagement.

Identité en moratoire : Un des quatre états d'identité proposés par Marcia. Il est associé à une remise en question sans engagement.

Identité forclose : Un des quatre états d'identité proposés par Marcia. Il est associé à un engagement professionnel ou idéologique sans remise en question.

Identité diffuse : Un des quatre états d'identité proposés par Marcia. Il n'est associé à aucune remise en question ni à aucun engagement.

À TRAVERS LES CULTURES

L'identité ethnique à l'adolescence

Le Québec est une société multiculturelle. Près de 75 % de sa population est d'origine française, 4,5 % d'origine britannique, 1 % d'origine autochtone et 12 % d'autres origines (Statistique Canada, 2001). Les dix nations amérindiennes appartiennent à deux familles linguistiques et culturelles, soit la famille algonquienne et la famille iroquoïenne ; les Inuits font partie d'une autre ethnie ; notons que plus de la moitié des autochtones ont moins de 25 ans (Les publications du Québec, 1995). La France constitue aussi une communauté qui présente un amalgame de différentes cultures.

Pour les adolescents qui font partie d'une minorité culturelle, et plus particulièrement les adolescents de couleur vivant dans une culture blanche dominante, définir leur identité s'avère encore plus compliqué que pour les autres adolescents. En effet, ils doivent acquérir non pas une, mais deux identités au cours de leur adolescence. Comme les autres membres de leur communauté, ils doivent acquérir une identité individuelle associée à la culture dominante du pays où ils vivent et également une identité ethnique liée à leur groupe d'origine. Cette identité ethnique peut comprendre les aspects suivants (Phinney et Rosenthal, 1992) :

- identification de soi comme membre d'un groupe,
- sentiment d'appartenance et engagement à l'égard d'un groupe,
- attitudes positives (ou négatives) envers le groupe,
- sens des valeurs et des attitudes partagées,
- apprentissage de traditions et de pratiques ethniques, comme la langue, les coutumes et les comportements.

L'identité ethnique diffère de la plupart des aspects généralement associés à l'identité du moi, telle que l'entendent Erikson et Marcia, car il n'existe aucune alternative à cette identité. On peut choisir une identité professionnelle, voire une identité du rôle sexuel, mais les jeunes d'une minorité ethnique ne peuvent pas choisir l'identité de leur communauté d'origine, ils ne peuvent que décider de son contenu.

Jean Phinney (1990 ; Phinney et Rosenthal, 1992) mentionne que, à l'adolescence, le développement d'une identité ethnique traverse trois stades. Le premier stade constitue une « identité ethnique non réfléchie », équivalente à l'identité forclose de Marcia. Pour certains groupes, comme les Noirs ou les Amérindiens, cette identité non réfléchie comprend souvent des images et des stéréotypes négatifs qui sont présents dans la culture dominante. De nombreux adolescents issus de ces minorités ethniques ou d'autres groupes culturels minoritaires préfèrent la culture dominante blanche ou souhaiteraient être nés au sein de cette majorité. Sylvester Monroe, un journaliste noir américain qui a grandi dans un quartier défavorisé, a bien décrit ce premier sentiment négatif.

> Si tu étais Noir, tu ne faisais pas le poids... Pour un enfant noir, un certain manque de confiance se manifestait indirectement. On ne voyait jamais de Noirs à la télévision, on ne voyait jamais de Noirs accomplir des choses... On ne le formulait pas véritablement, mais on se disait : « Cela veut sans doute dire que les Blancs sont mieux que les Noirs. Plus intelligents, plus brillants, mieux sur tous les plans. » (Tiré de Spencer et Dornbusch, 1990.)

Tous les adolescents issus de minorités ethniques n'ont pas une vision aussi négative de leur groupe. Les adolescents peuvent avoir une image très positive de leur ethnie, si le contenu de leur identité ethnique véhiculé par leurs parents et leur entourage est positif. En effet, la perception du concept de soi ethnique de l'adolescent ne se forme pas en vase clos, mais bien à partir de sources extérieures, de la même façon que les jugements moraux conventionnels sont basés sur une autorité extérieure.

Le deuxième stade est la « recherche de l'identité ethnique », qui s'apparente à la crise, telle que la décrit Marcia dans son analyse de l'identité du moi. Cette recherche est déclenchée par certaines expériences qui font ressortir l'appartenance ethnique : par exemple l'expression de préjugés raciaux ostensibles ou même l'expérience du secondaire. À ce stade, l'adolescent commence à comparer son propre groupe ethnique avec celui des autres afin de formuler son *propre* jugement.

Ce stade d'exploration est finalement suivi d'une résolution des conflits et des contradictions qui correspond à l'identité en phase de réalisation de Marcia. Ce n'est pas un processus facile. Certains adolescents noirs américains, par exemple, qui souhaitent réussir dans la culture dominante peuvent faire l'expérience d'ostracisme de la part de leurs amis de la même ethnie, qui les accusent de se comporter en Blancs

Les jeunes gens de couleur développent généralement deux identités : une identité associée à la culture dominante et une identité liée à leur culture d'origine. Ceux qui le font se perçoivent comme « biculturels » et ont plus de facilité à nouer des relations avec leurs pairs, que ces derniers appartiennent à la culture dominante ou à la culture minoritaire.

et de trahir leur propre culture. Certains Hispano-Américains rapportent les mêmes expériences. D'autres trouvent une solution au problème en tenant leur propre groupe ethnique à distance. D'autres encore se créent essentiellement deux identités, comme le décrit ce jeune homme chicano (d'origine mexicaine) interrogé par Phinney.

> Lorsqu'on m'invite chez des amis, je dois me comporter autrement que si j'étais chez moi en raison des différences culturelles. Je dois agir comme eux. Maintenant, je suis habitué à passer d'un comportement à l'autre. Ce n'est pas difficile. (Phinney et Rosenthal, 1992, p. 160.)

Certains résolvent le problème en choisissant les modèles et les valeurs de leur propre groupe ethnique, même si cela peut limiter leur accès à la culture dominante.

Dans des études longitudinales et transversales, Phinney a découvert que les adolescents et les jeunes adultes noirs américains traversent ces étapes ou stades pour adopter une identité ethnique qui leur est propre. De plus, il est évident que, parmi les adolescents et les élèves de collège d'origine africaine, asiatique ou autre, ceux qui ont franchi le deuxième ou le troisième stade de ce processus – c'est-à-dire ceux qui recherchent une identité propre ou qui l'ont atteinte –, tout comme ceux qui ont adopté une orientation biculturelle, possèdent une meilleure estime de soi et une meilleure faculté d'adaptation (Phinney, 1990 ; Yamada et Singelis, 1999) que ceux qui sont encore au stade « non réfléchi ». À l'inverse, chez les étudiants de culture blanche dominante, l'identité ethnique n'est aucunement liée à l'estime de soi ou à la faculté d'adaptation.

Ces trois stades constituent le début d'une description appropriée du processus de la formation de l'identité ethnique. Toutefois, il ne faut pas perdre de vue que les caractéristiques et le contenu de l'identité ethnique différeront considérablement d'un groupe à l'autre. Les groupes qui font l'expérience de préjugés raciaux emprunteront un chemin différent de ceux qui peuvent s'assimiler plus facilement. Ceux dont la culture propose des valeurs qui se rapprochent de celles de la culture dominante auront moins de difficulté à résoudre les conflits que ceux dont la culture familiale est très différente de celle de la majorité.

À ce titre, les adolescents d'origine asiatique expérimentent une certaine confusion associée à la notion de collectivisme et d'individualisme, abordée dans le premier chapitre. Par exemple, dans la culture asiatique favorisant le collectivisme, la question de savoir si un adolescent doit travailler à l'extérieur est posée en fonction des besoins de la famille. Si la famille a besoin d'argent, l'adolescent sera encouragé à travailler. Par contre, si l'adolescent doit s'occuper de ses frères et sœurs pendant que ses parents travaillent, alors un emploi à temps partiel sera mal perçu par les parents, et l'adolescent se sentira coupable. Si l'adolescent conteste la décision de ses parents, ceux-ci perçoivent cette remise en question comme de l'immaturité de la part de l'adolescent. Pour les parents asiatiques, un adolescent mature est celui qui occupe un plus grand rôle dans la famille plutôt que celui qui cherche à s'en séparer.

Dans une culture favorisant l'individualisme comme en Amérique et en Europe, un emploi à temps partiel pour un adolescent est bien vu et même encouragé, car il favorise son accession à une certaine maturité. Les conflits entre parents et adolescents sont communs et même socialement acceptables, car ils sont associés au processus de séparation et d'individuation, et démontrent une recherche d'autonomie de la part de l'adolescent. Ainsi, l'adolescent d'origine asiatique doit trouver un compromis entre les demandes de la culture dominante (individualiste) et les demandes de sa culture d'origine (collectivisme) (Chen, 1999). Quoi qu'il en soit, il est évident que les individus issus de minorités ethniques, et particulièrement des minorités visibles, doivent faire face à un problème d'identité supplémentaire durant l'adolescence.

Il semble aussi de plus en plus évident que la quête de l'identité personnelle constitue un processus qui se perpétue durant toute la vie, avec une alternance de périodes de stabilité et d'instabilité. Par exemple, le fait de se sentir « jeune ou âgée » pour une personne et le sens qu'elle donne à cette idée selon la génération à laquelle elle appartient semblent se modifier à plusieurs reprises au cours de l'adolescence et de l'âge adulte (Sato *et al.*, 1997). Par conséquent, l'adolescence est une période de la formation de l'identité parmi d'autres.

D'autres recherches considèrent que les hommes et les femmes vivent cette période de crise d'identité différemment (Lytle, Bakken et Romig, 1997 ; Moretti et Wiebe, 1999). Par exemple, les comportements des filles correspondent mieux à la description de la crise d'identité d'Erikson et de Marcia que ceux des garçons. Les filles consolident leur identité à un plus jeune âge que les garçons ; pour ce faire, elles intègrent ce qu'elles croient d'elles-mêmes en s'appuyant sur des informations obtenues grâce à leurs relations sociales. Inversement, les garçons sont plus susceptibles de retarder l'achèvement de leur identité jusqu'à l'âge adulte et de se centrer davantage sur leurs perceptions internes que sur les informations sociales pour construire leur identité.

En outre, les adolescents qui sont aux prises avec des stress extrêmes, comme une maladie chronique, semblent être plus à l'aise dans une identité forclose (Madan-Swain *et al.*, 2000). L'emprunt temporaire des objectifs de leurs pairs semble protéger ces adolescents contre les effets émotionnels négatifs des difficultés qu'ils doivent affronter. Ainsi, l'idée que la progression vers une identité achevée constitue la réponse la plus saine psychologiquement ne s'applique pas à ces adolescents.

Pour terminer, le concept de la crise d'identité à l'adolescence est peut-être aussi fortement influencé par notre culture occidentale qui stipule que le statut réel d'adulte n'est totalement atteint qu'une décennie après la puberté. Dans la culture occidentale, les jeunes n'adoptent pas nécessairement les mêmes rôles ni n'embrassent les mêmes professions que leurs parents. D'ailleurs, ils sont encouragés à choisir eux-mêmes leur carrière. Ces adolescents se heurtent alors à un éventail déconcertant d'options, un modèle qui est susceptible d'engendrer une forme de crise d'identité selon Erikson. Dans des sociétés moins industrialisées, on observe une transition entre l'enfance et l'âge adulte, mais sans crise. De plus, la recherche d'identité des adolescents dans ces cultures est peut-être davantage soutenue, au moins dans un sens symbolique, par des rituels d'initiation qui permettent de séparer l'enfance de l'âge adulte.

Perspectives théoriques

- Définissez le stade génital, selon la théorie de Freud, et nommez quelques mécanismes de défense utilisés par les adolescents.

- Définissez le stade de l'identité ou de la diffusion de rôle, selon Erikson, et expliquez quelle tâche lui est associée.

- Quelles sont les attitudes éducatives favorisant l'acquisition de l'identité?

- Quels sont les deux éléments clés dans la formation de l'identité selon Marcia?

- Nommez et expliquez les quatre états d'identité définis par Marcia.

- Quelles différences peut-on observer entre l'état d'identité des adolescents qui poursuivent des études (collégiales ou universitaires) et celui des adolescents qui sont sur le marché du travail?

Concepts et mots clés

- **ascétisme** (p. 273) • **états d'identité** (p. 275) • **formation réactionnelle** (p. 273) • **identité diffuse** (p. 275) • **identité en moratoire** (p. 275) • **identité en phase de réalisation** (p. 275) • **identité forclose** (p. 275) • **intellectualisation** (p. 273)

DÉVELOPPEMENT DES RELATIONS SOCIALES

La compréhension des autres et de ses relations sociales devient de plus en plus complexe à l'adolescence. Ce progrès dans la compréhension des relations interpersonnelles amène aussi un changement dans les relations familiales et les relations avec les pairs.

RELATIONS AVEC LES PARENTS

Les adolescents ont deux tâches apparemment opposées dans leurs relations avec leurs parents : (1) acquérir leur autonomie et (2) maintenir les liens d'attachement. On observe ces deux processus dans la relation qu'établissent les adolescents avec leurs parents. L'acquisition de l'autonomie se manifeste par une augmentation des conflits entre les parents et l'adolescent. Le maintien du lien se traduit par la continuité de l'attachement de l'adolescent aux parents.

Augmentation des conflits

L'augmentation du nombre de conflits a été notée par de nombreux chercheurs (p. ex. Flannery, Montemayor et Eberly, 1994; Steinberg, 1988). Dans la majorité des familles, on assiste à une augmentation des conflits mineurs concernant des problèmes quotidiens, tels les règles à suivre à la maison, l'habillement, la coupe de cheveux, les sorties, les résultats scolaires ou les tâches ménagères. Les adolescents et leurs parents s'interrompent mutuellement plus souvent, et font preuve de moins de patience les uns envers les autres (Dekovic, Noom et Meeus, 1997).

Cette augmentation des conflits est très courante, mais il ne faut pas penser pour autant qu'elle nuise gravement à la qualité de la relation entre les parents et les adolescents. Laurence Steinberg (1990) estime qu'environ 5 à 10 % des familles nord-américaines étudiées subissent une détérioration catastrophique de la qualité de la relation parents-enfant au cours des premières années de l'adolescence.

Les traits de la personnalité de l'adolescent semblent contribuer aux conflits avec les parents. Par exemple, les adolescents qui font preuve d'un tempérament difficile au début de l'enfance sont ceux qui risquent de vivre des conflits majeurs et intenses à l'adolescence (Dekovic, 1999). De plus, des facteurs culturels (comme ceux abordés dans l'encadré sur l'identité ethnique) peuvent influer à la fois sur la fréquence des conflits et sur la signification qu'on doit leur donner.

PROCESSUS D'INDIVIDUATION ET DE SÉPARATION

Toutefois, si l'augmentation des conflits n'entraîne pas une détérioration de la relation parents-enfant, que signifie-t-elle? De nombreux théoriciens croient que cette augmentation des tensions entre les parents et leur enfant au cours de l'adolescence, loin d'être un événement négatif, peut être à la fois saine et nécessaire au développement : elle fait partie du *processus d'individuation et de séparation* (Steinberg, 1990). Dans ce processus, la remise en question des valeurs des parents semble un élément indispensable à la formation de l'identité de l'adolescent. Chez les primates, on observe le même type d'augmentation des conflits, particulièrement entre les mâles adultes et les mâles adolescents. Quand les jeunes mâles commencent à faire des gestes compétitifs, il arrive qu'ils soient chassés de la bande pour une brève période. Chez les humains, certaines données montrent que l'augmentation des conflits familiaux n'est pas liée à l'âge, mais plutôt aux changements hormonaux de la puberté, ce qui tend à soutenir l'hypothèse qu'il s'agit d'un processus normal, voire nécessaire.

Même s'il est vrai que les changements physiques de la puberté sont souvent suivis d'une augmentation des conflits, il est faux de prétendre que les conflits constituent l'élément central des relations entre les parents et leur adolescent.

Par exemple, dans une étude longitudinale à court terme, Steinberg (1988) a suivi un groupe d'adolescents sur une période de un an, afin d'évaluer leur stade de puberté et la qualité de leur relation avec leurs parents au début et à la fin de l'année. Il a découvert qu'au début des stades pubertaires, les liens familiaux se relâchent, les conflits entre les parents et l'enfant redoublent, et que l'enfant devient alors plus autonome. D'autres chercheurs (Inoff-Germain *et al.*, 1988) ont approfondi cette recherche en mesurant les taux d'hormones réels et en démontrant la relation entre l'augmentation des taux d'hormones à la puberté et le nombre de conflits avec les parents. Chez les filles, les conflits semblent augmenter avec l'apparition des premières règles (Holmbeck et Hill, 1991).

Les causes de ce modèle sont évidemment très complexes. Les changements hormonaux sont parfois liés à une plus grande assurance, en particulier chez les garçons. Mais la réaction des parents aux changements pubertaires peut également jouer un rôle important. Les changements pubertaires visibles, notamment les premières règles, modifient les attentes des parents envers l'enfant et accroissent leurs inquiétudes. Ils cherchent alors à exercer une plus grande domination sur l'adolescent afin de l'aider à éviter les écueils d'une trop grande indépendance.

En fait, il semble que la période de l'adolescence soit plus stressante pour les *parents* que pour les jeunes (Gecas et Seff, 1990 ; Dekovic, 1999). Près des deux tiers des parents perçoivent l'adolescence comme l'une des étapes les plus difficiles du rôle parental, en raison de la perte de domination sur l'adolescent et des inquiétudes quant à sa sécurité que suscite sa plus grande autonomie.

Dans le même temps, et peut-être en partie à cause de cette augmentation des conflits, le degré d'autonomie de l'adolescent dans la famille s'élève de façon continue durant cette période. Les parents laissent de plus en plus leurs enfants faire des choix indépendants et participer aux prises de décision familiales. Selon Steinberg, cette distanciation est une composante normale, voire essentielle, du processus de développement chez l'adolescent.

Attachement aux parents

Paradoxalement, ni les augmentations temporaires de conflits familiaux ni la prise de distance par rapport aux parents ne semblent indiquer que l'attachement émotionnel des jeunes à leur famille disparaît ou s'atténue ; au contraire, il semble demeurer fort. Les résultats d'une étude effectuée par Mary Levitt et ses collègues (1993) appuient clairement ce point.

Levitt a interrogé de jeunes Américains âgés de 7, 10 et 14 ans. On montrait à chaque enfant une feuille sur laquelle apparaissait un ensemble de trois cercles concentriques. On demandait alors à l'enfant d'écrire dans le premier cercle, celui au centre de la feuille, les noms des personnes qui étaient les plus importantes pour lui, celles qu'il aimait le plus et qui l'aimaient le plus. Dans le second cercle à partir du centre de la feuille, on demandait à l'enfant d'inscrire les noms des personnes qui n'étaient pas nécessairement très près de lui, mais qui étaient quand même importantes pour lui et qu'il aimait beaucoup, mais pas autant que les personnes du premier cercle. Finalement, on demandait à l'enfant d'écrire, dans le troisième cercle, les noms des personnes qu'il n'avait pas encore mentionnées, mais qui étaient assez proches de lui pour faire partie de son réseau social (entourage). On demandait par la suite à l'enfant d'indiquer le type de soutien qu'il recevait de chacune des personnes inscrites dans les cercles.

Levitt a remarqué qu'à tout âge, les parents et d'autres membres de la famille immédiate sont plus susceptibles de se trouver dans le premier cercle. Même les adolescents de 14 ans placent rarement leurs amis dans ce cercle. Ainsi, l'attachement aux parents demeure primordial. En même temps, il ressort de ces résultats que les pairs deviennent de plus en plus importants comme dispensateurs de soutien. Les amis apportent plus de soutien à 14 ans qu'au début de l'âge scolaire.

Une étude récente provenant de Hollande (van Wel, 1994) démontre que l'attachement d'un adolescent à ses parents peut diminuer au milieu de l'adolescence (à 15 ou 16 ans) pour revenir à la normale par la suite. Toutefois, presque toutes les recherches confirment que le

Si les adolescents passent moins de temps avec leurs parents que lorsqu'ils étaient plus jeunes, la plupart continuent de leur être très attachés.

sentiment de bien-être ou de bonheur d'un adolescent est davantage lié à la qualité de son attachement aux parents qu'à la qualité de son attachement aux pairs (Greenberg, Siegel et Leitch, 1983; Raja, McGee et Stanton, 1992). Les mêmes observations ont été faites dans d'autres cultures (Claes, 1998; Okamoto et Uechi, 1999).

Ainsi, les recherches effectuées dans de nombreux pays indiquent que les adolescents qui demeurent intimement attachés à leurs parents sont plus susceptibles de bien réussir sur le plan scolaire et de maintenir de bonnes relations sociales avec leurs pairs (Black et McCartney, 1997; Claes, 1998; Kim, Hetherington et Reiss, 1999; Mayseless, Wiseman et Hai, 1998). Ces adolescents sont aussi moins susceptibles de s'engager dans des comportements asociaux comparativement à des adolescents qui ressentent un sentiment d'insécurité dans leur attachement à leurs parents (Ma *et al.*, 2000). De plus, la qualité de l'attachement au début de l'adolescence constitue un facteur prédictif de l'usage de drogues à la fin de l'adolescence et au début de l'âge adulte (Brook *et al.*, 2000). Les adolescents qui sont près de leurs parents sont moins susceptibles de consommer des drogues que ceux dont le lien avec leurs parents est faible. Globalement, ces données convergent vers le fait que, même si les adolescents deviennent de plus en plus indépendants et autonomes, la relation avec leurs parents et l'attachement qu'ils éprouvent pour ces derniers continuent d'être très présents dans leur vie, et c'est toujours auprès de leurs parents qu'ils comblent leur besoin de sécurité.

STYLE PARENTAL

Durant les années d'adolescence, certaines parents sont plus habiles que d'autres à donner un sentiment de sécurité à leur adolescent. Pour les adolescents comme pour les enfants plus jeunes, le style d'éducation démocratique donne toujours de meilleurs résultats. La recherche autorise à penser que le style parental influe sur le développement du concept de soi ainsi que sur d'autres variables qui modifient les relations interpersonnelles (Dekovic et Meeus, 1997). Le sentiment de maîtriser la situation (la notion de locus interne que nous allons aborder au chapitre 10), par exemple, est plus commun chez les adolescents qui croient que leurs parents utilisent un style démocratique (McClunn et Merrel, 1998). Le sentiment de se sentir accepté par ses parents semble être aussi un facteur important dans l'élaboration d'objectifs réalistes par l'adolescent en fonction de ses habilités scolaires (Bornholt et Goodnow, 1999). Sanford Dornbusch et ses collaborateurs (Dornbusch *et al.*, 1987; Lamborn *et al.*, 1991) ont effectué une étude auprès de 8 000 élèves du secondaire. Ils ont découvert que les adolescents issus de familles autoritaires obtiennent de moins bons résultats scolaires et qu'ils définissent leur concept de soi plus négativement que les adolescents issus de familles démocratiques.

L'engagement des parents dans l'éducation et dans les activités parascolaires semble aussi important pour l'adolescent que pour l'enfant. Par exemple, l'absence d'engagement des parents dans l'éducation et dans les activités parascolaires est fortement corrélée avec le comportement perturbateur de l'enfant en classe (Frick, Christian et Wooton, 1999). De plus, les adolescents de parents qui s'investissent dans les diverses organisations de l'école sont plus susceptibles de faire des études supérieures que ceux dont les parents ne participent pas (Trusty, 1999).

Structure familiale

La structure familiale constitue toujours un élément important dans la vie de l'adolescent. Les adolescents qui vivent dans un milieu familial incluant un beau-parent sont généralement plus susceptibles d'éprouver des difficultés d'adaptation que les adolescents qui vivent avec leurs deux parents biologiques. Ces différences seraient encore plus évidentes lorsque l'adolescent vit avec un beau-parent depuis plusieurs années (Hetherington *et al.*, 1999).

Cependant, on constate une exception à cette règle. Nous avons vu au chapitre 6 que les garçons sont généralement plus sensibles aux effets négatifs du divorce ou du remariage de leurs parents. Par contre, les jeunes adolescentes manifestent un plus grand désarroi lorsqu'elles sont élevées par une mère célibataire ou dans des familles où il y a un nouveau conjoint (Amato, 1993; Hetherington et Clingempeel, 1992). Les adolescentes – ce n'est apparemment pas le cas des fillettes à la maternelle ou au primaire – ont plus de problèmes relationnels que leurs frères avec leur beau-père et ont tendance à le traiter comme un intrus. Elles se montrent distantes, critiques et maussades, et s'efforcent d'éviter les contacts avec leur beau-père, même si, dans la plupart des cas, ce dernier fait des efforts évidents pour leur prêter attention et ne pas être trop autoritaire. Les adolescentes dans cette situation sont plus souvent déprimées et sombrent plus facilement dans l'usage des stupéfiants que les garçons.

Il n'est pas facile d'expliquer ce modèle. Il se peut que la jeune fille se sente privée de la position particulière ou des responsabilités qu'elle assumait au sein de la famille après le divorce et avant le remariage de sa mère. Il se peut qu'elle soit dérangée par l'engagement sentimental et sexuel de sa mère envers son beau-père. Par contre, un jeune garçon peut davantage tirer bénéfice de la présence d'un beau-père. Il acquiert un modèle masculin et peut aussi se décharger en partie des responsabilités qu'il devait assumer à la suite du divorce. Quelle que soit l'explication, les recherches nous rappellent, une fois de plus, la complexité de la structure familiale. Il faut renoncer à des concepts de structures simples, comme les familles traditionnelles ou les familles comprenant un nouveau conjoint, et élaborer des analyses plus détaillées qui prennent en compte non seulement l'âge et le sexe de l'enfant, mais aussi le style d'éducation, l'histoire de la famille et de sa structure, la présence d'autres membres dans la famille, etc.

RELATIONS AVEC LES PAIRS

Les relations avec les pairs occupent indéniablement une place prépondérante à l'adolescence. Cette place est plus

Il est probable que la jeune adolescente de cette famille est plus perturbée que son frère par le remariage de sa mère et la naissance d'un nouvel enfant.

déterminante qu'elle ne l'était au cours de l'enfance et qu'elle ne le sera à l'âge adulte. Les adolescents passent le plus clair de leurs journées en compagnie d'adolescents de leur âge et consacrent moins de temps à chacun de leur parent.

Amitié

Les activités et les champs d'intérêt communs continuent d'être des éléments importants dans le choix des amis à l'adolescence. Cependant, la similarité des caractéristiques psychologiques et des attitudes prend une nouvelle signification durant cette période. Par exemple, les adolescents ont tendance à choisir des amis qui partagent leurs croyances concernant le fait de fumer la cigarette, de consommer de la drogue, d'avoir ou non des relations sexuelles et d'accorder de l'importance à la réussite scolaire (Urdan, 1997).

Ces amitiés sont de plus en plus intimes. Elles deviennent également plus complexes et psychologiquement enrichissantes. L'intimité se développe davantage dans les amitiés adolescentes dans la mesure où les amis échangent de plus en plus leurs sentiments profonds et leurs secrets, tout en étant plus conscients des sentiments des autres. La loyauté et la fidélité deviennent aussi des composantes essentielles de l'amitié. Cependant, la capacité d'exprimer le besoin d'intimité, les sentiments de loyauté et de fidélité dans le contexte de l'amitié ne vient pas automatiquement avec l'âge. En fait, les adolescents diffèrent considérablement les uns des autres sur le plan de ces habiletés interpersonnelles. Ces variations peuvent être attribuées à des différences individuelles dans le tempérament et la personnalité ou aux expériences de l'adolescent dans ses relations familiales (Updegraff et Obeidallah, 1999).

Les amitiés entre adolescents sont aussi plus stables que celles des enfants (Degirmencioglu, Urberg et Tolson, 1998). La plupart de ces amitiés durent un an et plus. Dans une étude longitudinale, Robert et Beverly Cairns ont noté que seulement 20 % des amitiés des enfants de 9 ans duraient un an et plus comparativement à 40 % des amitiés d'adolescents de 15 ans (Cairns et Cairns, 1994). Cette stabilité augmente probablement au cours de l'adolescence parce que les adolescents plus âgés consacrent plus d'effort à maintenir des relations amicales positives avec leurs amis que les adolescents plus jeunes et les enfants du primaire (Nagamine, 1999).

De plus, les adolescents choisissent souvent des amis qui partagent les mêmes activités qu'eux, comme la musique, le sport ou la danse. Pour ces adolescents, l'amitié et la pratique de leur activité sont liées (Marsh, Craven et

Debus, 1999). En d'autres termes, ils continuent leurs activités parce que leurs amis le font et ils maintiennent leurs amitiés à long terme en partageant des activités. De tels liens contribuent à la stabilité de l'amitié durant l'adolescence.

Finalement, les raisons invoquées pour mettre fin à une relation amicale reflètent l'influence du rythme auquel apparaissent les différences individuelles dans les habiletés sociales. Par exemple, un changement du statut d'identité, d'un statut peu mature à un statut plus mature, mène souvent à l'acquisition de nouveaux amis (Akers, Jones et Coyl, 1998). De même, les filles semblent préférer les amitiés avec des filles qui partagent le même statut romantique : par exemple, les filles qui ont un ami préfèrent être amies avec des filles qui ont aussi un ami. Dans les faits, une fille qui a un ami est plus susceptible de passer moins de temps avec ses amies qui n'ont pas encore de « petit ami » (Benenson et Benarroch, 1998 ; Zimmer-Gembeck, 1999). Pour les garçons, les différences dans les performances athlétiques peuvent mener à la rupture d'amitiés importantes.

CHANGEMENTS SUR LE PLAN DE LA CONFORMITÉ

Tout comme l'amitié, les groupes de pairs deviennent relativement stables durant l'adolescence (Degirmencioglu, Urberg et Tolson, 1998). L'adhésion et la conformité au groupe de pairs semblent s'intensifier vers l'âge de 13 ou 14 ans (au même moment où l'adolescent connaît une diminution dans son estime de soi), pour s'estomper ensuite progressivement à mesure que l'adolescent se forge une identité plus indépendante du groupe de pairs. Cependant, bien qu'il soit évident que le groupe de pairs exerce une pression sur chacun afin qu'il se conforme aux normes comportementales du groupe, il est aussi vrai que la pression du groupe de pairs est aussi moins forte et moins négative que ne le laissent entendre les stéréotypes culturels (Berndt, 1992).

Thomas Berndt a demandé à des jeunes gens ce qu'ils feraient dans une série de situations hypothétiques où leurs pairs désirent accomplir des actes qui s'opposent à leur volonté ou à leur conception du bien. Les résultats de l'étude de Berndt démontrent que l'influence des pairs dans les situations neutres ou prosociales ne varie guère en fonction de l'âge, contrairement à ce qui se produit dans le cas de dilemmes antisociaux. L'influence des pairs atteint un sommet vers l'âge de 14 ans.

De crainte que vous ne pensiez que tous les enfants de 13 à 14 ans ont un comportement déchaîné avec leurs amis, nous devons mettre certains faits importants en lumière. Au départ, il faut bien admettre que ce sont les

adolescents eux-mêmes qui choisissent leurs amis et leur groupe d'appartenance. Ils sont naturellement plus susceptibles de choisir des amis ou un groupe d'appartenance qui partagent les mêmes valeurs, attitudes et comportements qu'eux. Si l'écart entre leurs idées et celles du groupe d'amis devient trop grand, alors les adolescents sont plus susceptibles de quitter le groupe afin d'adhérer à un nouveau groupe plus compatible avec leurs idées et leurs valeurs. On arrive rarement à les convaincre de réintégrer les rangs du premier groupe. De plus, lorsqu'une influence explicite du groupe s'exerce sur un individu, il s'est avéré que l'influence des pairs va plus souvent à l'encontre des comportements déviants qu'en leur faveur. Cette influence s'observe donc davantage pour les actions positives, telles que l'entraide pour un travail scolaire. On retrouve une influence négative du groupe de pairs seulement dans les groupes « délinquants », alors que certains

Selon vous, quel stade de la séquence de Dunphy portant sur les structures de groupes de pairs ces adolescents illustrent-ils ?

adolescents cherchent à prouver « qu'ils sont aussi durs que les autres membres du groupe » (Berndt et Keefe, 1995b ; Brown, Dolcini et Leventhal, 1995). Ainsi, quoique Erikson ait raison d'affirmer que les pairs constituent une influence majeure dans le façonnement de l'identité de l'adolescent, l'influence de ces derniers n'est ni monolithique ni uniformément négative.

CHANGEMENTS DANS LA STRUCTURE DU GROUPE DE PAIRS

La structure du groupe de pairs change aussi au cours de l'adolescence. L'étude classique dans ce domaine est celle que Dunphy a effectuée sur la formation, la dissolution et l'interaction de groupes d'adolescents dans une école secondaire à Sydney, en Australie, entre 1958 et 1960 (Dunphy, 1963). Il a défini deux types de groupes en utilisant des appellations qui font aujourd'hui école dans les textes sur l'adolescence. Le premier groupe, que Dunphy appelle la **clique**, est constitué de quatre à six adolescents qui paraissent fortement attachés les uns aux autres. La clique suscite une forte adhésion, et ses membres sont très intimes. Au début de l'adolescence, la clique est généralement formée d'individus de même sexe, vestige d'un trait caractéristique des préadolescents. Graduellement toutefois, les cliques se fondent en un groupe plus large, composé de plusieurs cliques de garçons et de filles, que l'on appelle une **bande**. Par la suite, la bande se disloque et fait place à de nouvelles cliques, hétérosexuelles cette fois, pour céder finalement le pas à la libre association des couples. D'après l'étude de Dunphy, la constitution de la bande a lieu vers l'âge de 13 à 15 ans, ce qui correspond par ailleurs à l'époque où l'individu offre le plus de vulnérabilité à l'influence du groupe de pairs. Lors de la libre association des couples, les premiers couples qui se forment sont souvent des couples « amoureux de l'amour », alors que ces couples accordent, par la suite, plus d'importance à la personne elle-même.

Aujourd'hui, les chercheurs ne partagent pas tous le point de vue de Dunphy selon lequel la bande serait simplement constituée de plusieurs cliques. Bradford Brown (Brown, 1990 ; Brown, Mory et Kinney, 1994), par exemple, utilise le terme *bande* pour faire référence à un groupe défini par une réputation, auquel le jeune est associé par choix ou encore par désignation de ses pairs. Des groupes, comme les « sportifs », les « intellos » ou les « têteux », sont des bandes selon Brown, tout comme les « jocks », les « brains », les « normals », les « nerds », les « punks », les « druggies », les « toughs » et les « preppies ». À l'inverse, les cliques sont toujours des groupes que l'adolescent choisit. Brown s'entend cependant avec Dunphy pour affirmer que, au début de l'adolescence, les cliques sont composées presque entièrement d'individus de même sexe et que, à

leur terme, elles deviennent mixtes. Les descriptions des caractéristiques associées aux différentes bandes d'adolescents sont assez caricaturales et stéréotypées, lorsqu'elles sont formulées par les adolescents eux-mêmes. Elles ont comme fonction, toutefois, de fournir à l'adolescent ce que Brown appelle un « prototype d'identité ». Étiqueter les autres et s'étiqueter soi-même comme appartenant à une ou plusieurs bandes aide l'adolescent à créer ou renforcer sa propre identité naissante. Un tel étiquetage aide aussi l'adolescent à identifier ses amis et ses ennemis potentiels. Ainsi, l'appartenance à une bande oriente l'adolescent vers des activités et des relations particulières.

Au cours des années du secondaire, le système social des bandes se différencie graduellement en formant de plus en plus de groupes distincts. Kinney (1993) a remarqué que les adolescents du début du secondaire pouvaient identifier seulement deux bandes. Quelques années plus tard, ces mêmes adolescents pouvaient en mentionner cinq, alors que, à la fin du secondaire et au début du collégial, ils pouvaient en recenser jusqu'à sept ou huit. Cependant, à cet âge, les bandes deviennent moins importantes dans le système social pour les groupes de pairs. Les amitiés individuelles ainsi que les rencontres amoureuses deviennent alors prépondérantes (Urberg *et al.*, 1995).

Quelle que soit l'appellation utilisée, *clique* ou *bande*, les théoriciens s'accordent pour reconnaître la fonction prépondérante du groupe de pairs. Il permet à l'adolescent de faire la transition des interactions sociales entre personnes du même sexe aux interactions sociales hétérosexuelles. L'individu de 13 ou 14 ans peut entreprendre ses premières expériences hétérosexuelles dans le cadre de l'environnement protégé de la bande ou de la clique. Ce n'est que plus tard, lorsqu'il aura acquis une certaine confiance en lui-même, qu'il s'engagera dans une relation de couple.

Relations amoureuses

De tous les changements observables à l'adolescence, le plus fondamental est le passage de la prédominance des amitiés entre personnes du même sexe à celle des interactions hétérosexuelles. Le changement se produit graduellement, bien qu'il semble plus rapide chez les filles. Au début de l'adolescence, les adolescents sont très rigides

---

Clique : Groupe de quatre à six adolescents possédant des liens d'attachement très forts, au sein duquel priment la loyauté et la solidarité.

Bande : Groupe d'amis plus nombreux et plus ouvert qu'une clique, comprenant une vingtaine de membres. Elle est généralement formée de plusieurs cliques qui se sont réunies.

L'homosexualité chez les adolescents

Pour la grande majorité des adolescents, la séquence des relations sociales avec les pairs va d'un groupe unisexué à un groupe hétérosexuel et, finalement, à la formation d'un couple hétérosexuel. Pour le groupe d'adolescents homosexuels, cette progression est différente.

Dans une étude récente touchant près de 35 000 jeunes des écoles publiques du Minnesota, Remafedi a découvert que moins de 1 % des garçons et seulement 0,4 % des filles se définissaient comme homosexuels, mais qu'un plus grand nombre avouaient ne pas être « certains » de leur orientation sexuelle et que de 2 à 6 % disaient être attirés par les autres personnes du même sexe (Remafedi *et al.*, 1998). Ces estimations sont généralement assez semblables à celles observées par la plus importante étude sur ce sujet menée aux États-Unis à partir d'un échantillon adulte (Lauman *et al.*, 1994). Ainsi, de 2 à 3 % des adultes pensent qu'ils sont homosexuels ou bisexuels, approximativement 2 fois plus d'adultes pensent qu'ils sont strictement attirés par des personnes du même sexe. Au Québec, 4 % des garçons et 5 % des filles âgés de 16 ans affirment avoir déjà eu une expérience homosexuelle (Enquête sociale et de santé auprès des jeunes et des adolescents québécois, 1999).

Plusieurs nouvelles études portant sur des jumeaux identiques démontrent que l'orientation sexuelle des jumeaux identiques est plus souvent similaire que celle des jumeaux fraternels. Ainsi, quand l'un des jumeaux était homosexuel, la probabilité que l'autre le soit aussi était de 50 à 60 % chez les jumeaux identiques et de 20 % chez les jumeaux fraternels. En comparaison, le taux de correspondance était seulement de 11 % chez les paires de garçons, sans aucun lien biologique, adoptés par la même famille (Bailey et Pillard, 1991; Bailey *et al.*, 1993; Whitam, Diamond et Martin, 1993). Les études portant sur des familles donnent également à penser que le taux d'homosexualité est plus élevé chez les hommes dans les familles qui comptent un plus grand nombre d'hommes homosexuels que dans les familles dont les hommes sont hétérosexuels (Bailey *et al.*, 1999). Ces faits récents ont fortement renforcé l'hypothèse d'une origine biologique de l'homosexualité (Gladue, 1994; Pillard et Bailey, 1995).

Selon d'autres études, les hormones prénatales seraient aussi en cause dans l'homosexualité. Par exemple, les femmes dont les mères ont absorbé un médicament appelé DES (œstrogène synthétique) pendant leur grossesse sont plus susceptibles de donner naissance à des enfants qui seront homosexuels à l'âge adulte comparativement aux femmes qui n'ont pas absorbé ce médicament (Meyer-Bahlburg *et al.*, 1995).

Enfin, selon certaines études, un enfant qui présente une préférence marquée pour un comportement sexuel opposé à son genre sexuel (comportement sexuel croisé) au début de son enfance est plus susceptible de devenir homosexuel à l'adolescence (Bailey et Zucker, 1995). Ces dernières informations viennent appuyer encore davantage l'hypothèse d'un facteur génétique associé à l'homosexualité dès la naissance.

De telles preuves biologiques n'excluent pas l'influence d'autres facteurs sur l'orientation homosexuelle, comme l'environnement. Aucun comportement n'est entièrement le produit de la nature ou de l'éducation, ainsi que nous l'avons mentionné à plusieurs reprises. Ainsi, nous savons que, lorsqu'un jumeau identique est homosexuel, la probabilité pour que l'autre jumeau n'adopte pas la même orientation sexuelle est de 40 à 50 %. Il semble donc bien qu'un facteur autre que biologique soit à l'œuvre, mais nous n'en connaissons pas encore la nature.

Quelle que soit la cause de leur homosexualité, les adolescents homosexuels constituent une minorité qui est victime de nombreux stéréotypes et préjudices. Plusieurs sont agressés verbalement ou ridiculisés, et près d'un tiers sont agressés physiquement par leurs pairs (Remafedi, Farrow et Deisher, 1991; Savin-Williams, 1994). Pour ces raisons et pour d'autres, ces jeunes présentent des risques élevés de développer différents symptômes liés à leurs difficultés. Ainsi, les quatre cinquièmes des adolescents homosexuels interrogés dans le cadre d'une étude menée à Minneapolis ont vu leur performance scolaire se dégrader, et plus d'un quart ont décroché au secondaire (Remafedi, 1987a). Ces adolescents sont aussi plus souvent déprimés et font davantage de tentatives de suicide que les adolescents hétérosexuels (Remafedi *et al.*, 1998; Heimberg, 1999). Les adolescents homosexuels doivent aussi décider s'il est opportun de révéler aux autres leur orientation sexuelle. Ceux qui le font seraient davantage disposés à se confier à leurs pairs plutôt qu'à leurs parents, en dépit des risques que cela comporte. Dans son étude, Remafedi a constaté que 41 % des jeunes homosexuels masculins ont perdu un ami en raison de leur orientation sexuelle (Remafedi, 1987b). D'autres études estiment que les deux tiers des jeunes homosexuels n'ont pas révélé leur orientation sexuelle à leurs parents (Rotheram-Borus, Rosario et Koopman, 1991).

Les adolescents homosexuels partagent aussi les même préoccupations que les adolescents hétérosexuels. Par exemple, les adolescentes homosexuelles, tout comme les adolescentes hétérosexuelles, sont plus susceptibles d'être insatisfaites de leur apparence physique (Saewyc *et al.*, 1998). Par conséquent, les régimes alimentaires sont plus fréquents chez les filles que chez les garçons, quelle que soit leur orientation sexuelle. Tout comme les adolescents hétérosexuels, les adolescents homosexuels consomment davantage d'alcool et s'engagent plus souvent dans des comportements à risque que les adolescentes. L'attachement aux parents semble aussi important pour les adolescents homosexuels que pour les adolescents hétérosexuels. En fait, l'attachement et le maintien de bonnes relations avec les parents semblent aider l'adolescent homosexuel à mieux traverser cette période (Beaty, 1999; Floyd *et al.*, 1999).

De toute évidence, on ne dispose que de peu d'informations sur la jeunesse homosexuelle. Il est cependant facile d'imaginer que la période de l'adolescence est particulièrement éprouvante pour les individus de ce groupe. À l'instar des jeunes appartenant à des minorités ethniques, les adolescents homosexuels doivent surmonter une difficulté supplémentaire pour arriver à définir leur identité.

dans leurs choix d'amis du même sexe (Bukowski, Sippola et Hoza, 1999). Puis, au cours des années suivantes (un ou deux ans plus tard), ils deviennent plus ouverts à l'idée d'avoir des amis de l'autre sexe (Harton et Latane, 1997; Kuttler, Lagreca et Prinstein, 1999). Les habiletés qu'ils acquièrent dans leurs relations avec des amis de l'autre sexe ainsi qu'à l'intérieur des groupes mixtes les préparent aux relations amoureuses (Feiring, 1999). De plus, quoique les adultes croient que le désir sexuel est à la base de l'émergence des relations amoureuses, il semble que les facteurs sociaux soient tout aussi importants. En fait, selon la recherche, la compétence sociale dans une variété de situations relationnelles avec les parents, les pairs et les amis permet de prédire la facilité avec laquelle les adolescents vont passer d'une relation exclusive avec des amis du même sexe à des relations amoureuses (Thériault, 1998).

Outre leur fonction sociale, ces nouvelles relations constituent une composante de la préparation à assumer une identité sexuelle adulte. La sexualité physique fait partie de ce rôle, tout comme les habiletés personnelles intimes avec le sexe opposé, incluant le flirt, la communication et la lecture des indices sociaux utilisés par l'autre sexe. Dans les pays occidentaux, on fait d'abord cet apprentissage à l'intérieur de groupes élargis (bandes ou cliques) et ensuite dans l'intimité du couple (Zani, 1993).

À 12 ou 13 ans, la plupart des adolescents comprennent de façon primaire ce que signifie l'expression «être amoureux». Il est intéressant de noter que les filles évoluent plus rapidement sur le terrain des relations amoureuses que les garçons. Les garçons tombent amoureux, pour la première fois, à un âge plus avancé. Les filles semblent privilégier davantage une intimité psychologique au cours des premières relations amoureuses que les garçons (Feiring, 1999).

Les fréquentations et l'activité sexuelle précoce apparaissent plus souvent dans les classes sociales les plus pauvres de la population, et plus particulièrement chez les adolescents qui ont une puberté précoce. Ainsi, les filles qui ont leurs règles très jeunes commencent plus tôt leur activité sexuelle. L'enseignement religieux et l'opinion individuelle de chacun sur l'âge approprié pour avoir une relation sexuelle sont autant d'éléments déterminants, au même titre que la structure familiale. Les filles issues de familles divorcées ou reconstituées, par exemple, montrent un niveau d'expérience sexuelle plus élevé que celles provenant de familles intactes. Par ailleurs, celles qui ont de fortes croyances religieuses rapportent moins d'expériences sexuelles (Bingham, Miller et Adams, 1990; Miller et Moore, 1990).

Développement des relations sociales

- Quelles sont les deux tâches principales de l'adolescent en ce qui concerne ses relations avec ses parents?

- Certains chercheurs considèrent que l'augmentation des conflits fait partie d'un processus nécessaire. Quel est-il?

- Quelles observations peut-on faire sur l'attachement aux parents durant l'adolescence?

- Quel style parental donne de meilleurs résultats à l'adolescence?

- Pourquoi les adolescentes issues d'une famille monoparentale (mère célibataire, séparée ou divorcée) éprouvent-elles plus de difficultés à accepter leur beau-père que les adolescents issus de la même structure familiale?

- Comment se modifie à l'adolescence la fonction du groupe de pairs et la fonction de l'amitié?

- Vers quel âge l'adhésion au groupe de pairs s'intensifie-t-elle?

- L'influence du groupe des pairs est-elle toujours négative? Expliquez votre réponse.

- Précisez les changements qui se produisent dans un groupe d'adolescents selon Dunphy.

- Pensez-vous que les adolescents, en général, ont une bonne connaissance de la sexualité et de la contraception? Expliquez votre réponse.

Concepts et mots clés

- **bande** (p. 283) • **clique** (p. 283) • **processus d'individuation et de séparation** (p. 278)

PARCOURS INDIVIDUELS

Les thèmes que nous venons d'aborder décrivent un parcours normatif de l'adolescence. Toutefois, certains adolescents, pour une raison ou pour une autre, dévient de cette trajectoire et vivent des expériences particulières. En voici quelques exemples.

GROSSESSE CHEZ LES ADOLESCENTES

Au Québec, la moitié des jeunes de 13 ans ont eu un «chum» ou une «blonde», mais seulement 4% d'entre eux ont eu une relation sexuelle. À 16 ans, 32% des garçons et 46% des filles ont franchi cette étape. Il n'y a que 12% des jeunes qui omettent de se protéger contre les grossesses et les MTS, lors de leur première relation sexuelle. Ce qui n'empêche pas 5% des filles de 16 ans d'avoir déjà vécu une grossesse (Enquête sociale et de santé auprès des jeunes et des adolescents québécois, 1999). Le taux de natalité chez les adolescentes en Amérique du Nord est plus élevé que partout ailleurs dans les pays industrialisés (Ambuel, 1995 ; Singh et Darroch, 2000). En Hollande par exemple, le taux de natalité chez les filles âgées de 15 à 19 ans s'établit à 14 pour 1 000 filles par année, comparativement à 4 pour 1 000 filles au Japon. Aux États-Unis, ce taux s'établit à 50 pour 1 000 filles par année, et les quatre cinquième de ces grossesses sont non désirées (U.S. Bureau of the Census, 1998).

Essayons de remettre ces chiffres dans leur contexte. Les taux de natalité ont considérablement diminué au Canada et aux États-Unis depuis les années 1960 et 1970, y compris chez les adolescentes. En outre, la proportion des naissances chez des mères adolescentes a constamment diminué depuis 1975. Ce qui augmente depuis les années 1960, ce sont les naissances chez les adolescentes non mariées. En 1991, 75 % des adolescentes qui ont donné naissance à un enfant n'étaient pas mariées. Cela ne veut pas dire qu'il y a de plus en plus d'adolescentes qui élèvent un enfant, mais bien que de plus en plus d'adolescentes choisissent d'élever leur enfant sans se marier.

Ce phénomène peut être perçu comme une tendance inquiétante par certains, indépendamment de leurs valeurs morales ou religieuses. Étant donné le risque croissant d'infection par le VIH qui plane sur les adolescents, et à la lumière des risques à long terme liés à la maternité chez les adolescentes, il faut certainement revoir notre position concernant l'importance et le contenu des cours d'éducation sexuelle à l'école ainsi que le moment opportun pour les offrir. La consigne de l'abstinence peut être valable, mais elle n'est pas suffisante. L'activité sexuelle des adolescents est un fait avéré, et il faut faire face à cette réalité et à ses conséquences.

Pour évaluer les repercussions de la grossesse chez les adolescentes, il faut considérer à la fois les conséquences à long terme sur sa vie adulte et les conséquences à long terme pour l'enfant qu'elle porte. Il semble évident que cette expérience s'avère négative dans la plupart des cas, bien qu'il soit difficile de départager les effets d'une grossesse à un très jeune âge et les effets d'une grossesse en milieu défavorisé. La plupart des études indiquent que la grossesse à l'adolescence est associée à

- un grand nombre d'enfants vivant dans un espace restreint,
- un nombre moins élevé d'années de scolarité pendant la vie adulte,
- un degré moins élevé de réussite professionnelle,
- un revenu plus bas à l'âge adulte,
- une plus grande probabilité de divorce à l'âge adulte (Astone, 1993 ; Hofferth, 1987b ; Moore *et al.*, 1993).

Le fait qu'une jeune fille tombe enceinte durant son adolescence dépend de plusieurs des facteurs qui permettent généralement de prédire l'activité sexuelle, incluant le milieu familial, les objectifs d'éducation, le moment du début de l'activité sexuelle et les attitudes liées à la culture d'origine. Les relations avec les pairs pendant le primaire constituent également un facteur prédictif (Underwood, Kupersmidt et Coie, 1996).

La probabilité pour une adolescente de devenir enceinte est élevée

- chez les filles qui deviennent actives sexuellement très jeunes ;
- chez les filles qui proviennent d'une famille pauvre, d'une famille monoparentale ou d'une famille dont les parents sont relativement peu scolarisés ;
- chez les filles dont les mères sont devenues actives sexuellement très jeunes et qui ont porté un enfant très tôt ;
- chez les filles qui ont été rejetées par leurs pairs au primaire, particulièrement si ces filles présentaient un niveau d'agressivité élevé.

La probabilité pour une adolescente de devenir enceinte est réduite

- chez les filles qui réussissent bien à l'école et qui ont des objectifs d'éducation élevés, car ces filles sont plus susceptibles d'utiliser un moyen contraceptif lors de leurs relations sexuelles ;
- chez les filles qui s'engagent dans une relation stable avec leur partenaire sexuel ;
- chez les filles qui ont une bonne communication au sujet de la contraception avec leurs mères qui approuvent leur usage de contraceptifs ;
- chez les filles qui étaient populaires auprès de leurs pairs au primaire.

La période la plus à risque de grossesses non désirées chez les adolescentes est l'année qui suit leur première relation sexuelle. Particulièrement au cours des premiers mois, les jeunes filles risquent de ne pas demander les informations qui pourraient leur être utiles ou de ne pas utiliser régulièrement un moyen contraceptif.

DÉPRESSION ET SUICIDE

Pendant de nombreuses années, les psychiatres ont pensé que la **dépression** se manifestait uniquement chez les adultes. De nos jours, il est largement prouvé que la

---

Dépression : Combinaison d'une humeur morose, de troubles du sommeil et de l'alimentation, et de problèmes de concentration. En présence de tous ces symptômes, on parle de dépression clinique.

dépression est un phénomène très répandu chez les adolescents. De nombreux adolescents expérimentent des épisodes dépressifs significatifs. Lorsque ces épisodes se prolongent au-delà de six mois et sont accompagnés de symptômes, tels que des troubles du sommeil, des problèmes nutritionnels et des difficultés de concentration, on parle de *dépression clinique* ou d'*états dépressifs*. Des études épidémiologiques récentes révèlent que ces formes graves de dépression sont relativement rares chez les préadolescents (1 à 2 %), mais plus répandues (5 à 8 %) chez les adolescents (Compas, Ey et Grant, 1993 ; Merikangas et Angst, 1995). Une portion significative des adolescents déprimés affirment avoir pensé au suicide. L'encadré sur le suicide nous donne quelques précisions sur l'importance de ce phénomène à l'adolescence.

Au Québec, un indice de détresse psychologique a été retenu par Santé Québec afin d'évaluer l'état de santé mentale de la population. Ce type d'indice tente d'estimer la proportion de la population présentant des symptômes assez nombreux ou intenses pour se classer dans un groupe susceptible de se trouver à un niveau de détresse psychologique nécessitant une intervention. La détresse psychologique comprend la dépression, l'anxiété chronique ainsi que des symptômes d'agressivité et de troubles cognitifs ; cet état psychologique constitue l'un des principaux problèmes de santé au Québec, surtout chez les jeunes de 15 à 24 ans. Comme nous venons de le voir, si ces symptômes perdurent durant plus de six mois, nous parlons alors de dépression clinique. Il est intéressant de noter que, parmi les préadolescents, les garçons sont généralement plus malheureux ou plus déprimés que les filles. À partir de l'âge de 13 ans cependant, les filles sont davantage sujettes aux dépressions et aux états dépressifs chroniques ; on observe cette différence sexuelle pendant tout l'âge adulte dans de nombreux pays industrialisés (Nolen-Hoeksema et Girgus, 1994 ; Petersen *et al.*, 1993 ; Roberts et Sobhan, 1992).

Bien que tous les préadolescents et les adolescents qui se disent déprimés ne présentent pas toujours les autres symptômes d'une dépression clinique présents chez les adultes, ils connaissent néanmoins les mêmes changements hormonaux et endocriniens que les adultes. On sait donc que la dépression infantile est réelle et qu'elle peut être cliniquement très grave ; il ne s'agit pas d'un malaise passager et «normal».

Pourquoi existe-t-il une augmentation de l'indice de dépression à l'adolescence ? Et pourquoi les filles sont-elles plus souvent victimes de ces problèmes ? On a observé que les adolescents vivant avec des parents déprimés sont beaucoup plus enclins à la dépression que les autres ado-

lescents (Merikangas et Angst, 1995). Bien sûr, il est possible qu'un facteur génétique soit en cause, une hypothèse étayée par certaines études portant sur des jumeaux et des enfants adoptés (Petersen *et al.*, 1993). On pourrait aussi expliquer ce lien entre la dépression parentale et la dépression infantile par les changements dans l'interaction entre les parents et l'enfant, attribuables à la dépression des parents.

Nous avons vu au chapitre 4 que les mères déprimées risquent plus que les autres mères d'avoir des enfants ayant un attachement insécurisant. Leur relation avec leur enfant comporte si peu de communication que l'enfant entretient une sorte de résignation impuissante. On a découvert que ce sentiment d'impuissance était en relation étroite avec la dépression chez les adultes et chez les adolescents (Dodge, 1990).

Évidemment, tous les adolescents de parents dépressifs ne sont pas eux-mêmes dépressifs. Environ 60 % d'entre eux ne présentent absolument aucun signe de dépression. Plusieurs facteurs perturbateurs peuvent déterminer si un enfant issu de ce type de famille va emprunter ou non le chemin de la dépression :

- si la dépression des parents est de courte durée ou traitée médicalement de sorte que les symptômes sont atténués, l'enfant a plus de chances d'éviter la dépression ;
- plus la famille est touchée par d'autres formes de stress qui viennent s'ajouter à la dépression de l'un des parents (comme la maladie, les disputes, le stress professionnel, la perte de revenu, la perte d'un emploi ou une séparation), plus l'adolescent risque de présenter des symptômes dépressifs (Compas *et al.*, 1993 ; D'Imperio, Dubow et Ippolito, 2000) ;
- si la famille reçoit un soutien émotionnel et une aide matérielle de son entourage, l'enfant court moins de risques d'être dépressif.

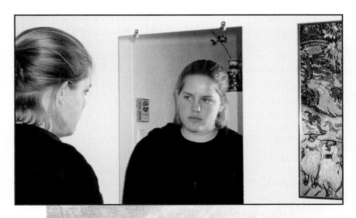

Cette adolescente semble vivre l'expérience courante du cafard ou de l'humeur dépressive. Près de 10 % des adolescents connaissent des épisodes prolongés de dépression.

Le suicide chez les adolescents et la prévention

Au chapitre 6, nous avons mentionné que Susan Harter parle d'une trajectoire allant d'une faible estime de soi à la dépression. Chez certains jeunes, le même parcours inclut une étape supplémentaire: les pensées suicidaires (Harter, Marold et Whitesell, 1992). Malheureusement dans certains cas, ces pensées suicidaires peuvent conduire à faire un geste irréparable. Chez les préadolescents, les suicides sont très rares, alors que, chez les adolescents de 10 à 14 ans, ils sont relativement rares, bien qu'ils augmentent de façon constante depuis deux décennies. Par contre, parmi les jeunes âgés de 15 à 19 ans, le taux de suicide est neuf fois plus élevé et il n'a pas cessé d'augmenter au cours des dernières décennies. En 1998, on retrouvait, au Québec, chez les 15 à 24 ans un des taux de suicide les plus élevés des pays occidentaux, soit un indice de 22,7 pour une tranche de 100 000 personnes (Institut de la Statistique du Québec, 2001), comparativement à 13,7 pour l'ensemble du Canada (Statistique Canada, 2001), à 8,9 pour la France et à 13,4 pour la Belgique (Organisation mondiale de la santé, 2001). Au Québec, cinq personnes par jour se suicident. C'est la première cause de décès chez les jeunes de 15 à 29 ans. L'incidence du suicide est cinq fois plus importante chez les garçons que chez les filles.

Par contre, d'après les estimations, les tentatives de suicide ratées sont trois fois plus fréquentes chez les filles que chez les garçons (Garland et Zigler, 1993). En effet, les filles ont souvent recours à des méthodes d'empoisonnement, qui sont généralement moins efficaces que les méthodes utilisées par les garçons.

Il est apparemment très difficile de découvrir quels sont les facteurs qui conduisent à des suicides réussis, car la principale personne concernée ne peut plus être interrogée. Les chercheurs et les cliniciens sont obligés de s'en tenir aux déclarations des parents ou de l'entourage sur l'état mental du jeune avant son suicide. Ces déclarations sont partiellement invalides puisque, dans la plupart des cas, les parents et les amis n'avaient absolument pas conscience que le jeune se préparait au suicide. Il semble qu'une forme de psychopathologie, pas forcément la dépression, soit en cause. Les troubles du comportement, telle l'agressivité, sont aussi courants dans les cas de suicides, tout comme le sont les antécédents familiaux de troubles mentaux, d'alcoolisme et de consommation de drogues (Garland et Zigler, 1993). Toutefois, ces facteurs pris séparément ne suffisent pas à expliquer le comportement suicidaire. Après tout, de nombreux adolescents (ou adultes) présentent un ou plusieurs de ces facteurs de risque et très peu vont passer à l'acte. David Shaffer et ses collaborateurs indiquent, dans une analyse récente portant sur la prévention du suicide (Shaffer *et al.*, 1988), au moins trois autres facteurs qui pourraient faire partie de l'équation:

- un événement stressant déclenchant: les études sur le suicide révèlent que l'événement déclenchant prend souvent la forme d'une crise avec les parents, liée à la discipline, d'un rejet ou d'une humiliation, par exemple une rupture avec un petit ami ou une petite amie, ou encore un échec dans une activité particulièrement prisée;
- une altération de l'état mental, comme une attitude de désespoir ou des inhibitions levées en raison des effets de l'alcool ou de la colère (Swedo *et al.*, 1991); chez les filles, le sentiment de désespoir est très courant: elles ont l'impression que le monde entier est contre elles et qu'elles ne peuvent rien y faire;

- une occasion particulière, une opportunité: par exemple un fusil armé dans la maison, des comprimés de somnifères dans l'armoire à pharmacie des parents, etc.

Les tentatives de prévention du suicide chez les jeunes ne se sont pas révélées très fructueuses jusqu'à présent. Bien que les adolescents manifestent souvent des comportements déviants quelque temps avant un suicide ou une tentative de suicide, la plupart d'entre eux ne sont pas orientés vers des soins appropriés ni vers des personnes compétentes. En dépit de la multiplication des structures d'accueil, le taux de suicide n'a pas diminué. Certains mythes entourent le suicide des adolescents:

- Le suicide est un geste libérateur. L'adolescent qui prend conscience de l'effet de son état dépressif sur ses proches peut en arriver à mettre fin à sa vie de façon à libérer son entourage du problème que son état peut représenter pour eux.

- Rien ne peut arrêter une personne qui a décidé de mettre fin à ses jours. Ce n'est pas vrai! Il y a toujours quelque chose à faire. Il ne faut pas prendre les idées suicidaires à la légère: il faut intervenir immédiatement et demander de l'aide. Tout être humain dont la vie est en péril a le droit de recevoir de l'aide. Si vous n'intervenez pas, vous pouvez être poursuivi pour non-assistance à une personne en danger.

- Le suicide est un geste de courage. La personne qui se suicide veut échapper à sa souffrance avant tout. Elle veut mettre fin à une douleur ou à un mal de vivre qu'elle ne peut plus supporter.

- Une personne qui parle de son désir de mourir ne passera pas à l'acte. Au contraire, 75 % des gens qui se suicident en parle auparavant. Si une personne planifie son geste (il faut garder en mémoire la règle du COQ: comment, où et quand), alors il faut intervenir très rapidement.

Certains efforts ont été faits pour éduquer la population, par exemple des séances d'information pour les élèves des écoles secondaires sur les facteurs de risque afin qu'ils soient plus en mesure de déceler les difficultés de leurs amis. On offre également des formations pour présenter diverses façons de faire face aux problèmes ainsi que différentes stratégies d'adaptation afin que les adolescents puissent trouver des solutions moins extrémistes à leurs problèmes. Malheureusement, les rares études qui ont tenté d'évaluer ces programmes n'ont pas décelé de changement radical dans l'attitude des élèves (Shaffer *et al.*, 1988).

Il est peu probable que ces résultats plutôt décourageants s'améliorent, tant qu'on n'en saura pas davantage sur les chemins qui conduisent à cette forme particulière de psychopathologie. Pourquoi un adolescent est-il plus vulnérable qu'un autre au suicide? Quelle est la combinaison d'événements stressants la plus propice au déclenchement d'une tentative de suicide? Comment ces événements interagissent-ils avec les ressources personnelles de l'adolescent? Tant que nous ne serons pas capables de répondre à ce genre de questions, nous ne pourrons pas comprendre ni prévenir le suicide chez les adolescents.

Ainsi, la famille peut épargner à l'enfant les effets de la dépression de l'un de ses parents, si elle reçoit un soutien social adapté et ne subit pas d'autres formes de stress.

Des différences sur le plan du stress vécu par les adolescents permettent aussi d'expliquer les différences sexuelles dans la dépression chez les adolescents. Anne Petersen (Petersen, Sarigiani et Kennedy, 1991) a récemment mentionné que les filles éprouvent plus de difficultés et de stress pendant l'adolescence que les garçons. Elle explique notamment que les filles vivent plus d'expériences stressantes simultanées pendant l'adolescence, tels les changements pubertaires et le changement d'école. Dans sa propre étude longitudinale, Petersen a découvert que, lorsque de telles formes de stress simultanées sont prises en compte, l'écart sexuel en ce qui concerne la dépression chez les adolescents disparaît. Autrement dit, dans cette étude, la dépression ne s'avérait pas plus courante chez les filles que chez les garçons, lorsque les deux groupes subissaient des niveaux équivalents de stress ou d'expériences stressantes simultanées.

Susan Nolen-Hoeksema partage l'avis de Petersen sur le fait que les adolescentes affrontent davantage de stress que les adolescents (1994; Nolen-Hoeksema et Girgus, 1994). Cependant, elle affirme également que les filles répondent différemment aux humeurs dépressives que les garçons. Les filles (et les femmes) sont plus sujettes à «ruminer ou méditer» sur leur état dépressif ou de détresse psychologique, une stratégie qui accentue la durée de la dépression: «Comment se fait-il que je me sente ainsi?», «Je n'ai pas le goût de faire quoi que ce soit». Les garçons (comme les hommes) ont davantage tendance à chercher à se distraire, au cours des épisodes dépressifs, en faisant de l'exercice physique, en pratiquant des activités diverses ou en travaillant, ce qui constitue une stratégie qui tend à réduire la durée de la dépression.

L'isolement social par les pairs au début du primaire constitue un autre facteur qui cause la dépression (Hymel *et al.*, 1990). Le *rejet* par les pairs est associé à ce que les psychopathologistes appellent les problèmes *extériorisants*, comme la délinquance, les troubles du comportement, etc., alors que l'isolement est lié à des problèmes *intériorisants*, tels que la dépression.

Nous avons vu au chapitre 6 qu'une faible estime de soi peut également jouer un rôle. Les études de Harter révèlent qu'un jeune adulte qui pense ne pas être à la hauteur de ses propres attentes est beaucoup plus enclin à présenter des symptômes de dépression qu'un enfant ou un adolescent dont l'estime de soi est plus élevée.

Par ailleurs, on peut rattacher l'augmentation des dépressions, au moment de l'adolescence, à l'apparition de certains changements cognitifs. On sait, par exemple, que les adolescents ont tendance à se définir et à définir les autres en termes *comparatifs*, c'est-à-dire à se juger en fonction de certaines normes, ou à se percevoir comme «moins» ou «plus» que d'autres personnes. On sait également que l'apparence devient très importante à l'adolescence et que la grande majorité des adolescents sont convaincus qu'ils ne sont pas à la hauteur des normes culturelles dans ce domaine. L'estime de soi chute ainsi au début de l'adolescence, et la dépression apparaît. Les filles des pays industrialisés semblent particulièrement vulnérables parce que l'augmentation du poids corporel (tissu adipeux), observée à la puberté, va à l'encontre du corps idéal associé à la minceur extrême.

Finalement, la dépression peut aussi interférer avec le rendement scolaire puisqu'elle interfère avec la mémoire. Ainsi, les adolescents déprimés sont plus susceptibles de retenir les renseignements négatifs que les renseignements positifs (Neshat-Doost *et al.*, 1998). Si un enseignant dit à un adolescent déprimé, par exemple, qu'il va échouer à un cours s'il ne fait pas plus d'efforts pour remettre ses travaux à temps, l'adolescent risque fort de retenir la première partie de l'énoncé, c'est-à-dire qu'il va échouer à son cours. Il ne comprend pas qu'il y a un remède à son problème dans le message de l'enseignant et qu'il doit remettre ses travaux à temps. De plus, les adolescents déprimés semblent moins capables que les autres adolescents de mémoriser l'information qu'ils ont entendue (Horan *et al.*, 1997).

COMPORTEMENTS DÉLINQUANTS ET DÉLINQUANCE JUVÉNILE

Il est important de bien définir ces deux expressions afin de mieux comprendre les trajectoires de vie de certains adolescents. Ainsi, bon nombre d'adolescents adoptent, à un moment ou à un autre, des comportements délinquants; toutefois, peu d'entre eux deviennent de vrais délinquants. La délinquance appartient à la catégorie générale des *troubles du comportement*. Les adolescents étiquetés comme délinquants présentent non seulement des signes de brutalité, de provocation et de désobéissance communs à tous les troubles du comportement, mais ils commettent également des infractions délibérées à la loi.

Certains comportements antisociaux ou délinquants, tels les bagarres, les menaces, les tricheries, les mensonges ou le vol, sont aussi courants entre l'âge de 4 et 5 ans qu'à l'adolescence. Chez les adolescents, ces comportements ont cependant tendance à devenir plus sérieux, plus dangereux et plus durables.

Il est extrêmement difficile d'évaluer le nombre d'adolescents qui adoptent ces comportements. Pour mesurer l'amplitude de ce phénomène, on peut étudier le nombre d'arrestations, bien qu'elles ne représentent que la pointe de l'iceberg. Au Canada, en 1994, les adolescents âgés de 12 à 17 ans représentaient 8 % de la population, mais 18 % des personnes accusées; par ailleurs, seulement 2 % de la population des adolescents a été condamnée (Statistique Canada, 1995). Les motifs d'arrestation des jeunes sont le plus souvent des infractions relativement mineures, telles que le vol à l'étalage, l'entrée par effraction et le vandalisme (Ministère de la Sécurité publique, 1995).

Tout comme les troubles du comportement sont plus fréquents chez les garçons à la maternelle et au primaire, les actes de délinquance et les arrestations pour ce motif sont beaucoup plus répandus chez les garçons que chez les filles. Parmi ceux qui sont effectivement arrêtés, la proportion dépasse quatre pour un. La proportion varie dans les déclarations des adolescents eux-mêmes, mais plus les actes sont violents, plus l'écart se creuse entre les garçons et les filles.

La délinquance apparaît pour certains comme une déficience sur le plan du raisonnement moral. Les délinquants semblent incapables d'avoir un comportement empathique, tel que se mettre à la place de la victime afin de mieux comprendre l'effet sur la personne des crimes commis. Des programmes d'enseignement basés sur les travaux de Kohlberg visent à combler les difficultés qu'éprouvent les délinquants à percevoir les informations du point de vue de la victime. Cependant, peu de ces programmes ont produit les résultats escomptés (Moody, 1997; Putnins, 1997). Par conséquent, les psychologues croient qu'il y a, derrière tous ces comportements délinquants, beaucoup plus qu'un simple problème de raisonnement moral.

La plupart des psychologues qui étudient les comportements délinquants distinguent deux sous-groupes importants, selon l'âge où les premiers troubles de comportements ont été observés:
- les individus dont le comportement délinquant est apparu dès l'enfance sont des cas sérieux avec un haut degré d'agression persistante et une probabilité élevée de criminalité adulte. Ces jeunes gens sont généralement des solitaires et semblent dépourvus de conscience ou de sentiment de culpabilité. Ils paraissent aimer les conflits et n'avoir confiance en personne;
- les individus dont le comportement délinquant a commencé à l'adolescence sont généralement moins violents. Leurs comportements semblent être davantage l'expression d'un processus issu du groupe de pairs qui cherchent à tester les limites de l'autorité que l'expression d'un comportement déviant fortement ancré depuis leur naissance. Ces adolescents ont de mauvaises fréquentations, restent dehors tard, sont très attachés à leur clique ou à leur bande et peuvent commettre différentes infractions dans le cadre de leurs activités de groupe.

Le parcours des délinquants du premier sous-groupe vous est maintenant familier grâce à tout ce que l'on a dit au sujet des recherches de Patterson sur l'agressivité des enfants. Ainsi, dès leur plus jeune âge, ces enfants particulièrement agressifs, qui sont plus susceptibles de développer un attachement insécurisant, font des crises et défient leurs parents (Greenberg, Speltz et DeKlyen, 1993). Si les parents n'arrivent pas à maîtriser l'enfant dès la première apparition de déviance, le comportement de ce dernier va continuer de se détériorer jusqu'aux agressions contre les autres, qui alors le rejetteront. Cela aura pour effet d'aggraver encore plus le problème, car cet enfant fortement agressif se tournera alors vers d'autres enfants vivant des problèmes similaires aux siens. Ces enfants deviendront par la suite son unique groupe de soutien (Shaw, Kennan et Vondra, 1994).

À l'adolescence, ces jeunes peuvent présenter de sérieux problèmes de raisonnement, comme nous l'avons déjà souligné. Les comportements délinquants et antisociaux deviennent fortement ancrés avec le soutien d'amis provenant presque exclusivement du monde de la délinquance (Tremblay *et al.*, 1995). Cette situation est naturellement renforcée par le rejet fréquent des pairs qui ne sont pas délinquants (Brendgen, Vitaro et Bukowski, 1998). Nombreux parmi ces jeunes ont également des parents qui présentent des antécédents de comportements asociaux (Gainey *et al.*, 1997). Ces jeunes sont aussi plus susceptibles que d'autres de présenter une combinaison de différents problèmes comportementaux, tels que la consommation de drogues et d'alcool, l'absentéisme et le décrochage scolaire, une activité sexuelle précoce et à risque incluant des partenaires multiples (Dishion, French et Patterson, 1995).

Pour les jeunes dont la délinquance n'apparaît qu'à l'adolescence, le parcours est différent. Ils ont, eux aussi, des amis délinquants. Cependant, leur association avec des pairs déviants aggrave leur comportement, ce qui n'est pas le cas chez le premier sous-groupe, dont le comportement demeure essentiellement le même, qu'ils aient des amis déviants ou qu'ils soient solitaires (Vitaro *et al.*, 1997). De plus, le comportement de l'adolescent du second sous-groupe se modifie généralement si ses fréquentations changent (Laird *et al.*, 1999). Par conséquent, l'influence des pairs semble le facteur le plus déterminant de ce second type de délinquance.

Les parents de ces jeunes délinquants semblent présenter une carence au niveau de la supervision parentale, et les amitiés individuelles de ces jeunes ne sont pas très intimes et offrent peu de soutien. Lorsque les parents offrent une supervision parentale adéquate et beaucoup de soutien émotionnel à l'adolescent, ce dernier est moins susceptible d'être impliqué dans des actes délinquants ou dans la consommation de drogues, même s'il fréquente un groupe à risque ou si ses amis intimes sont engagés dans de tels comportements (Brown et Huang, 1995; Mounts et Steinberg, 1995). Ce sous-groupe semble aussi présenter des lacunes au niveau de certaines habiletés sociales, comme la capacité de se faire des amis, ce qui représente un facteur de protection contre l'influence négative de certains groupes de pairs (Berndt et Keefe, 1995a).

TRAJECTOIRES DE VIE

Le terme «parcours de l'adolescence» est une façon de conceptualiser ces variations observées durant cette période. Bruce Compas et ses collègues (Compas *et al.*, 1993) proposent une représentation visuelle intéressante de ces variations que l'on peut voir dans la figure 8.3. Le parcours 1 décrit la trajectoire d'un jeune qui traverse l'adolescence avec un faible niveau de dépression ou de délinquance. Cette personne bénéficie d'un soutien approprié de la part de ses amis et présente un rendement scolaire adéquat. Ces adolescents proviennent, la plupart du temps, d'un environnement présentant un faible risque de déviance. D'un autre coté, le parcours 2 décrit un cheminement constant présentant une pauvre adaptation. Ce groupe inclut les délinquants dont la déviance est apparue durant l'enfance ainsi que certains jeunes qui sont entrés dans l'adolescence avec une faible estime de soi et un niveau de dépression relativement élevé. Ces jeunes ont tendance à persévérer dans ce modèle de déviance.

Le parcours 3 présente un changement qui survient durant l'adolescence. Il décrit un retournement de situation ou un rétablissement à partir d'une situation négative. Ce changement peut être le résultat d'une rencontre avec, par exemple, une personne significative et particulièrement attentive et aidante pour l'adolescent, comme un enseignant. Pour d'autres, le fait de s'engager dans les cadets au début de l'adolescence leur permet de reprendre la bonne voie (Elder, 1986). Le parcours 4 représente l'inverse du 3, c'est-à-dire un déclin qui semble persister dans le parcours d'un adolescent, dont le fonctionnement était auparavant adéquat. Ce changement de cap n'est pas annoncé par des problèmes particuliers au début de l'adolescence, mais il peut s'expliquer par des bouleversements

dans la famille de l'adolescent. Par exemple, certains facteurs génétiques peuvent faire surface pendant cette période, telles certaines formes de schizophrénie (Rutter et Rutter, 1993). Finalement, le parcours 5 décrit un modèle de déviance temporaire reflétant une expérimentation à court terme, incluant des comportements à risque ou des actes délinquants qui ne sont pas imbriqués dans un modèle plus général de déviance (Moffit, 1993).

Nous ne pouvons pas vous dire cependant le nombre d'adolescents qui empruntent chacun de ces parcours. Répondre à une question de ce type nécessite de vastes échantillons ainsi que plusieurs études longitudinales, et nous ne disposons pas présentement de ces informations. Nous pouvons toutefois affirmer que les parcours linéaires, comme les parcours 1 et 2, sont plus communs que les autres parcours. De plus, comme l'adolescence constitue une période de changements importants sur le plan physique, cognitif, identitaire et social pour tous les adolescents, la majorité d'entre eux affrontent ces changements selon un modèle prédéterminé de réactions, établi pendant leur enfance. Les adolescents présentant de bonnes compétences sociales et un attachement sécurisant ne sont pas automatiquement rejetés de la course. Lorsque nous observons des comportements déviants à l'adolescence, ces comportements prennent généralement racine au cours de l'enfance.

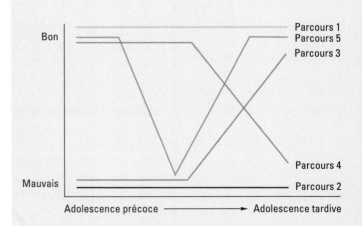

Figure 8.3
Différents parcours de l'adolescence.
La majorité des adolescents empruntent
les parcours 1 et 2, alors qu'un petit nombre
connaissent des changements significatifs
dans leur cheminement durant cette période.
(*Source:* Compas *et al.*, 1993, figure 1, p. 272.)

Parcours individuels

- Quelles sont les conséquences possibles de la maternité chez les adolescentes?

- Quels critères permettent de définir la dépression clinique?

- Pourquoi les filles sont-elles plus souvent déprimées à l'adolescence?

- Comment les adolescents dont les parents sont dépressifs peuvent-ils éviter la dépression à leur tour?

- Nommez les caractéristiques de chacun des deux sous-groupes de délinquants.

- Expliquez la notion de «parcours de vie» de Bruce Compas.

Concepts et mots clés

- **dépression** (p. 286) • **troubles du comportement** (p. 289)

UN DERNIER MOT

Le début de l'adolescence est marqué par des changements majeurs dans tous les domaines: changements physiques, changements cognitifs, changements éducatifs et changements sociaux. L'objectif principal de l'adolescent, du point de vue du développement, est de répondre à ces nouvelles demandes de façon à ne pas se laisser piéger par les nombreux problèmes sociaux qui jalonnent son parcours (décrochage, délinquance, abus d'alcool et de drogues, etc.). S'il négocie bien ce virage, l'adolescent pourra alors développer son identité, établir un réseau de relations sociales et planifier son avenir. Heureusement, la grande majorité des adolescents suivent cette trajectoire, réfutant ainsi le mythe de la période de tumultes et de tempêtes véhiculé par les stéréotypes sociaux.

RÉSUMÉ

DÉVELOPPEMENT DE LA PERSONNALITÉ

- Le concept de soi devient de plus en plus abstrait à l'adolescence en s'appuyant davantage sur les qualités internes stables et sur l'idéologie.

- Les adolescents se définissent de plus en plus selon des traits féminins et masculins. Lorsqu'une personne possède à la fois des traits féminins et des traits masculins marqués, on la qualifie d'androgyne. Les adolescents androgynes ont généralement une haute estime de soi.

- L'estime de soi baisse vers le début de l'adolescence, puis augmente régulièrement. La perception de soi, quant à elle, devient plus abstraite à l'adolescence, alors que les jeunes mettent l'accent sur leurs qualités intérieures et sur leur idéologie.

- Freud et Erikson ont tous deux décrit un stade de développement de la personnalité au cours de l'adolescence: le stade génital chez Freud et le stade de l'identité ou de la diffusion de rôle chez Erikson.

- Selon la théorie d'Erikson, les adolescents doivent traverser une crise d'identité et redéfinir leur moi. La fidélité permet à l'adolescent de résoudre le stade de l'identité.

- Selon James Marcia, deux éléments clés entrent en jeu dans la formation de l'identité de l'adolescent: un questionnement et un engagement. En réunissant ces deux éléments, on obtient quatre états d'identité: l'identité en phase de réalisation, l'identité en moratoire, l'identité forclose et l'identité diffuse.

RÉSUMÉ

DÉVELOPPEMENT DES RELATIONS SOCIALES

• Le concept des relations sociales subit également des changements: il devient plus souple et plus nuancé. Les amitiés sont perçues comme de plus en plus malléables et changeantes.

• Les interactions entre les parents et les adolescents deviennent généralement plus conflictuelles au début de l'adolescence, vraisemblablement en raison des changements physiques qui surviennent à la puberté. Toutefois, l'attachement aux parents demeure très fort.

• Le processus d'individuation et de séparation permet à l'adolescent de se singulariser par rapport aux autres et de se distinguer afin de développer sa propre personnalité.

• La relation centrale avec les parents et l'attachement aux parents continuent d'être très marqués à l'adolescence, même lorsque l'adolescent acquiert une plus grande autonomie.

• Le style d'éducation démocratique continue d'être le modèle le plus positif pendant l'adolescence. Les adolescents qui en profitent ont davantage confiance en eux et présentent une estime de soi plus élevée que les adolescents provenant de familles négligentes ou autoritaires.

• Le remariage d'un parent durant l'adolescence semble avoir un effet plus négatif chez les filles que chez les garçons.

• Les relations avec les pairs deviennent très importantes, à la fois qualitativement et quantitativement. Les théoriciens soulignent que les pairs jouent un rôle important dans le passage de la dépendance de l'enfant à l'autonomie de l'adulte.

• L'influence des pairs sur l'adolescent atteint un sommet au début de l'adolescence. À ce moment, les groupes de pairs cessent d'être des cliques unisexuées pour devenir des bandes mixtes.

• En général, les relations amoureuses commencent un peu plus tard, bien que le moment diffère grandement d'une personne à l'autre. L'activité sexuelle chez les adolescents est devenue courante dans bien des pays industrialisés. À tout âge, les garçons sont sexuellement plus actifs que les filles.

PARCOURS INDIVIDUELS

• Dans la majorité des cas, l'expérience de la maternité à l'adolescence s'avère négative, quoiqu'il soit difficile de départager les effets d'une grossesse à un très jeune âge et les effets d'une grossesse en milieu défavorisé.

• Les taux de dépression augmentent considérablement à l'adolescence et sont plus élevés chez les filles que chez les garçons. Les adolescents déprimés sont plus souvent issus de familles comptant au moins un parent déprimé, mais d'autres facteurs entrent en ligne de compte, notamment une faible acceptation par les pairs au primaire, une faible estime de soi ainsi que de nombreux changements ou des niveaux élevés de stress.

• Les actes de délinquance augmentent également à l'adolescence, particulièrement chez les garçons. On a défini divers types de délinquants qui empruntent différents parcours de développement.

RÉSUMÉ

DÉVELOPPEMENT DE LA PERSONNALITÉ

Évolution du concept de soi et de l'estime de soi

Concept de soi

- Concept de soi de plus en plus abstrait (qualités internes)
- Modèle sexuel
  – masculin
  – féminin
  – androgyne
  – indifférencié

Estime de soi

- Diminution au début de l'adolescence et augmentation par la suite

Perspectives théoriques

Freud : développement psychosexuel

- Intellectualisation
- Formation réactionnelle
- Ascétisme

Erikson : développement psychosocial

- Stade de l'identité ou de la diffusion de rôle

Force adaptative : fidélité

Marcia : développement de l'identité

- Identité en phase de réalisation
- Identité en moratoire
- Identité forclose
- Identité diffuse

PARCOURS INDIVIDUELS

Grossesse

- Facteurs de risque

Dépression et suicide

- Détresse psychologique

Comportements délinquants

- Apparition durant l'enfance
- Apparition durant l'adolescence

Trajectoires de vie

- Cinq parcours différents

DÉVELOPPEMENT DES RELATIONS SOCIALES

Relations avec les parents

Augmentation des conflits

Attachement aux parents

Structure familiale

- Processus d'individuation et de séparation
- Style parental

Relations avec les pairs

Amitié

Relations amoureuses

- Changements sur le plan de la conformité : pointe maximale vers 13-14 ans
- Changements dans la structure du groupe :
  – clique
  – bande
- Libre association de couples

Synthèse du développement à l'adolescence

Caractéristiques fondamentales de l'adolescence

Après avoir pris connaissance des deux derniers chapitres, vous conviendrez sans doute qu'il est pertinent de diviser la période de 12 à 20 ans en deux tranches, dont l'une débuterait à 11 ou 12 ans et l'autre à 16 ou 17 ans. Certains appellent ces deux périodes, l'adolescence et la jeunesse (Keniston, 1970), alors que d'autres parlent du début de l'adolescence et de la fin de l'adolescence (Brooks-Gunn, 1988). Quelle que soit la façon dont on désigne ces deux périodes, elles se distinguent sur plusieurs plans.

Le début de l'adolescence est, presque par définition, un moment de transition où l'on constate des changements importants dans tous les aspects du fonctionnement de l'enfant. La fin de l'adolescence est davantage un moment de consolidation, où les jeunes acquièrent une nouvelle identité plus cohérente, ainsi que des objectifs et des engagements plus clairs. Norma Haan (1981a) propose une façon pratique d'aborder cette différence, fondée sur les concepts d'assimilation et d'accommodation de Piaget. Selon elle, le début de l'adolescence serait un moment dominé par l'assimilation, tandis que la fin de l'adolescence serait davantage un moment d'accommodation.

L'adolescent de 12 à 13 ans assimile une quantité énorme de nouvelles expériences physiques, sociales et intellectuelles. Pendant ce temps, et avant que ces expériences soient totalement intégrées, l'adolescent se trouve plus ou moins dans un état de perpétuel déséquilibre. Les anciens schèmes et les anciens modèles ne sont plus très opérants, alors que les nouveaux schèmes et modèles ne sont pas encore établis. C'est durant cette période que le groupe de pairs revêt une importance capitale. Finalement, l'adolescent de 16 à 18 ans commence à effectuer les accommodations nécessaires : il rassemble les différents fils pour déterminer une nouvelle identité, de nouveaux modèles de relations sociales, de nouveaux objectifs et de nouveaux rôles.

Début de l'adolescence

Sur plusieurs plans, les premières années de l'adolescence ont beaucoup de choses en commun avec l'âge du trottineur. L'enfant de 2 ans se caractérise par son négativisme et sa quête d'indépendance. Dans le même temps, il s'efforce d'apprendre tout un ensemble de nouvelles habiletés. L'adolescent fait preuve d'un comportement très similaire, mais à un niveau beaucoup plus abstrait. Comme dans le cas de l'enfant de 2 ans, on observe une augmentation du négativisme et des conflits avec les parents à propos des questions d'indépendance. L'adolescent veut aller et venir à sa guise, écouter sa musique favorite à un volume maximal, porter des vêtements à la mode et avoir une coupe de cheveux « dans le vent ».

Comme dans le cas du négativisme chez l'enfant de 2 ans, on exagère souvent la proportion des conflits entre le jeune adolescent et ses parents. Il importe de garder à l'esprit qu'il ne s'agit pas ici d'un grand tumulte, mais simplement d'une augmentation temporaire des conflits et des disputes. Il est aussi exagéré de se représenter l'adolescence comme une période de tumulte et de stress que de parler de la période « terrible » de 2 ans. Toutefois, ces deux périodes de la vie sont caractérisées par un désir d'indépendance, inévitablement accompagné d'une exacerbation des conflits avec les parents au sujet des limites de l'autonomie.

Au moment de cette quête active d'indépendance, le jeune adolescent doit aussi faire face à l'apprentissage d'une nouvelle série d'exigences et d'habiletés : nouvelles habiletés sociales, nouveau degré de complexité cognitive dans les tâches des opérations formelles. L'augmentation très nette du taux de dépression et la baisse de l'estime de soi que l'on constate au début de l'adolescence semblent être liées à ce surcroît de nouvelles exigences et de changements. Des chercheurs ont constaté que certains adolescents doivent simultanément affronter un grand nombre de changements au début de la puberté : l'entrée à l'école secondaire, le déménagement dans une nouvelle maison ou dans une autre ville, la séparation ou le divorce de leurs parents. On remarque chez ces adolescents une plus grande diminution de leur estime de soi et de leurs résultats scolaires et une plus grande augmentation de troubles du comportement que chez les autres adolescents (Eccles et Midgley, 1990 ;

Simmons, Burgeson et Reef, 1988). Les jeunes adolescents qui doivent composer avec un seul changement à la fois présentent moins de symptômes de stress.

Quand il se trouve devant des situations stressantes, l'enfant de 2 ans se tourne vers sa mère (ou vers toute autre personne qui constitue l'objet central de son attachement), comme vers une base de sécurité à partir de laquelle il peut explorer le monde et vers laquelle il revient quand il est effrayé. Le jeune adolescent agit de même avec sa famille : elle représente une base de sécurité à partir de laquelle il peut explorer le reste du monde, y compris le monde des relations avec les pairs. Les parents d'un jeune adolescent ont la difficile tâche de subvenir à son besoin de sécurité en établissant des

Résumé de la trame du développement à l'adolescence

ASPECT DU DÉVELOPPEMENT	Âge (années)							
	12 Début de l'adolescence	13	14	15	16	17 Fin de l'adolescence	18	19 et plus
Développement physique	Début des changements pubertaires majeurs chez les garçons.		Poussée de croissance chez les garçons.				Fin de la puberté chez les garçons.	
	Poussée de croissance chez les filles.	Âge moyen de la ménarche.			Fin de la puberté chez les filles.			
Développement cognitif	Début des opérations formelles : analyse systématique ; apparition de la logique déductive.				Consolidation des opérations formelles (pour certains).			
	Prédominance du stade 3 de Kohlberg (orientation « bon garçon/bonne fille »).							
		La description de soi et des autres commence à inclure des exceptions, des comparaisons, des conditions particulières ; traits de la personnalité plus profonds.	Stade 4 de Kohlberg pour certains (orientation « la loi et l'ordre »).					
Développement de la personnalité et des relations sociales	Baisse de l'estime de soi.	Début d'une hausse de l'estime de soi et augmentation graduelle jusqu'à la fin de l'adolescence.						
	Augmentation brusque du taux de dépression qui demeure élevé.						Établissement d'une identité claire et distincte pour la moitié des adolescents.	
	Stade de l'identité ou de la diffusion de rôle selon Erikson.							
	Cliques.		Bandes.	Pairs.				
	Point culminant des conflits parents-enfant au début de la puberté.		Point culminant de l'influence du groupe de pairs.	Début normal des premières fréquentations amoureuses.				

règles et des limites claires, tout en permettant une certaine indépendance – de la même façon que les parents de l'enfant de 2 ans doivent permettre l'exploration, tout en s'assurant que l'enfant ne s'expose pas à des dangers. Chez les adolescents comme chez les trottineurs, ceux qui ont le plus de confiance en soi et qui réussissent le mieux sont ceux dont les parents parviennent à maintenir cet équilibre avec succès.

Les théoriciens ont fait un troisième rapprochement entre le jeune adolescent et l'enfant de 2 ans au sujet de l'égocentrisme. Selon David Elkind (1967), l'égocentrisme augmente à l'adolescence. Ce nouvel égocentrisme comporte deux facettes : (1) l'adolescent a la conviction que les personnes de son environnement immédiat se préoccupent autant de ses propres pensées et comportements que lui-même (Elkind et Bowen, 1979 : 38), ce que Elkind décrit comme le fait d'avoir un auditoire imaginaire ; (2) l'adolescent recourt à la fabulation personnelle, c'est-à-dire qu'il perçoit ses propres idées et sentiments comme uniques et particulièrement importants. Cette perception s'accompagne typiquement d'un sentiment d'invulnérabilité, et ce sentiment pourrait être à l'origine de l'attirance des adolescents pour les comportements à risque, comme les relations sexuelles non protégées, la consommation de drogue et d'alcool, la conduite à grande vitesse, etc. (Arnett, 1995).

Les recherches d'Elkind (Elkind et Bowen, 1979) montrent que la préoccupation concernant le regard des autres, ce qu'il appelle le comportement devant l'auditoire imaginaire, atteint son paroxysme vers l'âge de 13 ou 14 ans. Les adolescents de cet âge qui vont à une soirée où ils ne connaissent que peu de monde attacheront beaucoup d'importance à ce que les autres pensent d'eux. Ils sont également très anxieux lorsque quelqu'un les regarde travailler et se sentent terriblement embarrassés, quand ils découvrent une tache sur leurs vêtements ou lorsqu'ils constatent l'apparition d'un nouveau

bouton d'acné. Bien sûr, les enfants plus jeunes et les adultes peuvent aussi être ennuyés par ces petits inconvénients, mais ils semblent beaucoup moins dérangés et déstabilisés par ces préoccupations que l'adolescent de 13 ou 14 ans. À cet âge, l'adolescent est très vulnérable à l'influence des pairs, et c'est d'ailleurs le moment où se forme le groupe d'adolescents que Dunphy appelle la bande.

L'analogie entre le début de l'adolescence et l'âge de 2 ans est pertinente dans la mesure où les enfants appartenant à ces deux groupes d'âge doivent affirmer leur propre identité. Le jeune enfant doit se distancier de la relation symbiotique avec sa mère ou la personne qui s'occupe de lui. Il doit se rendre compte non seulement qu'il est une entité distincte, mais également qu'il possède des aptitudes et des qualités. La maturation physique lui permet, en outre, de se livrer à de nouvelles explorations. Le jeune adolescent, quant à lui, doit se distancier de sa famille, délaisser son identité d'enfant et commencer à affirmer son identité d'adulte. Ce processus s'accompagne aussi d'une maturation physique majeure, qui favorise de nouveaux types et niveaux d'indépendance. Dans les deux cas, ces transformations sont accompagnées d'une certaine forme d'égocentrisme et d'une augmentation des conflits avec la famille ou les personnes responsables de l'enfant ou de l'adolescent.

Fin de l'adolescence

Si l'on poursuit cette analogie, la fin de l'adolescence évoquerait les années préscolaires. Les changements majeurs ont été intégrés, et un nouvel équilibre s'instaure. Les bouleversements physiques de la puberté sont presque terminés, et la structure familiale s'est adaptée afin de permettre plus d'indépendance et de liberté et d'autoriser l'affirmation de la nouvelle identité. Cependant, cette période n'est pas sans tensions. Pour la plupart des jeunes, l'identité n'est pas clairement définie avant les années du collégial (comme il est possible qu'elle ne le soit pas toujours à ce moment, le processus continue). De plus, l'établissement de relations intimes, sexuelles ou présexuelles constitue une épreuve clé de l'adolescence. Néanmoins, nous pensons que Haan a raison d'affirmer que ce moment est davantage caractérisé par l'accommodation que par l'assimilation. On sait tout au moins que ce moment est accompagné d'une augmentation de l'estime de soi et d'une diminution des conflits à l'intérieur de la famille.

Processus principaux et leurs interrelations

Dans les autres interludes, nous avons mentionné que des changements dans l'un ou l'autre des aspects du développement peuvent être au centre d'une myriade de changements à un âge donné. Dans la petite enfance, des changements physiologiques sous-jacents combinés à la création du premier attachement central jouent apparemment un tel rôle clé dans la causalité. Chez l'enfant d'âge préscolaire, c'est le développement cognitif qui domine, alors que, chez l'enfant d'âge scolaire, les changements cognitifs et sociaux semblent être également formateurs. Pendant l'adolescence, on constate des changements importants dans tous les domaines. Pour l'instant, on ne possède pas de données qui permettraient de clarifier les liens de causalité dans les transformations à l'intérieur de ces domaines, bien qu'on possède certaines informations sur ces liens.

Rôle de la puberté

Penchons-nous pour commencer sur le phénomène de la puberté lui-même. La puberté ne marque pas uniquement le début de l'adolescence : elle touche aussi visiblement toutes les autres facettes du développement au cours de cette période, que ce soit directement ou indirectement.

Les effets directs se manifestent de différentes façons. Avant tout, l'afflux des hormones pubertaires stimule l'intérêt pour la sexualité en même temps qu'il déclenche les transformations qui rendent possible la sexualité adulte et la conception. Ces changements semblent

indéniablement liés au passage graduel des groupes unisexués aux bandes hétérosexuelles et, finalement, aux relations de couple.

HORMONES ET RELATIONS FAMILIALES Les changements hormonaux participent sans doute directement à l'augmentation des conflits entre les parents et les enfants et à l'accroissement des comportements agressifs ou délinquants. Selon Steinberg, l'existence d'un tel lien direct ne fait aucun doute, car c'est le stade pubertaire et non pas l'âge chronologique qui constitue l'élément déterminant dans la prédiction du taux de conflits entre les parents et les adolescents. D'autres chercheurs ont découvert que, chez les filles, l'augmentation du taux d'œstrogène au début de la puberté a comme corollaire une augmentation de la violence verbale et une perte de maîtrise des impulsions, tandis que, chez les garçons, l'augmentation du taux de testostérone se traduit par un accroissement de l'irritabilité et de l'impatience (Paikoff et Brooks-Gunn, 1990). Cependant, d'autres études n'ont pas vérifié de tels liens (Coe, Hayashi et Levine, 1988), ce qui amène la plupart des théoriciens à conclure que les rapports de causalité entre les hormones pubertaires et les transformations du comportement social chez l'adolescent sont beaucoup plus complexes qu'on ne l'avait cru.

Le fait que les changements physiques liés à la puberté comportent également d'importants effets indirects complique encore les choses. Quand le corps de l'enfant se développe et ressemble de plus en plus à celui d'un adulte, les parents se mettent à traiter l'enfant différemment, ce qui renforce son sentiment d'être un adulte en devenir. Ces deux changements pourraient être associés à l'intensification passagère des conflits entre les parents et l'adolescent, et favoriser le déclenchement de la recherche intérieure qui est typique de cette période de la vie.

Les transformations pubertaires des adolescents exigent d'autres accommodements qui modifient la dynamique familiale. Il peut être très déroutant de s'occuper d'un jeune adolescent qui réclame à la fois une plus grande autonomie et un encadrement plus strict. De plus, la présence d'un adolescent pubère à la sexualité débordante peut faire resurgir, chez les parents, des problèmes non résolus dans leur propre adolescence, au moment où ils doivent affronter le déclin des capacités physiques de la quarantaine ou de la cinquantaine. Par ailleurs, les adolescents se couchent parfois plus tard, ce qui restreint considérablement l'intimité des parents. Il n'est pas surprenant que le taux de satisfaction dans le mariage soit au plus bas, chez beaucoup de parents (surtout les pères), pendant l'adolescence de leurs enfants (Glenn, 1990). En tenant compte de tous ces éléments, vous savez maintenant pourquoi il est difficile de déterminer les effets directs et indirects des hormones pubertaires sur le comportement social.

PUBERTÉ ET DÉVELOPPEMENT COGNITIF Il est tout aussi difficile de faire ressortir les liens possibles entre les changements physiques à la puberté et les changements cognitifs, plus particulièrement le passage aux opérations formelles. Qu'il existe un certain rapport entre les deux types de changements semble plausible, d'autant plus que nous disposons maintenant d'informations qui nous permettent d'avancer qu'il se produirait un émondage synaptique et dendritique à l'adolescence.

Ainsi, s'il existe un lien, il n'est certainement pas constant, car on sait que les adolescents (ou les adultes) n'accèdent pas tous au raisonnement formel. Par conséquent, le développement du cerveau à la puberté ne peut pas être la seule cause de l'apparition de ces formes plus abstraites de la pensée. Les changements hormonaux et neurologiques à l'adolescence pourraient être nécessaires pour permettre cette évolution du processus cognitif, quoique cela n'ait jamais été démontré. Cependant, ils ne peuvent pas être des conditions suffisantes pour expliquer de tels changements.

Rôle du développement cognitif à l'adolescence

Il existe une autre explication également très attrayante pour les théoriciens, selon laquelle les changements cognitifs auraient un rôle central. Aucun théoricien ne prétend que c'est le passage des opérations concrètes aux opérations formelles qui cause les changements pubertaires. Cependant, un grand nombre de chercheurs soutiennent que le développement cognitif est au centre d'autres changements que l'on observe à l'adolescence, comme l'évolution du concept de soi, le processus de la formation de l'identité, le passage à un niveau plus élevé du raisonnement moral et les changements dans les relations avec les pairs.

Il y a ainsi de nombreuses indications selon lesquelles la description plus abstraite du concept de soi et des autres chez l'enfant est étroitement liée à des changements plus importants dans le fonctionnement cognitif (Harter, 1990). L'émergence des opérations concrètes à 7 ou 8 ans se reflète dans les caractéristiques dont l'enfant se sert pour se décrire lui-même et décrire les autres. L'émergence des opérations formelles se traduit par des descriptions d'autrui qui font de plus en plus appel à des états intérieurs ; ces descriptions des autres sont à la fois souples et fondées sur de subtiles déductions faites à partir de leur comportement.

Kohlberg (1973, 1976) a formulé une hypothèse plus générale sur les liens existant entre les changements cognitifs et d'autres types de changements à l'adolescence : l'adolescent passerait d'abord à un nouveau stade de la logique et il appliquerait ensuite cette logique aux relations avec les autres aussi bien qu'aux objets et seulement alors à des problèmes moraux. Kohlberg soutient en particulier que certains signes d'opérations formelles et une certaine capacité de distanciation sont nécessaires dans les relations avec les autres (mais pas suffisants) pour que le raisonnement moral conventionnel puisse apparaître. La maîtrise complète des opérations formelles et une compréhension sociale encore plus abstraite seraient des conditions nécessaires à l'apparition du raisonnement postconventionnel.

Peu de travaux ont porté sur l'éventualité de cette séquence, mais ceux qui ont été effectués confirment l'hypothèse de Kohlberg. Lawrence Walker (1980) a étudié, chez un groupe d'enfants de la 4e à la 7e année, la résolution des opérations concrètes et formelles, la compréhension sociale et le niveau de raisonnement moral. Il a remarqué que la moitié ou près des deux tiers des enfants raisonnaient de la même façon dans les différents domaines, ce qui ressemble fort à un développement par stades. Quand un enfant était en avance, la séquence était toujours la suivante : il avait d'abord développé la pensée logique, puis une compréhension sociale plus avancée et finalement des jugements moraux correspondants. Ainsi, il serait peu probable qu'un jeune garçon encore au stade des opérations concrètes soit capable de raisonner selon un niveau moral postconventionnel. Toutefois, la correspondance n'est pas automatique. Les progrès dans les capacités cognitives de base permettent des progrès dans le raisonnement social et moral, mais ils ne les garantissent pas. L'expérience des relations avec les autres et des dilemmes moraux est aussi nécessaire à cette progression.

La morale que l'on peut en tirer (passez-nous le jeu de mots) est la suivante : si un jeune ou un adulte montre des signes d'opérations formelles, cela ne veut pas dire nécessairement qu'il serait capable de faire preuve de sensibilité, d'empathie et d'indulgence envers ses amis et sa famille. C'est un point qu'il faut garder à l'esprit.

Il est également possible que certaines capacités formelles soient nécessaires, mais pas suffisantes, pour que se forme une identité clairement définie. L'une des caractéristiques des opérations formelles est la capacité d'entrevoir des possibilités dont vous n'avez jamais fait l'expérience et de jongler de façon abstraite avec les

concepts. Ces nouvelles compétences peuvent entraîner un questionnement général sur les anciens comportements, les anciennes valeurs et les anciens modèles, qui sont au centre du processus de formation de l'identité. De nombreuses études montrent que, parmi les élèves du secondaire et ceux du collégial, ceux qui ont affirmé leur identité ou qui ont acquis l'état d'identité en moratoire, selon les termes de Marcia, utilisent davantage un raisonnement formel que ceux qui n'ont atteint que l'état d'identité diffuse ou forclose (Leadbeater et Dionne, 1981 ; Rowe et Marcia, 1980). Dans l'étude effectuée par Rowe et Marcia, les seuls individus qui faisaient preuve d'une totale réalisation de leur identité étaient ceux qui possédaient une maîtrise complète des opérations formelles. Par contre, la proposition inverse ne se vérifiait pas : certains sujets qui avaient une totale maîtrise des opérations formelles n'avaient pas pleinement réalisé leur identité. Ainsi, la pensée opératoire formelle permet à l'adolescent de remettre en question plusieurs aspects de sa vie, mais ne garantit pas pour autant qu'il le fasse.

En fin de compte, il semble bien que les changements physiques de la puberté autant que les changements cognitifs potentiels des opérations formelles soient des aspects fondamentaux de l'adolescence ; cependant, la nature des liens qui les unissent et leurs répercussions sur le comportement social sont encore mal connues. Nous savons combien il est frustrant de souligner sans cesse notre ignorance, mais c'est le constat le plus juste que nous puissions faire à propos des connaissances actuelles sur la question.

Influences sur les processus de base

L'espace et le temps nous faisant défaut, nous ne pouvons nous pencher sur tous les facteurs qui influent sur l'expérience de la puberté chez l'adolescent. Nous en avons mentionné quelques-uns, tels que les différences culturelles, l'existence ou l'absence de rituels d'initiation, le moment du déclenchement du processus pubertaire et le niveau de stress personnel ou familial. L'adolescence, comme toutes les autres périodes du développement, ne part pas de zéro. Le tempérament du jeune, ses habitudes de comportement et ses modèles internes d'interaction, établis dans les premières années de son enfance, ont évidemment une influence sur l'expérience de l'adolescence. Les exemples ne manquent pas.

- L'étude longitudinale effectuée par Sroufe (1989), que nous avons citée au chapitre 4, révèle que les jeunes enfants qui font preuve d'un attachement fort (ou sécurisant) sont plus confiants et plus compétents socialement avec leurs pairs au début de l'adolescence.

- L'augmentation de la délinquance et de l'agressivité chez l'adolescent est rarement soudaine. Ces comportements sont presque toujours annoncés par des problèmes de comportement antérieurs et par une discipline familiale inadéquate, et ce, dès la plus tendre enfance (Dishion, French et Patterson 1995). Même chez les délinquants qui présentent des comportements antisociaux pour la première fois à

l'adolescence, on retrouve certaines caractéristiques, telle la difficulté à établir des relations amicales avec les autres (Berndt et Keefe, 1995a).

- La dépression touche plus fréquemment les adolescents qui commencent leur puberté avec une faible estime de soi (Harter, 1988).

Avshalom Caspi et Terrie Moffitt (1991) font valoir un argument plus général selon lequel toute crise ou transition majeure dans la vie, y compris dans l'adolescence, exacerbe les modèles antérieurs du comportement et de la personnalité plutôt que d'en engendrer de nouveaux. Cela n'est pas sans rappeler la manifestation de l'attachement chez l'enfant, qui se révèle seulement quand ce dernier éprouve un stress. Dans le même ordre d'idées, Caspi et Moffitt pensent que, en période de stress, les vieux modèles et les anciens problèmes resurgissent. Par exemple, ils font remarquer que les filles qui ont une puberté précoce connaissent, en moyenne, plus de problèmes psychologiques que les filles dont le développement correspond à la norme. Cependant, une analyse plus pointue révèle que, parmi les filles précoces, seules celles qui éprouvaient des problèmes sociaux avant la puberté ont une expérience plus négative de leur puberté et de leur adolescence. La puberté très précoce n'augmente pas l'incidence de problèmes psychologiques chez les filles qui sont au départ équilibrées.

Nous croyons qu'il s'agit là d'un élément important pour comprendre les diverses transitions de la vie adulte. Non seulement transportons-nous notre bagage psychologique au fur et à mesure de notre évolution dans les rôles et les exigences de la vie adulte, mais ce bagage (nos modèles) est encore plus apparent en situation de stress. Cela ne signifie pas pour autant qu'il soit impossible de changer ou d'apprendre des façons de réagir plus adéquates. Il faut toutefois se rappeler qu'à l'adolescence, et plus particulièrement à l'âge adulte, nos modèles internes et notre répertoire de comportements d'adaptation sont déjà établis, ce qui détermine le parcours que nous choisirons. En d'autres termes, bien que le changement soit possible, la continuité reste l'option par défaut.

Le *début* de l'âge *adulte* et l'âge *adulte* moyen

Nous nous pencherons, dans cette quatrième partie des Âges de la vie, sur deux périodes de l'âge adulte, soit le début de l'âge adulte et l'âge adulte moyen. Le chapitre 9 portera sur le développement physique et cognitif de ces deux groupes d'adultes, soit le jeune adulte et l'adulte d'âge moyen. Le chapitre 10 traitera de la personnalité et des relations sociales du jeune adulte, alors que le chapitre 11 abordera la personnalité et les relations sociales de l'adulte d'âge moyen.

Comme nous l'avons vu dans la troisième partie, l'horloge biologique a été particulièrement bruyante au cours de l'adolescence. Au début de l'âge adulte, le phénomène inverse se produit, et l'influence relative de l'horloge sociale l'emporte presque totalement sur celle de l'horloge biologique. Une fois la puberté terminée, une période de vingt ans ou plus commence durant laquelle le corps fonctionne à son rythme optimal. Pendant ces années, l'horloge sociale impose des changements de vie à la plupart des jeunes adultes: le passage du célibat à la vie conjugale, du rôle d'enfant à celui de parent, de la dépendance à l'autonomie. Un troisième rôle s'ajoute à celui de conjoint et de parent, celui de travailleur. Chaque individu aborde ces différentes tâches avec son mode de vie et ses modèles internes. Vous conviendrez qu'il est très sensé de parler de sentiers communs et de développement normal durant l'enfance. Toutefois, le parcours du développement devient beaucoup plus individuel et unique à l'âge adulte. Les chemins empruntés dépendent de nombreux facteurs, notamment des choix individuels. Après notre visite au pays de l'enfance et de l'adolescence, nous vous présentons une autre étape de la vie, soit le passage de l'adolescence à la vie adulte.

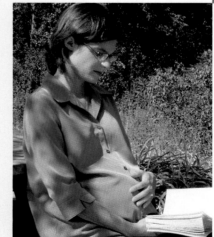

Au milieu de l'âge adulte apparaît pour la première fois un certain équilibre entre l'horloge biologique et l'horloge sociale. D'une part, les changements physiques associés au vieillissement deviennent plus apparents; d'autre part, les rôles sociaux deviennent moins rigoureux ou contraignants. Par ailleurs, si la notion de stade n'est plus aussi appropriée à l'âge adulte moyen, il demeure que tous les adultes connaissent certaines séquences communes de développement ou d'expériences. Il semble qu'il existe un rythme de base créé par l'alternance entre la continuité et le changement. Toutefois, ce sont surtout les changements de rôles qui entraînent des variations dans la structure stable de la vie au cours de cette période, de même que les changements imprévus, telle la perte d'un emploi.

9
CHAPITRE

Le début de l'âge adulte et l'âge adulte moyen : développement physique et cognitif

À 22 ans, Amélie est mère célibataire d'un jeune enfant de 4 ans et elle demeure chez ses parents. Elle travaille à plein temps et prend des cours du soir afin d'obtenir un diplôme.

Alexandre, 25 ans, est marié. Il a quitté les Forces armées canadiennes après 4 ans et il suit maintenant un cours de mécanique.

Maryse est une femme divorcée de 27 ans qui a un enfant d'âge scolaire. Elle est agente de bord pour une compagnie aérienne.

Étudiant de 22 ans au baccalauréat en études littéraires, Daniel se demande dans quel domaine il va se spécialiser.

Caroline est âgée de 33 ans et enseigne les sciences physiques au secondaire depuis 10 ans.

Toutes ces personnes sont de jeunes adultes. Si vous connaissez des personnes qui ont entre 20 et 40 ans, vous savez que leurs vies sont tout aussi diversifiées. Le développement des individus au cours de l'enfance et de l'adolescence suit une trajectoire commune à l'intérieur d'une même société ; des événements semblables le ponctuent, par exemple l'entrée à l'école vers l'âge de 6 ans ou l'apparition de la puberté vers l'âge de 12 ans. C'est à l'âge adulte que les trajectoires de vie éclatent et se diversifient. Nous empruntons alors des parcours différents. Certains vont entrer sur le marché du travail très tôt, d'autres vont entreprendre des études supérieures, certains vont voyager, d'autres vont se marier et élever une famille, etc. Dans le chapitre 9, nous allons aborder cette période fourmillante d'expériences de toutes sortes, celle de nos premiers pas dans la vie active de l'âge adulte, et nous verrons comment l'horloge biologique à l'âge adulte moyen commence à nous rappeler discrètement son existence.

ÉTUDE DU DÉVELOPPEMENT AU COURS DE LA VIE ADULTE

Avant d'aborder le développement physique et cognitif chez le jeune adulte et l'adulte d'âge moyen, il est important de nous familiariser avec certaines notions concernant l'étude du développement à l'âge adulte.

LES TROIS ÂGES DE LA VIE ADULTE

L'âge adulte qui couvre la majeure partie de la vie d'un individu est divisé en trois périodes : le début de l'âge adulte, l'âge adulte moyen et l'âge adulte avancé. Les définitions de ces périodes ont changé au fil du temps, et les théoriciens des sciences sociales ne s'entendent pas sur les subdivisions elles-mêmes. De fait, les changements physiques et cognitifs sont plus graduels et varient davantage d'une personne à l'autre au cours de l'âge adulte qu'au cours de l'enfance. La façon dont il faut diviser cette partie de la vie n'est donc pas évidente.

La plupart des psychologues qui s'intéressent au développement humain établissent, par convention, trois périodes à peu près égales : le début de l'âge adulte de 20 à 40 ans, l'âge adulte moyen de 40 à 65 ans et l'âge adulte avancé de 65 ans à la mort. Cette division reflète un ensemble de changements dans les rôles qui se produisent à chaque étape. Et, c'est surtout au début de la quarantaine que ces changements sont les plus marquants, lorsque la carrière atteint un plafond et que les enfants commencent à quitter la maison. Cette division traduit aussi le fait que les fonctions cognitives et physiques, qui sont optimales au cours de la vingtaine et de la trentaine, commencent à décliner de façon sensible et mesurable durant la quarantaine et la cinquantaine. La pente peut être très douce, mais on la descend inévitablement après 40 ans. Cependant, il ne faut pas oublier qu'il s'agit d'une division arbitraire et que, au cours des années dites de transition, ces événements déterminants et ces changements graduels se produisent à des moments très variables pour chaque individu.

MATURATION ET VIEILLISSEMENT

La différence entre l'étude de l'âge adulte et l'étude de l'enfance — que nous avons abordée au chapitre 1 — porte sur le rôle de la maturation et des autres changements. Lorsqu'on étudie le développement de l'enfant, on parle de croissance et d'évolution. Par contre, lorsque l'on étudie le développement de l'adulte, on s'interroge sur le déclin et la perte de ses habiletés physiques et cognitives. Peut-on étudier et analyser le déclin des fonctions physiques et cognitives chez l'adulte en utilisant les modèles théoriques qui ont servi à étudier la croissance et l'évolution des mêmes fonctions chez l'enfant ?

La réponse à cette question dépend de la façon dont on définit le *développement*. Le développement de l'enfant suit une direction, et les changements se produisent dans un ordre prévisible. Le bébé s'assoit, se traîne à quatre pattes, puis marche ; l'enfant évolue sur le plan cognitif en passant du concret à l'abstrait, de la phase égocentrique à la phase relationnelle ; l'adolescent traverse les étapes de la puberté. La maturation physique forme le substrat de la plupart des changements liés au développement.

Par contre, lorsque l'on étudie les changements de l'âge adulte, la notion de développement devient beaucoup plus ambiguë. De toute évidence, au début de l'âge adulte, presque tous les individus sont touchés par des changements communs sur le plan des rôles. Mais existe-t-il, dans ces changements, une direction, un schème récurrent que l'on pourrait raisonnablement percevoir comme un développement ? Les gens deviennent-ils plus intelligents, plus sages, plus stables ou plus lents en vieillissant ? Par ailleurs, quel est le rôle précis de la maturation dans ce processus ?

De prime abord, on note que certains changements physiques communs et inévitables se produisant à l'âge adulte semblent tous liés, par nature, à la maturation. On parle en général de *vieillissement* pour décrire ce phénomène. L'apparition de cheveux blancs et de rides témoigne de ces changements. De nombreuses personnes croient que des changements similaires touchent leur façon de penser après 40 ans : la mémorisation des noms devient plus difficile, et l'apprentissage de nouvelles habiletés nécessite plus de temps et d'efforts.

Même à 30 ans, les adultes trouvent souvent que le maintien d'une bonne condition physique est plus difficile qu'à 20 ans.

Ces jeunes hommes sont sûrement plus en forme actuellement qu'ils ne le seront à tout autre moment de leur vie.

Les physiologistes et les psychologues ne contestent pas ces observations : il existe bien une horloge biologique, et son tic-tac se fait de plus en plus percutant à mesure que l'on avance dans l'âge adulte. Cependant, des recherches récentes révèlent que certains phénomènes attribués jusqu'ici au vieillissement physique inévitable sont peut-être dus à d'autres causes, comme la maladie et l'invalidité. On se retrouve alors devant un dilemme méthodologique.

Comment étudier le vieillissement ?   Supposons que nous nous intéressons aux changements de la fonction cardiaque ou pulmonaire durant l'âge adulte. Nous savons que les maladies du cœur ne constituent pas une composante normale du vieillissement, car nous n'en souffrons pas tous. Il convient donc d'observer les changements survenant avec l'âge, uniquement chez les adultes qui ne sont pas malades. On peut ainsi espérer découvrir les processus de base qui sous-tendent le vieillissement sans complications de santé. Ce faisant, on a découvert que certains changements sont bien liés à l'âge, mais qu'ils sont beaucoup moins importants que prévu. Des psychologues appellent **vieillissement primaire** ce processus de vieillissement inévitable qui n'est pas associé à la maladie (Birren et Schroots, 1996).

Le **vieillissement secondaire** est le résultat des influences de l'environnement, de l'hygiène de vie (habitudes de vie) et de la maladie. Ces influences ne sont pas inévitables, et tous les adultes ne les subissent pas. De plus, certains aspects du vieillissement secondaire sont réversibles. Ainsi, chez les personnes en bonne santé, le vieillissement primaire s'avère plus lent et plus tardif qu'on ne l'aurait cru. En outre, certains changements que

l'on pensait inhérents au vieillissement primaire s'avèrent en fait des changements liés au vieillissement secondaire.

Nous n'essayons pas ici de donner une image édulcorée de l'âge adulte. Le sable s'écoule inexorablement dans le sablier, et la mort nous attend tous au bout du chemin. Cependant, il est nécessaire de déterminer exactement quels sont les changements attribuables au vieillissement normal et quels sont les changements associés à d'autres facteurs qui pourraient être évités. Ces informations sont importantes même lorsqu'on observe les fonctions physiques et cognitives au début de l'âge adulte, au moment de la performance optimale. Les recherches les plus récentes ne contestent pas les avantages des jeunes adultes, mais elles laissent entrevoir que les différences entre les jeunes adultes et les adultes plus âgés pourraient être moins marquées qu'on ne le pense.

FACTEURS DE RISQUE ET DE PROTECTION

L'ensemble des *habitudes de vie* au début et au milieu de l'âge adulte pourrait expliquer en partie les différences individuelles observées au cours du vieillissement physique ou cognitif. Ces habitudes de vie constituent des facteurs de risque ou de protection qui influent sur le cours du développement nous prédisposant à certaines conséquences positives ou négatives. Elles orientent notre trajectoire de vie de façon inéluctable. Par exemple, à 25 ou 30 ans, nous sommes souvent convaincus que notre corps peut supporter toutes sortes d'excès et d'abus et que nous nous en tirerons à bon compte, mais tel n'est pas le cas. Aujourd'hui, nous savons que la santé physique et mentale de l'adulte d'âge moyen et avancé est associée aux habitudes contractées au début de l'âge adulte. Ainsi, les **facteurs de protection** peuvent réduire les risques de maladie et augmenter le sentiment de bonheur ou de bien-être chez une personne, alors que les **facteurs de risque** provoquent l'effet contraire.

Vieillissement primaire : Changements physiques inévitables liés à l'âge que tous les individus de l'espèce humaine subissent. Ces changements sont davantage associés au processus biologique sous-jacent qu'à l'expérience particulière d'un individu.

Vieillissement secondaire : Changements physiques évitables liés à l'âge que tous les individus de l'espèce humaine subissent. Ces changements sont généralement associés à la maladie, au stress et aux influences de l'environnement.

Facteurs de protection : Facteurs qui diminuent les risques de maladie et augmentent la satisfaction de vivre d'un individu.

Facteurs de risque : Facteurs qui augmentent les risques de maladie et diminuent la satisfaction de vivre d'un individu.

Effets à long terme de l'hygiène de vie

La meilleure illustration des effets à long terme de l'*hygiène de vie* nous vient d'une importante étude longitudinale et épidémiologique effectuée dans le comté d'Alameda, en Californie (Berkman et Breslow, 1983; Breslow et Breslow, 1993; Kaplan, 1992). L'étude a débuté en 1965 par un questionnaire exhaustif concernant divers aspects des habitudes de vie, auquel 6 928 sujets d'un échantillon aléatoire ont répondu. En 1974 et en 1983, on a de nouveau demandé à ces sujets de décrire leur état de santé. Les chercheurs ont aussi consulté les registres de décès. Ils étaient donc en mesure de préciser le moment du décès de chacun des sujets entre 1965 et 1983. Ils ont alors pu établir un rapport entre l'hygiène de vie en 1965 et la mortalité, la maladie ou l'invalidité en 1974 et en 1983.

Les chercheurs ont choisi sept habitudes de vie qu'ils considéraient comme critiques : l'activité physique, le tabagisme, le poids, la consommation d'alcool, l'habitude de prendre un petit-déjeuner, l'alimentation (sous-alimentation et suralimentation) et le sommeil. Le tableau 9.1 dresse la liste des comportements optimaux pour chacune de ces habitudes, tels qu'ils avaient été établis pour cette étude. Les données portant sur les neuf premières années de l'étude d'Alameda montrent que six de ces sept habitudes avaient un effet direct sur le risque de mortalité. Seule l'habitude de prendre un petit-déjeuner n'avait aucune répercussion sur la mortalité. À tout âge, les hommes et les femmes qui avaient de mauvaises habitudes de vie présentaient un risque accru de mortalité. Chose peu surprenante, ces habitudes de vie ont également influé sur la maladie et l'invalidité au cours des 18 années qu'a duré l'étude. Les personnes qui avaient une mauvaise hygiène de vie en 1965 avaient plus souvent tendance à souffrir d'invalidité et à présenter des symptômes de maladie en 1974 et en 1983 (Breslow et Breslow, 1993; Guralnik et Kaplan, 1989; Strawbridge *et al.*, 1993).

L'étude d'Alameda n'est pas la seule à établir un lien entre les habitudes de vie et la mortalité. Par exemple, une étude longitudinale de 20 ans, menée en Suède, confirme le lien entre l'activité physique et un faible risque de mortalité (Lissner *et al.*, 1996). Une autre étude réalisée par JoAnn Manson sur la santé des infirmiers et des infirmières établit elle aussi un lien entre le poids et la longévité (Manson *et al.*, 1995). Cette vaste étude longitudinale a permis d'interroger, en 1976, 115 000 infirmiers et infirmières qui étaient alors âgés de 30 à 55 ans. Dans l'analyse de leurs données, Manson et ses collègues ont étudié le lien entre le poids des femmes au début de l'enquête et les risques de mortalité pendant les 16 années suivantes. Ils ont découvert que plus l'indice de masse corporelle (rapport poids/taille) était faible, moins il y avait de risques associés à la mortalité. De plus, d'après cette étude, le poids idéal (poids santé) serait encore plus bas que l'indice de masse corporelle établi par l'étude d'Alameda. Ainsi, parmi les femmes qui ne fumaient pas, celles qui étaient moins à risque de mortalité étaient celles qui avaient un poids inférieur à leur poids idéal, alors que

Tableau 9.1	*Habitudes de vie optimales selon l'étude du comté d'Alameda*
Habitude de vie	**Niveau optimal**
Activité physique	Faire au moins de 20 à 30 minutes d'exercices vigoureux trois fois par semaine. Les activités sportives les plus complètes sont la natation, le ski de fond et le vélo.
Tabagisme	Ne jamais fumer.
Poids	Pour les hommes, un poids qui n'excède pas plus de 20 % le poids normal proportionnellement à la taille ou qui n'en est pas inférieur de plus de 5 %. Pour les femmes, un poids n'excédant pas plus de 10 % le poids normal proportionnellement à la taille.
Consommation d'alcool	Ne pas boire plus de 4 consommations d'affilée et ne pas dépasser 16 consommations par mois. Une consommation équivaut à une bière, à un verre de vin ou à 30 mL de spiritueux. L'important n'est pas de ne jamais boire, mais de ne pas boire avec excès. Certaines études démontrent que la consommation d'un verre de vin par jour est associée à une meilleure santé et à une plus grande espérance de vie que l'abstinence totale (Guralnik et Kaplan, 1989).
Habitude de prendre un petit-déjeuner	Déjeuner régulièrement, soit presque tous les matins.
Alimentation	Régime alimentaire faible en gras. Les régimes alimentaires riches en gras sont associés à des risques supplémentaires de cardiopathie, de cancer et d'obésité. Manger moins de viande et de produits laitiers et davantage de légumes, de fruits, de céréales et de fèves de toutes sortes. On recommande aux femmes de prendre des suppléments de calcium dès le début de l'âge adulte.
Sommeil	Dormir habituellement de 7 à 8 heures par nuit.

(*Source*: Berkman et Breslow, 1983.)

celles qui se situaient entre leur poids idéal et 20 % de plus présentaient un léger risque. Finalement, celles qui dépassaient leur poids idéal (de 20 % et plus) voyaient leur risque de mortalité augmenter considérablement.

Ces conclusions ont été largement médiatisées et risquent d'influer sur l'augmentation de différents troubles alimentaires dans la population en présentant un modèle de santé associé à une extrême minceur. Aussi, il est important de préciser que les risques de mortalité sont faibles chez les personnes qui sont légèrement au-dessus de leur poids idéal. Cependant, il n'est pas nécessaire de posséder un corps de mannequin pour vivre longtemps, quoique le fait de maintenir un poids idéal, ou poids santé, augmente les chances de survie. Cette notion de poids idéal soulève de nombreuses questions. Par exemple, une personne qui veut être en dessous de son poids idéal afin d'améliorer sa longévité et qui doit pour cela perdre 13 kilos (30 livres) doit se demander quel degré de risque elle est prête à assumer. Autrement dit, le prix à payer pour demeurer en santé occasionne-t-il des problèmes supplémentaires. De ce côté, nos connaissances actuelles confirment que les personnes dont le poids est idéal vivent plus longtemps et ont moins de problèmes de santé.

Pour en bénéficier à long terme, on doit adopter de bonnes habitudes de vie dès le début de l'âge adulte et les respecter par la suite. Cependant, très peu de jeunes adultes empruntent cette voie. Au contraire, la plupart des jeunes adultes adoptent de très mauvaises habitudes, telles que sauter le petit-déjeuner ou boire et fumer avec excès. À noter, l'obésité se retrouve davantage chez les personnes de 45 à 64 ans, alors que le fait de ne pas dormir suffisamment se retrouve dans tous les groupes d'âge. Les jeunes adultes étant moins susceptibles de mourir ou de tomber malades, les effets de leurs habitudes de vie peuvent leur sembler sans grandes conséquences. Cependant, il est difficile de se débarrasser d'habitudes bien ancrées ; de plus, les effets des mauvaises habitudes semblent cumulatifs.

Une mauvaise hygiène de vie, particulièrement au début de l'âge adulte, peut entraîner ou accélérer le développement de certaines maladies, comme les maladies du cœur ou le cancer. Même si aucun symptôme n'apparaît entre l'âge de 20 et 40 ans, le processus de la maladie n'en est pas moins amorcé. Par exemple, les effets d'un régime riche en cholestérol – une habitude de vie que les chercheurs d'Alameda n'ont pas incluse dans leur étude parce que son importance était encore méconnue en 1965 – semblent s'additionner au fil des ans. Les recherches sur les maladies du cœur permettent également d'évaluer les effets cumulatifs du tabagisme. Heureusement, il est aussi vrai que, lorsque l'on cesse de fumer, le risque revient au même niveau que chez une personne qui n'a jamais fumé. De même, une diminution radicale des graisses dans le régime alimentaire peut renverser le processus d'accumulation du cholestérol dans les vaisseaux sanguins (Ornish, 1990). Il est donc profitable de modifier ses habitudes de vie, même dans la vingtaine ou dans la trentaine.

Soutien social

De nombreuses recherches montrent que les adultes qui disposent d'un *soutien social* approprié présentent des risques moins élevés de maladie, de décès et de dépression que les adultes qui ont des réseaux sociaux peu étendus ou qui reçoivent moins de soutien de leurs proches (Cohen, 1991 ; Berkman et Breslow, 1983 ; Berkman, 1985). Cet effet est particulièrement évident lorsqu'une personne subit un stress élevé. Autrement dit, l'effet négatif du stress sur la santé et sur le bonheur est plus faible chez les personnes qui ont un soutien social approprié que chez les personnes dont le soutien social est inadéquat. On décrit en général ces résultats comme l'*effet tampon* du soutien social.

On a défini et mesuré le soutien social de plusieurs façons (Cohen, Kessler et Gordon, 1995). Dans les premières études, y compris celle d'Alameda, des critères objectifs, tels que la situation familiale et la fréquence des contacts avec les amis et les parents, ont servi à évaluer le soutien social. Des études récentes révèlent que les critères subjectifs peuvent s'avérer plus représentatifs. En effet, la perception qu'a une personne de l'adéquation entre ses relations sociales et son soutien émotionnel agit davantage sur sa santé physique et mentale que la plupart des critères objectifs (Feld et George, 1994 ; Sarason, Sarason et Pierce, 1990). L'impression déterminante que produit la perception d'être soutenu concorde entièrement avec nos connaissances sur l'importance des modèles internes dans la formation du comportement et des attitudes. Ce n'est pas la quantité de contacts avec les autres qui importe, mais bien la façon dont ces contacts sont perçus ou interprétés. En fait, Barbara Sarason et ses collaborateurs (Sarason, Sarason et Pierce, 1990) pensent qu'il existe un lien entre le type d'attachement et la perception du soutien social, et que la tendance à percevoir le soutien social comme disponible et suffisant semble liée au type d'attachement. Plus les attachements sont forts et sécurisants, plus la personne a le sentiment de bénéficier d'un soutien social adéquat.

Certaines découvertes de l'étude du comté d'Alameda peuvent illustrer l'importance du lien qui existe entre le soutien social et l'état de santé. Dans ce cas, on a utilisé l'indice du réseau social qui relève d'une évaluation objective, par exemple le nombre de contacts avec des amis et des parents, la situation familiale, la participation active à un groupe religieux ou à d'autres groupes. Or, même en utilisant cette évaluation peu précise du soutien social, le lien apparaît clairement. Des modèles similaires ont été observés dans d'autre pays, dont la Suède (Orth-Gomér, Rosengren et Wilhelmsen, 1993) et le Japon (Sugisawa, Liang et Liu, 1994). De même, on a remarqué que le lien entre le soutien social et l'état de santé n'existe pas que dans les pays occidentaux.

Les conséquences positives du soutien social sont indéniables. En analysant les données obtenues dans le comté d'Alameda, Berkman (1985) a constaté que le lien entre le soutien social et le risque de mortalité était présent, même lorsque l'on tenait compte de la santé physique, de la classe sociale, du tabagisme, de la consommation d'alcool, du niveau d'activité physique, du poids, de la race et de la satisfaction de vivre. Les études utilisant des mesures plus subjectives du soutien social donnent des résultats similaires : les adultes, jeunes et âgés, qui se sentent suffisamment soutenus par leur famille et leurs amis sont moins susceptibles de tomber malade s'ils vivent dans des conditions de stress élevé (Cohen, 1991 ; Cohen et Wills, 1985). Cet effet bénéfique du soutien social, que l'on nomme habituellement effet tampon ou effet protecteur, est particulièrement évident lorsqu'un individu est soumis à un stress intense. Ainsi, les conséquences négatives du stress sur la santé et le bonheur diminuent considérablement quand un individu dispose d'un soutien social adéquat.

Une recherche réalisée en Angleterre par George Brown et Tirril Harris (Brown, 1989, 1993 ; Brown et Harris, 1978) fournit un excellent exemple de cet effet tampon. Ces chercheurs ont étudié les cas de 419 femmes dont l'âge variait de 18 à 65 ans. Ils se sont informés du nombre d'événements stressants que chacune d'elles avait vécu au cours de l'année précédente, tels que la mort d'un proche, un divorce ou une rupture. Ils leur ont aussi demandé si elles avaient vécu, durant la même période, des épisodes

dépressifs et si elles avaient pu bénéficier de la présence d'un confident. Le tableau 9.2 montre les relations existant entre plusieurs variables. Vous pouvez remarquer que la probabilité de vivre un épisode dépressif est plus grande chez les femmes qui ont récemment vécu un stress important. Toutefois, la dépression est aussi associée à la présence ou non d'un confident et au degré d'intimité avec ce confident. Les femmes qui avaient pour confident leur mari ou leur partenaire amoureux étaient moins susceptibles de vivre un épisode dépressif après avoir vécu un événement stressant. Ainsi, le soutien social de leur partenaire ou d'un autre confident produisait un effet tampon qui les a protégées des effets négatifs du stress.

Par ailleurs, on ne sait pas vraiment si l'importance du lien entre le soutien social et l'état de santé varie avec l'âge. Ainsi, des études portant sur des adultes de chaque groupe d'âge présentent des exemples de l'effet tampon du soutien social. Cependant, il existe au moins une raison théorique qui permet de supposer que le soutien social est particulièrement important chez les jeunes adultes. Selon Erikson et d'autres théoriciens, les premières années de la vie adulte sont essentiellement consacrées à la recherche de relations intimes satisfaisantes avec un conjoint, un partenaire ou des amis. Il est également prouvé que l'absence d'une telle intimité est particulièrement mal vécue au cours de ces premières années. C'est chez les jeunes adultes que l'on retrouve le plus de personnes qui se sentent seules (Parlee, 1979), ce qui pourrait expliquer en partie les taux élevés de dépression au sein de ce groupe d'âge. Étant donné l'aspect central de cette question au début de l'âge adulte, on peut supposer que les effets du soutien social se répercutent plus fortement sur la santé de ce groupe d'âge. Il vaudrait la peine que cette hypothèse soit explorée.

Sentiment de maîtrise

Le *sentiment de maîtrise* des événements est une autre caractéristique personnelle qui influe sur la santé physique et mentale. Certains théoriciens ont fait ressortir

Tableau 9.2	*Pourcentage de femmes qui ont vécu un épisode dépressif à la suite d'un stress important*		
	Confident		**Absence de confident**
	Époux ou partenaire amoureux	**Membre de la famille**	
Au moins un stress sévère durant la dernière année	10 %	26 %	41 %
Aucun stress sévère durant la dernière année	1 %	3 %	4 %

(*Source :* Brown et Harris, 1978, adapté du tableau 1, p. 177.)

différentes facettes du sentiment de maîtrise. Bandura (1977b, 1982c, 1986) parle d'**efficacité subjective**, soit de la confiance d'une personne en ses aptitudes à effectuer une tâche, à maîtriser son comportement ou son environnement, à atteindre un but ou à provoquer un événement. Cette confiance en soi constitue un aspect de ce que nous avons appelé le modèle interne du concept de soi, et elle est influencée par les expériences passées relatives à la maîtrise des tâches ou à la capacité de surmonter des obstacles.

Rotter (1966) présente un autre aspect de ce concept complexe avec sa notion de **maîtrise interne ou externe** (*locus of control*). Selon ce chercheur, la personne qui possède une orientation externe croit que ce sont les autres ou la société qui déterminent ce qui lui arrive: par exemple, un étudiant affirmera qu'il a réussi son cours parce qu'il a été chanceux; s'il a échoué, il prétendra que le professeur ne l'aimait pas ou que le cours était trop difficile. Par contre, l'individu qui a une orientation interne est persuadé que ce qui lui arrive est le résultat de ses propres actions: par exemple, l'étudiant qui réussit un cours associera ses résultats à des variables personnelles, telles que ses habiletés ou l'effort consenti; dans le cas contraire, il attribuera son échec à son manque d'habiletés ou d'effort.

La notion de maîtrise interne ou externe apparaît à la fin de l'enfance et se développe durant l'adolescence. Des études menées en Finlande indiquent que les adultes acquièrent en vieillissant une orientation plus externe, car ils ont l'impression d'avoir moins d'emprise sur leur santé et sur leurs enfants (Nurmi, Pulliainen et Salmela-Aro, 1992). Il existe toutefois de grandes différences individuelles à tout âge dans la tendance à adopter une orientation interne ou externe du sentiment de maîtrise. On remarque également des corrélations importantes entre la maîtrise interne ou externe et le comportement (Janssen et Carton, 1999). L'orientation externe est associée à la procrastination et à un faible rendement scolaire, alors que l'orientation interne est liée à une plus grande propension à terminer les tâches entreprises et à réussir ses études. Chez la plupart des adolescents, l'orientation externe est contrebalancée par d'autres traits de personnalité plus positifs.

Toutefois, des chercheurs ont observé que certains adolescents qui possèdent une orientation externe présentent également une faible estime de soi, sont introvertis (ils préfèrent les activités solitaires plutôt que sociales) et ont une personnalité à tendance névrotique (ils sont pessimistes, irritables et portés à l'inquiétude) (Beautrais, Joyce et Mulder, 1999). Les psychologues du développement ont remarqué dans plusieurs cultures que cette combinaison de traits particuliers est associée à une attitude négative devant la vie, à une résistance à l'aide offerte par les parents et les pairs, ainsi qu'à un plus grand risque de problèmes d'adaptation. Par exemple, ces adolescents sont plus susceptibles d'utiliser une stratégie d'évitement quand ils doivent affronter des problèmes (Gomez *et al.*, 1999; Medvedova, 1998). Ils peuvent ignorer le problème ou refuser de l'affronter. Ainsi, un étudiant qui pense qu'il va échouer à un cours peut attendre délibérément jusqu'à ce qu'il soit trop tard avant d'entreprendre quoi que ce soit; et, comme il a tendance à blâmer les autres pour ses problèmes, il est incapable de tirer une leçon de ses expériences. Alors, si les échecs et les déceptions se répètent, ces adolescents risquent plus souvent d'être dépressifs (del Barrio *et al.*, 1997; Ge et Conger., 1999) et, par conséquent, d'être suicidaires (Beautrais, Joyce et Mulder, 1999). De plus, leurs difficultés émotionnelles sont amplifiées par le rejet de leurs pairs (Young et Bradley, 1998).

En parlant d'**optimisme** et d'**impuissance**, Martin Seligman (1991) exprime un point de vue comparable à celui du sentiment de maîtrise. La personne pessimiste se sent impuissante et elle croit qu'elle est malheureuse par sa propre faute et qu'elle ne peut rien faire pour changer sa situation. La personne optimiste est convaincue qu'il existe toujours une solution et qu'elle pourra la trouver en faisant des efforts.

Toutes ces notions semblent s'appuyer sur ce que Rodin (1990) désigne comme la **perception de la maîtrise**. Ai-je l'impression de pouvoir accomplir une tâche ou de pouvoir résoudre un problème à force de m'y appliquer? Ou ai-je l'impression de me faire manipuler par la société et d'être incapable de m'adapter? Selon tous ces chercheurs, le sentiment de maîtrise, l'efficacité subjective,

---

Efficacité subjective: Selon Bandura, confiance d'un individu en sa capacité de provoquer des événements ou d'exécuter une tâche.

Maîtrise interne ou externe: Selon Rotter, sentiment de maîtrise dont l'orientation est interne ou externe suivant l'interprétation qu'un individu donne à ses expériences; on l'appelle aussi *locus de contrôle*.

Optimisme: Selon Seligman, sentiment optimiste devant la vie illustrée par la phrase suivante: «Il existe une solution et je vais la trouver si je fais des efforts.»

Impuissance: Selon Seligman, sentiment d'impuissance devant la vie illustrée par la phrase suivante: «Je suis malheureux par ma faute et je ne peux rien y faire.»

Perception de la maîtrise: Selon Rodin, perception du sentiment de maîtrise qu'éprouve un individu illustrée par les phrases suivantes: «Je peux résoudre un problème si je m'y applique» ou «Je suis incapable de m'adapter.»

l'optimisme et l'impuissance s'acquièrent au cours de l'enfance et de l'adolescence au fil des expériences de succès, d'efficacité, d'échec ou de frustration.

Les recherches sur les liens existant entre le sentiment de maîtrise et la santé montrent que les personnes qui ont une attitude d'impuissance ou dont l'efficacité subjective est faible sont plus enclines à la dépression ou à la maladie (Seligman, 1991; Syme, 1990; *New York Times*, 1994). L'étude réalisée par Grant pendant 35 ans sur un groupe d'étudiants de Harvard, qui ont d'abord été interrogés lors de leur première année d'études entre 1938 et 1940, démontre l'existence d'un tel lien de façon évidente. Afin d'évaluer leur degré de pessimisme, les chercheurs ont utilisé les données des entrevues effectuées lorsque ces hommes étaient âgés de 25 ans. Leur état de santé a dès lors été évalué par des médecins tous les 5 ans entre l'âge de 30 et 60 ans. Le pessimisme n'agissait pas sur la santé entre 30 et 40 ans. Par contre, lors de toutes les évaluations effectuées entre 45 et 60 ans, on a remarqué que les hommes qui avaient une attitude plus pessimiste à l'âge de 25 ans jouissaient d'une santé nettement moins bonne, et ce, même si la santé mentale et physique à l'âge de 25 ans avait été vérifiée statistiquement (Peterson, Seligman et Vaillant, 1988). Le pessimisme ou le sentiment d'une perte de maîtrise peuvent ainsi refléter une caractéristique essentielle de la personnalité qui influe sur les choix que les adultes font et sur la façon dont ils interprètent leurs expériences.

Le sentiment de maîtrise d'une personne est également influencé par des situations précises. L'épidémiologiste Leonard Syme (1990) cite des recherches effectuées en Suède et aux États-Unis selon lesquelles les taux de cardiopathies sont habituellement plus élevés chez les travailleurs dont l'emploi très exigeant offre peu de liberté et de latitude. Autrement dit, lorsque le niveau de stress est élevé sans qu'il soit possible de faire de choix et d'influencer la situation, les taux de maladies augmentent. Dans les classes défavorisées, les emplois sont généralement de ce type alors que, dans les classes plus favorisées, ils permettent une certaine autonomie. Par conséquent, la marge de manœuvre particulière à chaque classe sociale peut sans doute expliquer la différence dans les taux de maladie.

On a également démontré que l'augmentation expérimentale du sentiment de maîtrise d'une personne améliore sa santé. Il s'agit d'un des rares cas pour lesquels on possède à la fois des données transversales, longitudinales et expérimentales (Welch et West, 1995). Dans les premières études de ce genre, qui sont aussi les plus connues, Judith Rodin et Ellen Langer (1977) ont noté que le taux

de mortalité dans les maisons de retraite était plus bas chez les personnes à qui on avait donné la maîtrise de certains aspects même très simples de leur vie quotidienne, par exemple choisir entre des œufs brouillés et une omelette pour le petit-déjeuner, ou choisir de s'inscrire ou non à la présentation d'un film.

Il semble très probable que les enfants qui grandissent dans des familles défavorisées ou dans des conditions qui leur permettent très rarement d'avoir le sentiment de maîtriser leur vie soient plus enclins à manifester une faible efficacité subjective et qu'ils soient peu optimistes. En fait, ces processus psychologiques et les traits de personnalité durables influent sur les rôles et les relations, mais aussi sur la santé physique, et ce, dès le début de l'âge adulte.

MODÈLE EXPLICATIF DU VIEILLISSEMENT

La majorité des données que nous allons aborder sur les changements physiques et cognitifs survenant à l'âge adulte peuvent être combinées en un seul modèle, comme l'a fait Nancy Denney (1982, 1984), dont le modèle est présenté à la figure 9.1. Selon cette chercheure, il existe une courbe de l'augmentation et du déclin des habiletés

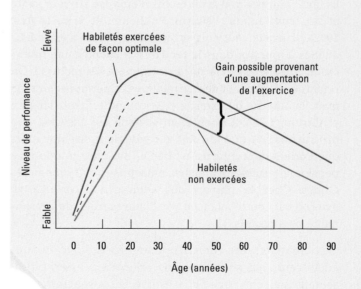

Figure 9.1
Modèle de Denney.
Le modèle de Denney semble indiquer à la fois une courbe de déclin de base et un écart relativement considérable entre le niveau de performance des habiletés exercées et des habiletés non exercées. (*Source :* Denney, 1982, 1984.)

communes à presque toutes les évaluations physiques et cognitives. De plus, on remarque de grandes variations dans le degré absolu de performance en fonction de la quantité d'exercices pratiqués par un individu pour améliorer une habileté ou exécuter une tâche. Le terme « exercice » est employé ici dans un sens très large. Il désigne aussi bien l'exercice physique que l'exercice cognitif, de même que le degré d'intensité de certaines tâches accomplies dans le passé. De nombreux tests de laboratoire effectués sur la mémoire, tels que la mémorisation de listes de noms, mesurent des habiletés non exercées. Les tâches quotidiennes de mémorisation, comme les détails des articles de journaux qu'on vient de lire, font appel à des habiletés beaucoup plus courantes, qui ont donc déjà été exercées. Ainsi, d'après Denney, les habiletés qui sont le plus souvent exercées vont atteindre un point plus élevé sur la courbe.

L'écart entre la courbe des habiletés non exercées et la courbe des habiletés exercées de façon optimale représente le degré d'*amélioration* possible pour une habileté donnée. Toute habileté peut être améliorée, même à un âge avancé, si on y travaille. Ainsi, il est clairement démontré que l'on peut améliorer la capacité respiratoire (VO$_2$ max) à tout âge si l'on entreprend un programme d'exercice physique (Blumenthal *et al.*, 1991 ; Buchner *et al.*, 1992). Néanmoins, selon le modèle de Denney, le niveau maximal qu'il est possible d'atteindre, même en faisant de l'exercice de façon optimale, déclinera avec l'âge, tout comme la performance des meilleurs athlètes diminue avec l'âge malgré un programme d'entraînement optimal. Par conséquent, lorsqu'on est jeune, on peut obtenir une performance relativement bonne, même si l'on est paresseux physiquement ou intellectuellement. Au contraire, en vieillissant, il faut lutter contre le déclin des habiletés.

Sur la figure 9.1, la ligne pointillée représente la courbe imaginaire d'une habileté relativement peu développée, mais utilisée régulièrement. De nombreuses habiletés verbales se classent dans cette catégorie, tout comme les tâches de résolution de problèmes ou les tâches quotidiennes. Puisqu'elles sont exigées dans de nombreux emplois, ces habiletés sont fortement sollicitées dans la vingtaine et la trentaine. De plus, elles sont bien préservées, ce qui crée une courbe à sommet plat semblable à celle que Schaie propose pour l'apprentissage du vocabulaire et d'autres habiletés exercées ou cristallisées. Denney et Schaie s'entendent pour affirmer que, même si on les a exercées de façon optimale, ces habiletés ne pourront pas être constamment maintenues au même niveau et commenceront à décliner avec l'âge.

PAUSE-APPRENTISSAGE

Étude du développement

- Quel dilemme méthodologique sous-tend l'étude des changements physiques communs et inévitables qui se produisent à l'âge adulte ?

- Quelles sont les bonnes habitudes de vie selon l'étude d'Alameda ?

- Nommez les facteurs de protection qui peuvent réduire les risques de maladie.

- Comment peut-on définir le soutien social (critères objectifs et subjectifs) ?

- Pourquoi le soutien social semble-t-il particulièrement important au début de l'âge adulte ?

- Expliquez les différentes notions théoriques associées au sentiment de maîtrise.

- Expliquez le modèle du vieillissement élaboré par Denney.

Concepts et mots clés

- **efficacité subjective** (p. 311) • **facteurs de protection** (p. 307)
- **facteurs de risque** (p. 307) • **habitudes de vie** (p. 307) • **hygiène de vie** (p. 308) • **impuissance** (p. 311) • **maîtrise interne ou externe** (p. 311) • **modèle du vieillissement** (p. 308) • **optimisme** (p. 311)
- **perception de la maîtrise** (p. 311) • **sentiment de maîtrise** (p. 306)
- **soutien social** (p. 305) • **vieillissement primaire** (p. 307)
- **vieillissement secondaire** (p. 307)

DÉVELOPPEMENT PHYSIQUE

Nous venons de voir le cadre conceptuel du développement humain à l'âge adulte. Nous allons maintenant entrer dans le vif du sujet avec le développement physique du jeune adulte et de l'adulte d'âge moyen. Nous vous présentons à l'aide de divers exemples les changements qui surviennent au début de l'âge adulte et à l'âge adulte moyen dans les fonctions physiques, la santé physique et la santé mentale.

FONCTIONS PHYSIQUES *AU DÉBUT DE L'ÂGE ADULTE*

À la fin de l'adolescence, la croissance physique est terminée, et le corps a atteint sa pleine maturité. Sur le plan physique, les jeunes adultes obtiennent généralement de meilleurs résultats que les adultes plus âgés : entre 20 et 30 ans, la masse musculaire est plus importante ; la force musculaire et la vitesse parviennent à un sommet au début de la trentaine, puis elles déclineront constamment par la suite. Par rapport à l'enfant et à l'adulte d'âge avancé, le jeune adulte a des os plus solides, car la calcification est achevée ; son cerveau est plus volumineux ; sa vision, son ouïe et son odorat sont supérieurs ; sa capacité oxyphorique (capacité d'absorption d'oxygène) est plus grande et son système immunitaire, plus efficace. Il est également plus fort et plus rapide et il récupère mieux après l'effort. En outre, il s'adapte mieux aux conditions changeantes, telles que les variations de température ou d'intensité lumineuse.

Cerveau et système nerveux

Quel que soit l'âge de l'individu, de nouvelles synapses se forment, la myélinisation se poursuit et les connexions qui sont devenues inutiles disparaissent. En outre, il semble de plus en plus évident que, contrairement à ce que les neurologues ont longtemps cru, certaines parties du cerveau produisent de nouveaux neurones pour remplacer ceux qui meurent, même chez les adultes âgés (Gould *et al.*, 1999). Au début de la vingtaine, les processus du développement atteignent un équilibre, le poids et le volume du cerveau se stabilisent, et la majorité des fonctions sont bien localisées dans des aires spécifiques du cerveau (Gaillard *et al.*, 2000).

Les neurologues affirment que l'on peut observer au début de l'âge adulte le modèle de développement des fonctions du cerveau, caractérisé par des pics (périodes de forte croissance) et des plateaux (périodes de stabilité). En fait, il existerait probablement deux périodes de forte croissance du cerveau chez le jeune adulte. Comme nous l'avons vu au chapitre 7, il se produit, autour de l'âge de 17 ans, une croissance majeure du cerveau dans le lobe frontal, l'aire du cerveau où se trouvent les fonctions de la logique, de la planification et du contrôle émotionnel. Cette croissance se poursuit jusqu'à l'âge de 21 ou 22 ans (Spreen, Risser et Edgell, 1995). Selon de nombreux neuropsychologues, cette croissance serait associée au développement de la pensée opératoire formelle et à d'autres raisonnements abstraits qui surviennent à la fin de l'adolescence.

En plus de cette croissance observée entre 17 et 21 ans, certains neuropsychologues croient qu'une autre forme de croissance rapide se produit au milieu ou à la fin de la vingtaine (Fisher et Rose, 1994). Ils affirment que les changements au cerveau influent sur les habiletés cognitives qui émergent au milieu du jeune âge adulte. Par exemple, quand vous répondez à une question à choix multiples, vous ne devez pas répondre trop rapidement afin d'examiner et d'évaluer tous les choix de réponses. Les neuropsychologues pensent que cette forme *d'inhibition de la réponse* dépend de la capacité du lobe frontal du cerveau à réguler le **système limbique**, qui est la partie émotionnelle du cerveau. Certains scientifiques considèrent que cette capacité d'intégration de plusieurs fonctions du cerveau n'atteint pas son plein développement avant le jeune âge adulte (Spreen, Risser et Edgell, 1995).

Par ailleurs, le ralentissement général observé dans presque tous les aspects du fonctionnement corporel à l'âge adulte moyen (Birren et Fisher, 1995 ; Earles et Salthouse, 1995 ; Salthouse, 1993) serait le résultat de changements très graduels sur le plan neuronal, plus précisément la perte de dendrites et une diminution de la rapidité de la conduction nerveuse. Au fur et à mesure que nous vieillissons, nos yeux s'adaptent plus lentement aux changements de l'intensité lumineuse, nous prenons plus de temps à réchauffer notre corps lorsque nous avons pris un coup de froid ou à le refroidir après une chaleur excessive, et nous réagissons moins rapidement. Nous sommes plus lents à tourner le volant afin d'éviter une auto qui a fait une fausse manœuvre. Les tâches intellectuelles suivent le même déclin graduel au cours de l'âge adulte. Par exemple, une personne de 45 ans prend une fraction de seconde de plus qu'une personne de 20 ans pour se rappeler le nom de quelqu'un.

Cœur et poumons

La mesure la plus commune de la capacité pulmonaire est l'absorption maximale d'oxygène (VO_2 max), soit la capacité de l'organisme à absorber et à transporter l'oxygène vers les différents organes du corps. Lorsque cette mesure est prise au repos, on n'observe que des diminutions minimales associées à l'âge. Par contre, lorsque l'**absorption maximale d'oxygène** est mesurée durant l'effort, on constate un déclin systématique d'environ 1% par année commençant vers l'âge de 35 à 40 ans (Goldberg, Dengel et Hagberg, 1996). On note généralement un léger déclin au cours du jeune âge adulte, suivi d'un déclin plus marqué au cours de l'âge adulte moyen, ce qui est un modèle typique du vieillissement à l'âge adulte.

De même, l'âge ne fait aucune différence en ce qui concerne le volume de sang propulsé par le cœur (débit cardiaque) au repos, alors que l'on constate un déclin considérable avec l'âge durant l'exercice physique. En

---

Système limbique : Partie du cerveau qui contrôle les réponses émotionnelles.

Absorption maximale d'oxygène (VO_2 max) : Quantité d'oxygène que la circulation sanguine peut absorber, qui sera ensuite acheminée vers toutes les parties de l'organisme. Importante mesure de la capacité aérobique, l'absorption maximale d'oxygène diminue avec l'âge, mais elle peut être améliorée par l'exercice physique.

effet, les personnes de 65 ans ont un débit cardiaque de 25 à 30% inférieur à celui des personnes de 25 ans (Lakatta, 1990; Rossman, 1980). Le rythme cardiaque présente un modèle similaire: il n'y a aucune différence au repos, mais on note une légère accélération du rythme cardiaque durant l'exercice selon l'âge.

La pression artérielle semble faire exception à ce modèle. Lorsqu'on prend la pression artérielle, on donne deux chiffres. Le chiffre le plus élevé représente la pression artérielle systolique, soit la force avec laquelle votre cœur propulse le sang quand il se contracte. Pour cette mesure, on constate des différences selon l'âge, même au repos. La pression systolique est plus basse chez les adultes dans la vingtaine ou la trentaine, puis elle s'élève régulièrement avec l'âge. Ce changement est causé par la perte d'élasticité des tissus du corps, notamment des vaisseaux sanguins (d'où l'apparition des rides).

Sachant que tous ces aspects de la fonction cardiovasculaire peuvent être améliorés par l'exercice, il est possible que l'ensemble des résultats que nous venons de décrire traduise l'effet d'un vieillissement secondaire plutôt que celui d'un vieillissement primaire. Ainsi, les changements observés seraient plutôt l'effet d'une vie de plus en plus sédentaire chez les adultes âgés.

Force et vitesse

Avec l'âge, les changements de la condition musculaire et cardiovasculaire résultent d'une perte générale de la force musculaire et de la vitesse. La force de préhension semble atteindre un sommet dans la vingtaine et au début de la trentaine, puis elle déclinerait de façon constante. Cette différence peut provenir du fait que les adultes plus jeunes sont physiquement plus actifs et plus enclins à s'engager dans des activités ou des emplois qui exigent de la force. Certaines études réfutent cette hypothèse en soulignant qu'il existe une perte graduelle de la force musculaire et physique chez les adultes plus âgés (Phillips *et al.*, 1992). La perte graduelle de la vitesse (qui serait associée au système nerveux) semble être l'aspect le plus important du vieillissement primaire et celui qui touche le plus visiblement l'ensemble du fonctionnement corporel. Les résultats de ces études sont confirmés même chez les athlètes professionnels, qui accusent une perte de force musculaire et de vitesse avec l'âge.

Capacité de reproduction

Comme nous l'avons mentionné au chapitre 2, les risques d'avortement spontané et d'autres complications sont plus élevés chez les femmes dans la trentaine que chez les femmes dans la vingtaine. La fertilité, soit la capacité de concevoir, est également à son apogée à la fin de l'adolescence et au début de la vingtaine, puis elle chute régulièrement (McFalls, 1990; Mosher, 1987; Mosher et Pratt, 1987). Une importante étude a été effectuée en 1982 aux États-Unis, dans laquelle l'*infertilité* avait été définie comme l'incapacité de concevoir après une ou plusieurs années de relations sexuelles non protégées (McFalls, 1990, p. 511); les résultats de cette étude indiquent que seulement 7% des femmes âgées de 20 à 24 ans étaient stériles par rapport à 15% des femmes de 30 à 34 ans et à 28% des femmes de 35 à 39 ans. Cela ne signifie pas que les femmes dans la trentaine deviennent infertiles, mais que le plus haut pourcentage de conception s'observe chez les femmes au début de la vingtaine, et qu'une minorité significative de femmes qui ont reporté la conception d'un enfant à la fin de la trentaine ou dans la quarantaine seront incapables de procréer.

Les raisons qui expliquent le déclin de la fertilité avec l'âge sont multiples. On observe notamment une plus grande fréquence de problèmes d'ovulation, d'endométriose et de maladies transmises sexuellement (Garner, 1995). Les maladies vénériennes augmentent le risque d'infection du pelvis (pelvipéritonite) en bloquant les trompes de Fallope et en empêchant ainsi la conception de se produire.

Chez les hommes, la fertilité ne suit pas la même tendance. Peu de recherches ont été effectuées sur le sujet, mais il n'y aurait apparemment aucun changement notable dans la capacité de fécondation de l'homme au début de l'âge adulte. On remarque, malgré tout, un certain déclin après 40 ans. Cependant, comme nous le verrons au chapitre 11, il n'existe pas d'équivalent de la ménopause chez les hommes et ils peuvent donc être pères jusqu'à un âge avancé. Une minorité significative de jeunes adultes présentent des problèmes d'infertilité, mais il ne s'agit, dans la plupart des cas, que d'une production insuffisante de spermatozoïdes viables et non d'infertilité. Les causes d'infertilité peuvent relever autant de l'homme que de la femme (Davajan et Israel, 1991).

Système immunitaire

Depuis l'apparition du sida, nous avons tous été sensibilisés à l'importance du bon fonctionnement du système immunitaire. Le système immunitaire, qui est essentiel dans la lutte contre les maladies, comprend différents types de cellules dans la moelle osseuse (*lymphocytes B*) et dans le thymus (*lymphocytes T*). Ces cellules agissent de façon différente. Les lymphocytes B, par exemple, combattent les infections externes, telles que les virus et les bactéries, alors que les lymphocytes T combattent les infections internes, qui se produisent notamment lors d'une transplantation de tissus, lors de l'apparition de cellules cancéreuses ou de virus qui se développent à l'intérieur du corps, comme le VIH (Kiecolt-Glaser et Glaser, 1995). Ces deux types de cellules protègent ensemble l'organisme; elles fabriquent des anticorps qui réagissent aux agents pathogènes en produisant des cellules qui rejettent ou détruisent les cellules nuisibles ou mutantes. Ce sont les lymphocytes T dont le nombre et l'efficacité diminuent le plus avec l'âge qui présentent la plus grande vulnérabilité au VIH (Miller, 1996).

À l'adolescence, le thymus atteint sa production maximale et son volume optimal, qui déclinent graduellement par la suite. À l'âge de 45 ou 50 ans, cette glande présente une masse cellulaire réduite de 90% comparativement aux années pubertaires (Braveman, 1987; Hausman et Weksler, 1985). À mesure que le thymus rétrécit, sa capacité de produire des lymphocytes T viables diminue. Ces lymphocytes deviennent alors de moins en moins efficaces à reconnaître des cellules étrangères, de sorte que certaines cellules pathogènes, telles que les cellules cancéreuses, parviennent à se développer. De plus, l'organisme produit moins d'anticorps avec l'âge.

La combinaison de ces changements fait en sorte que les adultes en vieillissant sont plus vulnérables à la maladie. Cet aspect est très significatif du processus de vieillissement. Toutefois, comme pour les études portant sur la fonction cardiaque, il ne faut pas tirer de conclusions hâtives des études sur le vieillissement normal du système immunitaire. Ce vieillissement est-il d'ordre primaire ou secondaire?

La réponse à cette question demande réflexion. Dans la mesure où on observe les mêmes changements dans le fonctionnement du système immunitaire chez des gens en parfaite santé, on peut affirmer qu'il s'agit d'un vieillissement primaire. Cependant, il existe un faisceau de nouveaux arguments soulignant l'existence de liens étroits entre le stress psychologique ou la dépression et le fonctionnement du système immunitaire (Weisse, 1992). Au cours du mois précédant les examens de fin d'année, les étudiants en médecine présentent de plus faibles concentrations d'une sous-variété de lymphocytes T (cellules tueuses naturelles ou cellules NK) qu'au cours du mois suivant (Glaser *et al.*, 1992). Le veuvage et la perte d'un être cher sont associés à un affaiblissement important du système immunitaire dans les semaines qui suivent ces pertes; par la suite, le rétablissement est lent (Irwin et Pike, 1993). Le stress chronique, par exemple répondre de façon constante aux exigences d'un emploi,

Le système immunitaire fonctionne moins bien quand on est stressé, par exemple en période d'examen.

semble aussi affaiblir la fonction immunitaire. La réaction à ce type de stress consiste d'abord en une forme de mobilisation générale qui entraîne une amélioration temporaire de la fonction du système immunitaire qui est suivie d'une chute (Kiecolt-Glaser *et al*, 1991).

Ces recherches font ressortir la possibilité que les événements de la vie qui exigent un changement ou une adaptation considérables influent sur la résistance du système immunitaire. Après plusieurs années d'un régime de vie dont le niveau de stress est élevé, le système immunitaire perd graduellement de son efficacité. Il est aussi possible que le système immunitaire subisse des changements avec l'âge, *quel que soit* le niveau de stress. Toutefois, il est également possible que ce que l'on considère comme le vieillissement normal du système immunitaire soit une réaction à l'accumulation de stress. Si tel est le cas, on pourrait s'attendre à ce que le risque de maladie soit plus élevé et que l'espérance de vie soit plus courte chez les adultes qui ont fait face à des niveaux élevés de stress au cours de leur vie. Autrement dit, ces adultes vieilliraient plus rapidement, et c'est effectivement la conclusion à laquelle ont mené des recherches sur la maladie et le taux de mortalité.

FONCTIONS PHYSIQUES À L'ÂGE ADULTE MOYEN

La plupart des études tant longitudinales que transversales confirment le fait que les adultes atteignent et conservent une forme physique optimale avant l'âge de 40 ans environ, au moment où des changements mesurables commencent à se manifester dans de nombreux aspects de leur performance physique. Cependant, comme beaucoup de ces études n'ont pas vérifié la santé des sujets, il est possible que certaines des différences observées soient en réalité moindres ou se produisent à un âge plus avancé. Le modèle est tout de même cohérent. Le processus de changement physiologique sous-jacent débute probablement bien avant l'âge de 40 ans; dans certains cas, par exemple dans la diminution de masse du thymus (glande qui joue un rôle essentiel dans le fonctionnement du système immunitaire), le changement s'amorce peu après l'adolescence. On ne décèle généralement pas de baisse importante des aptitudes physiques avant l'âge adulte moyen.

À l'âge adulte moyen, la mémoire devient moins efficace dans certaines situations, l'acuité visuelle et l'acuité auditive diminuent, une certaine lenteur et une certaine faiblesse se manifestent dans les mouvements, les réactions et les déplacements. Ces pertes sont beaucoup moins importantes qu'on ne le croie en général, du moins chez les adultes en bonne santé. En effet, ce n'est qu'au milieu de leur vie adulte, et très graduellement, qu'un léger déclin des capacités physiques et cognitives apparaît.

Le tableau 9.3 schématise l'ensemble des données actuellement disponibles concernant les changements physiques communs au milieu de l'âge adulte. Pour un grand nombre des fonctions physiques, la dégénérescence ou le déclin peuvent commencer à être mesurés au cours de la quarantaine ou de la cinquantaine, mais il est très progressif au cours de la vie adulte et ne s'accélère qu'après l'âge de 65 ou même de 75 ans. Pour certaines parties de l'organisme, le déclin est déjà bien entamé au milieu de l'âge adulte. Nous allons maintenant aborder cette série de changements.

Tableau 9.3	**Résumé des changements physiques associés à l'âge (vieillissement primaire)**	
Fonction ou structure corporelle	**Âge auquel on peut voir ou mesurer les changements**	**Nature du changement**
Vision	40 à 50 ans	Épaississement du cristallin de l'œil et diminution de sa capacité d'accommodation, ce qui cause la presbytie et une plus grande sensibilité à la lumière.
Ouïe	Vers 50 ou 60 ans	Perte de la capacité de discerner les sons très hauts et très bas (fréquence des sons).
Odorat	Vers 40 ans	Déclin de la capacité de déceler différentes odeurs.
Goût	Aucun	Aucune perte apparente dans la capacité de distinguer les goûts.
Muscles	Environ 50 ans	Perte du tissu musculaire, surtout dans les fibres à «réaction rapide» utilisées pour les élans de force ou de vitesse, entraînant ainsi une diminution de la force physique.
Ossature	Milieu de la trentaine chez la femme, s'accélérant après la ménopause; plus tard chez l'homme	Décalcification des os, appelée *ostéoporose*; usure et déchirure des articulations, appelée *arthrose*, plus marquées après 60 ans.
Cœur et poumons	35 ou 40 ans	Aucune différence liée à l'âge dans les mesures prises au repos; déclin dans la plupart des aspects de ces fonctions évaluées pendant ou après l'exercice.
Système nerveux	Graduellement tout au long de l'âge adulte (probabilité)	Diminution de la densité des dendrites; perte de la substance grise du cerveau; réduction de la masse cérébrale; ralentissement de la vitesse synaptique.
Système immunitaire	Adolescence	Diminution de la masse du thymus; réduction du nombre des lymphocytes T. On ne sait pas si ces changements sont associés au stress ou au vieillissement primaire.
Système reproducteur	Milieu de la trentaine chez la femme; environ 40 ans pour l'homme	Pour les femmes, augmentation des risques liés à la reproduction et diminution de la fertilité, suivies de la ménopause. Pour les hommes, déclin graduel de la viabilité des spermatozoïdes à partir de 40 ans; déclin minime de la testostérone à partir du début de l'âge adulte.
Élasticité cellulaire	Graduellement	Perte graduelle de nombreuses cellules, dont celles de la peau, des muscles, des tendons et des vaisseaux sanguins; détérioration plus importante des cellules exposées à la lumière.
Taille	40 ans	Compression des disques dans la colonne vertébrale, donnant lieu à une diminution de la taille de 2,5 à 5 cm vers l'âge de 80 ans.
Poids	Modèle non linéaire	Selon les études effectuées en Amérique du Nord, atteinte du poids maximal au milieu de l'âge adulte, puis diminution graduelle pendant l'âge adulte avancé.
Peau	40 ans	Augmentation des rides due à la perte d'élasticité de la peau; diminution de l'efficacité des glandes qui sécrètent la sueur et le sébum (matière grasse produite par les glandes sébacées).
Cheveux	Environ 50 ans	Modification de l'apparence de la chevelure: les cheveux sont plus fins et commencent à grisonner.

(*Sources:* Bartoshuk et Weiffenbach, 1990; Blatter et al., 1995; Braveman, 1987; Briggs, 1990; Brock, Guralnik et Brody, 1990; Doty et al., 1984; Fiatarone et Evbans, 1993; Fozard, 1990; Fozard, Metter et Brant, 1990; Gray et al., 1991 Hallfrish et al., 1990, Hayflick, 1994; Ivy et al, 1992; Kallman, Plato et Tobin, 1990; Kline et Sciuafa, 1996; Kozma, Stones et Hannah, 1991; Lakatta, 1990; Lim et al., 1992; McFalls, 1990; Miller, 1990.)

Cerveau et système nerveux

Étant donné que la recherche s'est plus intéressée aux traumatismes et aux maladies qu'au vieillissement primaire, nos connaissances sur les changements normaux touchant le cerveau et le système nerveux à l'âge adulte moyen sont relativement minces. Cependant, nous savons que la densité synaptique est stable pendant l'adolescence et la première décennie de l'âge adulte, et qu'elle commence à diminuer autour de l'âge de 30 ans (Huttenlocker, 1994), et ce, pendant tout l'âge adulte. Les effets de ce déclin restent à déterminer. Par contre, de nouvelles synapses continuent de se former durant l'âge adulte moyen.

Vision et ouïe

Un second changement marque le milieu de l'âge adulte : la perte de l'acuité visuelle. Nombreux sont ceux qui, à l'âge de 45 ou 50 ans, auront besoin de porter des lunettes, surtout pour lire, car deux modifications de l'œil, appelées **presbytie**, apparaissent alors.

Premièrement, le cristallin de l'œil s'épaissit ; des couches de tissus pigmentés recouvrent une à une le cristallin suivant un processus qui débute dès l'enfance, mais dont les effets ne sont sensibles qu'au milieu de la vie adulte. Comme la lumière qui pénètre dans l'œil doit traverser ce tissu jaunâtre et épais, la quantité de lumière qui atteint la rétine diminue, ce qui réduit la sensibilité visuelle, surtout aux couleurs à ondes courtes, comme le bleu, le turquoise et le violet (Fozard, 1990).

Deuxièmement, le cristallin perd de sa capacité d'accommodation. En raison de l'épaississement du cristallin, les muscles entourant l'œil ont de plus en plus de difficulté à modifier la forme du cristallin pour effectuer la mise au point des images. Dans l'œil jeune, la forme du cristallin s'ajuste en fonction de la distance. Ainsi, quel que soit l'éloignement des objets, les rayons de lumière traversent l'œil pour converger vers la rétine à l'arrière de l'œil et produire une image précise. Cependant, au fur et à mesure que le cristallin s'épaissit, son élasticité diminue. Il devient alors impossible d'ajuster la vision, qui reste brouillée. La capacité de voir nettement des objets proches se détériore rapidement au cours de la quarantaine ou de la cinquantaine. Par conséquent, les adultes d'âge moyen tiennent souvent leur livre ainsi que d'autres objets de plus en plus loin, car c'est la seule façon pour eux d'obtenir une image précise. Finalement, il arrive un moment où il n'est plus possible de déchiffrer les caractères, même en tenant le texte à distance. C'est alors que le port de lunettes bifocales s'impose, exigeant une adaptation à la fois physique et psychologique.

Ces changements sont apparemment universels et inévitables, et ils sont inhérents au vieillissement primaire. Ils semblent aussi se produire de la même façon, que l'on commence plus tôt ou plus tard à porter des lunettes. Ces changements influent également sur la capacité de s'adapter rapidement à des variations d'intensité lumineuse, telles que l'apparition soudaine de la lumière des phares la nuit ou par temps brumeux ou pluvieux. La conduite et d'autres activités de ce type peuvent donc devenir plus stressantes.

Le processus équivalent pour l'ouïe, appelé **presbyacousie**, n'apparaît que plus tard. La perte de l'acuité auditive affecte principalement la capacité de percevoir les sons à très haute ou très basse fréquence, et semble provenir du vieillissement primaire. Les nerfs auditifs et les structures internes de l'oreille dégénèrent de façon progressive. Cette diminution est généralement peu apparente avant l'âge d'environ 50 ans, et seul un pourcentage infime d'adultes d'âge moyen ont besoin de prothèses auditives, alors que la majorité d'entre eux doivent porter des lunettes (Fozard, 1990). Toutefois, l'ampleur de la perte auditive est plus importante chez les adultes qui travaillent ou vivent dans des environnements très bruyants (Baltes, Reese et Nesselroade, 1977) ou qui écoutent régulièrement de la musique à un volume très élevé. Les musiciens de rock, semble-t-il, souffrent de presbyacousie très jeunes.

Presbytie : Perte normale de l'acuité visuelle avec l'âge caractérisée par l'incapacité de distinguer avec précision les objets proches. Elle est causée par un épaississement du cristallin et une perte de sa capacité d'accommodation.

Presbyacousie : Perte normale de l'ouïe avec l'âge, en particulier des sons aigus, qui est liée au vieillissement physiologique du système auditif.

Vers l'âge de 45 ou 50 ans, presque tout le monde a besoin de porter des lunettes, surtout pour lire.

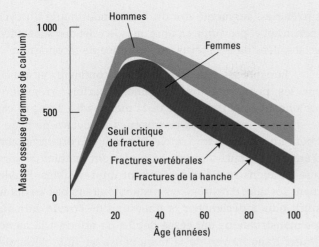

Figure 9.2
Diminution de la masse osseuse.
La diminution de la masse osseuse s'accentue
rapidement après la ménopause chez les femmes.
Les indications sur les fractures vertébrales et
les fractures de la hanche ne signifient pas
pour autant que les femmes vont inévitablement
souffrir de telles fractures ; elles signifient
seulement que les risques augmentent
considérablement avec l'âge. (*Source :* Mundy,
1994, p. 216.)

Ossature

Les os commencent aussi à se transformer considérablement au milieu de la vie adulte. Entre 40 et 70 ans, les femmes perdent environ 20 % de leur masse osseuse, et les hommes 10 % (voir la figure 9.2). Ce changement, appelé **ostéoporose**, provient d'une décalcification qui fragilise les os et les rend poreux. Chez les femmes, la décalcification qui est très peu marquée avant la ménopause, mais qui s'accentue par la suite, a pour effet d'augmenter de façon considérable le risque de fractures (Lindsay, 1985). Chez les femmes et les hommes plus âgés, les fractures peuvent s'avérer une cause importante d'invalidité ou de réduction de l'activité. Il ne s'agit donc pas d'un changement anodin.

Chez les femmes, la décalcification est manifestement liée au taux d'œstrogènes. On sait maintenant que ce n'est pas l'âge, mais bien la diminution d'œstrogènes, après la ménopause, qui déclenche la décalcification. On sait aussi que le fait de prescrire des œstrogènes de synthèse ramène le taux de perte osseuse à des concentrations préménopausiques (Duursma *et al.*, 1991). Bien qu'une perte osseuse constitue une composante normale du processus de vieillissement, l'ampleur de cette perte varie d'une personne à l'autre. Mis à part le recours à l'hormonothérapie substitutive, les mesures les plus efficaces pour prévenir l'ostéoporose sont :

- un apport de calcium adéquat, et ce, dès le début de l'âge adulte, sinon il est conseillé de prendre des suppléments de calcium ;
- l'exercice physique régulier tout au long de l'âge adulte, en particulier des activités dans lesquelles les articulations portantes sont sollicitées, telles que la marche.

Dans une étude récente, on a noté une augmentation de la minéralisation osseuse de 5,2 % en moins de 9 mois chez des femmes en postménopause qui avaient participé, 3 fois par semaine pendant 1 heure, à un programme de marche, de course à pied ou d'une autre activité ; par contre, on a remarqué une perte de 1,4 % dans le groupe témoin qui ne faisait pas d'exercice (Dalsky *et al.*, 1988). Toutefois, les femmes qui ne poursuivaient pas le programme perdaient le gain qu'elles avaient acquis. Dans une autre étude, on a demandé de façon aléatoire à un groupe de femmes d'âge moyen et d'âge avancé de suivre un programme de conditionnement physique deux fois par semaine pendant un an ; on a observé chez ces femmes un gain de la densité osseuse, alors que celles qui ne suivaient pas le programme de conditionnement physique ont accusé une perte osseuse (Nelson *et al.*, 1994).

Système reproducteur

Si l'on vous demandait de ne nommer qu'un seul changement physique important se produisant au milieu de l'âge adulte, vous mentionneriez sans doute la ménopause, surtout si vous êtes une femme. Le terme plus général de

Ostéoporose : Diminution de la masse osseuse avec l'âge caractérisée par la fragilisation des os et l'augmentation de la porosité du tissu osseux.

Tous les exercices mettant à contribution les articulations portantes aident à prévenir l'ostéoporose, et la marche semble être particulièrement bénéfique.

climatère désigne la perte de la capacité de reproduction survenant à l'âge adulte moyen ou avancé, tant chez la femme que chez l'homme.

Climatère masculin ou andropause   Chez l'homme, le climatère est très graduel, avec une faible perte de la capacité de reproduction. Cependant, on observe des variations importantes d'un homme à l'autre. Des hommes âgés de 90 ans et plus sont devenus pères. En moyenne, il y a apparemment une diminution de la quantité de sperme viable produite, et ce, à partir de 40 ans. De plus, les testicules rétrécissent légèrement et le volume de liquide séminal diminue après 60 ans environ.

Le facteur responsable de l'**andropause** semble être la diminution également graduelle du taux de testostérone survenant au début de l'âge adulte et se poursuivant à l'âge adulte avancé. Puisque cette diminution est maintenant prouvée par des études transversales comparant des adultes de tout âge en bonne santé, on peut raisonnablement se fier à cette découverte (Tsitouras et Bulat, 1995).

La baisse de la testostérone est associée à la perte graduelle du tissu musculaire (et ainsi de la force musculaire) et à l'augmentation des risques de cardiopathie que nous observons chez les hommes d'âge moyen et avancé. Cette baisse semble affecter aussi la fonction sexuelle particulièrement vers la cinquantaine, qui est une période où l'incidence de l'impuissance commence à augmenter. Cependant, plusieurs facteurs autres que cette légère baisse de la production de testostérone peuvent expliquer ce changement: une santé déficiente, les maladies cardiaques, la médication contre la tension artérielle, l'alcoolisme et le tabagisme (Keil *et al.*, 1992).

Climatère féminin ou ménopause   La diminution chez la femme des hormones sexuelles clés est aussi responsable de la série de changements que l'on appelle **ménopause**. Peu avant la ménopause, c'est-à-dire la cessation des règles, les ovaires réduisent sensiblement leur production d'œstrogènes et de progestérone. En outre, ils sont de moins en moins sensibles à la stimulation des hormones hypophysaires qui contribuent à la régulation des taux d'œstrogènes.

Dans le chapitre 7, nous avons vu que l'augmentation rapide des différentes formes d'œstrogènes sécrétées par les ovaires stimule le développement des seins et des caractères sexuels secondaires durant la puberté et déclenche la menstruation. Chez la femme adulte, les taux d'œstrogènes sont élevés au cours des 14 premiers jours du cycle menstruel, stimulant ainsi la libération de l'ovule et la préparation de l'utérus pour une éventuelle fécondation. La quantité de *progestérone*, sécrétée par les glandes surrénales, augmente durant la seconde moitié du cycle menstruel et provoque chaque mois le rejet des substances accumulées dans l'utérus, en l'absence de fécondation.

Lorsque les taux d'œstrogènes commencent à baisser, les menstruations deviennent parfois irrégulières annonçant ainsi l'approche de la ménopause. Dans ce cas, le signal donné par les œstrogènes à l'ovaire pour qu'il libère un ovule est trop faible. Pendant un certain nombre d'années, les taux d'œstrogènes peuvent fluctuer de sorte que les menstruations deviennent imprévisibles. Finalement, les taux d'œstrogènes restent toujours bas, ce qui ne suffit plus à déclencher la libération de l'ovule. Lorsque les menstruations ont cessé depuis un an, c'est la ménopause. L'âge moyen de la ménopause se situe généralement autour de 50 ans chez les femmes d'Amérique du Nord et chez celles des pays où des études ont été effectuées, dont l'Europe, l'Afrique du Sud, l'Inde et la Nouvelle-Guinée. Normalement, la ménopause se produit entre 40 et 60 ans (Bellantoni et Blackman, 1996). Près d'une femme sur 12 est ménopausée avant l'âge de 40 ans, c'est ce qu'on appelle la «ménopause prématurée» (Wich et Carnes, 1995).

La diminution des œstrogènes altère le tissu des organes génitaux et les autres tissus. Les seins perdent de leur fermeté et les tissus des organes génitaux diminuent: l'utérus rétrécit, le vagin devient plus court et son diamètre se réduit. Les parois du vagin s'amenuisent, perdent de leur élasticité et produisent moins de lubrification lors des rapports sexuels (Weg, 1987; Wich et Carnes, 1995).

Le symptôme le plus apparent d'une ménopause imminente est l'apparition de *bouffées de chaleur*. On désigne ainsi une sensation de chaleur qui se répand rapidement dans le corps, qui est accompagnée de rougeurs sur la poitrine et le visage et qui est suivie de sueurs abondantes. L'insomnie est souvent présente à la ménopause, car les bouffées de chaleur sont plus courantes la nuit. Durant ces bouffées de chaleur, la température de la peau sur certaines parties du corps peut augmenter de 0,5° C à 4° C, alors que la température intérieure diminue (Kronenberg, 1994). Les bouffées de chaleur durent environ trois minutes, et leur fréquence va d'une à trois fois par jour (Bellantoni et Blackman, 1996).

Climatère: Période de la vie (chez l'homme et la femme) qui marque la fin de la capacité de reproduction. On emploie également le terme *ménopause* chez la femme.

Andropause: Diminution graduelle de la testostérone survenant avec l'âge chez l'homme.

Ménopause: Moment dans la vie d'une femme où les menstruations cessent totalement (climatère).

Les causes de ce phénomène pourtant très commun ne sont pas encore bien comprises. On croit toutefois qu'elles sont provoquées par l'une des deux hormones hypophysaires — l'hormone lutéinisante ou LH —, dont la tâche consiste à ordonner aux ovaires de sécréter une plus grande quantité d'œstrogènes. Lorsque les ovaires ne réagissent pas, il n'y a plus d'œstrogènes pour équilibrer l'hormone hypophysaire: c'est ce qui produit les bouffées de chaleur. Avec le temps ou avec l'hormonothérapie, l'hypophyse cesse de sécréter des taux élevés de LH, et les bouffées de chaleur disparaissent

Près de 50 à 75% des femmes en période préménopausique ou postménopausique sont incommodées par des bouffées de chaleur (indiquant le début de la *périménopause*, qui se terminera un an après l'arrêt définitif des règles). Environ 85% de ces femmes en sont victimes pendant plus d'un an, et au moins un tiers en souffrent pendant plus de cinq ans (Kletzky et Borenstein, 1987). Les bouffées de chaleur ne sont certainement pas fatales, mais elles peuvent être socialement gênantes et perturber sérieusement le sommeil.

Le climatère chez la femme soulève une controverse. D'une part, on affirme que la ménopause entraîne des troubles affectifs aussi considérables que les changements physiques: nombre de femmes deviennent émotives, colériques, déprimées et même acariâtres. Des études démontrent même que ces changements d'humeur et de comportement échappent à leur contrôle (Lawler et Choi, 1998; Poole, 1998). Par contre, d'autres recherches récentes sur ce sujet semblent contredire cette thèse.

Quatre études longitudinales d'envergure ont été réalisées à ce sujet ces dernières années (trois aux États-Unis et une en Suède). Aucune d'entre elles n'établit de lien entre la ménopause et une augmentation de la dépression ou d'autres symptômes psychologiques (Bush, Zonderman et Costa, 1994). Dans la plus importante et la plus récente de ces études, un groupe de 3 049 femmes âgées de 40 à 60 ans ont été évaluées pendant une période de 10 ans (Bush *et al.*, 1994). Les chercheurs ont divisé ces femmes en quatre groupes: les femmes préménopausées, les femmes périménopausées et les femmes postménopausées, ce dernier groupe étant divisé en deux, les femmes qui ont subi une hystérectomie et les femmes qui ont connu une ménopause naturelle.

Quand ils ont fait une comparaison transversale des résultats de ces quatre groupes, les chercheurs n'ont observé aucune différence dans les niveaux de dépression, de bien-être ou de perturbations du sommeil. Parmi les femmes qui ont changé de statut (groupe) pendant les 10 années qu'a duré l'étude, aucune n'a mentionné les changements énumérés plus haut. De même, dans une étude longitudinale de moindre envergure mais plus détaillée, Karen Mattews et ses collègues (Mattews *et al.*, 1990) n'ont découvert aucun changement psychologique significatif associé à la ménopause sur une période de deux ans et demi. De plus, les femmes postménopausées de cette étude ont déclaré avoir vécu de faibles niveaux de stress pendant leur ménopause. Des recherches subséquentes ont confirmé ces résultats (Slaven et Lee, 1998).

Il semble évident qu'une minorité de femmes éprouvent des symptômes physiques désagréables associés à la ménopause, tels que de fréquentes bouffées de chaleur. Mattews estime qu'environ 1 femme sur 10 souffre d'irritabilité ou de dépression causées par ces symptômes physiques. D'autre part, les femmes qui sont plus négatives devant la vie et qui sont confrontées à un stress élevé seraient plus sujettes à présenter ces symptômes (Dennerstein *et al.*, 1999; Woods et Mitchell, 1997).

Les facteurs culturels influent aussi sur la façon de vivre la ménopause. Dans les sociétés où la ménopause est perçue de façon positive, les femmes mentionnent moins de symptômes négatifs et adoptent une attitude généralement positive devant les changements qui en découlent (McMaster, Pitts et Poyah, 1997). En Amérique du Nord, les femmes confondent souvent les symptômes de la ménopause avec les conséquences normales du vieillissement (Jones, 1997). Par exemple, elles croient que les rides sont un effet de la ménopause. Une étude démontre que, plus une femme est informée sur la ménopause, moins elle est susceptible d'être incommodée (Hunter et O'Dea, 1999; Liao et Hunter, 1998). La croyance en l'incontournable perturbation psychologique associée à la ménopause devrait donc être remise en question.

Activité sexuelle En dépit de tous les changements du système reproducteur, la grande majorité des adultes d'âge moyen demeurent sexuellement actifs, quoique la fréquence des relations sexuelles diminue pendant ces années. La meilleure étude sur ce sujet provient des États-Unis et a porté sur 3 432 adultes âgés de 18 à 59 ans. Chacun de ces sujets a été évalué en profondeur sur différents aspects de sa pratique sexuelle (Laumann *et al.*, 1994; Michael *et al.*, 1994). Le tableau 9.4 présente la fréquence des relations sexuelles au cours de la dernière année pour différents groupes d'âge. Il faut noter cependant que cette figure inclut, dans tous les groupes d'âge, les personnes mariées, celles qui cohabitent et celles qui vivent seules. Cela signifie que les pourcentages observés dans le tableau reflètent non seulement les changements associés à l'âge, mais aussi les changements dans la probabilité d'avoir un partenaire régulier. Rares sont les jeunes adultes

Tableau 9.4	Activité sexuelle chez les jeunes adultes et les adultes d'âge moyen				
	Fréquence des relations sexuelles au cours des 12 derniers mois				
Âge et sexe	Aucune	Quelques fois par année	Quelques fois par mois	2 ou 3 fois par semaine	4 fois et plus par semaine
Hommes					
18-24	15 %	21 %	24 %	28 %	12 %
25-29	7 %	15 %	31 %	36 %	11 %
30-39	8 %	15 %	37 %	33 %	6 %
40-49	9 %	18 %	40 %	27 %	6 %
50-59	11 %	22 %	43 %	20 %	3 %
Femmes					
18-24	11 %	16 %	32 %	29 %	12 %
25-29	5 %	10 %	38 %	37 %	10 %
30-39	9 %	16 %	36 %	33 %	6 %
40-49	15 %	16 %	44 %	20 %	5 %
50-59	30 %	22 %	35 %	12 %	2 %

(*Source :* Michael *et al.*, 1994, tableau 8, p.116.)

qui sont mariés ou qui cohabitent avec un partenaire, ce qui explique pourquoi 15 % d'entre eux ont mentionné n'avoir eu aucune relation sexuelle durant la dernière année. En dépit de ce fait, l'étude démontre que la fréquence de l'activité sexuelle diminue au cours de l'âge adulte moyen.

Il est peu probable que ce déclin soit entièrement ou partiellement associé à la diminution d'hormones sexuelles : les femmes ne connaissent pas de diminution notable d'œstrogènes avant la fin de la quarantaine et la diminution de la quantité de testostérone chez l'homme est graduelle

et infime. Il semble plutôt que les responsabilités imputées à l'adulte d'âge moyen auraient comme effet de diminuer le temps consacré à la sexualité dans le couple.

SANTÉ PHYSIQUE *AU DÉBUT DE L'ÂGE ADULTE*

Lorsque l'on observe seulement les différences d'âge en ce qui concerne la santé physique et le taux de mortalité, les résultats suivent l'évolution prévue. Évidemment, plus la personne est âgée, plus elle court le risque de mourir à n'importe quel moment. Chez les jeunes adultes, les décès

PAUSE-APPRENTISSAGE

Fonctions physiques

- Faites un résumé de la condition physique du jeune adulte en abordant les points suivants : le système nerveux, le cœur et les poumons, la force et la vitesse, la capacité de reproduction et le système immunitaire.

- Quel est le rôle des lymphocytes B et des lymphocytes T ? Dans quels organes sont-ils produits ? Quel est leur lien avec le sida ?

- Le vieillissement est-il la seule cause de l'affaiblissement du système immunitaire ? Expliquez votre réponse.

- Quels changements touchent le cerveau et le système nerveux à l'âge adulte moyen ?

- Quels changements physiques affectent la vision, l'ouïe et l'ossature à l'âge adulte moyen ?

- Décrivez les changements physiques qui touchent le système reproducteur de l'homme et de la femme au cours de l'âge adulte moyen.

Concepts et mots clés

- **absorption maximale d'oxygène (VO₂ max)** (p. 314) • **andropause** (p. 320) • **climatère** (p. 320) • **lymphocytes B** (p. 315) • **lymphocytes T** (p. 315) • **ménopause** (p. 320) • **ostéoporose** (p. 319) • **presbyacousie** (p. 318) • **presbytie** (p. 318) • **système limbique** (p. 314)

sont plus fréquemment liés à un accident, à un suicide ou à un homicide qu'à la maladie. La maladie ne devient la cause la plus commune du décès qu'à partir de la fin de la trentaine et du début de la quarantaine, lorsque les maladies du cœur et le cancer deviennent plus courants.

L'évolution des maladies chroniques ou de l'invalidité (physique ou cognitive) suit la même courbe, comme le démontre une étude effectuée par James House et ses collaborateurs (House, Kessler et Herzog, 1990 ; House *et al.*, 1992). Deux éléments sont ressortis de cette étude. Premièrement, la santé se dégrade nettement avec l'âge et l'invalidité augmente, ce qui n'a rien de vraiment surprenant. Deuxièmement, ces effets sont plus importants et plus rapides chez les adultes dont la situation socioéconomique est défavorisée que chez les adultes dont la situation socioéconomique est très favorisée.

Quelle pourrait être la cause de telles différences entre les classes sociales ? House et ses collaborateurs ont étudié différentes possibilités, dont les habitudes de vie, – tabagisme et consommation d'alcool – et les événements stressants – problèmes financiers, perte d'emploi, divorce, déménagements. Ils ont découvert, tout comme d'autres chercheurs (James *et al.*, 1992), que les adultes de la classe ouvrière avaient de moins bonnes habitudes de vie et des niveaux de stress plus élevés. Lorsque l'on occulte statistiquement ces différences, les écarts entre les classes sociales s'atténuent de manière considérable, sans toutefois disparaître complètement (House *et al.*, 1992). Sans même considérer les habitudes de vie et le stress, on peut conclure que les adultes socioéconomiquement très défavorisés ont une moins bonne santé que les autres. Ces données confirment donc que le risque de maladie ou d'invalidité augmente avec l'âge et que l'accumulation de stress est un facteur de vieillissement.

En général, la performance physique et la santé sont meilleures au début de l'âge adulte. Toutefois, les raisons qui expliquent ce constat sont plus complexes que l'on ne le croirait de prime abord. Cette complexité est causée par l'ensemble des facteurs, dont le stress et les habitudes de vie, qui interviennent dans le processus de vieillissement.

Maladies transmises sexuellement (MTS)

Les maladies vénériennes constituent une exception à la règle selon laquelle les jeunes adultes jouiraient d'une meilleure santé. Les maladies transmises sexuellement (MTS), notamment la syphilis, la gonorrhée, la chlamydia, l'herpès et le sida, sont plus communes chez les jeunes adultes que parmi tout autre groupe d'âge (CDC, 1999a, 1999b, 2000a, 2000b). Au Canada, on estime que 49 000 personnes (adultes et enfants) étaient infectées par le

Les maladies transmises sexuellement constituent un risque important pour la santé du jeune adulte.

VIH (virus d'immunodéficience humaine) et 400 décès seraient attribués à cette maladie en 1999. En France, 130 000 personnes étaient infectées et 2 000 personnes seraient décédées de cette maladie durant la même année (Organisation mondiale de la santé, 2001).

Quand un individu est atteint d'une maladie transmise sexuellement, il a plus de chances que ses pairs de contracter le VIH (DCD, 1998). Par exemple, une personne qui a la syphilis présente au moins trois fois plus de risques de contracter le VIH, soit d'un partenaire sexuel séropositif, soit d'un usager de drogue séropositif avec lequel elle partagerait une seringue (CDC, 1999b). De plus, les sécrétions génitales d'un homme séropositif atteint d'une autre MTS contiennent beaucoup plus de virus actifs que celles d'un homme séropositif qui n'a pas d'autres maladies transmises sexuellement (CDC, 1998a). Ainsi, les agents de l'hygiène publique affirment que, pour réduire les taux d'infection au VIH chez les Afro-Américains ainsi que chez les autres groupes à risque, il faudrait réussir à faire baisser les taux de maladies transmises sexuellement.

Comme les adolescents, de nombreux jeunes adultes s'aventurent dans des comportements à risque liés aux MTS : de multiples partenaires sexuels, des relations sans protection adéquate, une consommation fréquente de drogue et d'alcool. Le taux d'infection est généralement plus élevé chez les hommes que chez les femmes. Cependant, pour la plupart des jeunes adultes, les MTS demeurent un sujet tabou. Beaucoup de jeunes adultes sont encore réfractaires à l'utilisation du condom, ne font pas appel à un professionnel de la santé lorsqu'ils présentent des symptômes et n'informent pas leurs partenaires de leur état de santé et de leurs relations antérieures (Lewis, Malow et Ireland, 1997 ; Schuster, 1997). Les risques associés à ces comportements sont considérables. Par exemple, la chlamydia constitue la principale cause d'infertilité chez les jeunes femmes. On observe également une pharmacorésistance accrue des souches de certaines maladies, telles que la gonorrhée et la syphilis. Il est donc très important de privilégier les pratiques sexuelles sans risques et de divulguer ses antécédents sexuels à son partenaire.

Violence sexuelle

Le jeune adulte est plus susceptible d'être victime de violence sexuelle. La **violence sexuelle** est l'utilisation de contraintes physiques pour amener une personne à avoir un rapport sexuel contre sa volonté. Le fait d'avoir des rapports sexuels avec une personne qui est incapable de comprendre ce qui lui arrive, en raison d'un handicap mental ou d'un état d'inconscience temporaire, est également considéré comme de la violence sexuelle. Le mot *viol* est un terme plus précis qui décrit une relation sexuelle avec pénétration imposée à une personne de sexe masculin ou féminin.

Prévalence   Comme dans le cas de la violence conjugale, les femmes risquent plus que les hommes d'être victimes de violence sexuelle. Un sondage mené auprès des Américaines révèle que 18 % d'entre elles ont été victimes de violence hétérosexuelle au cours de leur vie comparativement à seulement 3 % des hommes (NCIPC, 2000). Des sondages indiquent aussi que de 1 à 3 % des jeunes hommes ont été victimes d'un viol homosexuel (NCIPC, 2000; Zweig, Barber et Eccles, 1997). La violence sexuelle se produit surtout dans le contexte d'une relation sociale ou romantique. Des sondages menés aux États-Unis indiquent que 26 % des auteurs de violence sexuelle sont des connaissances de la victime et qu'encore 26 % sont des partenaires intimes (NCIPC, 2000). De même, le viol d'un homme par un homme est commis par une connaissance de la victime ou par son partenaire intime (Hodge et Canter, 1998).

Les taux de violence sexuelle sont très similaires parmi les différentes cultures, sauf quelques exceptions. Par exemple, dans une enquête internationale sur des dossiers médicaux, 48 % des femmes au Pérou ont rapporté avoir été forcées d'avoir un rapport sexuel au cours des 12 derniers mois (OMS, 2000). Les anthropologues ont émis l'hypothèse que les taux de violence sexuelle sont semblables à travers le monde, parce que la plupart des cultures interdisent les rapports sexuels forcés (Hicks et Gwynne, 1996). Cependant, des taux exceptionnellement élevés, comme ceux que l'on trouve au Pérou, sont probablement le résultat d'un ensemble complexe de croyances culturelles. Les rapports sexuels, même s'ils sont obtenus de force,

peuvent être perçus comme un signe de masculinité, une composante qui, dans plusieurs cultures, représente le droit et la capacité de dominer les femmes. Ainsi, la tolérance de la violence sexuelle peut être plus grande dans les sociétés qui ont une culture de machisme, ce qui semble constituer une façon de rappeler aux hommes et aux femmes leurs positions relatives dans la société.

Causes   Certaines causes de la violence sexuelle sont beaucoup plus subtiles que les facteurs culturels. Par exemple, le viol fait par une connaissance de la victime est un rapport sexuel non consenti qui se produit lors d'un rendez-vous galant. Les croyances que les hommes entretiennent sur le comportement sexuel des femmes, notamment l'idée que, lorsqu'une femme dit non, elle veut dire oui, les incitent au viol (Christopher, Madura et Weaver, 1998). Souvent, l'agresseur utilise de l'alcool ou une drogue, comme le Rohypnol, pour mettre sous sédation sa victime ou pour la désinhiber. D'où l'importance pour les jeunes femmes de ne pas consommer d'alcool ni de drogue au cours d'un rendez-vous galant, de rencontrer le jeune homme dans un endroit public jusqu'à ce qu'elles le connaissent bien et de se montrer le plus empathique possible quand elles déclinent ses avances sexuelles.

Effets   Les effets psychologiques de la violence sexuelle sont très semblables à ceux qu'entraîne la violence conjugale : la dépression, une faible estime de soi et la peur. De plus, les victimes de violence sexuelle peuvent souffrir d'un stress post-traumatique qui altère leur vie sexuelle (Kaplan et Sadock, 1991). Les effets du viol d'un homme par un homme sont similaires, mais ils peuvent aussi engendrer la peur de devenir homosexuel chez les victimes hétérosexuelles (Kaplan et Sadock, 1991).

SANTÉ PHYSIQUE *À L'ÂGE ADULTE MOYEN*

Pour étudier les changements physiques du milieu de la vie, on peut aussi s'appuyer sur divers aspects de la santé. Quels sont les facteurs de santé ? Quels types de maladies et de troubles de santé observe-t-on à l'âge adulte moyen ? Quelles sont les principales causes de décès ?

Exercice et santé

Nombre d'études, en particulier celle de Lee, Hsieh et Paffenbarger (1995) menée auprès de 17 321 hommes qui

---

Violence sexuelle : Utilisation de la force physique afin de contraindre une personne à avoir une relation sexuelle.

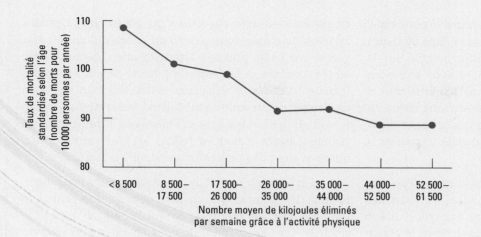

Figure 9.3
Activité physique et mortalité.
Les résultats provenant d'une étude sur d'anciens étudiants de Harvard démontrent clairement que ceux qui sont plus actifs à l'âge adulte moyen présentent des risques moins élevés de mortalité au cours des décennies suivantes. (*Source :* Adapté de Lee *et al.*, 1995, tableau 2, p. 1181.)

étudiaient à Harvard entre 1916 et 1950, prouvent que l'exercice est un facteur déterminant de la santé physique globale et de la performance intellectuelle. En 1962 ou en 1966, alors que les sujets étaient dans la trentaine, la quarantaine ou la cinquantaine, chaque homme a fourni des informations détaillées concernant son niveau d'activité physique quotidien. Les chercheurs ont alors suivi ces hommes jusqu'en 1988 afin d'identifier ceux qui étaient décédés et la cause de leur décès. La mesure des activités physiques était très détaillée. Chaque homme devait évaluer la distance qu'il marchait quotidiennement, le nombre d'escaliers qu'il empruntait et le temps qu'il consacrait hebdomadairement à des activités sportives, et ainsi de suite. Ces informations étaient par la suite converties en un nombre moyen de kilojoules dépensés par semaine. Par exemple, marcher 1 km par jour permet de brûler environ 418 kJ et monter un escalier élimine environ 71 kJ. Le lien entre le niveau d'activité physique et le taux de mortalité durant les 25 ans couverts par cette étude est illustré dans la figure 9.3. Ainsi, plus un homme fait de l'exercice physique pendant la trentaine, la quarantaine et la cinquantaine, moins il risque de décéder durant les 25 années suivantes.

Lee et ses collègues ont pris soin d'éliminer de leur étude les hommes qui souffraient préalablement de cardiopathie ou d'autres maladies. Or, il s'est avéré que les groupes qui différaient sur le plan de la dépense énergétique ne différaient pas sur d'autres aspects, tels que l'âge, le tabagisme, l'hypertension, le poids ou les antécédents familiaux de mortalité précoce. Ce résultat rend les effets de l'exercice physique encore plus probants. Il faut toutefois tenir compte du fait que la quantité d'exercices effectués par les sujets relevait d'un choix personnel et que ces différents groupes d'hommes différaient aussi sur d'autres aspects pouvant être associés au taux de mortalité. Ce modèle confirmé par des études effectuées sur des hommes

et des femmes (p. ex., Blair *et al.*, 1995; Lissner *et al.*, 1996) est si convaincant qu'il laisse peu de place à d'autres explications. Le lien causal entre le niveau d'activité physique et la santé par rapport à la longévité semble de plus en plus évident.

À l'âge adulte moyen, l'exercice physique semble encore jouer un rôle important dans le maintien des habiletés intellectuelles, sans doute parce qu'il permet de conserver une bonne forme cardiovasculaire (Clarkson-Smith et Hartley, 1989; Rogers, Meyer et Mortel, 1990). Chez les adultes d'âge moyen et avancé en bonne santé, les personnes physiquement actives qui font du jardinage, de gros travaux ménagers ou des exercices aérobiques, telles que la marche, la course ou la natation, obtiennent de meilleurs scores aux tests de raisonnement, de temps de réaction et de mémoire à court terme.

On reproche à ces études de comparer des personnes qui choisissent d'être actives à des personnes qui choisissent de ne pas l'être. Il est probable que les premières se distinguent sur d'autres plans de celles qui ne font pas d'exercice. Pourtant, les chercheurs se sont efforcés de former leurs groupes en tenant compte de deux variables importantes : la santé physique et le degré de scolarité. Le test serait plus fiable si l'on assignait certaines personnes de façon aléatoire et d'autres de façon volontaire. On pourrait ensuite évaluer les changements sur le plan cognitif.

En fait, il existe quelques études du même genre qui ont donné des résultats plutôt hétérogènes. Toutefois, elles révèlent toutes que l'exercice augmente les capacités physiques, telles que l'absorption maximale d'oxygène, même chez les adultes très âgés. Certaines études montrent que l'exercice améliore la pensée (Hawkins, Kramer et Capaldi, 1992; Hill, Storandt et Malley, 1993), alors que d'autres ne notent pas de résultats significatifs sur ce chapitre (Buchner *et al.*, 1992; Madden *et al.*, 1989; Emery et Gatz, 1990). De plus, comme le programme expérimental d'exercice ne durait que quelques mois, ce laps de temps était insuffisant pour produire un effet notable sur la fonction cognitive. Les informations dont nous disposons confirment que l'exercice protège des maladies du cœur et de certains types de cancer et qu'il influe à long terme, ne serait-ce que de façon minimale, sur la performance intellectuelle. Il est donc fortement recommandé d'intégrer la marche à ses habitudes de vie.

Même si les actions préventives comme l'exercice physique influent sur la santé et les facultés intellectuelles des adultes d'âge moyen, il ne faut pas négliger d'autres facteurs, comme les variables démographiques, la classe sociale et la race. Ainsi, la classe sociale constitue un facteur prédictif de santé plus significatif au milieu de l'âge adulte qu'à tout autre moment de la vie. Presque tous les jeunes adultes sont en bonne santé, alors que les adultes plus âgés ont généralement des problèmes de santé chroniques ou sont limités dans leurs activités quotidiennes. C'est au milieu de la vie adulte que le statut professionnel et le degré de scolarité influent sur ce modèle.

Maladie et invalidité

Le nombre d'adultes en parfaite santé chute au milieu de la vie adulte. On a diagnostiqué une maladie ou une invalidité chez la moitié des adultes de 40 à 65 ans. Certains d'entre eux étaient atteints d'un trouble important (non décelé), par exemple les premiers stades d'une maladie du cœur. Les jeunes adultes étaient plus sujets à des affections aiguës, notamment les rhumes, les grippes, les infections et les troubles digestifs. Toutefois, les adultes d'âge moyen souffrent surtout de maladies ou d'invalidités plus chroniques. Par contre, très peu de gens sont invalides au point d'être incapables de prendre soin d'eux-mêmes (Verbrugge, 1984).

Au milieu de l'âge adulte, la maladie (cardiopathie et cancer) devient pour la première fois la plus importante cause de décès, avant les causes violentes (accident, suicide ou homicide). La mortalité due au cancer augmente au milieu de l'âge adulte, mais baisse à l'âge adulte avancé, alors que la mortalité causée par la cardiopathie s'accroît de manière considérable à l'âge adulte avancé. La **cardiopathie** comprend toutes les affections associées au cœur. Le changement déterminant lié aux maladies du cœur est l'*artériosclérose*: elle est causée par des tissus fibreux et calcifiés qui bloquent les artères. Si elle survient dans les artères coronaires, l'occlusion provoque une *crise cardiaque*. Si elle se produit dans le cerveau, on parle d'un *accident vasculaire cérébral*. L'artériosclérose *n'est pas* inhérente au vieillissement. Il s'agit d'une maladie dont la

fréquence croît avec l'âge, mais qui est évitable. Certains facteurs de risque sont cependant connus, dont le tabagisme, une haute pression artérielle, une cholestérolémie élevée, l'obésité et les régimes à haute teneur en lipides (graisses). On connaît également certains facteurs de risque du cancer, notamment le tabagisme, les régimes à haute teneur en lipides, l'obésité et l'inactivité. L'influence d'un régime à haute teneur en lipides est controversée, bien que la plupart des recherches tendent à la confirmer.

Par ailleurs, pour tous les groupes d'âge (sauf après 85 ans), les femmes ont un taux de mortalité beaucoup plus bas que les hommes, ce qui reflète la différence sexuelle dans l'espérance de vie. Cependant, on note un paradoxe fascinant: même si elles vivent plus longtemps, les femmes sont atteintes d'un plus grand nombre de troubles de santé et d'invalidités que les hommes. Elles ont plus de maladies chroniques comme l'*arthrite*, et elles subissent de plus grandes restrictions dans leurs activités quotidiennes. Ces différences ont été observées dans tous les pays où de telles études ont été menées, incluant les pays en voie de développement (Rahman *et al.*, 1994).

Cette différence, déjà nette au début de l'âge adulte, s'accroît en vieillissant. Vers l'âge adulte avancé, les femmes ont une plus grande prédisposition aux maladies chroniques (Guralnik *et al.*, 1993; Kunkel et Applebaum, 1992). Au début de l'âge adulte, la différence concernant les risques de maladie pour les femmes peut être largement attribuée à des troubles de santé liés à la grossesse. Plus tard, on ne peut pas l'expliquer de la même manière.

Comment est-il possible que les hommes, bien qu'ils soient en meilleure santé, meurent plus jeunes que les femmes? Lois Verbrugge (1989), le chercheur le plus crédible sur ces questions, croit que l'on peut résoudre ce paradoxe en analysant les maladies propres aux hommes et celles qui sont propres aux femmes, ainsi que les maladies dont ils meurent respectivement. Les femmes meurent des mêmes maladies que les hommes, mais elles les contractent plus tard en général (sauf dans les cas du cancer), et survivent plus longtemps après en avoir été atteintes, sans doute parce qu'elles sont traitées plus rapidement. Parallèlement, les femmes risquent beaucoup plus de contracter des maladies chroniques non fatales, principalement l'arthrite, une maladie qui peut être liée à l'importante décalcification postménopausique. Même les femmes atteintes d'invalidité vivent plus longtemps que les hommes.

Cardiopathie: Toute affection du cœur et du système vasculaire, dont l'artériosclérose qui consiste en un rétrécissement (épaississement et durcissement) des artères accompagné de plaques.

PAUSE-APPRENTISSAGE

Santé physique

- Quelles sont les causes des différences sur le plan de la santé physique observées entre les classes sociales ?

- Il existe un domaine où la santé physique du jeune adulte n'est pas optimale. Nommez-le et expliquez pourquoi.

- Quel rôle joue l'activité physique dans le maintien de la santé physique et des habiletés intellectuelles ?

- Quelles faiblesses méthodologiques présentent les études sur l'exercice physique et le maintien des habiletés intellectuelles ?

- Énumérez les principaux facteurs qui influent sur les changements des capacités physiques et cognitives à l'âge adulte moyen.

- Quelles sont les principales causes de décès chez les hommes et chez les femmes de 40 à 64 ans ?

- Définissez les termes suivants : artériosclérose, accident vasculaire cérébral, crise cardiaque.

- Quels sont les principaux facteurs de risque liés aux maladies du cœur et au cancer ?

Concepts et mots clés

- **accident vasculaire cérébral** (p. 326) • **artériosclérose** (p. 326)
- **cardiopathie** (p. 326) • **crise cardiaque** (p. 326) • **VIH** (p. 323)
- **violence sexuelle** (p. 324)

SANTÉ MENTALE *AU DÉBUT DE L'ÂGE ADULTE*

La santé mentale constitue l'autre exception au modèle de santé optimale chez le jeune adulte. Paradoxalement, la période de notre vie où nous sommes au sommet de notre forme physique et intellectuelle correspond à la période où nous sommes le plus vulnérables aux problèmes de santé mentale : la dépression, la toxicomanie, l'anxiété, les troubles de la personnalité et la schizophrénie. Ainsi, des études effectuées dans de nombreux pays industrialisés montrent que les risques de souffrir de troubles émotionnels de toutes sortes sont plus *élevés* chez les jeunes adultes que chez les adultes plus âgés (Regier *et al.*, 1988 ; Kessler *et al.*, 1992). Certaines recherches indiquent même que 10 % des jeunes adultes âgés de 18 à 24 ans ont songé sérieusement au suicide (Brener, Hassan et Barrios, 1999).

Troubles anxieux et dépression

Les troubles mentaux les plus courants sont ceux qui sont associés à la peur et à l'anxiété (Kessler *et al.*, 1994). Après les *troubles anxieux*, les troubles de l'humeur, dont la *dépression*, sont les types de troubles mentaux les plus courants. C'est au début de l'âge adulte que les taux de détresse psychologique et de dépression sont les plus élevés. Cette aggravation s'expliquerait par le fait que, à cet âge, les gens doivent établir de nouvelles relations d'attachement et, en même temps, se détacher de leurs parents (tâche d'intimité d'Erikson). Les moments de solitude qu'occasionnent ces changements relationnels peuvent entraîner des sentiments d'échec social et conduire à la dépression.

Alcoolisme et toxicomanie

L'alcoolisme et la toxicomanie sont également plus fréquents entre 18 et 40 ans, après quoi ils diminuent progressivement. Les taux de dépendance sont plus élevés chez les hommes que chez les femmes, mais le modèle d'âge est très semblable pour les deux sexes (Anthony et Aboraya, 1992). L'abus occasionnel d'alcool (cinq consommations ou plus lors d'une même occasion) est particulièrement répandu chez les étudiants. Même si la plupart d'entre eux ne considèrent pas que leur consommation d'alcool est problématique, ils affichent des taux substantiellement plus élevés de comportements à risque, tels que des relations sexuelles non protégées, des blessures physiques, la conduite en état d'ébriété ou sous l'influence de la drogue, et des altercations avec les forces policières (Weschler *et al.*, 1994, 1998). De plus, bien que ces troubles liés à la dépendance apparaissent surtout à l'adolescence ou au début de l'âge adulte, ils sont rarement décelés avant le milieu de l'âge adulte. C'est à ce moment en effet qu'ils commencent à altérer considérablement la santé physique et mentale.

Troubles de la personnalité

Dans certains cas, le stress subi au début de l'âge adulte, sans doute combiné à un type de facteurs biologiques, mène à de graves troubles du fonctionnement cognitif, émotionnel et social, difficiles à traiter. On appelle **trouble de la personnalité** un comportement dont le modèle est rigide et qui engendre des problèmes de fonctionnement sur les plans social, scolaire et professionnel. Dans bien des cas, les problèmes associés à ces troubles se manifestent tôt dans la vie. Cependant, ce modèle comportemental n'est généralement pas diagnostiqué comme un trouble mental avant la fin de l'adolescence ou le début de l'âge adulte (APA, 1994).

> **Trouble de la personnalité** : Modèle rigide de comportement qui conduit à des problèmes de fonctionnement sur les plans social, scolaire et professionnel.

SANTÉ MENTALE *À L'ÂGE ADULTE MOYEN*

Comme nous venons de le mentionner, les troubles affectifs sont en général plus fréquents au début qu'au milieu de la vie adulte. Cette observation soulève la question de l'existence très controversée de la crise du milieu de la vie.

Crise du milieu de la vie: réalité ou fiction?

La notion de crise du milieu de la vie n'a pas été inventée de toutes pièces par des écrivains à succès. On la retrouve dans de nombreuses théories très sérieuses sur le développement de l'adulte, dont celles de Jung et de Levinson. Ce dernier soutient qu'au milieu de la vie adulte chaque personne doit faire face à une grande variété de tâches qui la mèneront inévitablement à une crise: la prise de conscience de sa propre mortalité, l'apparition de nouvelles limites liées à des incapacités physiques ou à des risques pour la santé, et l'adaptation à de nouveaux rôles. Selon Levinson, l'obligation d'affronter ces nouvelles réalités est un défi de taille et l'élément déclencheur de cette crise.

Lorsque les chercheurs analysent les données existantes, ils parviennent souvent à des conclusions diamétralement opposées. David Chiriboga (1989, p. 117) conclut: « L'évidence qui se dégage des nombreuses recherches sur ce sujet indique que seulement 2 à 5 % des adultes d'âge moyen vivent des problèmes sérieux au milieu de la vie. » D'après les mêmes données, Lois Tamir (1989, p. 161) avance que le milieu de la vie est une période de transition psychologique marquée par « des doutes personnels ou un profond désarroi ».

Notre perception se rapproche davantage de celle de Chiriboga que de celle de Tamir. On observe une augmentation du taux de dépression chez la femme autour de la quarantaine (Anthony et Aboraya, 1992). Cependant, même lorsque le point culminant de cette augmentation est atteint vers l'âge de 44 ans, seulement 4,5 % des femmes environ sont affectées par cette maladie, ce qui ne permet guère de parler de crise universelle. Les résultats de différentes études effectuées par Paul Costa et Robert McCrae (1980a; McCrae et Costa, 1984), des chercheurs qui s'intéressent à la personnalité, vont dans le même sens. Ils ont conçu une échelle de mesure de la crise du milieu de la vie, comprenant notamment les troubles affectifs, l'insatisfaction professionnelle ou conjugale et le sentiment d'échec. Ils ont comparé les réponses de plus de 500 hommes dans une étude transversale portant sur des sujets âgés de 35 à 70 ans. Ils ne sont pas arrivés à établir qu'à un âge précis les scores étaient plus élevés. D'autres chercheurs qui ont aussi conçu des échelles de crise du milieu de la vie sont

parvenus à la même conclusion (Farrell et Rosenberg, 1981), tout comme ceux qui ont étudié les réactions au stress (Pearlin, 1975). De plus, des études épidémiologiques ne démontrent aucune augmentation ni diminution des divorces, de l'alcoolisme ou des dépressions cliniques chez les hommes (Hunter et Sundel, 1989).

Une telle crise pourrait survenir au milieu de la vie comme à tout autre moment. Autrement dit, il n'existerait pas un âge *précis* où se produirait une recrudescence de problèmes, ce qui pourrait expliquer les résultats obtenus par Costa et McCrae. Toutefois, on ne peut pas expliquer les résultats des études comme celle menée par Regier, car les groupes d'âge utilisés couvrent des périodes de 10 à 20 ans. Si une crise était plus courante au milieu qu'au début de l'âge adulte, on devrait observer des signes d'augmentation de dépression ou d'anxiété en comparant les résultats obtenus auprès des adultes d'âge moyen et ceux obtenus auprès des jeunes adultes. Or, tel n'est pas le cas. Des études longitudinales semblent contredire également l'hypothèse de la crise du milieu de la vie. Norma Haan, par exemple, n'a trouvé aucune indication prouvant qu'une quelconque crise était courante au milieu de la vie dans l'étude longitudinale de Berkeley/Oakland (Haan, 1981b).

Les preuves ne sont convaincantes que pour un seul sous-groupe: les hommes blancs de la classe moyenne, particulièrement ceux qui exercent une profession libérale. Dans un échantillon de 1000 hommes âgés de 25 à 69 ans, Lois Tamir (1982) a découvert que les hommes de 45 à 49 ans qui avaient fait des études universitaires rapportaient un nombre plus élevé de problèmes liés à la consommation d'alcool et de médicaments délivrés sur ordonnance (tels que les somnifères ou les tranquillisants). Peu nombreux étaient ceux qui parlaient de « joie de vivre » par comparaison avec ceux qui faisaient mention d'une immobilisation psychologique.

On ne peut pas déterminer, à partir de cette seule étude, si ce modèle n'est pas simplement propre à une cohorte particulière. Par ailleurs, même si ces résultats se vérifiaient dans plusieurs cohortes, cela ne confirmerait aucunement la nécessité, voire l'existence, d'une crise du milieu de la vie. Certains stress et certaines tâches sont probablement propres à cette période de la vie, mais peu de signes laissent supposer qu'ils submergent les ressources d'adaptation d'un adulte à cet âge plutôt qu'à un autre (Gallagher, 1993). Enfin, la perception qu'il a des événements (modèle interne des événements) et de sa propre capacité d'adaptation (modèle interne de sa capacité d'adaptation) jouerait un rôle crucial chez l'adulte qui affronte la crise du mitan de la vie.

Santé mentale

- Quel est l'état de santé mentale de l'adulte d'âge moyen comparativement à celui du jeune adulte et à celui de l'adulte d'âge avancé ?

- La crise du milieu de la vie est-elle un phénomène universel ? Expliquez votre réponse.

Concepts et mots clés

- **dépression** (p. 327) • **troubles anxieux** (p. 327) • **troubles de la personnalité** (p. 327)

DÉVELOPPEMENT COGNITIF

L'observation des fonctions cognitives nous révèle qu'elles suivent la même évolution que la condition physique et l'état de santé : les facultés intellectuelles culminent au début de l'âge adulte, puis elles déclinent, plus lentement cependant que les observations initiales des chercheurs ne l'indiquaient. Il existe également une diversité beaucoup plus grande entre les individus qu'on ne le pensait. Cette diversité semble attribuable à l'hérédité, à des facteurs environnementaux et au style de vie. La compréhension du modèle de base du vieillissement cognitif se révèle donc complexe et ardue.

QUOTIENT INTELLECTUEL

Les premières études transversales ont noté que le point culminant du quotient intellectuel (Q.I.) se situe vers l'âge de 30 ans et qu'une baisse progressive se produit par la suite. Cependant, comme nous l'avons vu dans le premier chapitre, ce type d'études présente le désavantage de confondre l'âge et la cohorte. Ainsi, les sujets plus âgés diffèrent des sujets plus jeunes sur plusieurs points, tels que le degré de scolarité. C'est pourquoi nous ignorons si le déclin apparent du Q.I. est associé au vieillissement primaire ou s'il est associé aux différences entre les cohortes. En prenant pour référence la même cohorte pendant plusieurs années, les études longitudinales nous offrent une image beaucoup plus optimiste du développement cognitif au cours de l'âge adulte. Par exemple, une étude réalisée sur des vétérans de l'armée canadienne dont le Q.I. a été évalué pour la première fois dans la vingtaine et une seconde fois alors qu'ils étaient dans la soixantaine

indique une corrélation de 0,78 entre les scores des deux mesures sur l'échelle verbale du Q.I. (Gold *et al.*, 1995). Sur des intervalles de temps plus courts, la corrélation est encore plus forte.

La meilleure source de données provient d'une étude longitudinale remarquable effectuée par Schaie à Seattle (Schaie, 1983b, 1989, 1993, 1994, 1996 ; Schaie et Hertzog, 1983). En 1956, Schaie a travaillé avec plusieurs séries d'échantillons transversaux, espacés de 7 ans et s'échelonnant de 25 à 67 ans. Certains des sujets n'ont été testés qu'une fois, alors que d'autres ont été testés à intervalle régulier après 7, 14, 21 et 28 ans. Des échantillons ont été ajoutés en 1970, 1977, 1984 et 1991. Cette méthode a permis à Schaie d'observer les changements de Q.I. au cours d'intervalles de 7, 14, 21 et 28 ans pour divers groupes de sujets, dont chacun appartenait à une cohorte légèrement différente. La figure 9.4 présente la comparaison des données transversales obtenues en 1977 et des données d'études longitudinales qui ont duré 14 ans pour plusieurs groupes d'âge. Le test utilisé était une mesure de l'intelligence globale, dont le score moyen est établi à 50 points (ce qui équivaut à un Q.I. de 100 dans la plupart des autres tests).

Vous pouvez constater que les données transversales indiquent une baisse constante du Q.I. Cependant, les données longitudinales montrent que les scores obtenus aux tests d'intelligence globale augmentent au début de l'âge adulte et demeurent relativement stables jusqu'à

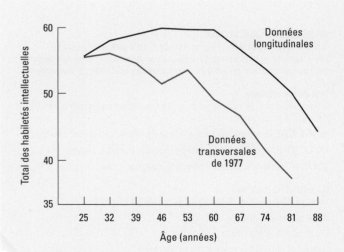

Figure 9.4
Quotient intellectuel et âge.
Ces résultats tirés de l'étude longitudinale de Seattle réunissent des données transversales et longitudinales dans le but d'évaluer des habiletés intellectuelles globales (score moyen = 50). (*Source :* Schaie, 1983b, tableaux 4.5 et 4.9, p. 89 et 100.)

l'âge de 60 ans environ, moment où ils commencent à diminuer. Depuis, ce modèle a été confirmé par d'autres chercheurs (p. ex., Sands, Terry et Meredith, 1989 ; Siegler, 1983). Nous pouvons donc maintenant affirmer de façon presque certaine que l'intelligence générale d'un individu demeure essentiellement stable au cours de l'âge adulte. Toutefois, un examen plus approfondi de ce modèle laisse apparaître quelques failles. On obtient un tableau légèrement différent si on décompose la mesure globale du Q.I. (voir le rapport de recherche ci-contre). Parmi les composantes du Q.I., on peut notamment évaluer l'intelligence cristallisée et l'intelligence fluide (voir la figure 9.5.).

L'**intelligence cristallisée** (Cattell, 1963 ; Horn, 1982 ; Horn et Donaldson, 1980) dépend en grande partie de l'instruction et de l'expérience. On peut la définir comme l'ensemble des habiletés et connaissances que chaque individu acquiert dans son environnement culturel : le vocabulaire, l'habileté à lire et à comprendre les informations, l'habileté à évaluer l'expérience et les habiletés techniques nécessaires dans l'exercice d'une profession ou d'un métier ou dans la vie quotidienne (par exemple l'utilisation d'un ordinateur). Les résultats de l'évaluation de telles habiletés par Schaie, comme ceux obtenus par de nombreux chercheurs, donnent à penser que la performance intellectuelle se maintiendrait au cours de l'âge adulte moyen. Ainsi, nous nous souvenons des mots que nous avons appris, nous sommes toujours capables de lire des articles de journaux et d'en comprendre le sens, de même que de résoudre des problèmes dans notre domaine de spécialisation.

Cependant, les tests qui mesurent **l'intelligence fluide** (Horn et Cattell), c'est-à-dire les habiletés de base comme la vitesse de réaction, la mémoire ou le

> **Intelligence cristallisée** : Aspect de l'intelligence qui dépend avant tout des études et de l'expérience ; connaissances et jugement acquis grâce à l'expérience.
>
> **Intelligence fluide** : Aspect de l'intelligence qui dépend des processus biologiques fondamentaux plutôt que de l'expérience.

Figure 9.5
Deux formes d'intelligence.
Dans les tests d'intelligence, deux formes d'intelligence sont très fréquemment évaluées : la première est appelée l'intelligence fluide, ou logico-mathématique ou de performance. La seconde est l'intelligence cristallisée, ou verbale. (*Source : Sciences humaines*, n° 116, mai 2001, p. 24)

INTELLIGENCE CRISTALLISÉE
Ces épreuves mesurent ce qu'on appelle l'intelligence cristallisée. Elle s'exprime le plus souvent – mais pas uniquement – dans des tâches verbales qui mettent en jeu des connaissances scolaires ou culturelles.

Test de vocabulaire
Il s'agit de choisir le synonyme du mot présenté en majuscule parmi les différentes propositions.

CONFESSER : Entonner, composer, attraper, avouer, repousser, confluer.

EXCÈS : Étau, immodération, violence, succès, punition, caprice.

ADÉQUAT : Répandu, bas, possible, trié, congruent, las.

Q.I. verbal de la WAIS*
Épreuve d'information. Répondre aux questions suivantes.

Qui était Pierre Corneille ?

Où se trouve le Mexique ?

Quelle est la distance entre Paris et Marseille ?

Qu'est-ce que la CEE ?

Épreuve de compréhension
À quoi servent les impôts ? Que signifie le proverbe : « Il ne faut pas jeter de l'huile sur le feu » ? Que faites-vous si, au théâtre, vous êtes le premier à remarquer qu'il y a le feu ?

* *Wechsler Adult Inventory Scale* (Échelle d'intelligence de Wechsler pour adultes).

INTELLIGENCE FLUIDE
Les épreuves ci-dessous mettent en jeu la capacité de raisonnement, de logique que l'on appelle l'intelligence fluide. Elles révèlent la souplesse du raisonnement. Ces épreuves sont construites de façon à ne nécessiter aucune connaissance particulière, excepté le test de Rennes, dans lequel il faut au moins connaître son alphabet et ses tables de multiplication.

Test de Rennes
Il s'agit de compléter des suites logiques du type de celle ci-dessous. À chaque suite correspond une logique à trouver.

Exemple :   marchandise   peine   répartie
            MaRCHaNDiSe   PeiNe   ....

Matrices de Raven
Il s'agit de trouver l'élément manquant parmi différentes possibilités. Il s'agit également de suites logiques.

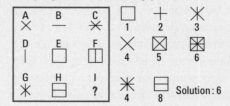

Q.I. de performance de la WAIS*
Les cubes de Kohs : il s'agit de reproduire le modèle présenté sur un carton à l'aide de neuf cubes bicolores rouge et blanc.

raisonnement abstrait (p. ex., trouver la lettre qui suit la séquence A C F J O), ont démontré que son déclin se produit plus tôt, précisément au milieu de l'âge adulte. Par exemple, si on évalue les habiletés en arithmétique d'adultes et que leur score est déterminé par le nombre de problèmes résolus en un temps limité, on observe une diminution significative de la performance à partir de 40 ans environ. De même, la capacité de visualiser les objets en rotation dans l'espace — une aptitude que la plupart d'entre nous n'utilisent pas régulièrement — commence à diminuer très tôt. Ces habiletés dépendent plus du fonctionnement du système nerveux central et moins de l'expérience.

Par ailleurs, comme pour la santé physique, il existe d'importantes différences individuelles. Ainsi, des sujets soumis aux tests tirés des études de Schaie (intelligence cristallisée ou intelligence fluide) ne présentaient aucun déclin durant l'âge adulte moyen et avancé. Par contre, d'autres affichaient un déclin précoce et rapide, même dans le cas de certaines facultés cristallisées comme la mémorisation du vocabulaire. Cependant, les dernières informations à ce sujet nous permettent d'affirmer que les habiletés intellectuelles d'un individu ne montrent aucun déclin pendant le début de l'âge adulte. Par contre, à l'âge adulte moyen, on observe un léger déclin de l'intelligence

L'intelligence est-elle unique ou multiple ?

Il existe en psychologie un débat fondamental : que mesure-t-on en fait lorsqu'on utilise plusieurs exercices (comme dans les tests de Q.I.) afin d'évaluer les capacités intellectuelles d'une personne ? Une intelligence unique ou une intelligence multiple ? En 1904, Charles Spearman affirmait qu'il n'existait qu'une seule *intelligence générale* (le facteur G), sur la base de laquelle on expliquait les différences de performance entre les élèves dans divers tests. Ainsi, une personne qui réussissait bien dans un test de mémoire devait réussir aussi bien dans un test de résolution de problèmes. Puis, dans les années 1930, un autre chercheur du nom de Thursthone introduisit un *modèle multifactoriel de l'intelligence*. Selon ce modèle, une personne pouvait obtenir de bons résultats dans un exercice de raisonnement logique et des résultats médiocres dans un autre domaine, par exemple la compréhension du vocabulaire. L'intelligence serait donc fractionnée en plusieurs composantes indépendantes les unes des autres. La controverse entre l'approche unitaire (une intelligence générale) et l'approche multifactorielle (plusieurs composantes indépendantes) était née et devait se poursuivre pendant des décennies.

Les travaux effectués depuis les années 1960, à partir d'une nouvelle approche du traitement de l'information (processus mentaux sous-jacents à l'activité intellectuelle), vont entraîner l'apparition de nouveaux modèles d'intelligence. Ainsi, vers la fin des années 1970, Cattell et Horn appuient l'hypothèse de deux formes d'intelligence : l'intelligence cristallisée, qui fait appel à des connaissances acquises par les études et l'expérience (le vocabulaire, la compréhension du langage et la capacité de lire), et l'intelligence fluide, associée au raisonnement abstrait et au temps de réaction.

Aujourd'hui, la théorie la plus populaire de l'intelligence multiple est celle de Howard Gardner (1983 ; Gardner, Kornhaber et Wake, 1996), qui décompose l'intelligence en *sept formes* : la compréhension de soi (connaissance de soi), la compréhension sociale (connaissance des autres), ainsi que les formes logicomathématique, linguistique, musicale, spatiale et kinesthésique. Gardner a proposé plusieurs critères permettant de déterminer si un type de pensée constitue une forme d'intelligence distincte. Le premier critère est la localisation cérébrale : le dommage causé à des aires spécifiques du cerveau ne devrait affecter essentiellement qu'une forme d'intelligence. L'existence de savants idiots ou d'autistes géniaux manifestant des capacités extraordinaires

dans un domaine, mais médiocres dans d'autres (comme les calculateurs prodiges) constitue un second critère. Un troisième critère concerne la représentation d'un domaine par un système distinct, comme le langage oral ou les chorégraphies. Finalement, le fait d'obtenir des performances similaires dans différents aspects d'un même domaine constitue un quatrième critère (extrait de Siegler, 2001, p 376-377).

L'idée qu'il existe des intelligences distinctes pose quelques problèmes. Ainsi, certaines capacités, considérées par Gardner comme des formes distinctes d'intelligence, semblent en fait liées entre elles. Les performances des enfants aux tests de raisonnement verbal, logicomathématique et spatial sont positivement et régulièrement corrélées, comme s'il existait une forme générale d'intelligence qui influe sur la performance dans tous ces domaines.

Depuis, d'autres chercheurs ont proposé d'élargir le concept d'intelligence. Ainsi, Robert Sternberg (1985) propose une théorie triarchique de l'intelligence, c'est-à-dire une intelligence qui revêt trois formes : l'intelligence sociale, l'intelligence émotionnelle et l'intelligence pratique. L'*intelligence sociale* est la forme d'intelligence qui permet de comprendre autrui (ses pensées, ses sentiments) et d'agir efficacement sur lui (d'obtenir son adhésion, de modifier son comportement) en situation d'interaction sociale. L'*intelligence émotionnelle* est la capacité de connaître et de gérer ses propres émotions ainsi que celles des autres, et d'utiliser cette information pour guider la réflexion et l'action. L'*intelligence pratique* (opposée à l'intelligence scolaire) sert à résoudre des problèmes de la vie courante. L'intelligence pratique est procédurale (acquise par et pour l'usage qui peut en être fait) et instrumentale (pour atteindre les buts que les individus se fixent) ; elle est acquise sans l'aide directe des autres, sans enseignement explicite (Huteau et Lautrey, 1999).

Finalement, le *modèle hiérarchique* de John B. Carroll présente une synthèse de toutes ces théories en les répartissant en trois niveaux (voir la figure 9.6). La base est constituée d'une trentaine d'habiletés spécifiques. Le deuxième niveau regroupe ces habiletés en huit grands facteurs. Comme tous ces facteurs sont corrélés entre eux, c'est-à-dire que plus on excelle dans un domaine, plus on a de chances de réussir dans les autres, l'intelligence générale se trouve au troisième niveau (Huteau et Lautrey, 1999).

Figure 9.6
Le modèle hiérarchique de Carroll.

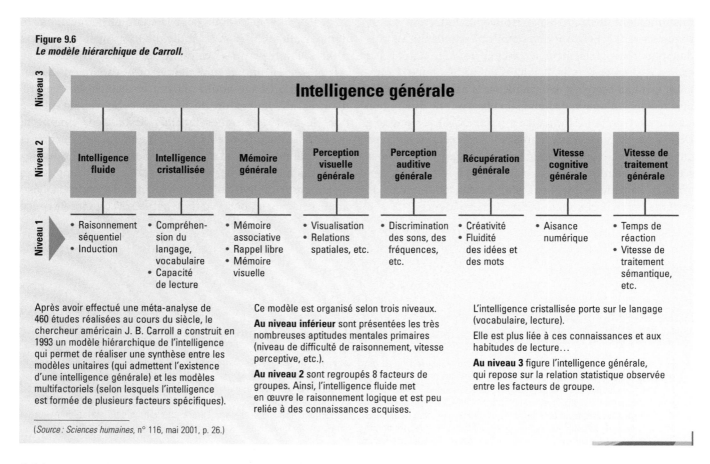

Après avoir effectué une méta-analyse de 460 études réalisées au cours du siècle, le chercheur américain J. B. Carroll a construit en 1993 un modèle hiérarchique de l'intelligence qui permet de réaliser une synthèse entre les modèles unitaires (qui admettent l'existence d'une intelligence générale) et les modèles multifactoriels (selon lesquels l'intelligence est formée de plusieurs facteurs spécifiques).

Ce modèle est organisé selon trois niveaux. **Au niveau inférieur** sont présentées les très nombreuses aptitudes mentales primaires (niveau de difficulté de raisonnement, vitesse perceptive, etc.).

Au niveau 2 sont regroupés 8 facteurs de groupes. Ainsi, l'intelligence fluide met en œuvre le raisonnement logique et est peu reliée à des connaissances acquises.

L'intelligence cristallisée porte sur le langage (vocabulaire, lecture).

Elle est plus liée à ces connaissances et aux habitudes de lecture…

Au niveau 3 figure l'intelligence générale, qui repose sur la relation statistique observée entre les facteurs de groupe.

(*Source : Sciences humaines*, n° 116, mai 2001, p. 26.)

fluide principalement pour les tâches intellectuelles non exercées, mais associées à un processus physiologique (Salthouse, 1991). De plus, le rythme du déclin semble coïncider avec la réduction de la masse cérébrale, ce qui donne à penser qu'il existe un lien direct (Bigler *et al.*, 1995).

DÉVELOPPEMENT DE LA PENSÉE POSTFORMELLE

Comme nous l'avons vu au chapitre 7, bien que des opérations formelles soient effectuées au milieu et à la fin de l'adolescence, la pensée formelle ne se développe pas entièrement avant l'âge adulte. Cette forme de pensée semble fortement associée aux expériences éducatives. Cependant, de nombreux théoriciens post-piagétiens affirment que l'âge adulte entraîne un autre type de changement dans le développement cognitif: une réorganisation structurale permettant d'accéder à une forme de pensée qui transcende la pensée formelle (que nous avons brièvement abordée dans le premier chapitre). Gisela Labouvie-Vief (1980, 1990) soutient notamment que les opérations formelles ne constituent pas l'étape finale du développement cognitif. En mettant l'accent sur l'exploration de toutes les possibilités logiques, il se

pourrait que la pensée formelle atteigne un plafond au début de l'âge adulte, au moment où l'individu affirme son identité, fait des choix, assimile de nouvelles idées et de nouvelles habiletés. Cependant, au-delà de cette étape, Labouvie-Vief pense que les exigences de la vie adulte imposent deux types de changements dans la structure de la pensée.

Il se produirait avant tout une transition vers une forme plus pragmatique et spécialisée de pensée. Chaque adulte apprend à résoudre des problèmes et fait face à des difficultés liées aux rôles qu'il joue et aux tâches professionnelles qu'il doit effectuer. Selon Labouvie-Vief, cela ne représente pas une perte de la fonction cognitive, mais un changement cognitif structural nécessaire, car il est fondamentalement impossible d'aborder les problèmes quotidiens avec un mode opératoire formel. Autrement dit, dans les termes de Labouvie-Vief (1980, p. 153), «l'éternelle formulation de *si* et de *alors* ne peut plus être adaptative».

Dans ses écrits les plus récents, Labouvie-Vief soutient également que, après le début de la vie adulte, nous ne cherchons plus à comprendre nos expériences au moyen d'un mode purement logique ou analytique, centré sur des faits et visant à obtenir des réponses précises. Nous faisons davantage appel à l'imaginaire et à la métaphore avec une ouverture plus grande à l'incertitude et aux paradoxes. Nos certitudes s'émoussent sur un grand nombre de sujets. Nous comprenons de plus qu'il n'y a aucune certitude dans de nombreuses situations et pour de nombreux problèmes quotidiens de notre vie adulte. Michael Basseches (1984, 1989) nomme cette nouvelle forme de pensée, la **pensée dialectique**. Selon ce chercheur (1984, p. 24), la pensée formelle s'efforcerait de trouver des liens réels et immuables entre les faits observés, alors que la pensée dialectique s'intéresserait aux changements dans les processus fondamentaux et à la dynamique de ces changements.

Les adultes ne perdraient donc pas leurs habiletés de pensée formelle, mais ils acquerraient une autre forme de pensée, une nouvelle habileté à affronter les problèmes qui caractérisent l'âge adulte, ces problèmes qui, par exemple, ne présentent pas de solution unique ou dont certaines données nous échappent. Vous pourrez utiliser certains aspects des opérations formelles pour choisir un nouveau réfrigérateur mais, pour prendre la décision d'adopter un enfant, vous devrez faire appel à une tout autre forme de pensée. Vous pourrez étudier les différentes options pour choisir une garderie, mais la décision finale d'envoyer votre enfant dans l'une ou l'autre des garderies évaluées relèvera plus de la pensée dialectique que de la pensée formelle. Vos sentiments peuvent être ambivalents, et les choix, peu évidents. Basseches affirme que ces problèmes demandent, non pas une forme supérieure de pensée, mais une façon différente de penser.

Patricia Arlin (1975, 1989, 1990) décrit cette pensée postformelle d'une façon quelque peu différente, à savoir que la période des opérations formelles est une période de *résolution de problèmes*. Le nouveau stade émergeant au début de l'âge adulte est caractérisé par la *recherche de problèmes*. Ce nouveau mode permet de façon optimale de faire face aux problèmes pour lesquels il n'existe pas de solution évidente ou pour lesquels, au contraire, il existe plusieurs solutions. Il comprend l'essentiel de ce que l'on appelle communément la créativité. Une personne parvenue à ce stade de pensée est capable de proposer plusieurs solutions à des problèmes mal définis ou peut envisager d'anciens problèmes sous un nouvel angle. Arlin soutient que la recherche de problèmes constitue le stade qui suit les opérations formelles, mais qui est acquis par un petit nombre seulement d'adultes, par exemple les personnes qui font carrière en sciences ou en art.

William Perry propose une troisième conception de cette pensée postformelle (1970) ; sa théorie englobe celle de Kohlberg sur le raisonnement moral, de même que les idées de Piaget sur les opérations formelles. Selon Perry,

Quel type de pensée ce jeune couple est-il en train d'utiliser pour équilibrer son budget ? Analytique ? Pragmatique ? Concrète ? Formelle ?

au début de l'âge adulte, de nombreuses personnes traversent une série de quatre étapes ou stades dans leur façon d'affronter le monde.

- Au départ, les jeunes perçoivent tout de façon extrême. L'autorité est extérieure, et toute question a une bonne réponse. Cela ressemble beaucoup à la moralité conventionnelle de Kohlberg. La grande majorité des adolescents et de nombreux adultes continuent de voir le monde de cette façon.

- Certains jeunes, surtout les étudiants des cégeps et des universités qui sont exposés à de nombreux autres points de vue, ne se confinent pas à cette vision catégorique. À ce stade intermédiaire, ils ont l'impression qu'il existe une bonne réponse, mais qu'ils ne la connaissent pas encore.

- La prochaine étape est celle de la relativité. L'étudiant ou l'adulte suppose que toutes les connaissances sont relatives et qu'il n'existe pas de vérité absolue. Cette étape s'apparente au stade 5 de la séquence du développement moral de Kohlberg.

- Certains jeunes adultes forgent leurs propres opinions et leurs propres valeurs et sont capables de les défendre.

La force qui détermine cette série de transitions provient à la fois de l'exposition aux opinions des autres et de l'expérience des dilemmes de la vie courante pour lesquels il n'y a pas de réponse évidente. Selon Labouvie-Vief, ce sont ces événements qui poussent l'adulte vers la pensée pragmatique plutôt que formelle.

Pensée dialectique : Forme de la pensée à l'âge adulte qui implique la recherche d'une synthèse ainsi que la reconnaissance et l'acceptation du paradoxe et de l'incertitude.

Tableau 9.5	*Sommaire du développement cognitif postformel*		
Approche de Labouvie-Vief	**Approche d'Arlin**		**Approche de Perry**
Deux changements dans la structure de pensée : • transition vers une pensée plus pragmatique et spécialisée ; • transition d'un mode analytique vers une pensée dialectique.	Passage d'une période de résolution de problèmes (pensée formelle) vers une période de recherche de problèmes.		Changement en quatre étapes : 1. Tout est perçu de façon extrême ; vision catégorique ; toute question possède nécessairement une bonne réponse. 2. Acceptation de l'existence de nombreuses solutions de remplacement. 3. Toutes les connaissances sont relatives ; il n'y a pas de vérité absolue. 4. Engagement émanant de convictions et de valeurs.

Ces nouvelles théories sur la pensée postformelle, résumées dans le tableau 9.5, sont fascinantes, mais elles demeurent à l'état d'hypothèses, car on ne dispose que de peu de preuves empiriques pour les étayer. De façon générale, on ne sait pas si ces nouveaux types de pensée représentent des formes supérieures de la pensée, construites à partir des stades décrits par Piaget, ou s'il est plus approprié de les décrire simplement comme des formes de pensée différentes qui peuvent émerger ou non à l'âge adulte. Selon nous, ce qui ressort essentiellement de ces travaux, c'est le fait que les problèmes normaux éprouvés dans la vie adulte, avec leurs incohérences et leur complexité, ne peuvent pas toujours être réglés de façon fructueuse par la logique des opérations formelles. Il semble tout à fait plausible que les adultes soient poussés vers des formes de pensée plus pragmatiques et relativistes, et qu'ils n'utilisent la pensée opératoire formelle qu'à l'occasion, ou pas du tout. Labouvie-Vief affirme que l'on ne doit pas considérer ce changement comme une perte ou une détérioration, mais comme une adaptation raisonnable à un ensemble différent de tâches cognitives.

Quotient intellectuel et pensée postformelle

- Quels sont les résultats des études transversales et longitudinales effectuées sur la stabilité du Q.I.?
- Expliquez ce que Cattell et Horn appellent l'intelligence cristallisée et l'intelligence fluide.
- Comment l'intelligence cristallisée et l'intelligence fluide évoluent-elles avec les années ?
- Expliquez les trois conceptions de la pensée postformelle.

Concepts et mots clés

- **intelligence cristallisée** (p. 330) • **intelligence fluide** (p. 330)
- **pensée dialectique** (p. 333)

CHANGEMENTS DU FONCTIONNEMENT COGNITIF

Quand ils étudient les changements du fonctionnement cognitif à l'âge adulte moyen, les psychologues du développement arrivent à des conclusions relativement semblables à celles obtenues par le modèle de Denney et l'étude longitudinale de Schaie. Autrement dit, une corrélation semble exister entre un manque d'exercice mental et une diminution des aptitudes mnésiques et cognitives, mais on ne trouve de déficits importants qu'après 60 ou 65 ans. Les travaux portant sur l'intelligence cristallisée (vocabulaire et connaissances générales) confirment que les performances intellectuelles se maintiennent tout au long de l'âge adulte moyen. On observe cependant que, à la fin de l'âge adulte moyen, l'intelligence fluide (vitesse de réaction, raisonnement abstrait et traitement de l'information) commence à décliner.

La figure 9.7, qui présente des résultats de l'étude longitudinale sur le vieillissement de Baltimore (Baltimore Longitudinal Study of Aging), illustre cette dernière observation (Giambra *et al.*, 1995). La figure de gauche montre les changements longitudinaux dans le vocabulaire chez 1 163 hommes. Chaque point de la ligne indique la quantité de changements (augmentation ou diminution) dans le vocabulaire au cours des 6 à 9 années précédentes pour les hommes de chaque groupe d'âge. Par exemple, les hommes âgés de 52 à 57 ans ont connu une légère augmentation de leur vocabulaire depuis le premier test qui a été effectué 6 à 9 ans plus tôt. Le déclin apparent du vocabulaire ne s'observe que chez les 64-69 ans et cette diminution est relativement faible.

La figure de droite présente une analyse semblable des changements dans les scores touchant la mémoire selon une mesure appelée le « test de rétention visuelle de Benton ». Dans ce test, on montre au sujet une figure géométrique pendant 10 secondes et, immédiatement après, il doit essayer de la reproduire sur une feuille de papier. Les données de la figure indiquent des changements dans le nombre d'erreurs effectuées par le sujet dans cette tâche depuis les 6 à 9 dernières années. On peut remarquer que le déclin commence entre 46 et 51 ans, quoiqu'il demeure relativement faible jusqu'à la tranche d'âge 64-69 ans, pour connaître une augmentation marquée par la suite. Ce modèle du maintien ou d'une diminution légère et graduelle au cours des années de l'âge adulte moyen, qui s'accélère après 65 ans, est observé dans la plupart des études de ce type. Ces résultats viennent appuyer ceux du psychologue Walter Schaie (1983b, p. 127) : « Je suis arrivé à la conclusion générale que l'on ne peut déceler des changements fiables et reproductibles dans les habiletés psychométriques avant l'âge de 60 ans. Par contre, des diminutions significatives peuvent être observées dans toutes les habiletés vers l'âge de 74 ans. »

CAPACITÉ DE MÉMORISATION

Les études sur la capacité de mémorisation au début de l'âge adulte et les études sur l'intelligence fluide ont fourni des résultats très similaires. En moyenne, les jeunes adultes obtiennent de bien meilleurs résultats que les adultes plus âgés. Il existe cependant d'importantes variations individuelles pour tous les tests de mémoire. En moyenne, le déclin est parfois, mais pas toujours, plus lent lorsqu'on utilise des tâches de mémorisation pratiques plutôt que des problèmes de laboratoire artificiels.

Les évaluations de la mémoire à court terme (pour un court laps de temps, par exemple un numéro de téléphone que l'on vient de chercher et que l'on compose immédiatement) révèlent généralement une baisse des résultats avec l'âge. Les évaluations de la mémoire à long terme (pour longtemps ou de façon permanente, comme le numéro de téléphone d'un ami, un poème ou une expression dans une langue étrangère) sont tout de même plus marquées selon les différences d'âge. Le processus de mémorisation à long terme (processus appelé *encodage* par les théoriciens de la mémoire) et le processus de récupération semblent moins fonctionnels chez les adultes âgés comparativement aux jeunes adultes (Salthouse, 1991). Nous aborderons ce thème de façon plus détaillée au chapitre 13.

Les études portant sur la fonction mnésique à l'âge adulte moyen incluant rarement des personnes de cet âge, il est difficile d'en tirer des conclusions claires. Généralement, les chercheurs comparent de très jeunes adultes, comme les collégiens, à des adultes de 60 ou 70 ans. Quand ils trouvent des différences entre les deux groupes, ils concluent souvent que le rendement des adultes d'âge moyen se situe quelque part entre les deux. En d'autres mots, ils supposent, peut-être à tort, que la fonction mnésique diminue régulièrement, de manière linéaire, tout au long de l'âge adulte.

Par contre, il est reconnu que l'expérience subjective de l'oubli augmente avec l'âge. Plus nous vieillissons, plus nous nous imaginons que notre mémoire fait défaut (Commissaris, Ponds et Jolles, 1998). Cependant, il se peut que, dans la vie quotidienne des adultes d'âge moyen, les demandes de mémorisation soient plus grandes que dans celle des jeunes adultes. Comme la mémoire à court terme (mémoire de travail) est limitée, plus le nombre d'informations à mémoriser en même temps est grand, plus le risque d'en oublier augmente.

De plus, une augmentation des expériences subjectives de l'oubli peut devenir un outil pour la métamémoire. Non seulement les adultes d'âge moyen sont conscients de

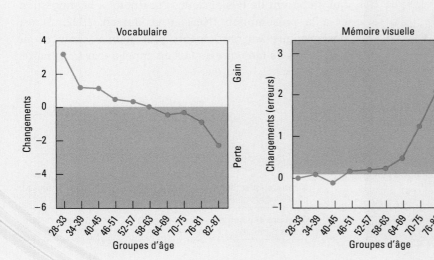

Figure 9.7
Changements du vocabulaire et de la mémoire visuelle à l'âge adulte.
Chaque point montre la quantité de changements survenus (augmentation ou diminution) sur une période de 6 à 9 ans chez des hommes participant à l'étude longitudinale sur le vieillissement de Baltimore. La figure de gauche présente les changements dans les scores du vocabulaire, alors que la figure de droite présente les changements associés à la mémoire visuelle à court terme. (*Source :* Giambra *et al.*, 1995, adaptation des figures 3 et 4, p. 131-132.)

leur capacité de mémorisation (bonne ou mauvaise), mais ils sont également très habiles à compenser les limites de leur mémoire par l'emploi d'aide-mémoire ou d'*indices*. Ainsi, une personne d'âge moyen qui sait qu'elle peut oublier l'endroit où elle a stationné sa voiture prend la peine de noter des repères qui l'aideront à s'en souvenir. Cela est peut-être dû au fait que les adultes d'âge moyen, contrairement aux adultes plus âgés, continuent d'avoir un sens aigu de l'efficacité de leur mémoire (Lineweavert et Hertzog, 1998). En d'autres mots, ils croient que leurs efforts feront une différence, donc ils travaillent activement pour améliorer leur mémoire.

Néanmoins, il semble y avoir de véritables différences dans la capacité de mémorisation entre les jeunes adultes et les adultes d'âge moyen. Par exemple, la mémoire visuelle, notamment la capacité de se rappeler un objet qu'on a vu seulement pendant quelques secondes, diminue à l'âge adulte moyen (Fahle et Daum, 1997; Giambra *et al.*, 1995). La différence est aussi plus marquée si le stimulus visuel est complexe et que l'intervalle entre la présentation et le rappel est long. Par contre, la mémoire pour les stimuli auditifs semble rester stable tout au long de l'âge adulte.

Les mémorisations plus complexes, comme se rappeler une liste de mots et un extrait d'un texte, diminuent progressivement, mais généralement pas avant l'âge de 55 ans (Zelinski et Burnight, 1997). Une recherche effectuée auprès de personnes de différents âges révèle que la capacité de mémorisation à court terme demeure très stable pendant tout l'âge adulte. Ce qui change apparemment, c'est l'habileté à utiliser efficacement ce potentiel disponible (Lincourt, Rybash et Hoyer, 1998).

Il n'est pas plus difficile à l'âge adulte moyen qu'au début de l'âge adulte de se rappeler ce qu'on a lu dans le journal. Cependant, l'adulte d'âge moyen se concentrera moins sur les détails et plus sur l'essentiel.

Mémoires sémantique et épisodique

Pour obtenir un autre point de vue sur les changements de la mémoire relatifs à l'âge, les chercheurs peuvent étudier comment les jeunes adultes et les adultes d'âge moyen réussissent à coder différents types d'informations. La **mémoire épisodique** est constituée des souvenirs d'événements ou de faits personnels, alors que la **mémoire sémantique** regroupe les connaissances générales. Par exemple, les souvenirs qu'une personne conserve de ses vacances à Hawaii relèvent de la mémoire épisodique, tandis que les connaissances qu'elle acquiert sur Hawaii relèvent de la mémoire sémantique.

Les chercheurs ont découvert que les jeunes adultes et les adultes d'âge moyen diffèrent davantage sur le plan de la mémoire épisodique que sur celui de la mémoire sémantique (Maylor, 1998; Nilsson, Baeckman, Erngrund et Nyberg, 1997). Par exemple, une personne d'âge moyen qui assiste à un match de football peut oublier où elle a stationné sa voiture (mémoire épisodique), mais elle se souviendra des règlements de base du jeu (mémoire sémantique).

Toutefois, il serait simpliste d'affirmer que l'encodage de l'information épisodique est plus efficace chez les jeunes adultes que chez les adultes âgés. Selon une recherche, l'âge n'a aucun effet sur la mémoire des épisodes exceptionnels, souvent appelée *mémoire flashbulb* (mémoire instantanée). Par exemple, si on demandait à de jeunes adultes, à des adultes d'âge moyen et à des adultes plus âgés de se rappeler où ils se trouvaient et ce qu'ils faisaient quand ils ont entendu la nouvelle de l'attentat du 11 septembre 2001 à New York, les répondants de tous les âges se souviendraient de l'événement très clairement. Les plus jeunes seraient probablement mieux en mesure de fournir des détails. Cependant, une autre recherche sur ces types de mémoire révèle que la mémoire des détails qui entourent de tels épisodes est sujette à la suggestion et à la présomption (Neisser et Harsch, 1992). Il est possible que les participants plus jeunes compensent leurs trous de mémoire en faisant appel à leur imaginaire.

Mémoire épisodique : Conservation dans le cerveau des souvenirs d'événements personnels.

Mémoire sémantique : Conservation dans le cerveau des connaissances générales.

Si nous nous fions aux résultats des recherches, ces danseurs amateurs d'âge adulte moyen conserveront sans doute mieux leurs habiletés intellectuelles au cours de la décennie suivante que leurs pairs sédentaires. Qu'est-ce qui explique cette différence ? Serait-ce seulement le fait de pratiquer régulièrement une activité physique ? Ou est-ce que les personnes actives possèdent des caractéristiques différentes qui les amènent à avoir une meilleure performance intellectuelle ?

Nouveaux apprentissages

Les adultes d'âge moyen semblent aussi aptes que les jeunes adultes à apprendre de nouvelles informations et à les mémoriser. En effet, les étudiants adultes réussissent mieux dans leurs études que leurs pairs plus jeunes (Burley, Turner et Vitulli, 1999). Selon les psychologues, cette différence serait attribuable à la motivation et au bagage de connaissances et d'expériences que possèdent les adultes.

Fait intéressant, selon certains sondages, les employeurs considéraient que les jeunes adultes étaient plus en mesure d'acquérir de nouvelles compétences professionnelles que les adultes d'âge moyen. Cependant, certaines recherches semblent indiquer qu'il y a peu, sinon pas, de différences entre ces deux groupes d'âge dans le rythme d'apprentissage de nouvelles compétences professionnelles (Forte et Hansvick, 1999). Il en va de même des habiletés informatiques qui, une fois acquises, sont appliquées avec un rendement égal.

Processus schématique

La documentation sur les changements de la mémoire associés à l'âge appuie aussi le point de vue de Labouvie-Vief, selon lequel les changements cognitifs à l'âge adulte entraîneraient non seulement un déclin, mais aussi une réorganisation structurale. Cette chercheure prétend que les adultes d'âge moyen auraient tendance à délaisser l'approche formelle (ou logique et analytique) qui domine la pensée à l'adolescence et au début de l'âge adulte, et opteraient davantage pour une approche pragmatique axée sur la résolution des problèmes quotidiens, un processus que certains psychologues du développement qualifient de *schématique* (Labouvie-Vief, 1990). En d'autres mots, un adulte d'âge moyen peut, pour traiter l'information, utiliser des schèmes qui sont qualitativement différents de ceux qu'il utilisait quand il était plus jeune. Cette préférence peut conduire l'adulte d'âge moyen à être plus attentif aux informations globales (partagées par tout le monde) qu'aux détails. Sur le plan de la mémoire, cette différence dans le processus schématique peut se manifester par une diminution de la mémoire pour les détails superficiels, accompagnée d'une augmentation de la mémoire pour les thèmes et les significations.

Une étude dans laquelle des chercheurs ont demandé à des adultes de différents âges de lire une histoire, puis de l'écrire tout de suite après, vient appuyer cette hypothèse (Adams, 1991). Les adultes plus jeunes relataient particulièrement des événements ou des actions précises de l'histoire, tandis que les adultes d'âge moyen s'arrêtaient davantage sur les motivations psychologiques des personnages et avaient tendance à interpréter l'histoire. Il y aurait donc avec l'âge un changement dans le processus schématique, mais aussi dans le processus d'encodage : moins de détails, mais plus d'information récapitulative.

PRODUCTIVITÉ ET CRÉATIVITÉ

Une autre question sur la fonction cognitive au milieu de l'âge adulte — peut être plus directement reliée à la vie professionnelle — porte sur la créativité et la productivité. Les dirigeants d'âge moyen sont-ils plus doués pour la résolution des problèmes professionnels ? Les scientifiques d'âge moyen sont-ils aussi créatifs que leurs jeunes collègues ?

De ses premières recherches, Lehman (1953) conclut que la créativité, tout comme la fonction physique, est optimale au début de l'âge adulte. Il est arrivé à cette conclusion en examinant une série de découvertes scientifiques importantes faites au cours des cent dernières années, puis en déterminant l'âge qu'avait chaque scientifique au moment de sa découverte. Surtout dans le domaine des sciences et des mathématiques, la plupart d'entre eux étaient très jeunes. L'exemple classique est celui d'Einstein, qui n'avait que 26 ans lorsqu'il a élaboré la théorie de la relativité.

Ces observations sont intéressantes, mais la méthodologie de Lehman nous semble inappropriée. Nous préférons celle de Dean Simonton (1991, 2000), qui a observé la créativité et la productivité, du début à la fin de leur vie adulte, de milliers de scientifiques connus du 19e et du début du 20e siècle. Il a ainsi pu déterminer l'âge auquel ces personnes (presque tous des hommes) avaient publié leur premier ouvrage important, leur meilleur ouvrage et leur dernier ouvrage. Pour toutes les disciplines scientifiques représentées dans cet échantillon inhabituel, 40 ans constituait l'âge moyen auquel ces personnes avaient produit leurs meilleurs travaux. La plupart de ces personnes publiaient encore des recherches importantes, voire remarquables, durant la quarantaine et la cinquantaine. En fait, Simonton estime que les meilleurs travaux ont été réalisés à l'âge de 40 ans, non pas parce que le cerveau travaille mieux à cet âge, mais parce que la productivité est à son sommet. Il paraît donc logique que les meilleurs travaux voient le jour au cours de la plus grande période d'activité.

La productivité et la créativité des scientifiques modernes évoluent de façon similaire. Les mathématiciens, les psychologues, les physiciens et les autres scientifiques contemporains ont naturellement atteint leur productivité maximale — le plus grand nombre d'articles publiés en une année — lorsqu'ils étaient âgés de 40 ans environ. Par ailleurs, lorsqu'on analyse la qualité de la recherche, par exemple en comptant le nombre de fois que chaque recherche est citée par des collègues, on découvre que la qualité demeure élevée jusqu'à l'âge de 50 ou 60 ans (Horner, Rushton et Vernon, 1986; Simonton, 1988). Chez les musiciens et les autres artistes, la créativité maximale peut s'exprimer tardivement ou persister longtemps. Simonton (1989) a demandé à des juges d'évaluer les qualités esthétiques de 172 compositions musicales souvent jouées. Celles qui ont été considérées comme des chefs-d'œuvre avaient souvent été écrites tardivement, par exemple *Le chant du cygne*.

Il est aussi possible d'aborder la question de l'âge et de la créativité ou de l'efficacité professionnelle de façon expérimentale. C'est ce qu'ont fait Siegfried Streufert et ses collaborateurs (Streufert *et al.*, 1990) dans une étude

particulièrement intéressante. Ils ont créé des équipes de décideurs composées de quatre cadres moyens issus du public et du privé. Dans 15 des équipes, les participants étaient tous âgés de 28 à 35 ans. Les membres de 15 autres équipes étaient tous âgés de 45 à 55 ans et les 15 équipes restantes comptaient des adultes de 65 à 75 ans. On a donné à chaque équipe une tâche fictive très complexe : établir un plan de gestion pour un pays imaginaire en voie de développement appelé le Shamba. On leur a distribué au préalable une série d'informations sur le Shamba et ils pouvaient obtenir des renseignements supplémentaires pendant leur travail à l'aide d'un ordinateur, qui était programmé, à leur insu, de façon à rendre l'expérience des différents groupes aussi semblable que possible. Tous les groupes ont fait face à une crise au Shamba à peu près au même moment et, peu importaient les solutions proposées par le groupe, l'ordinateur a plus tard suggéré une solution pour résoudre la crise.

Streufert a enregistré les questions, les suggestions ainsi que les plans échafaudés par chaque groupe. À partir de ces données, il a créé une série d'évaluations du niveau d'activité, de la vitesse, de la diversité et de la valeur stratégique de la performance de chaque groupe. Il a observé des différences notables entre les groupes au début de l'âge adulte et les groupes d'âge adulte moyen en comparant seulement 3 des 16 critères d'évaluation. Les équipes plus jeunes ont davantage agi (elles prenaient plus de décisions et passaient plus à l'action); elles ont demandé plus d'informations (pas toutes nécessaires); elles ont suggéré une plus grande variété d'actions à entreprendre. Cependant, sur le plan de la stratégie, de la planification, de la gestion des priorités et de l'utilisation des informations obtenues, il n'y avait aucune différence entre les jeunes adultes et les adultes d'âge moyen. Les équipes d'âge avancé avaient une performance inférieure sur presque tous les plans. Leurs interactions étaient orientées vers l'exécution des tâches, mais de façon diffuse. Quant aux équipes d'âge moyen, elles ne demandaient que les informations nécessaires et les utilisaient adéquatement.

Bien qu'elle soit unique, transversale et non longitudinale, cette étude permet d'arriver à peu près aux mêmes conclusions que la documentation sur le vieillissement et la productivité scientifique. Les adultes d'âge moyen semblent conserver tant leur aptitude à exécuter un travail très productif de haut niveau que leur aptitude à résoudre des problèmes.

Développement cognitif

- Quels changements observe-t-on sur le plan de l'intelligence cristallisée et de l'intelligence fluide selon la recherche de Giambra (1995) ?

- Quels changements associés au vieillissement touchent la mémoire ?

- Quels sont les problèmes méthodologiques auxquels se heurtent les chercheurs qui étudient les changements dans les habiletés de mémorisation à l'âge adulte moyen ?

- Expliquez les notions de mémoire sémantique et de mémoire épisodique. Quelle est la performance de l'adulte d'âge moyen concernant ces deux types de mémoires ?

- Les adultes d'âge moyen peuvent-ils mémoriser de nouvelles informations aussi efficacement que les jeunes adultes ? Expliquez votre réponse.

- Expliquez la notion de processus schématique.

- À quelle période de l'âge adulte atteint-on le niveau optimal de productivité et de créativité selon Lehman ? selon Simonton ? selon Streufert ?

- Décrivez les différentes approches méthodologiques utilisées dans l'étude de la productivité et de la créativité à l'âge adulte.

Concepts et mots clés

- **encodage** (p. 335) • **mémoire épisodique** (p. 336) • **mémoire sémantique** (p. 336)

UN DERNIER MOT

Nombreux parmi nous sont ceux qui pensent que le début de l'âge adulte constitue les meilleures années de la vie, les années de rêve. Sur le plan physique, ils ont raison, car les capacités de leur corps sont à leur sommet entre 20 et 40 ans. Tous les aspects du fonctionnement cognitif basés sur la rapidité et l'efficacité sont aussi à leur niveau maximal. Cependant, le début de l'âge adulte comporte aussi des risques sur le plan de la santé physique (MTS) et de la santé mentale. De plus, les décisions à prendre au sujet des études et du choix de carrière sont lourdes de conséquences. C'est pourquoi le jeune adulte doit utiliser ses capacités physiques et intellectuelles maximales afin de relever les défis de l'existence et d'éviter les nombreux écueils qui jalonnent son parcours.

De leur coté, les adultes d'âge moyen ont souvent le sentiment d'être à l'apogée de leur pouvoir, d'avoir appris à «manier les ficelles» et d'être capables de faire avancer les choses. Certains sentent qu'ils ont accumulé un bagage d'expériences. D'autres disent voir leur vie d'une façon plus holistique, avec une plus grande perspective. De plus, ils possèdent un plus grand sentiment de maîtrise et ils constatent que leurs choix sont plus diversifiés, étant donné que certains rôles dominants du début de l'âge adulte sont devenus beaucoup moins exigeants. Cependant, le déclin discret de cette période sur les plans physique et cognitif confère à plusieurs le sentiment croissant d'être limités par le temps. Par conséquent, les adultes d'âge moyen tournent souvent leur attention vers de nouveaux défis et des projets qu'ils avaient reportés.

RÉSUMÉ

ÉTUDE DU DÉVELOPPEMENT AU COURS DE LA VIE ADULTE

- Bien qu'il s'agisse d'une division arbitraire, nous pouvons découper l'âge adulte en trois périodes, sachant que le début de l'âge adulte englobe la période de 20 à 40 ans environ.

- Lorsqu'on observe les changements de la vie adulte, il est difficile de distinguer les effets de la simple maturation (ce que nous appelons le vieillissement primaire) de ceux attribuables à des facteurs environnementaux (l'expérience particulière d'un individu, la maladie, etc.).

- Il existe d'importantes différences individuelles dans la rapidité du déclin physique et cognitif. Certaines de ces différences semblent attribuables aux habitudes de vie. Les adultes qui ont une bonne hygiène de vie présentent des risques de mortalité et de maladie moins élevés à tout âge.

- Le soutien social et le sentiment de maîtrise personnelle influent également sur le taux de maladie et de mortalité, surtout dans les moments de stress.

- Plusieurs notions se rattachent au sentiment de maîtrise : Bandura parle d'efficacité subjective, Rotter, de maîtrise interne ou externe, Seligman, d'optimisme et d'impuissance, et Rodin, de la perception de la maîtrise.

- Le fait d'exercer ses habiletés physiques ou cognitives peut améliorer la performance à tout âge, bien que, selon le modèle de Denney, le niveau de performance maximale diminue avec le temps.

DÉVELOPPEMENT PHYSIQUE

DÉBUT DE L'ÂGE ADULTE

- Il est clair néanmoins que les adultes atteignent le sommet de leurs capacités physiques et cognitives entre l'âge de 20 et 40 ans. Durant ces années, une personne possède plus de tissu musculaire, plus de calcium dans ses os, une plus grande masse cérébrale, une meilleure acuité sensorielle, une plus grande capacité aérobique et un système immunitaire plus efficace.

- Ces différences sont moins évidentes lorsqu'on étudie, de façon longitudinale, le cas de personnes en bonne santé, bien que l'on constate tout de même un certain déclin.

- Les études sur la fonction cardiaque et la fonction pulmonaire ne révèlent aucun changement lié à l'âge au repos, mais la performance décline avec l'âge lorsque les tests sont effectués pendant ou après l'exercice.

- De nombreux changements physiques contribuent à une perte de vitesse avec l'âge, qu'il s'agisse de la vitesse de déplacement ou du temps de réaction à certains stimuli. Ce déclin est même observé (ou spécialement observé) chez les meilleurs athlètes.

- Les changements qui touchent le système immunitaire et qui augmentent la vulnérabilité à la maladie peuvent être particulièrement révélateurs du processus de vieillissement.

- L'augmentation, avec l'âge, de la maladie et de l'invalidité est plus précoce et plus importante chez les adultes des classes défavorisées que chez les adultes des classes favorisées, même lorsque les habitudes de vie et les niveaux de stress sont pris en considération.

- Contrairement à d'autres maladies, les maladies transmises sexuellement (MTS) sont plus courantes chez les jeunes adultes que chez les adultes plus âgés.

- Le taux de maladie mentale est aussi supérieur chez les jeunes adultes, car ceux-ci sont plus susceptibles de souffrir de troubles anxieux, de dépression, d'abus d'alcool, de toxicomanie et de troubles de la personnalité.

ÂGE ADULTE MOYEN

- Les adultes croient, en général, qu'un déclin physique et cognitif important commence à apparaître au milieu de l'âge adulte. En fait, ces changements sont relativement minimes et graduels.

- De nombreuses capacités physiques n'accusent que de faibles changements dans la quarantaine, la cinquantaine et la soixantaine, alors que quelques-unes présentent des changements importants.

- La superposition de couches sur le cristallin de l'œil, associée à une perte d'élasticité, entraîne une nette diminution de l'acuité visuelle dans la quarantaine ou la cinquantaine. La perte auditive est plus graduelle.

- La masse osseuse décline considérablement au milieu de la vie adulte, surtout chez la femme, un peu avant la ménopause. Une décalcification plus rapide se produit chez les femmes qui ont une ménopause précoce, qui sont trop maigres, qui font peu d'exercice et qui ont un régime alimentaire à faible teneur en calcium.

- La perte de la capacité de reproduction, appelée climatère, se produit très graduellement chez l'homme, mais rapidement chez la femme. Peu à peu, les hommes produisent moins de sperme viable et de liquide séminal.

- La ménopause survient généralement entre 49 et 51 ans à la suite d'une série de changements hormonaux, comprenant le déclin rapide des taux d'œstrogènes et de progestérone. Les bouffées de chaleur constituent l'un des principaux symptômes de la ménopause. Contrairement à la croyance populaire, aucun symptôme psychologique n'accompagnerait la ménopause.

- La grande majorité des personnes d'âge adulte moyen demeurent sexuellement actives, mais la fréquence de cette activité diminue avec les années.

- L'importance de l'exercice demeure un thème primordial dans les recherches sur les capacités physiques et cognitives au milieu de l'âge adulte. Les adultes qui font régulièrement beaucoup d'exercice semblent mieux conserver leurs habiletés que les personnes sédentaires.

- Pour toutes les évaluations des capacités physiques et cognitives, les adultes appartenant à une classe socioéconomique défavorisée présentent un maintien plus faible ou un déclin plus important.

- Le taux de maladie et de mortalité augmente de façon considérable au milieu de la vie adulte. Les jeunes adultes ont des maladies plus aiguës, mais les adultes d'âge moyen ont des maladies plus chroniques. Les femmes sont plus atteintes de maladies que les hommes, même si elles meurent plus tard.

- Les deux principales causes de décès au milieu de l'âge adulte sont le cancer et les maladies du cœur. Les taux de mortalité pour chacune de ces maladies sont plus élevés chez les hommes.

- Les adultes d'âge moyen présentent moins de troubles affectifs que les jeunes adultes. Peu de preuves viennent confirmer l'existence d'une « crise du milieu de la vie ».

DÉVELOPPEMENT COGNITIF

- L'évaluation des fonctions cognitives, tout comme celle des fonctions physiques, permet de constater un déclin des habiletés associées à l'intelligence fluide (vitesse de réaction, quantité de problèmes résolus dans un temps donné) avec l'âge. Cependant, ce déclin est plus tardif pour les habiletés exercées de manière optimale et associées à l'intelligence cristallisée, telles que l'apprentissage du vocabulaire, la mémorisation quotidienne et la résolution de problèmes courants.

- Un changement de la structure cognitive est possible pendant la vie adulte. Cependant, la description des stades qui suivent la période de la pensée opératoire formelle varie d'un théoricien à l'autre. Labouvie-Vief parle d'une transition vers une pensée plus spécialisée et pragmatique, Arlin fait état d'un passage d'une période de résolution de problèmes à une période de recherche de problèmes, et Perry pense que ce changement cognitif se fait en quatre étapes.

- Les habiletés intellectuelles sont généralement bien conservées au milieu de la vie, sauf les habiletés non exercées ou qui exigent de la rapidité (intelligence fluide). Le Q.I. s'améliore généralement, tout comme la richesse du vocabulaire (intelligence cristallisée).

- Les jeunes adultes et les adultes d'âge moyen diffèrent davantage sur le plan de la mémoire épisodique (événements) que sur le plan de la mémoire sémantique (connaissances). De plus, quand vient le temps d'acquérir de nouvelles connaissances, les adultes d'âge moyen semblent présenter les mêmes capacités d'apprendre et de mémoriser de nouvelles informations que les jeunes adultes.

- La productivité et la créativité semblent également demeurer relativement élevées au milieu de la vie adulte, du moins chez les sujets occupant des emplois exigeants, qui ont d'ailleurs fait l'objet de la plupart des recherches.

ÉTUDE DU DÉVELOPPEMENT À L'ÂGE ADULTE

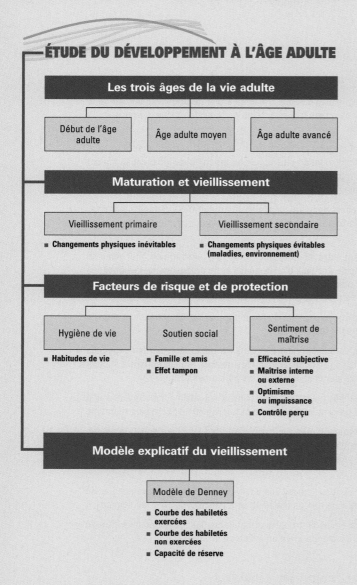

Les trois âges de la vie adulte

- Début de l'âge adulte
- Âge adulte moyen
- Âge adulte avancé

Maturation et vieillissement

Vieillissement primaire
- Changements physiques inévitables

Vieillissement secondaire
- Changements physiques évitables (maladies, environnement)

Facteurs de risque et de protection

Hygiène de vie
- Habitudes de vie

Soutien social
- Famille et amis
- Effet tampon

Sentiment de maîtrise
- Efficacité subjective
- Maîtrise interne ou externe
- Optimisme ou impuissance
- Contrôle perçu

Modèle explicatif du vieillissement

Modèle de Denney
- Courbe des habiletés exercées
- Courbe des habiletés non exercées
- Capacité de réserve

DÉVELOPPEMENT PHYSIQUE

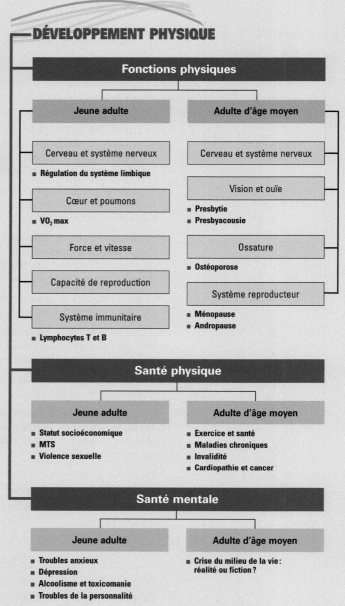

Fonctions physiques

Jeune adulte

Cerveau et système nerveux
- Régulation du système limbique

Cœur et poumons
- VO$_2$ max

Force et vitesse

Capacité de reproduction

Système immunitaire
- Lymphocytes T et B

Adulte d'âge moyen

Cerveau et système nerveux

Vision et ouïe
- Presbytie
- Presbyacousie

Ossature
- Ostéoporose

Système reproducteur
- Ménopause
- Andropause

Santé physique

Jeune adulte
- Statut socioéconomique
- MTS
- Violence sexuelle

Adulte d'âge moyen
- Exercice et santé
- Maladies chroniques
- Invalidité
- Cardiopathie et cancer

Santé mentale

Jeune adulte
- Troubles anxieux
- Dépression
- Alcoolisme et toxicomanie
- Troubles de la personnalité

Adulte d'âge moyen
- Crise du milieu de la vie : réalité ou fiction ?

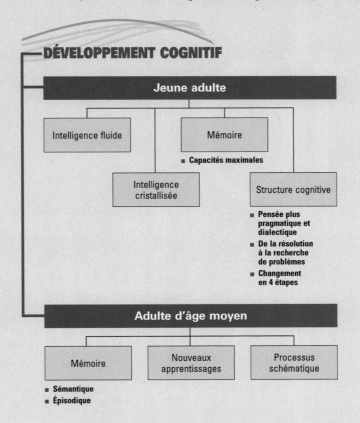

CHAPITRE 10

Le début de l'âge adulte:
développement
de la personnalité
et des relations sociales

*L*e temps des Fêtes est propice aux réunions de famille. C'est une occasion de revoir les cousins, les cousines, les oncles et les tantes. Je me souviens, lorsque j'arrivais avec mon ami que je fréquentais déjà depuis un certain temps, la question incontournable de mes tantes portait toujours sur nos projets de mariage. Quelques années plus tard, alors que j'étais toujours avec le même partenaire amoureux, mes tantes ont commencé à me questionner sur mes projets de maternité. Cette petite anecdote illustre bien le fait que, au début de l'âge adulte, l'horloge biologique est totalement inaudible, tandis que l'horloge sociale fait un vacarme assourdissant. En effet, c'est au cours de cette période que nous prenons notre place dans la société. Pour la plupart d'entre nous, cela signifie apprendre les trois principaux rôles de la vie adulte, soit ceux de travailleur, de conjoint et de parent, et les jouer.

DÉVELOPPEMENT DE LA PERSONNALITÉ

Nous avons vu dans les chapitres précédents que la personnalité est le produit du tempérament de base d'un individu (Rothbart, Ahadi et Evans, 2000), des influences du milieu et du concept de soi (compréhension de soi et de l'environnement). La tâche de l'adolescent consiste à se construire une identité, alors que celle du jeune adulte est de développer son intimité à travers les différents rôles sociaux qu'il doit jouer: son rôle de conjoint, son rôle de parent et son rôle de travailleur.

ÉVOLUTION DE LA PERSONNALITÉ

C'est peut-être à cause des effets réciproques de ces trois rôles majeurs que l'on observe de très intéressants changements de la personnalité au début de l'âge adulte. Toutefois, nous ne devenons pas tous identiques. Au contraire, le tempérament de base (traits de la personnalité) demeure pratiquement inchangé au cours de cette période, même si on note un ensemble de changements communs à toutes les personnes. Nous allons maintenant nous pencher sur la continuité et les changements de la personnalité.

Continuité de la personnalité

Dans les chapitres précédents, nous avons parlé des diverses facettes de la personnalité de l'enfant et de l'adolescent, notamment les dimensions du tempérament telles que l'irritabilité, le degré d'activité ou la sociabilité. On retrouve ces mêmes caractéristiques dans des études sur la personnalité de l'adulte, particulièrement dans les travaux de Robert McCrae et Paul Costa, qui sont des figures de proue dans ce domaine (Costa et McCrae, 1980b, 1994a,

1994b; McRae et Costa, 1987, 1994). Ces chercheurs ont défini cinq traits de la personnalité, qui demeurent tous très stables au fil des ans et des événements: la *tendance à la névrose* (ou l'*instabilité émotionnelle*), l'*extraversion* (par opposition à l'*introversion*), l'*ouverture à l'expérience*, l'*amabilité* et l'*intégrité*. Les chercheurs qui s'intéressent à la personnalité s'entendent pour dire que ces cinq traits principaux, décrits dans le tableau 10.1, englobent la majeure partie des variations de la personnalité chez les individus.

On peut facilement faire des rapprochements entre les cinq traits de la personnalité à l'âge adulte et les dimensions du tempérament de l'enfant, par exemple le tempérament difficile et la tendance à la névrose, le tempérament facile et l'amabilité. Le niveau d'activité reflète un aspect de l'extraversion, tout comme la sociabilité. S'il existait un ordre universel, on devrait trouver une corrélation entre les caractéristiques du tempérament, évaluées au début de l'enfance, et les cinq traits de la personnalité à l'âge adulte. Jusqu'à maintenant, nous ne possédons aucune donnée longitudinale qui permettrait de vérifier cette hypothèse.

On dispose néanmoins de nombreuses données démontrant la continuité de ces cinq traits à l'âge adulte, dont celles de la colonne «Stabilité sur 6 ans» du tableau 10.1 (Ahadi et Rothbart, 1994; Digman, 1994). Ces résultats proviennent d'une étude longitudinale qui a duré 6 ans auprès d'un groupe de 983 personnes (hommes et femmes), âgés de 21 à 76 ans au moment du premier test (Costa et McCrae, 1988). Les chiffres obtenus représentent la corrélation entre les scores obtenus aux premier et second tests, qui ont été effectués à 6 ans d'intervalle. Il est évident que les individus continuent de se percevoir ou de se décrire

Tableau 10.1   *Les cinq principaux traits de la personnalité, définis par McCrae et Costa, et leur continuité au fil des ans*

Traits de la personnalité	Caractéristiques de l'individu	Composantes possibles du tempérament	Stabilité sur 6 ans
Tendance à la névrose (ou instabilité émotionnelle)	Anxieux, humeur instable, geignard, prétentieux, émotif, vulnérable.	Réponse émotionnelle négative, irritabilité.	0,83
Extraversion	Affectueux, voluble, actif, enjoué, passionné, esprit grégaire.	Niveau d'activité élevé, sociabilité.	0,82
Ouverture à l'expérience	Imaginatif, créatif, original, curieux, libéral, prêt à explorer ses sentiments.	Approche émotionnelle positive, volubilité.	0,83
Amabilité	Doux, fiable, généreux, consentant, indulgent, facile à vivre.	Comportement d'approche, faible inhibition.	0,63
Intégrité	Consciencieux, travailleur, bien organisé, ponctuel, ambitieux, persévérant.	Bonne capacité d'attention et de persévérance.	0,79

(*Sources:* Ahadi et Rothbart, 1994; John *et al.*, 1994, tableau 1, p. 161; McCrae et Costa, 1990. Les corrélations sont tirées de McCrae et Costa, tableau 4, 1988.)

de la même façon pendant cette courte période. Les corrélations étaient essentiellement les mêmes pour les hommes et pour les femmes, ainsi que pour les jeunes adultes, les adultes d'âge moyen (25 à 56 ans) et les adultes d'âge avancé (57 à 84 ans). Il est intéressant de noter que ce sont les jeunes adultes, au début de la vingtaine, qui démontrent la plus faible personnalité, comme si leur personnalité n'était pas tout à fait définie (Costa et McCrae, 1994a). De plus, à cet âge, les cinq traits de la personnalité sont modérément stables.

Des études longitudinales qui ont évalué les traits de la personnalité chez des enfants d'âge scolaire ont en outre permis de découvrir que ces traits étaient fortement associés au succès scolaire et aux habiletés sociales durant l'adolescence et au début de l'âge adulte (Shiner, 2000). De telles études longitudinales nous indiquent non seulement que les traits de la personnalité sont repérables et stables dès le milieu de l'enfance, mais également qu'ils sont extrêmement importants. L'évaluation de ces traits durant l'enfance pourrait permettre d'identifier les enfants qui ont un potentiel de délinquance et de planifier une intervention.

Les mesures de la personnalité au milieu de l'enfance permettent, par exemple, de prédire les comportements antisociaux, tels que le vol à l'étalage à l'adolescence et, plus tard, à l'âge adulte (John *et al.*, 1994 ; Shiner, 2000). La figure 10.1 présente une comparaison des traits de la personnalité de jeunes délinquants et de jeunes non délinquants. Ces données semblent indiquer que nous conservons notre personnalité tout au long de notre vie. Nous abordons nos nouveaux rôles au début de l'âge adulte d'une manière qui reflète les caractéristiques de base de notre personnalité. Ainsi, les individus qui présentent une tendance élevée à la névrose (instabilité émotionnelle) semblent avoir plus de difficulté à faire face aux tâches de la vie courante. Ils sont plus malheureux et moins satisfaits de leur vie (McCrae et Costa, 1990), et ils sont plus portés à divorcer.

Changements de la personnalité

Même si les traits de la personnalité demeurent constants pour chaque individu, il semble exister, au début de l'âge adulte, des changements communs associés à la personnalité. Plusieurs études longitudinales importantes utilisent des méthodes plus pointues pour mesurer la personnalité et couvrent un plus grand nombre d'années de la vie adulte. Ces études donnent à penser qu'il se produirait un ensemble de changements dans la personnalité qui nous semblent assez pertinents sur le plan théorique et intuitif. Chez les jeunes adultes, on observe une augmentation de certaines caractéristiques, telles que la confiance, l'estime de soi, l'indépendance et l'orientation vers la réussite.

C'est l'échantillon de l'étude longitudinale de Berkeley/Oakland qui fournit le meilleur regroupement de données. Dans cette étude, plusieurs centaines de sujets avaient été suivis de l'enfance jusqu'à l'âge de 50 ou 60 ans (Haan, 1981b ; Haan, Millsap et Hartka, 1986). Les caractéristiques de leur personnalité ont été mesurées à l'aide d'une technique inhabituelle, appelée *technique Q* ou *Q-sort*. D'autres chercheurs soulignent des changements similaires. Dans une étude sur des étudiantes du Mills College, Helson et Moane (Helson *et al.*, 1984 ; Helson et Stewart, 1994 ; Wink et

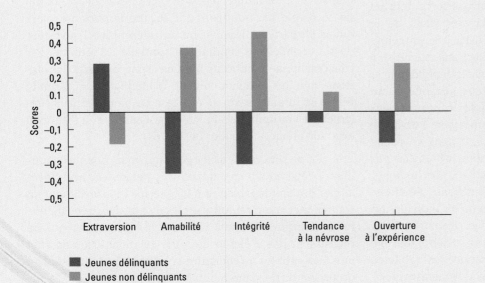

Figure 10.1
Traits de la personnalité des délinquants.
Le profil de la personnalité des délinquants âgés de 12 ans diffère considérablement de celui de leurs pairs du même âge non délinquants. (*Source :* John *et al.*, 1994, figure 1, p. 167.)

Helson, 1993) ont découvert qu'il se produisait peu de changements dans la personnalité entre 21 et 27 ans, mais que les jeunes femmes devenaient plus dominatrices (notamment plus confiantes) et plus indépendantes entre 27 et 43 ans.

Ces découvertes nous donnent à penser que, au début de l'âge adulte, il se produirait un changement important se traduisant par une plus grande autonomie, des efforts soutenus pour atteindre ses objectifs, une meilleure confiance en soi et une plus grande affirmation de soi. Le jeune adulte ne devient pas seulement physiquement indépendant de sa famille : il devient psychologiquement autonome. Ainsi, en même temps qu'il maîtrise les divers rôles du début de l'âge adulte, il gagne en assurance et il devient davantage en mesure de s'affirmer en tant qu'individu.

D'autres théoriciens expliquent les changements sous-jacents au début de l'âge adulte par le passage d'une définition externe de soi à une définition interne de soi (Loevinger, 1976, 1984). Durant la vingtaine, nous luttons tous pour apprendre l'ensemble des rôles définis et exigés par notre culture et nous nous laissons définir par des critères externes. Toutefois, ces rôles ne correspondent pas toujours à notre perception de nous-mêmes, et nous finissons par repousser les exigences trop strictes afin de définir notre propre individualité. Daniel Levinson utilise le terme *détribalisation* pour décrire ce changement. Il soutient que, vers la fin de la première période de l'âge adulte, l'adulte « devient plus critique envers la tribu, soit envers les groupes particuliers, les institutions et les traditions qui sont les plus significatifs pour lui, soit envers la matrice sociale de laquelle il se sent le plus près. Il est moins assujetti aux récompenses de la tribu, et il se questionne davantage sur les valeurs qu'elle véhicule (1978, p. 242) ».

Tous ces changements n'entrent pas forcément en conflit avec la continuité des principaux traits de la personnalité, décrits par McCrae et Costa. Une personne extravertie à 20 ans le sera toujours à 40 ans, même si, à cet âge, elle aura acquis une plus grande indépendance et une plus grande confiance en soi. Nous pensons qu'un ensemble de traits de personnalité associés au changement au cours du développement se superpose à un autre ensemble de traits stables. La façon dont nous abordons les tâches du début de l'âge adulte sera influencée par notre personnalité ou notre tempérament. Un individu avec une forte tendance à la névrose (instabilité émotionnelle) ne réagira pas de la même façon qu'un individu qui a une approche plus simple de la vie. Toutefois, nous devons tous faire face aux mêmes tâches au début de l'âge adulte, soit devenir autonome et apprendre les habiletés associées aux nouveaux rôles que nous devons assumer.

PERSPECTIVES THÉORIQUES

Nous venons de voir la continuité et les changements de la personnalité au début de l'âge adulte. Nous allons maintenant aborder la période cruciale que constitue le début de l'âge adulte tant sur le plan social que sur le plan affectif. Nous allons vous présenter deux approches théoriques, celle d'Erikson, qui met l'accent sur l'engagement dans l'intimité, et celle de Levinson, qui s'appuie sur la structure de vie.

Approche d'Erikson : développement psychosocial

Selon Erikson, l'opposition entre *intimité* et *isolement* constitue le stade, soit la tâche clé, du début de l'âge adulte. Le jeune adulte continue de développer sa personnalité en s'appuyant sur son identité d'adolescent. Erikson (dans Evans, 1969) définit l'intimité comme « la capacité de fusionner son identité avec celle d'une autre personne sans craindre de perdre un peu de soi-même ». Les personnes peuvent exprimer leurs sentiments et leurs opinions sans avoir peur de mettre fin à une relation ; elles peuvent aussi s'accorder une certaine indépendance sans se sentir menacées. Dans la notion d'intimité, on peut également inclure la préoccupation mutuelle du bonheur et du bien-être de l'autre. Ainsi, l'intimité ne sera possible que si les deux jeunes adultes sont déjà parvenus à définir clairement leur identité : par exemple, une identité faiblement développée pendant l'adolescence peut interférer avec l'intimité.

Les différences sexuelles dans les styles d'interactions constituent aussi un obstacle à l'intimité. L'intimité pour les femmes correspond généralement à l'ouverture de soi et à la communication. Une femme peut juger que sa relation intime avec son partenaire amoureux qui ne se révèle pas souffre d'une lacune importante, alors que la plupart des hommes ne considèrent pas l'ouverture de soi comme une condition essentielle à l'intimité. Par conséquent, de nombreux hommes sont satisfaits de relations que les femmes jugent inadéquates. « L'intimité réfère à l'intimité sexuelle et à l'amour bien sûr, mais également à l'intimité impliquée dans l'amitié et à l'intimité avec soi-même. » (Houde, 1991, p. 61)

Ce ne sont pas tous les gens qui vont connaître l'intimité à l'âge adulte cependant. Des personnes vont développer des amitiés sincères à long terme qui constituent un soutien réel et qui remplissent les mêmes fonctions qu'une relation intime. D'après Erikson, les personnes qui ne réussissent pas à établir de telles relations d'amitié sont plus susceptibles de connaître la solitude, la dépression ou un problème de santé mentale (Stack, 1998).

Résolution du stade Pour bien s'adapter à ce stade, chaque personne doit trouver un partenaire avec lequel elle parviendra à créer un attachement intime et fort. Cette relation centrale va constituer la base de sécurité à partir de laquelle l'adulte pourra entrer dans le monde du travail. Cette relation constituera également le noyau familial dans lequel grandira la prochaine génération d'enfants. Une personne qui ne parvient pas à établir une relation intime, un attachement central fort, n'aura pas de base de sécurité et se sentira seule ou isolée.

Une trop forte intimité ou une fausse intimité « où il n'y a ni réelle fusion, ni sentiment d'abandon, mais une promiscuité qui cache mal une expérience d'isolement » (Houde, 1991, p. 61) peuvent avoir un effet négatif sur l'équilibre du jeune adulte. « D'ailleurs, la promiscuité amoureuse est l'expression d'une mésadaptation face à l'enjeu du développement de ce stade. » (Houde, 1991, p. 61) Par exemple, le pôle positif mal résolu pourra faire apparaître une promiscuité amoureuse démontrant une mésadaptation. Rappelons cependant que le jeune adulte doit conserver une certaine capacité de s'isoler qui est tout aussi importante qu'une capacité de s'associer à autrui. « La distance de soi et l'exclusivité remplie de haine sont, pour leur part, l'expression d'une inadaptation. » (Houde, 1991, p. 61)

> L'intimité réelle implique la capacité d'éprouver les besoins et les préoccupations d'une autre personne comme aussi importants que les siens. Elle implique la capacité de s'associer aux espoirs et aux craintes les plus profondes d'une autre personne et d'accepter le fait que le besoin d'intimité soit réciproque. L'intimité suppose donc le partage et la sollicitude (Houde, 1991, p 61). [...] Autrement, il y a risque d'isolement. Quand les sentiments ne peuvent être partagés, quand la personne se retrouve seule sans personne de qui se soucier et qui se soucie d'elle, l'isolement peut survenir (Houde, 1991, p. 63).

Il existe de multiples formes de l'isolement, dont l'affiliation dans le couple, laquelle peut se solder par un isolement à deux, protégeant chacun des partenaires de la nécessité d'affronter le stade de développement critique suivant, celui de la générativité. « On pourrait aussi inclure les personnes qui travaillent parmi les autres mais sans être vraiment avec eux. » (Houde, 1991, p. 63) Enfin, l'intégration des deux pôles permet le développement de la force adaptative (qualité du moi) du stade nommé *amour*

(voir le tableau 10.2). L'amour est cette « mutualité d'une dévotion mature qui permet de résoudre les antagonismes inhérents à la division des fonctions » (Erikson, 1982, p. 71).

Approche de Levinson : développement et structure de vie

Daniel Levinson (1978, 1990) envisage l'âge adulte en fonction de rythmes et de stades communs, sans croissance ni objectif final. La notion centrale de ce modèle est la **structure de vie**, qui représente « le modèle sous-jacent de la vie d'une personne à un moment donné » (Levinson, 1986, p. 6). La structure de vie comprend évidemment des rôles, auxquels viennent s'ajouter la qualité et le modèle des relations d'un individu, qui, à leur tour, reflètent la personnalité ou le tempérament de cet individu. La structure de vie n'est pas permanente et subit des transformations à des âges précis à la suite de changements dans les rôles et les relations. En fait, selon Levinson, chaque individu crée, au cours de son existence, une suite de structures de vie. La création d'une nouvelle structure constitue une *période de transition* au cours de laquelle l'individu réévalue, abandonne ou change l'ancienne structure. La figure 10.2 présente le modèle de Levinson.

Levinson a divisé le cycle d'une vie en quatre ères dont la durée est d'environ 25 ans et qui sont réparties en trois périodes : une période d'introduction, la *phase novice*, une période de transition, la *phase intermédiaire*, et une période d'établissement, la *phase culminante*. Selon Levinson, chaque phase, chaque transition et chaque ère sont formées d'un ensemble particulier de problèmes ou de tâches. Par exemple, la transition du début de l'âge adulte implique le départ de la maison et l'établissement d'une identité individuelle. L'entrée dans le monde adulte couvre la période de l'exploration des rôles associés au travail et celle de l'établissement des rôles adultes stables.

> **Structure de vie :** Concept clé dans la théorie de Levinson. Modèle de la vie d'une personne à un moment donné qui comprend ses rôles, ses relations interpersonnelles et ses comportements.

Tableau 10.2	*Résolution du stade de l'intimité ou de l'isolement*				
Mésadaptation	**Tendance positive**	**Force adaptative**		**Tendance négative**	**Inadaptation**
Promiscuité amoureuse	INTIMITÉ	**AMOUR** La force adaptative du stade est l'amour « qui permet de résoudre les antagonismes inhérents à la division des fonctions ».		ISOLEMENT	Distance de soi Exclusivité remplie de haine

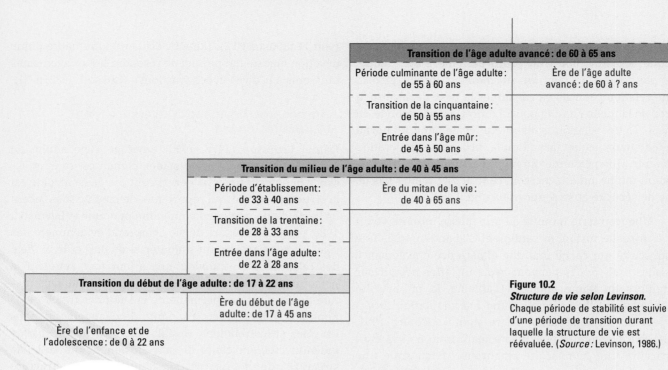

Figure 10.2
Structure de vie selon Levinson.
Chaque période de stabilité est suivie d'une période de transition durant laquelle la structure de vie est réévaluée. (*Source :* Levinson, 1986.)

Levinson observe l'adoption, autour de 30 ans, de ce qu'il appelle le **rêve**, c'est-à-dire une vision idéaliste qui inclut les objectifs de vie et les aspirations d'une personne. Le rêve constitue le «projet de vie» d'une personne. La majorité des rêves des hommes porte sur leurs projets de travail ou de carrière, parfois sur leur mariage, leur vie familiale, leur croissance personnelle ou spirituelle. Les femmes sont plus susceptibles d'inclure le mariage et la vie familiale dans leurs objectifs de carrière (Levinson, 1996). Ainsi, la trentaine est généralement consacrée à l'atteinte des objectifs du rêve.

Bien sûr, Levinson ne prétend pas que la vie de tous les adultes est identique. Cela n'aurait aucun sens. Chaque nouvelle structure de vie élaborée par un individu n'est ni meilleure, ni plus intégrée, ni plus développée que la précédente. En revanche, il existe, pour tous les individus, une alternance fondamentale entre les périodes de stabilité et les périodes de transition. Le modèle ordonné qu'a conçu Levinson, qui comprend les tâches principales ou les questions liées à chaque période, serait universel.

Rêve : Fantaisie élaborée au début de l'âge adulte, selon Levinson, qui inclut les objectifs et les aspirations d'un individu. Ceux-ci sont réévalués en fonction de leur succès et de leur échec, tout au long de la vie.

PAUSE-APPRENTISSAGE

Perspectives théoriques

- Présentez les cinq traits de la personnalité définis par McCrae et Costa.

- Quels traits de la personnalité changent chez le jeune adulte ?

- Définissez le stade de l'intimité ou de l'isolement d'Erikson. Quelle en est la force adaptative ?

- Expliquez l'approche de Levinson concernant les changements de la personnalité chez le jeune adulte.

- Expliquez la notion de rêve selon Levinson.

Concepts et mots clés

- **amabilité** (p. 346) • **amour** (p. 349) • **extraversion (par opposition à introversion)** (p. 346) • **intégrité** (p. 346) • **intimité ou isolement** (p. 348) • **ouverture à l'expérience** (p. 346) • **période de transition** (p. 349) • **rêve** (p. 350) • **structure de vie** (p. 349) • **tendance à la névrose (ou instabilité émotionnelle)** (p. 346)

DÉVELOPPEMENT DES RELATIONS SOCIALES

La période du début de l'âge adulte est celle de l'acquisition des trois principaux rôles. En général, nous devons à ce moment de notre existence choisir notre partenaire amoureux (rôle conjugal) et, par la suite, nous devons assumer le rôle de parent (rôle parental) à la naissance de nos enfants. Nous devons en même temps nous établir dans notre travail (rôle professionnel). Avant d'aborder ces divers rôles, nous allons définir les principaux termes que nous utiliserons.

ACQUISITION DES RÔLES SOCIAUX

Pour mieux comprendre le processus d'acquisition des rôles sociaux, nous allons d'abord définir plus précisément le concept de **rôle social**. Toute structure sociale est composée de différents acteurs dotés de divers statuts qui forment un réseau : ainsi, l'employeur, le travailleur et l'étudiant font partie d'un réseau social. Le rôle social est constitué du statut social et du modèle associé à ce statut, c'est-à-dire le comportement, les conduites et les caractéristiques associées à la personne qui occupe ce statut. En fait, le rôle social constitue une description de la fonction : par exemple, un professeur doit connaître la matière qu'il enseigne, la communiquer clairement, être bien préparé et organisé, être un bon modèle pour ses élèves, etc. Cet ensemble de comportements et de qualités que l'on attend d'un professeur définissent son rôle dans la société ainsi que les stéréotypes qui y sont rattachés.

Les divers aspects du rôle social sont très importants pour comprendre le processus du développement. Premièrement, les rôles sont, du moins partiellement, propres à la culture et à la cohorte, comme le rôle de professeur qui varie selon les cultures et les époques. Deuxièmement, le fait d'assumer différents rôles simultanément peut faire naître des conflits, parce qu'il est parfois difficile de concilier différents rôles, par exemple celui d'étudiant, de travailleur, de conjoint et de fils. Les sociologues parlent d'un **conflit de rôles** lorsqu'il y a incompatibilité, au moins partielle, entre deux rôles, soit parce qu'ils exigent des comportements différents, soit parce que leurs obligations respectives nécessitent plus d'heures qu'il n'y en a dans une journée. Par contre, lorsqu'une personne doute de sa capacité de répondre aux exigences d'un de ses rôles, des **tensions de rôle** apparaissent. Une mère qui se sent incompétente parce qu'elle n'arrive pas à empêcher son enfant de 2 ans de dessiner sur les murs éprouve ce genre de tension, tout comme le nouveau diplômé qui vient de décrocher son premier emploi et qui met en doute ses habiletés à bien effectuer son travail.

RELATIONS FAMILIALES

Au début de l'âge adulte, chacun de nous établit ce que Toni Antonucci (1990, 1994b) appelle une **escorte sociale**, soit « une couche protectrice formée des membres de la famille et d'amis, qui entoure la personne et l'aide à surmonter efficacement les difficultés de la vie » (Antonucci et Akiyama, 1987a, p. 519). Ce réseau comprend des membres de la famille, un conjoint le cas échéant et des amis. Pour la plupart d'entre nous, ce réseau demeure assez stable tout au long de l'âge adulte. En effet, même s'il ne comprend pas toujours les mêmes personnes, sa taille et la satisfaction que nous tirons du soutien qu'il nous procure semblent relativement constantes.

Départ de la maison et attachement aux parents

Le processus d'acquisition des rôles est marqué, voire déclenché, par le départ de la maison. Évidemment, certains jeunes adultes (particulièrement des femmes) ne quittent la maison familiale qu'au moment du mariage ; ils ne connaissent donc pas une période intermédiaire de vie autonome ou quasi autonome. Toutefois, dans les pays industrialisés, les jeunes adultes traversent souvent une *phase de transition* au cours de laquelle ils ne vivent plus avec leur famille, sans être mariés ni en union libre (Thorton, Young-DeMarco et Goldscheider, 1993). Pour un grand nombre de jeunes adultes, cette période de transition survient souvent lors de leur entrée au collège ou à l'université ; pour d'autres, elle arrive lorsqu'ils quittent la maison pour vivre de manière autonome, particulièrement pour occuper un emploi à temps plein.

Le départ de la maison signifie bien plus qu'un simple changement de lieu de résidence. Il suppose un processus d'émancipation psychologique majeur. Au cours de ce processus, le jeune adulte introduit une certaine distance émotionnelle dans sa relation avec ses parents.

Rôle social : Notion empruntée à la sociologie qui comprend le statut social et le modèle qui y est associé, c'est-à-dire les comportements et les attitudes propres à un statut social donné : par exemple ce que l'on attend d'un professeur, d'un caissier ou d'un conjoint. Chaque individu occupe plusieurs rôles dans la société.

Conflit de rôles : Conflit logistique ou psychologique résultant de l'incompatibilité entre deux ou plusieurs rôles.

Tension de rôle : Tension produite par le sentiment d'incompétence éprouvé par un individu qui met en doute ses aptitudes ou ses qualités à bien jouer un de ses rôles.

Escorte sociale : Selon Antonucci, ensemble des individus qui constituent le réseau social intime d'une personne et qui l'accompagnent à travers les divers stades de l'âge adulte.

En fait, il doit transférer son attachement central de ses parents vers un ou plusieurs pairs. Citons Robert Weiss (1986, p. 100) :

> Pour que les enfants finissent par fonder leur propre foyer, les liens d'attachement qu'ils entretiennent avec leurs parents doivent s'atténuer et finir par disparaître. Sinon, leur vie autonome sera difficile sur le plan émotionnel. L'émancipation par rapport aux parents semble revêtir une importance capitale dans le processus d'individuation et de réussite à la fin de l'adolescence et au début de l'âge adulte.

De nombreux théoriciens mettent en doute l'affirmation de Weiss selon laquelle l'attachement aux parents prend fin à l'âge adulte (Cicirelli, 1991). La plupart des adultes gardent toute leur vie des contacts réguliers avec leurs parents et sont profondément affligés par leur décès. Il arrive souvent qu'une personne ait recours à la présence réconfortante de ses parents lorsqu'elle subit un stress intense, ce qui signifie qu'une forme d'attachement existe encore. Toutefois, cet attachement diminue nettement au début de l'âge adulte. C'est grâce à cette évolution que la relation avec un partenaire intime pourra devenir l'attachement central de la vie affective ; c'est également grâce à cette baisse de l'attachement que le jeune adulte sera capable de considérer ses parents avec plus d'objectivité, en tant que personnes et non plus seulement en tant que parents. Comme le souligne Corinne Nydegger, « la tâche [du jeune adulte] consiste à se libérer émotionnellement de ses parents, tout en leur restant attaché en tant que fils ou fille » (1991, p. 102).

Pour la plupart des adultes, cette émancipation survient au début de la vingtaine. Aux questions « Qui est la personne dont vous n'aimeriez pas être séparé ? » ou « Qui est la personne sur laquelle vous pouvez toujours compter ? », les enfants et les adolescents répondent généralement qu'il s'agit de leurs parents, tandis que les adultes nomment le plus souvent leur conjoint et ne mentionnent presque jamais leurs parents (Hazan *et al.*, 1991).

Le départ de la maison n'est pas toujours un moment facile, mais tous les jeunes adultes doivent partir un jour ou l'autre, que ce soit pour aller étudier ou travailler.

La transition ne se produit pas brusquement. Parmi les diverses composantes de l'attachement, la première qui semble changer est la recherche de la proximité. Les adolescents préfèrent passer plus de temps auprès de leurs pairs. Cependant, les parents constituent toujours leur base de sécurité ; pour la plupart des jeunes adultes en revanche, le conjoint ou un pair devient la nouvelle base de sécurité dans l'attachement central (Hazan *et al.*, 1991).

Loin de nous l'idée de prétendre que les parents ne comptent plus à l'âge adulte. En fait, un grand nombre d'adultes décrivent leurs relations avec leurs parents comme très proches et intimes (Lawton, Silverstein et Bengston, 1994 ; Campbell, Connidis et Davies, 1999). Les relations avec les mères sont plus intimes que les relations avec les pères (Rossi, 1989). Les relations avec les parents divorcés tendent à devenir moins intimes, particulièrement avec le père (Cooney, 1994 ; Webster et Herzog, 1995). Les adultes d'âge moyen et avancé s'occupent de leurs parents âgés, parfois par obligation, mais généralement par affection véritable. Pour la plupart des adultes, la relation parents-enfant cesse toutefois de constituer l'attachement central.

Les jeunes adultes doté d'un attachement sécurisant semblent traverser la période de transition plus facilement que ceux dont l'attachement est insécurisant de type ambivalent. Une étude réalisée auprès d'étudiants a montré que ceux qui étaient encore préoccupés par leurs relations avec leurs parents et par leur besoin d'émancipation ressentaient plus de stress et présentaient plus de symptômes physiques et psychologiques que ceux dont l'attachement à leurs parents était sécurisant (Zirkel et Cantor, 1990). Donc, tout comme l'enfant fortement attaché se sent physiquement à l'aise lorsqu'il s'éloigne de ses parents et qu'il explore son environnement, un jeune adulte fortement attaché se défait plus facilement du lien psychologique qui le lie à ses parents.

Évolution des relations familiales

La plupart des adultes continuent de voir régulièrement leurs parents et de leur parler au téléphone, même si leur sentiment d'attachement envers eux s'atténue. Selon une étude effectuée par Leigh (1982) portant sur un échantillon d'environ 1 300 adultes, presque tous les jeunes adultes étaient en contact avec leurs parents au moins une fois par mois, et près de la moitié d'entre eux avaient de leurs nouvelles une fois par semaine. Les contacts avec les frères et sœurs s'avéraient par ailleurs moins fréquents.

Le nombre et le type de contacts qu'un adulte entretient avec ses parents dépendent largement de la proximité. Les adultes qui habitent à moins de deux heures de leurs parents, de leurs frères et de leurs sœurs les voient beaucoup plus souvent que ceux qui habitent plus loin. Toutefois, l'éloignement n'empêche pas un parent, un frère ou une sœur de faire partie du réseau social d'un adulte. Ces relations peuvent apporter un certain soutien en cas de besoin, même si les rencontres sont rares.

Il existe aussi d'importantes différences culturelles dans l'engagement des jeunes adultes envers leur famille. Par exemple, une étude a comparé le développement de l'indépendance sociale chez des enfants et des adultes d'Australie, du Canada et du Japon (Takata, 1999). Dans ces trois populations, le sentiment d'indépendance par rapport aux parents et à la famille augmentait avec l'âge. Cependant, chez les Australiens et les Canadiens, ce sentiment s'affirmait plus rapidement au début de la vie adulte, alors que les jeunes adultes japonais témoignaient de liens plus étroits avec leur famille.

RELATIONS AMOUREUSES OU CONJUGALES

Comme nous l'avons vu dans le chapitre précédent, le sentiment de solitude atteint un sommet au début de l'âge adulte, lorsque de nombreux jeunes adultes qui se sont partiellement détachés de leurs parents n'ont pas encore noué de relations intimes avec un partenaire. Nous utilisons délibérément le terme *partenaire* plutôt que celui de *conjoint*, car nous voulons inclure ici tous les types de relations, aussi bien les relations homosexuelles et hétérosexuelles, avec ou sans cohabitation, que les relations conjugales. Les informations dont nous disposons sur les deux premiers types de relations ne sont que partielles, mais les recherches effectuées jusqu'à présent portent à croire que les trois types de relations font appel aux mêmes processus.

Choix d'un partenaire

Qu'est-ce qui nous attire précisément vers une personne et nous éloigne d'une autre ? Pourquoi certains couples se séparent-ils, tandis que d'autres décident de se marier ? Les réponses à ces questions relèvent davantage du domaine de l'intuition que de la certitude. Les nombreuses recherches qui ont été effectuées ne donnent guère de réponses claires. Nous vous présentons ici la recherche sur l'homogamie.

Théorie de l'homogamie   Des études effectuées par des sociologues montrent clairement que le facteur le plus important dans le choix d'un partenaire est la ressemblance, celle-ci constituant également un motif d'attirance. Nous sommes attirés par les personnes qui nous ressem-

blent à divers égards, notamment l'âge, la scolarité, la classe sociale, l'ethnie, la religion, le comportement, les champs d'intérêt ou le tempérament. Les sociologues décrivent ce processus comme la *formation d'unions assorties,* ou *homogamie*. Comme le dit le proverbe, « qui se ressemble s'assemble ». Les relations basées sur l'homogamie ont de meilleures chances de réussite que les relations fondées sur les différences entre les partenaires (Murstein, 1986).

Ainsi, la théorie de l'homogamie décrit le choix du partenaire comme une démarche composée de filtres ou d'étapes (Cate et Lloyd, 1992). Selon Bernard Murstein (1986), une personne qui en rencontre une autre applique trois filtres dans l'ordre suivant :

1. Caractéristiques externes : Cette personne possède-t-elle une allure générale et des manières qui correspondent aux miennes ? Appartient-elle à la même classe sociale que moi ?
2. Attitudes et croyances : Partageons-nous les mêmes idées sur des sujets fondamentaux comme la sexualité, la religion ou la politique ?
3. Correspondance des rôles : Cette personne conçoit-elle notre relation de la même manière que moi ? Ses opinions sur une relation amoureuse sont-elles en accord avec les miennes ? Nous entendons-nous sur les rôles sexuels appropriés ? Sommes-nous compatibles sexuellement ? Par exemple, si l'un des partenaires recherche une grande ouverture d'esprit et que l'autre hésite à exprimer ses sentiments, ces deux personnes n'auront aucune affinité à cette étape.

Les études indiquent que tous ces éléments sont effectivement déterminants, bien qu'ils n'apparaissent pas forcément dans l'ordre indiqué par Murstein. Ces trois filtres font habituellement partie de la réaction initiale d'une personne lors d'une première rencontre.

Les psychologues ne sont pas encore parvenus à élaborer une théorie expliquant les élans de romantisme comme celui-ci...

Amorce de la relation

Ce que l'on vient de voir peut donner l'impression que le choix d'un partenaire est un processus rationnel et réfléchi. Évidemment, il ne faut pas négliger la puissante influence de l'attirance sexuelle ni celle de la personnalité et des modèles de l'attachement dans le choix d'un partenaire et dans la relation qui se tisse avec lui.

RÔLE DE L'ATTACHEMENT

Depuis quelques années, de nombreuses recherches mettent l'accent sur le rôle des modèles internes d'attachement dans le choix d'un partenaire et dans l'épanouissement d'une relation (Crowell et Waters, 1995 ; Feeney, 1994 ; Fuller et Fincham, 1995 ; Hazan et Shaver, 1987 ; Owens *et al.*, 1995 ; Rothbard et Shaver, 1994). Ces recherches présentent un très grand intérêt, parce qu'elles nous permettent d'établir un lien entre le développement de l'enfant et celui de l'adulte, et de souligner l'influence des modèles internes d'attachement sur notre comportement dans diverses situations.

Dans cette perspective, chacun de nous a tendance à recréer son modèle interne d'attachement dans ses relations amoureuses. Cela ne signifie pas que le tout premier attachement de l'enfance n'évolue pas avec le temps. Comme nous l'avons souligné au chapitre 4, des changements dans ce modèle interne peuvent se produire. Par exemple, certains adultes qui possèdent des antécédents d'attachement insécurisant sont capables d'analyser et d'accepter les relations de leur enfance, puis de créer un nouveau modèle interne. Mais qu'il soit le produit d'une nouvelle définition ou d'hypothèses précoces demeurées inchangées, le modèle interne du jeune adulte influe sur ses attentes envers son partenaire éventuel, sur l'attitude qu'il adoptera à son égard et sur la stabilité de la relation.

Cette photographie ne nous permet pas de dire quel est le modèle interne d'attachement de cette jeune femme, mais nous savons qu'il influera sur ses attentes et sur son comportement envers son conjoint.

Selon de récentes études, les adultes qui ont un attachement sécurisant ont tendance à faire confiance aux autres, à considérer leur conjoint comme un ami et un amant, à être rarement jaloux et à ne pas douter de la réciprocité de leurs sentiments. Ces adultes soutiennent davantage leur conjoint dans les situations tendues ou stressantes, et recherchent plus facilement du réconfort auprès de lui. Les adultes qui présentent un attachement insécurisant manquent d'assurance dans leurs relations, doutent de la réciprocité de leurs sentiments, sont jaloux et très préoccupés par leurs relations. Les adultes ayant un attachement insécurisant de type ambivalent ou fuyant sont plus malheureux dans leurs relations, font moins confiance aux autres, évitent l'intimité, se confient très peu et acceptent plus difficilement l'autre. Dans une situation tendue ou stressante, ils recherchent moins de soutien et offrent moins de réconfort. Puisqu'ils s'attendent à être rejetés, ils évitent de s'engager.

Ces différences sont confirmées par de nombreuses études effectuées auprès d'étudiants de cégeps et d'universités ainsi que par quelques recherches sur des adultes plus âgés. Cindy Hazan et Philip Shaver (1987, 1990) ont évalué les types de modèles internes d'attachement en demandant à leurs sujets de choisir l'une des trois descriptions présentées dans le tableau 10.3. Dans un échantillon composé de plus de 600 adultes d'âges variés, 56 % des personnes se décrivent comme ayant un attachement sécurisant (option 1), 25 % comme ayant un attachement insécurisant de type fuyant (option 2) et 19 % comme ayant un attachement insécurisant de type ambivalent (option 3).

De nouvelles études nous apprennent également que les adultes ont tendance à recréer le même modèle interne d'attachement qu'ils ont observé chez leurs parents pendant leur enfance avec leur partenaire potentiel. Par exemple, Gretchen Owens et ses collègues (1995) ont remarqué que près de deux jeunes adultes sur trois qui sont sur le point de se marier possèdent le même modèle d'attachement (sécurisant, fuyant ou ambivalent), lorsqu'ils décrivent leur relation amoureuse et leur relation avec leurs parents. Lorsqu'on demande à chacun des partenaires d'un couple de décrire leurs modèles internes d'attachement, on s'aperçoit que les adultes ayant un attachement sécurisant ont tendance à choisir un partenaire qui présente le même modèle d'attachement — bien que les personnes ayant un attachement insécurisant ne se choisissent pas entre elles (Collins et Read, 1990). Le proverbe « qui se ressemble s'assemble » semble être de nouveau confirmé.

La relation amoureuse est moins stable et satisfaisante si l'un des partenaires a un attachement insécurisant, d'après certaines études (Berman, Marcus et Berman, 1994 ; Feeney, 1994). Il existe deux modèles de relations

Tableau 10.3   *Descriptions de l'attachement selon Hazan et Shaver*
Laquelle des affirmations suivantes vous décrit le plus fidèlement?
1. J'arrive assez facilement à créer un climat d'intimité avec les gens. J'aime pouvoir compter sur eux et qu'ils puissent compter sur moi. Il ne m'arrive pas souvent d'avoir peur d'être abandonné. Je ne crains pas qu'une personne soit trop intime avec moi.
2. Je suis un peu mal à l'aise dans mes rapports intimes avec les gens. J'ai de la difficulté à leur faire totalement confiance et je ne me permets pas de compter sur eux. Je n'aime pas que les gens soient trop intimes avec moi. Mes partenaires amoureux aimeraient souvent que je me laisse aller à plus d'intimité.
3. Je trouve que les gens hésitent trop à s'engager dans des rapports intimes. Je pense souvent que mon conjoint ne m'aime pas réellement ou qu'il me quittera. J'aimerais me fondre dans les autres, mais ce désir les effraie.

(*Source*: Hazan et Shaver, 1987, tableau 2, p. 515.)

Comparaison des couples hétérosexuels et homosexuels

Comparer les couples hétérosexuels et les couples homosexuels n'est pas aussi facile qu'on le croie. D'abord, il est important de comparer des réalités qui se ressemblent. Il serait trompeur d'affirmer que les couples hétérosexuels sont plus stables en se basant sur des études qui comparent des couples hétérosexuels mariés à des couples homosexuels occasionnels (par exemple des aventures d'un soir). Par conséquent, pour déterminer si les caractéristiques de ces couples varient selon leur orientation sexuelle, les chercheurs doivent limiter leurs échantillons de recherche aux couples qui ont le même type d'engagement. Autrement dit, ils doivent comparer des couples hétérosexuels mariés ou en union libre durable avec des couples homosexuels stables et monogames. L'étude doit en outre prendre en considération les différences possibles entre les couples d'hommes homosexuels et les couples de lesbiennes.

Bien que les estimations varient, environ 70 % des lesbiennes sont en couple et, le plus souvent, ces couples sont monogames. Chez les hommes homosexuels, le pourcentage de couples est un peu plus faible. Entre 40 et 60 % d'entre eux sont engagés dans une relation à long terme, mais seulement un cinquième de ces relations sont monogames (comparativement aux trois quarts environ pour les couples hétérosexuels) (Blumstein et Schwartz, 1983; Kurdek, 1995b).

Un pourcentage assez important d'hétérosexuels mariés restent ensemble pendant plus de 20 ans. Au moment du divorce, le couple moyen a été marié environ 7 ans (U.S. Bureau of the Census, 1997). En comparaison, très peu de couples de lesbiennes durent 20 ans ou plus; la durée moyenne de ces couples est d'environ 6 ans (National Survey Results, 1990). Même si une grande majorité d'hommes homosexuels affirment préférer les relations à long terme aux relations à court terme, ce type de relations est moins courant chez les homosexuels que chez les lesbiennes ou les hétérosexuels (Lever, 1994; National Survey Results, 1990).

Cependant, si l'on considère uniquement les couples engagés et monogames, les homosexuels – hommes ou femmes – ont autant de chances que les hétérosexuels d'être satisfaits de leur relation. Ce qui différencie les couples homosexuels des couples hétérosexuels, c'est la nature de la relation de pouvoir dans le couple. Les couples homosexuels semblent être plus égalitaires que les couples hétérosexuels et ont moins de prescriptions de rôles. Il est assez rare chez les couples homosexuels qu'un partenaire joue le rôle du mâle, et l'autre, celui de la femme. Le pouvoir et les tâches sont répartis plus équitablement. Toutefois, on observe ce comportement plus fréquemment chez les couples de lesbiennes – pour qui l'égalité des rôles est souvent un idéal philosophique important – que chez les couples d'hommes homosexuels (Kurdek, 1995a).

Même si les taux de violence conjugale diffèrent, ce sont les mêmes facteurs qui contribuent à ce type de violence au sein des couples hétérosexuels et homosexuels. De la même manière, bon nombre des mêmes variables qui altèrent le succès des mariages hétérosexuels semblent modifier la durée des relations homosexuelles (Kurdek, 1998). Par exemple, la tendance à la névrose (instabilité émotionnelle) est liée à la qualité de la relation et à sa durée (Kurdek, 1997, 2000). Comme les hétérosexuels mariés, les homosexuels connaissent une baisse de satisfaction dans leur relation au cours des premiers mois de leur vie de couple (Kurdek et Schmitt, 1986); ils se disputent au sujet des mêmes choses; et leur union durera plus longtemps si les deux partenaires sont issus du même milieu et que leur degré d'engagement est similaire (Krueger-Lebus et Rauchfleisch, 1999; Kurdek, 1997; Peplau, 1991). Il existe toutefois une différence importante: les adultes homosexuels risquent plus dépendre de leur partenaire. En effet, leurs relations familiales étant souvent rempues, le partenaire devient alors leur unique source de soutien social (Hill, 1999).

En résumé, il serait exagéré de dire que les couples hétérosexuels et homosexuels fonctionnent exactement de la même manière. Les variations sur le plan de la monogamie et de la durée, de même que les différents taux de violence conjugale, révèlent des différences importantes. Cependant, la recherche dans ce domaine autorise à penser que les facteurs liés au succès ou à l'échec des couples se ressemblent dans les trois types de relations. Les deux conclusions les plus fiables que l'on puisse tirer des études actuelles sont: (1) que les relations homosexuelles ressemblent aux relations hétérosexuelles sur certains points, mais qu'elles en diffèrent aussi de manière très marquée sur d'autres; (2) qu'il faut mener des recherches plus approfondies pour dégager les sources de ces différences.

malheureuses parmi les jeunes couples qui échouent en raison de ce facteur. Dans le premier cas, la femme a un attachement insécurisant: l'échec du couple peut alors s'expliquer, d'un côté, par le fait que la jalousie et la dépendance féminines déplaisent particulièrement aux hommes, et de l'autre par le fait que la femme tend à entretenir une relation instable et malheureuse avec son conjoint. Dans le deuxième cas, c'est l'homme qui a un attachement insécurisant de type fuyant (Collins et Read, 1990; Simpson, 1990): il va alors générer une relation malheureuse, ce qui le confortera dans l'idée qu'une relation conjugale ne peut pas lui apporter grand-chose. Cependant, la corrélation entre les modèles d'attachement et la qualité d'une relation ou les comportements des conjoints est généralement faible.

Les antécédents d'attachement ne constituent pas le seul ingrédient de la réussite ou de l'échec d'un couple, tout comme l'homogamie ne suffit pas à expliquer l'attirance initiale. L'attirance sexuelle et l'amour sont des processus extrêmement complexes et largement méconnus. Toutefois, des études longitudinales entreprises récemment s'orientent vers une nouvelle direction intéressante, qui permettra peut-être de découvrir le rôle des modèles internes d'attachement dans le processus d'engagement et dans la qualité et la stabilité d'une relation à long terme.

RÔLE DE L'AMOUR

On peut aussi examiner le processus du choix d'un partenaire en s'appuyant sur les travaux de psychologues sociaux qui ont essayé de comprendre les différences observées dans les relations amoureuses chez les adultes. La théorie la plus intéressante à ce sujet a été élaborée par Robert Sternberg (1987). Selon sa théorie, l'amour comporte trois composantes essentielles:

- l'intimité: les sentiments qui favorisent le rapprochement (proximité) et l'union;
- la passion: le désir intense de s'unir à l'autre personne, incluant l'union sexuelle;
- l'engagement: la fidélité envers l'autre personne, souvent pour une longue période.

Les différentes combinaisons de ces trois composantes fournissent sept modèles amoureux qui sont présentés à la figure 10.3.

L'approche de Sternberg est plus diversifiée que celle des modèles d'attachement. Il essaie de décrire et de comprendre l'éventail complet des relations amoureuses adultes, et pas seulement celles qui impliquent l'attachement. Ce qui ressort de ces deux théories, c'est notre besoin de comprendre la *qualité* des différentes relations amoureuses, notamment la qualité des modèles d'attachement que l'adulte apporte dans sa relation amoureuse et le degré d'intimité, de passion et d'engagement qu'il y investit.

Amour compagnon
Intimité et engagement élevés, mais passion faible. Ce modèle peut caractériser des amitiés à long terme, des relations avec les parents ou des membres de la famille ainsi que les relations amoureuses dont la passion s'est éteinte.

Amour vide
Engagement sans passion ni intimité. Certains mariages et certaines amitiés à une étape avancée suivent ce modèle, car le temps affaiblit l'intimité et la passion. Certaines relations parents-enfant correspondent à ce modèle.

Amitié
Intimité élevée, mais passion et engagement faibles. Plusieurs amitiés suivent ce modèle.

Amour achevé
Présence des trois composantes: intimité, engagement et passion.

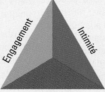

Amour idiot
Passion et engagement élevés, mais absence d'intimité. Les fréquentations sont souvent orageuses. L'engagement est basé sur la passion plutôt que sur l'intimité, celle-ci pouvant apparaître par la suite.

Amour romantique
Passion et intimité élevées, mais engagement faible. Ce modèle caractérise souvent les premières étapes d'une relation amoureuse. Lorsqu'il y a engagement, ces relations deviennent plus stables.

Béguin
Passion élevée mais passagère, avec intimité et engagement faibles.

Figure 10.3
Les modèles amoureux de Sternberg.
La théorie de Sternberg présente trois composantes de l'amour: l'intimité, la passion et l'engagement. Les relations amoureuses s'établissent en fonction de la présence ou de l'absence de ces composantes.

Évolution de la relation

Lorsque deux personnes se marient ou décident d'habiter ensemble, comment leur relation évolue-t-elle au cours des années suivantes ? Existe-t-il des changements prévisibles ou des modèles de développement ? La meilleure recherche sur le sujet, menée par Ted Huston et ses collaborateurs (Huston et Chorost, 1994 ; Huston, McHale et Crouter, 1986 ; MacDermid, Huston et McHale, 1990), a porté sur 168 couples mariés pour la première fois. Tous les conjoints ont été interrogés minutieusement pendant les trois premiers mois du mariage, puis un an plus tard. Les chercheurs téléphonaient à tous les conjoints aux mêmes périodes et leur demandaient chaque fois ce qu'ils avaient fait avec leur conjoint au cours des 24 heures précédentes.

La figure 10.4 compare 3 des 15 évaluations et indique que le nombre d'interactions positives ou de comportements agréables diminue avec le temps. On observe une diminution comparable dans la fréquence des marques d'affection physique autres que les relations sexuelles. Cependant, il n'y a aucun changement dans le nombre de comportements négatifs ou déplaisants au cours des premiers mois. Pendant la première année de mariage, les couples mentionnent une diminution de l'intensité de l'amour, que le couple ait eu un enfant ou non. Cela semble indiquer que ces changements sont associés à la relation et ne relèvent pas de la tension liée à la maternité. Les activités que les membres du couple ont en commun changent également au cours de la première année. Dans les premiers mois du mariage, les partenaires s'adonnent ensemble à des activités associées aux loisirs mais, après un an de mariage, ils partagent surtout les tâches domestiques (faire l'épicerie et les travaux ménagers).

Finalement, il semble que, au cours de la première année, la satisfaction diminue, car les comportements agréables ou plaisants se font plus rares. Puisque les marques d'affection déclinent également, la satisfaction conjugale connaît une baisse. Ces observations sont confirmées par les nouvelles recherches qui portent sur les causes de la stabilité et de l'instabilité des mariages ainsi que sur celles de la satisfaction ou de l'insatisfaction dans le mariage.

MARIAGES RÉUSSIS ET MARIAGES RATÉS

La plupart de nos connaissances sur les relations au début de l'âge adulte proviennent d'études sur les causes de divorce. Selon les estimations actuelles en Amérique du Nord, entre la moitié et les deux tiers des premiers mariages se soldent par un divorce (Gottman, 1994a). Ce sujet revêt donc une grande importance. Le tableau 10.4 présente un résumé des principales conclusions auxquelles ont abouti un très grand nombre d'études effectuées sur ce sujet. Nous vous conseillons de le lire attentivement.

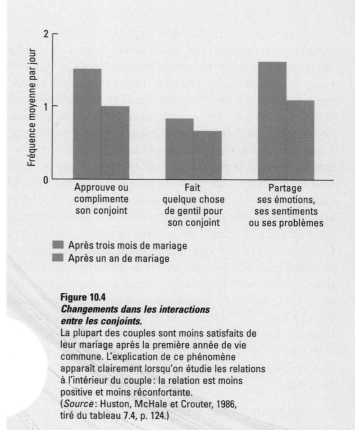

Figure 10.4
Changements dans les interactions entre les conjoints.
La plupart des couples sont moins satisfaits de leur mariage après la première année de vie commune. L'explication de ce phénomène apparaît clairement lorsqu'on étudie les relations à l'intérieur du couple : la relation est moins positive et moins réconfortante.
(*Source* : Huston, McHale et Crouter, 1986, tiré du tableau 7.4, p. 124.)

Deux énoncés de ce tableau attirent particulièrement l'attention. D'une part, plusieurs des facteurs les plus déterminants quant au succès d'un mariage étaient présents avant le mariage. Les deux conjoints apportent dans leur relation certaines habiletés, certaines ressources et certains traits de caractère qui influent sur la relation en formation. Les couples possédant de bonnes ressources (un degré de scolarité plus élevé, de bonnes habiletés de résolution de problèmes, une bonne santé, notamment un faible taux d'alcoolisme, et une bonne estime de soi) ont plus de chances de survivre aux tempêtes et aux tensions du mariage. La personnalité des conjoints semble particulièrement importante (Arrindel et Luteijn, 2000). Par exemple, un risque élevé de tendance à la névrose (instabilité émotionnelle) chez l'un des conjoints constitue le meilleur indicateur de divorce (Robins *et al.*, 2000). Ce trait de la personnalité est très semblable à ce que Thomas et Chess décrivent comme un tempérament « difficile » (voir le chapitre 4). De plus, les attitudes par rapport au divorce nuisent aussi à la stabilité du mariage. Les couples qui affichent des attitudes plus tolérantes par rapport au divorce sont moins susceptibles d'être satisfaits dans leur mariage que ceux qui perçoivent le divorce comme une issue indésirable (Amato et Rogers, 1999).

Cependant, un mariage représente plus que la somme des qualités et des atouts des conjoints. La qualité des interactions qui s'établissent au sein du couple est aussi essentielle à sa réussite. Les adultes qui ont de bonnes habiletés de communication et de résolution de problèmes, ou une faible tendance à la névrose, ont plus de chances de bâtir de meilleurs rapports entre eux. Toutefois, c'est le caractère positif ou négatif de l'interaction qui semble le plus important, quelle que soit la façon dont il est atteint. Une étude de John Gottman montre très clairement que la différence primordiale entre un couple heureux et un couple malheureux est la relative amabilité ou l'agressivité dans les conversations quotidiennes. Lorsque la quantité des interactions négatives dépasse celle des interactions positives, la relation devient « chaotique », et les problèmes ont tendance à s'amplifier au lieu de se résoudre. Tout comme un bébé colérique se console difficilement, les partenaires dont le système d'interactions est chaotique et bouleversé éprouvent de la difficulté à se calmer et à ne pas perdre la maîtrise de soi dans une discussion. Ils sont alors plus sensibles au stress, quel qu'il soit.

Gottman (1994a) affirme même qu'on peut prédire la durabilité du couple en étudiant son modèle d'interactions positives et négatives. Quand il y a beaucoup plus d'interactions négatives que d'interactions positives, le divorce devient la solution qui s'impose. Bien sûr, il n'existe pas de compteur des interactions positives et des interactions négatives qui puisse nous donner un aperçu relatif de la santé conjugale. Toutefois, l'augmentation du nombre des interactions négatives met en place un processus qui rend la perception de la relation de plus en plus négative. Même si cette augmentation est graduelle, le sentiment par rapport à la relation se modifie rapidement et amène l'individu à envisager la séparation et le divorce.

Gottman (1994a) n'affirme pas que tous les bons mariages se ressemblent ou que tous les mauvais mariages sont identiques. Il identifie trois types de mariages qui sont stables ou durables.

- Le mariage accompli. Les désaccords sont rapidement réglés et perdurent rarement. Les partenaires entretiennent un respect mutuel, même lorsqu'ils sont en désaccord, et leur communication est bonne (chacun écoute attentivement ce que l'autre a à dire).
- Le mariage volatile. Les partenaires se disputent et sont souvent en désaccord. Bien qu'ils ne soient pas à l'écoute l'un de l'autre lors d'une discussion, ils présentent un plus grand nombre d'interactions positives que d'interactions négatives, ce qui démontre un niveau élevé de plaisir et d'affection.

- Le mariage fuyant. Les partenaires, que Gottman désigne comme des personnes qui tendent à minimiser les conflits, n'essaient pas de se persuader l'un et l'autre et sont en accord sur le fait d'être en désaccord, sans aucune rancune apparente. Ce modèle est souvent décrit comme un mariage dévitalisé.

Gottman identifie également deux types de mariages ratés.

- Le mariage hostile de type engagé. Comme dans les couples d'oiseaux, les partenaires ont souvent des disputes très spectaculaires qu'ils ne peuvent pas contrebalancer par l'humour et l'affection.
- Le mariage hostile de type détaché. Les partenaires se disputent régulièrement, mais s'observent très rarement, et leurs altercations ont tendance à être de courte durée. Ils présentent une lacune sur le plan de l'affection et du soutien.

Dans ces deux types de mariage négatifs, il existe un déséquilibre prononcé entre les interactions positives et les interactions négatives, ce qui conduit souvent à la dissolution du mariage.

Dans quel sens opère la causalité ? Les couples deviennent-ils malheureux parce qu'ils sont plus négatifs, ou deviennent-ils négatifs parce qu'ils sont déjà malheureux ? Les deux explications sont possibles, mais habituellement les couples deviennent malheureux parce qu'ils sont négatifs. Cette affirmation est démontrée par des études portant sur des interventions thérapeutiques auprès de couples malheureux : les couples qui prennent l'habitude d'augmenter leur taux d'interactions positives connaissent habituellement une augmentation de leur satisfaction conjugale (O'Leary et Smith, 1991).

Pour terminer, même si aucune de ces études sur la satisfaction conjugale n'a utilisé le cadre de référence d'une théorie de l'attachement, il est tout de même étonnant de constater qu'il existe un lien entre les caractéristiques d'un mariage réussi et celles d'un attachement sécurisant. Dans les mariages heureux, on observe le même genre d'attention vigilante qu'entre les enfants qui ont un attachement sécurisant et leurs parents. Les conjoints satisfaits s'adaptent à leur partenaire, comprennent ses signaux et y répondent. Quel que soit le modèle interne d'attachement qu'un individu apporte dans l'équation, la capacité que possèdent les conjoints à établir et à soutenir un système mutuel et efficace d'interactions positives semble essentielle à la survie du mariage.

Divorce

Pour beaucoup de personnes, le début de l'âge adulte signifie aussi l'échec de la relation de couple. En fait, la

Tableau 10.4 *Caractéristiques des mariages stables*	
Caractéristiques des conjoints	**Qualités des interactions**
Ils se sont mariés entre 20 ans et 30 ans.	Il y a plus d'interactions positives que négatives.
Leur degré de scolarité est relativement élevé.	Les conjoints s'aiment, et chacun se considère comme le meilleur ami de l'autre.
Ils sont issus de la classe moyenne ou d'une classe plus favorisée.	Ils s'entendent sur leurs rôles respectifs (incluant les rôles sexuels), et chacun aime la manière dont l'autre s'acquitte de ses rôles.
Ils pratiquent en général la même religion et partagent les mêmes croyances religieuses.	Ils possèdent un degré d'ouverture de soi comparable.
Le mariage de leurs parents présente peu de conflits et n'a pas abouti à un divorce.	Ils comprennent bien les signaux de l'autre. Dans les couples insatisfaits, l'homme semble moins bien comprendre les signaux de sa conjointe.
Ils ont une très bonne estime de soi, de bonnes habiletés cognitives et de bonnes habiletés de communication.	Ils partagent des activités de loisirs.
Ils ont une bonne santé mentale et un faible taux de dépression ; ils ne présentent pas de fortes tendances à la névrose, ils manifestent donc peu d'agressivité, d'impulsivité et d'anxiété.	Ils possèdent de bonnes stratégies de résolution de problèmes et les utilisent rapidement ; ils laissent rarement un problème de côté et se critiquent peu.
Ils possèdent généralement un modèle d'attachement sécurisant.	

(*Sources :* Cate et Lloyd, 1992 ; Davidson, Balswick et Halvewrson, 1983 ; Falford, Hahlweg et Dunne, 1990 ; Filsinger et Thoma, 1988 ; Gottman, 1994a, 1994b ; Halford, Hahlweg et Dunne, 1990 ; Heaton et Pratt, 1990 ; Hill, 1988 ; Karney et Bradbury, 1995 ; Kitson, 1992 ; Kitson, Babri et Roach, 1985 ; Larson et Holman, 1994 ; Schafer et Keith, 1984 ; Wilson et Filsinger, 1986.)

majorité des divorces surviennent au début de l'âge adulte. Les statistiques sur le divorce sont trompeuses. Selon la croyance populaire, près de 50 % des cohortes actuelles de jeunes adultes nord-américains vont finir par divorcer. Ce qui signifie qu'un mariage sur deux est voué à l'échec. Cependant, les recherches longitudinales effectuées sur ce sujet, qui ont permis de suivre des couples sur de longues périodes, indiquent un taux plus réaliste de 18 à 20 % à la fin des années 1990 (Raschke, 1987 ; U.S. Bureau of the Census, 1997). Quoi qu'il en soit, près de 70 % de ces personnes divorcées vont se remarier, et plus de la moitié de ces personnes remariées vont divorcer une seconde fois (Gottman, 1994a). Ce n'est donc pas la formule du mariage qui est remise en question, mais bien le conjoint avec lequel une personne s'est mariée.

Au chapitre 6, nous avons fait mention des principaux effets du divorce sur les enfants. Les adultes ne sont certainement pas moins perturbés. Le divorce peut entraîner des répercussions considérables sur le modèle et la séquence des rôles sociaux. L'âge auquel on divorce joue également un rôle dans les conséquences du divorce.

Effets psychologiques   Sur le plan psychologique, le divorce constitue un facteur de stress considérable. Il est associé à une augmentation des maladies physiques et des troubles affectifs. Les adultes séparés ou divorcés depuis peu sont plus souvent victimes d'accidents de la route, sont plus sujets au suicide, perdent davantage de journées de travail pour cause de maladie et sont plus enclins à la dépression (Bloom, White et Asher, 1979 ; Menaghan et Lieberman, 1986 ; Stack, 1992a, 1992b ; Stack et Wasserman,

1993). Ils éprouvent également un profond sentiment d'échec, présentent une baisse de l'estime de soi et se sentent seuls (Chase-Lansdale et Hetherington, 1990). Ces effets négatifs sont à leur paroxysme au cours des premiers mois qui suivent la séparation ou le divorce. Chez les enfants, ils se font sentir davantage dans les 12 à 24 mois suivant l'événement (Chase-Lansdale et Hetherington, 1990 ; Kitson, 1992).

Les effets à long terme sont plus variables. Certains adultes sortent plus forts de cette expérience et font preuve d'un meilleur fonctionnement psychologique 5 ou 10 ans plus tard. D'autres, par contre, s'en sortent mal psychologiquement, même 10 ans après l'événement (Wallerstein, 1986). Des données indiquent que ceux qui se remarient sont plus heureux que ceux qui restent célibataires, ce qui corrobore la thèse générale voulant que le mariage (ou une union stable) procure un bon équilibre psychologique et une bonne santé. Les personnes dont le second mariage se solde par un divorce peuvent connaître des conséquences négatives considérables (Spanier et Furstenberg, 1987). Pour l'instant, tout ce que l'on peut dire, c'est que les adultes réagissent de manière très différente au divorce. De même, les connaissances sur les facteurs qui pourraient annoncer une réaction négative ou positive à long terme sont limitées. On sait toutefois que les adultes qui reçoivent un soutien social approprié sont moins perturbés à court terme (Chase-Lansdale et Hetherington, 1990).

Conséquences économiques   Les effets psychologiques du divorce sont souvent exacerbés par de sérieuses répercussions économiques, surtout chez les femmes. Puisqu'ils ont travaillé sans interruption, la plupart des hommes quittent le mariage avec un salaire beaucoup plus élevé que celui des femmes. Non seulement les femmes ne possèdent généralement pas un revenu élevé, mais elles ont également la garde des enfants et doivent assumer toutes les dépenses liées à leur éducation. Au Québec, la *Loi sur le patrimoine familial* a été promulguée afin d'atténuer les conséquences de ce déséquilibre économique.

Plusieurs études longitudinales, réalisées aux États-Unis, au Canada ainsi que dans des pays européens comme l'Allemagne, montrent que les hommes divorcés améliorent leur situation économique, alors que les femmes subissent fortement l'effet contraire avec une baisse moyenne de 40 à 50 % du revenu familial (Morgan, 1991 ; Smock, 1993). De plus, cette conséquence économique du divorce met longtemps à disparaître, quand elle disparaît.

Pour les femmes, le moyen le plus sûr de redresser leur situation économique est le remariage, qui les ramène à un train de vie équivalent ou supérieur à celui qu'elles avaient avant le divorce. Pour les femmes qui ne se remarient pas, les conséquences économiques sont encore plus grandes et tendent à persister. Ces conséquences négatives du divorce se retrouvent davantage chez les femmes de la classe ouvrière ou chez celles qui ont un faible degré de scolarité. Les femmes dont le revenu est supérieur à la moyenne sont plus susceptibles de se ressaisir, même si elles ne se remarient pas (Holden et Smock, 1991).

Nous n'avons nullement l'intention de minimiser les effets stressants causés par des conditions économiques défavorables chez les femmes divorcées. Néanmoins, il est intéressant d'observer que, malgré l'absence relative de difficultés économiques pour les hommes, ceux-ci semblent présenter plus de symptômes psychologiques que les femmes. Cette différence pourrait s'expliquer par le fait que les femmes bénéficient d'un réseau de soutien social plus étendu et plus intime, qui leur est d'un grand secours à la suite du divorce.

Influence de l'âge   Puisque la moitié des divorces surviennent au cours des sept premières années du mariage, la majorité des divorces se produisent au début et non au milieu de l'âge adulte (Uhlenberg, Cooney et Boyd, 1990). Seulement un quart des divorces ont lieu chez des couples de plus de 40 ans. Toutefois, le divorce chez les adultes d'âge moyen et avancé semble entraîner plus de troubles affectifs que chez les jeunes adultes (Bloom, White et Asher, 1979). On observe la situation contraire dans les cas de veuvage, lequel est psychologiquement beaucoup plus difficile à supporter s'il se produit au début de l'âge adulte. Ces deux modèles confirment qu'il est plus difficile

d'être en dehors des normes temporelles pour n'importe quel changement ou transition au cours de la vie. Le divorce est évidemment pénible à n'importe quelle période de l'âge adulte. Toutefois, étant donné que, chez les jeunes adultes des cohortes actuelles, il devient très courant, il tend à être considéré comme normal.

Il se peut également que les répercussions économiques du divorce, du moins pour les femmes, soient plus graves au milieu de l'âge adulte, bien qu'on ne dispose d'aucunes données pour vérifier cette hypothèse. De nombreuses femmes d'âge moyen issues des cohortes actuelles n'ont que peu d'expérience de travail à l'extérieur de la maison, voire pas du tout. Après un divorce, ces femmes, souvent appelées « ménagères destituées », ont peu de chances de trouver un emploi. Elles ont aussi moins de chances de se remarier que les jeunes femmes divorcées (Cherlin, 1992). Les jeunes femmes divorcées dans les cohortes courantes possèdent de meilleures compétences pour se trouver un emploi que leurs aînées. Cependant, le fait qu'elles soient plus susceptibles d'élever un enfant exacerbe considérablement leurs difficultés économiques. Ainsi, la source des problèmes économiques peut varier selon le groupe d'âge, même si la dimension de ce problème demeure importante, quel que soit le groupe d'âge.

Trajectoires de vie   Pour bien des adultes, le divorce modifie également la séquence et l'apparition des rôles familiaux. Même si les femmes divorcées qui ont des enfants sont moins susceptibles de se remarier que les femmes divorcées sans enfants, le remariage augmente le nombre moyen d'années consacré à l'éducation des enfants (Lampard et Peggs, 1999 ; Norton, 1983). Dans certains cas toutefois, ce nombre total d'années peut être considérablement plus élevé, en particulier pour les hommes qui épousent une femme plus jeune qui a de jeunes enfants. L'une des conséquences de ce phénomène est la réduction du nombre d'années dont dispose une personne entre le départ du dernier enfant et le moment où ses parents âgés peuvent avoir besoin d'une aide financière ou physique.

Le divorce apporte également un ensemble de nouveaux rôles. En effet, qu'il ait ou non la garde des enfants, le parent doit assumer en plus les rôles de son ex-conjoint : réparer une fuite sur le toit, faire les courses, aller porter les vêtements chez le nettoyeur, etc. Les mères divorcées sont par ailleurs portées à s'investir davantage dans leur rôle professionnel. Comme la garde des enfants leur incombe habituellement, il n'est surprenant qu'elles ressentent de la colère et de la frustration longtemps après le divorce comparativement aux pères qui n'ont pas la garde des enfants (Dreman, Pielberger et Darzi, 1997).

Le remariage crée souvent un nouveau rôle remarquablement complexe: celui de beau-parent. Lorsqu'il y a plusieurs enfants dans la famille reconstituée, certains stades s'ajoutent au cycle du rôle familial habituel. Par exemple, une femme qui a des enfants au primaire peut se retrouver soudainement mère d'adolescents, ce qui exige l'acquisition de nouvelles aptitudes. Chacun de ces changements semble être accompagné d'une période d'adaptation et de bouleversements importants. Si l'on se réfère à la théorie de Levinson, cela signifie que les adultes divorcés et remariés ont moins d'occasions de créer des structures de vie stables et connaissent davantage de périodes de transition ou de crise. Le rythme de la vie adulte est ainsi modifié pour le meilleur ou pour le pire.

Violence conjugale

Les chercheurs définissent la **violence conjugale** comme des gestes ou des comportements qui portent atteinte à l'intégrité physique ou psychologique d'un partenaire intime et qui sont destinés à l'intimider ou à le blesser. On considère comme partenaires intimes deux personnes qui se fréquentent régulièrement, qui habitent ensemble, qui sont engagées l'une envers l'autre (mariées ou en union de fait) ou qui ont déjà vécu ensemble. Le terme *violence familiale* fait référence uniquement à des gestes ou des comportements du même type impliquant des individus qui vivent dans le même foyer.

Prévalence   Partout dans le monde, les femmes risquent davantage d'être maltraitées par un partenaire intime que les hommes. Les taux de violence conjugale envers les femmes varient considérablement d'un pays à l'autre, comme le révèle la figure 10.5 (Organisation mondiale de la santé, 2000). Aux États-Unis, les taux de violence conjugale augmentent ou diminuent selon les ethnies et l'orientation sexuelle. Près de la moitié des femmes afro-américaines ont été victimes de violence conjugale au cours de leur vie adulte (Wyatt *et al.*, 2000) et, selon certaines études, les femmes hispano-américaines sont plus souvent victimes de violence conjugale que les femmes blanches (Duncan, Stayton et Hall, 1999). Un sondage révèle qu'environ 22 % des hommes homosexuels disent avoir été victimes de violence conjugale (Waldner-Haugrud, Gratch et Magruder, 1997) comparativement à près de 50 % des lesbiennes (Waldner-Haugrud *et al.*, 1997).

Causes   Les anthropologues croient que les attitudes culturelles contribuent aux taux élevés de violence conjugale envers les femmes (Hicks et Gwynne, 1996). Dans bon nombre de sociétés particulièrement, les femmes sont considérées comme la propriété de l'homme, et le fait de battre sa partenaire peut ne pas contrevenir à la loi. D'ailleurs, à une certaine époque, le droit coutumier (*common law*) qui était en vigueur en Angleterre, aux États-Unis et au Canada autorisait cette pratique.

Les prescriptions du rôle sexuel assigné à chacun des partenaires peuvent également favoriser la violence conjugale. Par exemple, les taux de violence conjugale sont particulièrement élevés chez les femmes japonaises, dont plus de 50 % affirment avoir été maltraitées (Kozu, 1999). Les chercheurs attribuent cette prévalence de la violence conjugale à la croyance culturelle selon laquelle les maris japonais ont une autorité absolue sur leurs femmes et leurs enfants. De plus, pour éviter de déshonorer son mari, l'épouse japonaise est forcée de cacher les abus qu'elle a subis aux personnes qui ne font pas partie de la famille.

En plus des croyances culturelles, un certain nombre de caractéristiques propres aux agresseurs et à leurs victimes sont associées à la violence conjugale. Par exemple, les mêmes traits de la personnalité sont présents chez les couples hétérosexuels et homosexuels où se manifeste la violence conjugale (Burke et Follingstad, 1999). Ces traits comprennent une tendance à la jalousie irrationnelle, la dépendance, le besoin de contrôle, des changements d'humeur soudains et un tempérament impulsif (Landolt et Dutton, 1997). Les hommes de tempérament agressif sont également plus portés à maltraiter leur partenaire (Kane, Staiger et Ricciardelli, 2000). De plus, les hommes qui ont abandonné leurs études secondaires ou qui se retrouvent souvent sans emploi maltraitent plus fréquemment leur partenaire (Kyriacou *et al.*, 1999).

Les victimes de violence conjugale sont plus susceptibles d'avoir été maltraitées au cours de leur enfance que leurs pairs qui ne subissent pas de violence (Wyatt *et al.*, 2000). L'âge constitue également un autre facteur: les jeunes femmes de 16 à 24 ans sont plus exposées à la violence conjugale que les femmes plus âgées (Buss, 1999; Duncan *et al.*, 1999). On peut attribuer cette différence au fait que les femmes plus jeunes sont moins autonomes en raison de leur faible degré de scolarité ou de leur manque d'expérience qui les empêchent de se dénicher un emploi. De même, les femmes plus jeunes risquent davantage d'être forcées de s'occuper de leurs bébés ou de leurs jeunes enfants pour lesquels elles ne peuvent trouver un

Violence conjugale: Gestes ou comportements visant à intimider ou à blesser un partenaire intime.

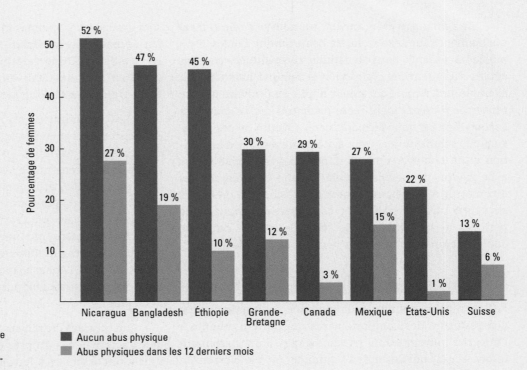

Figure 10.5
Abus physiques.
Ces statistiques proviennent d'une étude s'appuyant sur des données médicales qui a été menée par l'Organisation mondiale de la santé. (*Source :* OMS, 2000.)

service de garde. Par conséquent, bon nombre de ces femmes continuent de subir la violence de leur partenaire en croyant qu'elles n'ont pas d'autres choix (Kaplan et Sadock, 1991).

Les problèmes d'alcool et de drogue sont plus courants chez les agresseurs et les victimes que chez les partenaires non violents (Kyriacou *et al.*, 1999 ; Van Hightower et Gorton, 1998). Une étude approfondie portant sur plus de 8 000 meurtres commis dans des familles a révélé que, pour environ la moitié des homicides entre conjoints, l'auteur du crime, tout comme la victime, avait consommé de l'alcool ou de la drogue (Dawson et Langan, 1994).

Effets   Les femmes maltraitées peuvent souffrir d'anxiété, devenir dépressives et avoir une faible estime de soi (Kaplan et Sadock, 1991). De tels sentiments sont renforcés quand les victimes croient qu'elles ne peuvent sortir du cycle de la violence. Certaines d'entre elles deviennent si déprimées qu'elles envisagent le suicide, alors que d'autres passent à l'acte (NCIPC, 2000).

Être témoin de violence conjugale influe aussi sur le développement de l'enfant. Une étude menée auprès de 420 adultes qui ont été témoins de violence physique entre leurs parents au cours de leur enfance démontre

qu'un lien très étroit existe entre la violence parentale et divers problèmes liés au développement (McNeal et Amato, 1998). D'ailleurs, on a découvert que bon nombre de ces adultes avaient des relations médiocres avec leur partenaire et leurs enfants, et certains d'entre eux sont devenus des agresseurs ou des victimes.

Prévention   Un respect rigoureux de la loi constitue une approche préventive (Sacco et Kennedy, 1996). Les défenseurs de cette approche soutiennent que les stigmates d'une arrestation peuvent forcer les agresseurs à voir les choses en face et à admettre qu'ils ont un grave problème. Il est également essentiel que les responsables de l'application de la loi et le personnel hospitalier qui doivent déceler les signes de sévices suivent des programmes de formation (Hamberger et Minsky, 2000). Cette formation pourrait leur permettre de reconnaître les agresseurs et de les poursuivre en justice, même quand les victimes ne les dénoncent pas. Il faudrait aussi enseigner des méthodes de résolution de problèmes aux victimes et leur offrir des refuges temporaires pour les protéger de nouveaux abus. Des programmes de prévention sont offerts dans la communauté et dans les écoles afin d'éduquer le public et de l'inciter à ne pas tolérer la violence conjugale.

Les adultes célibataires

Le mariage, ou la cohabitation à long terme, confère certains avantages. Les jeunes adultes qui se marient sont plus heureux, en meilleure santé, vivent plus longtemps et sont moins sujets aux troubles psychologiques que les adultes célibataires (Lee, Seccombe et Shehan, 1991 ; Coombs, 1991 ; Glenn et Weaver, 1988 ; Ross, 1995 ; Sorlie, Backlund et Keller, 1995). En fait, le fait de ne pas être marié est plus dangereux que l'embonpoint, le cancer ou la cigarette et, pour les hommes, plus dangereux que d'avoir une maladie cardiaque. Les hommes les moins heureux sur presque tous les plans sont les célibataires, tandis que les plus heureux sont ceux qui sont mariés. Chez les femmes, celles qui se marient ont un léger avantage sur les célibataires. Toutefois, les femmes célibataires sont beaucoup plus heureuses et sont en bien meilleure santé que les hommes célibataires. Voici trois explications possibles de ce phénomène.

- Premièrement, il pourrait s'agir d'un processus de sélection. Les gens heureux et en bonne santé ont plus de chances de se marier. Même si cette explication semble logique, les chercheurs possèdent peu de preuves pour étayer cette hypothèse (Coombs, 1991 ; Waite, 1995).

- Deuxièmement, on pourrait penser que les adultes mariés possèdent de meilleures habitudes de vie. Par exemple, des chercheurs hollandais (Joung *et al.*, 1995) ont observé que les hommes mariés étaient moins susceptibles de fumer ou de boire avec excès et faisaient davantage d'exercice que les hommes célibataires.

- La troisième explication s'appuie sur la présence d'un soutien social. Les adultes mariés sont moins sujets aux maladies et à la dépression, car ils bénéficient du soutien que procure l'attachement central à un partenaire. Le mariage profite davantage aux hommes parce qu'ils sont moins portés à avoir un confident en dehors de leur conjointe et parce que les femmes procurent à leur partenaire une plus grande chaleur émotionnelle et un meilleur soutien que les hommes.

Si ce dernier argument est exact, ce serait alors la qualité du soutien donné par le conjoint qui serait l'élément clé de l'équation. Ainsi, les hommes mariés qui bénéficient d'un soutien fort de la part de leurs épouses seraient plus heureux et en meilleure santé que ceux qui ne bénéficient pas d'un tel soutien (soutien faible). Parallèlement à cette affirmation, les adultes célibataires qui ne bénéficient pas du soutien d'un partenaire ni d'un confident présenteraient de piètres résultats sur le plan de la santé et du bonheur. Ces deux hypothèses ont été confirmées par différentes recherches.

Catherine Ross (1995) fait remarquer que ce n'est pas la situation de famille qui est en cause, mais bien la qualité de la relation entre les partenaires. Elle a demandé à des adultes non mariés s'ils vivaient avec un partenaire ou s'ils avaient un partenaire qui ne vivait pas avec eux. On a demandé par la suite à ces adultes (mariés ou non) s'ils étaient satisfaits de leur relation amoureuse. Les résultats démontrent que le niveau de dépression est plus élevé chez ceux qui n'avaient pas de partenaire et chez ceux qui étaient insatisfaits de leur relation amoureuse. Ainsi, les adultes qui entretenaient une relation satisfaisante avec un partenaire étaient moins susceptibles de présenter des symptômes de dépression que les adultes qui n'avaient pas de partenaire ou qui entretenaient une relation insatisfaisante.

Bien sûr, il ne faut pas en conclure que tous les adultes célibataires souffrent de solitude et de mélancolie. Les différences que nous avons décrites constituent une moyenne, et il existe de nombreuses exceptions. De nombreux adultes sont célibataires par choix, et bon nombre d'entre eux ont trouvé d'autres sources de soutien. Ainsi, les femmes qui ne se sont jamais mariées sont plus portées à garder des liens très étroits avec leurs parents, en conservant peut-être cet attachement central sous une forme moins atténuée (Allen et Pickett, 1987). Elles ont même plus souvent tendance que les femmes mariées à avoir une carrière bien remplie, du succès sur le plan professionnel et un meilleur salaire (Sørensen, 1983). Toutefois, le fait d'être célibataire modifie sans aucun doute le cycle du début de l'âge adulte de bien des façons et peut entraîner certains risques sur le plan de la santé mentale.

PAUSE-APPRENTISSAGE

Rôles sociaux et relations amoureuses ou conjugales

- Quels sont les trois principaux rôles que doit assumer une personne au début de l'âge adulte ?

- Définissez ce qu'est une escorte sociale.

- Qu'est-ce que la phase de transition chez le jeune adulte ?

- Expliquez comment se modifie l'attachement aux parents lors du départ de la maison.

- Expliquez la théorie de l'homogamie.

- Quel est le rôle du modèle interne d'attachement dans le choix d'un partenaire ?

- Quelles sont les trois composantes essentielles de l'amour ? Expliquez votre réponse.

- Décrivez les qualités des couples qui réussissent leur mariage.

- Quels sont les effets psychologiques du divorce, ses conséquences économiques et ses séquelles sur la trajectoire de vie ? Comment l'âge influe-t-il sur le divorce ?

Concepts et mots clés

- **conflit de rôles** (p. 351) • **escorte sociale** (p. 351) • **phase de transition** (p. 349) • **rôle social** (p. 351) • **tension de rôle** (p. 351) • **théorie de l'homogamie** (p. 353) • **violence conjugale** (p. 361)

RELATIONS AVEC LES ENFANTS

Au début de l'âge adulte, le *rôle de parent* constitue le second rôle majeur que l'adulte est appelé à jouer. Les neuf dixièmes des adultes deviendront des parents, la plupart pendant la vingtaine ou la trentaine. La majorité des parents tirent une profonde satisfaction de ce rôle. Celui-ci semble donner plus de sens à leur vie, les valorise et leur permet de se sentir pleinement adultes. Il offre également l'occasion à l'homme et à la femme de partager une des grandes joies de l'existence humaine (Umberson et Gove, 1989) : devenir parent.

Le pourcentage d'hommes qui désirent fortement devenir parent et qui perçoivent cette expérience comme enrichissante est actuellement supérieur à celui des femmes (Horowitz, McLaughlin et White, 1998 ; Muzi, 2000). De plus, la majorité de ces futurs pères s'attachent émotionnellement à l'enfant pendant le dernier trimestre de la grossesse et attendent l'arrivée de l'enfant avec enthousiasme (White *et al.*, 1999). Cependant, la naissance du premier enfant marque une série de modifications dans la vie des adultes, particulièrement dans les rôles sexuels et les relations conjugales, et ces changements ne se font pas sans difficulté.

Changement des rôles sexuels   La naissance du premier enfant semble provoquer avant tout un renforcement des rôles sexuels : c'est ce que l'anthropologue David Gutmann appelle l'**impératif parental** (1975). Parce qu'ils sont remarquablement vulnérables et que leur croissance est lente, les petits des humains ont besoin durant une longue période d'un soutien physique et émotionnel. Gutmann affirme que, en tant qu'espèce animale, nous sommes programmés pour assumer ces deux responsabilités de la manière suivante : les mères ont la charge du soutien émotionnel et les pères veillent au soutien physique et à la protection.

Selon Gutmann, même les couples qui prônent l'égalité des sexes auront tendance à se tourner vers cette division traditionnelle des rôles après la naissance du premier enfant. Gutmann explique de façon imagée que les femmes seront de plus en plus portées vers le « foyer », alors que les hommes iront de plus en plus dans le monde extérieur, armés d'un gourdin pour défendre les leurs. La recherche de sensations fortes et les comportements à risque diminuent également chez l'homme (Arnett, 1998). L'entrevue qui suit, réalisée par Daniels et Weingarten (1988, p. 38), illustre bien cette tendance.

L'arrivée du bébé a été une bonne chose pour moi, parce que je me suis brusquement rendu compte que je devais trouver un meilleur emploi. Je savais que j'allais devoir étudier pour obtenir une meilleure situation. Je me suis donc fait muter sur le quart de nuit pour pouvoir aller à l'université le jour. Les journées étaient longues, j'étais stressé, et ma famille me manquait beaucoup, mais il fallait que je le fasse.

Les recherches de Gutmann chez les Navahos, les Mayas et les Druzes confirment généralement ses hypothèses, de même que certaines études effectuées aux États-Unis. Par exemple, Caroline Cowan et ses collègues (1991) ont trouvé que, après la naissance du premier enfant, la tendance à se définir comme « travailleuse » ou « étudiante » diminue considérablement chez la femme. Pour les hommes, les rôles de travailleur ou d'étudiant demeurent prioritaires, même après la naissance du premier enfant. De plus, ces chercheurs ont aussi constaté que les femmes assument une plus grande part des tâches ménagères et des soins prodigués à l'enfant que les conjoints ne l'avaient envisagé avant la naissance de l'enfant (Cowan *et al.*, 1991).

Satisfaction conjugale   La naissance du premier enfant entraîne une diminution, du moins au début, de la satisfaction conjugale (Glenn, 1990). La figure 10.6 présente un ensemble de résultats typiques montrant que le degré de satisfaction atteint un sommet avant l'arrivée des enfants, qu'il diminue et demeure relativement faible aussi longtemps que les enfants demeurent à la maison, puis qu'il augmente de nouveau quand les enfants quittent la maison et au moment de la retraite (Rollins et Feldman, 1970). C'est sur la baisse de la satisfaction conjugale après la naissance du premier enfant que l'on possède le plus d'informations, grâce à plusieurs données longitudinales et transversales.

Comme l'indique la figure 10.6, le nombre d'échanges positifs baisse pendant la première année de mariage, que des enfants soient nés ou non de cette union. D'autres travaux montrent que l'arrivée d'un enfant exacerbe les conflits de rôles et les tensions de rôle. On sait qu'un conflit de rôles apparaît quand une personne tente d'assumer deux ou plusieurs fonctions qui sont incompatibles physiquement ou psychologiquement. Les jeunes parents se rendent rapidement compte que les rôles de parents et d'époux sont au moins partiellement incompatibles. Les journées sont trop courtes, et les heures passées à prodiguer des soins à l'enfant sont en général soustraites de celles que les conjoints se consacraient l'un à l'autre (Cowan *et al.*, 1991). La plupart des nouveaux parents révèlent qu'ils disposent de beaucoup moins de temps,

---

Impératif parental : Selon David Gutmann, modèle « inné » du renforcement des rôles sexuels traditionnels après la naissance du premier enfant.

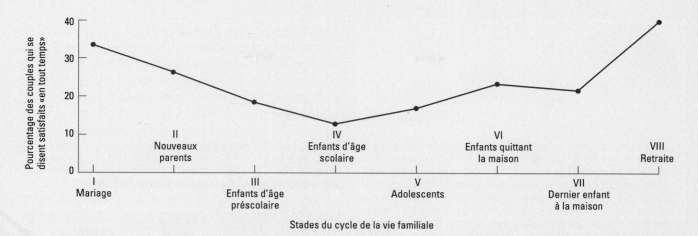

Figure 10.6
Satisfaction conjugale et vie familiale.
Ce modèle de l'évolution de la satisfaction conjugale au cours des
divers stades de la vie familiale est l'un des plus documentés en sociologie
familiale. (*Source :* Rollins et Feldman, 1970, tableaux 2 et 3, p. 24.)

que ce soit pour le dialogue, les relations sexuelles, les
marques élémentaires d'affection ou même l'exécution
conjointe des corvées journalières (Belsky, Lang et Rovine,
1985). Beaucoup de nouveaux parents vivent aussi une
tension de rôle considérable : ils ne savent pas comment
s'acquitter des tâches associées à leur nouveau rôle. De
plus, cette tension est exacerbée par tout élément qui fait
monter d'un cran le stress à l'intérieur de la famille : une
situation économique difficile, les pressions relatives à
l'emploi ou un bébé au tempérament difficile (Sirignano
et Lachman, 1985).

Des études plus récentes cependant autorisent à
penser que ce déclin de la satisfaction conjugale serait
une caractéristique des cohortes modernes de nouveaux
parents. Les chercheurs ont observé un modèle de satisfaction conjugale identique à celui de Rollins et Feldman
dans différentes cultures (Ahmad et Najam, 1998; Gloger-
Tippelt et Huerkamp, 1998). Plusieurs variables peuvent
expliquer cette baisse de satisfaction dans le couple. La
division des tâches semble jouer un rôle important. Plus
une personne pense qu'elle assume la majeure partie des
tâches associées au ménage et aux soins du bébé, plus son
degré de satisfaction diminue (Wicki, 1999). La présence
ou l'absence de soutien des autres membres de la famille
contribue au degré de satisfaction conjugale (Lee et Keith,
1999). La capacité de faire face aux nouvelles demandes
d'adaptation influerait également sur la satisfaction conjugale, selon certaines études (Belsky et Hsieh, 1998). Par
exemple, les couples qui possèdent de bonnes habiletés de
résolution de problèmes avant la naissance de leur enfant

affrontent mieux les changements qu'elle occasionne, et la
baisse de leur degré de satisfaction est moins marquée
(Cox *et al.*, 1999; Lindahl, Clement et Markman, 1997). La
qualité de l'attachement des nouveaux parents à leurs
propres parents constituerait aussi une variable (Gloger-
Tippelt et Huerkamp, 1998). Ainsi, les jeunes adultes qui
présentent un attachement insécurisant de type fuyant ou
ambivalent sont plus nombreux à envisager la naissance
de leur enfant comme une expérience négative que les
parents qui présentent un attachement sécurisant (Rholes
et al., 1997).

Il est important de garder à l'esprit aussi que la
naissance d'un enfant constitue une expérience plus
stressante et compliquée pour les pères ou les mères
célibataires comparativement aux couples mariés ou aux
conjoints de fait (Lee, Law et Tam, 1999). De plus, ces
parents uniques sont plus susceptibles de souffrir de
problèmes de santé et d'obtenir moins de promotions
dans leur travail (Khlat, Seremet et Le Pape, 2000;
Tharenou, 1999). C'est pourquoi des psychologues insistent sur la présence d'un conjoint comme facteur de protection face au changement considérable que représente
la naissance d'un enfant.

RELATIONS AVEC LES AMIS

Les amis constituent également des membres essentiels
du réseau social. Nous choisissons nos amis de la même
manière qu'un conjoint, c'est-à-dire parmi les gens qui
nous ressemblent. Nous utilisons également les mêmes

Les adultes sans enfants

Le fait de ne pas avoir d'enfants modifie le parcours de la vie adulte, et influe à la fois sur le modèle conjugal et le modèle professionnel. L'absence d'enfants dans le couple entraîne une baisse moins importante dans la courbe de la satisfaction conjugale comparativement à celle d'un couple avec enfants. Comme c'est le cas pour tous les adultes mariés, ceux qui n'ont pas d'enfants vont également connaître une baisse de la satisfaction conjugale au cours des premiers mois ou des premières années du mariage. Cependant, sur l'ensemble de la vie adulte, la courbe est beaucoup moins prononcée que celle de la figure 10.6 (Houseknecht, 1987 ; Somers, 1993). Au cours de la vingtaine et de la trentaine, les couples sans enfants démontrent une meilleure entente dans leur mariage que les couples avec enfants. Lorsqu'on n'a pas de rôle parental à assumer, on dispose de plus de temps et d'énergie à consacrer au rôle de partenaire.

Toutefois, il est intéressant de souligner que, après le départ des enfants du foyer, l'effet contraire peut se produire. Une étude au moins montre que, chez les couples en période postparentale (pour la plupart dans la cinquantaine et la soixantaine), la satisfaction conjugale est plus *élevée* parmi ceux qui ont des enfants que parmi ceux qui n'en ont pas (Houseknecht et Macke, 1981). On constate une autre différence quant au rôle professionnel, particulièrement chez les femmes. Comme les femmes célibataires, les femmes mariées sans enfants ont tendance à avoir une carrière professionnelle bien remplie. Cependant, une étude effectuée sur plus de 2 000 personnes a démontré que les femmes célibataires sans enfants n'obtiennent pas plus de promotions que les mères (Tharenou, 1999). De plus, entre autres désavantages associés au fait de ne pas avoir d'enfants, il y a le regard des autres, qui nous perçoivent comme « différents » sur plusieurs plans (Mueller

et Yoder, 1999). L'étude de Tharenou indique en outre que les pères mariés dont la conjointe n'occupe pas d'emploi sont plus susceptibles de recevoir de l'avancement comparativement à tout autre travailleur, quel que soit l'état matrimonial ou parental de ce dernier.

Nous ne savons pas pourquoi cet homme est célibataire. En revanche, nous savons que cette situation lui fait courir un risque plus élevé de troubles de santé physique et mentale. Bien sûr, s'il dispose d'autres sources de soutien émotionnel, il pourra éviter de telles conséquences négatives.

---

critères, soit le degré de scolarité, la classe sociale, les champs d'intérêt, les antécédents familiaux ou le stade du cycle de la vie familiale. Les amitiés mixtes sont plus fréquentes chez les adultes que chez les enfants de 10 ans, mais elles sont toujours moins nombreuses que les amitiés avec des personnes du même sexe. Les amis des jeunes adultes sont presque toujours choisis parmi des personnes du même âge. Au-delà de ce filtre de similitude, l'amitié intime semble reposer principalement sur l'ouverture personnelle et mutuelle.

Certains signes indiquent que le nombre d'amis qui font partie du réseau social d'une personne atteint un sommet au début de l'âge adulte, puis diminue au début de la trentaine (Castensen *et al.*, 1992, 1995). Il est peut-être plus facile de se faire des amis avant l'acquisition des rôles sociaux, soit avant de se marier, d'avoir des enfants et un travail dont les impératifs réduisent le temps consacré aux loisirs. Ainsi, les relations amicales établies au début de la vingtaine peuvent durer jusqu'à la trentaine.

Par contre, peu d'amitiés intimes naissent pendant la trentaine, et même certaines se perdent en raison d'un déménagement ou d'une diminution des échanges. Toutefois, ces données sont très hypothétiques, car on ne dispose d'aucune étude longitudinale portant sur cette période de la vie.

Différences sexuelles dans les amitiés

On possède des données plus précises sur les différences associées au sexe dans les modèles d'amitié au début de l'âge adulte. Comme durant l'enfance, il existe au début de l'âge adulte des différences sexuelles frappantes dans le nombre et la qualité des amitiés composant le réseau social. Les femmes ont plus d'amies intimes, car elles s'ouvrent davantage à l'autre et s'offrent mutuellement un soutien émotionnel. Les amitiés entre hommes, comme celles des garçons et des hommes plus âgés, ont un aspect plus compétitif. Les hommes sont plus souvent en désaccord avec leurs amis; ils demandent et offrent moins de soutien émotionnel (Dindia et Allen, 1992; Maccoby, 1990). Les femmes adultes ont des conversations entre amies, tandis que les hommes pratiquent des activités avec leurs amis.

La citation qui suit illustre remarquablement bien le modèle masculin. Le commentaire provient d'un cadre de 38 ans interrogé par Robert Bell (1981, p. 81-82).

> J'ai trois amis intimes que je connais depuis l'enfance; nous habitons tous la même ville. Il y a certaines choses que je ne leur dis pas. Par exemple, je ne leur parle pas beaucoup de mon travail, car nous avons toujours été en compétition. Je ne leur parle jamais de mes sentiments d'incertitude face à la vie et à certaines choses que je fais. Je ne leur parle pas de mes problèmes avec ma femme, ni de tout ce qui concerne mon mariage et ma vie sexuelle. À part cela, je leur dis tout. [Après une courte pause, il rit et dit:] Ça ne me laisse pas grand-chose à leur dire, n'est-ce pas!

Cela ne signifie pas nécessairement que les amitiés entre hommes présentent des lacunes dans le nombre ou la qualité. Les hommes ont des amis intimes, et ces amitiés les satisfont. Cependant, elles sont passablement différentes de celles des femmes (Antonucci, 1994a).

La plupart des recherches démontrent que les hommes sont moins satisfaits de leur réseau d'amitié que les femmes (quoique les hommes et les femmes soient également satisfaits de leurs relations familiales). Les amitiés entre hommes notamment répondent moins au besoin d'*intimité* que les amitiés entre femmes. Les femmes bénéficient ainsi davantage de l'effet tampon de leur réseau d'amitié. En fait, les hommes tout comme les femmes semblent satisfaire leur besoin d'*intimité* dans leurs amitiés avec des femmes. Pour la plupart des hommes, ce besoin est satisfait dans le mariage: beaucoup plus d'hommes que de femmes n'ont que leur partenaire comme ami intime. Les hommes retirent également des avantages du style de leurs amitiés. Ils semblent moins empêtrés dans des relations émotionnelles et plus centrés sur leur travail que les femmes (Antonucci, 1994a).

Il n'est pas étonnant de constater que les femmes jouent aussi le rôle d'*organisatrice familiale* (Moen, 1996). Ce sont elles qui écrivent les lettres, donnent les coups de téléphone et organisent les rencontres. Plus tard dans la vie adulte, ce sont généralement les femmes qui s'occupent de leurs parents âgés (nous aborderons cet aspect de façon plus détaillée au chapitre 13). Dans l'ensemble, ces faits semblent indiquer que les femmes jouent un rôle plus important dans les relations interpersonnelles que les hommes. Dans presque toutes les cultures, ce sont les femmes qui veillent au maintien des aspects émotionnels des relations avec le conjoint, les amis, la famille et, évidemment, les enfants.

Relations avec les enfants et avec les amis

- Définissez ce qu'est l'impératif parental selon Gutmann.
- Comment la satisfaction conjugale évolue-t-elle au cours du cycle de la vie familiale?
- Comment les jeunes adultes choisissent-ils leurs amis?
- Qu'est-ce qui distingue l'amitié entre hommes de l'amitié entre femmes?

Concepts et mots clés

- **impératif parental** (p. 364) • **organisatrice familiale** (p. 367)

RELATIONS AVEC LE MILIEU DE TRAVAIL

Un pourcentage très élevé de jeunes adultes assument un troisième rôle relativement nouveau qui accapare beaucoup de leur temps: *le rôle de travailleur*. Les jeunes adultes adoptent ce rôle pour subvenir à leurs besoins économiques, mais aussi parce qu'un travail satisfaisant semble être un facteur de bonheur dans la vie, autant pour les hommes que pour les femmes (Meeus, Dekovic et Iedema, 1997; Tait, Padgett et Baldwin, 1989). Nous allons étudier le rôle de travailleur sous divers aspects, soit le parcours professionnel, les modèles du travail chez la femme, l'épuisement professionnel et la conciliation des rôles professionnel et familial.

Parcours professionnels

Une fois qu'il a opté pour un emploi ou une carrière, quels genres d'expériences le jeune adulte fait-il dans sa vie active? Sa satisfaction professionnelle augmente-t-elle ou diminue-t-elle au fil du temps? Sa carrière est-elle composée d'étapes distinctes que l'on pourrait définir comme des stades ou des échelons communs?

Satisfaction professionnelle De nombreuses études indiquent que le degré de satisfaction professionnelle est à son plus bas au début de la vie adulte et qu'il augmente graduellement jusqu'à la retraite. On retrouve ce modèle dans de nombreuses études effectuées aussi bien auprès de femmes que d'hommes (Glenn et Weaver, 1985). Cette caractéristique n'est pas simplement un effet de cohorte puisque des résultats similaires ont été obtenus dans des recherches étalées sur de nombreuses années. Il ne s'agit pas non plus d'un effet de culture, car ce modèle a été observé dans plusieurs pays industrialisés. Quelle en est donc l'origine ?

Certains travaux (Bedeian, Ferris et Kacmar, 1992) ont permis de conclure que cet effet n'était pas lié à l'âge, mais à la durée de l'emploi. Les travailleurs plus âgés occupent habituellement leur emploi depuis longtemps. Ils tirent donc leur satisfaction de diverses sources : un meilleur salaire, une plus grande sécurité d'emploi et un plus grand pouvoir. Certains effets pourraient toutefois être liés à l'âge. Les emplois qu'occupent les jeunes adultes sont souvent plus salissants, plus exigeants physiquement, moins complexes et moins intéressants (Spenner, 1988). Cette différence découle en partie de leur manque d'expérience, mais elle pourrait aussi refléter leur plus grande force physique et leur plus grande vigueur.

Les recherches indiquent également qu'il existe d'autres variables associées à la satisfaction au travail chez les jeunes adultes. Ainsi, comme dans de nombreuses situations de la vie, certains traits de la personnalité, comme la tendance à la névrose (instabilité émotionnelle), nuisent à la satisfaction au travail (Blustein *et al.*, 1997 ; Judge, Bono et Locke, 2000). Par contre, un emploi lié au champ d'études ainsi qu'un milieu de travail stimulant contribuent à l'augmentation de la satisfaction professionnelle (Blustein *et al.*, 1997). Les recherches démontrent également que les travailleurs sont plus satisfaits lorsque des émotions positives sont associées à leur emploi (Fisher, 2000).

Stades du travail   Deux stades permettent de décrire l'expérience du travail chez le jeune adulte. Le premier, le **stade d'essai**, couvre habituellement la période entre 20 et 30 ans (Super, 1971, 1986). C'est le moment où le jeune adulte choisit sa carrière : il essaie diverses possibilités ou il reprend ses études pour parfaire sa formation. Une fois qu'il a trouvé un emploi à sa mesure, il doit apprendre les ficelles du métier afin de pouvoir gravir les premiers échelons, ce qu'il fera au fur et à mesure qu'il maîtrisera les compétences nécessaires.

Vient ensuite le **stade de stabilisation** entre 30 et 45 ans environ. Après avoir choisi son travail et appris les ficelles du métier, l'adulte se concentre sur la réalisation de ses aspirations personnelles ou de ses objectifs. Le jeune scientifique aspire à gagner le prix Nobel ; le jeune avocat cherche des associés ; le jeune gestionnaire d'entreprise s'efforce de se hisser au sommet de la hiérarchie ; le jeune ouvrier peut rechercher la stabilité d'emploi ou

vouloir obtenir un poste de contremaître. À ce moment, l'adulte obtient une ou des promotions, et sa carrière atteint un plafond.

Modèles du travail chez la femme

Certaines caractéristiques que nous avons vues s'appliquent aussi bien aux femmes qu'aux hommes. La satisfaction professionnelle des femmes augmente avec l'âge (et avec la stabilité de l'emploi), comme celle des hommes. Toutefois, l'expérience du travail chez les femmes au début de l'âge adulte diffère énormément de celle des hommes : elle est plus souvent discontinue. La majorité des femmes quitte et réintègre un emploi au moins une fois et souvent plusieurs fois (Drobnic, Blossfeld et Rohwer, 1999). Cette différence a un effet considérable sur le rôle des femmes dans le monde du travail.

Le modèle du travail chez la femme change rapidement ; il se peut donc que, dans les cohortes actuelles de femmes entre 20 et 30 ans, le pourcentage de celles qui vont travailler sans interruption pendant cette période soit plus élevé. Cependant, puisqu'elles portent les enfants, leur prodiguent des soins et les élèvent (du moins les premières années), les femmes restent généralement à la maison, au moins pour une brève période au début de la vie adulte. Et il est peu probable que cette situation se modifie du tout au tout.

Nous pourrions envisager le modèle féminin du travail d'une autre façon, soit en ajoutant un stade supplémentaire que nous pourrions nommer *alternance d'emploi et de non-emploi*. Pour certaines femmes, ce stade vient en premier lieu et fait presque partie du stade d'essai. Pour d'autres, il suit le stade d'essai et précède celui de la stabilisation. Pour comparer l'itinéraire des promotions des hommes et des femmes, il faudrait retirer cette période de discontinuité dans l'emploi du cheminement de la femme et étudier seulement les années de travail continu. Malheureusement, personne ne s'est livré à une telle recherche. C'est pourquoi on ne peut pas affirmer que l'itinéraire professionnel de la femme suit la même courbe que celui de l'homme.

Les données dont on dispose semblent toutefois indiquer que l'aspect discontinu du modèle de travail des femmes influe sur leur réussite professionnelle. Par

Stade d'essai : Stade au cours duquel l'adulte dans la vingtaine essaie divers emplois et acquiert des compétences.

Stade de stabilisation : Stade qui commence au début de la trentaine au cours duquel l'adulte atteint généralement un plafond sur le plan professionnel.

exemple, les femmes qui travaillent de façon continue ont des salaires plus élevés et atteignent des objectifs de carrière supérieurs à ceux des femmes qui travaillent de façon discontinue (Betz, 1984 ; Van Velsor et O'Rand, 1984). De plus, certaines données révèlent que, parmi les femmes qui arrêtent souvent de travailler, celles qui ont eu quelques petits contrats pendant le stade d'alternance d'emploi et de non-emploi réussissent mieux sur le plan économique que celles qui sont restées sans emploi pendant une longue période continue, même lorsque le nombre total de mois ou d'années sur le marché du travail est le même pour les deux groupes (Gwartney-Gibbs, 1988). Ces petits contrats permettent à la femme d'exercer ses aptitudes professionnelles, surtout si elle a le même genre d'emploi chaque fois qu'elle réintègre le marché du travail. Les emplois à temps partiel semblent donner des résultats similaires. Il existe des stratégies qui peuvent aider la femme à maximiser son succès professionnel, tout en lui permettant de passer du temps avec sa famille, bien que cela demande énormément de réflexion et d'organisation.

Épuisement professionnel

Un des grands facteurs de stress est le travail. Le stress dépend du degré de concordance entre l'individu et son milieu. L'épuisement professionnel serait la conséquence d'un stress non résolu lié au travail. Plus précisément, l'épuisement professionnel est considéré comme un type particulier de réaction — une réaction ultime — à un stress lié à un travail qui exige un grand engagement. Ainsi, le syndrome de l'épuisement physique et émotionnel, que l'on nomme aujourd'hui *trouble de l'adaptation au travail avec humeur dépressive*, se caractérise par :

- un manque d'énergie physique (problèmes de santé), émotionnelle (sentiment de dépression et de désespoir) et mentale (image négative de soi-même et attitude négative envers son travail),
- une plus grande irritabilité et une plus grande méfiance envers autrui,
- un sentiment d'isolement et de manque de soutien,
- une perte d'intérêt et de motivation pour servir la clientèle,
- un besoin d'échapper à sa situation professionnelle.

En général, l'épuisement professionnel constitue une expérience essentiellement individuelle. Toutefois, cette maladie professionnelle peut aussi affecter un groupe de travail, soit de façon transitoire quand ce groupe doit faire face à un changement, soit de façon permanente quand les relations de travail sont tendues à l'intérieur du groupe.

Pour l'individu, le stress au travail peut avoir un impact à différents niveaux. Tout d'abord au niveau individuel, il cause une détresse psychologique, des symptômes somatiques ou cognitifs et/ou des troubles du sommeil. Cela peut aussi toucher la sphère professionnelle par une insatisfaction au travail et le désir de changer de profession et/ou d'organisation. La vie sociofamiliale peut de plus subir des conséquences par le désintéressement de l'individu dans la participation de cette partie de sa vie (Arsenault *et al.*, 1994, p. 5).

Nous savons également aujourd'hui qu'un individu qui vit une situation entraînant des émotions négatives augmente la concentration dans son organisme d'une hormone liée au stress, le *cortisol*. Le cortisol affaiblit le système immunitaire et rend ainsi l'organisme plus vulnérable à toute forme d'agression interne ou externe. Un taux de cortisol qui demeure élevé sur de longues périodes, à cause de la mauvaise qualité des relations de travail (de l'épuisement professionnel), peut affecter la santé globale d'un individu.

La compétitivité, la précarité d'emploi et l'adaptation rapide aux changements (organisation du travail, nouvelles technologies, etc.) font partie du contexte actuel du marché du travail. Dans le but d'économiser, les entreprises suppriment des postes, et les travailleurs qui conservent leur emploi doivent alors assumer une surcharge de travail, traiter une plus grande quantité d'informations et augmenter leur cadence. Une enquête récente a démontré que les gens doivent travailler vite et respecter des délais très courts, sans jamais avoir suffisamment de temps pour terminer leur travail (Bond, Galinsky et Swangerg, 1998).

Pour améliorer les conditions de travail, on peut tenter d'éliminer les facteurs importants de stress professionnel, notamment le surplus de travail, l'organisation inadéquate du travail, l'absence de reconnaissance et de soutien social ainsi que le manque d'esprit d'équipe. Ces facteurs cependant ne doivent plus être considérés indépendamment de la personnalité de l'individu. La personne qui présente une instabilité émotionnelle (tendance névrotique), qui est anxieuse ou dépressive et qui possède peu de capacité d'adaptation est plus sujette à l'épuisement professionnel (Barbeau, 2001, p. 23). Souvent, la perte ou l'absence de projets personnels conduit à l'épuisement professionnel. De nouvelles interventions axées sur la poursuite de buts personnels (Vézina, 2000) offrent une avenue intéressante pour survivre au trouble de l'adaptation au travail.

Conciliation des rôles professionnel et familial

Comment les individus et les couples font-ils pour concilier leurs rôles de travailleur, de parent et de conjoint ? Il est intéressant de constater que nos stéréotypes culturels

Combattre l'épuisement professionnel

L'épuisement professionnel (*burn-out*) touche particulièrement les personnes dont le travail consiste à soigner et à servir les autres (soins de santé, travail social, éducation, etc.). Il n'est toujours pas reconnu comme une maladie professionnelle, et la personne qui en souffre reçoit généralement un diagnostic de dépression ou de trouble d'adaptation au travail avec humeur dépressive. Même s'il donne l'impression d'apparaître soudainement, l'épuisement professionnel s'installe progressivement. Voici quelques conseils de prévention.

Sur le plan professionnel

- Prendre conscience de sa situation et reconnaître les symptômes de l'épuisement.
- Se fixer des objectifs réalistes. Lorsqu'on travaille avec des personnes, le rythme de travail est forcément différent de celui qui est exigé dans la production de biens, car il faut tenir compte de la dimension humaine (écoute et intervention).
- Se protéger de la pression qu'exerce l'employeur et de la notion de rentabilité à tout prix. On ne peut pas appliquer des normes de rentabilité industrielle aux soins et aux services. Il importe avant tout d'être objectif et d'offrir des soins et des services de qualité.
- Tisser un réseau de soutien et d'échanges. Prévoir des lieux et des moments de discussion (échanges entre collègues) au sein d'une équipe de travail. Qui s'occupe de ceux qui aident? Des échanges réguliers peuvent permettent de repérer les irritants au travail et de proposer des interventions.
- Suivre des formations ou des ateliers de perfectionnement pour se ressourcer avec des collègues.
- Éviter d'assumer une trop grande charge de travail (heures supplémentaires) et de se sentir responsable de tout. Certains problèmes ne peuvent être résolus que par l'équipe d'intervention et ne relèvent pas uniquement d'une seule personne.
- Apprendre à déterminer ses priorités. Repenser à la place qu'occupe le travail dans sa vie. Prendre du recul par rapport à ses activités professionnelles. Est-on dépendant de son travail?

Sur le plan personnel

- Apprendre à gérer son temps.
- Faire de l'exercice et des activités de loisirs régulièrement.
- Pratiquer des exercices de relaxation.
- Fréquenter des gens qui travaillent dans d'autres domaines.
- Commencer calmement la journée et apprendre à se faire plaisir de temps en temps.
- Devenir proactif au lieu de réactif.

nous portent à croire que, d'une part, il est simple pour un homme de remplir ses rôles professionnel, parental et conjugal et que, d'autre part, cette situation s'avère problématique pour la femme. En effet, et pour des raisons bien évidentes, les femmes *vivent* davantage de conflits que les hommes quand elles endossent ces trois rôles (Higgins, Duxbury et Lee, 1994).

Il en est ainsi parce que les femmes qui exercent un emploi doivent ajouter aux heures de travail rémunérées les heures qu'elles consacrent aux tâches domestiques et familiales (soins des enfants, ménage, cuisine, emplettes, etc.), ce qui fait qu'elles travaillent un plus grand nombre d'heures par semaine que leur partenaire. Au sein d'un couple, la femme assume plus de tâches ménagères que l'homme, même lorsque les partenaires travaillent tous les deux à temps plein, et ce, même si les hommes d'aujourd'hui, quand leur femme travaille à l'extérieur de la maison, s'occupent davantage des enfants que les hommes des générations précédentes (Higgins *et al.*, 1994).

Une enquête effectuée au Canada indique que la femme effectue 65 % des travaux ménagers (repas, ménage, emplettes, etc.). Chaque jour, elle abat deux heures de travail de plus que son conjoint (Statistique Canada, 1995). Vous pouvez observer l'effet très évident de cette situation dans la figure 10.7, qui illustre les données obtenues lors d'une étude réalisée en 1976 auprès de plus de 5 000 familles (Rexroat et Shehan, 1987). Pour les couples sans enfants, on observe une répartition plus égale des tâches ménagères (Kerpelman et Schvaneveldt, 1999). Cependant, lorsque les enfants sont jeunes, les femmes travaillent tout simplement plus d'heures que leur partenaire. Ce modèle confirme notamment la notion de l'impératif parental de Gutmann: les rôles sexuels traditionnels sont renforcés après la naissance d'un enfant.

Des études récentes laissent entendre que certains groupes tendent vers une plus grande égalité dans la répartition des tâches. Par exemple, les hommes qui prônent l'égalité des sexes assument effectivement plus de tâches ménagères et prennent soin des enfants (Higgins *et al.*, 1994). Toutefois, en général, les femmes qui travaillent à temps plein assument toujours plus de tâches ménagères que leur partenaire qui travaille (Blair et Johnson, 1992).

Les conflits de rôles sont plus nombreux chez les femmes en raison de la définition des rôles sexuels dans la plupart des cultures. Le rôle de la femme est orienté vers la relation, les soins à donner aux enfants et l'éducation. La plupart des femmes ont à tel point assimilé ce rôle qu'elles se définissent et se jugent davantage en fonction de leur rôle maternel que de leur rôle professionnel.

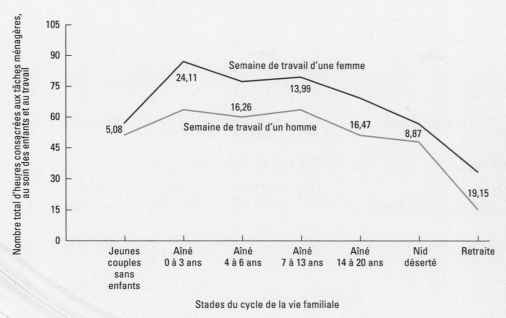

Figure 10.7
Comparaison du temps consacré au travail chez l'homme et la femme. Lorsque les deux partenaires travaillent à temps plein, la femme assume plus de tâches ménagères et prend davantage soin des enfants. Ainsi, le nombre total d'heures de travail par semaine des femmes est beaucoup plus élevé, ce qui accentue le conflit de rôles. Remarquez que l'écart est plus grand tout de suite après la naissance du premier enfant, une période où l'homme est plus porté à s'engager à fond dans sa carrière. (*Source :* Rexroat et Shehan, 1987, figure 1, p. 746.)

Joseph Pleck soutient que la frontière entre le rôle familial et le rôle professionnel est « asymétriquement perméable » pour les deux sexes (Pleck, 1977). Ainsi, le rôle familial d'une femme empiète sur sa vie professionnelle. Non seulement prend-elle un congé quand son enfant vient au monde, mais elle reste aussi à la maison lorsqu'il est malade, assiste aux réunions d'école et pense aux tâches domestiques durant ses heures de travail. Ces exigences simultanées et conflictuelles constituent un véritable conflit de rôles.

Il semble que, pour les hommes, les rôles familial et professionnel soient séquentiels plutôt que simultanés. Durant la journée, les hommes assument leur rôle professionnel et, lorsqu'ils rentrent à la maison, ils adoptent leur rôle d'époux et de père. Les femmes, même lorsqu'elles sont au travail, sont à la fois mères et épouses. Si l'homme a un conflit de rôles, il est plus probable que ce soit son rôle professionnel qui empiète sur son rôle familial et non l'inverse.

Le chevauchement des rôles familial et professionnel ne représente pas toujours un problème pour la femme. Par exemple, les femmes qui travaillent à l'extérieur acquièrent plus d'autorité dans leur relation conjugale que celles qui restent à la maison (Blumstein et Schwartz, 1983 ; Spitze, 1988). Plus les salaires sont égaux entre les partenaires, plus la prise de décision et les tâches domestiques sont réparties également. Toutefois, il est étonnant de constater que les femmes, malgré leur présence de plus en plus grande sur le marché du travail, doivent lutter plus que les hommes pour résoudre le conflit des rôles professionnel et familial. Il est également clair que ce conflit est beaucoup plus important au début de l'âge adulte, alors que les enfants sont jeunes et nécessitent des soins constants, qu'à l'âge adulte moyen ou avancé. De bien des façons, c'est ce chevauchement très complexe entre les rôles professionnel, parental et conjugal qui constitue la principale caractéristique du début de l'âge adulte dans nos sociétés complexes et industrialisées.

Il y a de plus en plus de femmes sur le marché du travail, mais un peu moins du tiers d'entre elles travaille régulièrement au début de l'âge adulte.

PAUSE-APPRENTISSAGE

Relations avec le milieu de travail

- Quels facteurs influent sur le choix d'une carrière? Expliquez votre réponse.

- Quels sont les facteurs qui influent sur l'évolution de la satisfaction professionnelle au cours de l'âge adulte?

- Définissez le stade d'essai et le stade de stabilisation.

- En quoi le modèle féminin du travail diffère-t-il du modèle masculin?

- Expliquez pourquoi les femmes ont un plus grand conflit de rôles que les hommes au début de l'âge adulte.

Concepts et mots clés

- **alternance d'emploi et de non-emploi** (p. 368) • **stade d'essai** (p. 368) • **stade de stabilisation** (p. 368)

LE MONDE RÉEL

Stratégies pour résoudre les conflits des rôles familial et professionnel

Êtes-vous submergée par les nombreuses exigences professionnelles et familiales auxquelles vous devez faire face? Y a-t-il des jours où vous perdez courage? Nous ne pouvons vous donner une formule magique pour atténuer de tels conflits, mais il existe certaines stratégies qui peuvent vous être utiles. Ces conseils s'adressent surtout aux femmes, car ce sont elles qui font l'expérience des plus importants conflits de rôles. Toutefois, les hommes peuvent également profiter de ces conseils.

La stratégie la plus efficace est la *restructuration cognitive*, qui consiste à transformer la situation en sa faveur de façon à mettre l'accent sur les éléments positifs. Cela veut dire que vous devez vous souvenir des raisons qui ont motivé vos choix, par exemple des raisons qui vous ont amenée à prendre la décision de travailler et d'élever une famille ou des raisons qui vous ont poussée à relever des défis, ce que vous avez fait avec succès (Paden et Buehler, 1995).

Une autre stratégie consiste à *redéfinir les rôles familiaux*. Douglas Hall (1972, 1975) a découvert que les femmes qui trouvent le moyen de redistribuer les principales tâches domestiques entre les membres de la famille (mari et enfants), ou qui renoncent à certaines tâches, sont moins stressées et vivent moins de conflits. Vous pouvez dresser une liste des tâches ménagères que vous et votre conjoint assumez, examiner cette liste ensemble, puis éliminer certaines tâches qui ne sont pas essentielles et redistribuer celles qui restent. Les hommes sont capables de nettoyer la salle de bains. Vous pouvez également être moins pointilleuse sur l'ordre, simplifier les repas et, si votre budget le permet, engager une aide-ménagère.

Vous pourriez avoir recours à une stratégie plus fondamentale qui consiste à *redéfinir le concept même des rôles sexuels*, c'est-à-dire essayer de changer votre conception des rôles sexuels. Où est-il écrit que c'est la mère qui doit rester à la maison lorsque son enfant est

malade? Peut-être est-ce gravé dans votre modèle interne ou votre schème du genre? Il est difficile pour bien des femmes de délaisser ces tâches, même lorsqu'elles leur causent de sérieux conflits de rôles, car elles les ont intégrées à leur image interne de soi. Voici le commentaire d'une femme dont le mari participe activement aux soins de leur enfant.

> J'aime voir combien mon enfant et mon mari sont proches, en particulier parce que je n'ai jamais pu établir une telle relation avec mon père. Mais s'il réussit bien au travail et avec le bébé, quelle est ma contribution en tant que mère? (Cowan et Cowan, 1987, p. 168.)

Vous devriez tenter de déterminer si la répartition actuelle des tâches domestiques dans votre foyer est fonction de la réticence de votre mari ou de vos enfants à effectuer ces tâches ou de votre propre réticence à modifier votre perception de soi et de votre contribution à la vie familiale.

Suivre un cours en gestion du temps est une autre stratégie possible. Vous avez certainement déjà reçu de nombreux conseils pour apprendre à concilier vos tâches domestiques et professionnelles. Cela vous semble toutefois plus facile à dire qu'à faire! Ne vous découragez pas, car il existe de nombreux cours et ateliers sur la gestion du temps qui peuvent vous être très utiles. Même si vos conflits de rôles augmentent temporairement pendant que vous suivrez ces cours, vous ne le regretterez pas.

La plus mauvaise stratégie, c'est d'essayer de fournir un effort supplémentaire et de tout faire soi-même. Les femmes qui persistent à assumer entièrement leurs trois rôles sont très stressées et très fatiguées. Vous devez modifier vos normes concernant les tâches ménagères ou votre conception du rôle de la femme. De toute façon, la combinaison de tous ces rôles offre de belles occasions de conflits. Au mieux, l'équilibre est fragile. Au pire, c'est l'enfer.

UN DERNIER MOT

Le début de l'âge adulte est la période où, plus que jamais, nous devons assumer de nouveaux rôles. C'est aussi la période qui est la plus susceptible de présenter des changements importants. En outre, le moment où le jeune adulte acquiert ces nouveaux rôles influe de manière déterminante sur sa trajectoire de vie. Par exemple, les jeunes hommes et les jeunes femmes qui deviennent parents avant d'avoir atteint la vingtaine connaissent une trajectoire de vie particulière au début de l'âge adulte (Murry, 1997 ; Nock, 1998).

De plus, parce que la description de ces nouveaux rôles est déterminée par notre culture, le début de l'âge adulte est aussi le moment de notre vie où nous nous définissons davantage en fonction de critères externes. La comparaison que nous faisons entre notre performance et les attentes sociales est le thème dominant de cet âge de la vie. Nous nous évaluons selon des normes culturelles : « Suis-je une bonne mère ? » ou « Vais-je obtenir une promotion ? » Le défi de cette période consiste donc à maintenir un équilibre entre les besoins personnels et les exigences sociales.

RÉSUMÉ

DÉVELOPPEMENT DE LA PERSONNALITÉ

- Certains aspects de la personnalité sont très stables durant l'âge adulte, particulièrement les cinq traits définis par McCrae et Costa : la tendance à la névrose (instabilité émotionnelle), l'extraversion, l'ouverture à l'expérience, l'amabilité et l'intégrité.

- Il semble également y avoir des changements dans la personnalité qui sont communs à tous les individus. Entre 30 et 40 ans, les jeunes adultes deviennent plus indépendants, plus confiants, plus sûrs d'eux, plus orientés vers la réussite, plus individualistes et moins soumis aux règles sociales.

- Selon Erikson, l'engagement dans l'intimité représente la tâche centrale du jeune adulte et l'amour en constitue la force adaptative.

- Levinson propose un modèle qui s'appuie sur l'alternance des périodes de stabilité et des pérodes de transition au cours de la vie adulte.

DÉVELOPPEMENT DES RELATIONS SOCIALES

- Le concept de rôle social permet de décrire les fonctions propres à un statut particulier dans une culture, tel que le rôle d'enseignant ou le rôle de partenaire. Les rôles changent systématiquement avec l'âge, particulièrement au début de l'âge adulte.

- Le moment et l'ordre d'apparition des principaux rôles au début de l'âge adulte sont aussi très importants. Il y a toujours un prix à payer lorsqu'on est en dehors des normes.

- Les tâches centrales dont les jeunes adultes doivent s'acquitter sont l'acquisition et l'apprentissage de trois rôles majeurs : celui de conjoint, celui de parent et celui de travailleur.

- Le départ du foyer parental implique une séparation physique et émotionnelle des parents. Certains théoriciens croient que les jeunes adultes doivent renoncer à leur attachement aux parents.

- L'attachement à un partenaire devient l'attachement central et sert de base de sécurité pour s'aventurer dans le monde du travail.

RELATIONS AMOUREUSES (CONJUGALES) ET RELATIONS AVEC LES ENFANTS

- Le choix d'un partenaire est très marqué par la similitude (théorie de l'homogamie), notamment en ce qui concerne le type d'attachement. Les modèles d'attachement semblent influer sur la qualité des relations que nous établissons et sur les opinions que nous nous faisons des autres.

- Les trois composantes essentielles de l'amour, selon Sternberg, sont l'intimité, la passion et l'engagement. Le modèle amoureux est défini en fonction de la présence ou de l'absence de ces composantes.

- La qualité des relations caractérisées par l'engagement (mariage ou cohabitation à long terme) tend à se détériorer dès la première année, en même temps qu'il se produit une baisse des interactions positives.

- Les personnes qui sont munies des ressources appropriées (degré de scolarité, habileté de résolution de problèmes, etc.) et qui ont acquis des stratégies positives de communication établissent plus fréquemment des relations stables.

- Les caractéristiques des mariages réussis sont comparables à celles de l'attachement sécurisant, alors que les caractéristiques des mariages ratés sont comparables à celles des attachements insécurisants.

- L'expérience du divorce chez le jeune adulte engendre davantage de solitude et de dépression. Les femmes divorcées sont plus susceptibles de vivre dans la pauvreté.

- Le divorce et le remariage influent également sur la trajectoire de vie du jeune adulte en augmentant le nombre d'années consacrées à l'éducation des enfants et en complexifiant les rôles familiaux.

- Le nouveau rôle de parent entraîne des joies et du stress. Il accentue dans le couple la différenciation des rôles sexuels traditionnels, ce que Gutmann appelle l'*impératif parental*.

- La satisfaction conjugale diminue habituellement après la naissance du premier enfant et continue de décroître durant presque toute la période du début de l'âge adulte.

- Les adultes mariés ou qui vivent en concubinage sont plus heureux et en meilleure santé que les adultes célibataires. Par contre, la baisse de la satisfaction conjugale est moins accentuée chez les couples sans enfants que chez ceux qui ont des enfants.

RELATIONS AVEC LES AMIS

- Chaque adulte se constitue une escorte sociale qui comprend la famille, les amis et le conjoint. Les relations avec les membres de la famille tendent à être stables et solidaires, même si elles sont moins centrales qu'elles ne l'étaient à un plus jeune âge.

- Le nombre d'amis est généralement plus élevé au début de l'âge adulte qu'à n'importe quel âge.

- Il existe des différences sexuelles quant au nombre d'amis et à la qualité des relations amicales : les femmes ont plus d'amis et leurs relations sont plus intimes.

RELATIONS AVEC LE MILIEU DE TRAVAIL

- La satisfaction professionnelle augmente progressivement à partir du début de l'âge adulte, notamment parce que les emplois au fil des ans sont mieux rémunérés, moins répétitifs et plus créatifs et qu'ils offrent plus de responsabilités.

- Le rôle professionnel comprend deux stades : un stade d'essai pendant lequel le jeune adulte dans la vingtaine explore d'autres possibilités, suivi du stade de stabilisation pendant lequel l'adulte dans la trentaine se concentre sur la réalisation de ses objectifs professionnels.

- Il existe généralement un stade supplémentaire pour la plupart des femmes, l'alternance d'emploi et de non-emploi. Il s'agit d'un stade de travail discontinu au cours duquel les responsabilités familiales alternent avec les périodes de travail à l'extérieur de la maison.

- Plus une femme a des antécédents de travail stables, plus elle a de chances de réussir sur le plan professionnel.

- Certaines personnes souffrent du trouble d'adaptation au travail avec humeur dépressive (épuisement professionnel). Ce trouble serait associé soit à un niveau de stress élevé lié au travail, soit à certains traits de la personnalité.

- Lorsque les deux partenaires travaillent à l'extérieur de la maison, les tâches domestiques ne sont pas divisées de manière équitable : la femme continue d'assumer les tâches ménagères et, de ce fait, elle doit faire face à un plus grand conflit de rôles.

DÉVELOPPEMENT DE LA PERSONNALITÉ

Continuités

- Tendance à la névrose (instabilité émotionnelle)
- Extraversion
- Ouverture à l'expérience
- Amabilité
- Intégrité

Changements

- Augmentation de la confiance, de l'estime de soi, de l'indépendance et de l'orientation vers la réussite

Perspectives théoriques

Approche d'Erikson : développement psychosocial

- Stade de l'intimité ou de l'isolement
- Force adaptative : amour

Approche de Levinson : développement et structure de vie

- Structure de vie
- Périodes de transition

DÉVELOPPEMENT DES RELATIONS SOCIALES

Acquisition des rôles sociaux

- Notion de rôle social
- Conflit de rôles
- Tensions de rôles

Relations familiales

- Départ de la maison
- Attachement aux parents
- Relations avec la fratrie

Relations amoureuses ou conjugales

Choix d'un partenaire

- Théorie de l'homogamie

Amorce de la relation

- Rôle de l'attachement
- Rôle de l'amour

Évolution de la relation

- Mariages réussis
- Mariages ratés

Divorce

- Effets psychologiques
- Conséquences économiques
- Influence de l'âge
- Trajectoires de vie

Violence conjugale

Relations avec les enfants

- Impératif parental
- Satisfaction conjugale

Relations avec les amis

- Différences sexuelles dans les amitiés

Relations avec le milieu de travail

Parcours professionnel

- Satisfaction professionnelle
- Stade d'essai
- Stade de stabilisation

Épuisement professionnel

Modèle de travail chez la femme

- Alternance emploi/non-emploi

Conciliation des rôles

- Conflits des rôles familial et professionnel

Synthèse du développement au début de l'âge adulte

Caractéristiques fondamentales

Dans notre culture où la jeunesse est placée sur un piédestal, la plupart des gens pensent que le début de l'âge adulte est la meilleure période de la vie et que, à ce moment, tout est plus facile. Sur le plan physique, les capacités culminent effectivement entre 20 et 40 ans. Tous les aspects du fonctionnement cognitif fondés sur la rapidité physiologique et l'efficacité sont également à leur apogée, comme l'indique clairement le tableau à la page suivante. Néanmoins, sur le plan social et affectif, cette période est probablement la plus stressante et la plus difficile de l'âge adulte. C'est à cet âge de la vie que l'individu est appelé à maîtriser le plus grand nombre de rôles. En outre, cette période, plus que tout autre, est le théâtre de multiples changements. Le démographe Ronald Rindfuss (1991) qualifie la vingtaine (de 20 à 30 ans) de période « démographiquement intense » en raison des divers événements qui la caractérisent : le nombre de mariages, de divorces, de déménagements, de naissances, d'arrêts des études et de périodes de chômage est plus élevé qu'à n'importe quel autre moment.

Les adultes eux-mêmes considèrent que les tâches exécutées pendant cette période font partie des événements les plus marquants de leur existence. Si vous demandez à un adulte d'âge moyen ou d'âge avancé de se remémorer sa vie d'adulte et d'en énumérer les événements les plus importants, il parlera davantage des événements qui se sont produits au début de sa vie adulte (Martin et Smyer, 1990). On peut cependant observer des signes de stress chez le jeune adulte qui fait face à cette myriade de nouvelles tâches. Ce stress se traduit par un taux plus élevé de détresse émotionnelle et de solitude que chez l'adulte d'âge moyen ou avancé.

Puisque les normes concernant les différents rôles clés de l'adulte sont extérieures à l'individu, c'est à cette période de notre vie que nous sommes le plus souvent définis par des critères externes. Non seulement nous évaluons-nous selon ces critères (« Suis-je un bon parent ? », « Vais-je obtenir cette promotion ? »), mais

nous nous définissons également nous-mêmes en fonction des rôles que nous assumons. Selon une terminologie empruntée à la théorie de Jane Loevinger, il s'agirait d'une position de conformisme. Cette position est caractérisée non seulement par une source externe d'autorité, mais par une tendance à penser selon le mode « nous/eux », et à percevoir les autres et sa propre affectivité selon des stéréotypes. Des données, provenant des études longitudinales décrites au chapitre 10, montrent que cette façon de se percevoir, propre à cet âge de la vie, permet au jeune adulte d'atteindre vers la fin de la trentaine ou le début de la quarantaine ce que Loevinger appelle le *niveau de conscience de soi* et, finalement, le *stade de conscience* ; il s'agit de deux aspects peut-être de ce que Levinson appelle la *détribalisation*. Ayant maîtrisé ses rôles clés, le jeune adulte commence à se libérer de leurs contraintes. Il trouve le moyen de s'acquitter de ses obligations, tout en exprimant son individualité.

Bien sûr, on ne peut affirmer que les jeunes adultes dans toutes les cultures vont nécessairement devenir plus confiants, qu'ils feront preuve de plus d'affirmation de soi et qu'ils seront plus indépendants à 40 ans. On ne dispose pas de données qui permettraient une telle affirmation. Cependant, il semble que cette tendance soit généralisée et qu'elle constitue même un élément de base du développement à l'âge adulte. Mais pourquoi ? Il existe plusieurs explications. Par exemple, on s'aperçoit parfois, au début de l'âge adulte, que l'observation des règles établies n'est pas forcément suivie des bénéfices escomptés. On n'obtient pas toujours la promotion pour laquelle on a fourni beaucoup de travail. On ne trouve pas nécessairement l'âme sœur, même si l'on a fait tout ce qu'il fallait pour cela. Élever des enfants n'apporte pas toujours la satisfaction et les joies espérées. Ces désillusions inévitables conduisent de nombreux individus à remettre en question les règles établies et à douter du bien-fondé des rôles prescrits.

La compétence acquise par de nombreux adultes dans leur rôle professionnel constitue une autre source d'interrogation. Il arrive que l'on choisisse un travail ou un cheminement de carrière afin de répondre à des exigences extérieures. Mais, ce faisant, on découvre parfois ses propres talents et capacités. Une telle prise de conscience augmente la confiance en soi et peut conduire à définir un concept de soi plus interne, qui s'éloigne de la définition du concept externe de soi. Au cours de ce processus, nous pouvons aussi prendre conscience de certaines facettes de notre personnalité que les rôles collectifs ne nous permettent pas d'exprimer et de chercher des moyens de les mettre en lumière. Ce processus d'individualisation s'amorce parfois au début de la vie adulte et atteint son apogée vers l'âge de 40 ans. Néanmoins, le début de l'âge adulte, plus que n'importe quelle autre période de la vie adulte, est davantage régi par l'horloge sociale et les contraintes sociales, c'est-à-dire par les exigences et les restrictions imposées par les principaux rôles sociaux.

Processus fondamentaux

Interrogé sur la clé du bonheur, Freud aurait répondu l'amour et le travail. Freud avait vu juste. On sait que

Résumé de la trame du développement au début de l'âge adulte

ASPECT DU DÉVELOPPEMENT	Âge (années)				
	20	25	30	35	40
Développement physique	Fonctions optimales dans tous les domaines ; santé optimale ; période idéale pour la grossesse ; performances optimales dans la plupart des sports.			Déclin des performances pour les athlètes de haut niveau ; quelques signes de déclin, bien que moins prononcés, pour l'ensemble de la population (les individus ne fonctionnant pas à un niveau optimal).	
Développement cognitif	Exécution optimale des tâches cognitives requérant de la rapidité ; capacité de mémorisation maximale dans la plupart des domaines.			Amélioration du quotient intellectuel et meilleure performance aux tests d'intelligence cristallisée portant sur le vocabulaire ou la résolution de problèmes.	
Développement de la personnalité et des relations sociales	Stade de l'intimité ou de l'isolement selon Erikson : dominant dans la vingtaine et central dans la trentaine.				
	Période typique de l'acquisition de trois rôles majeurs : conjoint, parent et travailleur.				
	Paroxysme des conflits de rôles en raison du cumul des rôles.				
	Stade d'essai : recherche d'un emploi approprié.		Stade de stabilisation : période de la plupart des promotions ; plafond normalement atteint à 40 ans.		
	Recherche d'un partenaire.	Mariage.	Déclin de la satisfaction conjugale après la naissance du premier enfant et au début de l'âge adulte.		
	Période culminante de la définition de soi en fonction des rôles assumés.		Augmentation de la confiance en soi, de l'affirmation de soi, de l'indépendance ; détribalisation ; plus grande individualisation.		
	Stabilité des cinq principaux traits de la personnalité : tendance à la névrose (instabilité émotive), extraversion, ouverture à l'expérience, intégrité et amabilité.				
	Taux les plus élevés de dépression et de solitude au début de la vingtaine.				

les adultes qui sont heureux dans leur travail et dans leur vie de couple sont en général satisfaits de leur vie. Toutefois, il semble que l'amour soit maintenant l'élément le plus important. Par exemple, la satisfaction conjugale et familiale semble être le meilleur indicateur de la satisfaction d'un individu (à n'importe quelle période de sa vie adulte) (Campbell, 1981 ; Glenn et Weaver, 1981 ; Sears, 1977). La satisfaction professionnelle, bien que déterminante, ne semble pas aussi fondamentale que la satisfaction conjugale.

Les travaux récents portant sur les modèles internes d'attachement notent également le caractère primordial des relations amoureuses. Dans un prolongement extrêmement intéressant de la théorie de l'attachement, Hazan et Shaver (1990) ont proposé de concevoir l'amour et le travail chez l'adulte de la même façon que Bowlby et Ainsworth concevaient l'attachement et l'exploration chez le jeune enfant. Bowlby croit que la propension à l'attachement et la tendance à l'exploration sont innées. Cependant, l'attachement revêt une importance cruciale. Le système d'exploration ne fonctionnera à pleine capacité que si le système d'attachement n'est pas affaibli. Lorsqu'un enfant est fortement attaché à une personne, celle-ci peut lui servir de base de sécurité pour explorer le monde qui l'entoure. Mais si l'enfant ressent de l'anxiété par rapport à cet attachement, l'anxiété nuira à son exploration. Selon Hazan et Shaver, le travail est pour l'adulte l'équivalent de l'exploration. Il demeure la principale source du sentiment de compétence, comme c'est le cas pour l'exploration chez l'enfant.

De plus, comme chez l'enfant, l'adulte réussit mieux dans son travail lorsqu'il possède une base de sécurité émotionnelle à partir de laquelle il peut s'ouvrir au monde extérieur. Dans leurs recherches préliminaires, Hazan et Shaver (1990) ont vérifié cette hypothèse. Ils ont interrogé des individus sur la façon dont ils percevaient la nature de leur attachement (en utilisant les descriptions présentées dans le tableau 10.3, page 355) ainsi que sur plusieurs aspects de leur expérience professionnelle.

Dans un échantillon de plusieurs centaines d'adultes âgés de 18 à 79 ans, ils ont découvert des différences marquées entre les adultes qui correspondaient à chacun des trois types d'attachement.

Les adultes présentant un attachement sécurisant s'inquiètent moins d'un échec professionnel et ont moins tendance à se sentir dépréciés. Ils ne laissent pas les exigences professionnelles empiéter sur leurs relations et leur santé, et ils profitent pleinement de leurs vacances. Les adultes présentant un attachement insécurisant, qualifiés d'anxieux en raison du manque de sécurité dans leurs relations, sont constamment préoccupés par des questions d'attachement. Ils consacrent moins d'énergie à leurs tâches professionnelles et s'inquiètent de leur rendement au travail. Ils « préfèrent travailler en groupe mais ne se sentent pas appréciés à leur juste valeur, et craignent d'être rejetés à cause de leur rendement qu'ils jugent insuffisant. Ils possèdent un faible degré de concentration, ont de la difficulté à mener leurs projets à terme et ont tendance à se relâcher lorsqu'ils reçoivent des éloges » (Hazan et Shaver, 1990, p. 277). Les individus ayant un attachement insécurisant de type fuyant aiment travailler seuls et sont prédisposés à devenir des bourreaux de travail. Ils prennent rarement des vacances, et ne les apprécient pas lorsqu'ils en prennent. Le travail leur permet d'éviter la vie sociale et les relations intimes.

Ces analogies entre le modèle d'attachement, les comportements professionnels et les sentiments sont saisissantes. Elles laissent entendre que notre approche du travail est profondément influencée par les forces et les faiblesses de nos modèles internes d'attachement ou de relations. Évidemment, cette étude ne prouve pas que l'amour soit plus important que le travail. Il faut encore effectuer des études longitudinales où l'on évaluera périodiquement la force de l'attachement et l'attitude à l'égard du travail pendant la vie adulte. Ce n'est que de cette façon que l'on pourra déterminer si la nature de l'attachement au début de la vie adulte peut être un indicateur du comportement et du succès professionnel. Toutefois, il nous semble que Hazan et Shaver ont une conception juste des rôles de l'amour et du travail dans la vie adulte. Leur point de vue s'accorde bien avec la théorie d'Erikson, qui met l'accent sur la tâche de l'intimité au début de la vie adulte.

Influences sur les processus fondamentaux

Chacun d'entre nous aborde les tâches de la vie adulte avec certains avantages et désavantages. En tête de liste se trouve la nature de notre attachement infantile, qu'il soit fort ou faible. Par exemple, des recherches révèlent que les adultes qui ont subi la perte d'un parent pendant l'enfance, à cause d'un décès ou d'un divorce, risquent davantage d'éprouver des difficultés, telles que des problèmes de santé, une dépression, une séparation ou un divorce (Harris, Brown et Bifulco, 1990 ; Amato et Keith, 1991). En outre, il semble que les adultes qui se sont sentis rejetés ou ont vécu une relation ambivalente avec leurs parents (qui sont donc plus portés à avoir un attachement faible ou insécurisant) ont plus de difficulté à établir des relations fortes ou sécurisantes durant la vie adulte. De plus, si Hazan et Shaver ont vu juste, ces personnes pourraient avoir une vie professionnelle plus agitée.

ORIGINES SOCIALES DE LA FAMILLE Il est évident que les antécédents d'attachement ne sont pas les seuls éléments de cette équation. D'autres aspects des antécédents familiaux ont une très grande portée. Par exemple, les enfants dont la famille est économiquement défavorisée ont généralement un faible niveau de scolarité, ce qui influe à long terme sur leur vie professionnelle. Toutefois, cette affirmation est basée sur la probabilité. Un niveau de scolarité moins élevé et donc un moins grand succès professionnel sont plus probables dans ce groupe, mais ce n'est pas forcément inévitable. Les jeunes peuvent échapper aux contraintes et aux carences affectives d'une enfance désordonnée et frappée du sceau de la pauvreté, comme le soulignent clairement les résultats d'une étude longitudinale à long terme décrite au chapitre 9.

Dans le cadre d'une enquête sur l'origine et les conséquences de la délinquance, plusieurs centaines de garçons non délinquants provenant de quartiers pauvres et de familles en difficulté ont servi de groupe témoin (Snarey *et al.*, 1987 ; Glueck et Glueck, 1968). Ces adolescents non délinquants ont fait l'objet d'un suivi à l'âge adulte moyen. On a constaté que la plupart d'entre eux avaient une vie stable et disposaient de revenus décents (Long et Vaillant, 1984). Cependant, plus la famille de l'homme avait été défavorisée (désorganisée, dépendante de l'assistance sociale, négligente ou violente), plus cet homme courait le risque de demeurer dans une classe sociale défavorisée. Les hommes qui arrivaient à s'extraire de la classe sociale la plus défavorisée venaient de familles également pauvres, mais plus stables et mieux organisées. Bien que ces chercheurs n'aient pas utilisé le système de classification des familles de Baumrind, on peut supposer qu'un passé d'interactions familiales démocratiques est plus propice à l'ascension sociale. Ainsi, l'appartenance aux classes les plus pauvres de la société n'est pas irrémédiablement transmise à chaque nouvelle génération. Il existe des moyens permettant de contrer cette tendance. Des antécédents familiaux de désordre et de privation représentent quand même un handicap au début de la vie adulte.

PERSONNALITÉ La personnalité de l'individu constitue un autre indicateur important dans la maîtrise des diverses tâches au début de la vie adulte. Une forte tendance à la névrose semble être particulièrement préjudiciable. En effet, il se peut que les différences que Hazan et Shaver (et d'autres) ont attribuées à des modèles internes d'attachement soient plutôt des variantes déguisées des types de personnalité de base. La personne qui présente un attachement insécurisant de type anxieux pourrait également présenter une tendance élevée à la névrose. Par contre, un lien similaire entre le tempérament et la force de l'attachement dans l'enfance ne semble pas avoir été vérifié. De nombreux enfants au tempérament difficile sont fortement attachés à une personne, même s'il existe des indications qu'un attachement moins fort soit plus probable chez ces enfants.

Dans les études sur les adultes, il faut évaluer de manière distincte le sentiment de sécurité dans l'attachement et les traits de la personnalité. Est-il possible qu'un adulte névrotique ait un attachement sécurisant ? Présente-t-il dans ce cas un modèle d'expériences adultes différent de celui d'autres adultes névrotiques ? Nous pensons que ces deux façons de concevoir les différences individuelles chez l'adulte se recoupent partiellement, mais pas complètement. Elles sont toutes deux intéressantes. Toutefois, on ne possède pas encore de réponse à cette question empirique.

CHOIX PERSONNELS Les choix personnels, par exemple concernant les habitudes de vie ou le moment idéal pour assumer les différents rôles clés, influent sur la trajectoire de la vie adulte. Les effets des habitudes de vie sont souvent indécelables au début de la vie adulte, comme nous l'avons souligné au chapitre 9. Toutefois, ils se font sentir chez l'adulte plus âgé et se traduisent par des taux de maladie et d'invalidité plus élevés chez les personnes qui ont acquis de mauvaises habitudes.

Par contre, les conséquences du choix du moment idéal pour assumer les rôles clés sont observables dès le début de la vie adulte. La séquence qui sera adoptée pour intégrer les rôles de conjoint, de parent et de travailleur détermine ce que différents auteurs appellent la « voie », la « trajectoire » et le « point d'ancrage » de la vie adulte (O'Rand, 1990 ; Hagestad, 1990 ; Elder, 1991). Par exemple, une femme qui travaille avant de se marier ou d'avoir des enfants touche en général un revenu total plus élevé que celle qui se marie et qui a des enfants avant d'entrer dans la vie active. De même, le fait de remettre à la trentaine la naissance des enfants se répercute sur tous les stades subséquents de la vie familiale. Ce choix augmente la probabilité de se sentir

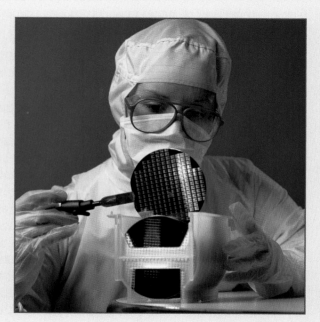

« coincée » au milieu de l'âge adulte entre des enfants qui ont toujours besoin de soutien et des parents âgés dont on doit assumer la responsabilité.

Comme nous l'avons déjà mentionné, il y a toujours un prix à payer quand on ne suit pas les normes. Pourquoi ? Il est possible que le fait de ne pas respecter la séquence socialement attendue relève d'un autre modèle interne, ce que Mildred Seltzer et Lillian Troll appellent le *cheminement prévu*. La plupart des jeunes adultes n'ont aucune difficulté à écrire leur projet de vie future. Chacun d'entre nous possède un modèle interne de la séquence normale ou escomptée du déroulement des principaux événements de sa vie, ou de l'atteinte des objectifs qu'il s'est fixés. Il s'agit d'une sorte d'itinéraire futur : « Je vais terminer mes études, je vais me marier, j'aurai trois enfants, puis je travaillerai. Quand j'aurai 50 ans, mes enfants auront quitté la maison, et je serai capable de me consacrer à ma carrière » ou « Je ne veux pas me marier avant l'âge de 30 ans parce que je désire devenir la plus jeune associée du cabinet juridique. »

De telles prévisions prennent leur source à la fois dans des modèles familiaux précis et dans les attentes du rôle social d'une cohorte donnée dans une culture particulière. Lorsqu'il est possible de les réaliser, ces prévisions permettent d'anticiper les événements stressants et de réduire leur portée négative en s'y préparant. Par exemple, la retraite peut sembler un bouleversement majeur, mais elle engendre rarement des effets négatifs, car elle peut être planifiée. Toutefois, selon Seltzer et Troll, lorsque la trajectoire de notre vie adulte ne suit pas nos prévisions, nous en payons le prix. Par exemple, les jeunes femmes des années 1960 se mariaient vers 21 ou 22 ans. Celles dont les prévisions ne se sont pas réalisées ont dû complètement changer leur façon de voir les choses, ce qui ne s'est pas fait sans difficultés. À cette époque, une femme qui ne se mariait pas au début de la vingtaine sortait des normes et brisait le modèle établi : la société considérait le célibat féminin comme un échec de la féminité.

On peut aussi observer un effet négatif associé au fait d'être en dehors des normes pour des raisons beaucoup plus simples : dans une culture donnée, le moment où se produisent certains événements comporte objectivement plus de difficultés. Par exemple, les femmes qui deviennent veuves à 30 ans ont beaucoup plus de difficulté à composer avec le deuil que les femmes de 60 ou 70 ans (Ball, 1976-77). Cela peut être dû au fait que le veuvage dans la trentaine est une déviation importante de l'itinéraire de vie prévu. Cependant, la plus grande difficulté d'adaptation de la jeune veuve vient peut-être de ce qu'elle doit subvenir aux besoins de jeunes enfants sans disposer des ressources financières adéquates.

Que ce soit un effet des modèles internes ou une conséquence de stress externes associés au déroulement ou à la séquence des événements, nos choix ainsi que les événements qui nous vivons au début de la vie adulte influent de façon déterminante sur le façonnement de notre expérience pour les années à venir. La perception que l'on a du début de l'âge adulte comme d'une période où l'on doit se battre pour survivre ou comme d'une période où l'on peut saisir diverses occasions relève d'une conception de la vie pessimiste ou optimiste. Toutefois, on peut affirmer de manière objective que, pendant le début de l'âge adulte, l'être humain dispose de plus d'énergie, d'une plus grande rapidité et d'une plus grande force qu'à n'importe quelle autre période de sa vie. Ces qualités sont nécessaires pour que nous puissions faire face aux tâches complexes qui nous incombent à cette période de notre vie.

*L*orsqu'un chef d'État se fait élire alors qu'il est dans la jeune quarantaine, certains laisseront entendre qu'il est trop jeune pour occuper un poste si important. Si l'élu est à la fin de la soixantaine, d'aucuns diront qu'il est trop vieux pour bien faire ce travail. Les deux points de vue reflètent les croyances culturelles en ce qui trait à l'horloge sociale. On estime généralement que l'âge adulte moyen est la période où les gens sont le plus en mesure, sur le plan du développement, de faire face aux exigences rattachées aux postes d'autorité. Par conséquent, on considère comme insuffisamment matures ceux qui viennent d'atteindre l'âge adulte moyen et comme inaptes, ceux qui sont plus âgés.

On ne peut pas affirmer que ces croyances et ces attentes manquent totalement de fondement. Lors d'une réunion des anciens du secondaire ou d'un grand rassemblement familial, les adultes d'âge moyen constatent que la plupart de leurs pairs occupent le poste le plus important de leur carrière. La majorité d'entre eux gagne le salaire le plus élevé de leur carrière, et une proportion encore plus grande occupe des postes d'autorité dans le domaine des affaires, de l'éducation ou du gouvernement. L'horloge sociale se fait également entendre dans les relations familiales. La cohorte d'âge moyen a tendance à assumer le plus de responsabilités au sein de la famille. L'adulte d'âge moyen se trouve pris en sandwich entre ses enfants, devenus adolescents ou jeunes adultes, et ses parents âgés. Quand un membre jeune ou âgé de la famille a besoin d'aide, on s'attend à ce qu'un adulte d'âge moyen intervienne.

L'étude de la personnalité et des relations sociales au milieu de l'âge adulte nous permet de constater que les rôles sociaux deviennent nettement moins contraignants. Pour reprendre une métaphore que nous avons privilégiée tout au long de ce manuel, disons que l'horloge sociale se fait plus discrète. Bien qu'ils soient toujours présents, les rôles dominants du début de l'âge adulte – conjoint, parent et travailleur – changent de façon marquée pour la plupart des adultes vers l'âge de 40 ou 50 ans. Les enfants quittent le foyer, ce qui réduit considérablement les exigences du rôle parental. Les promotions atteignent généralement un plafond, ce qui diminue la nécessité d'apprendre de nouvelles habiletés. Et, puisque le rôle professionnel et le rôle parental sont devenus moins exigeants, l'adulte d'âge moyen peut consacrer plus de temps à sa vie conjugale ou à sa relation amoureuse.

DÉVELOPPEMENT DE LA PERSONNALITÉ

Dans les années qui précèdent l'âge adulte moyen, on remarque une plus grande variabilité dans les expériences individuelles et, comme nous l'avons vu dans le chapitre 9, de plus grandes différences sur le plan de la santé. On note également des différences importantes dans ce qu'il est convenu d'appeler la croissance psychologique. Au milieu de leur vie, certains adultes ont déjà entamé le processus que Levinson désigne par le terme *détribalisation* (l'individu se détache des normes du groupe et des attentes sociales), alors que d'autres ne l'ont pas encore fait. Certains ont déjà atteint le stade qu'Erikson nomme la générativité (le souci du travail ou de la génération qui suit), alors que d'autres n'y sont pas encore rendus. Toutes ces différences relèvent de l'aptitude de l'adulte à faire face aux nouveaux stress et aux contraintes propres à l'âge adulte moyen.

ÉVOLUTION DE LA PERSONNALITÉ

Afin d'illustrer les points que nous venons d'aborder, nous allons tout d'abord revenir sur l'évolution de la personnalité (la continuité et les changements) ainsi que sur les rôles que nous avons décrits au chapitre 10.

Continuité de la personnalité

Les psychologues du développement peuvent-ils prévoir le comportement d'une personne au milieu de l'âge adulte en se basant sur ce qu'ils connaissent de son enfance, de son adolescence ou du début de son âge adulte? Rappelez-vous que les cinq grands traits de la personnalité sont relativement stables au cours de l'adolescence et de l'âge adulte. Il en va de même pour la corrélation entre la masculinité et l'androgynie d'une part et l'estime de soi et l'ajustement social d'autre part chez les adultes de tous les âges (Shimonaka *et al.*, 1997).

L'observation des gens qui s'adaptent difficilement au vieillissement génère un point de vue sur la continuité qui s'écarte du point de vue émergeant des études corrélationnelles sur les traits de la personnalité. Prenons comme exemple la tendance à la névrose (instabilité émotionnelle) laquelle est assez stable au fil des ans. Une récente étude longitudinale a révélé que la négativité émotionnelle à l'adolescence est liée à une piètre santé mentale au milieu de l'âge adulte (Offer *et al.*, 1998). Dans cette étude, les participants mâles ont passé des tests à 14, 19 et 48 ans. Les chercheurs ont découvert que les traits émotionnels négatifs à l'adolescence prédisent fortement un état de santé moins qu'optimal au début et au milieu de l'âge adulte.

Changements de la personnalité

Malgré ces signes de continuité, la plupart des gens croient que la personnalité change avec l'âge, et ils s'attendent à changer en vieillissant. Des chercheurs ont effectué une étude sur les perceptions que des adultes entre 26 et 67 ans avaient de leur propre personnalité selon les cinq traits définis par McRae et Costa (Fleeson et Heckausen, 1997). Ces chercheurs ont demandé aux participants de se décrire quand ils avaient entre 20 et 25 ans et de prévoir les changements dans leur personnalité qui risquent de survenir jusqu'à ce qu'ils atteignent 70 ans. Les participants devaient également décrire la personnalité qu'ils aimeraient avoir. Tous les participants croyaient que leur personnalité avait changé depuis leur enfance et que ce changement allait se poursuivre au cours de leur vie adulte. Le gain ou la perte de certains traits de la personnalité faisaient partie des changements qui leur semblaient possibles. Les chercheurs ont souligné que les participants avaient indiqué beaucoup plus de changements dans leur personnalité que ne le démontrent les études longitudinales sur les cinq traits de la personnalité. Apparemment, on croit changer plus qu'on ne change en réalité.

Il existe cependant de véritables signes de changements dans la personnalité à l'âge adulte. Par exemple, la plupart des observateurs ont remarqué la diminution, entre 40 et 65 ans, de la recherche du succès, de l'indépendance, de l'affirmation de soi et de l'individualisme; ces traits atteignent leur niveau maximal vers le milieu de la vie. En fait, selon diverses études, les adultes d'âge moyen et avancé développent de plus en plus leur caractère prosocial et deviennent moins individualistes (Van Lange, DeBruin, Otten et Joireman, 1997). Il est intéressant de noter toutefois que ce changement semble être lié à un attachement sécurisant durant la petite enfance et l'enfance et qu'il comporte donc des éléments de continuité et de changement.

Des études portant sur l'émotivité négative et l'émotivité positive déterminent un modèle semblable. Même si l'émotivité négative au début de l'âge adulte est de moyennement à fortement liée à l'émotivité négative au milieu de l'âge adulte, des études longitudinales démontrent que de nombreux individus deviennent moins négatifs avec le temps (Helson et Klohnen, 1998). Apparemment, lorsqu'ils considèrent de grands groupes — qui doivent être mis en corrélation avec des variables, telles que les traits de la personnalité —, les chercheurs découvrent que la personnalité demeure assez stable au cours de la vie. Les corrélations peuvent cependant masquer les nombreux changements susceptibles de se produire dans des cas individuels. Par conséquent, la meilleure conclusion qu'on puisse tirer, c'est que la continuité constitue le modèle général. Toutefois, la variabilité individuelle croissante de la personnalité, typique chez les adultes d'âge moyen et avancé, autorise à penser que le changement est possible et peut-être même fréquent (Nelson et Dannefer, 1992).

Il faut aussi prendre en considération les différences de cohorte, lorsqu'on interprète les résultats de recherche. Par exemple, selon une étude récente, les femmes d'âge moyen issues de la génération du baby-boom, qui ont travaillé pour la plupart à l'extérieur pendant une grande partie de leur vie adulte, peuvent présenter des caractéristiques non observées jusqu'à maintenant dans les cohortes précédentes (Stewart et Ostrove, 1998). Depuis de nombreuses années, des chercheurs ont invariablement découvert que la ménopause et le syndrome du nid déserté constituaient les deux principaux événements utilisés par les femmes d'âge moyen pour caractériser leur vie. Cependant, les femmes de la génération du baby-boom risquent plus de s'attarder au *bilan de vie*, ce qui était auparavant une caractéristique des hommes d'âge moyen. Pour ces femmes, les changements familiaux et physiques continuent d'avoir de l'importance au milieu de la vie, mais les questions professionnelles et la possibilité de transformer leur vie semblent aussi compter énormément. Voici d'autres exemples de changements observés dans la personnalité par des chercheurs.

Intériorité   Selon des études transversales, le mécanisme d'adaptation qui sous-tend le changement de la personnalité au milieu de l'âge adulte est peut-être une habileté croissante à maîtriser ses émotions dans diverses situations (Gross *et al.*, 1997). Cette hypothèse est corroborée par la constatation, faite dans plusieurs études transversales, que l'*introversion* (ou examen intérieur) augmente légèrement au cours de la vie adulte (Costa *et al.*, 1986). Selon Bernice Neugarten (1977), cette introversion constitue un changement vers ce qu'elle appelle l'**intériorité**. Les personnes passent d'une perspective «du temps écoulé depuis la naissance» à une perspective «du temps qui reste jusqu'à la mort». Ainsi, au cours de la cinquantaine, l'adulte se préoccupe moins du monde extérieur et centre son attention sur des processus internes, tels que ses souvenirs ou la compréhension de sa propre vie. Malheureusement, les recherches sur l'introversion ou l'intériorité sont incohérentes. De nombreuses études n'ont décelé aucun signe d'augmentation de l'introversion chez les participants à la fin de la cinquantaine ou au début de l'âge adulte avancé, pas plus dans leurs descriptions d'eux-mêmes que dans le récit de leurs souvenirs (Ryff, 1984 ; Ryff et Heincke, 1983).

Flexibilité et ténacité   Le changement dans la personnalité peut aussi s'expliquer par l'augmentation de la flexibilité d'adaptation (la souplesse d'esprit). Des chercheurs ont examiné la tendance des adultes à se fixer des objectifs difficiles à atteindre ou à ajuster leurs objectifs quand ceux-ci leur semblaient impossibles à atteindre (Brandtstädter et Baltes-Götz, 1990 ; Brandtstädter et Greve, 1994). Une personne qui démontre une grande **ténacité** dans la poursuite de ses objectifs serait d'accord avec des énoncés comme ceux-ci (Brandtstädter et Baltes-Götz, 1990, p. 216) :

> Plus un objectif est difficile à atteindre, plus il me semble attrayant.
>
> Même si toutes mes tentatives ne donnent aucun résultat, je cherche encore un moyen de maîtriser la situation.

Une personne qui démontre plus de **flexibilité** dans la poursuite de ses objectifs serait d'accord avec les énoncés suivants (*Ibid.*, p. 215-216) :

> Je peux m'adapter très facilement aux changements de situation.
>
> En général, je ne reste pas contrarié très longtemps quand une occasion m'échappe.
>
> Habituellement, je reconnais assez facilement mes propres limites.

La poursuite acharnée d'objectifs difficiles à atteindre tend à diminuer au milieu de l'âge adulte, tandis que la flexibilité d'adaptation dans la poursuite des objectifs augmente, ce qui suggère un adoucissement de la personnalité à l'âge adulte moyen.

Croisement des rôles sexuels   L'anthropologue David Gutmann nous propose une tout autre vision du changement de la personnalité à l'âge adulte moyen. Les études qu'il a réalisées dans de nombreuses cultures l'ont amené à conclure que les rôles sexuels changent de nouveau à la fin du milieu de l'âge adulte. Gutmann soutient que, à ce moment, les rôles des hommes et des femmes s'entrecroisent : les hommes commencent à manifester plus de qualités typiquement féminines, et les femmes, plus de qualités dites masculines. Les femmes s'affirment davantage, alors que les hommes deviennent plus passifs. Voici les propos de Gutmann (1987, p. 95) :

> Paradoxalement, ce renversement des rôles est plus manifeste dans les cultures qui préconisent le machisme, comme les régions rurales du Mexique et le Sud-Ouest des États-Unis.

Intériorité : Tendance à la réflexion intérieure.

Ténacité : Modèle de comportement selon lequel un adulte d'âge moyen s'acharne sur des objectifs difficiles à atteindre.

Flexibilité : Modèle de comportement selon lequel un adulte d'âge moyen ajuste ses objectifs à la réalité.

Ainsi, lorsqu'elles prennent de l'âge, les femmes amérindiennes peuvent participer aux danses rituelles, desquelles sont exclues les femmes plus jeunes. De même, les hommes mûrs peuvent se mêler aux femmes sans ressentir de honte et de désapprobation.

Il existe de nombreux autres exemples de ce changement de rôles. On dit que les vieilles femmes iroquoises ont un «cœur d'homme» et qu'elles peuvent, pour la première fois de leur vie, occuper des fonctions religieuses et politiques. Gutmann précise que les Japonaises de plus de 60 ans acquièrent un nouvel éventail de libertés, qui comprend la permission implicite de faire des plaisanteries grivoises en compagnie mixte. Les femmes âgées des villages libanais deviennent elles aussi agressives et grossières, et elles exercent une certaine autorité sur les hommes.

Ces observations possèdent une part de vérité. Il faudrait cependant, selon les recherches récentes effectuées sur ce sujet, parler davantage d'un développement des rôles sexuels (ou peut-être d'une atténuation graduelle des rôles sexuels) plutôt que d'un *croisement des rôles sexuels*. Le modèle de Gutmann implique, d'une certaine façon, que les hommes et les femmes changent de rôles à un certain âge, alors que rien ne semble soutenir cette idée (Huyck, 1994). Toutefois, l'androgynie augmente apparemment à l'âge adulte moyen, du moins dans certains groupes (par exemple Nash et Feldman, 1981; Vaillant, 1977). Des facteurs, tels que les changements hormonaux ou la diminution des pressions sociales associées à certains rôles après le départ des enfants, ou des facteurs liés à des changements plus profonds de la personnalité peuvent en partie expliquer que les hommes et les femmes expriment une partie cachée ou une composante sous-jacente de leur personnalité. Pour certains hommes, cela signifie une augmentation de la compassion et, pour certaines femmes, une plus grande affirmation de soi et une plus grande autonomie.

Maturité des mécanismes de défense   Les *mécanismes de défense* peuvent nous permettre d'observer les changements de la personnalité à l'âge adulte moyen. Selon la théorie de George Vaillant (1977) abordée dans le premier chapitre, développer sa personnalité consiste à se détacher progressivement des mécanismes de défense qui déforment le plus la réalité. Pour mettre à l'épreuve cette notion, Vaillant a distingué trois types de mécanismes: (1) le type immature, qui comprend notamment la projection et la négation (ou le déni de la réalité); (2) le type névrotique, qui inclut notamment l'intellectualisation et le déplacement; (3) le type mature, qui englobe l'humour et l'altruisme.

Vaillant a ensuite analysé les types de mécanismes de défense utilisés par 100 anciens étudiants de Harvard (ceux que Grant avaient observés) à des âges différents. Les résultats confirmaient généralement ses hypothèses: en vieillissant, les sujets se servaient davantage de mécanismes de défense de type mature. Au milieu de l'âge adulte, les mécanismes de défense de type mature comprenaient environ 40% de tous les mécanismes utilisés. Les études effectuées par Haan sur les sujets de l'étude de Berkeley/Oakland et l'étude longitudinale menée par Helson et Moane sur les étudiantes du Mills College arrivent à des conclusions similaires (Haan, 1976; Helson et Moane, 1987).

Toutes ces études révèlent un changement progressif dans la maturité des mécanismes de défense à partir du début de l'âge adulte. Ce processus n'est donc pas particulier au milieu de l'âge adulte. Par contre, la plupart des adultes d'âge moyen ont plus de facilité à composer avec l'anxiété et le stress sans avoir recours aux mécanismes de défense les plus déformants.

PERSPECTIVES THÉORIQUES

Nous venons de voir la continuité et les changements dans la personnalité au cours de l'âge adulte moyen. Nous vous proposons maintenant d'aborder le stade de la générativité d'Erikson, ainsi qu'une théorie du développement de la personnalité complémentaire de celle d'Erikson: l'approche de Peck sur l'adaptation à l'âge adulte moyen. Nous étudierons pour terminer la façon dont Levinson envisage le passage de l'âge adulte moyen.

Approche d'Erikson: développement psychosocial

Nous avons vu dans le premier chapitre qu'Erikson définit un stade psychosocial dominant entre l'âge de 30 et 50 ans environ: le *stade de la générativité ou de la stagnation*. La personne manifeste alors un intérêt pour la génération suivante et s'engage envers elle. Mettre des enfants au monde et les élever, c'est-à-dire passer le flambeau, constitue la tâche centrale de ce stade. Cependant, ce n'est pas l'unique façon de réaliser cette tâche – pensons à l'enseignement, au mentorat et à l'engagement personnel dans des organisations civiques, religieuses ou caritatives – et ce n'est pas non plus suffisant pour affirmer que le stade a été atteint.

Pour résoudre le stade de la générativité, il est nécessaire de dépasser la préoccupation de soi. L'objectif est la préoccupation à l'égard des autres, à laquelle on parvient en développant son potentiel psychologique. La générativité comprend la tendance à l'empathie, ainsi que le constat de son autorité personnelle et de son pouvoir d'influence sur les autres. La force adaptative de ce stade est la **sollicitude**. Les individus qui n'accomplissent pas cette tâche souffrent souvent d'un sentiment général de stagnation et d'appauvrissement personnel (Erikson, 1963, p. 267). La stagnation se traduit par le repli sur soi. L'adulte est alors avant tout préoccupé de lui-même, par exemple de son propre confort, ce qui lui laisse un sentiment de vide et de non-plénitude (Houde, 1991).

Quelques indices, fournis par la recherche, nous permettent de vérifier l'atteinte de ce stade du développement de la personnalité. Les résultats obtenus ne sont toutefois pas aussi significatifs que ceux obtenus pour les changements observés durant les périodes précédentes. Les études longitudinales de Berkeley/Oakland ont montré que le degré d'affirmation de soi connaît un sommet au cours de la quarantaine et diminue par la suite. Les mêmes études ont établi que l'extraversion (*outgoingness*) chez les femmes atteint aussi un sommet durant la quarantaine pour diminuer ensuite. Une autre mesure que les chercheurs de Berkeley ont appelé l'*engagement cognitif* suit la même courbe : une augmentation suivie d'un déclin. Précisons que l'engagement cognitif se caractérise par divers aspects, tels que l'ambition, la valorisation de l'indépendance et de l'intellect. On observait aussi, dans cet échantillon, les signes d'un changement majeur autour de 50 ans : un certain déclin de l'affirmation de soi, de l'ambition et de l'extraversion.

La théorie d'Erikson soulève aussi des questions concernant les conséquences associées au fait de ne pas avoir d'enfant à l'âge adulte. Une analyse très intéressante sur ce sujet a été faite à partir d'une étude longitudinale qui a duré 40 ans ; cette étude a permis d'observer un groupe de garçons d'un milieu urbain ayant servi de groupe témoin lors d'une étude sur la délinquance (Snarey *et al.*, 1987). Des 343 hommes mariés qui faisaient encore partie de l'échantillon à la fin de la quarantaine, 29 n'avaient jamais eu d'enfants. Les chercheurs ont remarqué que la façon dont la personne avait abordé le fait de ne pas avoir d'enfant constituait un facteur prédictif de sa santé à l'âge de 47 ans. Chaque homme a été évalué à cet âge par rapport à son degré de générativité. On a considéré qu'un homme avait atteint ce stade, s'il avait assumé

un rôle de mentor, de superviseur ou d'enseignant auprès d'un enfant ou d'un jeune adulte. Parmi les hommes qui n'avaient pas eu d'enfant, ceux qui montraient un degré élevé de générativité avaient généralement trouvé un moyen de s'occuper d'un enfant. Ces hommes avaient adopté un enfant, s'étaient engagés dans des groupes d'entraide, tels que les Grands Frères, ou avaient aidé un enfant de leur entourage, par exemple un neveu ou une nièce. Les hommes qui n'avaient pas d'enfant et qui témoignaient d'un faible degré de générativité avaient généralement choisi un animal de compagnie comme substitut d'un enfant.

Ces observations soulèvent la possibilité que le besoin d'élever et d'éduquer son propre enfant ou celui d'un autre soit un des aspects du développement psychologique au début de l'âge adulte, comme Erikson l'a affirmé. Cependant, il faut tenir compte du fait que la plupart de ces recherches portaient sur un échantillon d'hommes blancs d'âge moyen suffisamment scolarisés. Les chercheurs qui ont étudié la générativité dans d'autres groupes ont constaté qu'elle était peu associée au degré de scolarité (McAdams, Hart et Maruna, 1998). Les chercheurs ont également observé des comportements et des attitudes associés à la générativité autant chez les personnes de classes défavorisées que chez les personnes de classes moyennes, et ce, dans de nombreux groupes ethniques (McAdams *et al.*, 1998 ; Schulz, 1998). Par conséquent, l'expérience de la générativité à l'âge adulte moyen semble relativement indépendante des facteurs ethniques et économiques.

Résolution du stade Si une personne ne réussit pas à passer de la préoccupation de soi à la préoccupation des autres en développant son potentiel psychologique, il y a alors un risque de stagnation, tel que l'indique le tableau 11.1. La principale force adaptative du stade de la générativité ou de la stagnation est la sollicitude, c'est-à-dire le fait de se préoccuper d'une autre personne, de se sentir touchée par elle et d'en prendre soin. La mésadaptation à ce stade s'exprime par «une sollicitude surfaite qui ne tient pas compte des limites et des capacités du

Sollicitude : Attention que l'on témoigne à une autre personne.

Tableau 11.1	*Résolution du stade de la générativité*			
Mésadaptation	◀ **Tendance positive**	◀ **Force adaptative**	◀ **Tendance négative**	◀ **Inadaptation**
Sollicitude surfaite	GÉNÉRATIVITÉ	**SOLLICITUDE**	STAGNATION	Rejet

Pour Erikson, mettre des enfants au monde et les élever n'est qu'une façon parmi d'autres de montrer que l'on a atteint le stade de la générativité. Ce stade comprend aussi la prise de conscience de son pouvoir et de sa valeur, qui peut s'exprimer dans le rôle de mentor ou de dirigeant ou encore dans une activité créatrice.

sujet» (Houde, 1991, p. 69), alors que l'inadaptation se manifeste par le rejet, c'est-à-dire une «attitude [...] qui ne se soucie pas des autres» (*Ibid.*). À la fin de la cinquantaine et au début de la soixantaine, une personne peut aborder le dernier stade d'Erikson, soit celui de l'intégrité, que nous étudierons au chapitre 13. Ce stade final n'est pas sans rappeler la notion d'intériorité de Neugarten que nous avons déjà mentionnée.

Approche de Peck: adaptation à l'âge adulte moyen

Robert Peck (1968) a élaboré, à partir de la théorie d'Erikson, une théorie plus complexe qui comprend sept stades. Alors qu'Erikson ne présente que deux stades pour l'âge moyen et avancé, Peck en propose quatre pour l'âge moyen et trois pour l'âge avancé. Peck considère les sept stades qu'il a conçus comme des tâches indispensables à une adaptation adéquate à l'âge adulte moyen. La figure 11.1 présente les stades de Peck.

- *Valorisation de la sagesse plutôt que de la force et de l'attrait physique.* L'adulte d'âge moyen prend de plus en plus conscience que ses capacités physiques et cognitives commencent à décliner. C'est pourquoi il est plus important pour lui d'utiliser d'autres compétences, comme l'expérience, les connaissances et l'intelligence, afin de compenser ces pertes.
- *Socialisation des rapports humains plutôt que sexualisation.* L'adulte d'âge moyen valorise davantage l'amitié, la confiance, le soutien moral et émotionnel dans les relations humaines que l'aspect sexuel. Il perçoit l'autre comme une personne plutôt que comme un objet sexuel.

- *Flexibilité affective plutôt que rétrécissement affectif.* L'adulte d'âge moyen constate une diminution considérable du nombre de ses relations sociales et affectives pour diverses raisons: les décès, le départ des enfants, les séparations et les divorces ainsi que la retraite. La flexibilité affective lui permet alors de reporter son affection sur d'autres personnes ou de nouer de nouvelles relations, tout en oubliant quelquefois les anciennes.
- *Ouverture d'esprit plutôt que rigidité.* L'adulte d'âge moyen doit s'adapter à une grande variété de changements sociaux et culturels en acceptant de nouvelles idées ou de nouvelles façons de voir les choses et, parfois, en rejetant les anciennes. Il doit modifier ses croyances, ses opinions et ses attitudes et devenir plus souple dans sa manière d'aborder les transformations qui surviennent dans son environnement.

Approche de Levinson: développement et structure de vie

Comme nous l'avons vu au chapitre 10, Daniel Levinson envisage l'âge adulte en fonction des changements psychologiques et sociaux qui caractérisent cette période (1978, 1986, 1990, 1996). Chaque adulte se crée une série de *structures de vie* à des âges précis. Ces structures sont

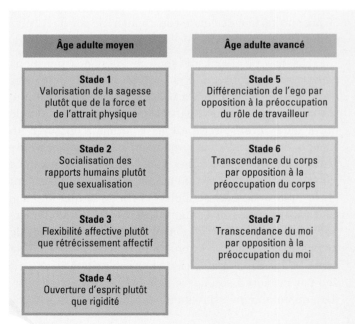

Âge adulte moyen	Âge adulte avancé
Stade 1 Valorisation de la sagesse plutôt que de la force et de l'attrait physique	**Stade 5** Différenciation de l'ego par opposition à la préoccupation du rôle de travailleur
Stade 2 Socialisation des rapports humains plutôt que sexualisation	**Stade 6** Transcendance du corps par opposition à la préoccupation du corps
Stade 3 Flexibilité affective plutôt que rétrécissement affectif	**Stade 7** Transcendance du moi par opposition à la préoccupation du moi
Stade 4 Ouverture d'esprit plutôt que rigidité	

Figure 11.1
Les sept stades de la théorie de Peck à l'âge adulte moyen et avancé.
Peck définit quatre stades pour la période de l'âge adulte moyen et trois stades pour la période de l'âge adulte avancé.

entrecoupées de périodes de transition au cours desquelles l'individu abandonne les anciennes structures, les réévalue ou les change.

Au début de l'âge adulte moyen, l'individu réévalue son *rêve* et l'atteinte de ses objectifs. La *transition* du milieu de la vie, qui se produit entre 40 et 45 ans, est centrée sur la préoccupation grandissante de sa propre mort et sur la réévaluation de son rêve. L'individu peut alors prendre conscience que son rêve de jeunesse ne se réalisera peut-être jamais: c'est ce que l'on appelle la *crise du mitan de la vie*. Certains marqueurs temporels, tels que le début du déclin des fonctions physiques et cognitives ou le décès d'un parent, rappellent à l'individu que le temps presse. Il doit alors réajuster son tir et établir de nouveaux objectifs ou projets de vie. Il peut choisir de mettre l'accent sur des aspects de sa vie qu'il a négligés. Certains hommes décideront, par exemple, de consacrer moins de temps à leur travail et à leur carrière et davantage à leur famille et à leurs amis. D'autres peuvent également réévaluer leurs engagements et leurs responsabilités.

Limites des approches théoriques

Ces différents points de vue sur le changement de la personnalité au milieu de l'âge adulte n'en dressent pas un portrait unique et cohérent, même s'ils indiquent tous une certaine forme de changement au terme de cette période. L'adulte dans la cinquantaine et la soixantaine semble posséder une personnalité moins intense; il se préoccupe moins d'atteindre des objectifs précis; il semble un peu plus introverti et plus apte à s'adapter aux circonstances de la vie. Il est aussi davantage en mesure d'exprimer tous les aspects de sa personnalité.

Toutefois, toutes les données dont on dispose sont loin de correspondre à cette description pourtant très générale. Par exemple, Schaie et Willis (1991) ont constaté que les adultes dans la soixantaine ont une attitude et une façon de penser moins flexibles. On ne peut pas en outre mettre de côté les nombreuses données qui soulignent la continuité des traits de la personnalité au cours de l'âge adulte moyen, notamment les cinq traits définis par McCrae et Costa. Plusieurs raisons expliquent la difficulté à composer avec ces données.

Premièrement, peu de recherches se sont penchées sur les changements de la personnalité à l'âge adulte moyen. Ainsi, les études longitudinales portent souvent sur de jeunes adultes ou sur des sujets de 60 ans et plus. La période du milieu de l'âge adulte est donc rarement étudiée. Deuxièmement, il semble que les différences individuelles soient plus marquées à l'âge moyen (et davantage

à l'âge avancé) qu'au début de l'âge adulte (Nelson et Dannefer, 1992). Peut-être est-ce à cause de la portée de certains rôles cruciaux que les jeunes adultes ont tendance à suivre la même cadence. Au milieu de l'âge adulte, chacun trouve son propre rythme. Les trajectoires divergent. La plupart des adultes de cet âge sont en bonne santé, mais ils ne le sont pas tous. Certains ont atteint leurs objectifs professionnels, d'autres non. Certains se hissent au stade de la générativité et se dirigent vers la tâche de l'intégrité. Certains ont renoncé aux mécanismes de défense immatures, d'autres non. Selon les termes de Loevinger, certains passent d'une position conformiste à une position individualiste. Certains vont accéder plus tard au stade de l'autonomie au cours duquel l'individu dépasse la préoccupation de soi pour atteindre des préoccupations humanitaires. Toutes ces variables contribuent au fait qu'il existe peu de probabilité qu'il y ait un modèle commun de changement de la personnalité.

Il est possible cependant qu'il y ait une voie sous-jacente commune. Elle se caractériserait par une réduction de l'acharnement à la réussite, une baisse de l'intensité, une plus grande introversion et une plus grande maturité des mécanismes de défense. Toutefois, même si une telle voie existe — et ce point de vue ne fait pas l'unanimité chez les observateurs et les théoriciens —, les individus ne parcourent pas tous la même distance. Il est donc difficile de déterminer la direction du changement.

Développement de la personnalité

- Quelles composantes de la personnalité semblent assurer sa continuité à l'âge adulte moyen?

- Quels sont les changements observés dans la personnalité de l'adulte d'âge moyen?

- Définissez le stade de la générativité ou de la stagnation. Quelle en est la force adaptative?

- Expliquez les quatre tâches de Peck associées à l'âge adulte moyen.

- Expliquez l'approche de Levinson.

Concepts et mots clés

- **croisement des rôles sexuels** (p. 386) • **flexibilité** (p. 385)
- **intériorité** (p. 385) • **mécanismes de défense** (p. 386) • **rêve** (p. 389)
- **sollicitude** (p. 387) • **stade de la générativité ou de la stagnation** (p. 386) • **structure de vie** (p. 388) • **ténacité** (p. 385) • **transition** (p. 389)

DÉVELOPPEMENT DES RELATIONS SOCIALES

Comme nous l'avons précisé au début du chapitre, la majorité des rôles qui dominaient au début de l'âge adulte sont toujours présents à l'âge adulte moyen. La plupart des adultes d'âge moyen sont des conjoints, des parents et des travailleurs. Cependant, vers l'âge de 40 ou 50 ans, ces rôles changent de façon marquée.

RELATIONS CONJUGALES

De nombreuses études indiquent que la stabilité et la satisfaction conjugale augmentent à l'âge adulte moyen, au moment où les conflits à propos de l'éducation des enfants ou d'autres sujets diminuent (Swensen, Eskew et Kohlhepp, 1981; Veroff, Douvan et Kulka, 1981; Wu et Penning, 1997). De plus, seulement un quart des divorces concerne des adultes de plus de 40 ans (Uhlenberg, Cooney et Boyd, 1990). Ainsi, en dépit de la diversité considérable des relations conjugales à l'âge adulte moyen, cette période de la vie semble moins conflictuelle que le début de l'âge adulte.

L'augmentation de la satisfaction conjugale semble liée à l'augmentation du sentiment de maîtrise de la relation conjugale, que l'on pourrait qualifier de sentiment d'efficacité conjugale (Lachman et Weaver, 1998). Il semblerait que l'adoption de stratégies efficaces de résolution de problèmes contribue au sentiment qu'éprouvent les conjoints d'âge adulte moyen de maîtriser la relation conjugale. La recherche actuelle permet d'illustrer ce dernier point. Par exemple, les chercheurs ont remarqué que les difficultés éprouvées à l'âge adulte moyen sont généralement les mêmes que celles du début de l'âge adulte. Les femmes se plaignent d'une division inéquitable des tâches, alors que les hommes expriment leur insatisfaction quant aux limites imposées à leur liberté. De plus, la stabilité conjugale observée durant cette période semble associée à une stratégie de résolution de problèmes, appelée « stratégie de l'habile diplomate ». Cette stratégie implique la confrontation avec le conjoint sur un sujet donné, suivie d'une période pendant laquelle le conjoint qui a suscité la confrontation cherche à restaurer l'harmonie (Perho et Korhonen, 1999). Cette stratégie est pratiquée plus souvent par les femmes que par les hommes. Elle est considérée comme une stratégie efficace de résolution de problèmes, quel que soit le sexe du conjoint qui l'utilise.

RELATIONS FAMILIALES

Lorsque nous avons parlé des relations familiales des jeunes adultes, nous avons envisagé la situation presque exclusivement de leur point de vue. Par contre, pour étudier les relations familiales au milieu de l'âge adulte, il faut observer la génération précédente et la génération suivante. Autrement dit, il faut examiner les relations avec les enfants devenus adultes ou presque, et les relations avec les parents âgés.

L'augmentation de l'espérance de vie dans les pays industrialisés accroît considérablement le nombre d'années pendant lesquelles les différentes générations se côtoient. Par exemple, Watkins, Menken et Bongaarts (1987) ont estimé que, en 1800, une femme pouvait s'attendre à ce que ses deux parents soient décédés avant qu'elle ait atteint 37 ans. En 1980, une femme de 57 ans avait de grandes chances que l'un de ses parents soit encore vivant. Aujourd'hui, près de la moitié des femmes de 60 ans ont encore leur mère. Cette situation va certainement continuer de s'améliorer au fur et à mesure que l'espérance de vie va augmenter (Bumpass et Aquilino, 1995).

Chaque position dans la lignée d'une famille comporte certaines prescriptions de rôles (Hagestad, 1986, 1990). Ces rôles sont censés incomber à un individu selon un ordre bien précis. Le rôle d'un adulte d'âge moyen, du moins dans les cohortes actuelles, consiste non seulement à offrir un soutien important à la génération précédente ainsi qu'à la génération suivante, mais également à assumer de nombreuses responsabilités visant à maintenir les liens affectifs. C'est pourquoi on appelle cette génération, la *génération médiane*.

Les familles comptant trois générations d'adultes, comme ce grand-père, ce fils et ce petit-fils, constituent maintenant la règle, et non plus l'exception. Ces trois hommes privilégient probablement certains sujets de conversation et partagent certaines activités.

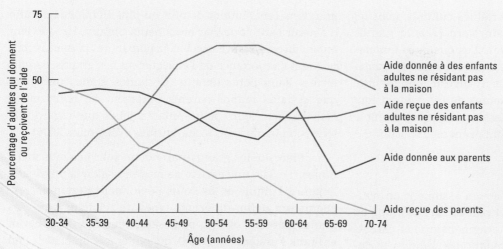

Figure 11.2
La génération médiane.
Ces données provenant d'une étude nationale illustrent le rôle de la génération médiane ou « sandwich ». Les adultes d'âge moyen donnent davantage d'aide à leurs enfants et à leurs parents qu'ils n'en reçoivent. (*Source :* Bumpass et Aquilino, tableaux 11, 12, 25 et 26, 1995.)

La position médiane qu'occupent les adultes d'âge moyen est particulièrement bien illustré par les résultats d'entrevues, menées auprès de 13 000 adultes participant à une étude nationale américaine. Cette étude qui a été effectuée en 1987 et 1988 portait sur la famille et les ménages. Un des points abordés dans cette étude concernait l'aide donnée aux autres membres de la famille (aide financière, garde des enfants, travaux ménagers, etc.) et l'aide reçue par les autres membres de la famille (les enfants et les parents) (Bumpass et Aquilino, 1995). La figure 11.2 présente les résultats obtenus.

Vous pouvez aussi constater en observant la figure 11.2 que les adultes d'âge moyen (entre 40 et 65 ans) ont donné plus d'aide aux deux autres générations qu'ils n'en ont reçue. Ce modèle se retrouve dans beaucoup d'autres études, notamment au Canada (par exemple Gallagher, 1994 ; Hirdes et Strain, 1995). Les informations dont nous disposons présentement ne nous permettent pas de savoir hors de tout doute si ces expériences de la génération médiane sont perçues comme un fardeau (Bengtson, Rosenthal et Burton, 1996). Certaines d'entre elles sont sans doute vécues difficilement, et d'autres pas. Cela dépend notamment du degré d'invalidité des parents âgés, de la nature des relations que l'adulte d'âge moyen entretient avec ses parents et de l'aide demandée par les enfants. Une personne de 50 ans dont la fille divorcée revient vivre à la maison avec ses enfants ou dont un parent âgé présente les premiers signes de la maladie d'Alzheimer vit des tensions de rôle différentes de celles d'une personne du même âge qui garde à l'occasion ses petits-enfants et qui aide parfois un parent âgé à faire ses emplettes ou à entretenir sa maison. Toutefois, il est évident que les personnes de la génération médiane sont plus susceptibles, en général, de donner de l'aide que d'en recevoir.

Départ des enfants

Le moment où survient le départ des enfants dans le cycle de la vie familiale est fonction de l'âge des parents au moment de la naissance de leur dernier enfant. Par exemple, les Nord-Américaines nées entre 1940 et 1949 ont généralement eu leur dernier enfant à 26 ans. Si l'on suppose que cet enfant a quitté la maison vers 24 ou 25 ans, les femmes de cette cohorte avaient alors environ 50 ans. Puisque les hommes se marient plus tard, ils avaient entre 53 et 55 ans. Évidemment, les gens qui retardent le moment d'avoir des enfants repoussent le *syndrome du nid déserté* à un âge plus avancé. La croyance populaire veut que la plupart des femmes soient dépressives ou contrariées à cette période de leur vie en raison de la perte du rôle central qu'est celui de mère.

Les travaux de Hagestad soulignent le fait que le rôle parental ne se termine pas avec le départ de la maison des enfants. Les enfants comptent sur le soutien et les conseils de leurs parents même après leur départ. Cependant, le rôle parental est alors totalement modifié. Le parent n'a plus à s'occuper quotidiennement de ses enfants, et les tâches ménagères diminuent considérablement. Le parent a donc plus de temps à consacrer à son rôle de conjoint. Ce changement contribue indéniablement à l'augmentation de la satisfaction conjugale. Il est intéressant de constater que l'impératif parental semble également diminuer. Si vous vous reportez à la figure 10.6, vous remarquerez que, au stade postparental, maris et femmes se répartissent les tâches domestiques de manière beaucoup plus équitable qu'aux stades antérieurs.

Or, le syndrome du nid déserté n'est-il pas censé correspondre à une période de stress accru, et non le contraire, particulièrement chez les femmes ? Il est possible qu'un tel modèle existe dans certaines cultures, mais tel n'est pas le cas en Amérique du Nord pour la grande majorité des femmes d'âge moyen. Les quelques femmes qui éprouvent une certaine détresse dans ce rôle de transition sont celles qui ont largement investi leur identité dans leur rôle de mère. Les femmes de cet âge qui font partie de la population active considèrent généralement le départ de leurs enfants comme un événement positif.

Rôle de grand-parent

La majorité des adultes d'âge moyen assument un nouveau rôle familial, celui de grand-parent. En Amérique du Nord, près du tiers des adultes deviennent grands-parents à la fin de la quarantaine ; la moitié des femmes le deviennent au début de la cinquantaine (Bumpass et Aquilino, 1995). Parmi tous les adultes d'âge moyen qui deviennent grands-parents, 92 % sont satisfaits de leur rôle (Peterson, 1999). Il se peut que cette moyenne change dans les futures cohortes étant donné que l'âge moyen de la maternité est plus avancé. Il s'agit tout de même d'une expérience normative de l'âge moyen.

La plupart des grands-parents voient régulièrement leurs petits-enfants ou leur parlent au téléphone. Certains leur écrivent, leur téléphonent ou leur rendent visite au moins toutes les deux semaines. Le plus souvent, les générations actuelles de grands-parents décrivent leurs relations avec leurs petits-enfants comme chaleureuses et affectueuses. De plus, de nombreuses études ont démontré l'effet positif de ces relations sur le développement des enfants (Adkins, 1999). Les grands-parents semblent être une source particulièrement importante de stabilité dans la vie des enfants dont les parents ont divorcé. Les

grands-parents luttent de plus en plus fréquemment afin d'obtenir le droit de voir leurs petits-enfants, lorsque leur enfant divorce. Heureusement, la plupart des parents reconnaissent l'importance de l'engagement des grands-parents envers leurs petits-enfants. Certaines études indiquent que certains grands-parents partagent de nombreuses activités avec leurs petits-enfants, telles que regarder la télévision ou faire du lèche-vitrines (Waggoner, 2000).

Bien sûr, les grands-parents ne sont pas tous identiques, il existe une variété de modèles selon la proximité, le genre, l'ethnie et les goûts personnels. Certains chercheurs ont défini différents types de relations entre les grands-parents et les petits-enfants. Andrew Cherlin et Frank Furstenberg (1986), qui ont étudié un échantillon de 500 grands-parents, en proposent trois : la relation distante, la relation de camaraderie et la relation engagée.

Relation distante   Les grands-parents qui établissent une relation distante représentent 29 % de l'échantillon étudié. Ils voient peu leurs petits-enfants et n'exercent guère d'influence directe sur leur vie. La raison la plus courante de cette attitude est l'éloignement physique, mais il y a de nombreux grands-parents qui vivent à proximité et qui sont tout de même distants sur le plan affectif. Cherlin et Furstenberg (1986, p. 54) ont interrogé une grand-mère sur la perception de son rôle. Elle a répondu d'une voix distante et formelle :

> Je suis bien heureuse de vivre assez longtemps pour voir grandir mes petits-enfants. Et je suis heureuse que mes enfants perpétuent les principes, les buts et les idéaux que je leur ai transmis. J'espère que mes petits-enfants vont les transmettre à leur tour à leurs enfants. Pour réussir sa vie, il faut avoir une bonne éducation et parfaire cette éducation longtemps après avoir quitté l'école.

Relation de camaraderie   Par contre, voici les propos d'une autre femme qui a participé à la même étude (*Ibid.*, p. 55) :

> Lorsqu'on a des petits-enfants, on a plus d'amour à donner, car ce sont les parents qui s'occupent de la discipline. Les grands-parents n'ont que de l'amour à donner et ont tendance à gâter leurs petits-enfants.

Ces grands-parents représentent 55 % de l'échantillon étudié. Ils établissent des relations chaleureuses et amicales avec leurs petits-enfants, ce que Cherlin et Furstenberg appellent une relation de camaraderie. Ils se disent également heureux de ne plus avoir de responsabilités quotidiennes. Ils peuvent aimer leurs petits-enfants, puis les retourner à leurs parents.

Relation engagée   Le troisième type de grands-parents représente 16 % de l'échantillon étudié. Ces grands-parents participent activement à l'éducation de leurs petits-enfants en raison de la situation conjugale de leurs enfants. Par

Lorsque les enfants quittent la maison, de nombreux couples peuvent alors consacrer plus de temps à leur relation et en retirent plus de plaisir et de satisfaction.

La petite Justine aime la compagnie de son grand-père, avec qui elle entretient ce que Cherlin et Furstenberg appellent une relation de camaraderie.

exemple, les grands-parents qui ont une fille célibataire, divorcée ou veuve avec un ou plusieurs enfants ont tendance à s'engager pleinement envers leurs petits-enfants. Certains vivent même parfois avec un ou plusieurs de leurs enfants et petits-enfants; ces cas se retrouvent le plus souvent dans des familles où la fille, qui est la mère des petits-enfants, n'est pas mariée. Ainsi, celle-ci peut continuer ses études grâce à l'aide de ses parents et obtenir, par la suite, un emploi mieux rémunéré (Taylor *et al.*, 1990). Il existe également des relations engagées dans lesquelles les grands-parents n'ont aucune responsabilité quant à l'éducation de leurs petits-enfants, même s'ils les voient fréquemment et établissent avec eux une relation très étroite.

Cependant, dans l'étude effectuée par Cherlin et Furstenberg (1986), le modèle de grand-parent différait selon l'âge et le sexe: les grands-mères étaient davantage portées à établir des relations chaleureuses et empreintes de camaraderie, comme les grands-parents plus jeunes. Les grands-parents de plus de 65 ans avaient tendance à se montrer plutôt distants, parfois parce que leur état de santé ne leur permettait pas de tolérer la présence régulière de très jeunes enfants.

De toute évidence, le rôle de grand-parent représente généralement une source de joies et de satisfaction pour les adultes d'âge moyen et avancé. Toutefois, la satisfaction générale d'un adulte dépend peu de la qualité des rapports qu'il entretient avec ses petits-enfants. Les grands-parents qui voient leurs petits-enfants souvent ne se disent pas plus heureux que ceux qui les voient moins (Palmore, 1981). Cela ne signifie pas pour autant que les

grands-parents soient insatisfaits de leur rôle, mais plutôt que, pour la plupart des individus d'âge moyen, le rôle de grand-parent n'est pas essentiel à leur bien-être global.

Prise en charge d'un parent âgé

Au milieu de l'âge adulte, on doit parfois s'occuper d'un parent âgé. Ce nouveau rôle a des répercussions considérables sur la satisfaction générale d'un individu devant la vie. La grande majorité des adultes dans presque toutes les cultures éprouvent un fort sentiment de responsabilité filiale. Ils vont faire tout leur possible afin d'aider leurs parents dans le besoin (Ogawa et Retheford, 1993; Wolfson *et al.*, 1993). Curieusement, les jeunes adultes ont un sentiment de responsabilité filiale plus fort que les adultes d'âge moyen (Stein *et al.*, 1998). La raison en est peut-être qu'ils n'ont pas encore envisagé de s'occuper de leurs parents, qui sont généralement en bonne santé et relativement jeunes. Pour les adultes d'âge moyen au contraire, les soins quotidiens à donner à leurs parents font déjà parfois partie de leur vie.

Il est toutefois extrêmement difficile d'évaluer le pourcentage d'individus d'âge moyen qui assument ce rôle. Presque toutes les données que l'on possède proviennent d'études portant sur des adultes âgés, que l'on interrogeait sur la nature et la quantité des soins qu'ils recevaient de leurs enfants. Ces données n'apportent aucune réponse aux questions portant sur l'expérience caractéristique du milieu de l'âge adulte. Il faut plutôt se demander quel est le pourcentage d'individus d'âge moyen qui s'occupent de leurs parents âgés. Par exemple, on sait que 18% des personnes âgées qui ont des enfants adultes vivent chez un de leurs enfants (Hoyert, 1991; Crimmins et Ingegneri, 1990). Or, comme la plupart des personnes âgées ont plus d'un enfant, il n'est pas vrai que 18% des adultes d'âge moyen partagent leur vie avec l'un de leurs parents, ni que toutes les personnes âgées qui habitent avec leurs enfants sont invalides ou nécessitent des soins quotidiens. Cette stratégie ne nous révèle donc pas combien d'adultes d'âge moyen prodiguent des soins à leurs parents âgés, que ce soit régulièrement ou occasionnellement.

Un petit nombre d'études présentent une information plus pertinente. On a demandé à des adultes d'âge moyen et avancé constituant un échantillon représentatif de la population quel genre d'aide ils recevaient et offraient (Rosenthal, Matthews et Marshall, 1989; Spitze et Logan, 1990). Dans l'une de ces études, Spitze et Logan ont interrogé 1 200 adultes d'âge moyen vivant dans le nord de l'État de New York. La figure 11.3 montre que, dans cet échantillon, seulement 11% des adultes de 40 à 65 ans

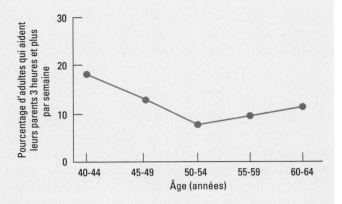

Figure 11.3
Prise en charge d'un parent âgé.
Relativement peu d'adultes d'âge moyen prennent totalement en charge un de leurs parents ou les deux. Toutefois, ces données transversales ne révèlent pas le pourcentage d'adultes qui assumeront cette fonction à un moment de leur vie. (*Source :* Spitze et Logan, 1990, tableau 2, p. 189.)

consacraient plus de 3 heures par semaine à aider un parent âgé. D'après cette information et d'autres provenant d'études similaires (Scharlach et Fredricksen, 1994), on peut estimer qu'entre 10 et 15 % des adultes d'âge moyen prodiguent régulièrement des soins à un adulte âgé.

Cependant, il est fort probable que de plus en plus d'adultes seront amenés à jouer ce rôle dans les prochaines décennies, car l'espérance de vie continue d'augmenter et les personnes âgées vivront plus longtemps, tout en souffrant d'invalidité. Les adultes d'âge moyen qui sont les plus susceptibles de s'occuper de leurs parents âgés sont les enfants uniques, les célibataires, les personnes qui travaillent à temps partiel et les femmes.

Effets de la prise en charge Au cours des dix dernières années, des douzaines d'études ont tenté d'évaluer les répercussions de la prise en charge quotidienne d'un parent (ou d'un conjoint) invalide, très faible ou atteint de démence. Dans la grande majorité des études, le bénéficiaire était atteint de la maladie d'Alzheimer ou d'une autre forme de démence. Il perdait progressivement la capacité de s'acquitter des tâches quotidiennes normales. Il était parfois incapable de se nourrir et de se vêtir seul et, dans certains cas, il ne reconnaissait pas les personnes qui s'occupaient de lui.

Les contraintes peuvent être très éprouvantes pour la personne qui prend soin de son parent. En effet, il faut parfois porter ou soulever le malade et accomplir des tâches domestiques. En outre, le patient requiert parfois une surveillance constante. Une telle prise en charge, notamment si la personne aidante essaie en même temps de répondre aux exigences de son travail et de sa famille, devient souvent une source d'épuisement et un gouffre financier.

Il n'est donc pas surprenant d'apprendre que le fait d'assumer un rôle aussi exigeant comporte un lourd tribut. Un examen récent de toutes les études existantes (Hoyert et Seltzer, 1992 ; Jutras et Lavoie, 1995 ; Schulz, Visintainer et Williamson, 1990) montre que les conjoints et les enfants qui donnent des soins paraissent plus déprimés lorsqu'on les compare à un groupe d'adultes du même âge et de la même classe sociale. Il semblerait également que les personnes qui s'occupent d'un parent malade sont plus portées à être malades que les autres, car leur système immunitaire s'affaiblirait (Kiecolt-Glaser *et al.*, 1987 ; Dura et Kiecolt-Glaser, 1991 ; Hoyert et Seltzer, 1992). L'ensemble de tous ces facteurs constitue le *fardeau de la personne aidante.*

En ce qui concerne la majorité des adultes d'âge moyen, le modèle est beaucoup moins tranché et beaucoup plus positif. Ils aident davantage leurs parents que lorsqu'ils étaient plus jeunes. Ils les voient lors des anniversaires ou des fêtes de famille. Ils éprouvent de l'affection pour eux et ont conscience de leur responsabilité filiale. Les parents jouent aussi un rôle important sur le plan symbolique car, tant qu'ils vivront, ils occuperont la place des aînés dans la lignée. Lorsqu'ils meurent, les générations suivantes se déplacent dans la séquence généalogique. Les personnes qui font partie de la génération médiane doivent alors se faire à l'idée qu'elles seront les prochaines à partir.

RELATIONS AVEC LES AMIS

Selon les quelques données dont nous disposons, l'amitié occupe une place moins centrale au milieu de l'âge adulte qu'au début ou à la fin. Le nombre d'amis est élevé au début de la vingtaine, puis diminue et demeure stable au milieu de l'âge adulte. Plus tard, vers 65 ans, le nombre de personnes qui font partie du réseau d'amis augmente de nouveau (Levitt, Weber et Guacci, 1993). La fréquence des rencontres avec les amis suit la même tendance.

On peut expliquer en partie ce modèle par le fait que les adultes dans la trentaine, la quarantaine ou la cinquantaine sont absorbés par leurs autres rôles. Toutefois, il est également possible que l'adulte d'âge moyen

Qui s'occupe d'un parent âgé en perte d'autonomie?

Qui aide régulièrement un parent âgé? Les filles et les belles-filles. Les filles sont de deux à quatre fois plus susceptibles d'apporter quotidiennement de l'aide que les fils (Dwyer et Coward, 1991; Lee, Dwyer et Coward, 1993). Pourquoi? Parce que la famille négocie la répartition des tâches liées aux soins selon un certain nombre de critères, telles les diverses contraintes et les ressources existantes. Parmi les frères et sœurs, la personne qui a vraisemblablement le parent à sa charge est celle qui n'a plus d'enfants à la maison, qui est célibataire ou qui vit à proximité du parent âgé (Brody *et al.*, 1994; Stoller, Forster et Duniho, 1992). L'enfant le plus fortement attaché à ses parents est également celui qui sera le plus porté à leur fournir de l'aide, bien que l'effet de l'attachement ne soit pas aussi marqué que la proximité ou la disponibilité (Whitbeck, Simons et Conger, 1991).

Dans notre société, la plupart de ces facteurs concourent à faire de la fille ou de la belle-fille la candidate la plus susceptible de s'occuper des parents âgés. Dans la cohorte actuelle des adultes d'âge moyen, il y a un plus grand nombre de femmes qui ne travaillent pas et ne sont pas mariées, car les femmes veuves ou divorcées ont moins tendance à se remarier que les hommes veufs ou divorcés. En outre, au sein de la dynamique familiale, c'est généralement entre la fille et sa mère que s'établit l'attachement le plus fort. Le sexe de la personne invalide joue aussi un rôle important. Une fille est quatre fois plus susceptible de prendre soin d'une mère invalide qu'un fils (Whitbeck, Simons et Conger, 1991). Par contre, quand la personne invalide est le père, alors seulement 40 % des filles sont plus susceptibles d'en prendre soin (Lee, Dwyer et Coward, 1993). Parce que les femmes (mères) vivent plus longtemps que les hommes et que leur état de santé exige souvent des soins, la probabilité est plus grande pour les femmes d'assister une mère invalide à la fin de sa vie.

En outre, le fait de vivre à proximité d'un parent âgé – ce qui semble ne pas faire partie de l'équation – n'est pas non plus le fruit du hasard. Les filles, peut-être à cause d'un plus grand lien affectif ou d'une plus grande volonté de maintenir des liens familiaux, ont davantage ten-

dance à s'installer près de leurs parents. Ces derniers, quand ils prennent de l'âge, ont une plus forte propension à déménager près de leur fille que de leur fils. Malgré tout, il arrive que les fils s'occupent d'un parent âgé. Certaines données indiquent que les hommes âgés qui vivent seuls sont plus enclins à se tourner vers leur fils que vers leur fille. De plus, si ce fils est célibataire, il aura plus tendance que sa sœur mariée à s'occuper de son père (Stoller *et al.*, 1992).

En dépit de ces quelques exceptions, il demeure incontestable que ce sont souvent les femmes qui prennent en charge un parent âgé, car elles assument déjà une responsabilité similaire à l'intérieur du mariage et auprès des enfants. Il se peut fort bien cependant que cette situation change au cours des prochaines décennies, puisqu'un plus grand nombre de femmes feront partie de la population active. Toutefois, étant donné que la distribution des tâches ménagères n'a pas tellement évolué malgré les changements radicaux des modèles du travail chez la femme, le mode de prise en charge d'un parent âgé ne risque pas de changer rapidement.

Les filles, beaucoup plus que les fils, ont tendance à prendre en charge un parent invalide ou dément, comme cette femme le fait pour sa mère atteinte de la maladie d'Alzheimer.

ait tendance à se contenter des amitiés acquises et qu'il prenne moins l'initiative d'en nouer de nouvelles. En général, il semble que l'adulte d'âge moyen voie moins souvent ses amis de longue date. Il les connaît depuis plus longtemps que les jeunes adultes connaissent leurs amis, et ses amitiés de longue date sont plus intimes. Laura Carstensen (1992) a observé que les amitiés chez les adultes d'âge moyen, quoiqu'elles soient moins nombreuses, deviennent plus intimes avec le temps, quel que soit le sexe de la personne. On peut donc dire que le cercle d'amis est réduit à l'âge adulte moyen, mais que ces amitiés sont plus solides et qu'il n'est pas besoin de fréquents contacts pour maintenir l'intimité. Les amitiés profondes survivent à un léger éloignement, tout en gardant leur importance.

Comme l'adulte d'âge moyen a un moins grand nombre d'amis, on peut penser que son réseau social est relativement petit. Il se peut que son réseau social soit restreint tout simplement parce que le besoin d'un tel réseau se fait moins sentir à ce moment de la vie. Les conflits de rôles et les tensions de rôle diminuent considérablement durant cette période; le besoin d'un soutien émotionnel de la part du réseau social est donc moins important (Due *et al.*, 1999). Il existe toujours à cet âge des différences sexuelles dans le modèle de l'amitié. Les femmes ont un plus grand nombre d'amis intimes, tandis que les hommes possèdent un réseau d'amis généralement plus grand, mais moins intime. Ils pratiquent des activités avec leurs amis et ils leur font moins de confidences relativement à leurs problèmes ou à leurs sentiments.

PAUSE-APPRENTISSAGE

Développement des relations sociales

- Quelle évolution observe-t-on en ce qui concerne la satisfaction conjugale, notamment sur le plan des interactions positives et négatives, chez les couples d'âge moyen ?

- Expliquez ce que l'on entend par *génération médiane*.

- Quelles sont les femmes qui courent le plus grand risque d'être affectées par le départ des enfants de la maison ?

- Définissez les différents types de relations entre les grands-parents et les petits-enfants.

- Quels sont les effets de la prise en charge d'un parent âgé pour un adulte d'âge moyen ?

- Pourquoi l'amitié est-elle un phénomène moins central à l'âge adulte moyen ?

Concepts et mots clés

- **fardeau de la personne aidante** (p. 394) • **génération médiane** (p. 390) • **relation de camaraderie** (p. 392) • **relation distante** (p. 392) • **relation engagée** (p. 392) • **syndrome du nid déserté** (p. 391)

RELATIONS AVEC LE MILIEU DE TRAVAIL

La relation avec le milieu de travail à l'âge adulte moyen présente deux paradoxes. D'une part, la satisfaction au travail atteint un sommet au cours de cette période, même si la plupart des adultes n'obtiennent plus d'avancement (promotion). D'autre part, la performance au travail (productivité) demeure élevée, en dépit du déclin progressif des habiletés intellectuelles et physiques.

Satisfaction au travail

Lois Tamir, qui a effectué une étude transversale sur le comportement des hommes au travail, donne deux explications de ce paradoxe apparent. D'une part, la majorité des hommes d'âge moyen connaissent le succès sur le plan professionnel, ils ont une bonne situation et ils en sont plutôt satisfaits. D'autre part, ils se font à l'idée qu'il est peu probable qu'ils gravissent encore des échelons ; c'est pourquoi ils se convainquent qu'ils ont atteint une situation satisfaisante ou encore ils revoient leurs attentes et leurs valeurs professionnelles.

L'étude transversale menée par Tamir auprès d'un échantillon d'hommes représentatifs confirme davantage la seconde hypothèse. Chez les hommes jeunes participant à cette étude (de 25 à 39 ans), le degré de satisfaction professionnelle était lié à divers éléments de satisfaction personnelle, ce qui n'était pas le cas chez les adultes d'âge moyen. À l'âge adulte moyen (de 40 à 65 ans), les hommes commencent à ne plus percevoir leur emploi comme la principale source de satisfaction et d'accomplissement. Ce changement de point de vue constitue en soi une forme de désengagement, même si les hommes sont plus satisfaits de leur travail que lorsqu'ils étaient jeunes.

Il n'est pas évident que l'on retrouve ces mêmes caractéristiques chez les femmes d'âge moyen qui travaillent. Pour les femmes qui sont entrées dans la vie active au cours de la trentaine ou de la quarantaine, il se pourrait que le milieu de l'âge adulte soit une période d'avancement rapide plutôt qu'un moment de conservation des acquis. Par conséquent, la satisfaction professionnelle aurait peut-être chez elles le même effet sur la satisfaction générale que chez les hommes au début de l'âge adulte.

Cependant, le modèle de la satisfaction professionnelle chez les femmes d'âge moyen diffère considérablement de celui des hommes. Par exemple, la satisfaction professionnelle chez l'homme est habituellement associée à des mesures objectives de réussite, telles que les promotions ou le salaire (Allen, Poteet et Russell, 1998). Chez les femmes au contraire, la satisfaction professionnelle est associée aux décisions prises au début de l'âge adulte. Ainsi, si une femme croit qu'elle a accordé trop d'importance aux responsabilités familiales et conjugales au détriment de sa carrière, elle est plus susceptible d'être insatisfaite au travail (Stewart et Ostrove, 1998). Certaines de ces femmes retournent aux études ou changent carrément d'emploi.

Les variations dans les modèles de travail et dans la satisfaction professionnelle s'accompagnent de variations dans la façon d'aborder le travail (Perho et Korhonen, 1999). Les hommes et les femmes témoignent des mêmes sources d'insatisfaction professionnelle à l'âge adulte moyen : un sentiment d'urgence temporelle, des collègues difficiles, des tâches ennuyeuses et la peur de perdre son emploi. Toutefois, les hommes et les femmes affrontent ces problèmes différemment. Les hommes cherchent plus souvent à négocier directement avec leurs supérieurs et leurs collègues afin de modifier la situation. Les femmes, au contraire, ont tendance à se replier et à discuter de leur insatisfaction avec des collègues femmes. De plus, les femmes sont plus enclines à compenser leur insatisfaction par la mise en valeur des avantages liés à leur travail. Par exemple, une affirmation comme «Je n'aime pas le patron, mais les heures de travail me conviennent» est plus susceptible d'être faite par une femme que par un homme. Les hommes ont donc plus souvent tendance à améliorer leur degré de satisfaction au travail en intervenant directement sur des situations qui peuvent changer. De leur côté, les femmes sont probablement plus en mesure d'affronter un milieu de travail auquel elles doivent s'ajuster parce que la situation ne peut pas changer.

En dépit de ces différences, les hommes et les femmes d'âge moyen possèdent un sentiment de maîtrise sur leur vie professionnelle plus élevé que les jeunes adultes (Lachman et Weaver, 1998). L'amélioration des habiletés sociales et cognitives observée du début de l'âge adulte à l'âge adulte moyen peut expliquer en partie cet écart (Blanchard-Fields *et al.*, 1998; Hess *et al.*, 1999). Les adultes d'âge moyen sont plus en mesure d'évaluer des situations, des personnes ou des relations avec efficacité que les jeunes adultes. En outre, les adultes d'âge moyen réussissent mieux à s'adapter à une situation déplaisante de façon à maintenir un degré acceptable de satisfaction personnelle.

Productivité au travail

Dans la plupart des métiers, la productivité demeure élevée pendant l'âge adulte moyen. On observe cependant une exception pour les emplois qui impliquent la force physique ou le temps de réaction, tels que les emplois de débardeurs, de contrôleurs aériens, de camionneurs, d'athlètes professionnels, etc. Dans ces métiers, la productivité tend à diminuer autour de 40 ans ou plus tard (Sparrow et Davies, 1988). Dans les faits, nombre de personnes occupant ces emplois prévoient les effets physiques du vieillissement et changent d'emploi au milieu de leur vie adulte. Cependant, pour la plupart des emplois, y compris ceux qui demandent de bonnes habiletés cognitives, la productivité demeure constante pendant toute la période de l'âge adulte moyen (Salthouse et Maurer, 1996).

Selon Paul et Margaret Baltes (1990a), pour maintenir un niveau élevé de productivité au travail, les adultes doivent composer avec un léger déclin des habiletés physiques et cognitives. Ce processus, appelé *optimisation sélective avec compensation,* comprend :

- la *sélection,* qui entraîne une réduction des activités, par exemple se centrer uniquement sur les tâches importantes, déléguer plus de responsabilités aux autres et diminuer, ou même abandonner, les activités périphériques à l'emploi ;
- l'*optimisation,* qui nécessite l'exercice délibéré des habiletés qui permettent de maintenir une performance maximale dans les activités. Sans cet exercice, ces habiletés risqueraient de décliner rapidement ;
- la *compensation,* qui comporte des stratégies pragmatiques afin de surmonter des obstacles particuliers, par exemple modifier la force des verres correcteurs, porter une prothèse auditive ou utiliser divers moyens pour compenser les pertes de mémoire, notamment en notant systématiquement les informations importantes ou en dressant une liste des choses à ne pas oublier. Il est aussi possible, pour un individu, d'investir davantage dans des activités où il se sait efficace, tout en se désengageant de celles où il l'est moins.

Joseph Abraham et Robert Hansson (1995) ont testé ce modèle dans une étude portant sur 224 travailleurs âgés de 40 à 69 ans. Ils ont évalué chacun des trois aspects de la théorie d'optimisation sélective avec compensation ainsi que la productivité au travail. Ils ont constaté la présence de plus en plus importante, au cours du vieillissement, d'un lien entre la sélection, l'optimisation et la compensation d'une part et la productivité d'autre part. Ainsi, plus l'individu est âgé, plus il lui faut utiliser des stratégies afin de compenser le déclin physique et cognitif. Dans le groupe plus âgé (cinquantaine et début de la soixantaine), ceux qui utilisaient plus souvent les stratégies de sélection, d'optimisation et de compensation réussissaient mieux dans leur travail. Par contre, on n'observait pas ce lien dans le groupe plus jeune (début de la quarantaine). Il ne s'agit, bien sûr, que d'une seule étude. Toutefois, les résultats obtenus confirment l'hypothèse selon laquelle la productivité au travail demeure élevée pendant l'âge adulte moyen parce que les personnes utilisent des stratégies pour compenser le déclin de leurs habiletés physiques et cognitives.

Préparation à la retraite

Beaucoup d'adultes d'âge moyen commencent à se préparer de diverses façons à leur retraite, souvent 15 ans avant la date prévue. Cette préparation commence généralement par une réduction graduelle de la charge de travail. La figure 11.4 illustre le pourcentage d'hommes et de femmes, issus d'un échantillon aléatoire comprenant 1 339 adultes, qui travaillaient ou qui avaient pris leur retraite pour des raisons autres que leur santé (Herzog,

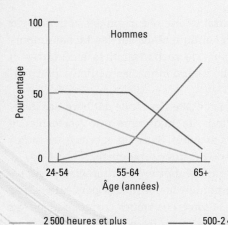

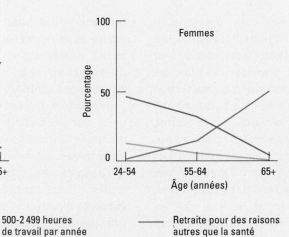

Figure 11.4
Temps consacré au travail
par différents groupes d'âge.
La plupart des gens pensent que
65 ans est l'âge de la retraite. En fait,
de nombreux adultes commencent à
se distancier de leur emploi bien avant
d'atteindre cet âge. (*Source :* Herzog,
House et Morgan, 1991, tableau 1, p. 205.)

House et Morgan, 1991). Comme vous pouvez le constater, le pourcentage d'hommes et de femmes qui travaillent de très longues heures (2 500 heures et plus par année ou l'équivalent de 48 heures par semaine) diminue entre 55 et 64 ans.

On observe une réduction progressive du caractère central du travail dans la vie de l'adulte d'âge moyen. Cette constatation semble se vérifier tant sur le plan matériel que sur le plan psychologique. Les heures consacrées au travail tendent à diminuer, et l'on commence à penser de plus en plus à la retraite. De façon générale, il est possible que la satisfaction professionnelle ait une portée moins grande sur le sentiment de bonheur et de bien-être que durant les premières décennies de l'âge adulte. Comme le rôle familial, le rôle professionnel perd de son importance au milieu de l'âge adulte.

La préparation à la retraite est un peu différente pour la cohorte du baby-boom que pour les cohortes précédentes (Monroy, 2000). Autrefois essentiellement une affaire d'homme, la préparation à la retraite concerne

aujourd'hui aussi la femme, qui s'y attelle, seule ou avec son mari (Glass et Kilpatrick, 1998). La plupart des personnes issues du baby-boom espèrent vivre jusqu'à 85 ans et même au-delà. Comme elles planifient leur retraite au début de la soixantaine (Monroy, 2000), elles profiteront d'un plus grand nombre d'années en dehors du marché du travail. Les besoins de revenus et de soins vont également changer considérablement, ce qui modifiera profondément le portrait social des pays industrialisés.

PARCOURS INDIVIDUELS : CRISE DE L'ÂGE ADULTE MOYEN

L'observation des parcours individuels peut donner un aperçu de la variabilité des modèles du développement à l'âge adulte moyen. La voie qu'emprunte un adulte ou la distance parcourue sont influencées par une foule de facteurs, dont les antécédents familiaux et la personnalité, ainsi que les tensions et les crises que chaque individu doit affronter.

PAUSE-APPRENTISSAGE

Relations avec le milieu de travail

- Comment peut-on expliquer le fait que la satisfaction au travail soit à son sommet à l'âge adulte moyen ?
- Quels facteurs influent sur la satisfaction professionnelle des femmes à l'âge adulte moyen ?
- Expliquez le processus d'optimisation sélective avec compensation.

Concepts et mots clés

- **compensation** (p. 397) • **optimisation** (p. 397) • **optimisation sélective avec compensation** (p. 397) • **sélection** (p. 397)

Nous devons tous faire face au stress que provoquent un beau-frère insupportable, un collègue énervant, un long trajet pour se rendre au travail ou des préjugés raciaux, ethniques ou sexuels dont nous faisons l'objet. Parvenus au milieu de la vie adulte, beaucoup d'entre nous auront traversé des épreuves particulières, telles que le divorce, la maladie, un veuvage précoce, une perte d'emploi ou un déménagement. Quels sont les effets de tels bouleversements sur le modèle du développement à l'âge adulte ?

Comme nous l'avons déjà mentionné, un stress très intense, causé par des disputes incessantes ou des crises particulières, peut affaiblir le système immunitaire et altérer la santé. Cependant, de nombreuses crises majeures ont également des répercussions sur d'autres aspects de la vie adulte. Nous vous proposons d'aborder maintenant les effets du facteur temporel sur les trajectoires de vie ainsi que les aspects positifs et négatifs des crises du développement.

EFFETS DU FACTEUR TEMPOREL

Le modèle des répercussions du divorce (voir le chapitre 10) concorde avec le principe général voulant qu'il y ait toujours un prix à payer lorsqu'on est en dehors des normes temporelles. Il en va de même dans les exemples suivants qui illustrent ce principe, qu'il s'agisse d'une ménopause précoce, de jeunes adultes qui restent à la maison ou d'être un jeune grand-parent.

Ménopause précoce   Une ménopause qui survient à la fin de la trentaine ou au début de la quarantaine semble constituer un événement particulièrement stressant pour les femmes. Elles réagissent négativement au simple mot « ménopause » (Singer et Hunter, 1999), et nombre d'entre elles manifestent de la stupeur et du déni. Lorsqu'elles comprennent que cette transformation physique est inévitable, certaines se mettent en colère et ont le sentiment de perdre le contrôle de leur vie. Les conséquences à long terme d'une ménopause précoce sont associées à l'histoire du développement, aux circonstances matérielles et à la façon d'intégrer cette ménopause précoce à son récit de vie et à son concept de soi.

Jeunes adultes qui restent à la maison   Le fait de rester à la maison lorsqu'on est jeune adulte est une autre situation qui implique le facteur temporel. Si leur enfant n'a pas quitté le foyer familial après 25 ans, les adultes d'âge moyen risquent de subir une pression supplémentaire, voire d'éprouver un sentiment d'échec (Hagestad, 1986). De plus, les conflits entre les parents et les jeunes adultes qui vivent sous un même toit sont fréquents (Muzi, 2000). Les parents et les jeunes adultes ont l'impression de ne pas avoir de vie privée. Les parents ont également le sentiment d'avoir des obligations envers le jeune adulte. Ils pensent qu'ils doivent délaisser leurs propres projets afin d'aider leur enfant à devenir vraiment autonome. Si le départ de la maison d'un jeune adulte est remis à plusieurs reprises, la frustration peut alors s'accumuler. Le pourcentage de jeunes adultes vivant à la maison semble augmenter. En 1970, seulement 8 % des jeunes adultes âgés de 25 ans vivaient encore avec leurs parents. À la fin des années 1990, ce pourcentage était passé à 20 % (Muzi, 2000). Les mariages retardés et l'augmentation des divorces peuvent en partie expliquer cette augmentation.

Jeunes grands-parents   L'augmentation des grossesses chez les adolescentes entraîne une augmentation du nombre de jeunes grands-parents. Les gens qui deviennent grands-parents très tôt ou très tard semblent être moins à l'aise dans leur rôle (Troll, 1985 ; Burton et Bengtson, 1985). Une étude effectuée à Los Angeles au milieu des années 1980 portait sur des familles comprenant une nouvelle maman, une grand-mère et une arrière-grand-mère. Dans cette étude, chaque femme était classée dans une des deux catégories, précoce ou opportun, par rapport à son rôle particulier. La catégorie *opportun* signifiait que les grands-mères avaient acquis ce rôle entre 42 et 57 ans. Les grands-mères considérées comme précoces avaient acquis leur rôle avant 38 ans, et plusieurs d'entre elles dans la vingtaine. La grande majorité de ces grands-mères avaient au moins terminé des études secondaires ; peu d'entre elles dépendaient de l'assistance sociale. Donc, elles provenaient majoritairement de familles de la classe ouvrière ou de la classe moyenne.

La perception des femmes qui sont considérées comme des grands-mères précoces est surprenante : ces jeunes grands-mères parlaient davantage de pression et de détresse que celles qui étaient devenues grands-mères en temps opportun. Leur perception plutôt négative de leur nouveau rôle était partiellement attribuable au fait qu'elles étaient encore au début de l'âge adulte. Elles devaient donc faire face aux conflits de rôles qu'engendre cette période. Bon nombre de ces jeunes grands-mères avaient encore des enfants à la maison. Elles étaient découragées de devoir en outre assumer le rôle de grand-parent, particulièrement quand elles s'attendaient à devoir prendre en charge certaines tâches relatives à l'éducation de leurs petits-enfants. Toutefois, la précocité du nouveau rôle semblait être dérangeante en elle-même, car ces femmes associaient le rôle de grand-mère au fait d'être «vieille», ce qu'elles ne voulaient pas.

On retrouve un sentiment identique chez les personnes dont les parents meurent tôt. Elles se voient en effet involontairement propulser dans le rôle de soutien de famille, sans être préparées à l'assumer. Un homme de 40 ans, qui a récemment perdu ses deux parents, explique: «Je suis trop jeune pour être le prochain sur la liste!» (Hagestad, 1986). Le divorce qui survient généralement au début de l'âge adulte, contrairement aux autres situations que nous avons décrites, semble être moins traumatisant pour les femmes d'âge adulte moyen que pour les jeunes adultes (Marks et Lambert, 1998). Il semble que «l'adoucissement» de la personnalité, dont nous avons parlé au début de ce chapitre, fait en sorte que les femmes d'âge moyen affrontent mieux ce genre d'événements traumatisants. En règle générale, l'effet du temps lié à une situation traumatisante n'entraîne de profondes répercussions que si la situation est perçue comme se produisant plus tôt que prévue et qu'elle propulse l'individu dans l'âge adulte avancé, comme c'est le cas pour la ménopause précoce et pour le rôle de jeune grand-parent.

ASPECTS POSITIFS ET ASPECTS NÉGATIFS

En chinois, les caractères qui forment le mot *crise* signifient «danger» et «opportunité» (Levinson, 1990). Effectivement, il faudrait se demander si les crises n'ont pas un aspect positif. De fait, de nombreuses théories sur le développement de l'adulte reposent sur l'hypothèse selon laquelle le stress ou les crises peuvent être bénéfiques plutôt que destructeurs. La théorie d'Erikson va dans ce sens, tout comme celle de Carl Gustav Jung. Morton Lieberman et Harvey Peskin (1992, p. 132) proposent quelques exemples.

La nostalgie de la jeunesse au milieu de l'âge adulte permet parfois de mobiliser des ressources d'attention inexploitées [...]; la prise de conscience de la mort, à la suite d'un décès, peut permettre à un adulte d'âge moyen d'acquérir une attitude plus sereine face à sa propre mort, de moins s'acharner à la recherche de la perfection, d'exprimer de manière nouvelle sa créativité [...]; la mort d'un parent cher peut aider le survivant à devenir davantage lui-même.

On ne sait pas si le stress et la crise sont nécessaires à la croissance personnelle, même si un tel lien est fort possible. De la même façon que la douleur est le signe d'un malaise physique, la tristesse et l'angoisse attirent l'attention sur le fait qu'il doit y avoir un changement. Un mariage peut devenir plus solide et plus intime après des périodes difficiles, si le couple a appris à mieux communiquer. Un veuvage précoce peut forcer une jeune femme à acquérir certaines aptitudes, ce qu'elle n'aurait peut-être pas fait en d'autres circonstances. Norma Haan (1982) a noté, dans son analyse des résultats de l'étude de Berkeley/Oakland, que les personnes qui avaient souvent eu à l'âge adulte des problèmes de santé faisaient preuve de plus d'empathie et d'une plus grande tolérance devant les situations ou les événements incertains ou ambigus vers la fin de l'âge adulte moyen.

Nous ne cherchons pas à atténuer l'importance du stress lié aux crises ou aux changements importants de la vie. Nous pensons que la douleur, les crises ou le stress sont parfois nécessaires — même s'ils ne sont pas suffisants — à une certaine croissance psychologique, tout comme il est nécessaire qu'il y ait un grain de sable à l'intérieur de l'huître pour fabriquer une perle. En conclusion, cette hypothèse nous paraît réconfortante. Elle donne en effet à entendre qu'il y a toujours un enseignement à tirer d'une expérience douloureuse. La vie serait bien déprimante sans la possibilité d'une telle évolution.

Parcours individuels: crise de l'âge adulte moyen

- Nommez les conséquences de la ménopause précoce chez les femmes.

- Quels sont les facteurs liés au fait que de jeunes adultes de plus de 25 ans restent chez leurs parents?

- Décrivez quelques conséquences associées au fait d'être un jeune grand-parent.

- Les crises sont-elles seulement des expériences négatives? Expliquez votre réponse.

Concepts et mots clés

• **ménopause précoce** (p. 399) • **jeune grand-parent** (p. 399)

UN DERNIER MOT

L'âge adulte moyen est façonné par divers changements et diverses tâches développementales, la plupart normatifs et d'autres imprévus, que chaque adulte doit affronter. Comme nous l'avons observé pour le développement physique et cognitif, la période entre 40 et 60 ans est très différente pour chaque adulte. Il existe une grande variabilité dans la façon dont un individu fait face aux événements durant l'âge adulte moyen, et cette adaptation semble beaucoup plus importante que les événements eux-mêmes.

RÉSUMÉ

DÉVELOPPEMENT DE LA PERSONNALITÉ

- Les cinq traits de la personnalité sont relativement stables au cours de l'adolescence et de l'âge adulte. La masculinité et l'androgynie sont en corrélation avec l'estime de soi et l'ajustement social chez les adultes de tous âges.

- Il y a beaucoup moins de changements communs dans la personnalité au milieu de l'âge adulte qu'au début de l'âge adulte. Même si certains signes d'« adoucissement » de la personnalité apparaissent, on observe une plus grande variabilité des traits de la personnalité à l'âge adulte moyen qu'à un plus jeune âge.

- Neugarten souligne l'intériorité de l'adulte d'âge moyen. Brandtstädter signale une baisse de la ténacité associée à une augmentation de la flexibilité. Vaillant remarque une évolution des mécanismes de défense vers une plus grande maturité. Gutmann aborde le croisement des rôles sexuels.

- Selon Erikson, la générativité constitue la tâche centrale de l'âge adulte moyen dont la force adaptative est la sollicitude.

- Peck a divisé le stade de la générativité en quatre tâches associées à une adaptation positive de l'adulte d'âge moyen.

- Levinson présente un modèle qui s'appuie sur deux notions : la structure de vie et la période de transition.

DÉVELOPPEMENT DES RELATIONS SOCIALES

- La satisfaction conjugale est généralement plus élevée au milieu de l'âge adulte qu'auparavant, principalement grâce à une diminution des problèmes ou des conflits.

- Les adultes d'âge moyen qui constituent la génération médiane ont des liens importants avec leurs parents et leurs enfants. Ce sont eux qui offrent le plus d'aide aux deux autres générations.

- Il n'existe guère de données qui confirment l'existence du syndrome du nid déserté, c'est-à-dire d'une réaction négative des parents au milieu de l'âge adulte au moment du départ de leur dernier enfant. Au contraire, l'atténuation des exigences relatives au rôle semble contribuer à l'accroissement de la satisfaction générale.

- La majorité des adultes deviennent grands-parents à l'âge adulte moyen. Ils établissent généralement des relations chaleureuses et affectueuses avec leurs petits-enfants, bien que certains aient parfois une relation distante. Une minorité de grands-parents prennent une part active dans l'éducation de leurs petits-enfants.

RÉSUMÉ

- Seulement une minorité d'adultes d'âge moyen semblent prendre en charge leurs parents âgés. Ces personnes ont l'impression de porter un fardeau et sont plus dépressives, particulièrement si leur parent souffre d'une forme de démence. Deux fois plus de femmes que d'hommes prennent en charge un parent âgé.

- Les amitiés se raréfient au milieu de l'âge adulte, même si rien n'indique qu'elles deviennent moins intimes ou moins importantes. L'aptitude à nouer des amitiés et à les entretenir semble être stable tout au long de la vie adulte.

- À l'âge adulte moyen, la satisfaction professionnelle connaît un sommet, et la productivité demeure élevée. Toutefois, le travail ne constitue plus le centre de l'existence, et la satisfaction professionnelle semble moins liée à la satisfaction générale qu'à un plus jeune âge.

- Le nombre d'heures de travail diminue généralement à l'approche de l'âge de la retraite.

PARCOURS INDIVIDUELS : CRISE DE L'ÂGE ADULTE MOYEN

- Les expériences individuelles en ce qui a trait aux changements et aux crises peuvent entraîner des variations dans les modèles de la personnalité.

- Tout changement de rôle ou toute crise survenant en dehors des normes temporelles d'une cohorte ou d'une culture provoquent un degré élevé de stress, notamment la ménopause précoce, la présence à la maison d'enfants devenus adultes et le fait d'être un jeune grand-parent.

- Certains théoriciens soutiennent que les crises peuvent entraîner une évolution ou une détresse psychologiques. En fait, les crises et les changements importants semblent parfois nécessaires à la croissance psychologique, bien que cette question reste très controversée.

DÉVELOPPEMENT DE LA PERSONNALITÉ

Continuité

- Stabilité des 5 traits de la personnalité de McRae et Costa

Changements

- Intériorité
- Flexibilité et ténacité
- Croisement des rôles sexuels
- Maturité des mécanismes de défense

Perspectives théoriques

Approche d'Erikson : développement psychosocial	Approche de Levinson : développement et structure de vie	Approche de Peck : adaptation à l'âge adulte moyen

- Stade de la générativité ou de la stagnation

  Force adaptive : sollicitude

- Sagesse ou force et attrait physique
- Socialisation ou sexualisation des rapports humains
- Flexibilité ou rétrécissement affectif
- Ouverture d'esprit ou rigidité

DÉVELOPPEMENT DES RELATIONS SOCIALES

Relations conjugales

- Augmentation de la satisfaction conjugale

Relations familiales

- Syndrome du nid déserté
- Génération médiane
- Rôle de grand-parent
- Prise en charge d'un parent âgé

Relations avec les amis

- Diminution des contacts

Relations avec le milieu de travail

- Augmentation de la satisfaction professionnelle
- Productivité élevée
- Préparation à la retraite

PARCOURS INDIVIDUELS : CRISE DE L'ÂGE ADULTE MOYEN

Effets du facteur temporel

Ménopause précoce	Jeunes adultes qui restent à la maison	Jeunes grands-parents

Synthèse du développement à l'âge adulte moyen

Caractéristiques fondamentales de l'âge adulte moyen

La synthèse des changements qui surviennent à l'âge adulte moyen que présente le tableau ci-dessous ne rend pas vraiment compte des aspects les plus intéressants de cette période, en particulier des aspects les plus paradoxaux. La juxtaposition de degrés élevés de satisfaction conjugale et professionnelle et d'une prise de conscience du déclin physique constitue le paradoxe le plus frappant de cette période. Un second paradoxe réside dans l'important relâchement des contraintes que les rôles familiaux et professionnels imposent à l'individu, au moment où il doit faire face à de nouvelles situations sur lesquelles il a peu d'emprise. Ces nouvelles situations comprennent notamment le stade postparental qui est la période suivant le départ du dernier enfant de la maison, l'acquisition du rôle de grand-

parent, ainsi que la prise en charge d'un parent âgé, malade ou invalide. Bien qu'ils puissent avoir leur mot à dire en ce qui concerne le départ de la maison de leurs enfants, les parents n'ont guère de pouvoir sur la naissance de leurs petits-enfants ni sur l'état de santé de leurs parents.

La diminution des exigences des rôles centraux, que sont le rôle de parent et celui de travailleur, s'inscrit dans un autre paradoxe, car ce changement amène un sens accru de la possibilité d'un choix. Plus il y a d'options qui s'offrent à l'individu quant à la manière d'assumer ses rôles, moins sont claires les règles qui régissent son comportement. Par ailleurs, les adultes d'âge moyen semblent aussi avoir le sentiment d'une perte de leur maîtrise personnelle. Au cours d'une étude réalisée en Allemagne, Brandstädter et Baltes-Götz (1990) ont réuni des données longitudinales et transversales. Ces données montrent que les adultes entre 40 et 60 ans ont de plus en plus l'impression que leur capacité d'atteindre des objectifs subit l'influence de facteurs

Résumé de la trame du développement à l'âge adulte moyen

ASPECT DU DÉVELOPPEMENT	Âge (années)				
	40	45	50	55	60
Développement physique	De nombreux changements physiques surviennent dans la quarantaine et la cinquantaine, dont la baisse de la vision, le déclin de la capacité respiratoire, l'altération de l'épiderme, le ralentissement du système nerveux et, par conséquent, de la vitesse de réaction.		Ménopause chez la femme. Accélération de la perte de tissu osseux. Augmentation de la perte de tissu musculaire.		Accélération de la perte auditive.
Développement cognitif	Amélioration du Q.I. jusqu'à l'âge de 50 ou 55 ans, puis baisse très graduelle. Perte précoce des capacités non exercées, telles que la visualisation spatiale. Peu de changements altérant la mémoire avant la fin de cette période, bien que l'on observe une perte de la vitesse de rappel.				
Développement de la personnalité et des relations sociales	Stade de la générativité ou de la stagnation selon Erikson.		Stade de l'intégrité personnelle ou du désespoir selon Erikson.		
		Signes d'« adoucissement », après la crise d'individualité, d'affirmation de soi et de confiance en soi à 40 ou 45 ans.			
		Syndrome du nid déserté : départ du dernier enfant.			
		Acquisition du rôle de grand-parent pour la plupart des adultes.			
			Prise en charge possible des parents âgés.		
	Baisse d'importance des rôles professionnels ; réduction progressive des heures de travail ; préparation à la retraite.				
		Augmentation de la satisfaction conjugale.			

de l'horloge sociale. Au début de l'âge adulte, l'horloge sociale fait un vacarme absolument assourdissant, alors que l'horloge biologique est tout juste audible. À l'âge adulte moyen, un certain équilibre est atteint : l'affaiblissement de l'horloge sociale favorise la prise de conscience de la liberté de choix et de la maîtrise personnelle, alors que le réveil de l'horloge biologique attise un sentiment de perte de maîtrise.

Horloge biologique

C'est sans aucun doute à l'âge adulte moyen que les premiers signes du vieillissement commencent à apparaître pour la plupart des gens. Le port de lunettes devient nécessaire pour la première fois ; les premiers cheveux blancs apparaissent ; la peau devient visiblement ridée ; il devient plus difficile de monter les escaliers quatre à quatre et d'entreprendre une activité physique pour se remettre en forme. Comme nous l'avons noté au chapitre 11, la plupart de ces changements sont relativement graduels et il existe de grandes différences individuelles quant au moment de leur apparition. Toutefois, il est impossible de traverser le milieu de l'âge adulte sans se rendre compte d'une certaine détérioration physique.

David Karp (1988) a étudié la prise de conscience de ces changements dans une série d'entrevues particulièrement éloquentes avec des hommes et des femmes dans la cinquantaine. Cet échantillon n'avait rien d'aléatoire : les 72 sujets étaient de race blanche et occupaient tous de bons emplois. Par conséquent, on ne peut pas savoir comment des personnes appartenant à la classe ouvrière ou à des minorités ethniques décriraient de telles expériences. Cependant, cette étude nous donne un aperçu particulièrement saisissant de ce que ressent l'adulte d'âge moyen, pour qui, selon Karp (1988, p. 729), « l'expérience du vieillissement semble être l'une des plus grandes surprises de la vie ».

La surprise vient à la fois du corps et de la culture. Les messages du corps signalent de nombreuses manifestations de déclin. L'un des hommes interrogés par Karp (1988, p. 730) s'exprimait ainsi :

> J'ai les os qui craquent. Je ronfle la nuit. J'apprécie toujours la beauté féminine, mais, vous savez, la testostérone n'est plus vraiment là. [...] Lorsque je joue au baseball avec mon fils, je n'arrive plus à attraper aussi

indépendants de leur volonté. Cependant, on constate également que ces adultes ont davantage l'impression que la réalisation de leurs objectifs dépend de leurs propres actions. Ils auraient donc à la fois une conscience accrue de leur liberté de choix et une plus grande lucidité quant aux forces non maîtrisables qui sont en jeu, notamment le déclin potentiel de leur santé ou de la santé d'un de leurs parents.

Il semble inconcevable que ces prises de conscience puissent se produire simultanément. Toutefois, si vous pensez à des exemples précis, cela vous paraîtra parfaitement vraisemblable. En atteignant la quarantaine, puis la cinquantaine, un adulte peut prendre conscience que le maintien de relations amicales satisfaisantes requiert des efforts de sa part et qu'il n'a aucune emprise sur la mort de ses amis. Il prend aussi conscience que sa forme physique quotidienne dépend de son mode de vie, soit de son activité physique et de son régime alimentaire, bien qu'il soit pourtant forcé de faire face à son impuissance devant la maladie.

Processus fondamentaux

Les paradoxes que nous venons d'aborder masquent le glissement de l'importance de l'horloge biologique et bien les balles basses. Nous allons sur le terrain et je dis à mon fils : « John, envoie-moi donc des chandelles au lieu de ces balles basses. » Je ne recule pas trop sinon je n'arrive pas à lancer la balle assez loin. J'ai bien remarqué ces changements.

Les messages culturels sont plus subtils, mais tout aussi révélateurs. Les jeunes adultes commencent à traiter l'adulte d'âge moyen comme une personne « plus âgée », ce qui signifie qu'ils le traitent avec plus ou moins de respect, selon les circonstances. De plus, l'adulte d'âge moyen se voit offrir l'accès à différents programmes pour « le troisième âge ».

L'invalidité croissante de certains membres de la famille, voire leur décès, fait partie des marqueurs de génération. L'un des sujets interrogés par Karp (1988, p. 731) disait d'ailleurs : « En voyant mon père physiquement diminué, je prends conscience du fait que cela va aussi finir par m'arriver un jour. »

Les enfants ainsi que les jeunes gens rencontrés dans la vie professionnelle constituent d'autres indicateurs de génération. L'adulte d'âge moyen trouve généralement que les jeunes gens ont l'air bien plus jeune qu'avant. Cependant, le paradoxe subsiste, car presque tous les sujets interrogés par Karp affirment qu'ils se sentent toujours jeunes. La perception qu'un adulte a de lui-même à 40, à 50 ou à 60 ans n'intègre pas toujours les cheveux blancs, les rides et le ralentissement du corps. L'adulte à cet âge vit donc plusieurs chocs, lorsque les indicateurs de culture et de génération viennent secouer sa conscience encore une fois et lui rappeler qu'il vieillit.

Horloge sociale

Malgré le vieillissement de leur corps, les adultes d'âge moyen ont souvent l'impression d'être en pleine possession de leurs capacités, de connaître les rouages de la vie et de pouvoir agir sur les événements. L'un des sujets étudiés par Karp (1988, p. 729) affirme : « Je ne me vois pas comme un simple débutant [...] mais plutôt comme quelqu'un qui a fait son chemin dans la vie. » D'autres parlent d'une plus grande appréciation de la valeur des expériences accumulées, voire de sagesse. Nombreux sont ceux qui affirment avoir une vision plus globale de leur vie, une perspective plus large – peut-être le début de ce qu'Erikson appelle l'intégrité personnelle.

Ce sentiment de savoir, de sagesse et d'ouverture semble être le fruit de l'apprentissage des principaux rôles du début de l'âge adulte, ainsi que de l'affirmation de son individualité, grâce au processus que Levinson nomme la détribalisation. Les gens acquièrent aussi un sens accru de la maîtrise et de la liberté de choix, car certains des rôles qui étaient importants au début de l'âge adulte deviennent beaucoup moins exigeants. Le rôle parental particulièrement, qui demande beaucoup de temps et une énergie considérable pendant près de 20 ans, devient plus occasionnel et moins exigeant. Par conséquent, les adultes d'âge moyen disposent de plus de temps et d'énergie à consacrer à leurs autres rôles, dont celui de conjoint ou de partenaire.

Influences sur les processus fondamentaux

La façon dont une personne vivra l'âge adulte moyen dépend d'une multitude de facteurs, dont trois semblent particulièrement déterminants : l'état de santé, le moment où se produisent les événements familiaux et professionnels, ainsi que les crises et les changements non prévus.

Santé La santé est probablement le facteur le plus déterminant pour l'expérience du milieu de la vie. La plupart des adultes sont encore relativement en bonne santé à ce moment. Cependant, pour les gens qui souffrent de problèmes de santé durant la cinquantaine ou la soixantaine, la perception du vieillissement physique est bien plus marquée, de même leur sentiment de maîtrise et de liberté de choix est beaucoup moins apparent. Ainsi, chez les hommes de l'université Harvard étudiés par Grant, les deux événements susceptibles de poser des problèmes d'adaptation psychologique étaient une détérioration grave de l'état de santé et l'alcoolisme (Vaillant et Vaillant, 1990).

Les personnes qui prennent leur retraite à 50 ou 60 ans y sont souvent contraintes pour des raisons de santé. Ces personnes peuvent se retrouver alors dans une situation financière délicate, par exemple à cause d'une pension de retraite insuffisante. Leur sentiment de maîtrise et de liberté de choix n'est certainement pas aussi grand que celui des gens qui ont choisi le moment de leur retraite. Il n'est donc pas surprenant que les gens obligés de prendre une retraite anticipée pour raisons de santé l'apprécient moins que les autres et soient généralement plus déprimés (Palmore *et al.*, 1985).

ÉVOLUTION DES RÔLES FAMILIAUX ET PROFESSIONNELS

L'expérience de l'adulte d'âge moyen subit aussi fortement l'influence du moment où surviennent divers événements familiaux et professionnels, en particulier la naissance d'un enfant. On observe des différences de cohortes ou des différences individuelles majeures. Ainsi, les femmes nées en Amérique du Nord dans les années 1920 donnaient naissance à leur dernier enfant à l'âge d'environ 31 ans. Leur période postparentale commençait approximativement à l'âge de 55 ans. Elles avaient une espérance de vie de 73 ans. Il ne leur restait donc que 18 ans à vivre après le départ de leur dernier enfant. Comparativement à ces femmes, les femmes nées dans les années 1950 sont aujourd'hui au milieu de l'âge adulte. Elles ont eu leur dernier enfant vers l'âge de 25 ans. Elles ont une espérance de vie de 80 ans. Cela représente donc pour elles une augmentation de 13 ans de la durée du stade postparental, dont la moitié se déroulera à l'âge adulte moyen. Les gens qui ont des enfants plus tard réduisent la durée du stade postparental et retardent ainsi le moment où l'horloge sociale se fera moins bruyante. Ces différences sont importantes et contribuent considérablement à la grande variabilité observée dans l'expérience des adultes d'âge moyen.

La même logique s'applique aux expériences professionnelles, telles que les promotions, bien que l'on possède moins d'indications précises. Un individu qui continue à gravir les échelons dans la quarantaine ou la cinquantaine est plus susceptible d'accorder une place centrale au travail dans sa vie qu'une personne dont la carrière stagne à partir de 35 ans. Par exemple, l'étude effectuée par Bray et Howard (1983) sur les dirigeants d'AT&T montre que les hommes qui sont montés très haut dans la hiérarchie de l'entreprise éprouvaient une grande satisfaction professionnelle dans la quarantaine ou la cinquantaine. Il est par contre intéressant de constater qu'ils n'étaient pas plus satisfaits de leur vie en général et qu'ils ne s'étaient pas mieux adaptés.

Ce genre de découvertes souligne, une fois de plus, la grande variabilité des expériences vécues par les adultes d'âge moyen. Apparemment, il existe plusieurs voies conduisant à la satisfaction générale. Même si certaines personnes continuent de trouver dans leur travail leur principale source de satisfaction, la plupart des gens semblent puiser cette satisfaction dans leurs relations conjugales, familiales ou amicales.

CRISES Comme le début de l'âge adulte, l'âge adulte moyen est façonné par divers changements non anticipés et par les crises auxquelles chaque adulte doit faire face. La période de 40 à 65 ans se déroule différemment pour chaque adulte. En effet, les individus qui ont vécu de nombreuses crises ou de nombreux stress risquent plus de connaître des problèmes de santé et d'avoir l'impression qu'ils ne maîtrisent pas leur vie et qu'ils ne peuvent pas profiter des occasions qui se présentent. Et bien sûr, leurs problèmes de santé jumelés à leur sentiment d'impuissance se répercutent sur de nombreux autres aspects de leur vie.

Cependant, il semblerait que la façon dont l'adulte d'âge moyen s'adapte aux crises façonne davantage son expérience que les crises elles-mêmes. Selon les travaux des Vaillant sur les hommes de Harvard qui ont participé à l'étude de Grant par exemple, l'un des meilleurs indicateurs de bonne santé et d'adaptation émotionnelle à l'âge de 65 ans était le non-usage de thymoanaleptiques (comme les tranquillisants) ou la non-consommation d'alcool à l'âge de 45 ans (Vaillant et Vaillant, 1990). La maturité des mécanismes de défense utilisés à 45 ans constitue également un bon indicateur. Les personnes qui paraissaient les plus inaptes à 65 ans étaient souvent celles qui avaient eu une réaction de négation ou de répression face aux crises qu'elles avaient vécues, alors que celles qui étaient mieux adaptées à 65 ans avaient utilisé moins de mécanismes de défense qui déforment la réalité. Les individus de 45 ans qui s'étaient tournés vers les thymoanaleptiques ou l'alcool et qui utilisaient des mécanismes moins matures de défense n'avaient pas affronté plus de crises que les hommes plus mûrs. Cependant, ils avaient réagi différemment à ces épreuves.

Qu'est-ce qui détermine la façon de gérer une crise ou une épreuve? La première réponse qui vient à l'esprit, c'est la personnalité. McCrae et Costa ont observé que les adultes qui présentent une tendance élevée à la névrose (instabilité émotionnelle) vont adopter en général une attitude défaitiste devant les crises. D'après les travaux effectués par Caspi à partir de l'étude de Berkeley/Oakland, nous savons que les traits de la personnalité à l'enfance et à l'adolescence (tels que la timidité ou le mauvais caractère) laissent entrevoir un certain nombre d'aspects de la vie adulte. Vaillant et les chercheurs de Berkeley ont aussi découvert que les adultes qui avaient l'air en meilleure santé et plus mûrs psychologiquement à 40 ou 50 ans provenaient de familles plus chaleureuses et avaient une bonne estime de soi à l'adolescence ou au début de l'âge adulte.

Toutefois, il ne faut pas confondre personnalité et destinée. Toutes les corrélations existantes apparaissent mineures par comparaison. Il y a de nombreux adultes qui, en dépit de circonstances difficiles, réussissent à affronter les crises du milieu de l'âge adulte avec panache et en retirent une certaine croissance psychologique. Par contre, il y a aussi beaucoup de gens qui semblent avoir tout pour eux et qui ne réussissent pas à faire face aux crises normales (ou extraordinaires); ils se laissent alors souvent entraîner dans un cercle vicieux, qui comprend la consommation d'alcool, de drogues ou de médicaments ou encore la dépression. Pour l'instant, on ne sait malheureusement que très peu de choses sur les causes de ces variations. Pourtant, il s'agit, à notre avis, d'une question cruciale si nous désirons mieux comprendre cette période de l'âge adulte ainsi que l'ensemble de la vie adulte.

La période de l'âge
adulte avancé

*L*a cinquième partie des Âges de la vie *porte sur la période de l'âge adulte avancé. Dans le chapitre 12, nous étudierons le déve-loppement physique et cognitif au cours de cette période, alors que, dans le chapitre 13, nous nous pencherons sur le développement de la personnalité et des relations sociales.*

Au milieu de l'âge adulte, on observe pour la première fois un certain équilibre entre l'horloge biologique et l'horloge sociale. À l'âge adulte avancé, l'horloge biologique reprend une place prépondérante. Cependant, les effets du vieillisse-ment ne se font véritablement sentir qu'à la toute fin de l'existence, si l'on retire de l'équation le facteur qu'est la maladie. L'espérance de vie a considérablement augmenté au cours des dernières décennies, si bien qu'une bonne partie d'entre nous peuvent s'attendre à parcourir encore un long trajet. Soulignons également qu'une infinie variété de modèles de vie s'offre aux adultes d'âge avancé, et que chacun d'entre eux est une occasion de changements et de crois-sance personnelle. C'est sur cette note d'optimisme que nous abordons ici la dernière étape de notre voyage à travers les âges de la vie humaine. Nous vous présentons à la fin du manuel un épilogue sur la mort et le deuil.

CHAPITRE **12**

L'âge adulte avancé : développement physique et cognitif

Mon père, aujourd'hui âgé de 78 ans, a l'habitude de transporter un gros carnet de notes où il consigne des listes de choses à faire, d'articles à acheter, ainsi que l'heure de ses rendez-vous. Il parle de son carnet comme de son «cerveau», ce qui me fait toujours rire. Lorsqu'il égare son carnet, il demande: «Avez-vous vu mon cerveau?» Grâce à cette méthode efficace, il n'oublie jamais un rendez-vous, il a toujours à portée de la main les numéros de téléphone dont il a besoin et il parvient à gérer efficacement sa vie quotidienne. Bien sûr, il s'impatiente lorsque sa mémoire lui joue des tours, et il se déplace lentement, mais il est parvenu à compenser la plupart de ses limites physiques, de sorte qu'il est toujours actif et s'acquitte de la majorité des choses qui lui tiennent à cœur.

VIEILLISSEMENT

La **gérontologie** est l'étude scientifique du vieillissement. Pendant plusieurs années, les gérontologues ont abordé l'étude de l'adulte d'âge avancé exclusivement en fonction du déclin et des pertes associés à cet âge. Cependant, cette façon de voir s'est considérablement modifiée ces dernières années, et cette période de la vie est maintenant considérée comme une étape qui présente une très grande variabilité individuelle. L'expérience du vieillissement varie donc énormément d'un individu à l'autre. Dans cette première partie du chapitre, nous allons vous présenter les changements récents observés dans ce groupe d'âge.

Espérance de vie et durée de vie   Les adultes qui ont survécu jusqu'à l'âge adulte moyen peuvent s'attendre à vivre encore de nombreuses années. On utilise le terme technique **espérance de vie** pour désigner le nombre moyen d'années que vivra une personne à partir d'un âge donné. La figure 12.1 présente l'espérance de vie des hommes et des femmes de différents pays, dont le Québec et la France, pour l'année 1996.

On établit une distinction entre l'espérance de vie et la **durée de vie**. Ce dernier terme désigne la limite supérieure (maximale), c'est-à-dire le nombre d'années, que tout membre d'une espèce donnée peut espérer atteindre. La durée de vie des êtres humains — la limite supérieure — semble se situer aux environs de 110 ans. En ce moment, l'espérance de vie humaine à travers le monde est très inférieure à la durée de vie, bien qu'elle ait augmenté rapidement dans les pays développés au cours des dernières décennies. Les gains ont été impressionnants pour les deux sexes, même s'ils ont été inférieurs pour les hommes. Certains médecins et physiologistes soutiennent que l'amélioration des soins de santé et des habitudes de vie permettra à la grande majorité des adultes d'atteindre le plein potentiel de leur durée de vie.

CHANGEMENTS DÉMOGRAPHIQUES

Outre l'arrivée massive des femmes dans la population active, le vieillissement rapide de la population au cours des dernières décennies constitue l'un des changements démographiques les plus frappants. Étant donné que l'espérance de vie a considérablement augmenté et que le taux de natalité a diminué dans de nombreux pays, la population des personnes âgées de plus de 65 ans s'est accrue et continue d'augmenter rapidement. La figure 12.2 présente le modèle de cette augmentation dans divers pays, tel qu'il est prévu jusqu'en 2025. Cette croissance de la population âgée est plus prononcée dans les pays industrialisés, mais elle touche néanmoins toutes les régions du monde (Myers, 1990). L'un des principaux facteurs responsables de ce phénomène est le *baby-boom*. Les personnes de cette cohorte, nées après la Seconde Guerre mondiale et avant 1960, ont déjà atteint le milieu de l'âge adulte et viendront gonfler les rangs des personnes âgées après 2010. En 2040, lorsque la plupart de ces personnes seront décédées, le taux de croissance de la population âgée connaîtra une forte diminution.

Ce changement démographique sera accompagné de divers effets sur le plan culturel, certains évidents, d'autres plus subtils. Les régimes de retraite, notamment la sécurité sociale, seront considérablement grevés ; les coûts des soins médicaux augmenteront de manière radicale ; les centres hospitaliers, les maisons de retraite et les autres services de soins subiront des pressions accrues. On observera également des changements dans le style et la forme de la publicité, télévisée et autre, qui s'adressera de plus en plus aux personnes âgées. Il se produira aussi un déplacement du pouvoir politique. Sur le plan familial, la réduction des naissances et l'allongement de l'espérance de vie risquent de forcer un nombre croissant d'adultes d'âge moyen à prendre en charge un parent âgé à la santé fragile. Chaque tranche de la société devra s'adapter d'une certaine manière à ce changement remarquable dans la

Cet homme risque de mourir avant sa femme. Par contre, elle risque plus que lui de souffrir d'une maladie chronique durant l'âge adulte moyen et avancé.

> **Gérontologie :** Étude scientifique du vieillissement.
>
> **Espérance de vie :** Nombre moyen d'années qu'une personne à partir d'un âge donné (par exemple à la naissance ou à 65 ans) peut espérer vivre.
>
> **Durée de vie :** Théoriquement, nombre maximal d'années de vie pour une espèce donnée. On présume que même des découvertes importantes dans le domaine des soins de santé ne permettront pas à l'espèce humaine de dépasser cette limite.

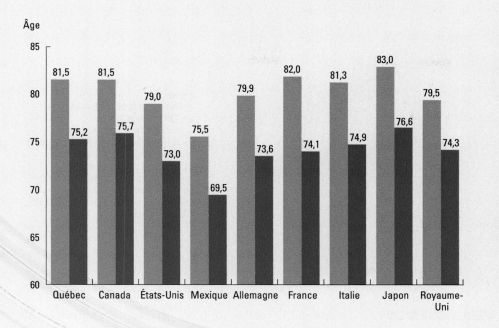

Figure 12.1
Espérance de vie des hommes et des femmes dans différents pays en 1996.
(*Sources :* Institut de la statistique du Québec ; Organisation de coopération et de développement économique (OCDE) ; Statistique Canada.)

répartition de l'âge de la population. La figure 12.3 présente la transformation que subira la répartition de la population mondiale de 1995 à 2025.

Sous-groupes des adultes d'âge avancé Comme on ne peut plus réunir tous les adultes d'âge avancé dans un seul groupe, les gérontologues divisent cette période en trois sous-groupes : le **troisième âge** (60 à 75 ans), le **quatrième âge** (75 à 85 ans) et le **cinquième âge** (85 ans et plus). Plusieurs caractéristiques distinguent ces trois sous-groupes les uns des autres, notamment le risque d'invalidité ou de maladies graves. De nombreuses évaluations des fonctions cognitives et physiques indiquent que les personnes du cinquième âge connaissent un déclin plus rapide de ces fonctions que les adultes du troisième et du quatrième âge. La population du cinquième âge constitue le groupe démographique dont la croissance est présentement la plus forte en Amérique du Nord. Cette population est également fragile et nécessite des soins. Comme elle va considérablement augmenter dans les sociétés industrielles, les démographes prévoient que les jeunes adultes et les adultes d'âge moyen seront de plus en plus sollicités afin de subvenir aux besoins des adultes du cinquième âge.

Troisième âge : Terme utilisé par de nombreux gérontologues pour désigner les personnes âgées de 60 à 75 ans.

Quatrième âge : Terme utilisé par de nombreux gérontologues pour désigner les personnes âgées de 75 à 85 ans.

Cinquième âge : Terme utilisé par de nombreux gérontologues pour désigner les personnes âgées de 85 ans et plus.

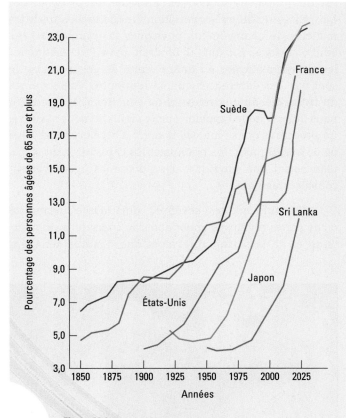

Figure 12.2
Vieillissement de la population dans différents pays.
L'augmentation rapide du pourcentage des personnes âgées de 65 ans et plus dans la population n'est pas un phénomène que l'on observe uniquement en Amérique du Nord. (*Source :* Myers, 1990, figure 2-2, p. 27.)

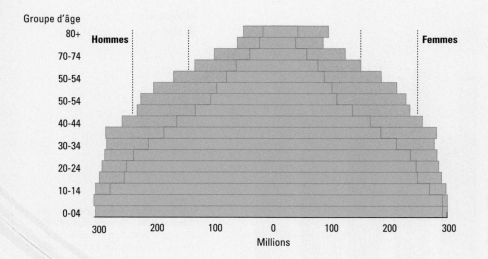

Figure 12.3
***Pyramide de la population mondiale
en 1995 et en 2025.***
Comme la proportion d'enfants et
de jeunes adultes va décliner et que
la proportion de personnes âgées
de 60 ans et plus va augmenter,
la pyramide de la population de 1995
va être remplacée graduellement
par une forme plus cylindrique en 2025.
(*Source :* Nations Unies, 1998.)

DIVERSITÉ DU RYTHME DE VIEILLISSEMENT

Les psychologues et les gérontologues ont constaté, dans les dernières décennies, à quel point le vieillissement est un processus individuel. Énormes est le seul mot qui puisse qualifier les variations individuelles dans les modèles de changements physiques et cognitifs à l'âge adulte avancé. En fait, il faudrait peut-être distinguer les personnes âgées en bonne santé de celles qui ne le sont pas. Les différences qui existent entre les personnes du troisième, du quatrième et du cinquième âge peuvent nous aider à nous rappeler que le vieillissement n'est pas un processus qui se met subitement à accélérer vers l'âge de 65 ans. De plus, les besoins et les capacités, tant sur le plan social que physique, des personnes âgées varient considérablement.

Certains adultes souffrent déjà d'une incapacité ou de pertes cognitives importantes au cours de la cinquantaine et de la soixantaine, alors que d'autres semblent conserver la totalité de leurs capacités cognitives et une grande partie de leur vigueur physique jusqu'à l'âge de 70, 80 et même 90 ans. Étudiez par exemple les données présentées dans la figure 12.4 : il s'agit des scores obtenus par quatre sujets lors d'évaluations de leur connaissance du vocabulaire (une tâche cristallisée). Dans cette étude longitudinale de Seattle effectuée par Schaie (1989b), les sujets ont été évalués 5 fois sur une période de 28 ans. Le degré de variabilité est étonnant et remet en question la pertinence du débat concernant les modèles de vieillissement « normal » et commun de la fonction cognitive.

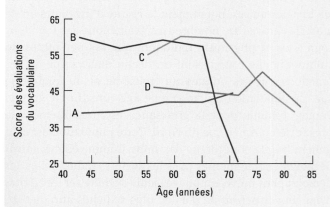

Figure 12.4
***Test de vocabulaire chez
quatre personnes âgées.***
Chacune des courbes de cette figure représente
les scores obtenus par une personne à un test
de vocabulaire sur une période de 28 ans.
On y remarque indiscutablement une grande
variabilité. Il est très intéressant de noter
qu'aucune des courbes de ces sujets
ne correspond au modèle moyen de changement pour cette évaluation. (*Source :* Schaie,
1989b, figures 5.13 et 5.14, p. 82 et 83.)

Le vieillissement de la population est un phénomène que l'on observe dans la plupart des pays du monde.

PERSPECTIVES THÉORIQUES

Quelles sont les causes fondamentales du vieillissement ? Les théoriciens actuels expliquent le vieillissement à l'aide de facteurs biologiques ou environnementaux. Ces deux approches théoriques globales (biologique et environnementale) ont en commun l'hypothèse suivante : le vieillissement se produit au niveau cellulaire et il résulte de l'accumulation graduelle de petites imperfections dans le fonctionnement de la cellule. Ces imperfections pourraient découler soit d'éléments extérieurs, soit du fonctionnement d'une quelconque horloge génétique interne, soit de l'usure quotidienne des diverses parties du corps — telle que les changements que l'on observe dans les cellules de l'oreille interne qui réagissent aux variations du bruit ambiant. Tous ces facteurs sont responsables du vieillissement.

Théories biologiques

Voici un aperçu des différentes théories biologiques qui tentent d'expliquer le vieillissement. Certaines de ces théories mettent l'accent sur l'existence possible de limites génétiques ou sur les effets cumulatifs des défaillances qui se produisent dans la cellule. Le tableau 12.1 présente un résumé de ces diverses théories.

Sénescence génétiquement programmée La **sénescence** est la détérioration progressive des systèmes corporels qui se produit lors du vieillissement de l'organisme. Selon la **théorie de la sénescence programmée**, la sénescence résulte de l'action de gènes associés au vieillissement qui sont spécifiques de l'espèce humaine. Les théoriciens de l'évolution affirment que la sénescence programmée empêche les personnes âgées, et probablement moins aptes à effectuer cette tâche, de devenir parents à un âge où elles risquent de ne pas avoir la possibilité d'élever leur enfant jusqu'à sa majorité (Buss, 1999). Les gènes du vieillissement seraient munis d'une horloge interne qui s'activerait une fois la période de reproduction passée, mais qui serait inopérante durant la période de reproduction.

Limites génétiques Une autre théorie biologique porte aussi sur la notion de limites génétiques. Des chercheurs ont observé que chaque espèce semble avoir une durée de vie maximale caractéristique. Pour les humains, elle se situe entre 110 et 120 ans. Pour les tortues, elle est beaucoup plus longue et, pour les poulets, beaucoup plus courte. Cette constatation a conduit des biologistes comme Hayflick (1977, 1987) à penser qu'un processus biologique limite la durée de vie. Hayflick appuie son argumentation sur l'observation suivante (qui a été reproduite depuis

dans de nombreux laboratoires dans le monde) : le nombre de fois que les cellules d'un embryon placées dans une solution nutritive se divisent est fixe ; une fois cette division terminée, la colonie de cellules dégénère. Les cellules de l'embryon humain se divisent près de 50 fois. Celles de la tortue des Galápagos se divisent environ 100 fois et celles d'un poulet, environ 25 fois. Par contre, les cellules de sujets humains adultes ne se divisent que 20 fois environ, comme si elles avaient déjà utilisé une partie de leur capacité génétique. À partir de ces observations, on peut supposer que les cellules de chaque espèce comportent une **limite de Hayflick** et que, une fois qu'elles l'ont atteinte, elles sont incapables de se reproduire avec exactitude (Norwood, Smith et Stein, 1990).

La théorie des limites génétiques a été confirmée récemment par la découverte que chaque chromosome du corps humain (et probablement d'autres espèces) possède à son extrémité une séquence d'ADN répétitif, appelée **télomère** (Angier, 1992 ; Campisi, Dimri et Hara, 1996). Les télomères semblent agir notamment comme des horloges génétiques internes (marqueurs de temps) pour l'organisme humain. Les chercheurs ont découvert qu'à chaque division cellulaire, les télomères perdent un petit fragment. Ainsi, le nombre de télomères diminue légèrement chaque fois qu'une cellule se divise. Par conséquent, le nombre de télomères d'une personne de 70 ans est moins élevé que celui d'un enfant. Cette observation appuie l'hypothèse qu'il existerait un nombre minimal crucial de télomères. Quant le nombre total de télomères chute en deçà de ce nombre crucial, alors la cellule doit tenir le coup malgré les dommages qui s'accumulent. Ces dommages seraient à l'origine d'une maladie (cancer et autres maladies dégénératives), dont la mort serait l'ultime aboutissement.

Réparation du matériel génétique Selon une autre théorie biologique du vieillissement, la cellule serait capable de réparer les ruptures des chaînes d'ADN qui se produisent couramment au niveau cellulaire et qui résulteraient d'un processus métabolique encore inconnu. En

---

Sénescence : Détérioration physique associée au vieillissement.

Théorie de la sénescence programmée : Théorie selon laquelle le déclin associé à l'âge est le résultat de l'action de gènes spécifiques de l'espèce humaine liés au vieillissement.

Limite de Hayflick : Limite du potentiel de division cellulaire génétiquement programmé qui déterminerait la durée de vie que possède chaque espèce.

Télomère : Séquence d'ADN répétitif située à l'extrémité de chaque chromosome du corps humain qui semble lui servir d'horloge génétique interne.

Tableau 12.1	*Récapitulation des théories biologiques du vieillissement*
Théorie de la sénescence programmée	Les déclins physiques liés à l'âge résultent de l'action de gènes spécifiques de l'espèce humaine associés au vieillissement.
Théorie des limites génétiques	Chaque espèce possède un potentiel de division cellulaire génétiquement programmé, la limite de Hayflick, qui fixe leur durée de vie.
Théorie de la réparation cellulaire	L'organisme n'est pas en mesure de réparer les ruptures des chaînes d'ADN qui s'accumulent et provoquent le vieillissement.
Théorie des radicaux libres	Les radicaux libres endommagent la cellule et la rendent plus vulnérable.
Hypothèse de la chute terminale	Les fonctions cognitives et physiques restent stables durant l'âge adulte avancé, puis commencent à décliner fortement quelques années avant la mort.

général, la rupture est réparée, et la cellule continue de fonctionner efficacement. Cependant, l'organisme est apparemment incapable de réparer tous les dommages et, avec le temps, les petites fractions d'ADN endommagées s'accumulent. La cellule n'est alors plus en mesure de remplir sa fonction. L'accumulation dans les organes de cellules qui comportent des tissus endommagés provoque le phénomène du vieillissement (Tice et Setlow, 1985).

Radicaux libres   Une théorie portant sur le type de processus cellulaire pouvant contribuer au vieillissement s'appuie sur la capacité du corps de gérer les radicaux libres. Les mitochondries, qui constituent le point faible des cellules humaines, sont de petites centrales d'énergie où le sucre est brûlé par l'oxygène. Cette réaction chimique produit des **radicaux libres** qui sont des molécules ou des atomes possédant un électron libre ou non apparié. Ces radicaux libres forment un sous-produit normal du métabolisme corporel. Ils sont aussi le résultat d'une exposition à certaines substances dans les aliments, les rayons solaires, les rayons X ou la pollution atmosphérique. Ces radicaux, particulièrement le sous-groupe appelé *radicaux libres de l'oxygène*, réagissent violemment à d'autres molécules et endommagent même la structure de la mitochondrie.

Plus les mitochondries sont endommagées, plus elles perdent de radicaux libres qui s'attaquent alors au reste de la cellule, notamment aux chromosomes. Les bris cellulaires s'accumulent alors avec le temps, comme la rouille qui ronge le métal. De plus, les réactions d'oxydation causées par des radicaux libres peuvent abîmer les membranes cellulaires, réduisant ainsi la protection des cellules contre les toxines et les carcinogènes (substances cancérigènes). Les radicaux libres de l'oxygène jouent aussi un rôle dans la réaction du corps au cholestérol: l'oxydation contribue à transformer certains types de cholestérol en une forme qui adhère aux parois des artères, entraînant un rétrécissement de celles-ci et augmentant les risques de crise cardiaque et d'accident vasculaire cérébral (Brody, 1994).

Une recherche sur les variations du régime alimentaire indique la possibilité que certains aliments agissent sur la formation de radicaux libres. En particulier, les aliments qui ont une forte teneur en gras ou en additifs alimentaires, tels que les agents de conservation, favorisent la formation des radicaux libres. D'autres additifs, tels que les *antioxydants*, empêchent la formation de ces radicaux ou facilitent les processus chimiques qui aident le corps à se défendre contre eux. Les aliments riches en vitamines C et E ainsi que la bêta-carotène (vitamine A) appartiennent tous à ce dernier groupe (Ornish, 1993). De nombreuses études épidémiologiques approfondies démontrent que les gens dont le régime alimentaire est riche en antioxydants ou qui prennent régulièrement des suppléments de vitamines E ou de la bêta-carotène vivent en quelque sorte plus longtemps et présentent des taux moins élevés de maladie cardiaque (Blumberg, 1996).

De plus, une étude récente sur la supplémentation alimentaire (suppléments alimentaires) donne à penser que certaines pertes de la vision durant la vieillesse peuvent être réversibles quand les personnes âgées augmentent leur consommation d'antioxydants. Les chercheurs de l'université John Hopkins ont donné à des patients présentant divers types de dégénérescence de la rétine de fortes doses d'un antioxydant appelé *lutéine*, un pigment jaune que l'on trouve dans le jaune d'œuf et dans certains légumes (Dgnelie, Zorge et McDonald, 2000). Ils ont découvert que l'acuité visuelle des patients s'est améliorée en deux semaines seulement et que cette amélioration s'est poursuivie pendant plusieurs mois.

De telles découvertes ne signifient pas que les problèmes de santé liés à l'âge, tels que les maladies cardiaques et la perte de la vision, sont causés par des carences en antioxydants. De plus, ce ne sont pas toutes les études sur la supplémentation alimentaire en antioxydants

Radicaux libres: Molécules ou atomes qui possèdent un électron libre ou non apparié.

qui donnent des effets positifs (par exemple Alpha-Tocopherol Beta Carotene Cancer Prevention Study Group, 1994). Cependant, les études qui démontrent de tels bienfaits viennent renforcer l'argument selon lequel bon nombre des effets du vieillissement peuvent être modifiés et peut-être même évités.

Chute terminale Une dernière théorie s'intéresse à la notion de chute terminale. Certains théoriciens affirment que les déclins physiques et cognitifs chez les personnes âgées font partie du processus de la mort. Par exemple, l'**hypothèse de la chute terminale** suppose que tous les adultes conservent une excellente condition physique et cognitive qui commence à se détériorer quelques années avant leur mort; au cours de ces quelques années, il se produit des déclins importants de toutes les fonctions (Kleemeier, 1962). Cependant, d'après une recherche longitudinale, il semblerait que la plupart des fonctions déclinent progressivement au cours de l'âge adulte avancé

(Berg, 1996; Birren et Schroots, 1996). Seuls les changements dans les scores de Q.I. correspondraient au modèle de la chute terminale (Palmore et Cleveland, 1976).

Théorie environnementale

Les cellules peuvent perdre une partie de leur efficacité fonctionnelle si elles ont été endommagées par des facteurs extérieurs. Les biologistes qui soutiennent cette théorie pensent que l'organisme n'est pas programmé pour s'auto-détruire. Selon eux, il est constamment exposé à des événements aléatoires qui endommagent les cellules. Ainsi, nous sommes tous exposés à des taux de radiation de base qui contribuent à la destruction cellulaire, surtout au niveau

> **Hypothèse de la chute terminale:** Hypothèse selon laquelle les fonctions cognitives et physiques restent stables durant l'âge adulte avancé, puis déclinent fortement quelques années avant la mort.

RAPPORT DE RECHERCHE

Étude sur les centenaires

De nombreux chercheurs ont dirigé leur attention sur le groupe que forment les personnes âgées de plus de 100 ans pour essayer de découvrir les causes de la longévité extrême. L'une des études les plus importantes, la New England Centenarian Study, qui est actuellement en cours à la Harvard Medical School, a permis de faire de nombreuses découvertes intéressantes.

Les effets du vieillissement sont évidents. Mais qu'est-ce qui cause tous ces changements?

Tout d'abord, les chercheurs se sont aperçu que les rapports qui portaient sur des régions où de nombreuses personnes semblaient vivre jusqu'à 150 ans étaient soit des fabrications, soit d'énormes exagérations. Par exemple, il y a quelques années, une publicité télévisée annonçait une certaine marque de yogourt en déclarant que les Caucasiens restaient en bonne santé jusqu'à 150 ans à cause de la quantité de yogourt qu'ils consommaient. Après une étude approfondie, des chercheurs ont découvert que le groupe mentionné comprenait effectivement plusieurs personnes très âgées, mais que, selon les traditions culturelles de cette région, ces personnes s'attribuaient l'identité de leurs ancêtres en ajoutant l'âge de leurs aïeux au moment de leur décès à leur propre âge (Perls, 1999). Ainsi, l'âge que ces personnes disaient avoir était beaucoup plus avancé que leur âge chronologique réel. Cependant, les scientifiques continuent de faire des recherches dans des régions où l'on compte de nombreux centenaires afin de déterminer si ces endroits ont des caractéristiques qui favo-

risent la longévité. Par exemple, des chercheurs se penchent actuellement sur une région qui s'étend du Minnesota à la Nouvelle-Écosse, car on y trouve un nombre remarquable de centenaires.

La personne la plus âgée, qui a été répertoriée au cours de l'histoire, est Jeanne Calmant, une Française, qui avait 122 ans à sa mort en 1997. Des études sur les familles donnent à penser que la longévité est en quelque sorte héréditaire; autrement dit, les centenaires risquent plus que les autres d'avoir des parents, des frères ou des sœurs centenaires. Fait surprenant, la plupart des centenaires viennent de familles nombreuses. Par exemple, des chercheurs ont comparé un groupe de centenaires aux membres de la même cohorte qui sont décédés à 70 ans vers la fin des années 1960. Ils ont découvert que les centenaires avaient en moyenne 4,5 frères et sœurs, tandis que ceux qui étaient décédés vers 70 ans avaient environ 3,2 frères et sœurs. Les chercheurs supposent qu'une grande fratrie peut refléter une prédisposition génétique à un meilleur état de santé en général mais, jusqu'à maintenant, il existe peu ou pas de preuves pour appuyer cette hypothèse.

Il est intéressant aussi de constater le lien qui existe entre les femmes qui ont des enfants tard et les centenaires. Dans l'étude sur les centenaires de la Nouvelle-Angleterre, on note que 20 % des femmes centenaires ont donné naissance à un enfant après 40 ans. Par contre, seulement 5 % des femmes de leur cohorte qui sont décédées vers 70 ans ont eu des enfants au milieu de l'âge adulte. Les chercheurs supposent que le lien entre la longévité et l'état de santé ou entre la longévité et la ménopause tardive est responsable de cette corrélation. Cependant, on ne peut pas encore prouver ces hypothèses.

Peu importe la cause de la longévité extrême, le nombre croissant de centenaires risque de modifier les connaissances des psychologues du développement sur la vieillesse. Peut-être que les futurs ouvrages sur le développement humain contiendront des chapitres qui porteront sur ces grands vieillards.

de l'ADN. De telles théories empiriques du vieillissement ont connu une grande vogue. Toutefois, des recherches expérimentales récentes, dans lesquelles des animaux ont été délibérément exposés à des taux variables de radiation, n'étayent guère ces théories (Cristofalo, 1988 ; Tice et Setlow, 1985). Les animaux exposés à des taux élevés de radiation ne présentent pas de signes de vieillissement cellulaire rapide ; par contre, ils sont plus vulnérables à diverses maladies.

PAUSE-APPRENTISSAGE

Vieillissement

- Qu'est-ce que la gérontologie ?
- Définissez l'espérance de vie et la durée de vie.
- Quels changements démographiques observera-t-on dans les sociétés industrialisées au cours des 40 prochaines années ?
- Quelles sont les caractéristiques des trois sous-groupes de l'âge adulte avancé ?
- Qu'entend-on par diversité du rythme de vieillissement ?
- Quelles sont les théories biologiques qui cherchent à expliquer le vieillissement ?
- Expliquez les termes suivants : sénescence, radicaux libres et limite de Hayflick.

Concepts et mots clés

- **durée de vie** (p. 412) • **cinquième âge** (p. 413) • **espérance de vie** (p. 412) • **gérontologie** (p. 412) • **hypothèse de la chute terminale** (p. 415) • **limite de Hayflick** (p. 415) • **quatrième âge** (p. 413) • **radicaux libres** (p. 416) • **sénescence** (p. 415) • **télomère** (p. 415) • **théorie de la sénescence programmée** (p. 415) • **troisième âge** (p. 413)

DÉVELOPPEMENT PHYSIQUE

Comme nous avons déjà décrit au chapitre 9 le modèle global des changements et du déclin des divers systèmes corporels à l'âge adulte, il n'est pas nécessaire de le reprendre ici. Pour presque tous les systèmes, la perte fonctionnelle s'amorce vers l'âge de 40 ans et se poursuit graduellement jusqu'à la fin de la vie. Ce modèle est très semblable au tracé général de la courbe que Denney a proposée dans son modèle global des changements cognitifs et physiques liés à l'âge. Cependant, il se produit une accélération du déclin après l'âge de 75 ou 80 ans, mais cela ne semble pas s'appliquer à tous les systèmes corporels.

FONCTIONS PHYSIQUES

Certains changements graduels entraînent des modifications ou une perte fonctionnelle considérables à l'âge adulte moyen, notamment une altération de la vision et de la masse osseuse chez les femmes. D'autres changements ne provoquent aucune modification fonctionnelle majeure avant 65 ans. Nous allons maintenant aborder ces derniers changements.

Cerveau et système nerveux

Si vous vous reportez au tableau 9.3, vous constaterez que quatre principaux changements surviennent dans le système nerveux à l'âge adulte : la réduction de la masse cérébrale, la perte de substance grise, la diminution de la densité des dendrites et le ralentissement de la vitesse synaptique.

La réduction de la densité dendritique est le changement le plus important qui se produit dans le cerveau. Nous avons vu au chapitre 3 que, au cours des premières années après la naissance, il se produit un émondage des dendrites qui élimine les voies neuronales redondantes ou inutilisées. Au milieu et à la fin de l'âge adulte, la perte de dendrites ne semble pas relever du même type d'émondage. Il s'agit plutôt d'une diminution des connexions dendritiques utiles.

Cependant, selon les recherches, l'expérience serait en cause dans la diminution de la densité dendritique au même titre que le vieillissement. Les neurologues ont remarqué que les adultes qui ont atteint un degré de scolarité élevé démontrent une atrophie moins marquée du cortex cérébral, durant la période comprise entre 60 et 90 ans, que les adultes qui ont atteint un faible degré de scolarité (Coffey *et al.*, 1999). De plus, les cerveaux des personnes fortement ou peu scolarisées ne diffèrent pas quant à la dimension des aires qui sont moins dévolues à l'apprentissage que ne l'est le cortex cérébral. Cette découverte signifie que la réduction de l'atrophie du cortex cérébral est causée par l'éducation, et non par un facteur général, tel que le statut socioéconomique qui est souvent associé à l'éducation.

La perte dendritique provoque également un ralentissement graduel de la vitesse synaptique, lequel entraîne à son tour une augmentation du temps de réaction dans de nombreuses tâches quotidiennes. Il existe suffisamment de redondance dans les voies neuronales pour qu'il y ait un moyen de se rendre du neurone A au neurone B, ou du neurone A à une cellule musculaire. Toutefois, en raison de la diminution des dendrites, le chemin le plus court peut être perdu, et le temps de réaction augmente en conséquence. Les neurologues nomment ce processus la perte de la **plasticité synaptique**.

Le système nerveux subit également une diminution du nombre des neurones. Cependant, il n'y a pas de consensus entre les physiologistes sur ce phénomène. On a cru pendant longtemps qu'un adulte perdait 100 000 neurones par jour. Cette affirmation, comme plusieurs autres touchant le vieillissement primaire, était basée sur des comparaisons d'études transversales qui incluaient plusieurs personnes âgées présentant des pathologies spécifiques, telles que la maladie d'Alzheimer, qui affectent le fonctionnement et la composition du cerveau. Les chercheurs ne s'entendent tout simplement pas quant au nombre de neurones qu'un adulte en santé perd en une journée (Ivy *et al.*, 1992 ; Scheibel, 1996), mais le chiffre de 100 000 semble être considérablement surestimé. Toutefois, même s'il se produit réellement une perte quotidienne de 100 000 neurones, le nombre de neurones est tellement élevé que la proportion perdue au cours d'une vie resterait très faible. Selon les estimations actuelles, notre cerveau est composé de mille milliards (un trillion) de neurones (Morgan, 1992). Une perte quotidienne de 100 000 neurones, quand bien même elle se poursuivrait de la naissance jusqu'à l'âge de 100 ans, ne représenterait qu'environ 4 milliards de neurones. Par conséquent, près de 99 % des neurones seraient encore intacts.

C'est justement parce que nous possédons un très grand nombre de neurones et de dendrites que notre système nerveux est si redondant. Les effets initiaux de la perte dendritique sur le comportement sont relativement faibles. Ce n'est que vers la fin de l'âge adulte avancé qu'ils s'accumulent au point que certaines activités quotidiennes deviennent particulièrement difficiles à accomplir. Albert Scheibel (1992, p. 168) a décrit ce phénomène de la manière suivante :

> La plasticité que les neurones semblent conserver jusqu'à un âge avancé ainsi que la redondance des voies neuronales fournissent habituellement une marge suffisamment raisonnable, et ce, malgré les changements structuraux associés à l'âge. À long terme, c'est la perte des connexions entre les neurones, individuellement et collectivement, qui finit par compromettre le fonctionnement cérébral et par produire des symptômes.

De plus, comme nous l'avons souligné au chapitre 9, les scientifiques ont récemment découvert que de nouveaux neurones sont produits dans certaines parties du cerveau à l'âge adulte, quoique l'effet de cette régénération neuronale ne soit pas encore bien compris (Gould *et al.*, 1999).

Changements sensoriels

Vous avez lu dans le chapitre 11 que les fonctions sensorielles et d'autres fonctions physiques connaissent un certain déclin à l'âge adulte moyen. Ce déclin s'accentue à l'âge adulte avancé alors que les atteintes à la santé des systèmes sensoriels augmentent.

Vision   Nous avons déjà abordé les changements de la vision qui se produisent durant la quarantaine et la cinquantaine et qui nécessitent, pratiquement chez tous les adultes, le port de verres correcteurs. Ces changements se poursuivent à l'âge adulte avancé et sont affectés par une variété d'autres changements corporels. Par exemple, l'irrigation sanguine de l'œil diminue (il peut s'agir d'un effet secondaire de l'**artériosclérose**), ce qui a pour effet d'agrandir la « tache aveugle » sur la rétine et de réduire ainsi le champ de vision. La tache aveugle est l'endroit où le nerf optique prend sa source. La pupille ne se contracte plus aussi souvent et plus aussi rapidement qu'auparavant (pour s'agrandir ou se rétrécir). Cette diminution de la contraction entraîne, chez les personnes âgées, une plus grande difficulté à bien voir la nuit et à s'adapter à des changements rapides de la lumière : elles sont donc davantage victimes d'éblouissements (Kline et Scafia, 1996). Une minorité non négligeable de personnes âgées souffrent de maladies associées aux yeux qui diminuent leur acuité et leur adaptabilité visuelle, telles que les *cataractes* (opacification du cristallin) et le *glaucome* (durcissement du globe oculaire par accumulation de liquide pouvant causer la cécité). Collectivement, ces changements signifient que de plus en plus de personnes âgées doivent s'adapter à des troubles importants de la vision. Certaines recherches indiquent que les personnes d'âge adulte moyen s'adaptent plus facilement aux problèmes de vision que les adultes d'âge avancé (Lindo et Nordholm, 1999). De plus, la perte de la vision a des conséquences plus négatives sur le sentiment de bien-être des personnes âgées.

Ouïe   La perte normale de l'ouïe (presbyacousie) apparaît à l'âge adulte moyen, mais elle ne provoque pas d'incapacité fonctionnelle avant un certain nombre d'années. Les statistiques américaines indiquent que 13 à 14 % des adultes d'âge moyen sont atteints d'un affaiblissement de l'ouïe, et que ce taux est multiplié par deux chez les personnes âgées de plus de 65 ans (U.S. Bureau of the Census, 1990). On constate aussi que les hommes présentent plus de troubles auditifs que les femmes. On attribue généralement cette différence sexuelle à une exposition différente

---

Plasticité synaptique : Redondance du système nerveux qui assure toujours une voix neuronale pour l'influx nerveux qui va d'un neurone à l'autre ou d'un neurone à un autre type de cellule (comme une cellule musculaire).

Artériosclérose : Durcissement et amincissement des artères.

au bruit. En effet, parmi les cohortes actuelles d'adultes (dans les pays industrialisés tout au moins), les hommes sont plus nombreux à avoir travaillé dans des environnements où le niveau de bruit était très élevé.

Les déficiences auditives chez les adultes d'âge avancé comprennent divers problèmes, dont ceux mentionnés ci-dessous.

- La capacité de discrimination du langage. Même lorsque l'intensité sonore est suffisante, les adultes âgés ont de la difficulté à différencier les mots qu'ils viennent d'entendre. Par conséquent, les personnes âgées suivent moins bien les conversations dans une réunion de famille ou dans une foule, lorsqu'il y a un important bruit de fond ou de nombreuses conversations.
- L'**acouphène**. L'incidence de ce tintement persistant dans les oreilles augmente avec l'âge, même s'il semble indépendant des autres changements que nous venons de voir. Environ 10 % des adultes de plus de 65 ans souffrent de ce trouble (U.S. Bureau of the Census, 1990). Certains chercheurs pensent que l'acouphène est attribuable à l'exposition au bruit intense.

Une déficience auditive, même légère, pose des problèmes de communication dans certaines situations. Les personnes qui en sont victimes semblent être désorientées ou avoir une mauvaise mémoire, en particulier si elles ne font pas part de cette déficience et demandent qu'on répète certains commentaires ou directives. Néanmoins, une personne âgée atteinte de surdité partielle n'est pas nécessairement isolée ni malheureuse. Les déficiences auditives légères et modérées, même non corrigées, n'influent en rien sur la santé sociale, affective ou psychologique des personnes âgées. Seule une déficience auditive grave entraîne une augmentation des problèmes sociaux ou psychologiques, notamment la dépression (Corso, 1987 ; Schieber, 1992).

La presbyacousie et les autres changements altérant l'audition dépendent apparemment de la dégénérescence graduelle de presque toutes les composantes du système auditif. Les personnes âgées sécrètent plus de cérumen, ce qui bloque souvent le conduit auditif ; les osselets de l'oreille moyenne subissent une calcification et deviennent moins élastiques ; la membrane cochléaire de l'oreille interne perd de sa souplesse et de sa sensibilité ; il se produit alors une dégénérescence des voies neuronales reliées au cerveau (Schieber, 1992). Une détérioration normale semble être la cause de ces problèmes.

Goût, odorat et toucher   L'habileté à discriminer les quatre goûts fondamentaux (salé, sucré, amer et acide) ne semble pas décliner pendant les années de l'âge adulte.

Même si les cellules réceptrices des papilles gustatives possèdent une existence éphémère, elles sont constamment remplacées (Bornstein, 1992). Cependant, d'autres changements affectent le goût des personnes âgées, par exemple la diminution de la sécrétion de salive qui produit une impression de « bouche sèche » chez certains. Plusieurs personnes âgées affirment aussi que les saveurs semblent moins prononcées, plus fades, que lorsqu'elles étaient plus jeunes, ce qui les porte à assaisonner et surtout à sucrer davantage leurs aliments (de Graaf, Polet et van Staveren, 1994). Il semblerait que cette perte gustative soit plutôt le résultat d'une perte olfactive.

Les changements olfactifs sont plus flagrants. Les données les plus intéressantes proviennent d'une étude transversale effectuée par Richard Doty et ses collaborateurs (Doty *et al.*, 1984). Cette étude portait sur environ 2 000 enfants et adultes et visait à mesurer leur capacité de reconnaître 40 odeurs différentes, de la pizza à l'essence. On peut voir à la figure 12.5 que les jeunes adultes et les adultes d'âge moyen obtiennent des résultats équivalents dans ce test, mais qu'il se produit un déclin rapide après l'âge de 60 ans. Cependant, la perte de la sensibilité aux odeurs chez les personnes âgées est beaucoup plus grande chez les hommes que chez les femmes (Morgan *et al.*, 1997). Curieusement, comme pour la perte de l'ouïe, la perte olfactive semble présenter une composante environnementale. Ainsi, les personnes qui travaillaient en usine (dont on présume qu'elles ont été plus exposées à divers polluants) présentent une perte olfactive plus importante à l'âge adulte avancé que les personnes qui travaillaient dans un bureau (Corwin, Loury et Gilbert, 1995).

Acouphène : Tintement persistant dans les oreilles.

Plus d'un tiers des adultes d'âge avancé sont victimes d'une déficience auditive. Les répercussions de cette déficience sur les habitudes de vie dépendent de sa gravité et de la manière dont la personne peut la compenser. Cet homme a résolu son problème en portant une prothèse auditive.

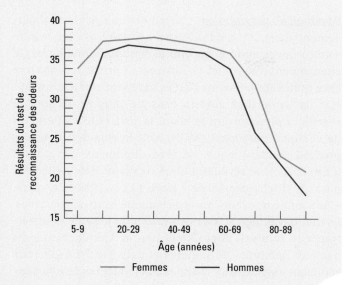

Figure 12.5
Reconnaissance des odeurs en fonction de l'âge.
Les données obtenues par Doty indiquent une baisse très rapide, qui commence vers l'âge de 65 ans, de la capacité de reconnaître les odeurs. (*Source :* Doty *et al.*, 1984.)

La perte du goût et de l'odorat peut gâcher de nombreux plaisirs de la vie, mais elle peut également avoir des conséquences directes sur la santé. L'odorat améliore le goût des aliments, si bien que, à mesure qu'il baisse (de même que le goût), les personnes âgées ont moins envie de se préparer des repas savoureux. L'incapacité de reconnaître le goût salé cause parfois des problèmes graves, car on a alors tendance à ajouter trop de sel aux aliments. Un apport élevé en sel peut, à son tour, provoquer l'hypertension.

La perte de la sensibilité au toucher peut aussi provoquer une diminution de la qualité de vie. Par exemple, la peau des personnes âgées répond moins bien aux stimulations du froid et de la chaleur (Stevens et Choo, 1998). La recherche semble indiquer que cette perte de sensibilité survient selon un modèle inverse du principe proximodistal (que nous avons abordé au chapitre 2). En d'autres mots, on pense que les extrémités du corps, habituellement les pieds, sont les premières parties à connaître un déclin de la sensibilité. Par conséquent, les personnes âgées sont moins en mesure de profiter des effets bénéfiques des stimulations physiques. Par exemple, pour se sentir bien dans un bain chaud, une personne âgée utilisera une eau de plus en plus chaude, augmentant par le fait même les risques de brûlures de la peau.

Effets des changements physiques sur le comportement

La grande majorité des adultes d'âge avancé sont en mesure d'affronter efficacement les différentes tâches de la vie quotidienne comme faire leur épicerie, administrer leurs finances, lire un horaire d'autobus, planifier leur vie en dépit des changements sensoriels et physiques (Willis, 1996). Nous allons maintenant nous pencher sur les types de changements comportementaux qui touchent certaines personnes à l'âge adulte avancé et la façon dont ces changements affectent leur vie quotidienne.

Ralentissement général   Le principal effet du vieillissement se traduit par une impression générale de ralentissement qui provient de la diminution de la densité dendritique des neurones. L'arthrite, la perte de l'élasticité musculaire ainsi que de nombreux autres changements contribuent également à ce ralentissement. Par exemple, les personnes âgées mettent plus de temps à écrire (Schaie et Willis, 1991), à attacher leurs chaussures et à s'adapter aux changements de température ou d'intensité lumineuse. Même les tâches qui font appel au vocabulaire, et qui ne connaissent guère de déclin au fil des ans, sont effectuées plus lentement (Lima, Hale et Myerson, 1991 ; Madden, 1992).

De nombreux psychologues du développement croient que la diminution de la vitesse de l'impulsion nerveuse est à l'origine du ralentissement associé à l'âge qui touche la traduction des pensées en actes. Ainsi, les neurologues étudient parfois le fonctionnement du système nerveux en demandant à leur patient d'exécuter un geste avec un outil, par exemple un marteau. Le fait d'adopter une position appropriée pour la main et de bouger le bras correctement constitue un indicateur d'une bonne santé neurologique. Les psychologues du développement ont découvert que les adultes en santé d'âge avancé faisaient plus d'erreurs dans l'exécution de ces tâches que des adultes plus jeunes (Peigneux et van der Linden, 1999). Cependant, les adultes d'âge avancé corrigent leurs erreurs tout aussi rapidement que les adultes plus jeunes. Par conséquent, les neurologues pensent que le ralentissement général de l'activité cérébrale chez les adultes d'âge avancé gêne la récupération des connaissances nécessaires à l'accomplissement d'une tâche.

Les activités motrices complexes, comme la conduite automobile, constituent l'un des domaines les plus touchés par le ralentissement dans le fonctionnement quotidien. Si les jeunes adultes ont plus d'accidents de la route que tout autre groupe d'âge, surtout parce qu'ils conduisent trop vite, ce sont les adultes âgés qui ont le plus d'accidents par

Cette femme est peut-être une conductrice émérite, mais en raison de plusieurs changements physiques liés au vieillissement, elle s'adapte sûrement moins rapidement que par le passé aux conditions changeantes de la route.

kilomètre parcouru (Bianchi, 1993). Lorsque l'on questionne des adultes de tout âge sur leurs expériences de conduite, les adultes âgés répondent plus souvent qu'ils ont de la difficulté à lire les panneaux de signalisation (surtout la nuit), à réagir aux mouvements rapides des autres véhicules ou à avoir les bons réflexes lorsqu'un véhicule apparaît de façon imprévue à proximité (Keskinen, Ota et Katila, 1998). Ils disent aussi éprouver de la difficulté à évaluer leur propre vitesse et trouvent que le tableau de bord est insuffisamment éclairé (Kline *et al.*, 1992). Certaines de ces difficultés découlent des changements oculaires qui surviennent avec le vieillissement et qui expliquent notamment pourquoi les adultes âgés sont plus sujets aux éblouissements. Toutefois, de nombreux changements semblent être liés au ralentissement général du temps de réaction. Il devient de plus en plus difficile pour les conducteurs âgés de réagir de façon adéquate à des conditions qui changent rapidement.

Les personnes âgées se brûlent plus souvent en raison des changements altérant leur sensibilité à la température associés au ralentissement général. Par exemple, une personne âgée prend par erreur une casserole très chaude sur la cuisinière. Le message nerveux qui lui dicte de déposer rapidement la casserole parce qu'elle va se brûler va se rendre tout aussi rapidement de la main au cerveau que chez les jeunes adultes et les adultes d'âge moyen. Chez les adultes d'âge avancé cependant, la quantité de chaleur nécessaire à l'envoi de ce message doit être plus grande que chez les adultes plus jeunes. De plus, le message traverse le cerveau plus lentement, et la réponse du cerveau qui signale à la main de déposer la casserole est plus lente. Par conséquent, les adultes d'âge avancé se brûlent plus souvent dans de telles situations que les adultes plus jeunes.

Sommeil et alimentation   Il semble qu'il y ait un changement dans les habitudes de sommeil à l'âge adulte avancé qui modifie beaucoup la routine quotidienne. Ce changement associé au vieillissement primaire s'observe chez toutes les personnes âgées indépendamment de leur état de santé. Les adultes âgés de plus de 65 ans se réveillent plus souvent pendant la nuit, et leurs périodes de sommeil paradoxal (MOR), soit le sommeil le moins profond pendant lequel on rêve, diminuent. Les adultes d'âge avancé se réveillent et se couchent habituellement plus tôt (Richardson, 1990; Hoch *et al.*, 1992). En outre, étant donné que leurs nuits de sommeil sont discontinues, ils font davantage de siestes pendant la journée pour rattraper le sommeil dont ils ont besoin. Ces changements dans les habitudes de sommeil et dans l'activité générale semblent associés aux changements touchant le fonctionnement du système nerveux.

L'habileté du cerveau à contrôler l'appétit change aussi à l'âge adulte avancé. Lorsque vous mangez, le taux de sucre dans votre sang augmente, et un message chimique acheminé au cerveau permet de créer une sensation que l'on appelle la **satiété**, la sensation d'être repu. Cette sensation de satiété se maintient jusqu'à ce que le taux de sucre dans votre sang diminue suffisamment pour déclencher un autre message chimique au cerveau stimulant alors la sensation de faim. Chez les adultes d'âge avancé, la sensation de satiété semble diminuer (Keene *et al.*, 1998), ce qui expliquerait pourquoi les personnes âgées ont toujours l'impression d'avoir faim et peuvent parfois manger de façon exagérée. Pour compenser cette perte de contrôle de leur appétit, certains adultes d'âge avancé adoptent des habitudes alimentaires rigides et mangent à des heures précises, parfois le même type de nourriture à chaque jour. Ces comportements alimentaires semblent démesurément stricts pour les adultes plus jeunes, alors qu'ils ne reflètent simplement chez l'adulte d'âge avancé qu'une façon de compenser (peut-être à un niveau inconscient) les changements physiologiques.

Fonctions motrices   La combinaison des changements physiques associés au vieillissement produit une diminution de l'*endurance*, de la *dextérité* et de l'*équilibre*. La perte d'endurance survient en grande partie à cause des changements dans les systèmes cardiovasculaire et musculaire. La dextérité est réduite principalement à cause de l'arthrite qui s'installe dans les articulations. Les adultes d'âge avancé éprouvent également plus de difficulté avec les mouvements de motricité fine (Smith *et al.*, 1999).

Satiété : Sensation d'être repu après avoir mangé un repas.

Cependant, cette difficulté apparaît généralement de façon graduelle, exception faite des habiletés qui sont exercées, telles que l'écriture. D'après la recherche, il semble que certaines activités de motricité fine, particulièrement celles qui requièrent l'apprentissage de nouveaux mouvements, soient difficiles à exécuter pour les adultes d'âge avancé. Par exemple, les adultes d'âge avancé apprennent plus difficilement à exécuter des actions précises avec une souris d'ordinateur, telles que déplacer des objets sur un écran ou cliquer sur une fonction (Smith, Sharit et Czaja, 1999).

La diminution de l'équilibre constitue un autre changement appréciable des fonctions motrices (Guralnik *et al.*, 1994 ; Simoneau et Liebowitz, 1996 ; Slobounov *et al.*, 1998). Les personnes âgées se déplacent assez facilement dans un environnement qui leur est familier. Toutefois, lorsqu'elles se retrouvent dans un environnement non familier ou plus complexe, tel qu'un autobus ou un escalier, elles ont plus de difficulté à garder leur équilibre. Ces situations requièrent une habileté d'adaptation rapide à des conditions changeantes au niveau du corps ainsi qu'une force musculaire suffisante afin de maintenir une bonne position. Ce sont justement ces deux éléments qui déclinent à l'âge adulte avancé. C'est l'une des raisons pour lesquelles les personnes âgées tombent plus souvent. Le quart des personnes du troisième âge et plus du tiers des personnes du quatrième âge ont déclaré être tombées au cours de l'année (Hornbrook, Stevens et Wingfield, 1994). À cause de l'ostéoporose, de telles chutes mènent plus souvent à des fractures chez les adultes d'âge avancé, ce qui peut sérieusement aggraver leur état de santé.

Activité sexuelle   L'ensemble des changements physiques liés au vieillissement influent sur le comportement sexuel, bien qu'il n'y ait pas de changement abrupt dans l'activité sexuelle à 65 ans. Comme vous l'avez lu au chapitre 11, la fréquence de l'activité sexuelle diminue graduellement à l'âge adulte moyen. Les études longitudinales et transversales indiquent que cette diminution se poursuit à l'âge adulte avancé (Marsiglio et Donnelly, 1991 ; Palmore, 1981).

Ce déclin de l'activité sexuelle a sûrement de nombreuses causes, que l'on ne comprend pas encore pour la plupart (National Institute on Aging [NIA], 2000b). La diminution continue du niveau de testostérone chez les hommes joue sans doute un rôle, de même que l'état de santé. La médication, par exemple les antihypertenseurs (médicaments contre la pression artérielle) dont un des effets secondaires est l'impuissance, ou une douleur chronique peuvent affecter le désir sexuel. Les stéréotypes

LE MONDE RÉEL

Conseils pratiques pour le maintien des fonctions cognitives et physiques à l'âge adulte avancé

Nous allons maintenant reprendre certains éléments clés que nous avons abordés dans les chapitres sur la vie adulte.

1. *Adoptez de bonnes habitudes de vie très tôt.* N'attendez pas d'être vieux pour changer vos habitudes de vie. Prenez de bonnes résolutions dès aujourd'hui, quel que soit votre âge. Arrêtez de fumer (ou ne commencez pas). Suivez un régime à faible teneur en gras, surtout en cholestérol. Maintenez votre poids à plus ou moins 30 % du poids idéal que vous pouvez calculer en fonction de votre taille et de votre carrure (remarquez bien que la marge est grande, parce que nous ne prônons pas un corps parfait, mais attirons plutôt l'attention sur les dangers de l'obésité). Dormez suffisamment.

2. *Faites de l'exercice régulièrement.* Cela pourrait faire partie de la liste des habitudes de vie, mais cette habitude est tellement importante que nous devons l'aborder séparément. Commencez dès maintenant à faire de l'exercice, quel que soit votre âge. Il n'est pas nécessaire de devenir un marathonien ou un champion de natation. Il vous suffit de faire 30 minutes d'exercices aérobiques au moins 3 fois par semaine. La marche régulière constitue la façon la plus simple d'y parvenir, surtout si vous prenez l'habitude de marcher plutôt que de prendre votre voiture pour vous rendre à vos rendez-vous ou faire les courses dans votre quartier.

3. *Stimulez votre esprit.* Ne vous arrêtez pas à votre niveau actuel de connaissances. Continuez d'étendre votre savoir. Apprenez une nouvelle langue. Mémorisez des poèmes. Initiez-vous à un jeu stimulant intellectuellement, comme les échecs ou le bridge, et jouez régulièrement. Lisez le journal tous les jours. Faites des mots croisés. Exercez votre esprit, et ce, de différentes façons.

4. *Restez en contact avec votre famille et vos amis.* Si vous n'entretenez pas votre réseau social, il ne sera plus là lorsque vous en aurez besoin, que ce soit à un âge avancé ou plus tôt. Pour maintenir votre réseau social, il faut que vous preniez le temps de rencontrer des amis ou des parents et que vous veilliez à répondre à leurs besoins.

5. *Trouvez des façons de réduire ou de maîtriser votre stress.* Il existe de nombreux livres sur la gestion du stress. Si vous êtes stressé de façon chronique, vous devriez sans doute en lire quelques-uns. Nous vous conseillons de prendre le temps de pratiquer la relaxation tous les jours, ne serait-ce que cinq minutes. Vous pouvez le faire en priant ou en méditant, ou simplement en restant assis dans le silence et en respirant profondément.

6. *Prenez des vacances.* Les longues pauses semblent aussi être importantes. Vaillant inclut généralement des questions sur les vacances dans son évaluation de la fonction psychosociale optimale, car il pense que cette évaluation est liée à une variété d'aspects concernant la santé.

sociaux qui dépeignent la vieillesse comme une période essentiellement asexuée sont également considérés comme un facteur qui peut influer sur le désir.

Toutefois, selon nous, ce qui est intéressant, ce n'est pas tant le déclin de l'activité sexuelle que le fait que de nombreux adultes âgés continuent d'éprouver du plaisir durant l'activité sexuelle en dépit des changements physiques. Ainsi, 70 % des adultes d'âge avancé continuent d'être sexuellement actif (Bartlik et Goldstein, 2000). De plus, la capacité physiologique de répondre à une stimulation sexuelle, contrairement aux autres aspects du fonctionnement, ne semble pas diminuer avec l'âge. Certaines études indiquent même que les adultes d'âge avancé, particulièrement les femmes, sont plus aventureux sexuellement que les adultes plus jeunes (Purnine et Carey, 1998).

Fonctions physiques

- Expliquez les quatre principaux changements qui touchent le cerveau et le système nerveux à l'âge adulte avancé.

- Qu'est-ce qui différencie la réduction de la densité dendritique au début de la vie et à l'âge adulte avancé ?

- Qu'est-ce que la plasticité synaptique ?

- Quelles sont les conséquences sur la santé de la perte du goût et de l'odorat ?

- Expliquez ce que l'on entend par ralentissement général.

- Décrivez les changements dans les habitudes de sommeil à l'âge adulte avancé.

- Comment les fonctions motrices sont-elles affectées à l'âge adulte avancé ?

Concepts et mots clés

- **acouphène** (p. 420) • **artériosclérose** (p. 419) • **cataracte** (p. 419)
- **glaucome** (p. 419) • **plasticité synaptique** (p. 419) • **satiété** (p. 422)

SANTÉ

Les changements physiques, que nous avons abordés plus haut et aux chapitres 9 et 11, ainsi que les mauvaises habitudes de vie qui finissent par se retourner contre l'individu contribuent largement à l'augmentation des troubles de santé et des incapacités après l'âge de 65 ans. Les personnes âgées elles-mêmes sont très conscientes de cette augmentation. Par exemple, si vous demandez à des adultes d'évaluer leur état de santé sur une échelle présentant les

balises suivantes : excellent, très bon, bon, passable et mauvais, il y aura, avec l'âge, un plus grand nombre d'adultes qui évalueront leur état de santé comme mauvais, alors que très peu l'évalueront comme excellent. Un tel jugement portant sur son propre état de santé s'avère remarquablement précis. Chacun de nous, d'une certaine façon, possède une conscience claire du fonctionnement de son corps. Les chercheurs ont souvent observé que les personnes qui se disaient en mauvaise santé étaient plus susceptibles de mourir ou de présenter plus d'incapacités dans les années suivantes que les personnes qui se disaient en excellente santé (Idler et Kasl, 1995 ; Schoenfeld *et al.*, 1994).

Une mauvaise santé se manifeste de différentes façons. Chez certaines personnes (surtout chez les hommes), elle se traduit par l'apparition et l'évolution rapide d'une maladie mortelle, notamment un cancer ou une crise cardiaque. La mort par pneumonie, un phénomène de plus en plus courant à l'âge avancé, survient généralement d'une manière tout aussi rapide. La plupart de ces individus présentent peu de symptômes et ne connaissent qu'une courte période d'incapacité, voire aucune, avant le début de la maladie. D'autres (plus souvent les femmes) présentent des symptômes de maladie pendant une plus longue période, et ces symptômes entraînent parfois diverses incapacités physiques, mineures ou majeures. Nous allons maintenant nous pencher sur les facteurs de santé et de longévité, tels que la maladie, l'hérédité, les habitudes de vie, l'exercice physique et intellectuel et le soutien social.

Facteurs de santé et de longévité

Procédons dans l'ordre et demandons-nous avant tout combien d'années une personne de 65 ans peut espérer vivre. Nous avons déjà vu quelques données de base sur l'espérance de vie au début du chapitre. Nous savons tous que l'espérance de vie des hommes tourne autour de 76 ans et celle des femmes, autour de 82 ans. L'**espérance de vie active** fait référence au nombre moyen d'années qu'une personne peut espérer vivre sans subir une incapacité qui l'empêcherait de faire face à ses besoins quotidiens. Ainsi, les femmes vivent plus longtemps que les hommes, mais cette différence s'amenuise légèrement avec l'âge. Cependant, si les femmes vivent plus longtemps que les hommes, elles souffrent aussi plus souvent d'une incapacité quelconque. Une femme de 65 ans peut s'attendre à être invalide deux fois plus longtemps qu'un

> **Espérance de vie active :** Nombre moyen d'années qu'une personne peut espérer vivre sans subir une incapacité qui l'empêcherait de faire face à ses besoins quotidiens.

homme. Toutefois, les femmes ne souffriront d'aucune incapacité les trois quarts du temps qu'il leur reste à vivre, la situation n'est donc pas aussi sombre qu'il y paraît.

Maladie   La santé est le principal facteur qui détermine l'état physique et cognitif d'un adulte après l'âge de 65 ans. Les personnes qui souffrent déjà de maladies chroniques à 65 ans présentent un déclin beaucoup plus rapide que celles qui entament l'âge adulte avancé en bonne santé. Évidemment, ce déclin plus rapide peut être considéré en partie comme une manifestation de la maladie. Les maladies cardiovasculaires donnent lieu notamment à une diminution de l'irrigation sanguine dans de nombreux organes, dont le cerveau, ce qui a des effets prévisibles sur les aptitudes d'apprentissage ou de mémorisation d'un adulte. Les analyses en provenance de l'étude longitudinale de Seattle démontrent que les adultes qui souffrent de cette maladie connaissent un déclin hâtif de toutes leurs habiletés cognitives (Schaie, 1996). Bien sûr, le déclin des capacités cognitives sera beaucoup plus rapide chez les personnes qui présentent les symptômes des stades précoces de la maladie d'Alzheimer ou d'une autre maladie qui cause la démence que chez les individus en bonne santé. La mauvaise santé a aussi un effet indirect en raison de son influence sur les habitudes de vie, surtout sur l'exercice physique. Les personnes atteintes d'une maladie qui les empêche de faire régulièrement de l'exercice subissent plus souvent une diminution précoce ou rapide de nombreuses capacités physiques ou cognitives.

Hérédité   Il est clair que nous héritons d'une tendance générale à avoir une « vie longue et prospère » selon les termes de M. Spock dans *Star Trek*. Les jumeaux identiques ont une durée de vie plus similaire que les jumeaux fraternels, et les adultes dont les parents et les grands-parents ont vécu jusqu'à un âge avancé ont plus de chances de vivre longtemps (Plomin et McClearn, 1990). Le nombre de maladies dont une personne est atteinte avant la mort semble aussi lié aux modèles génétiques. Selon une étude suédoise sur les jumeaux, les jumeaux identiques ont des taux de maladie plus semblables que les jumeaux fraternels (Pedersen et Harris, 1990). De même, Vaillant, qui a analysé l'échantillon des étudiants de Harvard dans l'étude de Grant, a découvert une corrélation faible, mais significative, entre la longévité des parents et des grands-parents de chaque homme et sa propre santé à l'âge de 65 ans. Seulement un quart des hommes dont les grands-parents les plus âgés avaient vécu au-delà de 90 ans étaient atteints d'une maladie chronique à l'âge de 65 ans, tandis que presque 70 % de ceux dont les grands-parents les plus âgés étaient morts avant l'âge de 78 ans souffraient d'une maladie chronique (Vaillant, 1991).

Grâce à l'exercice physique, ces personnes auront peut-être la chance de jouir d'une bonne santé tout au long de l'âge adulte avancé.

Nous ne savons pas exactement ce que nous héritons de nos parents. Il est possible que les individus aient des limites de Hayflick légèrement différentes ou qu'il existe des variations dans le taux de base de la maturation physique. Quelle que soit l'explication, il faut garder à l'esprit que les effets de l'hérédité sur la longévité et sur la santé à l'âge adulte avancé ne semblent pas majeurs. Si vos grands-parents sont tous décédés vers l'âge de 60 ou 70 ans, cela ne signifie pas nécessairement que vous mourrez jeune ou que vous souffrirez d'une maladie chronique. Sachez cependant qu'il existe une corrélation.

Habitudes de vie   Les habitudes de vie qui étaient d'importants facteurs prédictifs de la longévité et de la santé au début de l'âge adulte le sont toujours à l'âge adulte avancé. Par exemple, on a suivi pendant 17 ans des sujets qui avaient plus de 60 ans au début de l'étude épidémiologique du comté d'Alameda. Ce suivi a permis de découvrir que des risques accrus de mortalité au cours des 17 années suivantes étaient liés au tabagisme, au manque d'activité physique et à un poids corporel trop élevé ou trop bas (Kaplan, 1992). De nombreuses autres études épidémiologiques importantes confirment ces résultats (Brody, 1996 ; Paffenbarger *et al.*, 1987).

Exercice physique   L'exercice physique constitue probablement le facteur le plus important de santé et de longévité. Il est définitivement lié non seulement à une plus grande longévité, mais aussi à un meilleur maintien des différentes fonctions physiques et à un taux moins élevé de maladie, telles que la cardiopathie, le cancer, l'ostéoporose, le diabète, les problèmes gastro-intestinaux et arthritiques (Brody, 1995 ; Deeg, Kardaun et Fozard, 1996). Des informations intéressantes à ce sujet nous proviennent d'une étude longitudinale touchant près de 7 000 sujets qui étaient tous âgés de 70 ans ou plus lorsqu'ils ont été évalués la première fois en 1984 (Wolinsky, Stump et Clark, 1995). Ces sujets ont été évalués à tous les deux ans jusqu'en 1990. Les sujets qui, au début de l'étude, faisaient de l'exercice physique régulièrement ou qui marchaient au moins un kilomètre et plus à chaque semaine ont maintenu une meilleure condition physique durant les années subséquentes; ils étaient également moins susceptibles de mourir ou d'être placé dans une institution spécialisée pour personnes âgées. Même si on prenait en considération les variations initiales de l'état de santé des sujets en 1984, ces prédictions s'avéraient justes, ce qui signifie que ce ne sont pas seulement les adultes en santé qui sont plus susceptibles de faire de l'exercice, mais bien que l'exercice contribue vraiment au maintien d'une bonne santé.

Les études où des adultes âgés ont été répartis de façon aléatoire dans des groupes où ils faisaient de l'exercice et dans des groupes où ils n'en faisaient pas ont également rapporté des observations semblables (Blumenthal *et al.*, 1991). On sait que de telles différences ne sont pas le résultat d'une autosélection et que ceux qui font de l'exercice obtiennent de meilleurs scores à plusieurs mesures du fonctionnement physique. Ainsi, dans une étude impliquant un groupe de personnes âgées de 80 ans et plus, on a noté que la force musculaire augmentait et que les habiletés motrices s'amélioraient après seulement 12 semaines d'exercice (Carmeli *et al.*, 2000).

L'exercice physique semble aussi permettre de maintenir la fonction cognitive des personnes âgées à un niveau plus élevé (Albert *et al.*, 1995). Des études portant sur des rats de laboratoire démontrent que les rats plus âgés qui s'exerçaient dans une roue, présentaient une croissance plus importante des terminaisons nerveuses, ce qui leur permettait de conserver leurs neurones en meilleure santé (Cotman et Neeper, 1996). Les études qui ont été effectuées sur les humains ne fournissent pas de résultats aussi probants, bien que les résultats obtenus tendent vers la même conclusion.

Robert Rogers et ses collaborateurs ont obtenu des résultats significatifs lors d'une étude portant sur un groupe de 85 hommes âgés de 65 à 69 ans (Rogers, Meyer et Mortel, 1990). Tous les sujets étaient instruits et en bonne santé au début de l'étude et aucun ne présentait de symptôme de maladie du cœur ou de démence. Dans les quatre années suivantes, un tiers des hommes a choisi de continuer à travailler, surtout à des postes élevés. Un autre tiers a décidé de prendre sa retraite, mais est demeuré physiquement actif, alors que le dernier tiers a pris sa retraite et est devenu physiquement (et intellectuellement) inactif. Les sujets inactifs présentaient un déclin progressif de l'irrigation sanguine du cerveau et obtenaient des résultats nettement inférieurs, dans de nombreux tests cognitifs, à ceux des personnes actives à la retraite ou des hommes qui travaillaient toujours.

D'ailleurs, l'exercice physique semble revêtir encore plus d'importance à l'âge adulte avancé qu'à toute autre période de la vie. Par exemple, dans une étude portant sur la diminution de la taille à l'âge adulte avancé, on a noté que la taille des participants qui faisaient de l'exercice régulièrement présentait une diminution moins importante sur une période de 30 ans que celle des participants que ne faisaient pas d'exercice physique (Sagiv *et al.*, 2000). De plus, l'exercice physique après 40 ans semble être particulièrement important afin de prévenir la diminution de la taille.

Certains auteurs soutiennent que l'on peut réduire de moitié le déclin de différentes capacités physiques (et peut-être cognitives) à l'âge adulte avancé en améliorant le mode de vie, surtout au moyen de l'exercice. Pourtant, seulement 5 à 10 % des personnes âgées de plus de 65 ans sont physiquement actives (McAuley, 1993 ; Wolinsky *et al.*, 1995). Les raisons invoquées pour ne pas faire d'exercice sont nombreuses, notamment la mauvaise santé, les douleurs arthritiques, le temps consacré à un conjoint malade, les idées préconçues sur le comportement que devraient adopter les personnes âgées, la gêne de montrer son corps vieillissant aux autres, le manque d'installations ou de ressources, l'inexistence de moyens de transport permettant de se rendre aux centres de conditionnement physique, les peurs de divers types et la paresse pure et simple.

Exercice intellectuel   Les effets de l'exercice intellectuel sur les capacités cognitives des personnes âgées ont été plus difficiles à déterminer, mais certaines sources autorisent à penser que l'exercice intellectuel pourrait être aussi important que l'exercice physique. L'étude de Cotman

Il existe de nombreuses façons de préserver une bonne condition physique à l'âge adulte avancé. En Chine, les vieillards pratiquent souvent le taï chi à l'aube.

et Neeper (1996) portant sur des rats de laboratoire, que nous avons déjà citée, a permis de noter que le cerveau des rats âgés placés dans un environnement riche et stimulant augmentait de volume (croissance du tissu), alors que le cerveau des rats placés dans un environnement neutre ou pauvre en stimulation diminuait de volume.

Les neurophysiologistes spécialisés dans la recherche animale sont convaincus qu'une réaction similaire se produit chez les êtres humains. Selon eux, les personnes âgées qui maintiennent un bon niveau d'activité intellectuelle peuvent retarder et même renverser le déclin normal du volume du cerveau associé au vieillissement primaire. Cette observation est appuyée par des études corrélationnelles. Par exemple, les études longitudinales de Duke démontrent que les habiletés verbales des personnes âgées qui participaient à de nombreuses activités intellectuelles au début de l'étude (lecture, jeux ou loisirs) ont augmenté au cours des six années suivantes, alors que celles des sujets qui étaient moins actifs intellectuellement ont diminué (Busse et Wang, 1971).

Dans une autre étude, des chercheurs ont découvert que les adultes âgés qui jouaient au bridge régulièrement obtenaient des scores plus élevés aux tests de mémorisation et de raisonnement que les autres. Les groupes étaient composés de sujets ayant le même niveau de scolarité, le même état de santé, le même niveau d'exercice physique et le même degré de satisfaction générale. Ils avaient également obtenu des résultats similaires dans les autres évaluations des capacités physiques et cognitives, dont la relation est moins évidente avec le bridge, comme le temps de réaction ou la richesse du vocabulaire (Clarkson-Smith et Hartley, 1990). On n'a observé qu'une différence sur le plan des capacités cognitives qui pouvaient être améliorées en jouant au bridge régulièrement. Ainsi, les effets de l'exercice intellectuel peuvent être très précis. La mémorisation d'informations contribue à préserver la mémoire ; les tâches qui exigent un raisonnement favorisent le maintien de cette habileté ; la lecture aide à conserver le vocabulaire, et ainsi de suite.

Les difficultés inhérentes à ces recherches sont évidentes, plus particulièrement en ce qui a trait au problème de l'autosélection. Les personnes qui choisissent de se maintenir en forme intellectuellement sont sans aucun doute très différentes des personnes qui choisissent de ne pas faire d'exercice. En outre, essayer de distinguer les effets de l'activité intellectuelle de ceux de l'éducation, de la classe sociale ou de la santé constitue un exercice difficile. Mais il semble de plus en plus évident qu'une personne qui demeure engagée et active intellectuellement conserve davantage ses habiletés intellectuelles que celle qui ne le fait pas (Gold *et al.*, 1995).

Ces hommes conservent de bonnes habiletés cognitives, car ils pratiquent des activités qui exercent leur mémoire et la stratégie de résolution de problèmes.

Soutien social La présence d'un soutien social adéquat influe sur les fonctions physiques et cognitives à l'âge adulte avancé, tout comme aux autres âges de la vie. L'étude du comté d'Alameda, que nous avons déjà mentionnée, nous en fournit des exemples. Les vieillards qui étaient socialement isolés au début de l'étude couraient davantage de risques d'être atteints de maladie ou de mourir dans les années suivantes que ceux qui bénéficiaient d'un réseau social plus adéquat, quel que soit leur état de santé ou leurs habitudes de vie.

Santé mentale

Nous avons pris soin de traiter la maladie d'Alzheimer et les autres démences comme des problèmes ne se rapportant pas à la santé mentale des adultes à la fin de leur vie. La grande majorité des cas de démence sont dus à des maladies physiques. Il ne s'agit donc pas vraiment de troubles psychologiques ni de troubles affectifs. La dépression, qui est un trouble psychologique, se traduit parfois par des symptômes de démence, mais la plupart des individus déprimés ne manifestent pas les signes d'une démence prononcée.

La fréquence des différentes formes de troubles à l'âge adulte avancé est matière à controverse. Pour certains troubles, tels que l'alcoolisme ou la toxicomanie, les données sont claires : les taux relatifs à ces troubles sont moins élevés chez les adultes âgés que chez les représentants des autres groupes d'âge. Par contre, la dépression demeure une question ambiguë.

DÉPRESSION

Les premières études sur les différences d'âge en matière de dépression donnaient à penser que les adultes âgés couraient plus de risques de présenter de tels troubles que tout autre groupe d'âge, d'où le stéréotype culturel du vieillard déprimé. Les statistiques sur le suicide révèlent que la dépression augmente à l'âge adulte avancé (voir la figure 12.6). Cependant, le modèle associé à la dépression chez l'adulte d'âge avancé est beaucoup plus complexe que celui que l'on retrouve dans les autres groupes d'âge.

Diagnostic et incidence   On observe souvent une attitude prédominante négative face aux personnes âgées, que les gérontologues définissent comme l'**âgisme**, qui est analogue au sexisme ou au racisme (Palmore, 1990). L'âgisme peut influer sur le diagnostic de dépression chez les personnes âgées. Les signes de dépression chez les personnes âgées peuvent être confondus avec une humeur maussade par les membres de la famille (NIA, 2000a). La dépression peut aussi être prise pour une forme de démence parce qu'elle présente des symptômes de confusion et de perte de mémoire.

De plus, les questionnaires habituels utilisés afin de déceler la dépression contiennent habituellement des questions sur les symptômes physiques qui accompagnent la dépression, comme la perte d'appétit et d'énergie et la perturbation des habitudes de sommeil. Or, les adultes d'âge avancé sont plus susceptibles de signaler de tels symptômes indépendamment de leur état émotionnel. Ils

Le fait d'avoir des contacts avec des enfants peut prévenir la dépression à l'âge adulte avancé.

risquent par conséquent d'obtenir des résultats élevés à ces mesures de la dépression. Il en résulte que de nombreuses personnes âgées reçoivent un diagnostic de dépression, alors qu'elles ne sont pas dépressives.

Il est aussi important de distinguer les symptômes de « détresse psychologique » des symptômes de « dépression clinique ». Comme nous le savons déjà, la dépression clinique est caractérisée par des problèmes psychologiques (tels qu'un sentiment de désespoir, de l'insomnie, une perte d'appétit et d'intérêt pour les activités sociales) qui perdurent sur une plus longue période (6 mois et plus) que la détresse psychologique. Ces problèmes doivent aussi être assez sévères pour perturber les activités quotidiennes d'une personne ou nécessiter une médication à la suite d'une consultation médicale. La détresse psychologique à l'âge adulte avancée est aussi connue sous le nom de **dépression gériatrique** associée à une humeur dépressive chronique (mélancolie). La dépression gériatrique ne mène pas à la dépression clinique et serait associée aux événements stressants de la vie (Kocsis, 1998).

L'incidence de la dépression dépend de la façon dont nous la définissons. Les études qui définissent la dépression en fonction de la présence d'un symptôme quelconque de dépression établissent que près du quart des personnes du quatrième et cinquième âge souffrent de dépression, une proportion plus élevée que dans tout autre groupe d'adultes (FIFARS, 2000). Par contre, les

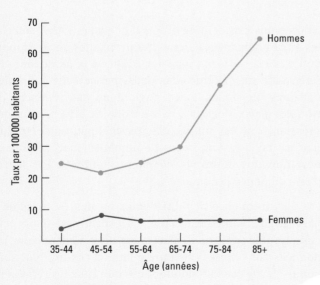

Figure 12.6
Le suicide selon l'âge.
Le taux de suicide augmente substantiellement à l'âge adulte avancé chez les hommes, mais il demeure relativement stable chez les femmes. (*Sources*: NCHS, 1999; U.S. Bureau of the Census, 1997.)

Âgisme : Toute forme de discrimination envers un groupe d'âge particulier, comme les adolescents ou les personnes âgées.

Dépression gériatrique : Humeur dépressive chronique chez les personnes âgées.

chercheurs qui utilisent une définition plus restreinte notent que les personnes âgées témoignent d'une légère diminution des symptômes de dépression après 75 ans et que seulement 4 % des personnes âgées de plus 75 ans souffrent de dépression (Forsell et Winblad, 1999). De plus, plusieurs études ont démontré que la dépression clinique est moins commune chez les personnes âgées que chez les jeunes adultes, alors que les symptômes de dépression gériatrique s'observent davantage chez les adultes d'âge avancé (Beekman, Copeland et Prince, 1999 ; Gatz, Kasl-Godley et Karel, 1996).

Facteurs de risque Les facteurs de risque associés à la dépression gériatrique et à la dépression clinique chez les personnes âgées ne sont pas difficiles à identifier : un soutien social inapproprié, un revenu insuffisant, des troubles émotionnels comme le deuil (d'un conjoint, d'un membre de la famille ou d'un ami) et des problèmes de santé chroniques. Cependant, le facteur le plus important semble être l'état de santé général. Dans tous les groupes ethniques et socioéconomiques, plus l'état de santé général est mauvais, plus on observe de symptômes de dépression (Black, Markides et Miller, 1998 ; Curyto *et al.*, 1997).

Le sexe constitue aussi un facteur de risque. Les femmes adultes souffrent deux fois plus de dépression que les hommes (FIFARS, 2000 ; Forsell et Winblad, 1999). Cependant, il est difficile d'expliquer cette différence. Les femmes semblent moins vulnérables aux événements stressants de la vie. La mort d'un conjoint, par exemple, mène plus souvent les hommes à la dépression que les femmes (Byrne et Raphael, 1999 ; Chen *et al.*, 1999). De telles découvertes laissent entendre que la dépression chez les femmes serait associée à l'accumulation du stress quotidien, alors qu'elle serait associée chez les hommes à des événements traumatisants. De plus, étant donné qu'elles sont plus susceptibles que les hommes de consulter un médecin pour la dépression, les femmes reçoivent plus fréquemment un diagnostic de dépression.

Les personnes âgées qui vivent dans la pauvreté sont aussi plus à risque de faire une dépression (Beekmann *et al.*, 1999). Le niveau d'éducation est aussi associé à la dépression : les personnes peu scolarisées sont plus susceptibles d'être déprimées (Gallagher-Thompson, Tazeau et Basilio, 1997 ; Miech et Shanahan, 2000). Le lien entre le niveau d'éducation et la dépression chez les personnes âgées est indépendant du revenu et de l'ethnie.

Thérapie et médication Les thérapies utilisées pour contrer la dépression chez les personnes âgées sont les mêmes que celles utilisées pour les adultes plus jeunes. La psychothérapie est souvent recommandée, particuliè-

rement celles qui favorisent le développement chez les personnes déprimées de modèles de pensée optimiste. Cependant, comme pour les adultes plus jeunes, les thérapies semblent plus efficaces lorsqu'elles sont jumelées à une médication d'antidépresseurs. Cependant, bon nombre d'experts pensent qu'il est important de doser cette médication de façon appropriée. En effet, les antidépresseurs sont susceptibles de diminuer l'efficacité des autres médicaments que les personnes âgées consomment. Ils sont aussi associés à une augmentation des chutes chez les personnes en centre d'hébergement. On a observé, dans une étude, une augmentation de 80 % des chutes dans un groupe de plus de 2 000 personnes, vivant en centre d'hébergement, qui avaient commencé à prendre des antidépresseurs (Bender, 1999).

Prévention Compte tenu du fait que l'état de santé général est le facteur déterminant de la dépression chez les personnes âgées, les aider à améliorer leur état de santé s'avère un outil important de prévention. Par exemple, bien des personnes âgées ignorent l'existence de nouveaux traitements efficaces pour lutter contre deux maladies qui limitent considérablement leurs activités, l'**arthrite** et **l'arthrose**. Une façon indirecte de prévenir la dépression consiste donc à informer les personnes âgées et les services d'aide de l'existence de ces nouveaux traitements afin d'inciter les personnes âgées à les utiliser.

L'engagement social constitue un autre moyen de lutter contre la dépression chez les personnes âgées. Les chercheurs d'une étude effectuée à Mexico ont démontré que le contact avec des enfants (préparer et participer à des activités récréatives) améliore l'état émotionnel des personnes âgées (Saavedra, Ramirez et Contreras, 1997). Par conséquent, le contact périodique avec des enfants est un moyen efficace de prévenir la dépression chez les personnes âgées. Un autre moyen de diminuer l'incidence de la dépression chez les personnes âgées croyantes est de les encourager à maintenir leur pratique et leurs activités religieuses.

Incapacités

Les gérontologues définissent généralement l'incapacité comme une limitation de l'habileté à assumer un rôle et à effectuer des tâches sociales (Jette, 1996), particulièrement les menus travaux quotidiens.

Arthrite : Inflammation des articulations (arthrite rhumatismale lorsqu'il s'agit des petites articulations comme celles de la main).

Arthrose : Dégénérescence des cartilages articulaires comme ceux du genou ou des hanches.

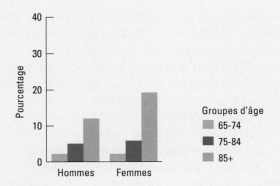

Figure 12.7
Difficultés à effectuer les petits travaux ménagers.
Cette figure présente les pourcentages des adultes du troisième, du quatrième et du cinquième âge qui éprouvent des difficultés à effectuer des tâches précises, dans ce cas des travaux ménagers. (*Source :* Guralnik et Simonsick, 1993, figure 2, p. 5.)

INCAPACITÉS PHYSIQUES

Afin d'évaluer la santé ou l'incapacité d'une personne âgée, on lui demande en général si elle peut effectuer certaines activités quotidiennes simples et complexes, notamment prendre son bain, s'habiller, marcher une courte distance, se déplacer du lit à une chaise, aller aux toilettes, manger, cuisiner, magasiner des objets personnels, faire des petits travaux ménagers, etc. Selon Statistiques Canada (2000), l'incapacité la plus courante est liée à la mobilité, c'est-à-dire marcher, porter un objet sur une courte distance ou demeurer debout pendant de longs moments. La seconde incapacité majeure touche l'agilité, c'est-à-dire se pencher, s'habiller, se mettre au lit, saisir ou tenir un objet et prendre sa nourriture ou la couper. La figure 12.7 présente les pourcentages d'adultes d'âge avancé qui éprouvent des difficultés à effectuer des travaux ménagers.

La fréquence de telles incapacités augmente évidemment avec l'âge. Mais toutes les personnes âgées ne souffrent pas d'une incapacité fonctionnelle, même celles du cinquième âge, loin de là. Approximativement la moitié des personnes de 85 ans et plus mentionnent une limitation quelconque de leurs activités quotidiennes (Jette, 1996). Cela signifie que la moitié des personnes de cet âge ne présentent pas de tels problèmes. Il faut préciser cependant que ce type d'études exclut généralement les personnes qui vivent en institution et qui présentent généralement des limitations sévères. De plus, la grande majorité des personnes souffrant d'incapacités décèdent avant l'âge de 85 ans, laissant ainsi, dans le groupe du cinquième âge, les personnes les plus en santé. Il est important de comprendre que, chez les personnes du cinquième

âge qui ne vivent pas en centre d'hébergement, le degré d'incapacité n'est pas de 100 %. Toutefois, on a constaté que le degré d'incapacité des personnes du quatrième et du cinquième âge a diminué dernièrement aux États-Unis (Kolata, 1996), peut-être en partie à cause de meilleurs soins de santé ou de meilleurs habitudes de vie.

Les problèmes physiques ou les maladies qui conduisent le plus souvent à l'incapacité physique sont l'arthrite, l'arthrose et les maladies cardiovasculaires, notamment des formes chroniques de cardiopathies et l'hypertension. Ces maladies n'entraînent pas toujours une invalidité, mais les personnes qui en souffrent courent un risque deux à trois fois plus élevé d'être atteintes d'une invalidité (Verbrugge, Lepkowski et Konkol, 1991). Les femmes courent plus de risques d'être atteintes d'arthrite et, jusqu'à un certain point, d'hypertension que les hommes. C'est pourquoi on remarque que les femmes sont souvent incapables d'effectuer les différentes tâches de la vie quotidienne nécessaires à leur autonomie (Verbrugge, 1984, 1985, 1989 ; Brock, Guralnik et Brody, 1990). Lorsque l'on analyse toutes ces informations et que l'on tient compte du fait que plus de femmes sont veuves et n'ont pas de partenaire pour les aider à accomplir leurs tâches quotidiennes, on n'est pas surpris de constater qu'un plus grand nombre de femmes que d'hommes vivent chez leurs enfants ou dans une résidence pour personnes âgées.

INCAPACITÉS MENTALES

Le problème de santé mentale à l'âge adulte avancé le plus connu aujourd'hui est sans aucun doute la **démence**.

Démence : Trouble neurologique comportant des problèmes au niveau de la mémoire et de la pensée qui affectent le fonctionnement émotionnel, social et physique d'un individu. La démence est plus un symptôme qu'une maladie et elle peut être causée par une grande variété de maladies, dont la maladie d'Alzheimer.

La présence de la canne indique que ce vieil homme souffre d'une incapacité. Toutefois, il semble encore capable d'accomplir ses activités quotidiennes.

Ce qu'on appelle la démence est en fait un désordre neurologique engendrant des problèmes au niveau de la mémoire et de la pensée qui perturbent le fonctionnement émotionnel, social et physique de la personne atteinte. Après 70 ans, la démence est habituellement appelée *démence sénile*. La démence constitue la première cause du placement dans un centre d'hébergement des adultes d'âge avancé.

La démence n'est pas à proprement parler une maladie : il s'agit plutôt d'un symptôme. Elle peut être causée par une grande variété de maladies, dont la maladie d'Alzheimer qui en est la forme la plus répandue. Les neurologues ont observé que les démences qui ont une autre origine que la maladie d'Alzheimer suivent une trajectoire très différente de celle qui est causée par cette maladie. Par exemple, des signes de démence apparaissent fréquemment à la suite de nombreux petits accidents vasculaires cérébraux ; dans ce cas, on parle de **démence vasculaire**. Les dommages au cerveau produits par ces accidents, que l'on nomme infarctus multiple, sont irréversibles. Cependant, contrairement à la plupart des victimes de la maladie d'Alzheimer, le fonctionnement des personnes qui ont subi de tels accidents peut être amélioré par diverses formes de thérapies : les thérapies occupationnelle, récréative ou physique.

La démence peut aussi être causée par la dépression, les coups répétés à la tête (par exemple chez les boxeurs), un traumatisme crânien, l'hypothyroïdie, l'anémie, des désordres du métabolisme, la polymédication (voir le rapport de recherche), certains types de tumeurs, l'alcoolisme à un stade avancé, une carence en vitamine B$_{12}$ et certains types d'infections (Anthony et Aboraya, 1992). Lorsqu'elle est d'origine sous-corticale, comme dans le cas de la maladie de Parkinson, de la chorée de Huntington et de la sclérose en plaques, la démence affecte la motricité globale durant les premiers stades et peut par la suite perturber les habiletés cognitives à différents degrés.

Si nous énumérons ainsi les causes possibles de la démence, c'est pour souligner que les personnes âgées qui présentent une diminution progressive de la mémoire et de la capacité de résoudre des problèmes ne sont pas nécessairement atteintes de la maladie d'Alzheimer et que plusieurs autres causes de la démence peuvent être traitées, dont la dépression. De plus, approximativement 10 % de tous les patients atteints de démence présentent, en fait, des problèmes qui peuvent s'avérer réversibles. Aussi, lorsqu'une personne âgée montre des signes de démence, il est important d'obtenir plusieurs évaluations de son état de santé de sources différentes.

Maladie d'Alzheimer   La **maladie d'Alzheimer** est un type de démence causé par une série de bouleversements

La polymédication chez les personnes âgées
par Wayne J. Millar

Même s'ils visent avant tout la protection de la santé, les médicaments peuvent être dangereux, surtout pour les personnes âgées. Les aînés sont sujets à des problèmes de nature médicamenteuse, que ce soit une ordonnance inappropriée, les effets secondaires d'un médicament ou le non-respect des doses prescrites. De 10 % à 30 % des patients hospitalisés sont admis pour intoxication médicamenteuse.

L'usage des médicaments chez les aînés est un problème important de qualité des soins et il est lié aux maladies et aux décès évitables. L'utilisation simultanée de plusieurs médicaments est un des aspects de cette question. En 1994 et 1995, 10 % des Canadiens de 65 à 74 ans et 13 % de ceux de 75 ans et plus utilisaient une polymédication, c'est-à-dire qu'ils ont déclaré avoir pris cinq médicaments différents au cours des deux jours précédents l'entrevue menée aux fins de l'Enquête nationale sur la santé de la population (ENSP). Les 5 types de médicaments les plus fréquemment utilisés chez les personnes de 65 ans et plus sont les analgésiques, les antihypertenseurs, les médicaments contre les maladies cardiaques, les diurétiques, les remèdes pour les maux d'estomac et les laxatifs. De plus, 20 % des personnes âgées sous polymédication consommaient quotidiennement de l'alcool. Nous savons que l'alcool peut entrer en interaction avec au moins la moitié des médicaments les plus couramment prescrits, et ce facteur peut aggraver les problèmes occasionnés par la polymédication. Les femmes font davantage appel aux médicaments que les hommes pour deux raisons : d'une part, les femmes consultent leur médecin plus souvent que les hommes et, d'autre part, les médecins ont un peu plus tendance à prescrire des médicaments aux femmes.

Les progrès en technologie de l'information pourraient contribuer à éliminer certains risques liés à l'utilisation de la polymédication. Par exemple, les médecins et les pharmaciens pourraient déceler d'éventuels problèmes grâce à la création d'un système informatisé (une base de données centrale continuellement mise à jour). Un tel système qui devra être conçu de façon à respecter la confidentialité pourrait fournir au personnel soignant la liste des médicaments, les allergies médicamenteuses ainsi que d'autres renseignements pertinents relatifs à l'état de santé d'un patient.

(*Source* : Statistique Canada, *Rapport sur la santé*, printemps 1998, vol. 9, n° 4.)

Démence vasculaire : Forme de démence causée par un ou plusieurs accidents vasculaires cérébraux.

Maladie d'Alzheimer : Forme la plus commune de démence causée par des changements cérébraux spécifiques, notamment une augmentation rapide des enchevêtrements neurofibrillaires, qui entraînent une perte progressive et irréversible de la mémoire et d'autres fonctions cognitives.

typiques de la structure du cerveau, notamment une sorte d'atrophie ou de rétrécissement de certaines aires du cerveau (Small *et al.*, 1995), ainsi qu'un enchevêtrement des prolongements dendritiques des neurones, appelés enchevêtrements neurofibrillaires. Ceux-ci interrompent la communication entre de nombreuses voies neuronales, ce qui rend l'utilisation de la mémoire et les autres activités quotidiennes de plus en plus laborieuses. Chez tous les adultes âgés, on observe des signes d'enchevêtrements neurofibrillaires. Toutefois, chez les sujets présentant des symptômes de démence, ils sont beaucoup plus nombreux.

ÉVOLUTION DE LA MALADIE En général, les premiers stades de la maladie d'Alzheimer évoluent très lentement. La maladie se manifeste d'abord très subtilement par de petites difficultés de mémorisation, des répétitions durant une conversation et des signes de désorientation dans un environnement inconnu. Par la suite, la mémoire des faits récents commence à faire défaut (encodage). Même à un stade avancé de la maladie, le patient conserve souvent la mémoire des faits anciens et de la routine quotidienne, probablement parce que l'accès à ce type de mémoire s'effectue par l'intermédiaire de plusieurs voies neuronales différentes. Cependant, une personne atteinte de la maladie d'Alzheimer finit éventuellement par ne plus reconnaître les membres de sa famille et par oublier le nom d'objets familiers et même la façon de s'y prendre pour effectuer des tâches quotidiennes, telles que se brosser les dents ou s'habiller.

Les personnes atteintes de la maladie d'Alzheimer perdent graduellement leurs habiletés à communiquer et à assumer les tâches quotidiennes. Les changements dont nous avons déjà parlé dans ce chapitre concernant l'appétit à l'âge adulte avancé représentent un problème particulier pour ces personnes, car elles ne peuvent régulariser leurs habitudes alimentaires, comme le font les adultes d'âge avancé en santé. Les personnes atteintes de la maladie d'Alzheimer peuvent manger trois ou quatre portions en un seul repas sans se rendre compte qu'elles ont trop mangé. Par conséquent, les habitudes alimentaires de ces personnes doivent être supervisées de près. Certains personnes atteintes de la maladie d'Alzheimer ont des accès de colère, alors que d'autres perdent leur autonomie et s'accrochent à leur famille ou à leurs amis (Raskind et Peskind, 1992). De plus, d'après la recherche, l'incidence de la dépression chez ces personnes pourrait atteindre 40 % (Harwood *et al.*, 2000).

CAUSES DE LA MALADIE Les scientifiques ne sont pas en mesure actuellement de comprendre pleinement le processus normal du vieillissement, ce qui rend extrêmement difficile l'explication des causes de la maladie d'Alzheimer.

Pour être efficaces, les chercheurs doivent comparer des adultes d'âge avancé en bonne santé à des adultes plus jeunes en bonne santé ainsi que des adultes d'âge avancé en bonne santé et à des adultes d'âge avancé en mauvaise santé. De telles études génèrent des résultats complexes qu'il est difficile d'interpréter. Par exemple, une étude récente indique que le système immunitaire est pour une raison ou pour une autre impliqué à la fois dans le processus normal du vieillissement et dans la maladie d'Alzheimer. Toutefois, l'activation du système immunitaire produit différents changements dans la chimie du sang chez les adultes d'âge avancé, qu'ils soient atteints ou non de la maladie d'Alzheimer (Maes *et al.*, 1999).

Les facteurs génétiques semblent importants dans certains cas, mais pas dans tous. Les chercheurs en génétique ont découvert trois gènes différents qui seraient présents dans cette maladie. Le plus commun de ces marqueurs génétiques serait un gène situé sur le chromosome 19 qui contrôle une protéine appelée Apolipoprotéine E (dont l'abréviation est ApoE). La dégénérescence de cette protéine fait augmenter les enchevêtrements neurofibrillaires (Rose, 1995). Les gènes qui se trouvent sur le chromosome 21 semblent aussi jouer un rôle dans la maladie d'Alzheimer. Nous avons vu au chapitre 2 que la trisomie 21 (la présence de 3 chromosomes sur la 21e paire) est la cause du syndrome de Down. Or, l'incidence de la maladie d'Alzheimer est plus importante chez les personnes atteintes de ce syndrome. En fait, plus de 40 % des personnes atteintes de ce syndrome, âgées entre 30 et 39 ans, risquent de souffrir de la maladie d'Alzheimer (Holland *et al.*, 1998). Les chercheurs croient que le développement de cette maladie suit une trajectoire identique chez les personnes atteintes du syndrome de Down et chez les adultes normaux et que la maladie évolue simplement plus rapidement chez les personnes trisomiques. De plus, l'incidence de la maladie atteint 40 à 50 % des personnes trisomiques dans la 4e décennie de leur vie, alors que, chez les individus normaux, ces pourcentages ne sont atteints que dans la 8e ou 9e décennie de leur vie.

L'activité neuronale du cerveau semble elle aussi génétiquement associée à la maladie d'Alzheimer. L'analyse de cette activité montre que les proches parents des victimes de la maladie présentent un modèle d'activité cérébrale différent de celui des personnes dont aucun membre de la famille n'est atteint de la maladie (Ponomareva *et al.*, 1998). Cependant, même chez les familles où l'incidence de la maladie est élevée, l'âge de l'apparition de la maladie varie énormément. Dans une étude portant sur une famille, l'âge d'apparition de la maladie variait de 44 à 67 ans (Axelman, Basun et Lannfelt,

1998). Il existe des variations importantes en ce qui concerne le degré de sévérité de la maladie ainsi que la durée de vie des victimes après l'apparition de la maladie.

INCIDENCE DE LA MALADIE   Les conclusions de différentes études transculturelles en provenance de la Chine, de la Suède, de la France, de la Grande-Bretagne, de l'Italie, des États-Unis, du Canada et du Japon indiquent qu'entre 2 et 8% des personnes de 65 ans et plus présentent des symptômes de démence et que la moitié de ces personnes sont atteintes de la maladie d'Alzheimer (Corrada, Brookmeyer et Kawas, 1995; Rockwood et Stadnyk, 1994; Gurland *et al.*, 1999). Les experts s'entendent pour dire que la fréquence de la démence, incluant la maladie d'Alzheimer, augmente rapidement entre 70 et 90 ans. Par exemple, une importante étude menée au Canada indique une augmentation de 11,1% de la maladie chez les adultes âgés de plus de 75 ans et de 26% chez les adultes âgés de 85 ans et plus (Rockwood et Stadnyk, 1994).

Santé et incapacités

- Quels sont les facteurs associés à la santé et à la longévité? Expliquez-les.

- Pourquoi est-il difficile d'établir un diagnostic de dépression à l'âge adulte avancé?

- Quels sont les facteurs de risque et les causes de dépression à l'âge adulte avancé?

- Comment peut-on définir une incapacité physique?

- Quelles sont les causes possibles de la démence?

- Qu'est-ce que la maladie d'Alzheimer? Comment peut-on la différencier des autres formes de démence?

Concepts et mots clés

- **âgisme** (p. 428) • **arthrite** (p. 429) • **arthrose** (p. 429) • **démence** (p. 430)
- **démence vasculaire** (p. 431) • **dépression gériatrique** (p. 428)
- **espérance de vie active** (p. 424) • **maladie d'Alzheimer** (p. 432)

DÉVELOPPEMENT COGNITIF

Si l'âge adulte moyen est la période durant laquelle les adultes conservent la plupart de leurs capacités cognitives, l'âge adulte avancé peut être considéré comme la période durant laquelle ces capacités commencent à décliner. Chez les adultes du troisième âge (65 à 75 ans), ces changements demeurent relativement faibles et certaines

capacités, telles que la richesse du vocabulaire, déclinent peu ou pas du tout. Par contre, les personnes du quatrième et du cinquième âge présentent un déclin moyen de presque toutes les habiletés intellectuelles. On observe un déclin particulièrement marqué lorsque l'on évalue la vitesse ou les habiletés non exercées (Cunningham et Haman, 1992; Giambra *et al.*, 1995). Souvenez-vous du commentaire de Schaie que nous avons cité au chapitre 11: «Des diminutions appréciables peuvent être observées dans toutes les habiletés vers l'âge de 74 ans» (Schaie, 1983b, p. 127). À 80 ans et plus, le déclin devient plus important dans la plupart des habiletés (Schaie, 1993).

MÉMOIRE

Comme vous l'avez vu au chapitre 11, les pertes de mémoire sont plus fréquentes avec l'âge (Ponds, Commissaris et Jolles, 1997). Cependant, il est important de se rappeler que les mêmes règles de base semblent s'appliquer aux processus de mémorisation chez les jeunes adultes et les adultes plus âgés. Pour ces deux groupes par exemple, la **reconnaissance** est plus facile que le **rappel**, et les tâches qui demandent de la vitesse sont plus difficiles. De plus, la métamémoire et la métacognition sont aussi importantes dans le fonctionnement de la mémoire à un âge avancé qu'elles le sont plus tôt dans la vie (Olin et Zelinski, 1997).

Mémoire à court terme   La capacité de la mémoire à court terme, ou **mémoire de travail**, est un domaine où les chercheurs observent des changements importants à la fin de l'âge adulte (Jenkins *et al.*, 1999). Nous avons vu dans les chapitres précédents que le nombre d'items qu'une personne peut mémoriser en un seul essai est limité. Plus la quantité de renseignements à mémoriser est grande, plus la personne en oublie et plus son rendement sur le plan de la mémoire et d'autres types de tâches cognitives est faible. Ainsi, plus une tâche cognitive est exigeante sur le plan de la mémoire de travail, plus son déclin augmente avec l'âge.

Un bon exemple de cette observation provient d'une étude faisant appel à une tâche quotidienne et familière,

Reconnaissance: Fait d'identifier un élément particulier parmi plusieurs éléments représentés (comme dans le cas d'une question à choix multiples).

Rappel: Évocation spontanée d'une information (comme dans le cas d'une question ouverte ou à développement).

Mémoire de travail: Processus simultané qui consiste à conserver des informations en mémoire, tout en les utilisant pour résoudre un problème, s'initier à une nouvelle tâche ou prendre des décisions. On peut comparer la mémoire de travail à la mémoire vive d'un ordinateur.

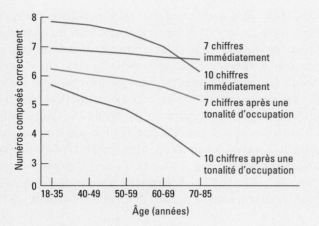

Figure 12.8
Mémorisation des numéros de téléphone.
Le graphique montre les résultats tirés de l'étude de West et Crook sur la mémorisation des numéros de téléphone. Notez qu'il n'y a aucune perte de mémoire au milieu de l'âge adulte pour la condition la plus courante : un numéro de 7 chiffres composé immédiatement. Mais, si le nombre de chiffres ou la durée de mémorisation augmente, on observe un déclin de la mémoire vers 50 ou 60 ans. (*Source* : West et Crook, 1990, tiré du tableau 3, p. 524.)

la mémorisation de numéros de téléphone (West et Crook, 1990). On a montré aux participants, un à la fois sur un écran d'ordinateur, une série de numéros de téléphone de 7 ou 10 chiffres. Les participants lisaient à haute voix le numéro quand il apparaissait à l'écran. Puis, le numéro disparaissait, et le participant devait le composer sur un téléphone à clavier relié à l'ordinateur. Dans certains cas, les participants entendaient la tonalité d'occupation, après avoir composé le numéro, et il devait le recomposer. La figure 12.8 montre la relation entre l'âge et la mémorisation des numéros de téléphones dans ces quatre situations.

Remarquez qu'il n'y a presque pas de déclin lié à l'âge dans la mémorisation immédiate d'un numéro de téléphone de 7 chiffres (ce qui revient à chercher un numéro de téléphone dans l'annuaire, le répéter dans sa tête en le lisant, puis le composer immédiatement). Cependant, quand le numéro passe de 7 à 10 chiffres pour les appels interurbains, il est évident qu'il se produit un déclin lié à l'âge qui débute vers 60 ans. Même si le délai est court entre la lecture du numéro et sa composition, le déclin dans ce cas-là se produit plus tôt.

Cependant, les modèles selon la différence d'âge ne sont pas identiques pour toutes les tâches de mémorisation. Par exemple, les adultes plus âgés ont un meilleur rendement que les adultes plus jeunes dans les tâches qui font appel à la *mémoire prospective* (Rendell et Thomson,

1999). Ces tâches consistent à mémoriser une action qui devra être faite dans le futur. Des chercheurs ont demandé aux participants d'appeler à une heure donnée tous les jours pendant deux semaines. Les chercheurs se sont aperçus que les personnes âgées avaient généralement de meilleurs résultats que les jeunes adultes et les adultes d'âge moyen dans ce type de tâches.

Mémoire quotidienne   Selon un argument couramment utilisé par les personnes qui voient d'un œil plus optimiste les effets du vieillissement sur le fonctionnement cognitif, les adultes âgés ont une capacité de mémorisation équivalente à celle des jeunes adultes. Il semble que les adultes âgés sont tout simplement moins motivés à mémoriser les listes de mots qui n'ont aucun lien entre eux que leur remettent les chercheurs dans un laboratoire. Cependant, les adultes âgés ont un moins bon rendement que les jeunes adultes dans presque toutes les tâches quotidiennes : par exemple se rappeler les faits saillants d'une histoire ou d'un article de journal ; se souvenir d'un film, d'une conversation, d'une liste d'épicerie ou d'une recette ; se remémorer l'information fournie sur une étiquette de médicament ; se souvenir d'un geste machinal, tel qu'éteindre le four ; ou se rappeler où l'on a entendu une phrase (ce qu'on appelle la *mémoire source*) (Brown, Jones et Davis, 1995 ; Light, 1991 ; Mäntylä, 1994 ; Maylor, 1993 ; Salthouse, 1991 ; Verhaeghen et Marcoen, 1993 ; Verhaeghen, Marcoen et Goossens, 1993). On a observé ces résultats dans des études longitudinales et transversales, particulièrement après l'âge de 70 ans (Arenberg, 1983 ; Hultsch *et al.*, 1992 ; Zelinski, Gilewski et Schaie, 1993).

Ce boulanger français n'a aucune difficulté à se rappeler la recette de pain qu'il a préparé toute sa vie. Cependant, il peut prendre plus de temps à apprendre une nouvelle recette que lorsqu'il avait 25 ans.

Toutefois, les connaissances nécessaires (ou préalables) à une tâche semblent faire une différence chez les personnes âgées. Par exemple, les adultes âgés qui ont un vocabulaire élaboré ont de meilleurs résultats que leurs pairs qui ont un vocabulaire restreint dans des tâches impliquant une reconnaissance rapide de mots (Kitzan *et al.*, 1999). Les chercheurs savent que les connaissances acquises constituent le facteur déterminant dans de telles observations, car les personnes âgées qui possèdent un vocabulaire riche ont un rendement aussi faible que leurs pairs qui ont un vocabulaire limité dans des tâches impliquant des mots dénués de sens.

Explications préliminaires Comment les chercheurs expliquent-ils ces changements au niveau de la mémoire ? Des analyses statistiques approfondies sur la mémorisation semblent indiquer que seules quelques variables pourraient expliquer toutes les différences liées à l'âge que l'on a relevées jusqu'à maintenant (Salthouse, 1998 ; Salthouse et Czaja, 2000 ; Verhaeghen et Salthouse, 1997). Cependant, on ne sait pas encore exactement quelles sont ces variables.

La rapidité du processus de mémorisation semble être une variable possible. Les adultes âgés prennent plus de temps à enregistrer de nouvelles informations, à les encoder et à les récupérer. La preuve la plus évidente du rôle important que joue la rapidité dans le déclin de la mémoire durant la vieillesse provient d'une série d'études approfondies menées par Timothy Salthouse (par exemple 1991, 1993, 1996). Salthouse a étudié la vitesse de réaction et la mémoire ainsi que d'autres habiletés cognitives chez des adultes d'âges variés. Selon lui, on peut attribuer une très grande partie du déclin de la mémoire lié à l'âge aux temps de réaction moins rapides chez les adultes âgés. Salthouse est convaincu que cette perte de vitesse se produit au niveau du système nerveux central et non au niveau d'un quelconque système périphérique. Ainsi, les changements physiologiques dans les neurones (que nous avons déjà décrits) qui sont accompagnés d'une diminution de la vitesse synaptique seraient à l'origine des changements observés au niveau de la mémoire. Salthouse (1992, p. 77) nous propose une métaphore intéressante pour expliquer ce qui se passe alors :

> Le fonctionnement de la mémoire de travail (à court terme) peut se comparer à celui d'une personne qui jongle avec des objets dans une pièce au plafond bas. Dans de telles conditions, où le plafond limite le déplacement des objets en hauteur et où la gravité assure que les objets tombent à la même vitesse, le nombre d'objets que le jongleur peut manipuler en même temps dépend de la vitesse à laquelle il attrape et relance... ces objets.

Pratiquement tous les experts sont d'accord avec Salthouse pour affirmer que la diminution de la vitesse du traitement de l'information est l'aspect central du processus de mémorisation (Byrne, 1998 ; Maylor, Vousden et Brown, 1999). Mais beaucoup d'entre eux soutiennent que cet aspect n'explique pas entièrement l'ensemble du processus observé. D'autres facteurs sont également susceptibles d'intervenir, tels que la diminution de la capacité d'être attentif à un ou plusieurs éléments à la fois (comme dans la surveillance d'une piscine publique) ou la réduction de la capacité de la mémoire de travail (Gottlob et Madden, 1999).

SAGESSE ET CRÉATIVITÉ

Les théoriciens qui étudient la cognition à l'âge adulte avancé ont récemment commencé à examiner de manière plus systématique la notion de sagesse. Les adultes âgés détiennent-ils un avantage sur les jeunes adultes en raison des connaissances et des habiletés qu'ils ont acquises ? Les chercheurs ne s'entendent pas encore sur la définition de la sagesse, bien que la plupart des auteurs insistent sur le fait qu'elle représente plus qu'une simple accumulation de données. La **sagesse** reflète la compréhension des vérités universelles, des lois ou des modèles de base. Elle nécessite la conjugaison d'une somme de connaissances et d'un système de valeurs et de significations. La sagesse repose sur la compréhension que les faits en soi ne sont pas toujours des certitudes et que l'imprévisibilité et l'incertitude font partie de la vie (Baltes et Smith, 1990 ; Baltes, Smith et Staudinger, 1992 ; Baltes *et al.*, 1995 ; Csikszrntmihalyi et Rathunde, 1990 ; Sternberg, 1990a).

Vous vous demandez peut-être comment les chercheurs mesurent la sagesse. Une sommité dans ce domaine, Paul Baltes, a élaboré une technique utile (Baltes et Staudinger, 2000) : il présentait aux participants de la recherche des histoires de personnages fictifs qui tentaient de prendre une décision importante concernant leur vie. Par exemple, Baltes a utilisé le dilemme d'une jeune fille de 15 ans qui désirait se marier. Les réponses des participants aux dilemmes proposés dans les histoires étaient jugées selon cinq critères que Baltes considéraient comme essentiels à la sagesse, parce qu'ils contribuaient à résoudre des problèmes de la vie pratique :

* les connaissances factuelles,
* les connaissances procédurales,
* la compréhension de la pertinence d'un contexte,

Sagesse : Caractéristique cognitive de l'âge adulte avancé impliquant une somme de connaissances ainsi que l'habileté à appliquer ces connaissances aux problèmes pratiques de l'existence.

- la compréhension de la pertinence des valeurs,
- la reconnaissance de l'impossibilité de connaître les conséquences d'une décision sur la vie d'une personne.

On jugera qu'une personne a peu de sagesse si sa réponse à l'histoire de la jeune fille de 15 ans ressemble à ceci : «Le mariage d'une jeune fille de 15 ans ? C'est ridicule. Je dirais à cette jeune fille d'oublier cette idée et d'attendre encore quelques années.» La réponse d'une personne très sage serait beaucoup plus nuancée. Elle pourrait faire remarquer qu'il «existe des circonstances où le mariage d'une fille aussi jeune peut être une bonne décision. Est-elle motivée par le désir de donner un foyer à l'enfant qu'elle attend ? De plus, la jeune fille peut venir d'une culture où le mariage à 15 ans est très courant. Vous devez considérer les motivations des gens et leurs antécédents pour comprendre leurs décisions. Vous devez aussi savoir comment la personne concernée considère la situation pour être en mesure de lui donner des conseils».

Presque tous les théoriciens qui ont écrit sur la sagesse supposent qu'elle est plus susceptible d'apparaître chez les adultes d'âge moyen et d'âge avancé. Cependant, Baltes a noté que les jeunes adultes ont d'aussi bonnes réponses que les adultes âgés dans la tâche du dilemme fictif. Il a en effet remarqué que les réponses au dilemme étaient avant tout liées à l'intelligence et à l'expérience professionnelle plutôt qu'à l'âge. Par conséquent, l'étude de Baltes semble indiquer que l'idée populaire selon laquelle l'âge et la sagesse sont associés est probablement fausse. La sagesse ne semble pas être une caractéristique qui distingue les adultes d'âge avancé des autres groupes d'adultes.

Selon les critiques, Baltes n'a fait que mesurer l'habileté cognitive générale plutôt que ce que l'on considère généralement comme la sagesse. Néanmoins, l'étude de Baltes a mené à une importante découverte sur la sagesse et l'âge adulte avancé : contrairement au rendement dans les tâches de traitement de l'information, comme la mémorisation de mots dénués de sens, le rendement dans les tâches de sagesse ne diminue pas avec l'âge (Baltes et Staudinger, 2000). De plus, la vitesse à laquelle on accède aux connaissances liées à la sagesse demeure constante tout au long de l'âge adulte, contrairement à la vitesse du traitement de l'information dans d'autres domaines. Des chercheurs (par exemple Orwoll et Perlmutter, 1990) ont en outre noté que les adultes âgés qui se distinguent de leurs pairs sur le plan de la sagesse sont plus susceptibles d'avoir un meilleur rendement au stade qu'Erikson appelle l'intégrité personnelle et qu'ils sont plus susceptibles d'avoir des préoccupations humanitaires.

L'augmentation de la créativité peut également faire partie des changements cognitifs observés chez les adultes d'âge avancé. Comme vous l'avez vu au chapitre 11, les personnes très créatives, particulièrement les compositeurs et les artistes, atteignent leur plus grand potentiel de créativité vers la fin de l'âge adulte moyen et au début de l'âge adulte avancé. Pour décrire le potentiel de créativité à l'âge adulte avancé, un gérontologue connu, Gene Cohen, a élaboré une théorie en quatre étapes sur la créativité, allant du milieu de la vie à la fin de la vie (Cohen, 2000). Cohen croit que ces étapes s'appliquent aux gens ordinaires qui sont plus créatifs que d'autres dans leur quotidien, de même qu'aux «créateurs professionnels» comme les compositeurs et les artistes.

Cohen pense que, vers l'âge de 50 ans, les personnes créatives entrent dans une *phase de réévaluation* durant laquelle elles réfléchissent aux réalisations du passé et établissent de nouveaux objectifs. Le processus de réévaluation, accompagné d'un sens accru des limites temporelles, mène à une augmentation du désir de créer et de produire. Durant la *phase de libération*, les gens dans la soixantaine sont plus libres de créer, car la plupart ont pris leur retraite. La majorité sont aussi plus tolérants par rapport à leurs propres échecs et sont par conséquent prêts à courir des risques, ce qu'ils n'auraient pas fait quand ils étaient jeunes. Au cours de la *phase de récapitulation*, les gens créatifs de 70 ans ont le désir de réunir leurs réalisations et recherchent une cohésion et une signification dans cet ensemble préfigurant leurs prochaines performances. Finalement, au cours de la *phase de rappel*, les personnes de 80 ans et plus manifestent le désir de terminer leurs travaux inachevés ou de réaliser les projets qu'elles avaient mis de côté dans le passé.

Demander des conseils à une personne âgée que l'on considère comme sage constitue une façon pour les jeunes adultes de bénéficier de son bagage d'expériences et de connaissances.

Développement cognitif

- Quels changements observe-t-on en ce qui concerne la mémoire à l'âge adulte avancé ?

- Expliquez ce que l'on entend par sagesse.

- Quelles sont les phases de la créativité à l'âge adulte avancé selon Gene Cohen ?

Concepts et mots clés

- **mémoire de travali** (p. 433) • **mémoire prospective** (p. 434)
- **rappel** (p. 433) • **reconnaissance** (p. 433) • **sagesse** (p. 435)

UN DERNIER MOT   Nous tenons encore une fois à insister sur l'ampleur des différences observées dans les capacités physiques et cognitives chez les personnes de plus de 65 ans. Même chez les individus du troisième, du quatrième et du cinquième âge, les différences sont énormes. Dans toutes les études longitudinales sur les personnes âgées, on a observé que quelques sujets ne présentaient aucun déclin de leurs capacités cognitives. Tout cela nous amène à la possibilité troublante que ce déclin soit associé au vieillissement, mais qu'il n'en soit pas un facteur inéluctable. Si tel est le cas, on peut alors espérer que, en comprenant les causes influant sur le maintien des aptitudes au cours des dernières années de la vie, on sera un jour en mesure d'augmenter considérablement le nombre d'adultes qui conservent toutes leurs fonctions intellectuelles et physiques en vieillissant, et ce, jusqu'à la mort. Cet espoir nous encourage à poursuivre les recherches dans ce domaine.

RÉSUMÉ

VIEILLISSEMENT

- L'adulte de 60 ans a une espérance de vie de 15 à 20 ans, et ce chiffre ne cesse d'augmenter. Chez les humains, la durée de vie, par contre, demeurera sans doute limitée à environ 110 ans. Le pourcentage de la population âgée de 65 ans et plus s'est accru rapidement au cours des dernières décennies, et continuera de croître au cours du prochain siècle.

- On peut répartir les personnes de plus de 65 ans dans trois sous-groupes: le troisième âge (65 à 75 ans), le quatrième âge (75 ans à 85) et le cinquième âge (85 et plus). Ce dernier connaîtra l'augmentation la plus forte dans les prochaines années.

- Il existe de grandes différences individuelles (grande variabilité) en ce qui concerne l'apparition et l'évolution des changements physiques et cognitifs à l'âge adulte avancé.

- Les théories biologiques du vieillissement mettent l'accent sur l'existence possible de limites génétiques ou sur les effets cumulatifs des défaillances qui se produisent dans la cellule.

RÉSUMÉ

- Selon la théorie de la sénescence programmée, les déclins physiques liés à l'âge résultent de l'action des gènes spécifiques de l'espèce humaine associés au vieillissement. Une autre théorie, la théorie des limites génétiques, stipule que chaque espèce possède un potentiel de division cellulaire génétiquement programmé, la limite de Hayflick, qui fixe leur durée de vie.

- La théorie de la réparation cellulaire s'appuie sur la capacité de la cellule de réparer les ruptures des chaînes d'ADN. D'après la théorie des radicaux libres, des substances produites par l'organisme endommagent les cellules et les rendent plus vulnérables.

- L'hypothèse de la chute terminale prétend que les fonctions cognitives et physiques restent stables durant l'âge adulte avancé, puis qu'elles déclinent fortement quelques années avant la mort.

- Selon la théorie environnementale, les cellules peuvent perdre une partie de leur efficacité fonctionnelle si elles ont été endommagées par des facteurs extérieurs.

DÉVELOPPEMENT PHYSIQUE

FONCTIONS PHYSIQUES

- Les changements cérébraux associés au vieillissement comprennent principalement une perte de la densité dendritique des neurones, qui entraîne un ralentissement du temps de réaction dans presque toutes les tâches.

- En raison des changements au niveau de la vision, les personnes âgées éprouvent plus de difficulté à s'adapter à la lumière et à l'obscurité et elles sont plus sensibles aux éblouissements.

- La perte de l'ouïe est plus courante et plus considérable après l'âge de 65 ans ; elle comprend une diminution de la perception des fréquences élevées, une perte de l'aptitude à discerner les mots et une plus grande difficulté à entendre les sons dans un environnement bruyant.

- La perte gustative est moins marquée que la perte olfactive qui décline considérablement à l'âge adulte avancé.

- Les habitudes de sommeil changent chez les personnes âgées qui profitent de moins d'heures de sommeil paradoxal et qui se réveillent plus tôt le matin et plus souvent pendant la nuit.

- Parmi les changements physiques associés au vieillissement qui influent sur le comportement quotidien, le ralentissement général de toutes les réactions est le plus remarquable. On observe une modification des habitudes alimentaires à l'âge avancé ainsi qu'un déclin de l'équilibre, de la dextérité et de l'endurance.

- Nombreuses sont les personnes âgées qui continuent d'être actives sexuellement, bien que la fréquence de cette activité diminue avec l'âge.

SANTÉ

- Les femmes d'âge adulte avancé peuvent s'attendre à vivre plus longtemps que les hommes du même âge. Cependant, pendant ces années, elles risquent davantage que les hommes d'être atteintes d'incapacités ou de maladies.

- Certains facteurs influent sur la santé et la longévité de l'adulte d'âge avancé, dont la maladie, l'hérédité, les habitudes de vie (particulièrement l'exercice physique et intellectuel) et le soutien social. Les habiletés qui ne sont pas utilisées et pratiquées régulièrement subissent un déclin plus rapide.

- La plupart des troubles affectifs sont moins fréquents à l'âge adulte avancé. La dépression constitue peut-être la seule exception, car sa fréquence augmente après l'âge de 70 ou 75 ans, bien que cela ne s'applique pas aux personnes en bonne santé qui bénéficient d'un soutien social adéquat. La dépression clinique ne semble pas être plus fréquente à l'âge adulte avancé.

- Le taux d'incapacité physique augmente également à cet âge, bien que certains adultes ne subissent aucune restriction de leurs activités. L'arthrite, l'hypertension et les maladies du cœur sont susceptibles d'entraîner une invalidité.

- La démence est rare avant l'âge adulte avancé et devient nettement plus courante au cours du vieillissement. La maladie d'Alzheimer en est la cause la plus fréquente.

- La maladie d'Alzheimer se caractérise par une forme spécifique de dégénérescence du cerveau. Les causes de cette maladie ne sont pas encore connues, bien qu'on note la présence de facteurs génétiques dans certains cas.

DÉVELOPPEMENT COGNITIF

- Une variété de processus cognitifs subissent un certain déclin à l'âge adulte avancé. Ces changements semblent refléter le ralentissement général du système nerveux et peut-être la diminution de l'efficacité de la mémoire de travail (mémoire à court terme).

- Certains auteurs avancent que les adultes âgés possèdent un plus grand degré de sagesse, mais la recherche sur cette question n'en est qu'à ses débuts.

- La créativité semble connaître un épanouissement à l'âge adulte avancé.

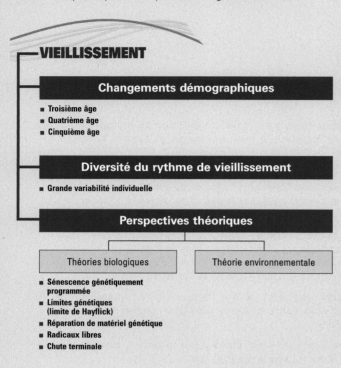

VIEILLISSEMENT

Changements démographiques

- Troisième âge
- Quatrième âge
- Cinquième âge

Diversité du rythme de vieillissement

- Grande variabilité individuelle

Perspectives théoriques

| Théories biologiques | Théorie environnementale |

- Sénescence génétiquement programmée
- Limites génétiques (limite de Hayflick)
- Réparation de matériel génétique
- Radicaux libres
- Chute terminale

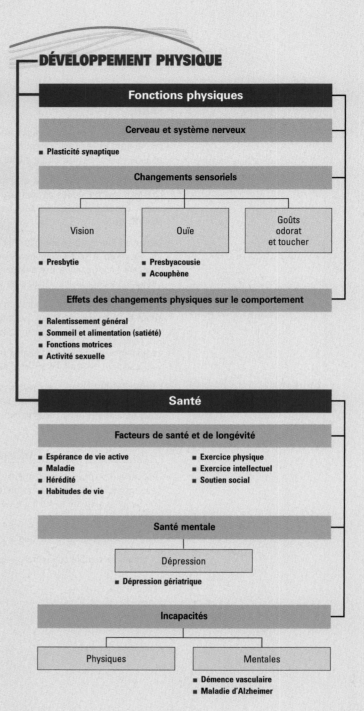

DÉVELOPPEMENT PHYSIQUE

Fonctions physiques

Cerveau et système nerveux

- Plasticité synaptique

Changements sensoriels

| Vision | Ouïe | Goûts odorat et toucher |

- Presbytie
- Presbyacousie
- Acouphène

Effets des changements physiques sur le comportement

- Ralentissement général
- Sommeil et alimentation (satiété)
- Fonctions motrices
- Activité sexuelle

Santé

Facteurs de santé et de longévité

- Espérance de vie active
- Maladie
- Hérédité
- Habitudes de vie
- Exercice physique
- Exercice intellectuel
- Soutien social

Santé mentale

| Dépression |

- Dépression gériatrique

Incapacités

| Physiques | Mentales |

- Démence vasculaire
- Maladie d'Alzheimer

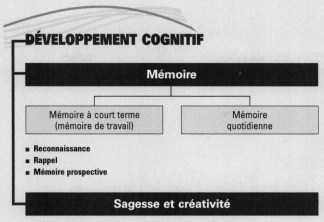

■ Reconnaissance
■ Rappel
■ Mémoire prospective

■ Phase de réévaluation
■ Phase de libération
■ Phase de récapitulation
■ Phase de rappel

CHAPITRE 13

L'âge adulte avancé :
développement
de la personnalité
et des relations sociales

Dans son autobiographie qu'il a rédigée vers la fin de la soixantaine, le comédien Groucho Marx, qui est décédé à 83 ans, a écrit: « L'âge n'est pas un sujet particulièrement intéressant. Tout le monde peut devenir vieux. Tout ce qu'il suffit de faire, c'est de vivre assez longtemps. » (Marx, 1987) Pour Groucho Marx, vieillir n'est pas un événement remarquable en soi et il semble avoir accordé peu d'importance au fait d'atteindre un âge avancé. Ce qui compte vraiment à l'âge adulte avancé, c'est que nous conservions le sentiment de notre unicité, c'est-à-dire que nous reconnaissions que, ce que nous avons fait, personne d'autre n'aurait pu le faire. Entretenir le sentiment de son unicité peut être particulièrement motivant pour les adultes d'âge avancé, qui sont souvent considérés par les autres comme des personnes malades, incapables ou incompétentes.

DÉVELOPPEMENT DE LA PERSONNALITÉ

Les changements physiques et cognitifs qui se produisent à l'âge adulte avancé sont parfois tellement frappants qu'ils font nécessairement l'objet de toutes les discussions portant sur les dernières années de la vie. Évidemment, l'horloge biologique est nettement plus bruyante pendant ces années. Toutefois, les changements qui surviennent dans les rôles et les relations sociales sont probablement tout aussi étonnants. Si le début de l'âge adulte constitue la période où l'on acquiert des rôles complexes qui exigent beaucoup de temps et que l'âge adulte moyen est le moment où l'on redéfinit et réorganise ces rôles, l'âge adulte avancé est la période où l'on doit renoncer à plusieurs de ces rôles.

CHANGEMENTS DE RÔLES

Les changements physiques et cognitifs qui touchent l'âge adulte avancé entraînent de nombreux changements de rôles au cours de cette période. Certains changements de rôles sont cependant dus à l'âgisme, une forme de discrimination que nous avons abordée dans le chapitre précédent. Les rides et les cheveux gris sont souvent à l'origine de jugements négatifs concernant les compétences des personnes âgées (Hummert, Garstka et Shaner, 1997). Plus une personne a l'air vieille, plus les stéréotypes à son sujet sont négatifs, et les femmes âgées sont plus souvent victimes de ces stéréotypes que les hommes âgés. Par conséquent, les adultes d'âge avancé peuvent être injustement forcés d'abandonner certains rôles au profit d'adultes plus jeunes.

De façon surprenante, les adultes d'âge avancé sont plus susceptibles que les jeunes adultes de colporter de tels stéréotypes associés à l'âge. En fait, certaines données de recherche donnent à penser que les adultes d'âge avancé seraient plus souvent victimes de préjugés de la part de leurs pairs que de la part de jeunes adultes (Hummert, Garstka et Shaner, 1997). De plus, les croyances entretenues par un adulte d'âge avancé au sujet de sa propre compétence ou de son attrait sont tout aussi importantes dans sa décision de se retirer de certains rôles que les préjugés des autres.

En outre, comme le sociologue Irving Rosow (1985) l'a indiqué, les rôles que l'on continue à assumer à l'âge avancé sont beaucoup moins importants et comportent moins de responsabilités ou d'attentes. Par exemple, la plupart des personnes âgées jouent toujours leur rôle de parent à 65 ans, mais ce rôle est nettement plus simple et moins exigeant. En général, leur dernier enfant est parti de la maison depuis longtemps et il est autonome, à moins

qu'elles n'aient eu leurs enfants très tard ou que ces derniers n'aient éprouvé des difficultés inhabituelles au cours de leur vie. De même, une personne âgée peut occuper un poste prestigieux, mais qui exige peu de responsabilités. Par exemple, un professeur d'université à la retraite peut être nommé professeur émérite, un poste qui lui confère de nombreux avantages et pratiquement aucune obligation. Dans d'autres organismes, une personne peut obtenir le titre de président honoraire.

Sur le plan pratique, la perte du contenu du rôle signifie, pour de nombreux adultes âgés, que la routine quotidienne n'est plus structurée par des rôles précis. Ce phénomène est-il positif ou négatif? Certains sociologues, comme Rosow, considèrent que cette perte comporte un risque marqué d'isolement ou de désaffection, tandis que d'autres chercheurs trouvent des avantages évidents à ce changement à l'âge adulte avancé. L'un de ces avantages est une plus grande «liberté accordée à l'originalité» (Bond et Coleman, 1990, p. 78). Puisqu'ils n'ont pas à s'adapter aux limites parfois étroites des attentes associées aux rôles, les adultes âgés se sentent beaucoup plus libres d'exprimer leur individualité dans leur habillement, leur manière de parler ou leurs préférences personnelles. Nous pensons que ce changement commence avant l'âge de 65 ans. L'affirmation graduelle de l'individualité semble également une caractéristique de l'âge adulte moyen. Toutefois, à l'âge avancé, il se produit une acceptation généralisée de l'originalité.

PERSPECTIVES THÉORIQUES

Si l'on peut décrire les changements de la personnalité au début de l'âge adulte comme une «individuation» et ceux de l'âge adulte moyen comme un «adoucissement», comment peut-on qualifier ceux qui se produisent à l'âge adulte avancé? L'adoucissement se poursuit-il? Y a-t-il d'autres changements? Des chercheurs ont proposé des hypothèses relatives aux formes très précises que peuvent revêtir ces changements; toutefois, leurs théories suscitent la controverse, et ils doivent faire face à la rareté des données sur ce sujet.

Approche d'Erikson: développement psychosocial

Stade de l'intégrité ou du désespoir   Erikson a nommé le huitième et dernier stade du développement psychosocial, le stade de l'intégrité ou du désespoir. Il pensait que l'atteinte de l'intégrité, c'est-à-dire le sentiment d'avoir eu une vie remplie et utile, commençait à l'âge adulte moyen, mais qu'elle caractérisait davantage l'âge adulte avancé.

Pour atteindre l'intégrité, l'adulte d'âge avancé doit s'accepter tel qu'il est et tel qu'il a été, et il doit être en accord avec la façon dont il a mené sa vie, les choix qu'il a faits et les occasions qu'il a saisies et perdues. Il doit aussi accepter la mort et son caractère inéluctable. Erikson stipule que l'échec dans l'atteinte de ce stade à l'âge adulte avancé se traduit par un sentiment de désespoir, en raison du peu de temps qui reste pour faire des changements avant la mort.

Aucune donnée longitudinale ou transversale ne mentionne que les adultes âgés sont plus disposés que les jeunes adultes ou les adultes d'âge moyen à atteindre une telle acceptation de soi. Nous possédons cependant quelques résultats indiquant que les aînés sont plus portés à la réflexion et parfois sont plus philosophes que leurs cadets (Prager, 1998). De plus, ceux qui utilisent leurs nouvelles habiletés de réflexion philosophique afin d'atteindre l'intégrité personnelle sont moins susceptibles d'avoir peur de la mort. Il semblerait aussi que les adultes d'âge avancé ont plus souvent tendance que les adultes plus jeunes à éprouver de l'amertume lorsqu'ils n'ont pas atteint certains de leurs objectifs, ce qui est un indice que le sentiment de désespoir dont parle Erikson serait plus commun à l'âge avancé qu'aux autres âges (Levine et Bluck, 1997).

Afin de vérifier ces différentes hypothèses, Maxine Walaskay (Walaskay, Whitbourne et Nehrke, 1983-1984) a utilisé une méthode semblable à celle dont Marcia s'est servi dans la description des états d'identité. Elle a classé les adultes âgés en fonction des quatre états suivants :

- *Atteinte de l'intégrité.* La personne est consciente de son vieillissement, elle est capable d'accepter sa vie telle qu'elle l'a vécue et elle peut s'adapter aux changements.
- *Désespoir.* La personne évalue négativement sa vie : elle ne l'accepte pas et elle est convaincue qu'elle ne peut plus rien faire, car elle n'a plus assez de temps. Elle éprouve de l'amertume, du ressentiment et des regrets.
- *Identité forclose.* La personne est satisfaite de sa vie présente, mais elle résiste à toute exploration de soi et refuse de faire le bilan de sa vie.
- *Dissonance.* La personne tente de résoudre le dilemme de l'intégrité et se sent indécise ou ambivalente.

Après avoir classé un groupe de 40 adultes âgés à l'aide de ses entrevues et après avoir évalué leur peur de la mort et leur degré de satisfaction, Walaskay a découvert que les personnes qui avaient atteint l'intégrité ou l'identité forclose étaient plus satisfaites de leur vie et moins anxieuses devant la mort. Une telle étude n'apporte cependant que quelques indications. Étant donné qu'il y a peu de différence entre les états d'intégrité et d'identité forclose sur le plan de la satisfaction ou de la peur, on ne

Bien qu'il présente une trajectoire de vie qui suit les normes, cet homme n'a pas encore atteint l'âge de 65 ans. Comme il a prévu le moment de sa retraite, il n'éprouvera que peu de stress au cours de cette transition.

peut pas en conclure que l'acceptation de sa vie soit un élément nécessaire au contentement de soi ou même à l'adaptation à l'âge adulte avancé. Il serait utile de consulter un plus grand nombre de données du même ordre. Toutefois, nous ne sommes pas convaincus que la tâche principale de l'âge avancé soit celle proposée par Erikson (intégrité ou désespoir).

RÉSOLUTION DU STADE   Le désespoir constitue le pôle opposé de l'intégrité auquel s'ajoute l'amertume. Le désespoir peut s'exprimer par la prise de conscience qu'il ne reste pas assez de temps devant soi pour réparer les erreurs du passé ou recommencer sa vie. La personne n'accepte pas le caractère définitif de son existence et elle peut refuser ou craindre de mourir. La force adaptative de ce stade est la *sagesse* qui émerge du conflit entre l'intégrité et le désespoir. L'éventail des relations qu'une personne juge précieuses s'étend alors à l'humanité entière. Une personne qui devient présomptueuse et dédaigneuse témoigne d'une mésadaptation à ce stade ; il y aura inadaptation, dans le cas d'« une personne qui éprouve du dégoût à l'égard de sa propre vie, de la vie des autres et de la vie en général, *a fortiori* à l'égard de la mort » (Houde, 1991, p. 77).

Approche de Butler : réminiscence et rétrospection

Selon certains chercheurs qui se sont inspirés de la théorie d'Erikson, la **réminiscence** fait partie des tâches du développement de l'âge adule avancé et constitue une condition de l'atteinte de l'intégrité. Ainsi, pour qu'une personne adopte un point de vue positif sur sa vie, il serait

Réminiscence : Analyse et évaluation des expériences du passé qui, selon Butler, constitue une tâche essentielle pour l'acceptation du vieillissement.

Tableau 13.1	*Résolution du stade de l'intégrité ou du désespoir selon Erikson*			
Mésadaptation	◀ **Tendance positive**	◀ **Force adaptative**	◀ **Tendance négative**	◀ **Inadaptation**
Présomption, dédain	INTÉGRITÉ	**SAGESSE** La sagesse émerge du conflit entre l'intégrité et le désespoir.	DÉSESPOIR	Dégoût de soi

essentiel qu'elle se penche sur son passé, qu'elle évalue ses expériences et ses conflits non résolus et qu'elle fasse un bilan de sa vie qui lui procure un sentiment de satisfaction. Robert Butler décrit ce cheminement universel comme une *rétrospection* (Butler, 1963). Il stipule qu'au cours de ce stade final de la vie, qui nous prépare à l'imminence de notre mort, nous nous engageons dans une analyse et une évaluation de notre vie passée. Cependant, peu de psychologues du développement vont affirmer aujourd'hui que l'unique objectif de la réminiscence, et le plus important, serait de permettre à l'individu de se préparer à la mort. Au contraire, les recherches récentes tentent davantage d'établir un lien entre la réminiscence et la santé.

En premier, il est important de préciser que la réminiscence s'observe dans tous les groupes d'âge adulte. En fait, les jeunes adultes effectuent plus souvent ce type d'analyse que les adultes d'âge moyen ou les adultes d'âge avancé (Parker, 1999). De plus, les effets émotionnels de la réminiscence sont associés à l'âge. Pour les jeunes adultes, la réminiscence évoque davantage des émotions négatives, alors qu'elle constitue une activité plus positive chez les personnes âgées.

Certains chercheurs du développement ont émis l'hypothèse que l'objectif de la réminiscence chez le jeune adulte et la personne âgée n'est pas le même (Webster et McCall, 1999). Les jeunes adultes utilisent davantage ce type d'analyse afin de chercher des méthodes de résolution de problèmes (Comment est-ce que j'ai résolu ce problème la dernière fois?). Pour les adultes plus âgés, la réminiscence est une façon de communiquer et de transmettre leur expérience aux adultes plus jeunes. En fait, les personnes âgées qui considèrent la réminiscence comme faisant partie d'un processus intergénérationnel l'utilisent plus souvent que les personnes âgées qui ne partagent pas cette opinion (Muthesius, 1997).

L'hypothèse selon laquelle la réminiscence serait associée à une expérience émotionnelle positive chez les personnes âgées a grandement influencé les spécialistes en gérontologie (médecins, psychologues, travailleurs sociaux, infirmières). Ils ont d'ailleurs conçu de nombreuses interventions basées sur ce modèle. Plusieurs études ont démontré que cette approche peut améliorer la satisfaction de vivre chez les personnes âgées qui demeurent en centre d'hébergement (Cook, 1998). De plus, des thérapies qui s'appuient sur la structure de la réminiscence ont connu du succès dans le traitement de la dépression chez les personnes âgées (Watt et Cappeliez, 2000). Les psychologues du développement ont observé qu'en général, les personnes âgées manifestent de l'intérêt pour la réminiscence (Atkinson *et al.*, 1999). Cependant, certaines questions restent sans réponse malgré les avantages indiscutables de cette approche pour les personnes âgées. La réminiscence serait-elle l'expression d'un besoin de raconter sa vie et d'un besoin d'éprouver du plaisir à se souvenir du passé? Jusqu'à quel point le processus qui comprend la réminiscence et le bilan de vie constitue-t-il un ingrédient indispensable à l'atteinte du stade de l'intégrité à la fin de sa vie?

Approche de Peck: adaptation à l'âge adulte avancé

Comme nous l'avons déjà vu au chapitre 12, Robert Peck (1968) a étendu la théorie d'Erikson, qui ne présentait que deux stades pour l'âge adulte moyen et avancé, afin de rendre compte des changements de ces périodes. Il a ainsi élaboré une théorie qui présente sept stades additionnels (voir la figure 11.1): les quatre premiers portent sur l'âge adulte moyen et les trois derniers, sur l'âge adulte avancé. Nous allons maintenant aborder les trois derniers stades de l'adaptation à l'âge adulte avancé. Peck considère ces stades comme des tâches indispensables à une adaptation adéquate à cet âge de la vie.

Différenciation de l'ego en opposition à la préoccupation du rôle de travailleur   Le développement constitue un processus dynamique et continu. Le développement de la personnalité ne s'achève pas à l'âge adulte moyen, mais il se poursuit tout au long de la vie. À la suite de la retraite, l'individu doit modifier son concept de soi afin d'inclure d'autres rôles que celui de travailleur, ce qui est une façon de faire face à la tâche émotionnelle que représente la retraite. Les adultes qui présentent des problèmes d'adaptation à cette étape de leur vie sont ceux qui éprouvent des difficultés à se définir autrement que par les préoccupations liées au travail. Cette tâche s'applique également aux femmes qui doivent se distancier de leur rôle de parent.

Transcendance du corps en opposition à la préoccupation du corps   Les adultes qui font face efficacement au processus du vieillissement sont ceux qui sont capables de se

détacher du déclin graduel de leurs fonctions physiques et cognitives (santé physique et mentale) et qui peuvent se tourner vers d'autres sources de compensation, telles que les relations interpersonnelles.

Transcendance du moi en opposition à la préoccupation du moi   Peck considère cette tâche comme la plus difficile. Il s'agit de transcender ses propres préoccupations au sujet de sa personne, et de sa vie, ce qui implique qu'il faut accepter le caractère inévitable de la mort. Cette tâche implique également que la personne âgée peut se sentir satisfaite de ce qu'elle a fait pour les autres et pour la société (éducation des enfants, réalisations professionnelles, etc.).

Approche de Cumming et Henry : théorie de l'activité et du désengagement

Une approche qui s'intéresse aux changements de la personnalité à l'âge adulte moyen a mis l'accent sur le contraste entre le maintien de l'activité (théorie de l'activité) et le désengagement graduel (théorie du désengagement). La question fondamentale consiste à savoir laquelle de ces deux théories constitue une condition nécessaire à un vieillissement normal et sain (santé physique et mentale) : demeurer actif le plus longtemps possible (extériorisation) ou de se retirer graduellement (intériorisation).

Les chercheurs qui prônent la **théorie de l'activité** affirment que plus une personne est active et engagée dans différents rôles, plus elle est satisfaite de sa vie, plus elle est en santé et plus son moral est bon (Adelman, 1994 ; Bryant et Rakowski, 1992 ; George, 1996 ; McIntosh et Danigelis, 1995). Cet effet n'est pas considérable, mais il est constant. Un engagement social important est associé à des conséquences positives même chez les personnes âgées qui souffrent d'incapacités, telles que l'arthrite, et dont l'activité sociale entraîne davantage de douleur

Certaines personnes âgées sont heureuses de mener une vie solitaire. Cependant, le désengagement de la vie sociale n'est pas un choix typique ni optimal pour la plupart des personnes âgées.

et de désagrément physique que l'inactivité (Zimmer, Hickey et Searle, 1995). Par ailleurs, dans toutes les études approfondies sur le mode de vie des adultes d'âge avancé, on relève des cas d'individus socialement isolés qui mènent une vie satisfaisante et qui ont des passe-temps qui les absorbent complètement (Maas et Kuypers, 1974 ; Rubinstein, 1986).

La **théorie du désengagement** élaborée par Cumming et Henry (1961) décrit le modèle psychologique central de l'âge adulte avancé qu'ils ont observé. Selon la reformulation de Cumming (1975), cette théorie comporte trois aspects :

- *Rétrécissement de l'espace de vie.* Au fur et à mesure qu'elle vieillit, la personne âgée entretient de moins en moins de relations avec autrui, et elle occupe de moins en moins de rôles.
- *Augmentation de l'individualité.* Dans les rôles et les relations qui subsistent à l'âge avancé, l'adulte subit de moins en moins l'influence de règles et d'attentes précises.
- *Acceptation des changements.* La personne âgée en bonne santé se détache elle-même de ses rôles et de ses relations ; elle se tourne de plus en plus vers sa vie intérieure et s'éloigne ainsi des autres.

Les deux premiers aspects de la théorie du désengagement semblent faire l'unanimité. Toutefois, le troisième aspect est très controversé. Cumming et Henry soutiennent que la réaction normale et saine au rétrécissement des rôles et des relations à l'âge adulte avancé consiste à prendre du recul, à cesser de chercher de nouveaux rôles, à passer plus de temps seul et à se tourner vers sa vie intérieure. Ces auteurs proposent essentiellement une sorte de changement de la personnalité, et pas seulement un retrait graduel de la vie sociale. Il serait donc possible de choisir un mode de vie détaché à l'âge adulte avancé et de s'en trouver satisfait. Cependant, un tel désengagement n'est pas nécessaire à la santé mentale de la plupart des adultes âgés. Et même, une certaine forme d'engagement social est à la fois un signe, et probablement une cause, d'un meilleur moral et d'un faible degré de dépression ou d'autres troubles psychologiques. Même si les rôles et les relations interpersonnelles régissent moins souvent nos vies à l'âge avancé qu'à un plus jeune âge, ils semblent constituer un élément essentiel de notre équilibre affectif, du moins pour la plupart d'entre nous.

Théorie de l'activité : Théorie qui soutient qu'il est normal et sain pour les personnes âgées de demeurer actives le plus longtemps possible.

Théorie du désengagement : Théorie élaborée par Cumming et Henry, selon laquelle le détachement progressif, ou désengagement, de la vie sociale à l'âge adulte avancé constitue une réaction normale et saine au vieillissement.

Approche du vieillissement réussi

Ces dernières années, le **vieillissement réussi** a été l'un des sujets dominants de la littérature en gérontologie. Selon les auteurs John Rowe et Robert Kahn, ce concept comprend trois aspects : une bonne santé physique, le maintien des habiletés cognitives et la participation régulière à des activités sociales et productives (Rowe et Kahn, 1997, 1998). Le degré de satisfaction d'une personne par rapport à sa vie constitue un autre aspect du vieillissement réussi. En gérontologie, on considère le concept du vieillissement réussi comme une tendance générale (dont on a parlé au chapitre 12) à percevoir la vieillesse comme une période de grande variabilité individuelle plutôt que comme un déclin universel. De plus, on tente d'intégrer à ce concept le développement physique, social et personnel afin de créer une image précise de ce que signifie bien vieillir.

Les trois aspects du vieillissement réussi décrits par Rowe et Kahn ne sont, bien entendu, pas complètement indépendants. Par exemple, si un adulte âgé est en bonne santé, il risque davantage de conserver ses habiletés cognitives, et ce bon fonctionnement cognitif lui permettra de rester actif socialement. On dit que le concept du vieillissement réussi est un *paradigme*, car il comporte des modèles et des exemples d'un vieillissement réussi. Plutôt que de présenter une théorie du développement, le paradigme du vieillissement réussi propose une manière de réfléchir à l'âge adulte avancé et d'observer la façon dont les décisions et les comportements du passé favorisent la qualité de la vie.

Demeurer alerte et en bonne santé

Les habitudes de vie saines adoptées tout au long de la vie favorisent le vieillissement réussi, de même que les réactions particulières des individus aux maladies qu'ils contractent au cours de leur vieillesse. Par exemple, lorsqu'un adulte d'âge avancé fait un accident vasculaire cérébral ou se fracture un membre, sa volonté de s'engager dans le processus parfois douloureux de la réadaptation influe considérablement sur sa vitesse de récupération. Des chercheurs ont découvert que la bonne volonté des adultes d'âge avancé varie considérablement quand vient le temps de suivre les recommandations des médecins et des thérapeutes qui supervisent leur réadaptation. Aux États-Unis et au Japon, la bonne volonté d'une personne de suivre les objectifs recommandés par un professionnel de la santé est étroitement liée à la réussite de sa convalescence (Ushikubo, 1998). Les personnes qui croient pouvoir atteindre les objectifs visés semblent les plus disposées à suivre les conseils de leur médecin pour recouvrer un fonctionnement optimal. Il n'est pas surprenant de voir que ce sont ces personnes qui profitent le mieux de la réadaptation.

Certaines personnes âgées mènent une vie active et occupent leurs loisirs en faisant de la peinture, de la sculpture ou d'autres activités artistiques.

Maintenir ses habiletés cognitives

Le maintien du fonctionnement cognitif chez les personnes âgées semble être associé à l'instruction. Comme vous l'avez vu au chapitre 12, les personnes qui présentent le moins grand déclin cognitif sont les plus scolarisées. De plus, des chercheurs qui ont examiné les liens entre le fonctionnement cognitif et les deux autres aspects du vieillissement réussi, soit la santé physique et l'engagement social, ont découvert que l'intelligence verbale et l'instruction sont liées à ces deux aspects (Jorm *et al.*, 1998). Des recherches interculturelles ont établi une relation entre le fonctionnement cognitif, la santé et l'engagement social chez les personnes âgées de Taiwan et d'Amérique du Nord, de même que chez les Mexicains-Américains et les Américains de race blanche (Hazuda *et al.*, 1998 ; Ofstedal, Zimmer et Lin, 1999).

En plus de l'instruction, la complexité des défis cognitifs que les adultes d'âge avancé sont prêts à relever influe aussi sur leur fonctionnement cognitif. Par exemple, les adultes d'âge avancé hésitent parfois à utiliser de nouvelles technologies, telles que les guichets automatiques bancaires (Echt, Morrell et Park, 1998). Les psychologues croient que ce sont les stéréotypes qu'entretient une personne qui favorisent cette réticence. Les personnes d'âge avancé peuvent croire qu'elles ne sont pas capables d'apprendre aussi bien que les jeunes personnes et, par conséquent, elles conservent leurs routines. Cependant, selon les neuropsychologues, cette réticence face à l'apprentissage pourrait effectivement favoriser le déclin cognitif (Volz, 2000). L'apprentissage de nouvelles connaissances,

> **Vieillissement réussi :** Terme utilisé par les gérontologues. Maintien de la santé physique, des habiletés cognitives, des compétences sociales et de la satisfaction de vivre à l'âge adulte avancé.

comme le supposent ces scientifiques, contribue à établir de nouvelles connexions entre les neurones, qui peuvent protéger le cerveau vieillissant de la détérioration. Ainsi, ce que l'on pourrait appeler l'*aventure cognitive*, le désir d'apprendre, semble être la composante clé du vieillissement réussi.

S'engager socialement

L'interdépendance sociale et la participation à des activités productives sont très importantes dans le vieillissement réussi. Par exemple, les personnes qui résident dans des foyers pour personnes âgées se disent plus satisfaites de leur vie quand elles ont des rapports fréquents avec leur famille et leurs amis (Guse et Masesar, 1999). De la même manière, chez les personnes âgées qui présentent des incapacités, la fréquence des rapports avec la famille et les amis est associée à une diminution du sentiment de solitude (Bondevik et Skogstad, 1998).

Une recherche sur la dépendance indique que le point de vue des behavioristes sur le rôle du soutien social était trop simpliste. Il semble que le soutien social favorise le vieillissement réussi, car il permet aux personnes âgées de *donner* du soutien et d'en recevoir. Selon des chercheurs qui étudient les personnes âgées au Japon, une majorité d'entre elles ont déclaré que l'aide qu'elles apportent aux autres favorise leur santé et leur bien-être personnel (Krause *et al.*, 1999). D'autres chercheurs ont découvert que les personnes âgées israéliennes qui vivent dans des kibboutz présentent un fonctionnement nettement supérieur aux personnes âgées israéliennes qui ne vivent pas dans de telles communautés (Leviatan, 1999). Dans ce cas, la clé du vieillissement réussi, selon les psychologues du développement, réside dans le fait que la structure sociale du kibboutz offre aux personnes âgées de nombreuses occasions de jouer des rôles importants, de rester socialement en contact avec leurs pairs et de favoriser le développement des membres plus jeunes de la communauté.

Bien entendu, vous pouvez croire que les personnes âgées qui jouissent d'une bonne santé sont naturellement les plus disposées à s'engager socialement. Cependant, les psychologues du développement ont établi des liens entre le fait de se sentir utile et d'avoir un sentiment de bien-être même chez des personnes âgées qui avaient une très mauvaise santé. Par exemple, des chercheurs ont demandé à des personnes âgées qui vivent dans des foyers pour personnes âgées aux États-Unis d'évaluer différents facteurs de qualité de vie ; ils ont constaté que ces personnes âgées valorisent particulièrement les « occasions d'aider les autres » (Guse et Masesar, 1999). Ainsi, même quand les personnes âgées présentent des incapacités importantes, bon nombre sont encore portées à aider les autres et sont plus satisfaites de leur vie quand elles peuvent le faire.

Rester productif

La participation à un réseau social peut être une manière importante de rester productif, particulièrement pour les adultes d'âge avancé qui sont à la retraite. Le *bénévolat*, qui consiste à accomplir gratuitement un travail pour des raisons altruistes, est associé au vieillissement réussi. Une étude menée en Californie à laquelle ont collaboré près de 2 000 adultes d'âge avancé a démontré que les taux de mortalité étaient moins élevés de 60 % chez les bénévoles que chez les personnes qui ne faisaient pas de bénévolat (Oman, Thoresen et McMahon, 1999). Des études ont aussi démontré que le bénévolat améliore la satisfaction de vivre des personnes âgées (Glass et Jolly, 1997). De plus, les personnes qui font du bénévolat semblent être en meilleure santé que celles qui n'en font pas (Krause *et al.*, 1999). Comme on l'a déjà vu cependant, l'influence de la sélection peut expliquer certains des effets observés : autrement dit, les personnes âgées en bonne santé sont celles qui font le plus de bénévolat.

Certains adultes d'âge avancé demeurent productifs en s'engageant dans de nouveaux projets, comme des cours de musique, des cours à l'université ou des cours de peinture ou de sculpture. Des chercheurs qui ont mené une étude sur 36 artistes de plus de 60 ans leur ont demandé d'expliquer comment la productivité artistique favorisait le vieillissement réussi (Fisher et Specht, 1999). Leurs réponses variaient : l'art leur apportait un but dans la vie, la possibilité de communiquer avec des pairs qui partageaient des intérêts communs et un sentiment de compétence. Ces réponses ne sont peut-être pas surprenantes, et sont probablement très semblables à celles que l'on peut obtenir auprès des jeunes artistes. Cependant, les artistes d'âge avancé affirment également que la pratique de l'art les aide à rester en bonne santé. Ainsi, la productivité créative peut aider les adultes d'âge avancé à rester optimistes, ce qui (comme vous l'avez appris) favorise la bonne santé physique.

Se sentir satisfait de vivre

La satisfaction de vivre, ou le sentiment de bien-être, est un autre aspect important du vieillissement réussi. De nombreux facteurs qui permettent de prédire la satisfaction de vivre sont très semblables aux variables que vous avez déjà étudiées et qui sont associées au vieillissement réussi, comme on peut le constater dans le tableau 13.2. Par exemple, le sentiment de maîtrise que vous avez étudié au chapitre 9 constitue une qualité personnelle qui lie le vieillissement réussi à la satisfaction de vivre (Rodin, 1986). Même les événements de la vie qui sont très stressants, tels que des difficultés financières, peuvent avoir un effet moins négatif si la personne sent qu'elle a la possibilité de faire des choix (Krause, Jay et Liang, 1991). Ainsi, une retraite forcée ou un placement non désiré en centre d'hébergement sont généralement associés à des effets négatifs, tandis qu'une retraite planifiée et choisie ou un déménagement souhaité dans un foyer pour personnes âgées ne le sont pas.

Dans presque tous les cas, la perception qu'une personne a de sa propre situation constitue un facteur important lié à la satisfaction de vivre qui semble être plus décisif que les mesures objectives. La satisfaction personnelle par rapport au soutien social et au revenu joue également un rôle considérable. De plus, l'appréciation personnelle de son état de santé, plutôt que l'observation des mesures objectives de cet état, peut s'avérer le prédicateur le plus significatif de la satisfaction de vivre et de la qualité du moral (Draper *et al.*, 1999). Selon une étude, les comparaisons sociales, c'est-à-dire le fait de considérer sa situation comme enviable en comparaison de celle de ses pairs, sont tout aussi essentielles pour la perception d'un adulte que la conscience des changements qu'il a subis depuis sa jeunesse (Robinson-Whelen et Kiecolt-Glaser, 1997). Peu importe leurs situations personnelles, une majorité d'adultes d'âge avancé croient que la situation de la plupart des gens de leur âge est moins bonne que la leur (Heckhausen et Brim, 1997). Les psychologues du développement supposent que cette tendance à penser que les autres ont plus de problèmes que soi est une mesure d'autodéfense essentielle qui est utilisée par les personnes qui vieillissent bien.

Critiques du paradigme du vieillissement réussi

Les critiques du paradigme du vieillissement réussi affirment que ce concept peut être trompeur. D'abord, selon eux, ce paradigme pourrait devenir un nouveau genre de stéréotype de l'âgisme qui qualifierait d'incompétents les adultes d'âge avancé qui présentent des incapacités (Scheidt, Humpherys et Yorgason, 1999). Ces critiques affirment que, pour beaucoup de personnes âgées, l'absence d'optimisme, de volonté d'adaptation, de soutien social ou de participation à des activités stimulantes sur le plan intellectuel peut réduire leurs limites physiques. Par exemple, des études sur le rendement dans des tests de compréhension de lecture qui comparent des professeurs d'université de plus de 70 ans et des étudiants diplômés démontrent qu'on peut déceler un certain déclin cognitif lié à l'âge, même chez ces adultes très intelligents, expérimentés et productifs (Christensen *et al.*, 1997). Ainsi, ces critiques soulignent le danger que représente le paradigme du vieillissement réussi, soit de donner à l'individu une fausse impression de contrôle de tous les effets du vieillissement.

Tableau 13.2	*Indicateurs de la satisfaction de vivre à l'âge adulte avancé*
FACTEURS DÉMOGRAPHIQUES	
Revenu/Classe sociale	Les personnes très pauvres sont moins heureuses et moins satisfaites de leur vie. Les variations du revenu (richesse) ont peu d'effet chez les personnes qui disposent d'un revenu suffisant. « La richesse est comme la santé, son absence peut apporter la misère, mais le fait d'être riche n'est pas une garantie de bonheur » (Myers et Diener, 1995, p. 13).
Études	Les personnes qui ont un degré de scolarité élevé sont légèrement plus satisfaites que les autres, mais la différence est minime.
Sexe	Il n'y a pas de différence entre les hommes et les femmes sur le plan de la satisfaction de vivre ou du bonheur, malgré la plus grande fréquence de douleurs et de souffrances chez les femmes âgées et un plus grand nombre de veuves.
Situation de famille	Les personnes mariées déclarent éprouver une plus grande satisfaction.
QUALITÉS PERSONNELLES	
Personnalité	Les personnes extraverties et celles qui présentent une faible tendance à la névrose éprouvent une plus grande satisfaction devant la vie.
Sentiment de maîtrise	Plus le sentiment de maîtrise est grand, plus le degré de satisfaction est élevé. Cela est particulièrement important chez les personnes âgées, car le degré objectif de maîtrise peut diminuer avec l'âge.
Interactions sociales	Les personnes qui ont un plus grand nombre de relations sociales, particulièrement des relations intimes et de soutien, éprouvent une plus grande satisfaction.
Santé	Les personnes qui ont une meilleure perception de leur santé sont plus satisfaites. Toutefois, la perception subjective de la santé n'est pas toujours en parfait accord avec la perception du médecin.
Religion	Les personnes croyantes se disent également plus satisfaites.
Changements de vie négatifs	Plus une personne âgée a vécu récemment des changements de vie négatifs, plus elle risque de présenter un faible degré de satisfaction.

(*Sources :* Antonucci, 1991 ; Diener, 1984 ; George, 1990 ; Gibson, 1986 ; Koenig, Kvale et Ferrell, 1988 ; Markides et Mindel, 1987 ; Murrell et Norris, 1991 ; Myers et Diener, 1995 ; Willits et Crider, 1988.)

En outre, le grand intérêt que manifeste la recherche en gérontologie pour la qualité de la vie plutôt que pour la maladie et le déclin liés au vieillissement peut constituer un autre danger de ce paradigme. En effet, il ne faut pas perdre de vue que la recherche médicale recèle un potentiel énorme pour découvrir des remèdes à de nombreuses maladies associées à la vieillesse (Portnoi, 1999). D'autres critiques craignent que l'accent mis sur le vieillissement réussi entraîne une diminution du soutien gouvernemental et institutionnel pour la recherche sur la maladie. Selon eux, on a de bonnes raisons de croire que de nombreuses situations qui sont considérées comme faisant partie du vieillissement normal sont en fait des processus morbides pour lesquels la science médicale pourrait trouver des traitements efficaces (Portnoi, 1999).

Néanmoins, les critiques admettent que le paradigme du vieillissement réussi a élargi les méthodes d'étude des gérontologues. Ils conviennent donc que son influence a été très positive. Toutes ces critiques du paradigme du vieillissement réussi peuvent contribuer à trouver un équilibre entre l'optimisme et la réalité. Elles peuvent aussi inciter les chercheurs à poursuivre leur travail afin de trouver des traitements aux maladies liées au vieillissement, telles que la maladie d'Alzheimer.

PAUSE-APPRENTISSAGE

Développement de la personnalité

- Expliquez ce que l'on entend par la perte du contenu du rôle à l'âge adulte avancé.

- Définissez le stade de l'intégrité ou du désespoir dans la théorie d'Erikson. Quelle en est la force adaptative ?

- Définissez le concept de la réminiscence dans le modèle de Butler.

- Expliquez les trois stades de l'adaptation personnelle à l'âge adulte avancé de Peck.

- Expliquez la théorie de l'activité et la théorie du désengagement élaborée par Cumming et Henry.

- Quels sont les trois aspects du vieillissement réussi ? Expliquez votre réponse.

- Quels facteurs sont associés à la satisfaction de vivre à l'âge adulte avancé ?

Concepts et mots clés

- **réminiscence** (p. 445) • **sagesse** (p. 445) • **stade de l'intégrité ou du désespoir** (p. 444) • **théorie de l'activité** (p. 447) • **théorie du désengagement** (p. 447) • **vieillissement réussi** (p. 448)

DÉVELOPPEMENT DES RELATIONS SOCIALES

Notre attention est attirée par deux éléments lorsque nous analysons les modèles des relations à l'âge adulte avancé. Premièrement, on remarque la continuité des modèles de relations établies au cours des périodes précédentes. Les femmes étendent leur réseau d'amies intimes et jouent leur rôle d'organisatrice familiale ; les hommes comptent encore sur leur femme comme confidente. Cette continuité existe également sur le plan individuel : les personnes qui ont de nombreux amis et un réseau social étendu au début et au milieu de l'âge adulte ont plus tendance à maintenir ces réseaux à l'âge adulte avancé (Hansson et Carpenter, 1994 ; McCrae et Costa, 1990), tandis que les personnes qui sont plutôt solitaires et introverties ne changent pas leur modèle de relations.

Deuxièmement, il est étonnant d'observer cette continuité, malgré le vieillissement considérable du réseau social des personnes âgées. La majorité des femmes âgées sont veuves ; les amis, les frères et les sœurs des personnes âgées meurent les uns après les autres. Cependant, la plupart des personnes âgées s'adaptent d'une manière remarquablement efficace à ces changements et conservent des contacts sociaux tout au long de leur vie. Elles rendent visite à leurs parents et amis, vont à l'église ou participent à d'autres activités. Le facteur qui limite le plus souvent les activités sociales à l'âge adulte avancé est une invalidité physique, plutôt que la mort du conjoint ou des proches. Le maintien des relations sociales à l'âge adulte avancé illustre non seulement l'importance de la continuité de ces relations pour le sentiment d'appartenance et de bien-être d'un adulte, mais aussi la forte capacité d'adaptation qui se maintient jusqu'à la fin de la vie.

RELATIONS CONJUGALES

Selon le peu d'information dont nous disposons, il semblerait que les relations conjugales à l'âge adulte avancé ne diffèrent pas tellement des relations conjugales à l'âge adulte moyen. Les comparaisons transversales indiquent que la satisfaction conjugale est plus élevée à la fin de la vie adulte que lorsque les enfants sont encore à la maison ou qu'ils se préparent à partir. Toutefois, la satisfaction à l'âge adulte avancé peut avoir une origine assez différente de celle qui est ressentie pendant les premières années du mariage. À l'âge adulte avancé, les relations

Chez les couples mariés, l'affection et le bonheur d'être ensemble ne disparaissent absolument pas à l'âge adulte avancé. Cet homme et cette femme sont mariés depuis 50 ans et avaient tous les deux plus de 70 ans lorsque cette photographie a été prise.

sont moins basées sur la passion et l'ouverture réciproque, et davantage sur la loyauté, la familiarité et l'investissement personnel (Bengtson, Rosenthal et Burton, 1990). Selon les termes de Sternberg (revoir le tableau 10.4 sur les différents modèles de l'amour), les personnes âgées sont plus susceptible de vivre un amour compagnon qu'un amour romantique ou même un amour achevé.

Nous ne voulons pas donner l'impression que la plupart des mariages à l'âge adulte avancé sont comme des coquilles vides, sans vie et sans énergie, dans lesquelles il ne reste que la loyauté et l'habitude. Cette description peut correspondre à certains mariages, mais pas à tous. Nous avons vu au chapitre 12 que la moitié au moins, voire la majorité, des couples d'âge avancé étaient encore actifs sexuellement. Les couples âgés passent également plus de temps ensemble qu'avec leur famille ou leurs amis, même s'ils consacrent la majeure partie de ce temps à des activités passives ou à des travaux ménagers, tels que regarder la télévision, faire le ménage et faire des courses. Par ailleurs, les personnes âgées qui passent davantage de temps avec leur conjoint se disent plus heureuses (Larson, Mannell et Zuzanek, 1986).

Les liens profonds qui continuent d'exister entre les époux à l'âge avancé sont marqués par le soutien et la quantité étonnante de soins que reçoit de son conjoint une personne atteinte d'une invalidité ou de démence. La principale source d'aide d'une personne âgée souffrant d'une invalidité est de loin son conjoint, et non pas ses enfants ou ses amis. De nombreux époux prodiguent des soins à leur conjoint gravement malade ou atteint de démence pendant de longues périodes. De plus, de nombreux couples âgés qui souffrent tous les deux d'une inva-

lidité grave continuent néanmoins à prendre soin l'un de l'autre « jusqu'à ce que la mort les sépare ». Les mariages entre adultes âgés sont parfois moins romantiques et moins intenses sur le plan affectif que les mariages du début de l'âge adulte. Toutefois, ils sont habituellement satisfaisants et présentent un degré d'engagement élevé.

Les chercheurs ont observé des caractéristiques et des effets semblables à long terme chez les couples homosexuels (Grossman, Daugelli et Hershberger, 2000). Chez les couples homosexuels (gais et lesbiennes) durables, tout comme chez les couples hétérosexuels, le conjoint est considéré comme la plus importante source de soutien émotionnel. De plus, les gais et les lesbiennes qui vivent en couple témoignent d'une moins grande solitude et ont une meilleure santé physique et mentale.

Les adultes âgés mariés, comme les personnes mariées de tout âge, jouissent d'avantages précis : ils éprouvent plus de satisfaction dans la vie, ils sont en meilleure santé et ils sont moins souvent placés dans un centre d'hébergement. Ces avantages sont souvent plus importants pour les hommes âgés que pour les femmes âgées, comme chez les adultes plus jeunes. Cet écart pourrait indiquer que le mariage est plus profitable pour les hommes que pour les femmes. On pourrait également conclure que les hommes comptent davantage sur leur relation conjugale pour obtenir un soutien social et qu'ils sont donc plus touchés par la perte de leur conjointe. Quelle que soit l'explication qu'on en donne, il est clair que la situation familiale des femmes âgées est moins étroitement liée à leur santé et à leur satisfaction générale, mais qu'elle est fortement associée à leur sécurité financière. Comme nous le verrons un peu plus loin, les veuves et les femmes âgées célibataires vivent plus souvent dans la pauvreté que les autres personnes âgées, et la pauvreté influe de façon flagrante sur leur sentiment de bien-être et leur santé.

Il semble que ce soit la perte de la relation conjugale, lors du décès du partenaire, qui modifie ce modèle pour de nombreux adultes âgés. Le taux de remariage plus élevé chez les hommes que chez les femme accroît la différence sexuelle dans la situation familiale des personnes âgées. Ce modèle se retrouve autant chez les personnes veuves que divorcées dans tous les groupes d'âge. Un cinquième des hommes seuls de plus de 65 ans se remarient contre seulement 2 % des femmes. Les hommes âgés seuls ont plus souvent tendance à fréquenter une femme et à cohabiter avec elle (Bulcroft et Bulcroft, 1991). Au contraire, selon les chercheurs, les veuves semblent manifester peu d'intérêt à chercher un nouveau partenaire ou à se remarier (Talbott, 1998). En dépit de cette résistance

Plus d'hommes âgés que de femmes âgées sont mariés, non seulement parce que les femmes vivent plus longtemps, mais aussi parce que les hommes ont plus tendance à se remarier s'ils sont veufs, comme celui sur la photographie. Les hommes se remarient habituellement avec une femme plus jeune qu'eux, ce qui augmente le risque qu'elle devienne veuve à son tour.

des femmes au remariage, les études sur les conséquences émotionnelles du remariage à l'âge adulte avancé autorisent à penser que les hommes et les femmes en retirent des bénéfices évidents (Winter *et al.*, 2000). Lorsque l'on évalue la satisfaction de vivre chez les adultes d'âge avancé nouvellement remariés, on constate que ceux-ci témoignent d'une plus grande satisfaction de vivre que les adultes d'âge avancé mariés depuis longtemps ou célibataires.

RELATIONS FAMILIALES

Les descriptions de la presse à grand tirage sur l'âge adulte avancé donnent à entendre que la famille, en particulier les enfants et les petits-enfants, forme le centre de la vie sociale des personnes âgées, surtout des veuves. Certaines données confirment ce point de vue, mais curieusement, d'autres l'infirment. Les personnes âgées décrivent leurs liens affectifs intergénérationnels comme étant chaleureux et importants ; la plupart mentionnent un sentiment de solidarité et la présence d'un soutien familial (Bengson *et al.*, 1996). Ces liens affectifs sont exprimés notamment par des contacts réguliers entre les personnes âgées et les membres de leur famille.

Relations avec les enfants adultes   Dans un vaste échantillon composé de plus de 11 000 adultes âgés de 65 ans et plus, 63 % ont répondu qu'ils voyaient au moins un de leurs enfants une fois par semaine ou plus, 16 % en voyaient au moins un trois fois par mois et seulement un cinquième

de ces personnes ne voyaient leurs enfants qu'une fois par mois ou moins (Crimmins et Ingegneri, 1990). Ces contacts réguliers sont facilités par le fait que, même en Amérique du Nord où les distances sont grandes et les déménagements fréquents, les trois quarts des personnes âgées vivent à moins d'une heure de la résidence d'au moins un de leurs enfants. Des chercheurs ont obtenu des données semblables dans d'autres pays industrialisés, notamment en Angleterre (Jerrome, 1990). Évidemment, une partie de ces contacts réguliers prennent la forme d'aide apportée aux parents âgés, un modèle que nous avons observé au chapitre 11. La plus grande part de l'aide requise par les personnes âgées, qui ne peut être fournie par le conjoint, est prodiguée par un autre membre de la famille, notamment les enfants.

Toutefois, les relations entre les parents âgés et leurs enfants ne se limitent pas à un simple échange de services. Une partie importante des interactions est autant de nature sociale que fonctionnelle. De plus, la majorité des personnes âgées décrivent en termes positifs leurs relations avec leurs enfants devenus adultes. La plupart d'entre eux ne voient pas seulement leurs enfants par obligation ou devoir, mais aussi parce qu'ils trouvent ces contacts agréables. Un important pourcentage de ces personnes affirment que l'un au moins de leurs enfants est leur confident (Connidis et Davies, 1992).

EFFETS DE CES RELATIONS   Certaines études indiquent que les relations intimes et harmonieuses entre les adultes d'âge avancé et leurs enfants constituent plus que tout autre, le facteur déterminant de la satisfaction de vivre chez les adultes d'âge avancé (Pinquart et Soerensen, 2000). D'autres études, au contraire, notent que les adultes âgés qui voient souvent leurs enfants ou qui affirment avoir avec eux des relations positives ne se décrivent pas comme des personnes plus heureuses ou en meilleure santé que ceux qui ont des contacts moins fréquents ou moins positifs avec leurs enfants (Mullins et Mushel, 1992). De tels résultats ont été également observés dans des études portant sur les personnes âgées provenant de cultures très différentes, notamment de l'Inde (Venkatraman, 1995), et dans au moins une étude sur les personnes âgées américaines d'origine mexicaine (Lawrence, Bennett et Markides, 1992). Dans toutes ces études, les adultes d'âge avancé affirment qu'ils apprécient le contact régulier avec leurs enfants, mais ce contact ne semble pas accroître leur satisfaction de vivre ou améliorer leur santé. De plus, des études démontrent que les personnes âgées sans enfant semblent aussi heureuses et s'adaptent aussi bien à l'âge adulte avancé que les personnes âgées qui ont des enfants (Connidis et McMullin, 1993).

Les adultes d'âge avancé nouvellement remariés témoignent d'une plus grande satisfaction de vivre que les adultes du même âge qui sont mariés depuis longtemps ou qui sont célibataires.

Certains psychologues du développement en concluent que la qualité de vie d'une personne âgée peut être améliorée par de bonnes relations régulières avec ses enfants adultes, mais que celles-ci ne constituent pas une condition nécessaire. Les exigences du rôle parental, même à un âge avancé, marquent toujours les relations avec les enfants. Bien qu'elles soient peut-être chaleureuses, ces relations ne sont pas choisies de la même manière que les relations avec les amis. Avec un ami, on se sent libre d'être soi-même, car on se sent accepté tel que l'on est. Avec les enfants, on se sent parfois obligé de se montrer à la hauteur de leurs exigences et de leurs attentes.

Relations avec les petits-enfants, les frères et les sœurs

Comme nous l'avons vu au chapitre 12, les interactions entre les petits-enfants et les grands-parents sont bénéfiques pour les deux parties. Cependant, les contacts entre ces deux groupes diminuent au fur et à mesure que les petits-enfants deviennent adultes (Silverstein et Long, 1998). Ainsi, les petits-enfants ne font généralement pas partie du réseau social des personnes âgées.

Nous n'avons pas étudié les relations entre frères et sœurs à l'âge adulte, car elles n'occupent généralement pas une place privilégiée dans le réseau social des adultes. La plupart des adultes ont au moins un frère ou une sœur et ils affirment qu'ils ont des relations relativement intimes avec cette personne. Cependant, peu d'adultes placent leur frère ou leur sœur au centre de leur réseau social (Cicirelli, 1982; Goetting, 1986). Une fois devenus adultes, la plupart des frères et des sœurs s'écrivent ou se parlent à l'occasion et ils se rencontrent lors de réunions familiales, mais ils ne sont ordinairement pas très proches. Lorsqu'ils ont une décision importante à prendre, peu d'adultes consultent leurs frères et leurs sœurs. Par ailleurs, à tout âge, les frères et les sœurs s'entraident rarement sur le plan financier ou sur tout autre plan.

Curieusement à l'âge adulte avancé, les relations entre frères et sœurs semblent devenir plus importantes (Bedford, 1995; Gold, 1996). De nombreuses personnes âgées perçoivent alors leurs frères et leurs sœurs un peu comme une « police d'assurance », une source de soutien d'ultime recours (Connidis, 1994). De façon générale, dans les dernières années de la vie, les frères et les sœurs (et plus particulièrement une sœur) deviennent l'unique source de soutien émotionnel qui s'appuie sur une amitié et une réminiscence partagée, ce que Gold appelle la *solidarité générationnelle*. En fait, quand nous y réfléchissons bien, ces personnes uniques sont, au crépuscule de notre vie, les compagnons d'armes qui ont bravé la tempête à nos côtés.

RELATIONS AVEC LES AMIS

À l'âge adulte avancé, la plupart des amis intimes sont des amis de longue date qui appartiennent à la même cohorte. Quoique l'on ne possède pas de preuve convaincante (ni de données longitudinales valables), il semble que le nombre d'amis diminue après l'âge de 65 ans (Blieszner et Adams, 1992; Levitt, Weber et Guaci, 1993). Cependant, l'amitié gagne en importance au fur et à mesure qu'elle diminue en nombre. En outre, les contacts avec les amis, contrairement aux contacts avec les membres de la famille, semblent avoir un effet marquant sur la satisfaction de vivre, sur l'estime de soi et sur le sentiment de solitude

Cette dame de 80 ans est très heureuse de fêter son anniversaire avec sa famille. Toutefois, les recherches révèlent que ces contacts familiaux ne sont pas essentiels au bon moral d'une personne âgée.

à l'âge adulte avancé (Antonucci, 1990; Jerrome, 1990; Hartup et Stevens, 1999). On observe ces effets chez les personnes âgées mariées, mais plus particulièrement chez les personnes âgées célibataires (Takahashi, Tamura et Tokoro, 1997).

À l'âge adulte avancé, les amis ne répondent pas aux mêmes types de besoins que les membres de la famille. Par exemple, les relations amicales sont plus souvent réciproques et équitables, elles ont donc plus de valeur et elles sont moins stressantes. Les amis nous tiennent compagnie, nous font rire et participent à nos activités. Dans une étude canadienne par exemple, les amis occupaient la deuxième place, après le conjoint, comme source de camaraderie chez les personnes de plus de 65 ans (Connidis et Davies, 1992). Puisqu'ils sont généralement issus de la même cohorte, les amis partagent une histoire, une culture, de vieilles chansons, des plaisanteries et des expériences sociales qui procurent le même sentiment de solidarité générationnelle qu'un frère ou une sœur. Les amis offrent également une aide précieuse dans l'exécution des tâches quotidiennes, telles que les courses et les travaux ménagers, même s'ils fournissent habituellement moins ce genre d'aide que les membres de la famille.

Différences sexuelles sur le plan de l'amitié et du réseau social

Tout comme à un âge moins avancé, les femmes et les hommes semblent avoir un réseau social différent. Les amitiés entre hommes âgés sont moins ouvertes et moins intimes que les amitiés entre femmes. Les psychologues du développement attribuent cette différence à un modèle de relation qui se perpétue tout au long du cycle de la vie (Barker, Morrow et Mitteness, 1998). Ainsi, si vous regardez les chapitres sur l'enfance, l'adolescence, le début de l'âge adulte et l'âge adulte moyen, vous allez retrouver un

À la fin de l'âge adulte, les amis semblent jouer un rôle particulier, peut-être parce qu'ils ont le même passé et les mêmes souvenirs, tels que les vieilles chansons.

modèle unique des différences sexuelles dans le réseau social. Cependant, ce serait une erreur de conclure que, parce que les hommes ont un réseau social moins développé que les femmes, ils accordent moins d'importance à leurs relations sociales. Selon certains psychologues du développement, les études sur les réseaux sociaux seraient d'une certaine façon biaisées parce que les chercheurs vont toujours observer une réseau social plus étendu chez les femmes. Cette erreur proviendrait de l'accent mis par les chercheurs sur les activités partagées et la fréquence des contacts plutôt que sur la qualité des relations. D'ailleurs, lorsque l'on tient compte de la qualité des relations, les résultats démontrent que les hommes accordent autant d'importance à leur réseau social que les femmes et que ce réseau leur fournit le même type de soutien émotionnel, quoiqu'il soit moins étendu (Riggs, 1997).

Relations sociales

- Quels sont les facteurs qui influent sur la décision de vivre seul à l'âge adulte avancé ?

- Quels sont les effets de la vie de couple sur le fonctionnement physique et psychologique à l'âge adulte avancé ?

- Existe-t-il un lien entre la satisfaction de vivre à l'âge adulte avancé et la fréquence des contacts avec les enfants ? Expliquez votre réponse.

- L'amitié joue-t-elle un rôle aussi important à l'âge adulte avancé qu'au début de l'âge adulte ? Pourquoi ?

Concepts et mots clés

- **solidarité générationnelle** (p. 454)

RELATIONS AVEC LE MILIEU DE TRAVAIL : LA RETRAITE

La transition de la période de travail à la période de la retraite exige une grande capacité d'adaptation. Bien que cette transition soit marquée par la perte d'un rôle majeur, presque toutes les croyances populaires sur les effets négatifs associés à la perte du rôle de travailleur sont erronées, du moins en ce qui concerne les cohortes actuelles dans les pays industrialisés. Les connaissances sur le processus de la retraite ont été approfondies grâce à une série d'études longitudinales portant sur un groupe d'hommes et de femmes, de la préretraite à la retraite. Dans une analyse particulièrement utile, Erdman Palmore et ses collaborateurs (Palmore *et al.*, 1985) ont combiné les résultats de sept de ces études, obtenant ainsi un échantillon de plus de 7000 adultes qui ont été interrogés au moins à deux reprises et même, dans la plupart des cas, à de nombreuses reprises. Nous allons vous présenter l'essentiel de leurs découvertes puisqu'il s'agit du plus vaste ensemble de données longitudinales que nous puissions consulter.

Moment de la retraite

La croyance populaire voulant que l'âge normal de la retraite soit de 65 ans est fausse. Les gens dans la plupart des pays industrialisés prennent leur retraite de plus en plus tôt depuis quelques décennies. En comparant récemment divers pays, Alex Inkeles et Chikako Usui (1989) ont découvert que, dans 13 des 34 pays capitalistes et communistes qu'ils ont étudiés, l'âge officiel de la retraite était de 60 ans. Dans 17 autres pays, l'âge officiel d'admissibilité aux pensions de retraite était de 65 ans; toutefois, dans presque tous les cas, les travailleurs qui décidaient de prendre leur retraite plus tôt recevaient un soutien financier. Par exemple au Canada, une personne bénéficie de tous les avantages sociaux dès l'âge de 65 ans, mais elle peut commencer à profiter de certains avantages dès l'âge de 62 ans. D'autres régimes de retraite offrent maintenant des avantages anticipés. En raison de ces avantages, l'âge moyen de la retraite a diminué assez rapidement, comme nous le montre la figure 13.1 (Kohli, 1994) qui présente l'âge moyen de la retraite pour différents pays. Certains pays européens essaient présentement de renverser cette tendance en augmentant graduellement l'âge d'éligibilité pour les pensions gouvernementales. Des changements semblables ont été proposés aux États-Unis et au Canada au cours des dernières années.

Effets de la retraite

Certains changements associés à la retraite sont positifs, alors que d'autres sont négatifs. Dans l'ensemble cependant, la retraite semble avoir un effet positif sur la vie d'un adulte d'âge avancé.

Conséquences sur le revenu   Aux États-Unis et au Canada, les retraités peuvent généralement disposer de revenus provenant de quatre sources différentes: la pension de vieillesse du gouvernement (accessible à 65 ans), le fonds de retraite de l'employeur, les revenus provenant des économies ou de placements faits durant les années de travail (par exemple un régime de retraite individuel) et une aide financière gouvernementale pour les personnes vivant sous le seuil de pauvreté. Vous ne serez pas surpris cependant d'apprendre que le revenu diminue généralement à la retraite. Des données provenant de l'analyse combinée effectuée par Palmore indiquent que cette baisse est de l'ordre de 25 %. Toutefois, ce pourcentage illustre assez mal la situation financière réelle des retraités.

Dans la plupart des pays industrialisés, beaucoup de retraités possèdent une maison et n'ont plus d'hypothèque à payer. Leurs enfants ont quitté la maison. Ils ont

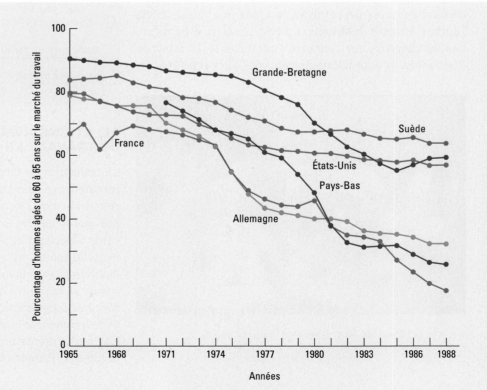

Figure 13.1
Âge moyen de la retraite dans différents pays.
Cette figure présente le pourcentage annuel, depuis 1965, d'hommes âgés de 60 à 64 ans qui étaient sur le marché du travail dans six pays occidentaux. Ces données indiquent clairement une diminution substantielle de l'âge de la retraite au cours des dernières décennies. (*Source:* Kohli, 1994, figure 4-2, p. 85.)

droit à une assistance médicale ainsi qu'à plusieurs avantages liés à leur statut de personnes âgées. Lorsque l'on tient compte de tous ces facteurs, on s'aperçoit que, en moyenne, les retraités en Amérique du Nord, en Australie et dans la plupart des pays européens ont des revenus atteignant de 85 à 100 % de leur ancien salaire (Smeeding, 1990). Il y a 20 ans, nous n'aurions pas pu présenter un tableau aussi optimiste de la situation financière des retraités. Dans la plupart des pays industrialisés, on a considérablement bonifié les régimes de la sécurité sociale, notamment par des indexations au coût de la vie, ce qui signifie que, durant les dernières décennies, la situation financière des personnes âgées s'est améliorée plus que celle de tout autre groupe d'âge.

Cependant, un grand nombre de personnes âgées, dont un pourcentage élevé de femmes, ont des revenus à peine supérieurs au seuil de la pauvreté. Beaucoup de femmes âgées pauvres ne sont pas vraiment « à la retraite », car elles n'ont jamais travaillé. La plupart d'entre elles dépendent exclusivement des allocations de la sécurité sociale ou d'une autre forme d'assistance publique. Cette différence entre les sexes concernant le revenu des personnes âgées devrait diminuer dans les cohortes ultérieures, car beaucoup plus de femmes auront été sur le marché du travail et auront ainsi droit à leurs propres pensions. Mais, pour le moment, on assiste à une féminisation flagrante de la pauvreté chez les personnes âgées. Toutefois, il ne faut pas oublier les aspects positifs : en général, le revenu ne diminue pas après la retraite, et les personnes âgées ont une meilleure situation financière aujourd'hui que jamais auparavant.

Conséquences sur la santé physique, les attitudes et la santé mentale

Les études longitudinales que l'on peut consulter indiquent clairement que la retraite n'a tout simplement pas d'effet sur l'amélioration ou l'aggravation de l'état de santé. Une personne retraitée malade l'était presque toujours avant de prendre sa retraite, et c'est souvent ce qui a causé son départ pour la retraite. Par ailleurs, la retraite n'a aucun effet sur l'état de santé des personnes en bonne santé au cours des années suivantes (Palmore *et al.*, 1985). Ces résultats semblent indiquer que, pour la grande majorité des adultes, la retraite ne représente pas un changement de vie très stressant. Cette conclusion est appuyée par des études portant sur l'effet de la retraite sur les attitudes et la santé mentale.

D'après les recherches effectuées, la retraite n'a pratiquement pas de répercussions sur la satisfaction de vivre ou sur le bien-être d'un individu. Des études longitudinales comprenant de telles mesures révèlent de légères différences dans les scores avant et après la retraite,

mais il n'y a guère d'augmentation de la dépression parmi les personnes qui ont récemment pris leur retraite (Palmore *et al.*, 1985). Pour la plupart, la retraite n'est aucunement perçue comme un facteur stressant, comme le démontre clairement une étude menée par Raymond Bossé et ses collègues (Bossé *et al.*, 1991). Ces chercheurs ont interviewé un groupe de plus de 1 500 hommes sur une certaine période. Ils ont demandé aux participants d'évaluer le degré de stress généré par chaque événement d'une liste de 31 événements stressants de la vie quotidienne. Par la suite, les participants devaient nommer les événements stressants qu'ils avaient vécus au cours de la dernière année. La retraite arrivait au 30e rang de la liste, après des événements, tels que déménager dans une résidence moins agréable ou encore faire face à une diminution des responsabilités associées au travail.

Chez les participants qui avaient pris leur retraite au moment prévu, 7 sur 10 ont affirmé que l'événement était peu ou pas du tout stressant. Les hommes de l'échantillon qui étaient encore sur le marché du travail étaient deux fois plus susceptibles de signaler des problèmes associés au travail que les retraités de signaler des problèmes associés à la retraite. Leur mauvais état de santé et un revenu insuffisant pour leur famille étaient les problèmes associés à la retraite qui venaient en tête de liste pour 30 % des hommes retraités de l'échantillon. Ceux qui éprouvaient des difficultés conjugales avaient aussi plus tendance à se plaindre d'un surcroît de tracas quotidiens dans leur vie de retraité.

Selon d'autres indications, les individus qui réagissaient le moins bien à la retraite étaient ceux qui maîtrisaient le moins ce processus. Par exemple, on remarquait un déclin de la santé physique et mentale des personnes qui prenaient leur retraite à la suite de la perte d'un emploi qu'elles avaient occupé tardivement dans leur vie (Galo *et al.*, 2000). Les personnes forcées de prendre leur retraite, que ce soit à cause d'un problème de santé, d'un régime de retraite obligatoire, de l'abolition de leur poste ou de pressions de leur employeur qui leur offrait un programme « doré » de retraite anticipée, alors qu'elles n'étaient pas encore admissibles aux programmes habituels d'accession à la retraite, mentionnaient une diminution de la satisfaction de vivre et un degré élevé de stress comparativement à celui des personnes qui avaient le sentiment d'avoir choisi le moment de leur retraite (Hardy et Qwuadagno, 1995 ; Herzog *et al.*, 1991).

La retraite est aussi considérée comme plus stressante par les individus qui sont dans une mauvaise situation économique ou qui doivent faire face simultanément à la retraite et à d'autres changements de vie majeurs, tels que le veuvage (Stull et Hatch, 1984). Toutefois, cette perte de rôle ne s'accompagne pas de stress chez les personnes qui prennent leur retraite au moment prévu. Certains individus choisissent aussi de ne pas prendre leur retraite soit en raison de leur situation économique, soit en raison de leur grand engagement professionnel.

Si nous essayons de prédire la satisfaction de vivre à l'âge adulte avancé, le modèle qui semble se dégager n'est pas associé au fait de prendre ou non sa retraite, ni au degré de satisfaction à l'âge adulte moyen. Il semble que nous transportons au fil des ans notre bagage personnel. Les jeunes adultes qui sont grognons et négatifs deviennent des adultes âgés grognons et négatifs, alors que les jeunes adultes qui sont satisfaits de la vie éprouvent également de la satisfaction durant leur retraite. La constance de ces observations renforce les théories du développement qui soutiennent la continuité du comportement au cours de la vie adulte. Le travail façonne notre existence durant les quarante années de notre vie adulte.

Cependant, notre degré de satisfaction ou d'insatisfaction devant la vie, notre évolution ou notre stagnation, semblent être moins le résultat de nos expériences professionnelles que le produit des attitudes et des qualités que nous apportons dans le processus.

Retraite

- Quels sont les facteurs qui incitent une personne à prendre sa retraite ?

- Quels sont les effets de la retraite sur le revenu, la santé et la satisfaction générale ? Expliquez votre réponse.

- Quels sont les facteurs associés à une réaction négative à la retraite ?

- Quels facteurs influent sur la probabilité qu'une personne âgée vive avec un de ses enfants ou un membre de sa famille ?

UN DERNIER MOT   Soulignons deux observations que nous avons faites sur le développement social et le développement de la personnalité à l'âge adulte avancé. Premièrement, on remarque une grande continuité dans les relations établies au cours des premières périodes de la vie. Les adultes d'âge avancé ont tendance à maintenir des réseaux sociaux de même dimension qu'au début de l'âge adulte moyen (Hanson et Carpenter, 1994 ; McCrae et Costa, 1990), et les personnes solitaires ou introverties conservent le même modèle.

Deuxièmement, il est étonnant de constater la continuité dans les relations sociales, malgré la perte du conjoint, des amis, des frères et des sœurs. Toutefois, la plupart des adultes d'âge avancé s'adaptent remarquablement bien à ces changements et maintiennent leurs relations sociales et leurs activités. Ils continuent de fréquenter leurs amis et leur famille, d'aller à l'église ou de s'adonner à leurs loisirs préférés. L'adulte d'âge avancé risque bien plus de devoir limiter ses activités sociales en raison d'une déficience physique qu'en raison de la mort d'un proche. Le maintien des relations sociales à l'âge adulte avancé montre non seulement l'importance que continuent d'avoir de telles interactions pour le sentiment de bien-être personnel, mais aussi la grande capacité d'adaptation de l'être humain même à un âge avancé.

DÉVELOPPEMENT DE LA PERSONNALITÉ

- L'âge adulte avancé est une période où les rôles se vident de plus en plus de leur contenu. Ce phénomène peut procurer une plus grande liberté de choix à l'individu. De nombreux adultes d'âge avancé perdent leur rôle de conjoint en raison du taux élevé de veuvage, particulièrement chez les femmes.

- Aucune théorie du changement de la personnalité à l'âge avancé ne peut s'appuyer sur des preuves convaincantes.

- Bien que le stade de l'intégrité ou du désespoir d'Erikson, la notion de réminiscence de Butler et l'adaptation à l'âge adulte avancé de Peck aient exercé une certaine influence, les recherches n'indiquent pas qu'il s'agit de stades ou d'étapes fréquents ou nécessaires à l'âge adulte avancé.

- De la même façon, la théorie de l'activité et la théorie du désengagement suscitent la controverse. En général, on observe un degré de satisfaction élevé et une bonne santé mentale chez les personnes âgées qui se détachent (ou se désengagent) le moins.

- Le vieillissement réussi dépend du maintien de la santé physique ainsi que du bon fonctionnement cognitif et social. La productivité et la satisfaction de vivre font également partie des facteurs associés au vieillissement réussi, de même que la perception d'un soutien social adéquat et un sentiment de maîtrise.

DÉVELOPPEMENT DES RELATIONS SOCIALES

RELATIONS CONJUGALES

- Les relations conjugales à l'âge avancé sont généralement très satisfaisantes et basées sur la loyauté et l'affection mutuelle. De plus, les personnes âgées qui sont mariées jouissent d'une meilleure santé et sont plus satisfaites de leur vie que les personnes âgées qui vivent seules. Cette différence est plus marquée chez les hommes que chez les femmes.

RELATIONS FAMILIALES

- La majorité des personnes âgées ont au moins un enfant vivant, et la plupart voient leurs enfants régulièrement et en retirent du plaisir. Toutefois, il est surprenant de constater que le nombre de contacts avec les enfants n'est pas lié à la satisfaction de vivre chez les personnes âgées.

- Certaines observations indiquent que les relations avec la fratrie, particulièrement avec les sœurs, deviennent plus intenses à l'âge adulte avancé qu'aux autres périodes de l'âge adulte.

RELATIONS AVEC LES AMIS

- Le nombre de contacts avec les amis joue un grand rôle dans la satisfaction de vivre chez les personnes âgées. Les femmes âgées continuent d'avoir un réseau social plus vaste que celui des hommes. Ceux-ci dépendent davantage de leur épouse pour le soutien social, tandis que les femmes s'appuient sur leurs amis et leurs enfants.

RELATIONS AVEC LE MILIEU DE TRAVAIL : LA RETRAITE

- Aujourd'hui, dans de nombreux pays industrialisés, l'âge moyen de la retraite se rapproche davantage de 62 ans que de 65 ans.

- La retraite anticipée est généralement causée par la maladie, par l'abolition d'un poste ou par les pressions de l'employeur qui offre un programme de retraite anticipée.

- En général, le revenu diminue avec la retraite, mais il demeure en moyenne suffisant. Grâce à la sécurité sociale, les personnes âgées ont maintenant une meilleure situation financière qu'auparavant, mais un grand nombre d'entre elles vivent encore sous le seuil de la pauvreté, surtout les femmes âgées.

- Pour la grande majorité des personnes, la retraite ne semble pas constituer un changement de vie stressant, et elle n'est pas directement liée à une détérioration de la santé physique ou mentale. La minorité des personnes qui trouvent cet événement stressant sont souvent celles qui n'ont pas le sentiment de maîtriser ce processus.

DÉVELOPPEMENT DE LA PERSONNALITÉ

Changements de rôles

Perspectives théoriques

Approche d'Erikson: développement psychosocial

- Stade de l'intégrité ou du désespoir
  Force adaptative: sagesse

Approche de Butler

- Réminiscence
- Rétrospection

Approche de Peck: adaptation à l'âge adulte avancé

- Différenciation de l'ego en opposition à la préoccupation du rôle de travailleur
- Transcendance du corps en opposition à la préoccupation du corps
- Transcendance du moi en opposition à la préoccupation du moi

Approche de Cumming et Henry

- Théorie de l'activité
- Théorie du désengagement

Approche du vieillissement réussi

- Demeurer alerte et en bonne santé
- Maintinir ses habiletés cognitives
- S'engager socialement
- Rester productif
- Se sentir satisfait de vivre

DÉVELOPPEMENT DES RELATIONS SOCIALES

Relations conjugales

- État de santé

Relations familiales

- Relations avec les enfants adultes
- Relations avec les petits-enfants
- Solidarité générationnelle

Relations avec les amis

- Différences sexuelles

Relations avec le milieu de travail: la retraite

- Moment de la retraite
- Effets de la retraite

Synthèse du développement à l'âge adulte avancé

Caractéristiques fondamentales de l'âge adulte avancé

Comme dans les autres interludes, nous vous présentons une synthèse de la période que nous venons d'aborder sous la forme d'un tableau. Vous pourrez ainsi prendre connaissance rapidement des différences entre le troisième, le quatrième et le cinquième âge. Après l'âge de 75 ans, on remarque que la plupart des facultés cognitives subissent des changements notables et qu'il se produit une accélération de la dégénérescence des fonctions physiques. Cependant, en dépit de la clarté apparente des renseignements contenus dans le tableau présenté dans cet interlude, la période de l'âge adulte avancé est très difficile à décrire et à résumer. Selon les éléments que l'on a ciblés, on peut obtenir une description plutôt optimiste ou franchement pessimiste de cet âge.

Durant les dernières années, les psychologues ont davantage opté pour l'aspect positif, en particulier parce que des recherches récentes révèlent moins de déclins inévitables. Toutefois, on peut considérer que la particularité de l'âge adulte avancé réside dans le bien-fondé tant de la vision pessimiste que de la vision optimiste — pour certaines personnes. Joseph Quinn (1987, p. 64) l'explique très bien :

> Ne commencez jamais une phrase par «Les personnes âgées sont...» ou «Les personnes âgées font...» Quel que soit votre propos, certaines personnes sont comme ceci, d'autres sont comme cela; certaines personnes font ceci, d'autres font cela. La caractéristique la plus importante des personnes âgées, c'est la diversité. Les moyennes peuvent être trompeuses, car elles ne tiennent pas compte des énormes variations qui les entourent. Méfiez-vous des moyennes.

Quinn a raison. Il existe certes une grande variabilité entre les personnes âgées en ce qui concerne la condition physique, la santé mentale, la vigueur, la sagesse, la satisfaction de vivre, le sentiment de solitude et la sécurité financière. Pour les personnes qui se situent à l'extrémité optimiste du continuum, l'âge adulte avancé peut se présenter comme une période de choix et d'occasions favorables. Parlant d'un septuagénaire, Edwin Shneidman (1983, p. 684) décrit ce groupe d'âge en ces termes :

Étant donné que, lorsque nous sommes septuagénaires, nos parents sont morts et nos enfants sont grands, notre tâche est accomplie; notre santé n'est pas trop mauvaise et nos responsabilités se sont relativement allégées au fil des années, ce qui nous laisse plus de temps pour penser à nous-mêmes. Ces années peuvent être comme un coucher de soleil, des années illuminées, un été indien, une période de douces températures pour le corps et la psyché à la fin de l'automne ou à l'hiver de la vie, une décennie de grande indépendance où se multiplient les occasions de croissance personnelle.

À l'autre extrémité du continuum, certaines personnes âgées vivent sous le seuil de la pauvreté et sont atteintes d'invalidités physiques. Pour ces personnes, on ne peut guère dire que les dernières années ont la douceur d'un été indien.

Aucun résumé ne peut rendre compte de la diversité de l'âge adulte avancé. Cependant, Quinn n'a pas entièrement raison, car il existe, malgré tout, certains modèles communs. Il est vrai qu'un petit pourcentage d'individus conservent d'excellentes capacités physiques et intellectuelles jusqu'à un âge avancé, mais le vieillissement amène normalement un ralentissement du temps de réaction, une usure des articulations, des taux élevés de maladie et tous les autres changements physiques que nous avons décrits. De surcroît, une personne âgée, aussi en forme soit-elle, ne pourra jamais courir comme une personne de 25 ans.

En insistant trop sur le fait que certains adultes restent en forme, on pourrait entretenir l'illusion que le temps ne s'écoule pas pour eux. Or, même si l'horloge biologique n'est pas aussi bruyante pour toutes les personnes âgées, il n'en demeure pas moins que certains changements biologiques deviennent de plus en plus pesants pour tout le monde durant les dernières années de la vie. Ainsi, les personnes qui conservent de bonnes capacités y parviennent au prix de nombreux efforts.

Paul et Margaret Baltes (1990a) ont proposé un cadre conceptuel qui, selon nous, clarifie bien ce dernier point. Ils définissent le vieillissement comme un processus *d'optimisation sélective avec compensation*. Dans cette perspective, une personne âgée conserve des capacités maximales grâce à trois stratégies :

- La sélection, soit la réduction des activités afin de concentrer son énergie et son temps aux exigences et aux besoins fondamentaux. Une personne âgée peut ainsi cesser d'escalader des montagnes, mais continuer de pratiquer la marche à pied régulièrement, décider de ne participer qu'à un seul comité au lieu de trois ou se reposer avant une activité exigeante.

- L'optimisation, soit l'enrichissement et l'accumulation de réserves grâce à l'apprentissage de nouvelles stratégies et à l'exercice régulier des stratégies acquises, par exemple suivre des cours et lire assidûment le journal. Les personnes âgées peuvent aussi maintenir une bonne condition physique par l'exercice et une alimentation équilibrée.

- La compensation, soit la neutralisation des pertes par des méthodes simples ou créatives, comme le port de verres correcteurs ou de prothèses auditives, la réduction de la conduite automobile de nuit ou dans les embouteillages ou l'utilisation d'un aide-mémoire pour remplacer la mémorisation à court terme.

La nécessité d'utiliser la compensation pour bien s'adapter à l'âge avancé est extrêmement importante. De nombreux adultes réussissent fort bien à compenser les changements physiques et à s'adapter aux circonstances sociales en faisant preuve d'humour et d'imagination.

Processus fondamentaux

Le processus central de l'âge adulte avancé est indubitablement l'ensemble des changements physiques qui concourent au vieillissement. Ces transformations amorcent leur lente évolution au début de l'âge adulte, voire à l'adolescence. Pour la plupart d'entre nous, c'est seulement à l'âge adulte avancé que ces changements s'accumulent au point que nous avons besoin de les compenser, ou qu'ils s'accélèrent au point d'engendrer un déclin rapide de certaines fonctions. Des recherches récentes révèlent que certaines modifications que nous avons coutume d'attribuer à un vieillissement inévitable pourraient en fait être prévenues, voire évitées, telles que l'augmentation du taux de cholestérol. Prenons garde, cependant, de sombrer dans l'autre extrême en prétendant que le vieillissement n'existe pas. Les neuro-

nes perdent des dendrites, le système immunitaire produit moins de lymphocytes T et les dommages à l'ADN s'accumulent dans les cellules individuelles. Finalement, plusieurs organes cessent de fonctionner, ce qui entraîne la maladie et la mort.

Ce déclin biologique est plus facile à supporter en raison du changement simultané des rôles sociaux. Les personnes âgées ont plus de facilité à s'adapter aux pertes physiques et cognitives parce qu'elles sont moins soumises aux exigences des rôles de parent et de travailleur. Évidemment, ce n'est pas un hasard si l'étau des rôles sociaux se desserre au moment où le corps devient moins fiable. Les jeunes adultes peuvent assumer le fardeau des rôles sociaux, car ils sont physiquement à même de le faire. C'est en effet le meilleur moment pour avoir et élever des enfants et c'est la période où l'on est dans la meilleure condition physique. De même, 30 ou 40 ans plus tard, quand ces jeunes adultes se retrouveront à l'âge adulte avancé, leurs enfants auront grandi, et la nouvelle génération prendra à son tour le relais des fardeaux que constituent le travail et une vie de famille bien remplie.

Comme ces deux séquences de changements se chevauchent, on comprend aisément la façon dont Cumming et Henry ont élaboré leur théorie du désengagement. Ils considèrent que l'ensemble du processus présente une certaine harmonie : à l'âge adulte avancé, les obligations sociales sont graduellement mises de côté sans être remplacées. On peut donc imaginer que les personnes âgées réagissent à cette perte sociale par un plus grand désengagement. Cependant, bien qu'elle soit acceptable en théorie, une telle symétrie est sans fondement sur le plan psychologique. Les personnes âgées sont certes libérées des prescriptions des rôles, mais elles n'en apprécient pas moins l'intimité ou le soutien social. De même, bien que les personnes âgées soient plus solitaires que les jeunes adultes, il n'en demeure pas moins que les individus qui ne bénéficient pas de relations humaines chaleureuses et intimes présentent une plus grande vulnérabilité aux maladies et à la dépression.

Cette observation nous conduit à la considération plus générale que, en dépit des changements physiques survenant avec l'âge et du murmure quasi inaudible de l'horloge sociale, les processus psychologiques fondamentaux chez les personnes âgées sont les mêmes que ceux qui dirigeaient les adolescents, les jeunes adultes ou les adultes d'âge moyen. Ainsi, la satisfaction de vivre dépend *grosso modo* des mêmes facteurs à tout âge : un soutien social adéquat, le sentiment de maîtrise, une faible incidence des bouleversements non planifiés ou survenant en dehors des normes temporelles et une situation financière satisfaisante. Chez les jeunes adultes, la satisfaction professionnelle est le principal élément de l'équation, alors que, chez les personnes âgées, la santé est la première préoccupation. Cependant, les éléments communs aux deux groupes d'âge sont remarquables.

Wallace Stegner fait particulièrement bien ressortir cette similitude entre les divers âges de la vie dans son livre

The Spectator Bird, l'un des meilleurs romans sur le vieillissement. Un des personnages de ce roman, un médecin de 80 ans, affirme qu'il ne se sent pas vieux, lorsqu'on lui pose la question. Il se sent comme un jeune homme qui ne serait pas tout à fait en forme. Ce sentiment intérieur d'être toujours le « même », malgré le fait que le corps a changé est une impression très courante à l'âge adulte moyen ou avancé. Il devient déconcertant de se regarder dans un miroir, non seulement parce que les changements physiques ne sont pas particulièrement agréables à observer, mais également parce qu'il faut faire le constat stupéfiant que la « vieille » personne dans le miroir, c'est vraiment nous. L'apparition de ce sentiment de disproportion entre les changements physiques et la stabilité relative de la personnalité provient du bagage que constitue le moi — les traits de caractère, les modèles internes, les caractéristiques physiques — que nous transportons tout au long de notre vie adulte et également des processus psychologiques fondamentaux qui restent les mêmes à tous

Résumé de la trame du développement à l'âge adulte avancé

ASPECT DU DÉVELOPPEMENT	Âge (années)			
	Troisième âge 65	Quatrième âge 75	Cinquième âge 85	95
Développement physique	Perte considérable de l'acuité auditive, de la vitesse de réaction ; poursuite du déclin graduel de la plupart des capacités physiques. Fréquence accrue des maladies et des invalidités.	Accélération du déclin touchant la plupart des capacités physiques, bien qu'il y ait toujours une grande variabilité individuelle, même à cet âge.		
Développement cognitif	Généralement peu de pertes en ce qui concerne les habiletés cristallisées ; déclin graduel des habiletés fluides.	En moyenne, déclin relativement apparent de toutes les facultés intellectuelles, mais grande variabilité individuelle. Certains signes de la chute terminale des habiletés cristallisées.		
Développement de la personnalité	Aucune certitude en ce qui concerne la compréhension du processus de transformation de la personnalité à l'âge adulte avancé. Selon Erikson, l'atteinte de l'intégrité serait la tâche primordiale de cette période. Pour Neugarten, ce serait plutôt l'intériorité. Peck parle de l'adaptation personnelle et Cumming et Henry, de désengagement. Cependant, aucune de ces théories ne s'appuie sur une base empirique solide.			
	Augmentation possible de la fréquence de la dépression après 75 ans.			
Rôles et relations sociales	Persistance d'un engagement social important, habituellement lié au degré de satisfaction de vivre. Retraite pour la majorité des adultes actifs.	Baisse relative de l'engagement social chez les personnes dont l'invalidité physique diminue la mobilité.		
			Augmentation des risques d'invalidité et plus grande fragilité.	

les âges. Il existe différentes nuances évidemment, mais nous répondons au stress de la même façon à n'importe quel âge. Nous créons des attachements et nous utilisons nos principales figures d'attachement d'une façon très similaire, indépendamment de notre âge.

Influences sur les processus fondamentaux

Bien que nous ayons déjà abordé ce sujet auparavant, il est utile d'y revenir. Les influences les plus déterminantes sur les expériences de l'âge adulte avancé apparaissent beaucoup plus tôt dans la vie. À l'approche de la soixantaine, vous pouvez parfois décider du moment de votre retraite; vous pouvez choisir l'endroit où vous allez habiter et la façon dont vous allez désormais occuper votre temps. Cependant, toutes ces décisions subissent grandement l'influence de votre état de santé au moment de votre retraite, qui lui-même est lié aux choix que vous avez faits dans le passé. Évidemment, nous ne disposons pas tous d'un grand éventail de choix quant aux premières décisions concernant notre santé. Par exemple, une personne peut travailler pendant plusieurs années dans un environnement insalubre, dans une mine ou être exposée à des produits chimiques, parce que c'est le seul emploi qu'elle a trouvé pour faire vivre sa famille. En outre, beaucoup d'enfants et de jeunes adultes n'ont pas un régime alimentaire et des habitudes de vie appropriés. Ces déficiences auront des répercussions plus tard dans leur vie. Qu'il s'agisse de choix personnels relatifs à l'hygiène de vie, tels que fumer, ou de l'exposition inévitable à des environnements inadéquats, tous ces détails qui semblent sans importance quand nous sommes jeunes se retournent contre nous à l'âge adulte avancé. Et rien n'influe davantage sur la qualité de vie à cet âge que la santé. Les personnes en bonne santé conservent de meilleures facultés intellectuelles et sont en mesure de maintenir une meilleure forme physique puisqu'elles ont la possibilité de faire de l'exercice. Elles ont également plus de possibilités qui s'offrent à elles en ce qui concerne l'optimisation avec compensation.

Le moment d'apparition des rôles détermine également la tournure que prendra l'âge adulte avancé, particulièrement pour le groupe de personnes que Neugarten appelle le troisième âge. Ainsi, les personnes qui ont eu des enfants tardivement vivent une expérience sensi-

blement différente entre 65 et 75 ans de celle des personnes qui n'ont pas eu d'enfants après 25 ou 30 ans. Le premier groupe peut se voir contraint de travailler après l'âge de la retraite pour subvenir aux besoins de ses enfants encore dépendants financièrement. En outre, comme les enfants nés tardivement se lancent à peine dans la vie au moment où leurs parents auraient besoin d'un soutien financier ou d'une forme quelconque d'aide, les conflits de rôles risquent de se multiplier.

Il existe un troisième modèle, implanté tôt dans la vie, qui se répercute sur l'expérience de l'âge adulte avancé; c'est la qualité des relations intimes, non seulement avec le conjoint ou le partenaire, mais également avec les amis. Les adultes qui ont un confident surmontent mieux le stress lié au vieillissement que les autres. Mais les confidents ne se trouvent pas sur les arbres, prêts à se laisser cueillir lorsqu'on a besoin d'eux. Ce sont des amis de longue date avec qui l'on a entretenu des relations suivies. Si les femmes semblent s'habituer plus facilement que les hommes aux changements de l'âge avancé, c'est entre autres parce qu'elles ont généralement cultivé un réseau d'amitiés intimes tout au long de leur vie.

Une exception importante vient contredire l'affirmation selon laquelle les modèles établis plus tôt dans la vie constituent les influences majeures de l'âge adulte avancé. En fait, il est un vieux principe plein de sagesse qui préside au succès du vieillisement : « Utilisez vos capacités, sinon vous les perdrez. » Dans presque tous les domaines de la vie, la conservation des capacités dépend de leur utilisation répétée, de leur pratique. L'esprit reste aiguisé tant que nous le sollicitons ; le corps reste en bonne condition pour autant qu'on l'entraîne ; les relations sociales restent satisfaisantes quand on les entretient par des contacts réguliers. Ces habitudes peuvent assurément être prises à un plus jeune âge, ce qui est par ailleurs souhaitable. Cependant, même ceux qui ont négligé leur corps, leur esprit et leurs relations peuvent changer ce mode de fonctionnement à l'âge avancé et, ainsi, mieux vieillir.

Somme toute, bien vieillir ne signifie pas nécessairement tromper la mort ou vivre plus longtemps. Le plus important, c'est de vivre pleinement les années qui nous restent. C'est ce que confirme la minorité de personnes âgées qui restent en forme et gardent leur joie de vivre. Vous devez avoir, vous aussi, la ferme intention de devenir une personne âgée excentrique et pleine de vie.

*C*omme nous avons commencé notre exploration du développement humain par l'étude de la naissance, nous allons la terminer par l'étude de la mort. Pour cette dernière expérience de la vie humaine, le développement suit la même trajectoire : un événement universel survient à un moment particulier pour chaque individu. Certaines personnes atteintes d'une maladie mortelle se verront confronter à l'imminence de leur propre mort, alors que d'autres seront emportées prématurément par un événement inattendu, tel qu'un accident.

Pour la plupart d'entre nous, le « dernier voyage » surviendra à l'âge adulte avancé et résultera du subtil « pas de deux » entre le vieillissement primaire et le vieillissement secondaire. C'est pourquoi une grande partie de cet épilogue porte sur les adultes âgés. La mort, de façon ultime, peut être considérée comme une étape de la vie, une occasion de croissance personnelle autant pour la personne qui se prépare à mourir que pour les personnes qui l'accompagnent.

EXPÉRIENCE DE LA MORT

Dans cet épilogue des *Âges de la vie*, nous allons aborder les dimensions de la mort et la façon dont évolue la compréhension de la mort au cours de la vie. Puis, nous nous pencherons sur les réactions de l'individu à sa mort imminente ainsi que sur l'expérience du deuil pour les proches. Pour terminer, nous examinerons les interrogations morales que soulève l'euthanasie.

DIMENSIONS DE LA MORT

La plupart d'entre nous considèrent la mort comme un interrupteur. Nous sommes en vie, et puis «clic!», l'interrupteur est fermé. Cependant, dans les faits, la mort est un processus dont les médecins désignent les différentes étapes par des termes précis. La **mort clinique** représente les premières minutes qui suivent l'arrêt des battements du cœur, de la respiration et de l'activité cérébrale. À cette étape, il est encore possible de ramener une personne à la vie. Les patients qui ont subi un arrêt cardiaque sont parfois «ressuscités» après une mort clinique. Il est probable que les gens qui témoignent d'une expérience de la «vie après la mort» sont revenus d'une mort clinique.

La **mort cérébrale** désigne l'état dans lequel se trouve une personne qui ne réagit plus à une forte stimulation extérieure et dont le cerveau ne présente plus d'activité électrique. Quand le cortex cérébral, mais non le tronc, est affecté, le patient peut parfois respirer avec ou sans l'aide d'appareils et il peut survivre ainsi pendant une longue période dans un état végétatif. Quand le tronc cérébral arrête à son tour, les fonctions corporelles ne peuvent plus se maintenir de façon indépendante. À cet instant, l'individu est déclaré légalement mort (Detchant, 1995). La mort cérébrale survient, la plupart du temps, 8 à 10 minutes après la mort clinique. Il existe cependant des cas où la mort cérébrale survient à cause d'une blessure au cerveau, à la suite d'un accident d'automobile par exemple, alors que les autres fonctions corporelles peuvent être maintenues artificiellement. Dans de tels cas, les autres organes du corps, comme le cœur et les reins, sont viables suffisamment longtemps pour être transplantés.

La **mort sociale** est le constat du décès. Quand un membre de la famille ferme les yeux d'un corps devenu inerte et que le médecin signe le certificat de décès, la personne est déclarée morte. On prépare alors le corps pour les rituels funéraires qui sont propres à sa culture. La famille et les amis font à ce moment face à la perte d'un être cher.

Soins palliatifs

Au Canada et en Europe, ainsi que dans les autres pays industrialisés, la grande majorité des adultes meurent dans des hôpitaux plutôt qu'à leur domicile ou dans des centres d'accueil. Au cours des deux dernières décennies sont apparus les **soins palliatifs** qui sont prodigués aux personnes atteintes d'une maladie incurable. Fortement encouragée par les écrits d'Élizabeth Kübler-Ross, qui a mis l'accent sur l'importance d'une «mort digne», cette approche vise à donner au patient et à sa famille une plus grande maîtrise sur le processus de la mort (Kübler-Ross, 1974). De nombreux professionnels de la santé, surtout en Angleterre, au Canada et aux États-Unis, considèrent qu'une personne agonisante devrait rester chez elle ou dans un environnement familier afin de voir quotidiennement sa famille et ses amis. À la suite de cette réflexion sur le droit à une «mort digne», on a créé au Canada et aux États-Unis des programmes et des unités de soins palliatifs qui s'appuient sur les mêmes principes de base (Bass, 1985).

1. La mort est une étape normale de la vie. Il ne faut pas chercher à l'éviter, mais y faire face et l'accepter.

2. Il faut encourager le patient et sa famille à se préparer à la mort en analysant leurs sentiments respectifs, en planifiant la fin de la vie du patient et en parlant ouvertement de la mort.

3. La famille doit participer autant que possible aux soins du patient, non seulement parce qu'elle lui apporte ainsi le soutien dont il a besoin, mais aussi parce que chaque membre de la famille peut ainsi faire le point sur sa relation avec la personne mourante.

4. Le patient et de sa famille doivent participer au choix du type de traitement et du lieu où le patient sera soigné.

5. Les soins médicaux doivent être palliatifs plutôt que curatifs. Il faut mettre l'accent sur la maîtrise de la douleur et la maximisation du bien-être, et non sur les interventions radicales ou les mesures qui permettront de prolonger la vie.

Mort clinique : Absence de signes vitaux durant laquelle il est encore possible de ramener la personne à la vie.

Mort cérébrale : Absence de signes vitaux, incluant l'activité cérébrale, durant laquelle il n'est plus possible de ramener la personne à la vie.

Mort sociale : Constat du décès par les membres de la famille et le personnel médical.

Soins palliatifs : Ensemble de soins destinés aux patients en phase terminale qui sont la plupart du temps pris en charge par les membres de leur famille. L'administration des soins relève alors de la responsabilité du patient et de sa famille qui peut les prodiguer à domicile, dans un centre de soins palliatifs ou dans un hôpital.

Trois types de programmes respectant ces principes ont été mis au point : les soins à domicile, les soins dans un centre de soins palliatifs et les soins en milieu hospitalier. Dans le premier et le plus courant, un membre de la famille – généralement le conjoint – prodigue à domicile les soins quotidiens à la personne mourante avec le soutien et l'assistance d'infirmières qui rendent visite au patient régulièrement pour lui donner ses médicaments et apporter un soutien psychologique à la famille. Dans le deuxième type, un centre de soins palliatifs accueille un petit nombre de patients en phase terminale et leur procure un environnement aussi chaleureux que possible. Le troisième type de programmes fournit des services en milieu hospitalier dans une unité de soins palliatifs où l'on favorise la participation quotidienne des membres de la famille aux soins du patient.

Il est intéressant de noter que ces trois options ressemblent à celles qui sont offertes aux femmes enceintes : l'accouchement à domicile, la maison de naissances et la chambre de naissance. Les soins hospitaliers traditionnels offrent une quatrième option pour la naissance comme pour la mort. La personne agonisante peut choisir la façon dont elle va mourir, tout comme les futurs parents peuvent choisir la façon dont naîtra leur enfant. Puisqu'il semble constituer un facteur primordial dans la satisfaction de vivre, le sentiment de maîtrise joue probablement le même rôle au moment de la mort.

COMPRÉHENSION DE LA MORT

En tant qu'adulte, nous comprenons tous que la mort constitue un phénomène irréversible, universel et inéluctable. Mais à quel âge les enfants et les adolescents comprennent-ils ces aspects de la mort ? Que signifie la mort pour les adultes ? Phénomène lointain pour la plupart des jeunes adultes, la mort revêt un caractère plus personnel à l'âge adulte moyen, alors que la pensée de la mort habite les adultes d'âge avancé.

Enfance Les résultats d'un grand nombre d'études révèlent que les enfants d'âge préscolaire ne comprennent généralement aucun des aspects de la mort. Ils croient que la mort est réversible grâce à la prière ou à la magie, ou simplement parce qu'ils le souhaitent (pensée magique) ; ils s'imaginent que les personnes mortes peuvent sentir les choses et respirent encore ; ils pensent que certaines personnes échappent à la mort, notamment les personnes intelligentes ou chanceuses et les membres de leur famille (Speece et Brent, 1984, 1992 ; Lansdown et Benjamin, 1985).

À l'âge scolaire, la plupart des enfants semblent comprendre le caractère irréversible et universel de la mort. Des chercheurs ont essayé d'établir un lien entre la

Ces garçons, qui se réconfortent mutuellement devant la tombe de leur mère, ont acquis une conception de la mort plus mature que leurs pairs qui n'ont pas encore expérimenté cette réalité.

compréhension de la mort par les enfants de cet âge et le développement des opérations concrètes. Selon certains d'entre eux, l'acquisition du concept de conservation semble favoriser la compréhension du caractère inéluctable de la mort. Toutefois, tous les chercheurs ne s'entendent pas sur l'existence d'un tel lien (Speece et Brent, 1984). Au contraire, comme pour de nombreux autres concepts, l'expérience de chaque enfant semble jouer un rôle déterminant. Les enfants de 4 ou 5 ans dont un membre de leur famille est décédé sont plus susceptibles de comprendre l'irréversibilité de la mort et l'arrêt des fonctions vitales que les autres enfants (Stambrook et Parker, 1987).

Il arrive que certains enfants perçoivent la mort comme une punition pour des actes répréhensibles, ce qui relève du stade 1 du raisonnement moral ultime de Kohlberg. On retrouve encore cette croyance et son corollaire (si l'on est bon, on est récompensé par une longue vie) chez certains adultes. Par exemple, selon une étude de Kalish et Reynolds (1976), 36 % des adultes interrogés étaient d'accord avec l'affirmation suivante : « La plupart des gens qui vivent jusqu'à 90 ans ou plus ont dû être des personnes moralement bonnes. » Ce point de vue est renforcé par l'enseignement religieux qui met l'accent sur la relation entre le péché et la mort.

Adolescence Les adolescents comprennent beaucoup mieux la finalité de la mort et son caractère inévitable que les enfants. Cependant, selon le psychologue David Elkind, les adolescents, au début de la pensée opératoire formelle, élaborent un ensemble de croyances, appelé *fabulation personnelle*. Comme nous l'avons vu au chapitre 7, la fabulation personnelle consiste, pour l'adolescent, à construire des scénarios démesurément optimistes dans lesquels, habité par la conviction de son invulnérabilité, il se donne le rôle du héros. Étant donné que la plupart des adolescents croient qu'ils ne peuvent pas mourir, Elkind et d'autres psychologues pensent que la fabulation personnelle amène une augmentation des comportements à risque, tels que la conduite en état d'ébriété ou les relations sexuelles non protégées (Klaczynski, 1997).

Le suicide chez les adolescents semble également dépendre de leurs croyances irrationnelles. Les adolescents qui tentent de se suicider comprennent que la mort met un terme définitif à leur vie, même si nombre d'entre eux essaient, par ce geste, d'échapper à un problème personnel particulièrement stressant (Blau, 1996). Ces adolescents croient en outre que la mort constitue une expérience agréable pour la plupart des gens (Gothelf *et al.*, 1998). De telles distorsions ne semblent pas résulter du cours normal des pensées chez les adolescents, mais plutôt d'émotions puissantes qui perturbent leur fonctionnement et les poussent au suicide. Les adultes suicidaires perçoivent la mort, même s'ils la désirent, comme une expérience douloureuse et désagréable. Il existe donc une différence entre la compréhension de la mort par un adolescent suicidaire et par un adulte suicidaire.

Tout comme les enfants, les adolescents sont affectés par leur expérience personnelle de la mort. Le décès d'un membre de la famille ou d'un ami proche du même âge semble amener l'adolescent à réexaminer de façon critique sa propre invulnérabilité et ses croyances au sujet de la mort (Batten et Oltjenbruns, 1999).

Début de l'âge adulte   Depuis quelques années, un concept théorique similaire à celui de la fabulation personnelle guide les chercheurs qui s'intéressent à la perception de la mort par les jeunes adultes. Les jeunes adultes ont le sentiment d'être invulnérables, c'est-à-dire qu'ils croient que les mauvaises expériences, notamment la mort, n'arrivent qu'aux autres, bien qu'ils soient plus réalistes que les adolescents au sujet du caractère personnel de la mort. De nombreux chercheurs ont observé que certains jeunes adultes croient qu'ils possèdent des caractéristiques uniques et personnelles qui les protègent de la mort. Par exemple, des adultes de tous âges devaient calculer leur espérance de vie en fonction des statistiques actuelles d'espérance de vie et de leurs facteurs de risque personnels; or, les résultats ont démontré que les jeunes adultes surestiment leur espérance de vie (Snyder, 1997). En outre, une discussion ouverte au sujet de la mort est plus susceptible de provoquer une augmentation de la peur de la mort chez les jeunes adultes que chez les adultes d'âge moyen ou avancé (Abengozar, Bueno et Vega, 1999).

L'expérience personnelle de la mort joue également un rôle dans la compréhension du phénomène. Par exemple, des étudiants en soins infirmiers ont moins peur de la mort que les étudiants d'autres concentrations, et l'intensité de leur peur diminue à chacune de leurs années d'études (Sharma. Monsen et Gary, 1997). La perte soudaine d'une personne aimée semble ébranler les croyances des jeunes adultes quant à leur invulnérabilité personnelle, si bien qu'un tel décès semble souvent plus dramatique pour les jeunes adultes que pour les adultes plus âgés. En fait, quoique la plupart d'entre eux ne mettent jamais leur plan à exécution, une telle perte conduit fréquemment les jeunes adultes à des pensées suicidaires, particulièrement dans le cas d'une mort violente par accident, homicide ou suicide (Prigerson *et al.*, 1999).

Selon certains psychologues, les jeunes adultes se protègent en accordant le statut de héros à une jeune célébrité morte prématurément, telle que la princesse Diana (Bourreille, 1999). En d'autres mots, pour maintenir leurs croyances quant à leur propre invulnérabilité, les jeunes adultes doivent expliquer pourquoi la mort touche des individus dans la fleur de l'âge, et pourquoi elle ne les atteindra pas.

Âge adulte moyen et avancé   La notion de mort chez les adultes d'âge moyen et avancé va bien au-delà de la simple acceptation de son caractère final, inévitable et universel. Le décès d'une personne a une *signification sociale* importante parce qu'il modifie le rôle et les relations interpersonnelles de tous les membres de sa famille. Lorsqu'une personne âgée meurt, toutes les personnes de sa lignée changent de position dans la généalogie, ce qui peut être très perturbant pour un adulte d'âge moyen qui n'est pas prêt à assumer un rôle d'aîné. La mort influe également sur les rôles professionnels des collègues de travail qui doivent par exemple assumer les responsabilités de la personne décédée.

Sur le plan personnel, la perspective de la mort peut modeler la conception du temps (Kalish, 1985) et agir comme *repère temporel*. Au milieu de l'âge adulte, la plupart des gens divisent leur vie entre «le temps qui s'est écoulé depuis la naissance» et «le temps qui reste jusqu'à la mort» comme l'exprime un adulte d'âge moyen (Neugarten, 1970, p. 78):

> Avant d'avoir 35 ans, l'avenir semblait infini. J'avais l'impression d'avoir le temps de réfléchir à ce que je voulais faire et de mener à bien tous mes projets... À présent, je ne cesse de me demander si j'ai suffisamment de temps pour en réaliser quelques-uns.

La mort est source de chagrin et de bouleversement au sein de la famille. Ce jeune homme devra sans doute assumer précocement certaines responsabilités familiales.

Cette conscience de la finitude – pour utiliser l'expression de Victor Marshall (1975) – ne fait pas partie de la conception de la mort de tous les adultes d'âge moyen ou avancé. Des recherches, dont celle de Pat Keith (1981-1982) sur des adultes âgés de 72 ans et plus, ont mentionné que les personnes qui parlaient du «temps qui leur restait avant la mort» (seulement la moitié des personnes interrogées) avaient moins peur de la mort que celles qui parlaient du «temps écoulé depuis leur naissance». La préoccupation du passé semble générer une plus grande anxiété devant la mort chez les adultes d'âge moyen et avancé (Pollack, 1979-1980).

La plupart des adultes considèrent la mort comme une *perte*. Cela n'a rien à voir avec l'arrêt des fonctions vitales. Il s'agit plutôt d'une prise de conscience de ce que nous perdons en mourant, par exemple nos relations, la satisfaction de vivre et toutes les sensations agréables. La mort signifie que je ne dégusterai plus jamais un bon repas, que je n'écouterai plus jamais une pièce musicale ou que je ne m'endormirai plus jamais dans les bras de la personne que j'aime. Les pertes dont les gens se préoccupent le plus semblent varier avec l'âge. Les jeunes adultes sont plus soucieux de perdre l'occasion de vivre de nouvelles expériences et leurs relations familiales, alors que les personnes âgées s'inquiètent davantage de ne pas pouvoir terminer leur introspection. Si on la perçoit comme une punition ou une perte, la mort risque de revêtir un caractère redoutable.

Peur de la mort

La peur de la mort est faite de toutes sortes de peurs, telles que la peur de souffrir, la peur de perdre sa dignité ou la peur de recevoir un châtiment. Les chercheurs ont généralement étudié la peur de la mort au moyen de questionnaires. Par exemple, David Lester (1990) a demandé à des personnes d'indiquer, sur une échelle de cinq points, leur degré d'anxiété face à plusieurs aspects de la mort, tels que la brièveté de la vie ou la perte de la dignité. James Thorson et F. C. Powell, dans une étude similaire, ont inclus des affirmations comme «J'ai peur que ma mort soit douloureuse» ou «Je m'inquiète de ce qui m'arrivera quand je mourrai» (Thorson et Powell, 1992). Selon ces études, les adultes d'âge moyen ont plus peur de la mort que les personnes âgées, et les jeunes adultes se situent généralement entre les deux (Thorson et Powell, 1992).

Une étude effectuée par Vern Bengtson et ses collaborateurs (Bengtson, Cuellar et Ragan, 1977) fait clairement ressortir la différence qui existe entre les adultes d'âge moyen et d'âge avancé. Ces chercheurs ont interrogé un échantillon d'adultes entre 45 et 74 ans, représentatif de la population de Los Angeles. Leurs résultats montrent que le paroxysme de la peur de la mort est atteint au milieu de l'âge adulte, ce qui correspond aux modèles de nombreux théoriciens, dont Levinson, pour qui l'acceptation du caractère inéluctable de sa propre mort constitue l'une des principales tâches du milieu de l'âge adulte. Ce sont l'apparition des signes du vieillissement physique, de même que le décès de leurs parents, qui font prendre conscience aux adultes d'âge moyen du caractère inexorable de la mort. L'effet combiné de ces deux facteurs détruit les mécanismes de défense qui les protègent de la conscience de leur propre mort, et les force à affronter leur peur.

Les personnes âgées ne se désintéressent pas de la mort. Au contraire, elles pensent à la mort et en parlent davantage que tous les autres adultes, ce qui semble faire diminuer leur anxiété (Abengozar *et al.*, 1999). Bien qu'elle les préoccupe beaucoup, la mort génère apparemment moins d'angoisse chez les adultes d'âge avancé que chez les adultes d'âge moyen, sans doute parce que, à cet âge, la plupart des individus ont accepté son caractère inéluctable. Les personnes âgées redoutent généralement davantage la période d'incertitude qui précède la mort que la mort elle-même (Sullivan *et al.*, 1998). Elles s'inquiètent de l'endroit où elles vivront, des personnes qui les soigneront ou de leur capacité d'adaptation à la perte de maîtrise et d'autonomie qui pourrait accompagner leurs derniers mois ou leurs dernières années de vie (Marshall et Levy, 1990).

Croyances religieuses Généralement, les recherches indiquent que les personnes très croyantes ont moins peur de la mort que les personnes non croyantes (Kalish, 1985; Thorson et Powell, 1992). Par contre, selon quelques études, les personnes profondément athées éprouvent peu de crainte devant la mort. Les personnes les plus angoissées sont sans doute celles qui sont dans l'incertitude quant à leurs traditions religieuses ou philosophiques ou qui ne s'engagent dans aucune d'elles. Bon nombre d'adultes considèrent la mort comme une transition vers une autre forme de vie, de la vie physique vers une sorte d'immortalité.

Personnalité   Parmi les cinq traits de la personnalité, seule la tendance à la névrose (ou instabilité émotionnelle) semble associée à la peur de la mort. On sait que cette tendance est partiellement caractérisée par une attitude négative ou une peur intense devant plusieurs aspects de la vie. La peur de la mort constitue donc, jusqu'à un certain point, l'expression d'un trait plus général de la personnalité.

Encore plus intéressant est le lien qui existe entre la peur de la mort et le sentiment de sa valeur personnelle ou de sa compétence. Les personnes qui ont le sentiment d'avoir atteint leurs objectifs de vie ou qui sont satisfaites de leur existence ont moins peur de la mort que celles qui sont insatisfaites (Neimeyer et Chapman, 1980-1981). De même, les personnes qui ont un but dans la vie ou qui donnent à leur vie une signification ont moins peur de la mort (Durlack, 1972 ; Pollack, 1979-1980). On peut penser que les personnes qui ont réussi à répondre adéquatement aux exigences des rôles de l'âge adulte et qui se sont épanouies intérieurement sont en mesure d'affronter la mort plus sereinement. Pendant les dernières années de leur vie, les personnes qui n'ont pas été capables de résoudre les différentes tâches de l'âge adulte sont plus angoissées par l'idée de mourir, ce qu'Erikson décrit comme le désespoir. Leur peur de la mort peut tout simplement représenter une facette de leur désespoir. Dans cette perspective, la vie pourrait être considérée comme une préparation à la mort.

ADAPTATION À UNE MORT IMMINENTE

Comment une personne réagit-elle à l'annonce de sa mort imminente ? Comment se prépare-t-elle à mourir ? Diverses approches s'intéressent à ces questions et proposent des modèles. Quel que soit le modèle auquel on se réfère, il est clair qu'il n'existe aucune étape fixe, aucun modèle commun qui caractérise la plupart des réactions à l'approche de la mort. Il existe bien des thèmes communs, mais ils sont associés à des modèles différents pour chaque personne lorsqu'elle se retrouve devant la mort.

Préparation à la mort   La préparation à la mort se fait sur de nombreux plans. Sur le plan pratique, on peut prendre des dispositions, telles que contracter une assurance-vie ou rédiger son testament. Ces dispositions deviennent plus courantes au fur et à mesure que l'on vieillit et que l'on s'habitue à l'idée d'une mort prochaine.

Sur le plan personnel, les personnes âgées peuvent utiliser la réminiscence (ou le bilan de vie) pour se préparer à la mort, bien qu'aucune recherche n'indique qu'elles le font systématiquement. Pour d'autres personnes, la rétrospection peut constituer une façon d'« écrire le dernier chapitre de leur vie » et de justifier leur existence (Marshall et Levy, 1990), même s'il n'existe aucune recherche sur sa fréquence d'utilisation.

Divers changements inconscients qui se produisent durant les années précédant la mort préparent également l'individu. Selon les recherches effectuées par Morton Lieberman (1965 ; Lieberman et Coplan, 1970), il pourrait exister des changements psychologiques « terminaux », tout comme il existe des changements physiques et cognitifs liés à la chute terminale. Lieberman a repéré certains changements qui pourraient survenir peu de temps avant la mort en s'appuyant sur les résultats d'une étude longitudinale qu'il a effectuée. Après avoir interrogé régulièrement des personnes âgées durant une période de trois ans, il a gardé le contact avec elles et a noté la date de leur décès. Il a ainsi pu comparer les scores obtenus aux tests psychologiques d'un groupe de 40 personnes mortes très peu de temps après la fin des entrevues (en l'espace d'un an) à ceux d'un groupe de 40 personnes qui avaient survécu au moins trois ans. Les deux groupes avaient été jumelés, au début de l'étude, selon leur âge, leur sexe et leur situation familiale.

Les adultes se préparent à la mort de diverses façons : par exemple, ils prennent une assurance-vie ou rédigent leur testament, comme le fait cette femme d'âge moyen.

Lieberman a remarqué que les personnes dont la mort approchait présentaient une chute terminale aux tests de mémoire et d'apprentissage. Elles étaient également moins émotives, moins introspectives, moins agressives ou péremptoires, et plus conventionnelles, plus dociles, plus dépendantes et plus chaleureuses. Plus la mort était imminente, plus ces caractéristiques s'accentuaient. Ce modèle n'apparaissait pas chez les personnes du même âge qui étaient plus éloignées du moment de leur mort, même si elles étaient initialement conventionnelles, dociles, dépendantes et non introspectives.

Ces résultats ne concernent qu'une seule étude. Il ne faut donc pas en tirer de conclusions hâtives. Toutefois, ils suscitent la curiosité et indiquent certaines directions à la recherche. Ils brossent le tableau d'une préparation psychologique à la mort – consciente ou non – au cours de laquelle l'individu cesse de lutter contre des moulins à vent et devient moins actif physiquement et psychologiquement. Les personnes à l'approche de la mort ne se lient pas moins intimement avec les autres, mais semblent faire preuve d'un certain désengagement.

Approche de Kübler-Ross

Elizabeth Kübler-Ross (1969) a tiré certaines conclusions très similaires à celles que nous venons de voir à partir de ses études sur les adultes et les enfants en phase terminale. Dans ses premiers travaux, elle affirmait que les personnes qui savent qu'elles vont mourir traversent une série d'étapes pour arriver au stade qu'elle nomme l'acceptation. Ce modèle a soulevé de nombreuses critiques, et Kübler-Ross elle-même, dans ses derniers travaux, ne soutenait plus l'existence d'étapes clairement définies ou ordonnées (Kübler-Ross, 1974) et parlait plutôt de tâches affectives. Toutefois, ses premières hypothèses ont exercé une très grande influence, sa terminologie demeure répandue et son approche systématique de la personne mourante reste la plus utilisée par le personnel médical (Downe-Wamboldt et Tamlyn, 1997).

Étapes du processus de mort En se basant sur l'observation de centaines de patients mourants, Kübler-Ross a défini les cinq étapes suivantes : la négation, la colère, le marchandage, la dépression et l'acceptation.

1. *La négation.* Lorsqu'ils apprennent qu'ils vont mourir, la plupart des gens pensent : « Oh ! non, pas moi ! », « Il doit y avoir une erreur » ou « Je vais demander un autre avis ». Ce sont différentes manifestations de la négation, un mécanisme de défense qui peut être très utile durant les premières heures ou les premiers jours qui suivent un tel verdict, car

La colère que suscite un diagnostic de maladie incurable peut être dirigée contre Dieu, le médecin, les infirmières ou les membres de la famille.

il aide la personne à y faire face. Kübler-Ross croyait que ces manifestations extrêmes de la négation s'estompaient quelques jours plus tard pour faire place à la colère.

2. *La colère.* Souvent exprimée par des pensées, telles que « Ce n'est pas juste ! », la colère peut être dirigée contre Dieu, le médecin, les infirmières ou les membres de la famille. Elle semble constituer non seulement une réaction au diagnostic de maladie incurable, mais aussi au sentiment d'impuissance et de perte de maîtrise que de nombreux patients ressentent dans un milieu hospitalier impersonnel.

3. *Le marchandage.* La troisième étape, le marchandage, fait également appel à un mécanisme de défense. Le patient essaie de négocier avec les médecins, les infirmières, la famille ou Dieu : « Si je fais tout ce que vous me dites de faire, est-ce que je pourrai vivre jusqu'au printemps ? » Kübler-Ross (1969, p. 83) raconte une situation caractéristique du marchandage : une patiente en phase terminale voulait se rendre au mariage de son fils aîné. Pour l'aider à atteindre cet objectif, le personnel hospitalier lui a appris une technique d'autosuggestion afin de mieux maîtriser la douleur, et elle a pu assister au mariage. Kübler-Ross décrit la suite : « Je n'oublierai jamais le moment où elle est revenue à l'hôpital. Elle avait l'air fatigué et épuisé et, avant que je puisse la saluer, elle m'a dit : « N'oubliez pas que j'ai un autre fils ! » Le marchandage peut être efficace pendant un certain temps, mais – comme le pensait Kübler-Ross – cette réaction finit par disparaître devant tous les signes du dépérissement physique.

Cette femme atteinte du cancer a choisi de rester chez elle durant les derniers mois de sa vie. Les infirmières lui rendent régulièrement visite pour lui prodiguer des soins.

4. *La dépression.* Quand le marchandage est devenu inefficace, beaucoup de personnes agonisantes sombrent dans la dépression, et cet état peut durer longtemps. Selon Kübler-Ross, la dépression constitue une étape nécessaire pour parvenir à l'acceptation. La personne mourante doit alors faire le deuil de tout ce qu'elle va perdre.

5. *L'acceptation.* Une fois la dépression terminée, la personne est prête à mourir. L'écrivain Stewart Alsop (1973, p. 299) qui souffrait d'une leucémie livre un témoignage particulièrement éloquent de l'acceptation : « Un homme agonisant doit mourir, tout comme l'homme fatigué doit dormir, et il vient un temps où il est vain et inutile de résister. »

Critiques de l'approche de Kübler-Ross Il n'y a aucun doute que la description du processus de l'agonie par Kübler-Ross a exercé une immense influence sur les médecins, les infirmières, les travailleurs sociaux et les autres personnes qui travaillent auprès des personnes agonisantes et de leur famille. En plus de leur avoir donné un langage commun, Kübler-Ross a mis au cœur du débat le besoin de compassion du personnel soignant et le besoin de dignité de la personne mourante. La personne mourante a besoin parfois d'être réconfortée, parfois d'être simplement écoutée. Bien que ses écrits aient contribué à implanter de nouvelles structures pour les personnes agonisantes, telles que les soins palliatifs, Kübler-Ross a émis une hypothèse concernant une suite d'étapes déterminée qui a été fortement critiquée et largement rejetée.

Les cliniciens et les chercheurs en **thanatologie** qui ont étudié des patients agonisants de manière plus systématique que Kübler-Ross n'ont pas toujours observé les cinq émotions qu'elle a décrites ni l'ordre qu'elle a établi.

Parmi les cinq étapes, seule la dépression semblait être commune aux personnes mourantes dans la culture occidentale. Peu de signes indiquent que la majorité des personnes agonisantes en viennent à accepter la mort comme l'étape finale (Baugher *et al.*, 1989-1990). Au contraire, si certaines personnes manifestent une certaine acceptation, d'autres demeurent actives et engagées jusqu'à la fin.

Approche de Corr

Charles Corr (1991-1992), dans son approche basée sur les tâches, considère la préparation à la mort comme n'importe quel dilemme : il est nécessaire d'effectuer certaines tâches pour le résoudre, dont les quatre suivantes :

1. Satisfaire les besoins corporels et atténuer le stress physique.

2. Améliorer la sécurité psychologique, l'autonomie et la qualité de vie.

3. Maintenir les relations affectives significatives pour la personne agonisante.

4. Découvrir les sources d'énergie spirituelle et les renforcer pour stimuler l'espoir.

Corr ne nie pas l'importance des différents comportements affectifs décrits par Shneidman. En fait, il soutient que, pour les professionnels de la santé qui travaillent avec des personnes mourantes, il est utile de penser aux tâches que doit effectuer le patient, car celui-ci peut avoir besoin d'aide pour les réaliser.

Approche de Greer

L'étude la plus influente sur la façon d'aborder la mort a été menée par Steven Greer et ses collaborateurs (Greer, 1991 ; Greer, Morris et Pettingale, 1979 ; Pettingale *et al.*, 1985). Ils ont suivi un groupe de 62 femmes atteintes d'un cancer du sein aux tout premiers stades. Trois mois après l'annonce du diagnostic, chaque femme a été interrogée longuement, et sa réaction au diagnostic et au traitement était classée dans l'une des cinq catégories suivantes :

1. *La négation (évitement positif).* Rejet des preuves du diagnostic. La patiente prétend que l'opération était seulement de nature préventive.

2. *La combativité.* Attitude optimiste. La patiente cherche de l'information sur sa maladie, elle la perçoit comme un défi à relever et elle a l'intention de lutter en utilisant tous les moyens possibles.

Thanatologie : *Étude du processus de la mort.*

3. *L'acceptation stoïque (fatalisme)*. Acceptation du diagnostic sans chercher à en savoir plus. La patiente ne tient pas compte du diagnostic et mène une vie aussi normale que possible.

4. *L'impuissance et le désespoir*. Accablement à la suite du diagnostic. La patiente se perçoit comme une personne mourante ou très malade, et elle n'a plus d'espoir.

5. *La préoccupation anxieuse*. Forte réaction à l'annonce du diagnostic et anxiété persistante. Initialement incluse dans l'impuissance et le désespoir, cette catégorie en a été séparée dernièrement. La patiente perçoit négativement l'information. Elle surveille minutieusement l'évolution de son état et interprète chaque sensation corporelle comme un malaise et chaque douleur comme une rechute possible.

Greer a ensuite vérifié le taux de survie dans les cinq catégories à des intervalles de 5, 10 et 15 ans après l'annonce du diagnostic. Le tableau 1 présente des résultats étonnants étalés sur 15 ans. Chez les femmes dont la réaction initiale avait été la négation ou la combativité, seulement 35 % étaient mortes du cancer 15 ans plus tard comparativement à 76 % des femmes dont la réaction initiale avait été une acceptation stoïque, l'impuissance et le désespoir ou la préoccupation anxieuse. Puisqu'il n'y avait à l'origine aucune différence dans la maladie ou le traitement, il semble bien que la réaction psychologique puisse influer sur l'évolution de la maladie.

Des résultats semblables ont été obtenus par des études effectuées sur des patients souffrant d'un mélanome (forme de cancer de la peau particulièrement mortelle) ou d'un autre type de cancer (Reed *et al.*, 1994; Solano *et al.*, 1993; Temoshok, 1987), ainsi que sur des patients sidéens (Reed *et al.*, 1994; Solano *et al.*, 1993). Au moins une étude sur des patients ayant subi un pontage coronarien (Scheier *et al.*, 1989) démontre que les hommes qui présentent une attitude plus optimiste avant l'opération se rétablissent plus rapidement dans les six mois qui suivent et reprennent leur ancien mode de vie. En général, les personnes qui manifestent moins d'hostilité, plus d'acceptation stoïque et plus d'impuissance, et qui n'expriment pas leurs sentiments négatifs meurent plus rapidement (O'Leary, 1990). Les personnes qui luttent, qui se battent avec acharnement, qui expriment ouvertement leur rage et leur hostilité et qui trouvent aussi des sources de joie dans leur vie vivent plus longtemps. D'une certaine façon, les données semblent indiquer que les «bons patients» – les personnes obéissantes qui ne posent pas trop de questions, qui ne se mettent pas en colère contre les médecins ou qui ne rendent pas la vie impossible à leurs proches – risquent de mourir plus tôt. Les patients difficiles qui posent des questions et défient les personnes qui les entourent vivent plus longtemps.

Cependant, de récentes études associent ces différences psychologiques au fonctionnement du système immunitaire. Les patients qui rapportent moins de détresse et qui semblent mieux s'adapter à leur maladie présentaient des taux moins élevés d'un sous-groupe particulier de cellules immunitaires, les cellules tueuses naturelles ou cellules NK, qui jouent un rôle essentiel dans la défense contre les cellules cancéreuses (O'Leary, 1990). Selon une étude, le nombre de cellules T diminue plus rapidement chez les patients sidéens qui réagissent à l'annonce de leur maladie sur un mode répressif (similaire à l'acceptation stoïque ou à l'impuissance et au désespoir) que chez les patients sidéens qui manifestent leur combativité (Solano *et al.*, 1993).

En dépit de la concordance de ces résultats, il ne faut pas conclure que la combativité constitue la meilleure réponse possible à toutes les maladies. En effet, certaines

Tableau 1 *Réactions psychologiques à la mort et taux de survie (sur 15 ans) après l'annonce du diagnostic de cancer*

Attitude adoptée 3 mois après la chirurgie	Résultats après 15 ans			
	Nombre de personnes en bonne santé	Nombre de personnes décédées du cancer	Nombre de personnes décédées d'autres causes que le cancer	Total
Négation	5	5	0	10
Combativité	4	2	4	10
Acceptation stoïque	6	24	3	33
Préoccupation anxieuse	0	3	0	3
Impuissance et désespoir	1	5	0	6
Total	16	39	7	62

(*Source*: Greer, 1991, tableau 1, p. 45.)

études n'ont établi aucun lien entre la dépression, l'acceptation stoïque ou l'impuissance et une mort plus rapide des suites du cancer (Cassileth, Walsh et Lusk, 1988; Richardson *et al.*, 1990). Par ailleurs, la même réaction psychologique n'est pas forcément idéale pour chaque maladie. Il reste encore beaucoup de questions en ce qui concerne l'influence de la réaction psychologique sur les maladies du cœur par exemple. Ce n'est pas sans une certaine ironie qu'on remarque la présence de plusieurs qualités considérées comme optimales chez les patients cancéreux dans la personnalité de type A. Comme ce type de personnalité constitue un facteur de risque pour les maladies cardiaques, la combativité ne paraît guère souhaitable dans le cas d'une grave maladie du cœur. Par contre, ces recherches indiquent qu'il existe des liens entre les mécanismes de défense – notre réaction devant la mort – et les capacités physiques, même au cours des tout derniers stades de la vie.

Rôle du soutien social

Le soutien social joue un rôle important dans la réaction d'une personne à l'annonce de sa mort. Les personnes qui bénéficient d'un soutien social positif expriment une douleur moins intense et font face à une dépression moins forte durant les derniers mois de la maladie (Carey, 1974; Hinton, 1975). Elles vivent aussi plus longtemps. Par exemple, les patients victimes d'une crise cardiaque qui vivent seuls sont plus susceptibles de subir une deuxième crise cardiaque que les personnes qui vivent avec quelqu'un (Case *et al.*, 1992). De même, les personnes atteintes d'une grave artériosclérose vivent plus longtemps si elles ont un confident (Williams *et al.*, 1992).

Des études expérimentales ont été effectuées sur des patients dont le diagnostic et les soins étaient équivalents. Ces patients ont été répartis aléatoirement dans deux groupes, soit un groupe de soutien expérimental qui se réunissait régulièrement, soit un groupe témoin qui ne se réunissait jamais. Il est particulièrement étonnant que ces études démontrent l'existence d'un lien entre le soutien social et la durée de survie. Dans une étude semblable réalisée auprès de 86 femmes atteintes d'un cancer métastatique du sein (cancer qui se dissémine en dehors du site initial), David Spiegel (Spiegel *et al.*, 1989) a noté que la durée moyenne de survie était de 36,6 mois pour les personnes du groupe expérimental et de 18,9 mois pour celles du groupe témoin. Ainsi, tout comme il protège les enfants et les adultes des effets négatifs de différentes formes de stress mineur, le soutien social semble jouer un rôle similaire chez les personnes qui font face à la mort.

Expérience de la mort

- Décrivez une mort clinique, une mort cérébrale et une mort sociale.

- Expliquez l'approche des soins palliatifs.

- Comment comprend-on la mort à chacun des âges de la vie?

- Comment évolue la peur de la mort à l'âge adulte?

- Décrivez les étapes du processus de la mort selon Kübler-Ross. Quelles sont les critiques de ce modèle?

- Expliquez le modèle de Corr.

- Quel rapport Greer a-t-il établi entre le taux de survie et le type de réaction chez des patientes atteintes d'un cancer du sein?

- Quel est le rôle du soutien social à l'approche de la mort?

Concepts et mots clés

- **acceptation** (p. 474) • **acceptation stoïque** (p. 475) • **colère** (p. 473)
- **combativité** (p. 474) • **dépression** (p. 474) • **impuissance et désespoir** (p. 475) • **marchandage** (p. 473) • **mort cérébrale** (p. 468)
- **mort clinique** (p. 468) • **mort sociale** (p. 468) • **négation** (p. 473)
- **préoccupation anxieuse** (p. 475) • **soins palliatifs** (p. 468)
- **thanatologie** (p. 474)

EXPÉRIENCE DU DEUIL

Quels que soient l'endroit et la façon dont elle meurt, une personne laisse généralement dans le deuil les membres de sa famille, ses amis ainsi que son entourage. La réaction à la mort, dans presque toutes les cultures, consiste à accomplir un rite funèbre.

FONCTIONS PSYCHOLOGIQUES DES RITES FUNÈBRES

Souvenez-vous des funérailles auxquelles vous avez assisté? Est-ce qu'elles vous semblaient complètement dénuées de sens? Vous êtes-vous déjà interrogé sur le but de cette rencontre pour enterrer un cadavre? À mesure que nous vieillissons, notre perception des rites funèbres se modifie et nous finissons par comprendre qu'ils remplissent plusieurs fonctions sociales essentielles. Comme l'expliquent Marshall et Levy (1990, p. 246 et 253):

> Les rituels [...] permettent aux différentes cultures de chercher à maîtriser l'aspect perturbateur de la mort et de la rendre porteuse de sens [...] Les funérailles constituent un moyen officiel d'achever le travail biographique, de gérer le deuil et d'établir de nouvelles relations sociales après la mort.

Les funérailles permettent aux membres de la famille de vivre dignement leur deuil en prescrivant un ensemble précis de rôles à jouer. Chaque culture définit ces rôles différemment. Dans certaines cultures, les membres de la famille doivent porter du noir et dans d'autres, du blanc. Dans la culture nord-américaine, on s'attend à ce que les membres de la famille supportent leur chagrin de façon stoïque, alors que, dans d'autres cultures, ils doivent se lamenter et pleurer sans retenue. Quels que soient les détails du rituel, il existe des règles qui dictent la façon dont les premiers jours ou les premières semaines suivant la mort doivent se dérouler pour les proches du défunt. Ces règles précisent le comportement qu'ils doivent adopter, par exemple participer à une veillée funèbre, prier ou planifier le déroulement des funérailles. Les amis et les connaissances doivent également suivre des règles de conduite, du moins pendant les premiers jours, par exemple écrire une lettre de condoléances, offrir leur aide ou assister aux funérailles.

À l'occasion des funérailles, comme des mariages, tous les membres des familles se réunissent. Les rites funèbres contribuent donc à renforcer les liens familiaux, à déterminer les nouvelles influences ou les nouvelles sources d'autorité au sein d'une famille et à passer le flambeau à la génération suivante. La mort peut aussi servir de repère dans le temps afin d'établir une chronologie familiale. Par exemple, les membres de la famille peuvent utiliser une phrase comme « C'était avant que grand-papa meure » pour situer un événement dans le temps. L'utilisation de tels repères favorise le processus du deuil (Katz et Bartone, 1998).

Les rites funèbres qui soulignent le sens de la vie de la personne décédée permettent aux proches de mieux comprendre le sens de sa mort. Ce n'est pas un hasard si la plupart des rites funèbres comprennent des témoignages, des biographies et des discours. En racontant l'histoire d'une personne et en témoignant du sens de sa vie, on parvient à mieux accepter son départ. D'une certaine manière, les funérailles constituent souvent une rétrospection qui remplit pour les vivants les mêmes fonctions que la réminiscence pour les personnes âgées. Finalement, les rites funèbres peuvent permettre de transcender la mort en répondant aux interrogations spirituelles ou philosophiques, ce qui constitue une source de réconfort pour la famille du disparu.

PROCESSUS DU DEUIL

Comme nous venons de le voir, les rites funéraires peuvent fournir une structure et apporter un réconfort au cours des premiers jours qui suivent la mort. Mais que se produit-il lorsque cette structure disparaît ? Comment fait-on face individuellement au sentiment de perte ? Pour répondre à ces questions, il faut se tourner vers l'épidémiologie du deuil et étudier les différentes réactions individuelles à la perte d'un être cher.

Réactions selon l'âge Les enfants expriment leurs sentiments devant la mort sensiblement de la même façon que les adolescents et les adultes. Comme les adultes, les enfants manifestent leur chagrin par des expressions faciales de tristesse, par des pleurs, par une perte d'appétit ou par des réactions de colère typiques de leur âge (Oatley et Jenkins, 1996). Les funérailles semblent avoir la même fonction adaptative pour les enfants que pour les adultes. La plupart des enfants font leur deuil au cours de la première année qui suit la perte. De plus, les enfants, comme les autres personnes, peuvent se préparer à la perte d'un être cher (ou même d'un animal de compagnie) si on les informe de sa maladie et de sa mort prochaine (Jarolmen, 1998).

Quoique leurs comportements face au deuil diffèrent légèrement de ceux des adultes, les adolescents sont plus susceptibles de vivre un deuil prolongé que les enfants et les adultes. Selon une étude, 20 % des étudiants du secondaire qui avait perdu un ami dans un accident continuaient à vivre des sentiments intenses liés à ce deuil 9 mois après le décès (Dyregrov *et al.*, 1999). Les adolescentes qui ont perdu leur mère risquent plus souvent de présenter à long terme des problèmes liés au deuil (Lenhardt et McCourt, 2000). Les adolescents sont aussi plus susceptibles que les adultes d'être affectés par le décès de célébrités ou d'idéaliser le suicide de leurs pairs (voir l'encadré p. 480).

L'adaptation au deuil des adolescents est probablement associée aux changements cognitifs observés durant cette période. Vous vous rappelez sans doute que les

Chaque culture possède ses propres rites funèbres. Selon la coutume libanaise musulmane, la foule transporte la personne décédée à bout de bras.

adolescents interprétaient le monde réel à partir d'images idéalisées. Par conséquent, un adolescent peut imaginer comment le monde serait si son ami ou une personne aimée n'était pas mort. Cette capacité d'aborder le domaine du possible, cette tendance à s'engager dans une réflexion du type « Que se passerait-il si... ? », conduirait les adolescents à croire qu'ils auraient pu faire quelque chose afin de prévenir la mort de la personne aimée. Par conséquent, les adolescents éprouveraient des sentiments irrationnels de culpabilité qui seraient à l'origine de certains deuils prolongés (Cunningham, 1996).

Comment survient la mort   La façon dont un individu meurt influe aussi sur le processus de deuil de ses proches. Par exemple, les veufs et les veuves qui ont accompagné leur conjoint malade sont moins susceptibles de déprimer après sa mort que ceux qui doivent faire face à la mort subite de leur conjoint (Carneley, Worthman et Kessler, 1999). Dans le premier cas, le sentiment de dépression associé au deuil semble se manifester durant la période d'accompagnement plutôt qu'à la suite du décès. La mort du conjoint est alors perçue comme une libération de ses souffrances et comme une délivrance par la personne qui le soigne. De la même façon, quand la mort revêt une signification particulière, par exemple la mort au combat d'un jeune soldat, les personnes qui survivent parviennent à faire face à leur deuil en se disant qu'au moins sa mort n'aura pas été inutile (Malkinson et Bar-Tur, 1999). La plupart des personnes qui vivent un deuil ont tendance à donner une explication rationnelle à la mort, ce qui leur permet de se protéger d'une dépression à long terme.

Les décès soudains et violents sont associés à des réactions plus intenses au deuil. D'après une étude, 36 % des personnes devenues veuves à la suite d'un accident ou d'un suicide souffraient, 2 mois après le décès, du syndrome post-traumatique (et de cauchemars) comparativement à 10 % des personnes devenues veuves à la suite d'une mort naturelle (Zisook, Chentsova-Dutton et Schuchter, 1998). Le suicide provoque un modèle particulier de réactions chez les proches (Bailley, Kral et Dunham, 1999). En général, la famille et les proches d'une personne qui s'est suicidée éprouvent de la colère et le sentiment d'être rejetés. Ils croient en outre qu'ils auraient dû prévenir le suicide. Ils discutent plus rarement avec leur entourage de la perte qu'ils ont subie parce que le suicide est souvent considéré comme un geste honteux. Pour toutes ces raisons, les proches d'une personne qui s'est enlevé la vie risquent plus que les autres personnes en deuil de souffrir d'effets négatifs à long terme.

VEUVAGE

La relation qui existait entre la personne décédée et celle qui lui survit influe sur le processus du deuil. Par exemple, l'état de santé des parents (voir l'encadré p. 482) est souvent moins bon après le décès de leur enfant, et ils vivent souvent des périodes d'intense tristesse pendant de nombreuses années (Arbuckle et De Vries, 1995 ; Malkinson et Bar-Tur, 1999). En règle générale, la mort du conjoint est tout aussi difficile à surmonter.

Santé physique et mentale   Les études épidémiologiques confirment que le veuvage constitue l'événement le plus stressant de tous les changements négatifs de la vie. Cette expérience semble produire des effets immédiats et à long terme sur le système immunitaire (Beem *et al.*, 1999 ; Gallagher-Thompson *et al.*, 1993 ; Irwin et Pike, 1993). Selon une étude norvégienne portant sur le système immunitaire des veuves et des veufs (Lindstrom, 1997), le fonctionnement du système immunitaire est à son plus bas niveau peu après le décès du conjoint, mais il redevient normal, dans la plupart des cas, un an plus tard. De même, la réponse immunitaire des veuves, sept mois après le décès de leur conjoint, était différente de celle des femmes mariées, d'après une étude effectuée aux Pays-Bas (Beem *et al.*, 1999). Toutefois, malgré la diminution des différences psychologiques (comme le sentiment de tristesse), les différences de la réponse immunitaire persistaient. De plus, la personne qui vit un deuil peut continuer de souffrir sur le plan biochimique bien après la disparition des signes apparents du deuil. Le deuil influe également sur les mécanismes de défense contre les agents infectieux, tels que les virus et les bactéries.

L'incidence de dépression augmente considérablement au cours de l'année qui suit le deuil, et le taux de mortalité et de maladie s'accroît légèrement chez le veuf ou la veuve (Stroebe et Stroebe, 1993 ; Reich, Zautra et Guarnaccia, 1989). Une importante étude longitudinale mentionne que les taux de dépression augmentent dans les six premiers mois suivant le décès du conjoint ou de la conjointe. Fran Norris et Stanley Murrell (1990), dans une étude portant sur 3 000 adultes de plus de 55 ans, n'ont remarqué aucune différence entre les personnes veuves et les autres lors des évaluations physiques, mais ils ont noté d'importantes différences lors des évaluations de la dépression (voir la figure 1). Les veufs et les veuves étaient souvent plus déprimés avant le décès de leur conjoint, probablement parce que certains savaient déjà que leur conjoint était malade. Toutefois, le taux de dépression a augmenté en flèche dans les six mois qui ont suivi la mort du conjoint, puis il a diminué.

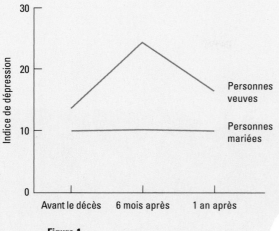

Figure 1
Taux de dépression chez les personnes veuves.
La dépression atteint un sommet chez les personnes veuves dans les mois suivant le décès du conjoint. (*Source :* Norris et Murrell, 1990, tiré du tableau 1, p. 432.)

Sur le plan de la santé mentale, les veuves âgées différeraient des femmes mariées pendant plusieurs années après le décès de leur conjoint (Bennett, 1997). Un déclin de la santé physique et mentale, dont la durée serait très variable, accompagnerait indéniablement le décès d'un conjoint. Les antécédents en santé mentale, l'absence de soutien social (Reed, 1998 ; Tomita *et al.*, 1997) et la qualité de la relation font partie des nombreux facteurs qui influent sur la durée de ce déclin. Le décès du conjoint peut causer une nouvelle dépression chez les personnes âgées qui ont déjà vécu un épisode dépressif (Zisook *et al.*, 1997). De même, la perte d'une relation distante et conflictuelle est plus susceptible de mener à la dépression que celle d'une relation chaleureuse (van Doorn *et al.*, 1998).

Le décès d'un conjoint entraîne également des changements sur le plan économique. Les femmes doivent généralement faire face à une baisse de revenu plus importante que les hommes parce qu'elles perdent la pension ou le revenu de leur époux (Zick et Holden, 2000).

Deuil pathologique Les symptômes du deuil pathologique, tels que la perte d'appétit, s'apparentent à ceux de la dépression. Selon certains psychologues, les personnes veuves qui manifestent de tels symptômes plus de deux mois après le décès de leur conjoint pourraient souffrir d'un deuil pathologique (Stroebe *et al.*, 2000), dont le traitement pourrait prévenir l'apparition de problèmes de santé mentale et physique. La présence de symptômes associés au deuil plus de six mois après le décès du conjoint risque de mener à une dépression sévère ou à une maladie grave, comme le cancer ou la cardiopathie

(Prigerson *et al.*, 1997). De plus, ces symptômes affectent considérablement le fonctionnement physique et cognitif plus de deux ans après le décès du conjoint.

Cependant, il ne faut pas oublier que plusieurs aspects du deuil, notamment sa durée et les comportements appropriés, sont déterminés par la culture et varient considérablement d'une culture à une autre (Braun et Nichols, 1997 ; Rubin et Schechter, 1997). Ainsi, ce que nous pouvons interpréter comme un deuil pathologique peut constituer un comportement typique d'une culture donnée.

Différences sexuelles En dépit du fait qu'il ne semble pas y avoir de différences sexuelles dans le processus de deuil, le décès du conjoint semble constituer une expérience plus éprouvante pour un homme que pour une femme (Quigley et Schatz, 1999). Le risque de décès par cause naturelle ou par suicide dans les mois qui suivent le décès est significativement plus élevé chez les hommes que chez les femmes (Stroebe et Stroebe, 1993). De même, les taux de dépression et de pensées suicidaires ainsi que les difficultés à retrouver un état émotionnel équilibré sont plus importants chez les hommes (Byrne et Raphael, 1999 ; Chen *et al.*, 1999 ; van Grootheest *et al.*, 1999). Ces différences sont souvent interprétées comme un autre indice de l'importance du soutien social. Contrairement aux veuves, les veufs négligent davantage leurs activités sociales dans les mois qui suivent le décès de leur conjointe (Bennett, 1998). En outre, une étude longitudinale australienne portant sur des veufs et des hommes mariés de plus de 65 ans indique que l'alcool pourrait jouer un rôle important dans l'augmentation des taux de dépression chez les veufs (Byrne, Raphael et Arnold, 1999). Ces chercheurs ont découvert que 19 % des veufs prenaient 5 consommations alcoolisées par jour comparativement à 8 % des hommes mariés. Bien qu'il puisse temporairement diminuer les sentiments négatifs associés au deuil, l'alcool constitue un dépresseur du système nerveux central et une consommation excessive sur une période prolongée peut mener à la dépression.

Prévention à long terme Selon certains chercheurs, des discussions sur le deuil dans le contexte d'un groupe de soutien (où les personnes en deuil échangent leurs sentiments) peuvent prévenir les problèmes associés au deuil (Francis, 1997). La recherche démontre également que l'élaboration par la personne veuve d'un récit personnel cohérent concernant le décès de son conjoint peut l'aider à mieux vivre son deuil (van den Hoonaard, 1999). La participation à des groupes de soutien ou l'échange de confidences avec des intimes peut faciliter la construction d'un tel récit. Cette approche psychosociale du deuil

Les suicides «par imitation»

Dans la célèbre pièce de Shakespeare, *Roméo et Juliette*, un héros adolescent se suicide parce qu'il croit que sa bien-aimée s'est enlevé la vie. Quand elle voit le corps inerte de Roméo, Juliette met fin à ses jours. De nombreuses personnes croient que cette pièce de théâtre propose un portrait réaliste du suicide d'un adolescent en détresse émotionnelle : un suicide inspiré ou «par imitation». En se basant sur cette croyance, nombre d'observateurs se sont dits inquiets des effets potentiels des récits émouvants de suicides, présentés dans les films ou dans les médias d'information (Samaritans, 1998).

En général, les recherches indiquent que les inquiétudes par rapport aux suicides fictifs ne sont pas fondées. Par exemple, il y a quelques années, le public britannique a été choqué par une émission télévisée qui racontait la tentative de suicide d'une jeune fille de 15 ans par over-dose. Le public craignait que les jeunes téléspectateurs en difficulté émotionnelle imitent le comportement de cette jeune fille. Cependant, les sondages qui ont suivi la diffusion de cette émission n'ont révélé aucune augmentation du taux de tentatives de suicide chez les adolescents. De plus, peu d'adolescents qui ont fait une tentative de suicide par la suite avaient vu l'émission (Simkin *et al.*, 1995). Des études complémentaires concernant d'autres émissions télévisées sur le suicide ont donné les mêmes résultats.

Toutefois, les reportages sur les suicides exercent une influence plus marquée, particulièrement chez les adultes. La couverture par les médias d'une méthode de suicide différente, par exemple l'immolation, produit une augmentation du nombre de tentatives de suicide et de suicides réussis, comme on l'a vu en Grande-Bretagne (Ashton et Donnan, 1981). De la même façon, une vague de suicides dans le métro de Vienne a été endiguée par l'arrêt de la diffusion par les médias de bulletins sensationnels (Sonneck, Etzersdorfer et Nagel-Kuess, 1992).

Les jeunes gens idéalisent les célébrités, ici la princesse Diana, qui meurent prématurément afin d'éviter d'être confrontés à leur propre mort.

Malgré les incohérences dans la recherche portant sur les suicides par imitation, les professionnels de la santé mentale croient que les histoires fictives ou journalistiques peuvent influer sur le comportement de certains individus. Ils affirment qu'une jeune fille de 15 ans qui a déjà pensé à se suicider en prenant une grande quantité de médicaments risque davantage de passer à l'acte après avoir regardé une émission où un personnage élabore un suicide semblable. De la même manière, une personne qui désire rendre son suicide spectaculaire peut s'inspirer d'une méthode décrite dans un reportage. Par conséquent, les professionnels de la santé mentale croient que les médias d'information ne devraient pas faire du sensationnalisme avec les suicides et les créateurs de divertissements ne devraient pas s'en inspirer pour des œuvres de fiction (Samaritans, 1998).

---

requiert cependant du temps. C'est pourquoi les professionnels de la santé mentale exhortent généralement les employeurs, pour la santé physique et mentale de l'employé, à accorder suffisamment de temps à celui-ci pour qu'il vive son deuil (particulièrement s'il s'agit du deuil d'un conjoint). Les coûts associés à un retour hâtif au travail (maladie et dépression) sont plus élevés que ceux associés à un congé prolongé (Eyetsemitan, 1998).

PERSPECTIVES THÉORIQUES

Nous allons maintenant aborder l'expérience du deuil sur le plan individuel. Nous allons commencer par l'approche psychanalytique de Freud, puis nous allons voir la théorie de l'attachement de Bowlby, ainsi que la théorie de Jacobs et celle de Worthman et de Silver. Toutes ces théories ont exercé une grande influence sur les thérapeutes, les travailleurs sociaux et les autres personnes qui travaillent avec les personnes en deuil.

Théorie psychanalytique de Freud

Du point de vue psychanalytique, la mort d'une personne chère est un traumatisme émotionnel. Comme dans tous les traumatismes, le moi tente de s'isoler des émotions désagréables qu'il éprouve en utilisant des mécanismes de défense, notamment la négation (déni) et le refoulement. Pour Freud, ces mécanismes ne servent qu'à gérer temporairement les émotions négatives. L'individu doit par la suite analyser ses émotions et découvrir leur cause avant qu'elles ne produisent des troubles physiques ou mentaux.

Le point de vue psychanalytique a orienté la recherche sur le deuil ainsi que l'aide apportée aux personnes en deuil. On considère que plus la mort est traumatisante, plus elle risque d'entraîner de problèmes. Les personnes qui perdent un être cher subitement et tragiquement, dans un accident lié à l'alcool au volant ou un meurtre, présenteront plus fréquemment des symptômes de stress post-traumatique que les autres personnes en deuil (Murphy *et al.*, 1999 ; Sprang et McNeil, 1998). Il est donc très important d'assumer le deuil afin de contrer ses effets négatifs à long terme. Il est généralement reconnu que les personnes en deuil ont besoin de parler ouvertement de leur perte. C'est pourquoi les thérapeutes recommandent souvent aux amis d'une personne en deuil de l'encourager à pleurer et à exprimer son chagrin de diverses façons.

Les thérapies destinées aux enfants en deuil qui s'appuient sur la théorie psychanalytique mettent souvent l'accent sur l'utilisation de mécanismes de défense autres que la négation (déni) et le refoulement. Les thérapeutes incitent les enfants à faire appel à la *sublimation*, un mécanisme de défense qui donne de meilleurs résultats sur le plan de la santé que l'évitement des émotions (Glazer, 1998); par exemple, ils peuvent encourager les enfants à exprimer leurs sentiments par l'art. L'*identification*, un autre mécanisme de défense, permet également aux enfants d'affronter leur deuil; après avoir regardé un film qui décrit un chagrin, comme *Le Roi lion*, l'enfant discute avec le thérapeute des émotions vécues par les personnages du film et les compare aux siennes (Sedney, 1999).

Théorie de l'attachement de Bowlby

Selon John Bowlby et d'autres théoriciens de l'attachement, d'intenses réactions au deuil sont susceptibles de se produire lors du décès d'une personne chère, que ce soit un conjoint, un parent ou un enfant. La recherche semble confirmer également que la qualité de l'attachement influe sur l'expérience du deuil. Plus l'attachement était fort et sécurisant entre la personne en deuil et la personne décédée, plus intense et plus longue sera la réaction (van Doorn *et al.*, 1998). À l'opposé, le décès d'une personne qui fait partie d'un réseau social, sans être un confident intime ou une figure d'attachement, risque moins de déclencher une réaction émotionnelle intense (Murrell et Himmelfarb, 1989).

En raison de leur ressemblance, nous avons réuni, dans le tableau 2, les quatre étapes du deuil définies par Bowlby (1980) et les cinq étapes décrites par Catherine Sanders (1989). Voici les propos de quelques personnes en deuil durant la période de choc ou de torpeur (Sanders, 1989, p. 47, 48 et 56):

> Je suis dans le flou total. Je n'arrive pas à me concentrer longtemps.
>
> J'ai peur de perdre la tête. Je n'arrive plus à penser clairement.
>
> C'était vraiment étrange. Je me maquillais, je me coiffais et, pendant tout ce temps, c'était comme si je me tenais près de la porte et que je me regardais faire ces gestes.

Durant l'étape de la conscience de la perte ou de la nostalgie, les personnes en deuil sont généralement en colère et vont penser des choses comme «Son patron aurait dû savoir qu'il ne fallait pas le faire travailler trop fort». Selon Bowlby, les sentiments de cette période s'apparentent à ceux des jeunes enfants temporairement séparés de la personne à laquelle ils sont le plus attachés. Les personnes veuves cherchent leur conjoint décédé parfois physiquement, parfois mentalement, tout comme les jeunes enfants se promènent vainement d'une pièce à l'autre à la recherche de la personne absente.

Durant l'étape de la désorganisation et du désespoir, l'agitation de la période précédente disparaît pour faire place à une grande léthargie. Une femme de 45 ans dont l'enfant venait de mourir décrivait ainsi ses sentiments:

> Je n'arrive pas à comprendre ce que je ressens. Jusqu'à maintenant, je me sentais agitée. Je ne pouvais dormir. [...] À présent, c'est exactement le contraire. Je dors beaucoup. Je me sens toujours fatiguée et épuisée. Je n'ai même pas envie de voir les amis qui m'ont aidée. [...] Au moment où je croyais que j'allais me sentir mieux, c'est encore pire. (Sanders, 1989, p. 73.)

Finalement, la résolution du processus de deuil survient à la dernière étape, la réorganisation. Sanders émet l'hypothèse que cette étape comprend deux périodes: la

Étape	Terminologie de Bowlby	Terminologie de Sanders	Description
Tableau 2		*Étapes du deuil proposées par Bowlby et Sanders*	
1	Torpeur	Choc	État caractéristique des premières journées, parfois plus longtemps; incrédulité, confusion, agitation, impression d'irréalité, sentiment d'impuissance.
2	Nostalgie	Conscience de la perte	Recherche de la personne perdue; parfois recherche intense ou errance, parfois vision de la personne morte; anxiété, culpabilité. peur, frustration; insomnie et pleurs fréquents.
3	Désorganisation et désespoir	Conservation et recul	Période de dépression; acceptation de la perte qui entraîne la dépression ou une impression d'impuissance; grande fatigue et désir constant de dormir; grande léthargie.
4	Réorganisation	Guérison et nouveau départ	Période où l'on retrouve la maîtrise de soi; selon Sanders, deux périodes, selon Bowlby, une seule; apparition de l'oubli, sentiment d'espoir; augmentation de l'énergie, amélioration de la santé, du sommeil, diminution de la dépression.

(*Sources*: Bowlby, 1980; Sanders, 1989.)

guérison et le nouveau départ. La résolution de cette dernière étape, selon les théories de Bowlby et de Sanders, permet à l'individu de retrouver la maîtrise de lui-même. L'insomnie disparaît, et la personne est plus optimiste.

Ces descriptions du processus de deuil peuvent être utiles aux personnes aidantes. Les discussions au sujet des étapes du deuil permettent aux personnes en deuil d'exprimer leurs sentiments et de décrire leurs symptômes. Elles peuvent également prendre conscience que leurs émotions et leurs symptômes physiques sont normaux et que le processus du deuil est complexe. Cependant, comme pour les étapes de la mort, il faut se poser deux questions importantes : (1) Ces étapes se déroulent-elles selon une séquence fixe ? (2) Tout le monde ressent-il toutes ces émotions, quelle que soit leur séquence ? La réponse à ces questions est apparemment négative.

Autres théories

De nombreux points de vue « révisionnistes » brossent un tableau du deuil différent de celui de Freud ou des théoriciens de l'attachement. Contrairement à l'hypothèse psychanalytique, certains chercheurs et théoriciens pensent que le deuil des personnes qui n'expriment pas leurs émotions ne sera pas plus long et n'entraînera pas nécessairement des problèmes physiques ou mentaux. En fait, au moins une étude mentionne que les personnes qui évitent de parler de la personne décédée ou de leurs sentiments vivent un deuil modéré et sont moins susceptibles de souffrir d'effets à long terme (Bonanno *et al.*, 1999). Plusieurs chercheurs et théoriciens pensent que le deuil ne se déroule pas selon des étapes fixes (Wortman et Silver, 1990), bien qu'ils notent la présence de sentiments, tels que la colère, la culpabilité, la dépression ou l'agitation.

LE MONDE RÉEL

La mort d'un jeune enfant

Bon nombre des parents qui ont perdu un jeune enfant ne reçoivent pas un soutien approprié de leur réseau social ou des professionnels de la santé (Vaeisaenen, 1998). Il est pourtant important que les personnes qui sont en mesure d'offrir un soutien à des parents en deuil comprennent que ces derniers ressentent un chagrin aussi intense que celui vécu dans tout autre deuil et que, en fait, ce deuil peut être plus complexe.

Les parents qui perdent un enfant plus âgé ont des souvenirs qui les aident à réorganiser leur attachement à cet enfant afin de pouvoir s'en libérer psychologiquement. Quand il s'agit d'un jeune enfant, les parents éprouvent tout de même des sentiments d'attachement très profonds, mais ils n'ont aucun souvenir pour les aider à surmonter cette épreuve. Ils ont donc souvent besoin d'un plus grand soutien de leur famille, de leurs amis et des professionnels de la santé, et ce, plus qu'ils ne le croient eux-mêmes (Vaeisaenen, 1998).

« Si je prends mes médicaments, je pourrai aller à l'école en septembre », dit cet enfant à son compagnon. Les enfants atteints de maladie grave utilisent les mêmes mécanismes de défense que les adultes, tels que le déni et le marchandage.

Des amis ou des membres de la famille bien intentionnés peuvent encourager les parents en deuil à remplacer cet enfant par un autre. Cependant, les études indiquent qu'une nouvelle grossesse, peu après la perte d'un jeune enfant, ne mettra pas nécessairement fin au deuil, bien que cela puisse protéger les parents des effets négatifs à long terme du deuil, tels que la dépression (Franche et Bulow, 1999). Toutefois, la crainte des parents de perdre leur nouvel enfant peut les empêcher de s'attacher à lui (Wong, 1993), ce qui risque de produire des conséquences fâcheuses sur la vie familiale.

Voici quelques conseils de professionnels de la santé aux membres de la famille ou aux amis qui soutiennent des parents qui ont perdu un jeune enfant (Wong, 1993).

- Ne forcez pas les parents en deuil à parler de leur peine ou de leur enfant s'ils ne le souhaitent pas.
- Quand vous parlez de l'enfant décédé, nommez-le toujours pas son nom.
- Exprimez sincèrement vos sentiments par rapport à cette perte.
- Suivez l'exemple des parents en partageant des souvenirs sur l'apparence ou la personnalité de l'enfant décédé.
- Déconseillez aux parents de consommer de la drogue ou de l'alcool pour oublier leur peine.
- Rassurez les parents en leur disant que leurs réactions sont normales et que le temps apaisera leur douleur.
- Ne forcez pas les parents à « remplacer » l'enfant décédé par un autre.
- N'essayez pas de rationaliser la situation (en disant par exemple « votre bébé est devenu un ange maintenant »), car cela peut offenser les parents.
- Soyez conscient du chagrin qu'éprouvent les frères et les sœurs de l'enfant décédé, même s'ils sont très jeunes.

Selon les études effectuées par Helena Lopata (1981, 1986), la tendance des veuves à «sanctifier» leur conjoint défunt est presque universelle, sans doute parce que cela leur permet de penser qu'elles méritaient leur amour.

Théorie de Jacobs   Le point de vue de Selby Jacobs et de ses collaborateurs (Jacobs *et al.*, 1987-1988) constitue un compromis intéressant (voir la figure 2). Pour ces chercheurs, plusieurs émotions sont ressenties en même temps lors d'un deuil, mais chacune d'elles varie en intensité et peut dominer selon une séquence approximative. Ainsi, l'incrédulité pourrait être l'émotion dominante immédiatement après la mort, et la dépression pourrait atteindre un sommet quelques mois plus tard, ce qui donnera l'impression que le processus s'effectue par étapes. Pourtant, ces deux émotions sont présentes en même temps tout au long du deuil. Jacobs ne prétend pas que toutes les personnes en deuil suivent nécessairement un chemin semblable. Certaines personnes évoluent plus rapidement et d'autres, plus lentement.

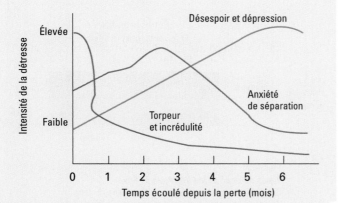

Figure 2
Le deuil selon le modèle de Jacobs.
Jacobs propose une alternative aux théories présentant des étapes fixes du deuil. De nombreuses émotions différentes peuvent se manifester à n'importe quel moment, mais chacune peut avoir une intensité particulière.
(*Source :* Jacobs *et al.*, 1987-1988, figure 1, p. 43.)

Théorie de Wortman et Silver   Camille Wortman et Roxane Silver (Wortman et Silver, 1989, 1990, 1992 ; Wortman, Silver et Kessler, 1993) ont recueilli une quantité impressionnante de données qui remettent en cause deux points de vue traditionnels sur le deuil : la réaction inévitable de détresse et l'impossibilité de faire un deuil «correctement» sans exprimer cette détresse. Selon les théories de Freud et de Bowlby, qui ont dominé pendant de nombreuses décennies, la répression de la détresse indique une négation des sentiments pénibles qui aura ultérieurement des conséquences négatives. Bowlby affirme que les personnes qui expriment leur douleur, qui se «permettent» de vivre leur deuil, se comportent de façon saine.

Si cette hypothèse est exacte, les personnes en deuil qui présentent le plus de détresse immédiatement après le décès s'adapteront mieux à long terme que celles qui en présentent le moins. Toutefois, les recherches n'appuient pas cette affirmation. Au contraire, les personnes qui manifestent des taux très élevés de détresse après la perte d'un être cher sont généralement encore déprimées plusieurs années plus tard, alors que les personnes qui manifestent moins de détresse immédiate ne démontrent aucun symptôme ultérieur. Après avoir passé en revue un ensemble de recherches, Wortman et Silver (1990) ont conclu qu'il existe au moins quatre types distincts de deuil (voir la figure 3).

- *Le deuil normal.* Détresse relativement intense immédiatement après la perte suivie d'un rétablissement relativement rapide.
- *Le deuil chronique.* Détresse élevée durant plusieurs années.
- *Le deuil tardif.* Peu de détresse durant les premiers mois, mais détresse élevée quelques mois ou quelques années plus tard.
- *Le deuil absent.* Absence de détresse immédiatement après le décès ou plus tard.

Ces chercheuses ont constaté que l'absence de deuil est remarquablement courante. Dans leur première étude (1990), 26 % des personnes en deuil n'ont connu aucune détresse, un résultat qui est confirmé par une autre étude (Levy, Martinkoski et Derby, 1994). Le modèle le moins courant est le deuil tardif qui affecte 1 à 5 % des adultes, selon l'étude de Wortman et Silver, et toutes les recherches de ce type. Peu de recherches soutiennent donc le point de vue traditionnel. De nombreux adultes semblent faire face à la mort d'un conjoint, d'un enfant ou d'un parent sans manifester une grande détresse émotionnelle. Il n'en demeure pas moins que, en moyenne, les personnes en deuil sont plus déprimées, moins satisfaites de leur vie et courent plus de risques de souffrir d'une maladie.

Pour le moment, les quelques informations que nous possédions sur les différences entre les personnes selon le type de deuil qu'elles vivent proviennent d'une étude de Wortman et Silver (Worthman *et al.*, 1993). D'après cette étude, les personnes dont le mariage était heureux réagissaient au deuil durant une plus longue période. Curieusement, les personnes qui présentaient une grande maîtrise de soi avant le décès de leur conjoint éprouvaient plus de difficulté à s'adapter au deuil, comme si cette perte les avait remises en question. Selon une recherche allemande conduite par Wolfgang et Margaret Strobe (1993), la tendance à la névrose ou l'instabilité émotionnelle générerait les effets négatifs les plus importants et les plus persistants. Les bouleversements ou le stress et le manque de soutien social sont d'autres facteurs qui peuvent exacerber les effets du deuil.

Certaines personnes en deuil semblent puiser beaucoup de force dans leurs croyances philosophiques ou religieuses; elles se disent par exemple «C'est la volonté de Dieu». Cependant, celles qui croient que le dur labeur et la vertu seront récompensés éprouvent beaucoup plus de difficulté à faire face à la mort. Les croyances religieuses peuvent donc réduire ou augmenter la gravité d'une réaction de deuil.

Les recherches de Wortman et Silver suscitent un intérêt en raison de la grande variété des types de deuil qu'elles présentent et de l'accent qu'elles mettent sur la normalité du deuil absent. Tout le monde n'éprouve pas nécessairement une série d'émotions négatives; par contre, tout le monde ne se remet pas forcément de la mort d'une personne chère. Même s'il serait préférable de mieux comprendre l'origine de ces différences, la connaissance de ces variations d'une personne à l'autre permet d'être plus attentif aux réactions des personnes en deuil. Les personnes qui manifestent peu de détresse ne répriment pas forcément leurs émotions, mais elles y font peut-être face d'une autre manière et elles peuvent ne pas apprécier qu'on leur conseille d'exprimer leurs sentiments. De la même façon, les personnes très déprimées peuvent ne pas apprécier qu'on leur dise que c'est difficile, mais que ça passera. Il faut être sensible aux signaux des personnes en deuil et éviter de vouloir leur imposer notre point de vue sur la «bonne» façon de vivre un deuil.

Ne perdons pas de vue que le deuil peut aussi mener à la croissance personnelle. En effet, la majorité des veuves mentionnent une évolution positive après la mort de leur mari: elles faisaient preuve d'une plus grande indépendance et de meilleures compétences (Wortman et Silver, 1990). Comme toutes les crises et les changements importants de la vie, le deuil peut être une occasion de croissance personnelle et pas seulement une expérience déstabilisante. La façon dont nous réagissons dépend sans doute des modèles que nous avons établis dès la première enfance: notre tempérament ou notre personnalité, notre modèle interne d'attachement et notre concept de soi, nos aptitudes intellectuelles et le réseau social que nous avons créé. Finalement, nous réagissons à la mort – la nôtre et celle des autres – de la même façon que nous réagissons à la vie.

CHOISIR SA MORT

Choisir le moment de sa mort constitue une façon de la maîtriser. Lorsqu'un individu s'enlève la vie, on parle de *suicide*. Lorsqu'il est assisté dans ce geste, on parle d'euthanasie. Aujourd'hui, la plupart des médecins et des spécialistes en éthique médicale font une distinction entre l'euthanasie active et l'euthanasie passive (appelée aussi suicide assisté). L'**euthanasie active** consiste, pour un professionnel de la santé ou un proche, à intervenir afin d'activer le processus de la mort à la demande du patient, par exemple en administrant une dose létale de morphine. L'**euthanasie passive** consiste à ne pas intervenir afin de prolonger la vie et à laisser le processus de la mort suivre son cours, par exemple en débranchant les appareils qui maintiennent le patient en vie ou en arrêtant la médication.

Euthanasie active: Intervention afin d'activer le processus de la mort à la demande du patient.

Euthanasie passive: Absence d'interventions qui prolongent la vie afin de laisser la mort suivre son cours.

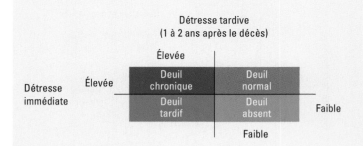

Figure 3
Types de deuil selon Wortman et Silver.
Si l'on répartit les veuves selon l'intensité de leur détresse immédiate et de leur détresse à long terme, on observe les quatre types de deuil décrits par Wortman et Silver. D'après la théorie psychanalytique, le deuil normal, avec une détresse immédiate élevée suivie d'une guérison, serait la seule réaction saine. Cependant, les recherches ne corroborent pas cette théorie. (*Source:* Wortman et Silver, 1990.)

TESTAMENT BIOLOGIQUE

Aujourd'hui, il y a peu de controverse sur l'euthanasie passive. La plupart des gens conviennent que chaque personne a le droit de décider si on doit recourir ou non à la technologie pour maintenir ses fonctions vitales. De plus en plus d'adultes rédigent des *testaments biologiques* qui interdisent au personnel médical d'utiliser des appareils ou une médication pour prolonger leur vie après leur mort clinique. Toutes ces personnes désirent qu'il n'y ait pas d'*acharnement thérapeutique* lorsque leur état sera devenu irréversible. Cette demande a pour but d'inciter les médecins à participer à une forme d'euthanasie passive. Cependant, les professionnels de la santé dans un contexte d'urgence médicale ne sont pas souvent informés d'une telle demande et plusieurs d'entre eux trouvent extrêmement difficile de cesser un traitement ou de ne pas utiliser tous les moyens dont ils disposent afin de « soigner » un patient. Leur formation les dirige naturellement vers les soins curatifs et non palliatifs. Cependant, les médecins qui ont traité un patient pendant plusieurs années se sentent plus à l'aise avec une telle demande.

DÉBAT SUR L'EUTHANASIE ACTIVE

Le suicide assisté (ou toute autre forme d'euthanasie active) est plus commun et beaucoup plus controversé aux États-Unis où l'activité de Jack Kevorkian a soulevé des passions déchaînées. Ce médecin qui a défié les lois a assisté plusieurs personnes en phase terminale ou sévèrement handicapées dans leur désir de mettre fin à leurs jours. Au Canada, le geste posé par Robert Latimer, un fermier de l'Ouest qui a mis fin à l'existence de sa fille gravement handicapée, a fait l'objet d'un procès qui a soulevé de nombreuses questions d'éthique.

Un État de l'Australie (Territoires du Nord) a adopté une loi en 1996 (Ryan et Kaye, 1996) qui autorise l'euthanasie active basée sur le modèle hollandais. En Hollande, il existe depuis longtemps une forme d'euthanasie active qui consiste à fournir aux patients en phase terminale des doses létales de médicaments antidouleur. C'est le seul endroit au monde où le suicide assisté est entièrement et explicitement légal. Une loi adoptée en 2001 a légalisé cette pratique néerlandaise (*Dutch senate Oks doctor-assisted suicide*, 2001).

Les personnes qui souhaitent mourir doivent être en phase terminale et n'avoir aucune chance de guérison. Elles doivent également obtenir l'approbation de deux médecins. Les enfants de moins de 12 ans n'ont pas le droit de demander la mort, et ceux âgés de 12 à 15 ans doivent obtenir le consentement de leurs parents. Les parents d'un adolescent de 16 ou 17 ans doivent être informés de la demande de leur enfant, mais ils n'ont pas le droit d'empêcher le suicide assisté. Pour être appliquée, cette loi doit suivre les principes suivants qui protègent les médecins hollandais et australiens des poursuites en justice :

1. Bien établir le diagnostic et la gravité de l'état de santé. Il est primordial que le processus de mort soit amorcé et qu'aucun espoir ne soit permis. La qualité de la vie du patient doit être irrémédiablement affectée. Ce diagnostic doit être confirmé par au moins deux médecins.

2. Informer le patient et ses proches (famille) de son état et du traitement qui lui sera offert.

3. Recevoir une demande formelle écrite et répétée du patient (au moins deux fois) afin d'obtenir un consentement libre et éclairé.

Bon nombre des personnes qui s'opposent à l'euthanasie active croient que la vie est sacrée et que seule l'autorité divine peut décider de la mort d'une personne. Elles considèrent l'euthanasie active comme une pratique immorale, tout comme le suicide. D'autres personnes, dont les défenseurs des personnes handicapées, s'opposent à l'euthanasie active parce qu'il peut s'avérer excessivement difficile d'élaborer une procédure stricte à partir de critères précis (Twycross, 1996). Les personnes qui défendent les droits des personnes handicapées craignent également que l'acceptation morale du suicide assisté par la société puisse conduire à inciter subtilement (ou non) les personnes handicapées ou présentant une déficience grave à mettre fin à leur vie afin d'enlever un poids à ceux qui les soignent et de supprimer les coûts dispendieux de leurs soins. Ces personnes pensent même que les médecins pourraient éventuellement administrer des drogues létales sans le consentement du patient.

Un troisième argument contre l'euthanasie active souligne les progrès énormes de la médecine dans le contrôle de la douleur. Étant donné que l'on peut maintenant soulager les souffrances d'une personne en phase terminale, il devient inutile de provoquer sa mort. Les coûts de plus en plus élevés des soins de santé pourraient inciter les compagnies d'assurances et les centres hospitaliers à ne pas informer les patients de la vaste gamme de méthodes pour soulager la douleur afin d'économiser de l'argent. Certains travailleurs sociaux affirment que les patients qui ont envisagé le suicide assisté changent souvent d'avis quand ils prennent connaissance des ressources sociales et médicales qui leur sont offertes (Hornik, 1998).

Pour toutes ces raisons, et en tenant compte de leurs croyances, environ les trois quarts des 3 000 oncologues (médecins spécialisés dans le traitement du cancer) qui

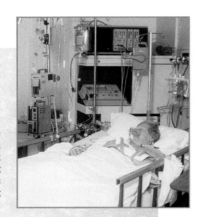

Au moment d'admettre des patients en phase terminale, de nombreux hôpitaux leur demandent comment ils veulent être traités dans l'éventualité où ils présenteraient une incapacité mentale.

Ceux qui sont en faveur d'une loi sur le suicide assisté font remarquer que la technologie médicale moderne permet de prolonger la vie bien au-delà du moment où la mort serait naturellement survenue. Ils se demandent pourquoi prolonger une vie qui en fait n'existerait plus. Chaque personne devrait avoir le droit de décider le moment de sa mort. De plus, les partisans du suicide assisté affirment que de nombreux patients en phase terminale ne disposent pas des moyens nécessaires pour mettre fin à leur vie et que, par conséquent, ils ont besoin de l'aide d'un médecin, ce à quoi les opposants répliquent que l'aide au suicide est loin de permettre une mort digne. Comme le dit un médecin allemand qui s'oppose au suicide assisté: «Tout le monde a le droit de mourir dignement, mais personne n'a le droit d'être tué.» (Cohen, 2000)

ont participé à un sondage du National Institute of Health s'opposent à toute forme d'euthanasie active (Emanuel *et al.*, 2000). Ils préconisent plutôt une formation en soins palliatifs pour tous les médecins afin de leur faire prendre conscience des avantages de ces soins ainsi que des méthodes les plus efficaces pour soulager la douleur. Ils recommandent aussi que les médecins qui traitent des patients en phase terminale discutent le plus tôt possible avec eux pour choisir conjointement les méthodes de soulagement de la douleur qu'ils utiliseront.

Des études portant sur des patients qui refusent des traitements, tels que la chimiothérapie, indiquent que ces personnes veulent souvent vivre le plus longtemps possible. Cependant, elles ne veulent pas traverser les périodes difficiles associées à ces traitements (Abrams, 1998). De telles découvertes devraient amener les chercheurs à se questionner avant de conclure qu'une personne qui refuse un traitement médical désire avancer le moment de sa mort.

Les opposants au suicide assisté mettent en doute la capacité des patients en phase terminale de prendre une décision rationnelle. Certains croient qu'ils peuvent agir par désespoir plutôt que par raison. Cette distinction est importante puisque le fondement philosophique des lois sur le suicide assisté repose sur un choix rationnel. Ces lois exigent généralement une période d'attente obligatoire entre la demande d'euthanasie et l'acceptation de cette demande. Durant cette période, un psychiatre doit évaluer l'état mental du patient pour déterminer s'il est en mesure de prendre une telle décision. Cependant, les professionnels de la santé mentale doutent généralement de leur capacité de porter un tel jugement (Fenn et Ganzini, 1999), et nombre d'entre eux croient qu'il est nécessaire de connaître un patient depuis longtemps pour arriver à le faire. De plus, leur opinion personnelle sur l'acceptation morale du suicide assisté peut influer sur leur évaluation.

PAUSE-APPRENTISSAGE

Expérience du deuil et choisir sa mort

- À quoi servent les rites funèbres?
- Quelles sont les réactions au deuil selon l'âge?
- La façon dont le décès survient influe-t-elle sur la réaction au deuil?
- Qu'est-ce que le deuil pathologique?
- Existe-t-il des différences sexuelles dans les réactions au deuil?
- Comment peut-on prévenir les problèmes à long terme associés au deuil?
- Quels sont les effets du veuvage sur la santé physique et mentale?
- Peut-on dire qu'il existe des étapes du deuil? Justifiez votre réponse à l'aide des modèles de Bowlby et de Sanders ainsi que des critiques qu'ils ont suscitées.
- Quelles sont les caractéristiques des étapes du deuil selon Jacobs?
- Quelles sont les conclusions des travaux de Wortman et Silver en ce qui concerne la perception traditionnelle du deuil?
- Expliquez les concepts d'euthanasie active, d'euthanasie passive et d'acharnement thérapeutique.

Concepts et mots clés

- **acharnement thérapeutique** (p. 485) • **choc** (p. 481) • **conscience de la perte** (p. 481) • **conservation et recul** (p. 481) • **désespoir et dépression** (p. 478) • **désorganisation et désespoir** (p. 481) • **deuil absent** (p. 483) • **deuil chronique** (p. 483) • **deuil normal** (p. 483)
- **deuil tardif** (p. 483) • **euthanasie active** (p. 484) • **euthanasie passive** (p. 484) • **guérison et nouveau départ** (p. 481) • **nostalgie** (p. 481) • **réorganisation** (p. 481) • **torpeur** (p. 481)

UN DERNIER MOT

Nous avons maintenant atteint la fin du cycle de la vie. La dernière étape de la vie, la mort, nous permet de poser un autre regard sur les thèmes que nous avons abordés dans notre étude du développement humain. En premier lieu, la relation entre l'attachement et le processus du deuil nous donne un bon exemple de la continuité du développement. En deuxième lieu, on observe des différences individuelles, sexuelles et culturelles dans l'expérience de la mort et du deuil, tout comme dans les autres étapes de la vie. La façon dont nous allons affronter notre mort et les deuils que nous allons vivre dépend de l'ensemble des facteurs que nous avons abordés dans ce manuel.

RÉSUMÉ

EXPÉRIENCE DE LA MORT

- Les médecins utilisent les termes de mort clinique, de mort cérébrale et de mort sociale pour nommer les étapes du processus de la mort.

- La grande majorité des adultes des pays industrialisés meurent dans des hôpitaux. Toutefois, les soins palliatifs pour les personnes agonisantes mettent l'accent sur la maîtrise par le patient et sa famille du processus de la mort.

- Jusqu'à l'âge de 6 ou 7 ans, les enfants ne comprennent pas que la mort est permanente et inévitable, et qu'elle entraîne un arrêt des fonctions vitales.

- Les adolescents comprennent beaucoup mieux que les enfants les différents aspects de la mort, bien qu'ils entretiennent souvent de fausses croyances sur ce sujet, notamment en ce qui a trait à leur propre mort.

- Nombre de jeunes adultes pensent qu'ils possèdent des caractéristiques uniques qui les protègent de la mort.

- Pour les adultes d'âge moyen et avancé, la mort peut avoir plusieurs significations : un changement des rôles familiaux ; une punition pour avoir mené une mauvaise vie ; une transition vers un autre état, comme la vie après la mort ; la perte de la satisfaction de vivre et la fin des relations. La conscience de la mort peut servir à mieux organiser le temps qui reste à vivre (repère temporel).

- La peur de la mort semble s'intensifier au milieu de la vie, puis elle chute radicalement. Les adultes âgés parlent davantage de la mort, mais en ont moins peur. Les personnes qui sont fortement ancrés dans leurs convictions ont moins peur de la mort que les personnes névrotiques qui l'appréhendent.

- Beaucoup d'adultes se préparent à la mort de façon pratique en prenant une assurance-vie ou en rédigeant un testament. La réminiscence (ou le bilan de vie) peut servir de préparation à la mort.

- Des changements profonds dans la personnalité se produisent immédiatement avant la mort, notamment une plus grande dépendance et une plus grande docilité, une moins grande émotivité et une moins grande agressivité.

- Kübler-Ross a divisé en cinq étapes le processus de la mort : la négation, la colère, le marchandage, la dépression et l'acceptation. Les recherches montrent que tous les adultes ne franchissent pas nécessairement ces cinq étapes dans un ordre déterminé. La dépression est le sentiment le plus partagé.

- Selon les recherches sur des patients atteints du cancer et du sida, les personnes dociles et résignées face au diagnostic et au traitement ainsi que les personnes désespérées ont une espérance de vie plus courte. Les personnes qui luttent davantage, ou qui se rebellent, vivent plus longtemps. Une attitude optimiste comparativement à une attitude pessimiste est associée à une meilleure réponse au traitement médical.

- Les adultes en phase terminale qui bénéficient d'un soutien social adéquat de leur famille, d'amis ou de groupes de soutien, spécialement formés à cet effet, vivent plus longtemps que ceux qui ne bénéficient pas d'un tel soutien.

EXPÉRIENCE DU DEUIL

- Les rites funèbres ont des fonctions culturelles et sociales précises, notamment définir le rôle des personnes en deuil, rassembler la famille et donner un sens à la vie et à la mort du défunt.

- Les réactions au deuil dépendent de plusieurs variables, dont l'âge de la personne en deuil et la façon dont la mort est survenue. Le décès du conjoint est associé à un deuil intense qui dure longtemps, comme celui d'un enfant.

- Généralement, les personnes en deuil présentent des taux accrus de maladie, de mortalité et de dépression dans les mois suivant immédiatement le décès d'une personne chère, ce qui est probablement la conséquence de l'effet du deuil sur le système immunitaire.

- Les veufs semblent éprouver plus de difficulté que les veuves à vivre leur deuil.

- La théorie psychanalytique met l'accent sur le traumatisme produit par la mort d'un proche, sur l'effet des mécanismes de défense et sur l'importance du deuil qui, s'il est bien vécu, évitera à la personne des troubles ultérieurs.

- Les théories sur les étapes du deuil, comme celle de Bowlby ou celle de Sanders, n'ont pas été corroborées par la recherche. Un nombre considérable d'adultes en deuil ne présentent pas de dépression ou de problèmes élevés, que ce soit dans l'immédiat ou plus tard. Par contre, d'autres adultes présentent des problèmes persistants, même après plusieurs années.

- Jacobs propose une solution intéressante aux théories qui s'appuient sur des étapes. Il pense que la personne en deuil vit de nombreuses émotions qui peuvent apparaître à n'importe quel moment et varier en intensité.

- Wortman et Silver ont défini quatre types de deuil en fonction de la manifestation immédiate ou tardive de la détresse et de son intensité : le deuil normal, le deuil chronique, le deuil tardif et le deuil absent.

CHOISIR SA MORT

- L'euthanasie est une forme d'intervention qui ne peut être faite qu'à la demande du patient. L'euthanasie active, ou suicide assisté, consiste à intervenir pour activer le processus de mort, alors que l'euthanasie passive consiste à ne pas intervenir afin de prolonger la vie et à laisser le processus de la mort suivre son cours.

EXPÉRIENCE DE LA MORT

Dimensions de la mort

- Mort clinique
- Mort cérbrale
- Mort sociale

Soins palliatifs

- À domicile
- Dans un centre de soins palliatifs
- À l'hôpital

Compréhension de la mort

- Enfance
- Adolescence
- Début de l'âge adulte
- Âge adulte moyen et avancé

Peur de la mort

- Croyances religieuses
- Personnalité

Adaptation à une mort imminente

- Préparation à la mort

Approche de Kübler-Ross

- 5 étapes du processus de mort:
  – négation
  – colère
  – marchandage
  – dépression
  – acceptation

Approche de Corr

- Soins médicaux orientés vers les tâches

Approche de Greer

- 5 types de réactions psychologiques:
  – négation
  – combativité
  – acceptation stoïque
  – impuissance et désespoir
  – préoccupation anxieuse

Rôle du soutien social

EXPÉRIENCE DU DEUIL

Fonctions psychologiques des rites funèbres

Processus du deuil

- Réactions selon l'âge
- Comment la mort survient

Veuvage

- Santé physique et mentale
- Deuil pathologique
- Différences sexuelles
- Prévention à long terme

Perspectives théoriques

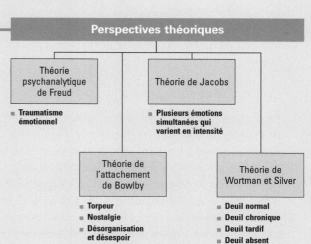

Théorie psychanalytique de Freud

- Traumatisme émotionnel

Théorie de Jacobs

- Plusieurs émotions simultanées qui varient en intensité

Théorie de l'attachement de Bowlby

- Torpeur
- Nostalgie
- Désorganisation et désespoir
- Réorganisation

Théorie de Wortman et Silver

- Deuil normal
- Deuil chronique
- Deuil tardif
- Deuil absent

CHOISIR SA MORT

Testament biologique

- Acharnement thérapeutique

Débat sur l'euthanasie active

Synthèse du développement au cours des âges de la vie

Notre objectif dans chacun des interludes a été de faire ressortir les caractéristiques fondamentales de chaque période du développement humain, de la naissance à la mort. Pour conclure, nous allons vous présenter la progression du développement dans son ensemble en revenant brièvement sur quelques-uns des thèmes soulevés dans le chapitre 1, soit la continuité et le changement, les théories du développement et les différences individuelles.

Continuité et changement

La continuité et le changement constituent la trame du développement humain et font partie de votre expérience et de votre développement. Vous savez bien que vous êtes la même personne année après année et, en même temps, vous sentez que vous avez changé. Vous n'êtes pas la même personne à 25 ans qu'à 12 ans. Lorsqu'on demande à des gens d'âge moyen ou avancé s'ils souhaitent retrouver leurs vingt ans, la plupart éclatent de rire et s'exclament: «Ah! Ça non!» Puis, ils vous expliquent qu'ils ont appris beaucoup de choses entre-temps et qu'ils ne voudraient pas vivre sans ces connaissances. Ainsi, la continuité et le changement vont de pair; il s'agit d'un des aspects fondamentaux du développement humain.

CONTINUITÉ   L'une des sources de la continuité est le tempérament inné. Il est évident qu'une grande partie de la personnalité n'est pas déterminée génétiquement et ne subit pas d'influence biologique. Toutefois, dès la naissance, le nourrisson manifeste certains penchants et réagit d'une manière particulière aux événements. Ces tendances initiales sont confortées ou modifiées selon le comportement adopté par les adultes à l'égard de l'enfant. Des modèles stables s'établissent parfois dès le milieu de l'enfance ou tout au moins à l'adolescence ou au début de l'âge adulte. À leur tour, ces modèles influent sur la manière dont un individu réagit aux divers événements de la vie.

Les personnes qui ont un tempérament difficile ou névrotique risquent d'avoir une vie très différente de celle des autres. Ces personnes réagissent plus souvent de manière négative à la plupart des types de stress, elles arrivent plus difficilement à nouer des relations durables et elles risquent d'être insatisfaites de leur vie. Par contre, les personnes très extraverties ou pleines de vivacité ont beaucoup plus de chances d'avoir des relations stables et satisfaisantes, elles récupèrent plus rapidement après un événement stressant et elles ont en général un meilleur moral.

De la même manière, le modèle interne de soi, le concept de genre et le type d'attachement, qui sont liés à la personnalité, tendent à assurer la continuité. Un enfant doté d'un tempérament difficile risque davantage d'établir un attachement faible envers sa mère ou son père, ce qui peut créer un double désavantage. Toutefois, modèles internes et personnalité ne sont pas synonymes. Les modèles internes sont déterminés par la façon dont un individu comprend son entourage, c'est-à-dire le sens qu'il donne à ses expériences, ses attentes par rapport aux autres, ses relations et son moi. Les modèles internes sont formés de perceptions autant que de sentiments, et ils semblent extrêmement puissants.

Ces systèmes de significations acquis évoluent au cours de l'enfance. Les travaux de Mary Main sur les modèles internes d'attachement chez l'adulte prouvent que le changement est possible. Elle a découvert que des adultes qui avaient eu une enfance dépourvue d'affection ou qui avaient subi de mauvais traitements faisaient preuve d'un attachement fort. Ces personnes reconnaissaient le rôle que leurs mauvaises expériences avaient joué dans leur formation, mais elles étaient capables d'être objectives. On ne sait guère comment ce type de réévaluation ou de transformation se produit, mais ce qui importe, c'est que de tels changements peuvent se produire. La continuité est peut-être l'option par défaut, mais elle n'est pas inébranlable.

À nos yeux, la place prépondérante qui est désormais accordée aux modèles internes constitue le progrès théorique le plus important de ces dernières décennies dans le domaine de la psychologie du développement. Les chercheurs ont compris que l'environnement n'est pas fortuit et qu'il ne façonne pas automatiquement le comportement. La compréhension personnelle des expériences représente un processus déterminant. Il reste manifestement beaucoup à apprendre sur la formation et le changement des modèles internes de base et sur la manière dont ils modifient nos choix et notre comportement, mais nous pensons que les chercheurs sont sur la bonne voie.

CHANGEMENT   Le changement fait également partie du développement, qu'il soit commun (universel) ou personnel (individuel). Les changements communs, sur lesquels la plupart des théoriciens du développement ont insisté dans leurs travaux, se produisent grâce à un double processus que nous avons appelé l'horloge biologique et l'horloge sociale. Toutefois, il est rare que ces deux influences soient équilibrées. Au cours de l'enfance, la maturation biologique joue un rôle extrêmement puissant. On peut même dire que le rythme de l'enfance relève entièrement de cette maturation : du faible nouveau-né au trottineur ; du trottineur qui babille à l'enfant de 4 ans qui s'exprime aisément ; du préadolescent sexuellement immature à l'adolescent pubère. L'expérience joue évidemment un rôle primordial, et les activités d'un enfant s'avèrent essentielles au façonnement même du développement. Derrière tous les autres processus de formation, l'horloge biologique continue de faire entendre son tic-tac bruyant au même rythme chez presque tous les enfants.

L'horloge sociale n'est pas totalement absente pendant les premières années de la vie. Il se produit certains changements communs dans les rôles sociaux, notamment le passage de l'âge préscolaire à l'âge scolaire qui marque profondément le développement de l'enfant. Toutefois, les modèles de changements communs observés chez les enfants relèvent davantage de la maturation biologique et d'une expérience environnementale commune que de changements clairement définis dans les rôles sociaux.

Au début de l'âge adulte, la force relative de ces deux influences s'inverse presque complètement. Une fois la puberté terminée, commence une période de 20 ans ou plus durant laquelle le mécanisme physique fonctionne à son rythme optimal. Au cours de ces années, l'horloge sociale indique les moments importants du développement et détermine ainsi l'enchaînement de changements communs à cet âge de la vie : le passage du célibat à la vie maritale, du rôle d'enfant à celui de parent, de la dépendance à l'autonomie.

Au milieu de l'âge adulte, probablement pour la seule fois au cours du cycle de vie, ces deux influences majeures se trouvent presque en équilibre. Les changements biologiques internes associés au vieillissement deviennent plus apparents, alors que les définitions sociales se font moins rigoureuses ou contraignantes. À la fin de l'âge adulte, le processus biologique redevient prédominant. L'horloge biologique et l'horloge sociale n'exercent jamais en même temps une très forte influence. Elles le font en alternance, créant un flux et un reflux prévisibles qui rythment les changements communs tout au long des âges de la vie.

Théories du développement

Vous savez maintenant qu'aucune théorie ne propose une description satisfaisante du développement humain. De nombreux observateurs et chercheurs ont manifesté un grand intérêt pour la notion de stade, car elle permet d'instaurer un ordre dans un ensemble de changements sans cela déroutants. Toutefois, les théories qui s'appuient sur cette notion présentent des faiblesses majeures : elles ne permettent guère de mettre en évidence des stades étroitement liés à l'âge. Même pendant l'enfance, lorsque les changements par stades semblent particulièrement plausibles, il existe des variations mesurables dans l'apparition de certains changements cognitifs en fonction d'une expérience ou d'une expertise données. Durant l'âge adulte, de telles théories sont encore moins plausibles.

Cependant, deux concepts basés sur la notion de stade présentent un grand intérêt selon nous. Premièrement, s'il n'y a pas de stades, on observe des séquences communes de développement ou d'expériences au cours des différents âges de la vie. Il existe une séquence dans l'acquisition du concept de genre et du concept de conservation chez l'enfant, dans la mise en place du raisonnement moral, dans le cycle de la vie familiale qui débute avec l'arrivée du premier enfant, dans le cycle des générations au sein de la famille, dans l'expérience professionnelle et peut-être même dans les changements de relations amoureuses. Il est sans doute vrai que les seules séquences universelles sont celles qui se trouvent au moins partiellement enracinées dans les changements de maturation. Mais, dans toute culture ou cohorte, le développement humain suit de nombreuses trajectoires communes.

Deuxièmement, la notion de stade a donné naissance à un concept très utile pour comprendre le développement, en particulier chez l'adulte. Selon Levinson, des périodes de transition alterneraient avec des périodes de stabilité relative. Nous ne croyons pas que le contenu de ces périodes soit aussi fixe et universel que Levinson l'a estimé, loin de là. Nous ne traversons pas tous une crise à la quarantaine ou une période de transition à la trentaine. Par contre, la notion d'alternance entre des périodes de stabilité et des périodes de transition semble très bien rendre compte d'un aspect du processus du développement. Il existe donc un deuxième rythme de base, créé par l'alternance entre la continuité et le changement, semblable au rythme créé par le flux et le reflux des horloges biologique et sociale.

On peut constater cette alternance autant chez les enfants que chez les adultes. Par exemple, le passage à l'âge de trottineur, avec ses nombreuses adaptations (langage, autonomie des déplacements, établissement d'un attachement clair), est suivi d'une période de quelques années où le comportement de l'enfant et ses relations avec ses parents sont plus prévisibles; le passage de l'âge préscolaire à l'âge scolaire est suivi de quelques années au cours desquelles l'enfant et sa famille établissent une structure de vie plus stable. Même chez le nourrisson, le changement ne semble pas se produire de façon continue. On observe des périodes de changements rapides et des moments de plus grande stabilité, notamment les périodes de 2 à 6 mois et de 8 à 12 mois. À l'âge adulte, les périodes de transition et de stabilité varient d'un individu à l'autre selon la culture, la cohorte, le moment du mariage et de la procréation, ou les expériences individuelles. Toutefois, l'alternance fondamentale entre la stabilité et la transition semble être un aspect commun dans la vie de presque tous les individus.

De nombreux facteurs peuvent déclencher une transition. Pendant l'enfance et l'adolescence, les changements physiologiques provoquent certaines transitions, dont la puberté constitue un exemple frappant. À l'âge adulte, les changements sur le plan de la santé ou de la conscience du vieillissement biologique peuvent également être importants. Toutefois, ce sont surtout les changements de rôles qui entraînent des variations dans la structure stable de la vie à cette période, de même que les changements de vie imprévus ou survenant en dehors des normes temporelles, comme la perte d'un emploi.

Nous pensons que chaque transition favorise la croissance personnelle, particulièrement parce qu'elle permet de remettre en question les modèles internes et force l'individu à envisager de nouvelles solutions. La puberté génère de nouvelles interrogations sur l'indépendance et l'autonomie; le mariage nous oblige à faire face aux habitudes et aux modèles internes que nous apportons dans la relation. L'âge adulte moyen peut susciter un questionnement sur une certitude jamais remise en cause jusqu'alors, soit le sentiment d'invincibilité ou d'immortalité. Lors d'une crise ou d'une transition, les gens déclarent souvent: « Je ne me reconnais pas. » Cette phrase révélatrice reflète peut-être le sentiment d'être temporairement en dehors de ses propres normes. En dépit de la douleur qu'elle suscite, la crise procure une occasion de changer de cadre et d'adapter ses modèles internes. Selon Piaget, toute transition permet de se décentrer et de voir le monde d'une manière moins égocentrique, même si les gens n'en profitent pas toujours pour remettre en question leurs convictions ou entreprendre de nouvelles tâches.

Jane Loevinger amène une précision intéressante dans l'équation du développement : même si la séquence de changements est commune à tous les individus, ceux-ci ne parcourent pas tous la même distance. Cette proposition ressemble à ce que l'on observe dans le développement du raisonnement moral, où tous les individus semblent suivre une séquence de compréhension, mais à leur propre rythme et en s'arrêtant à différentes étapes dans leur cheminement.

Si nous combinons la notion de séquence et la notion d'alternance entre la stabilité et la transition, nous nous rapprochons fort d'une théorie qui s'appuie sur la notion de stade, sans que cela signifie nécessairement que les transitions surviennent au même moment ni qu'elles amènent une croissance personnelle. La période de transition peut mener certaines personnes à la dépression, à l'alcoolisme ou même à une forme antérieure de stratégie d'adaptation. Pour d'autres personnes, le déséquilibre est suivi par un retour à l'état précédent de *statu quo*. Toutefois, il existe une occasion de changement et de croissance à chaque tour de spirale.

Différences individuelles

Ces modèles ou ces rythmes communs ne devraient pas, et ne peuvent pas, cacher les autres événements importants du développement humain, à savoir qu'il existe des différences individuelles dans le moment d'apparition et les trajectoires empruntées. De telles différences deviennent particulièrement visibles au cours des périodes de la vie où l'horloge biologique est relativement peu bruyante. Au début et à la fin de la vie, les points communs sont plus apparents. Toutefois, à tous les âges, il existe d'importantes variations, même dans des éléments aussi fondamentaux que le taux de maturation. Au fil de la vie, les expériences personnelles sont presque aussi uniques que les empreintes digitales. Il n'y en a pas deux qui soient identiques.

Voici un autre exemple de l'ampleur des variations qui s'ajoute à tous ceux que nous avons déjà mentionnés : Rindfuss (Rindfuss, Swicegood et Rosenfeld, 1987) a étudié un vaste échantillon de 14 000 sujets adultes qui avaient obtenu leur diplôme d'études secondaires en 1972. Pendant les 8 années suivantes, les chercheurs ont observé chacun des sujets pour savoir s'ils avaient assumé ou abandonné leurs rôles sur le plan professionnel, scolaire ou conjugal. Ils ont trouvé 1100 combinaisons de séquences et de moments d'apparition chez les hommes et 1800 combinaisons chez les femmes. Pratiquement tous ces adultes avaient en fait acquis un ou plusieurs de ces rôles, mais dans un ordre ou à un âge différent. Lorsque l'on compile ces variations sur le moment d'apparition et la séquence avec des variations déjà existantes de la personnalité, des modèles internes, de l'éducation et de la santé, on comprend pourquoi les sociologues et les psychologues commencent à parler d'« empreintes digitales » ou de « trajectoires » plutôt que de « sentiers communs ».

Si tel est le cas, alors comment est-il possible de parler de « développement normal » ? Nous espérons que vous conviendrez avec nous qu'il est très sensé de parler de sentiers communs et de développement normal au cours de l'enfance. Pendant les 12 à 15 premières années de la vie, non seulement observe-t-on des changements communs sur le plan de la maturation, mais on note également des réactions culturelles semblables à ces modèles de maturation. Partout dans le monde, les bébés sont cajolés, les trottineurs acquièrent plus de liberté en apprenant à marcher, les enfants commencent à aller à l'école vers 6 ou 7 ans, les rituels marquant le passage de l'adolescence à l'âge adulte sont des expériences communes de l'adolescence. Même si les détails varient, il existe certainement des expériences et des séquences communes.

En revanche, que se passe-t-il à l'âge adulte ? Peut-on aussi parler de « développement chez l'adulte » ? Comme vous avez pu le constater tout au long de ce manuel, nous pensons que oui, mais cela n'a pas la même signification que le « développement chez l'enfant ». À l'âge adulte, le calendrier de maturation est beaucoup plus discret, bien qu'il soit toujours présent : c'est ce qu'on appelle le vieillissement, qui fournit une base commune à l'expérience adulte. Les principaux rôles professionnels et familiaux créent des modèles qui sont communs à une culture ou à une cohorte données. Ces modèles sont également universels, ainsi que certains rythmes plus fondamentaux, tels que l'équilibre entre les horloges sociale et biologique et l'alternance entre la transition et la stabilité. Finalement, on peut dire qu'il existe une trajectoire de croissance commune à l'âge adulte semblable à celle décrite par Loevinger. Les différents rythmes décrivent principalement le développement adulte et, au-delà de cette base, il existe une infinité de modèles de vie.

Une métaphore musicale nous permettra d'illustrer ce point. Les musiciens disposent tous des mêmes notes de musique et pourtant ils ne composent pas tous la même mélodie. Il en va de même pour nos parcours de vie, qui se distinguent les uns des autres alors qu'ils reposent tous sur les facteurs décrits dans ce manuel. Chacun compose sa partition, orchestre les divers éléments de sa vie.

La recherche

sur le développement humain

DÉMARCHE SCIENTIFIQUE

Il est essentiel de bien comprendre la terminologie utilisée par les chercheurs en développement humain pour saisir le lien qui unit les observations (faits), les théories et les hypothèses. Nombre d'étudiants manifestent peu d'intérêt pour les théories ; ce qu'ils veulent, ce sont des faits. Toutefois, les données que sont les faits ou les **observations** ne servent pas à grand-chose si elles ne sont pas accompagnées d'une explication ou d'un cadre théorique. Par exemple, dans nos interactions quotidiennes avec nos amis, notre famille et nos connaissances, nous interprétons constamment les situations que nous vivons et nous nous efforçons de découvrir le sens des paroles ou des actes d'autrui. Si un ami fronce les sourcils, alors que nous nous attendions à un sourire, nous essayons d'expliquer ce geste à la lumière de la théorie que nous avons élaborée en nous basant sur ce que nous connaissons de lui.

Les modèles internes de relations ou de concept de soi sont élaborés à partir d'une **théorie**, c'est-à-dire d'un ensemble d'observations et d'hypothèses concernant la façon dont le monde fonctionne. Les théories nous permettent de clarifier nos expériences et de les classer. Les chercheurs en développement humain procèdent de la même façon. Pour faire une collecte de données (faits) sur le sujet qu'ils veulent étudier, ils s'appuient sur une théorie qui leur permet de cibler les éléments qu'ils doivent observer.

À partir de la théorie, les chercheurs formulent une **hypothèse** précise qui oriente leur recherche empirique. Prenons comme exemple l'observation suivante : le divorce de leurs parents affecte la plupart des enfants. On remarque chez les garçons plus de troubles de comportement que chez les filles, notamment plus d'agressivité et un moins bon rendement scolaire (Hetherington, 1989 ; Kline *et al.*, 1989). Cette observation est extrêmement intéressante en soi. Mais comment pouvons-nous l'étudier ? La formulation de l'hypothèse, c'est-à-dire la façon d'étudier cette observation, influera considérablement sur le choix de la méthode de recherche utilisée. Voici trois hypothèses.

- Hypothèse 1 : Les mères traitent leurs garçons différemment de leurs filles après le divorce.
- Hypothèse 2 : Quand la mère obtient la garde des enfants, les garçons souffrent davantage de l'absence du père.
- Hypothèse 3 : Les garçons éprouvent plus de difficulté à affronter le stress, quelle qu'en soit la cause.

Chacune de ces hypothèses provient d'une théorie différente et déterminera le type de recherche qui permettra de la confirmer ou de l'infirmer. Pour étudier la façon dont sont traités les garçons lors d'un divorce, il sera nécessaire d'observer les interactions dans des familles où il y a eu récemment un divorce. Par contre, si nous voulons nous pencher sur l'absence du père, nous devrons interroger des garçons et des filles qui vivent avec leur père après le divorce. Finalement, si nous choisissons l'hypothèse 3, il faudra noter les différences entre les réactions des garçons et des filles à d'autres événements stressants de la vie familiale, tels que la perte d'emploi d'un parent, un déménagement dans une région éloignée ou la mort d'un membre de la famille. Nous pouvons en conclure que la création de modèles ou de théories est un processus naturel et nécessaire pour décoder des données, que celles-ci proviennent d'une démarche scientifique ou d'une expérience personnelle.

MÉTHODES DE RECHERCHE

Le choix de la méthode de recherche constitue une première décision cruciale pour un chercheur. Il est en effet tout aussi important de choisir le sujet sur lequel portera la recherche que les outils de recherche et d'analyse.

Choix du sujet   Idéalement, les chercheurs aimeraient découvrir des modèles développementaux de base qui s'appliqueraient à tous les enfants, à tous les adolescents ou à tous les adultes. Pour ce faire, il leur faudrait sélectionner un échantillon aléatoire de l'ensemble des habitants de la planète, ce qui est évidemment impossible. À l'heure actuelle, les chercheurs optent souvent pour un compromis qui consiste à sélectionner de gros échantillons représentatifs de certains sous-groupes ou d'une population ciblée. Il est difficile cependant avec ce type d'échantillon d'obtenir des informations précises et détaillées. C'est pourquoi de plus en plus de chercheurs préfèrent examiner des échantillons moins importants (petits groupes) afin de repérer des processus de base.

Choix d'une méthode de recherche   Après avoir choisi leur sujet, les chercheurs doivent décider de la façon dont ils vont le traiter. Ils doivent formuler leur hypothèse et se demander quelle méthode de recherche sera la plus appropriée. Le tableau A.1 présente une récapitulation des

---

Observation : Information ou donnée (fait) obtenue par la recherche.

Théorie : Ensemble d'observations organisé de telle façon qu'on peut leur donner une signification et orienter la recherche.

Hypothèse : Proposition découlant de connaissances scientifiques qui permet de prédire le lien existant entre les facteurs étudiés et les comportements des individus.

principales méthodes de recherche utilisées en psychologie du développement et de leurs caractéristiques. On y retrouve notamment les méthodes descriptives naturalistes, les méthodes descriptives systématiques et les méthodes d'expérimentation.

MÉTHODES DESCRIPTIVES NATURALISTES

Les méthodes descriptives naturalistes servent à étudier, sans aucune intervention du chercheur, une situation particulière qui se produit couramment. Le but de ces méthodes est de *décrire* le plus précisément possible le phénomène étudié. Grâce à la méthode descriptive naturaliste, le chercheur peut observer le comportement d'une personne ou d'un groupe, mais il ne peut pas le prédire ni l'expliquer. Il doit également utiliser cette méthode avec beaucoup de précaution afin de ne pas contaminer le comportement étudié et de ne pas manquer d'objectivité. Deux méthodes descriptives naturalistes sont décrites dans le tableau A.1, soit l'*observation en milieu naturel* et l'*étude de cas*. Observer le déroulement d'une journée type dans une garderie constitue un exemple d'observation en milieu naturel, alors qu'étudier en profondeur le comportement d'un adolescent qui éprouve des difficultés scolaires est un exemple d'étude de cas.

MÉTHODES DESCRIPTIVES SYSTÉMATIQUES

Les méthodes descriptives systématiques se distinguent des méthodes descriptives naturalistes principalement parce qu'elles visent à mettre en relation le phénomène étudié avec d'autres facteurs et qu'elles nécessitent une intervention du chercheur. Le but de ces méthodes est de *prédire* un comportement sans toutefois permettre de l'expliquer ou d'établir des liens de causalité. Les méthodes descriptives systématiques ciblent de façon plus précise des comportements que les méthodes naturalistes et tentent de les étudier de façon plus méthodique. L'*observation systématique*, l'*analyse de contenu*, l'*entrevue* et le *questionnaire* sont des méthodes descriptives systématiques (voir le tableau A.1). Par exemple, une étude des différents types de comportements agressifs chez les enfants d'âge préscolaire et scolaire pourrait être effectuée par l'observation systématique. L'analyse de contenu serait plus appropriée pour l'examen des stéréotypes que l'on trouve dans les livres pour enfants. L'entrevue pourrait être fort pertinente pour approfondir les difficultés d'adaptation des nouveaux couples. Et le questionnaire pourrait permettre d'évaluer le temps d'étude nécessaire pour réussir un cours universitaire.

Les méthodes descriptives systématiques tentent de déterminer si deux ou plusieurs phénomènes sont liés et, si oui, jusqu'à quel point. Elles permettent d'établir entre deux ou plusieurs variables distinctes une relation, appelée **corrélation**. Le coefficient de corrélation est tout simplement un nombre situé entre −1,00 et +1,00 qui indique la force d'une relation entre deux variables. Un coefficient de corrélation de 0 indique une **corrélation nulle** entre les deux variables. Par exemple, on peut s'attendre à trouver une corrélation nulle, ou presque nulle, entre la taille des gros orteils et le Q.I. En effet, quelle que soit la longueur de leurs orteils, les individus peuvent avoir un quotient intellectuel élevé ou bas. Plus le coefficient de corrélation se rapproche de −1,00 ou de +1,00, plus la relation est étroite.

Si la **corrélation** est **positive**, les scores élevés ou faibles des deux variables tendent à évoluer dans le même sens, tout comme la longueur des gros orteils et la grandeur des chaussures. Si la **corrélation** est **négative**, les scores élevés d'une variable sont mis en relation avec les scores faibles d'une autre variable. On peut constater une corrélation négative entre le niveau de tabagisme chez la mère pendant la grossesse et le poids à la naissance du bébé (une forte consommation de tabac est associée à un faible poids à la naissance). Les corrélations parfaites (−1,00 ou +1,00) n'existent pas, mais on observe parfois des coefficients de corrélation de 0,80 ou de 0,70. Les coefficients de corrélation de 0,50, que l'on trouve assez fréquemment dans la recherche en psychologie, indiquent des relations d'intensité moyenne.

La corrélation constitue un outil de travail extrêmement utile. Pour savoir si des enfants timides à 4 ans le sont encore à 20 ans, il faudra obtenir des données longitudinales pertinentes et établir une corrélation pour connaître le degré de consistance. La présence simultanée de deux facteurs indique un degré élevé de consistance, alors que, dans le cas contraire, ce degré est faible. Pour

---

Corrélation : Relation entre deux variables, mesurée à l'aide d'un indice, qui indique dans quelle mesure les deux variables sont liées l'une à l'autre. Le coefficient de corrélation peut varier entre +1,00 et −1,00. Plus les coefficients de corrélation se rapprochent des extrêmes, plus la relation entre les deux variables est forte. La relation est directe et positive si elle est près de +1,00, et inverse et négative si elle est près de −1,00.

Corrélation nulle : Corrélation dont le coefficient est égal à 0 (les deux variables ne sont aucunement liées).

Corrélation positive : Corrélation dont les coefficients suivent la même direction (les deux variables tendent à croître ou à décroître ensemble).

Corrélation négative : Corrélation dont les coefficients vont dans des directions opposées (une des variables augmente lorsque l'autre diminue).

Tableau A.1	*Les méthodes de recherche en développement humain*	
Méthodes de recherche	**Avantages**	**Désavantages**

MÉTHODES DESCRIPTIVES NATURALISTES

But: décrire un comportement.

OBSERVATION EN MILIEU NATUREL: Méthode qui consiste à observer et à enregistrer méticuleusement les comportements d'un groupe de personnes dans leur contexte familier, sans aucune intervention du chercheur.	1) Possibilité d'observer le comportement d'un groupe dans son milieu naturel. 2) Très utile durant les premières étapes d'un programme de recherche. 3) Très près de la réalité.	1) Aucun contrôle sur la situation étudiée. 2) Difficultés à rester objectif. 3) Difficulté à généraliser. 4) Impossible de faire des prédictions ou de trouver des explications causales.
ÉTUDE DE CAS: Méthode qui consiste à étudier en profondeur un comportement ou un individu à partir de plusieurs sources d'information.	1) Informations détaillées. 2) Étude de problématiques délicates qui autrement ne pourraient l'être pour des raisons d'ordre moral ou pratique. 3) Utile pour étudier un nouveau phénomène.	1) Le cas étudié n'est pas forcément représentatif de la population. 2) Difficulté à rester objectif. 3) Difficulté à valider l'information. 4) Impossible de faire des prédictions ou de trouver des explications causales.

MÉTHODES DESCRIPTIVES SYSTÉMATIQUES

But: prédire un comportement.

OBSERVATION SYSTÉMATIQUE: Méthode qui consiste à observer et à enregistrer méticuleusement et systématiquement le comportement de personnes dans un environnement contrôlé ou en laboratoire.	1) Contrôle plus grand que l'observation en milieu naturel. 2) Utilisation d'un équipement perfectionné. 3) Possibilité de valider des observations.	1) Différence possible entre le comportement observé en laboratoire (situation artificielle) et le comportement en milieu naturel. 2) Contrôle limité de la situation étudiée. 3) Difficulté à rester objectif. 4) Impossible de faire des prédictions ou de trouver des explications causales.
ANALYSE DE CONTENU: Méthode qui consiste à décrire objectivement et systématiquement le contenu de documents.	1) Possibilité d'approfondir la symbolique. 2) Possibilité d'études comparatives. 3) Grande richesse d'interprétation.	1) Longue analyse. 2) Écart par rapport à la réalité. 3) Risque d'une mauvaise évaluation du matériel.
ENTREVUE: Méthode d'investigation systématique qui consiste à faire des entrevues pour obtenir des renseignements précis.	1) Possibilité pour les individus de nuancer leurs réponses. 2) Excellente méthode pour connaître le fond de la pensée des individus.	1) Subjectivité de l'intervieweur. 2) Difficulté à comparer les entrevues. 3) Exige beaucoup de temps.
QUESTIONNAIRE: Méthode qui consiste à interroger de façon directive des individus à partir d'un questionnaire standardisé.	1) Applicable à un grand nombre d'individus. 2) Rapidité de la collecte des données. 3) Possibilité de comparer les réponses.	1) Renseignements sommaires. 2) Difficulté à formuler des questions pertinentes. 3) Inaptitude de certains répondants. 4) Désirabilité sociale*.

MÉTHODES D'EXPÉRIMENTATION

But: expliquer un comportement.

MÉTHODE EXPÉRIMENTALE: Méthode explicative dont le principe de base est le contrôle systématique de tous les facteurs pouvant influer sur le phénomène étudié et qui consiste à soumettre un individu à des conditions particulières.	1) Contrôle de la situation étudiée. 2) Possibilité de déterminer les causes et les effets.	1) Difficulté, dans certains cas, à généraliser et à étendre les résultats à des situations réelles (la situation étudiée est artificielle). 2) Difficulté, dans certains cas, à rester objectif. 3) Problèmes d'éthique dans la manipulation de certaines variables. 4) Difficulté à respecter l'assignation aléatoire des sujets.
MÉTHODE QUASI EXPÉRIMENTALE: Méthode explicative dont le principe de base est le contrôle systématique de tous les facteurs pouvant influer sur le phénomène étudié et qui consiste à comparer des individus dont les caractéristiques ne peuvent pas être modifiées.	1) Contrôle de la situation étudiée. 2) Possibilité de déterminer les causes et les effets. 3) Possibilité d'utiliser l'expérimentation pour effectuer des études soulevant des problèmes d'éthique.	1) Difficulté, dans certains cas, à généraliser et à étendre les résultats à des situations réelles (la situation étudiée est artificielle). 2) Difficulté, dans certains cas, à rester objectif. 3) Confusion possible des variables choisies. 4) Impossibilité d'assignation aléatoire des sujets.

*Une personne interrogée peut être tentée de répondre selon le bon sens social afin de plaire à la personne qui l'interroge ou par désir de conformité.

savoir si les enfants des mères qui ont reçu une bonne éducation sont plus susceptibles de posséder un vocabulaire riche, on utilisera également une corrélation.

Il est important de comprendre que les corrélations n'apportent aucune information sur les liens de *causalité*, même si on établit souvent de tels liens entre deux variables

lorsque la corrélation est forte. Par exemple, de nombreux chercheurs ont remarqué une corrélation positive moyenne entre le tempérament difficile d'un enfant et le nombre de punitions qu'il reçoit de ses parents: plus le tempérament de l'enfant est difficile, plus il reçoit de punitions. Mais quel est le lien de causalité? Les enfants difficiles sont-ils plus souvent punis? Les nombreuses punitions entraînentelles un tempérament difficile ? Ou existe-t-il un troisième facteur simultanément responsable de ces deux situations, tel un facteur génétique lié à la fois au tempérament difficile de l'enfant et à la personnalité des parents ? La corrélation ne permet pas à elle seule de trouver un lien de causalité. Une corrélation peut laisser entrevoir une direction particulière ou des liens possibles de cause à effet. Cependant, pour découvrir ces liens, on doit faire appel aux méthodes d'expérimentation.

MÉTHODES D'EXPÉRIMENTATION

Les méthodes descriptives naturalistes et systématiques possèdent chacune leurs limites. Si l'on souhaite étudier un processus de base, tel que l'apprentissage ou la mémoire, ou *expliquer* un phénomène observé, il vaut mieux utiliser les méthodes d'expérimentation. La méthode expérimentale et la méthode quasi expérimentale sont les méthodes d'expérimentation les plus couramment utilisées dans les recherches sur le développement (voir le tableau A.1).

La **méthode expérimentale** sert habituellement à vérifier une hypothèse, c'est-à-dire une explication causale particulière. Prenons un exemple : les personnes âgées se plaignent souvent d'avoir plus de difficulté à se souvenir du nom des personnes ou des numéros de téléphone que lorsqu'elles étaient jeunes. Pour savoir si la mémoire diminue avec l'âge, on formule l'hypothèse suivante : les différences observées relativement à la capacité mémorielle d'un échantillon de personnes âgées reflètent la fréquence avec laquelle ces personnes utilisent leur mémoire. Afin de vérifier cette hypothèse, nous donnerons à un groupe de personnes âgées des exercices pour faire travailler leur mémoire et nous n'en donnerons aucun à un autre groupe de personnes du même âge. Si les adultes qui ont fait les exercices parviennent à mémoriser plus de lettres ou de chiffres qu'avant, et que le groupe privé d'exercices ne montre aucun changement, le résultat de cette expérimentation concordera avec l'hypothèse de départ.

La méthode expérimentale se caractérise essentiellement par *l'assignation aléatoire* de sujets à différents groupes. Les sujets du **groupe expérimental** reçoivent le traitement qui, selon l'expérimentateur, produira un effet connu (comme le travail de la mémoire), tandis que ceux du **groupe témoin** ne reçoivent aucun traitement ou reçoivent un traitement neutre (placebo). La **variable indépendante** (dans ce cas, les exercices) est l'élément introduit systématiquement par l'expérimentateur, alors que la **variable dépendante** (dans ce cas, le résultat du test de mémoire) est l'effet mesuré.

Cette recherche pourrait devenir plus complexe et présenter un plus grand intérêt si l'on répétait la même expérience plusieurs fois avec des sujets d'âges différents. Cette expérimentation permettrait de vérifier si les exercices ont le même effet chez tous les sujets, quel que soit leur âge, ou s'ils ont un effet plus marquant chez les sujets âgés comparativement aux sujets plus jeunes — ce dernier résultat confirmerait davantage l'hypothèse à l'étude. Pour déterminer s'il existe un déclin de la mémoire avec l'âge, on pourrait aussi mesurer la rétention d'un groupe d'individus d'âge moyen et les suivre pendant plusieurs années afin d'observer si chaque individu présente une diminution de la mémoire. Ces dernières questions relèvent cependant du choix de la méthode de collecte de données.

Toutefois, la méthode expérimentale ne permet pas toujours de comprendre divers aspects du développement. Deux problèmes particuliers liés à l'étude du développement de l'enfant ou de l'adulte posent des limites à l'utilisation de la méthode expérimentale. Premièrement, bon nombre de questions auxquelles on cherche à répondre portent sur les effets d'expériences désagréables ou stressantes pour les individus, telles que les mauvais traitements, l'influence sur le fœtus de la prise d'alcool ou de tabac par la mère, la pauvreté, le chômage ou le veuvage. Pour des raisons d'éthique évidentes, il est impossible de manipuler ces variables. On ne peut pas demander à un groupe de femmes enceintes de prendre deux verres d'alcool par jour et à un autre groupe de ne pas en prendre. On ne peut choisir des adultes au hasard et leur demander de quitter leur emploi. C'est pourquoi on ne peut pas étudier les effets de ces expériences avec la méthode expérimentale. Deuxièmement, la variable indépendante qui nous intéresse généralement le plus est l'âge. Or, on ne peut pas assigner aléatoirement des sujets à des groupes d'âge. On peut comparer la façon dont les enfants de 4 ans

---

Méthode expérimentale : Méthode de recherche dont le principe de base est le contrôle systématique de tous les facteurs pouvant influer sur le phénomène étudié. Elle se caractérise par une assignation aléatoire des sujets à un groupe témoin ou à un groupe expérimental.

Groupe expérimental : Groupe (ou groupes) de sujets d'une expérimentation à qui l'on donne un traitement dans le but de vérifier l'hypothèse de départ.

Groupe témoin : Groupe (ou groupes) de sujets d'une expérimentation qui ne reçoit aucun traitement ou qui reçoit un traitement neutre.

Variable indépendante : Donnée que l'expérimentateur manipule de façon systématique afin d'observer l'effet qu'elle produit sur le comportement du sujet.

Variable dépendante : Effet des variations de la variable indépendante.

et de 6 ans s'acquittent d'une tâche particulière, telle que la recherche d'un objet égaré, mais les enfants diffèrent sur bien d'autres plans que l'âge. Les enfants plus âgés ont une plus grande expérience de vie. Ainsi, contrairement aux psychologues qui étudient les autres aspects du comportement, les psychologues du développement ne peuvent pas manipuler systématiquement les variables déterminantes.

Pour résoudre ce problème, il est possible d'utiliser la **méthode quasi expérimentale**, qui consiste à comparer des groupes sans répartir les sujets de façon aléatoire. La comparaison transversale (plusieurs groupes d'âge) est une méthode quasi expérimentale, de même que la sélection de groupes naturels qui diffèrent sur une dimension présentant un intérêt pour le chercheur, par exemple les adultes qui ont perdu leur emploi et ceux qui l'ont conservé dans le même secteur d'activités. Cependant, on se heurte à des problèmes inhérents à ce type de comparaisons: les groupes qui diffèrent sur un point ont de fortes chances de différer sur d'autres points. Pour tenter d'atténuer ce problème, il est possible de sélectionner les groupes de comparaison de telle sorte qu'ils partagent les variables que l'on croit pertinentes, telles que le revenu, la situation familiale ou la religion.

De par sa nature, la méthode quasi expérimentale donnera toujours des résultats plus ambigus que ceux obtenus grâce à une expérimentation entièrement contrôlée. Même si on ne peut pas toujours y avoir recours, car elle est longue et coûteuse, la meilleure stratégie consiste souvent à collecter différents types de données auprès de chaque sujet.

MÉTHODES DE COLLECTE DE DONNÉES

Les méthodes de collecte de données s'appliquent uniquement à l'étude du développement humain et constituent une seconde étape dans la recherche. Après avoir choisi la méthode de recherche, il faut déterminer la façon dont sera étudiée la population ciblée (un ou plusieurs groupes, âges fixes ou variés, etc.). Le choix de la méthode de collecte de données est très important, surtout lorsqu'on étudie le changement (ou la continuité) lié à l'âge. On peut choisir l'une des quatre méthodes suivantes:

- l'étude transversale, qui permet de comparer des groupes de personnes d'âges différents;
- l'étude longitudinale, qui permet de suivre les mêmes personnes au cours d'une période donnée;
- l'étude séquentielle, qui permet de combiner les deux types d'études précédentes (Schaie, 1983a);

- l'étude transculturelle, qui permet de comparer des groupes de cultures différentes.

Le tableau A.2 présente un bref survol de ces différentes méthodes de collecte de données.

ÉTUDE TRANSVERSALE

L'**étude transversale** a pour but d'évaluer différents groupes d'âge en ne testant chaque sujet qu'une seule fois. Par exemple, pour étudier la capacité mémorielle selon l'âge, on sélectionne des sujets de différents groupes d'âge (de 25 à 85 ans). On évalue ensuite chaque sujet selon une mesure déterminée de la capacité mémorielle, puis on vérifie si les résultats diminuent avec l'âge. La figure A.1 montre les résultats d'une telle étude: des adultes d'âges différents ont écouté une suite de lettres

> **Méthode quasi expérimentale:** Méthode de recherche inspirée de la méthode expérimentale, mais dans laquelle la variable indépendante est inhérente au sujet lui-même et ne peut être modifiée (p. ex. l'âge, le sexe, le statut socioéconomique, etc.).
>
> **Étude transversale:** Étude qui consiste à observer et à évaluer différents groupes en ne testant chaque sujet qu'une seule fois.

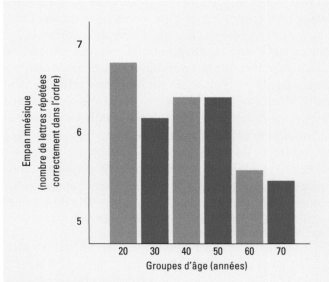

Figure A.1
Mémoire et vieillissement.
Dans cette étude, des adultes d'âges différents ont écouté une série de lettres au rythme d'une lettre par seconde. La tâche du sujet consistait à essayer de répéter ces lettres dans le même ordre. Les résultats indiquent le nombre moyen de lettres que chaque groupe a pu répéter. Peut-on conclure de ces résultats que la mémoire diminue avec l'âge? (*Source:* Botwinick et Storandt, 1974.)

Tableau A.2	Les méthodes de collecte de données en développement humain		
Méthodes de collecte de données	**Avantages**		**Désavantages**
ÉTUDE TRANSVERSALE : Étude qui consiste à évaluer différents groupes d'âge en ne testant chaque sujet qu'une seule fois.	1) Grande quantité de données en peu de temps. 2) Détermination de normes de développement. 3) Comparaison immédiate des cohortes. 4) Relativement facile à réaliser (ne mobilise qu'un seul groupe de personnes pour le temps de l'évaluation).		1) Confusion entre l'âge et la cohorte : impossible d'établir leur effet respectif. 2) Impossible d'étudier la séquence et la continuité du développement (évaluation d'un seul groupe d'âge).
ÉTUDE LONGITUDINALE : Étude qui consiste à évaluer les mêmes sujets (du même groupe d'âge) à diverses reprises pendant une période donnée (plusieurs mois ou plusieurs années).	1) Observation de la séquence et de la continuité (stabilité) du comportement au fil des ans. 2) Identification des effets des événements survenus plus tôt dans le développement. 3) Élimination de l'effet de cohorte. 4) Détermination de modèles de développement et de changements individuels.		1) Méthode assez laborieuse qui mobilise beaucoup de personnes pendant une grande période. 2) Résultats longs à obtenir. 3) Problèmes d'abandons sélectifs (refus de continuer, déménagement sans adresse, maladie et mortalité, etc.). 4) Effet du temps sur la mesure*.
ÉTUDE SÉQUENTIELLE : Étude qui consiste à combiner les données provenant d'études transversales et longitudinales.	1) Possibilité d'étudier plusieurs cohortes du même âge (étude de décalage). 2) Possibilité d'effectuer plusieurs études transversales à quelques années d'intervalle ou deux ou plusieurs études longitudinales, chacune portant sur une cohorte différente.		1) Effets négatifs variables selon le type d'étude retenu.
ÉTUDE TRANSCULTURELLE : Étude qui consiste à comparer des recherches sur différentes cultures (ou contextes sociaux).	1) Possibilité de découvrir l'existence de modèles de développement identiques dans différentes cutures.		1) Problèmes d'équivalence, de validité et de fiabilité des instruments de mesure. 2) Difficultés liées à la signification attribuée aux comportements d'une culture à l'autre (effet de culture).

*Le modèle de développement observé est-il propre à la cohorte étudiée ou reflète-t-il un changement (ou une continuité) fondamental dans le développement, que l'on retrouve dans d'autres cultures ou cohortes ?

lues à haute voix à raison d'une lettre par seconde. Ils devaient ensuite répéter les lettres dans l'ordre — cet exercice se rapproche de l'effort requis pour mémoriser un numéro de téléphone. On constate que la performance des personnes de 60 ans et de 70 ans a été très faible.

Puisque ces résultats concordent avec l'hypothèse de départ, on est tenté de conclure que la mémoire diminue avec l'âge. Or, l'étude transversale ne permet pas de tirer une telle conclusion, car ces adultes ont des âges différents et proviennent de cohortes différentes. De plus, nous savons que, dans notre société, les cohortes plus âgées ont fait de moins longues études que les cohortes plus jeunes. Les différences enregistrées sur le plan de la mémoire pourraient donc refléter le niveau d'études (ou d'autres différences entre les cohortes), et non un changement lié à l'âge ou au développement.

ÉTUDE LONGITUDINALE

Une **étude longitudinale** suit les mêmes individus durant une période donnée afin d'observer les séquences de changement et de continuité. En outre, elle permet d'éviter le problème que pose la cohorte en comparant la performance des mêmes personnes à des âges différents. L'étude de Berkeley/Oakland sur la croissance, que nous avons déjà mentionnée, est l'une des études longitudinales les plus connues (Eichorn *et al.*, 1981). L'étude de Grant, tout

aussi célèbre (Vaillant, 1977), qui s'est penchée sur un échantillon composé d'étudiants de Harvard, a suivi plusieurs centaines d'hommes de 18 ans jusqu'à 60 ans.

Supposons qu'une étude transversale sur les rôles sexuels révèle que les adultes de 20 à 50 ans ont tendance à faire preuve d'une attitude égalitaire, alors que les adolescents et les personnes de plus de 50 ans adoptent des attitudes plus traditionnelles. Comment pourriez-vous interpréter ces résultats ?

ÉTUDE SÉQUENTIELLE

L'**étude séquentielle,** qui s'intéresse à plusieurs cohortes durant une période donnée, permet de combiner l'étude transversale et l'étude longitudinale. La figure A.2 présente une matrice de groupes d'âge qui illustre les trois méthodes que nous venons de mentionner. En haut de la figure apparaissent les années de naissance de chaque cohorte et, à gauche, les années d'évaluation possible d'une cohorte donnée. Le tableau fournit les âges de chaque

Étude longitudinale : Étude qui consiste à observer ou à évaluer les mêmes sujets à diverses reprises pendant plusieurs mois ou plusieurs années.

Étude séquentielle : Étude qui consiste à regrouper les données provenant d'études transversales et longitudinales.

Questions d'éthique dans la recherche sur le développement

Chaque fois que l'on cherche à comprendre un comportement humain, – que ce soit en observant des sujets, en les testant ou en les interrogeant –, on s'introduit dans la vie privée d'autrui. Par exemple, en observant une personne à son domicile, un chercheur peut, malgré lui, donner l'impression qu'il porte un jugement sur la façon dont elle élève sa famille. Lors de tests de laboratoire, certaines personnes réussiront très bien et d'autres, moins bien. Celles qui ont obtenu de piètres résultats risquent-elles d'être perturbées? De quelle façon vont-elles interpréter leur expérience?

Toute recherche sur le comportement humain comporte donc des risques et soulève des questions d'éthique. C'est pourquoi les psychologues et les biologistes ont établi des règles et des lignes directrices précises qui doivent être respectées avant de procéder à une observation ou de commencer un test. Dans tous les collèges et universités — les milieux où sont effectuées la plupart des recherches —, un comité doit approuver tous les projets de recherche qui portent sur des sujets humains. La ligne directrice la plus fondamentale consiste à toujours protéger les sujets de préjudices mentaux ou physiques. Les chercheurs doivent suivre rigoureusement les principes énumérés ci-dessous.

Consentement libre et éclairé. Avant d'être soumis à un test, chaque adulte doit donner son consentement par écrit. Dans le cas des enfants, on doit obtenir le consentement éclairé des parents ou du tuteur. Pour chaque test, on doit expliquer de façon détaillée la méthode utilisée et ses conséquences éventuelles. Par exemple, vous voulez observer des couples mariés pendant une discussion afin d'étudier leurs modèles de résolution de problèmes. Lors de la demande de consentement éclairé, vous devrez expliquer à chaque couple que,

même si elle finit souvent par éclairer la situation, une discussion peut faire augmenter la tension entre les personnes. De plus, vous devrez remettre à tous les couples un compte rendu à la fin de l'expérimentation et offrir un soutien à ceux qui auront trouvé la tâche stressante ou déstabilisante.

Respect de la vie privée. Les sujets doivent avoir l'assurance que les renseignements personnels resteront confidentiels, particulièrement les renseignements sur le revenu et sur les comportements ou les gestes illégaux, tels que la consommation de drogue. Les chercheurs peuvent utiliser l'information obtenue dans une compilation de données, mais ils ne peuvent en aucun cas la citer en associant le nom d'un sujet à des données particulières — à moins que le sujet n'ait donné son consentement. En règle générale, il est contraire à l'éthique de ne pas informer une personne qu'on l'observe derrière un miroir sans tain ou qu'on note secrètement son comportement.

Respect de l'estime de soi. Les principes que l'on vient de mentionner sont importants, et les chercheurs doivent s'y conformer à la lettre, tout particulièrement en ce qui concerne les enfants. Il ne faut en aucun cas observer ni interroger un enfant contre son gré. Si un enfant semble bouleversé ou exprime une quelconque détresse, il faut le rassurer et le réconforter. S'il demande des informations concernant sa performance ou ses résultats, il faut veiller à ne jamais mettre en péril son estime de soi et sa confiance en soi.

Droit de retrait en tout temps. Les sujets peuvent mettre fin à leur participation à une étude en tout temps, sans avertissement préalable et sans avoir à justifier leur décision. Les sujets participent à l'étude sur une base volontaire et peuvent décider de se retirer sans subir de pression de la part des expérimentateurs.

---

cohorte au moment de l'évaluation. Dans cette matrice, on peut voir que l'étude transversale établit une comparaison entre des éléments de n'importe quelle rangée du tableau, tandis que l'étude longitudinale porte sur des portions de n'importe quelle colonne. Représentée par le carré ombragé du centre, l'étude séquentielle se penche sur plusieurs rangées (étude transversale) et plusieurs colonnes (étude longitudinale).

ÉTUDE TRANSCULTURELLE

La recherche sur le développement fait de plus en plus souvent appel à l'**étude transculturelle** dont le but est de comparer différentes cultures (ou contextes sociaux). On utilise notamment l'**ethnographie** pour décrire de la façon la plus détaillée possible une culture (ou un contexte social). Cette description s'appuie sur une observation approfondie. Souvent, l'observateur partage la vie

des gens de la communauté (culture) durant une période qui peut varier de plusieurs mois à plusieurs années. Chaque description est unique, bien qu'il soit possible de comparer plusieurs descriptions (plusieurs cultures) afin de découvrir des modèles identiques de développement dans différentes cultures (Whiting et Edwards, 1988). Par exemple, les tâches attribuées aux jeunes garçons et aux jeunes filles de différentes cultures se ressemblent-elles? Les chercheurs peuvent également comparer directement

Étude transculturelle: Étude qui consiste à comparer des recherches provenant de différentes cultures.

Ethnographie: Description détaillée d'une culture ou d'un contexte social, basée sur une observation rigoureuse par un chercheur résident.

deux ou plusieurs cultures en testant des échantillons d'enfants ou d'adultes provenant de ces cultures à l'aide d'instruments de mesure semblables ou comparables.

Toutefois, la difficulté majeure de ce type d'études réside dans l'équivalence de la mesure. Est-il suffisant de traduire des tests dans une autre langue? Est-ce que l'instrument de mesure ou la technique d'évaluation possède la même validité dans toutes les cultures? Est-ce que, dans toutes les cultures, on attribue à un comportement donné la même signification? Comme le souligne Anne-Marie Ambert (1994), les chercheurs occidentaux, dans leurs études des comportements parentaux, considèrent la mère comme la figure centrale dans l'éducation de l'enfant. Cependant, dans plusieurs cultures à travers le monde, les soins maternels ne sont pas réservés exclusivement à la mère biologique, mais ils sont assumés par plusieurs femmes de la communauté. Ainsi, si nous mesurons la qualité des soins maternels en comptant le nombre de gestes liés aux soins prodigués à l'enfant, tels que la fréquence des sourires et des interactions verbales, nous pouvons tirer des conclusions erronées.

Année de naissance de chaque cohorte

Année d'obtention de chaque mesure	1905	1915	1925	1935	1945	1955	1965	1975
1920	15							
1930	25	15						
1940	35	25	15					
1950	45	35	25	15				
1960	55	45	35	25	15			
1970	65	55	45	35	25	15		
1980	75	65	55	45	35	25	15	
1990	85	75	65	55	45	35	25	15
2000	95	85	75	65	55	45	35	25
2010		95	85	75	65	55	45	35
2020			95	85	75	65	55	45

Figure A.2
Matrice de groupes d'âge.
Bien que cette figure soit complexe, il est important d'essayer de la comprendre. Chaque chiffre du tableau correspond à l'âge d'un groupe d'individus appartenant à une cohorte donnée à un moment de l'évaluation. L'étude transversale porte sur certaines parties de n'importe quelle rangée et l'étude longitudinale, sur des portions de n'importe quelle colonne. L'étude séquentielle combine ces deux analyses, comme on peut le voir dans le rectangle.

PAUSE-APPRENTISSAGE

Recherche sur le développement humain

- Qu'est-ce qu'une observation, une théorie et une hypothèse?

- Expliquez les différentes méthodes descriptives naturalistes et leurs particularités.

- Expliquez les différentes méthodes descriptives systématiques.

- Qu'est-ce que la méthode expérimentale et quelles sont ses limites?

- Quelles sont les différentes méthodes de collecte de données et quelles sont leurs limites?

- Quels principes éthiques les chercheurs en développement humain doivent-ils respecter?

Concepts et mots clés

- **analyse de contenu** (p. A-3) • **assignation aléatoire** (p. A-5)
- **causalité** (p. A-4) • **corrélation** (p. A-3) • **corrélation négative** (p. A-3)
- **corrélation nulle** (p. A-3) • **corrélation positive** (p. A-3) • **entrevue** (p. A-3) • **ethnographie** (p. A-8) • **étude de cas** (p. A-3) • **étude longitudinale** (p. A-7) • **étude séquentielle** (p. A-7) • **étude transculturelle** (p. A-8) • **étude transversale** (p. A-6) • **groupe expérimental** (p. A-5) • **groupe témoin** (p. A-5) • **hypothèse** (p. A-2)
- **méthode descriptive naturaliste** (p. A-3) • **méthode descriptive systématique** (p. A-3) • **méthode expérimentale** (p. A-5) • **méthode quasi expérimentale** (p. A-6) • **observation** (p. A-2) • **observation systématique** (p. A-3) • **observation en milieu naturel** (p. A-3)
- **questionnaire** (p. A-3) • **théorie** (p. A-2) • **variable dépendante** (p. A-5)
- **variable indépendante** (p. A-5)

RÉSUMÉ

DÉMARCHE SCIENTIFIQUE

- Les théories nous permettent de classer les faits issus de la recherche, de les organiser et de les interpréter. À partir des théories, les chercheurs formulent des hypothèses précises qui orientent leur recherche.

MÉTHODES DE RECHERCHE

- Les trois principales méthodes de recherche utilisées dans les études sur le développement sont les méthodes descriptives naturalistes, les méthodes descriptives systématiques et les méthodes d'expérimentation.

  - Les méthodes descriptives naturalistes visent à décrire le comportement et comprennent l'observation sur le terrain et l'étude de cas.

  - Les méthodes descriptives systématiques visent à prédire le comportement et comprennent l'observation systématique, l'analyse de contenu, l'entrevue et le questionnaire.

  - Les méthodes d'expérimentation visent à expliquer le comportement en établissant une relation de causalité et comprennent la méthode expérimentale et la méthode quasi expérimentale.

- Les recherches de corrélation, très courantes dans les études sur le développement humain, peuvent fournir des informations très pertinentes. Cependant, comme les corrélations ne permettent pas d'établir de relations causales, il faut user de prudence dans l'interprétation qu'on en fait.

MÉTHODES DE COLLECTE DE DONNÉES

- Il existe quatre principales méthodes de collecte de données pour les études sur le développement : les études transversales, longitudinales, séquentielles et transculturelles.

  - L'étude transversale permet d'évaluer une fois différents groupes d'âge.

  - L'étude longitudinale permet d'évaluer plusieurs fois au cours d'une période donnée un groupe d'individus.

  - L'étude séquentielle permet de combiner les données de l'étude transversale et de l'étude longitudinale.

  - L'étude transculturelle vise à comparer des groupes de différentes cultures.

Absorption maximale d'oxygène (VO$_2$ max): Quantité d'oxygène que la circulation sanguine peut absorber, qui sera ensuite acheminée vers toutes les parties de l'organisme. Importante mesure de la capacité aérobique, l'absorption maximale d'oxygène diminue avec l'âge, mais elle peut être améliorée par l'exercice physique.

Accommodation: Processus d'adaptation par lequel un individu modifie ses schèmes pour s'adapter à de nouvelles expériences, ou pour créer de nouveaux schèmes lorsque les anciens ne lui permettent plus d'incorporer les nouvelles données.

Acide désoxyribonucléique (ADN): Composition chimique des gènes, souvent désignée par l'abréviation ADN.

Acouphène: Tintement persistant dans les oreilles.

Agent tératogène: Agent extérieur (par exemple une maladie ou un produit chimique) qui augmente de façon considérable les risques d'anomalies ou de perturbation durant le développement prénatal.

Âgisme: Toute forme de discrimination envers un groupe d'âge particulier, comme les adolescents ou les personnes âgées.

Agressivité: Ensemble de comportements physiques ou verbaux qui visent intentionnellement à nuire à quelqu'un ou à causer des dommages à un objet.

Agressivité réactionnelle: Forme de représailles ou de vengeance en réaction à une agression.

Agressivité relationnelle: Agressivité qui vise à blesser l'estime de soi d'une autre personne ou de rompre ses relations avec les pairs, en utilisant le chantage, la menace d'exclusion, les commérages cruels ou les expressions faciales de dédain.

Aires associatives: Régions du cerveau qui abritent les fonctions sensorielles, motrices et intellectuelles.

Altruisme ou comportement prosocial: Comportement d'une personne qui vient en aide aux autres, leur donne de son temps ou partage avec eux ce qui lui appartient, sans intérêt personnel évident.

Amniocentèse: Méthode de diagnostic prénatal qui permet de déceler la présence d'anomalies génétiques chez l'embryon ou le fœtus. Elle peut être pratiquée vers la 16e semaine de grossesse.

Amnios: Membrane remplie de liquide amniotique dans lequel baigne l'embryon ou le fœtus.

Andropause: Diminution graduelle de la testostérone survenant avec l'âge chez l'homme.

Anorexie mentale: Syndrome caractérisé par «la volonté de perdre du poids, une peur intense de prendre du poids, une perception faussée de son propre corps et un refus obstiné de se maintenir à un poids normal» (Attie *et al.*, 1990, p. 410).

Apprentissage par observation: Apprentissage d'habiletés motrices, d'attitudes ou de comportements, effectué par l'observation d'une autre personne.

Apprentissage: Tout changement relativement permanent qui résulte de l'expérience.

Artériosclérose: Durcissement et amincissement des artères.

Arthrite: Inflammation des articulations (arthrite rhumatismale lorsqu'il s'agit des petites articulations comme celles de la main).

Arthrose: Dégénérescence des cartilages articulaires comme ceux du genou ou des hanches.

Assimilation: Processus d'adaptation par lequel un individu associe de nouvelles informations ou expériences à des schèmes existants. L'expérience n'est pas adaptée telle quelle, mais elle est modifiée (ou interprétée) de façon qu'elle concorde avec les schèmes déjà existants.

Attachement: Lien affectif puissant qui unit une personne à une autre, dans lequel la présence du partenaire produit un sentiment de sécurité chez l'individu. C'est ce type de lien que l'enfant établit avec sa mère.

Attachement insécurisant de type ambivalent: Modèle d'attachement caractérisé par le fait que l'enfant manifeste peu de comportements d'exploration, qu'il semble grandement perturbé lorsqu'il est séparé de ses parents, et que ces derniers ne parviennent pas vraiment à le consoler et à le rassurer lorsqu'ils sont de retour.

Attachement insécurisant de type désorganisé: Modèle d'attachement caractérisé par le fait que l'enfant semble troublé ou inquiet après une séparation et adopte des comportements contradictoires envers ses parents, comme se diriger vers sa mère tout en regardant ailleurs.

Attachement insécurisant de type fuyant: Modèle d'attachement caractérisé par le fait que l'enfant évite le contact avec les parents après une séparation et ne manifeste pas de préférence entre des étrangers et ses parents.

Attachement sécurisant: Modèle d'attachement caractérisé par le fait que l'enfant recherche la proximité de ses parents après une séparation ou un stress et qu'il a recours à eux comme base de sécurité pour explorer son environnement.

Attention sélective: Capacité à se concentrer sur les éléments importants d'un problème ou d'une situation.

Auditoire imaginaire: Conviction chez l'adolescent que les personnes qui l'entourent se préoccupent autant de ses propres pensées et sentiments que lui-même.

Automatisme: Habileté à récupérer l'information de la mémoire à long terme sans utiliser les capacités de la mémoire à court terme.

Axone: Prolongement d'un neurone dont les fibres terminales servent de transmetteurs dans la connexion synaptique avec les dendrites des autres neurones.

Babillage: Vocalises d'un enfant de 6 mois ou plus comportant au moins une consonne et une voyelle.

Bande: Groupe d'amis plus nombreux et plus ouvert qu'une clique, comprenant une vingtaine de membres. Elle est généralement formée de plusieurs cliques qui se sont réunies.

Besoins D (pour déficience): Catégorie de besoins proposée par Maslow, basée sur les instincts ou les forces fondamentales qui poussent un individu à corriger un déséquilibre et à maintenir l'homéostasie. Ils comprennent les besoins biologiques, le besoin de sécurité, le besoin d'amour et d'affection, et le besoin d'estime de soi.

Besoins E (pour être): Catégorie de besoins proposée par Maslow, qui comprend le désir de découvrir et de comprendre son potentiel et celui des autres.

Biopsie des villosités choriales: Épreuve diagnostique génétique prénatale qui consiste à prélever des échantillons de cellules du placenta et qui peut être effectuée plus tôt que l'amniocentèse.

Boulimie: Trouble caractérisé par «une préoccupation obsessionnelle du poids, des épisodes récurrents de gavage, accompagnés par un sentiment subjectif de perte de maîtrise et le recours abusif au vomissement, à l'exercice physique ou aux purgatifs dans le but de contrer les effets de la goinfrerie» (Attie *et al.*, 1990, p. 410).

Bulbe rachidien: Partie du cerveau située immédiatement au-dessus de la moelle épinière. Il est déjà très développé à la naissance.

But: Force adaptative du stade de l'initiative ou de la culpabilité.

Ça: Dans la théorie de Freud, partie primitive de la personnalité. Elle est le siège de l'énergie de base, laquelle exige continuellement une gratification immédiate. Instance qui répond au principe de plaisir.

Cardiopathie: Toute affection du cœur et du système vasculaire, dont l'artériosclérose qui consiste en un rétrécissement (épaississement et durcissement) des artères accompagné de plaques.

Cellules gliales: Cellules de base du système nerveux qui assurent la cohésion des centres nerveux en donnant au cerveau sa fermeté et sa structure.

Céphalocaudal: Caractérise la direction du développement physique chez l'enfant qui se fait de la tête vers les membres inférieurs.

Césarienne: Méthode d'accouchement consistant à extraire le fœtus en pratiquant une incision dans les parois de l'abdomen et de l'utérus de la mère.

Champ phénoménologique: Ensemble des expériences (pensées, perceptions, sensations) qui peuvent occuper la conscience.

Changement qualitatif: Changement dans l'organisation, la nature ou la structure des éléments, par exemple dans le développement cognitif.

Changement quantitatif: Changement qui touche des éléments mesurables en nombre ou en quantité, par exemple la taille ou le vocabulaire.

Chorion: Couche externe de cellules qui, durant le stade de développement prénatal du blastocyste, va donner naissance au placenta et au cordon ombilical.

Chromosome: Petite structure filamenteuse d'ADN contenant des instructions pour une grande variété de processus normaux du développement et des caractéristiques individuelles uniques. Chaque cellule humaine possède 46 chromosomes disposés en 23 paires.

Cinquième âge: Terme utilisé par de nombreux gérontologues pour désigner les personnes âgées de 85 ans et plus.

Climatère: Période de la vie (chez l'homme et la femme) qui marque la fin de la capacité de reproduction. On emploie également le terme *ménopause* chez la femme.

Clique: Groupe de quatre à six adolescents possédant des liens d'attachement très forts, au sein duquel priment la loyauté et la solidarité.

Cohorte: Groupe d'individus à peu près du même âge ayant vécu des expériences similaires (par exemple un même environnement culturel et des conditions économiques similaires).

Compétence: 1) Connaissance que possède une personne d'un sujet particulier. Il est impossible de mesurer directement la compétence. 2) Force adaptative du stade du travail ou de l'infériorité.

Comportement sexuel croisé: Comportement atypique pour son propre sexe, mais typique du sexe opposé.

Comportements d'attachement: Ensemble des comportements (probablement) spontanés qu'une personne manifeste envers une autre, qui visent à établir ou à maintenir l'attachement et l'attention, comme le sourire chez le jeune enfant; comportements qui reflètent un attachement.

Concept de genre: Conscience de son propre sexe, et compréhension de la permanence et de la constance du genre sexuel.

Concept de soi: Ensemble détaillé et riche d'idées portant sur le moi, qui se développe rapidement au cours de l'enfance et qui persiste durant toute la vie.

Conditionnement classique: Un des trois principaux types d'apprentissage. Une réponse automatique ou inconditionnelle, telle qu'une émotion ou un réflexe, est déclenchée par un signal, que l'on appelle stimulus conditionnel, après que ce dernier a été associé plusieurs fois au stimulus inconditionnel initial.

Conditionnement opérant: Un des trois principaux types d'apprentissage dans lequel les renforcements positifs ou négatifs façonnent le comportement d'un individu.

Constance du genre: Troisième et dernière étape dans le développement du concept de genre: l'enfant comprend que le sexe ne change pas malgré la présence de changements externes, tels que l'habillement ou la longueur des cheveux.

Continuité cumulative: Stabilité des comportements influencée par nos choix personnels devant les événements.

Continuité interactive: Stabilité des comportements influencée par les réactions des autres à nos comportements.

Cordon ombilical: Une des structures de soutien qui se développe durant la période embryonnaire et qui relie le système cardiovasculaire de l'embryon et du fœtus au placenta, permettant ainsi d'acheminer les nutriments et d'évacuer les déchets.

Corps calleux: Masse de fibres nerveuses qui relie l'hémisphère droit et l'hémisphère gauche du cortex cérébral.

Corrélation: Relation entre deux variables, mesurée à l'aide d'un indice, qui indique dans quelle mesure les deux variables sont liées l'une à l'autre. Le coefficient de corrélation peut varier entre +1,00 et –1,00. Plus les coefficients de corrélation se rapprochent des extrêmes, plus la relation entre les deux variables est forte. La relation est directe et positive si elle est près de +1,00, et inverse et négative si elle est près de –1,00.

Corrélation négative: Corrélation dont les coefficients vont dans des directions opposées (une des variables augmente lorsque l'autre diminue).

Corrélation nulle: Corrélation dont le coefficient est égal à 0 (les deux variables ne sont aucunement liées).

Corrélation positive: Corrélation dont les coefficients suivent la même direction (les deux variables tendent à croître ou à décroître ensemble).

Cortex cérébral : Partie de l'encéphale présentant des circonvolutions et composée de substance grise. Il est notamment responsable de la régulation de la pensée, du langage et de la mémoire.

Croissance : Changement physique graduel qui est quantitatif, car il s'agit d'un ajout d'éléments plutôt que d'une transformation.

Déficience intellectuelle : Insuffisance dans le développement cognitif que présente une personne qui a un Q.I. très faible, généralement inférieur à 70.

Démence : Trouble neurologique comportant des problèmes au niveau de la mémoire et de la pensée qui affectent le fonctionnement émotionnel, social et physique d'un individu. La démence est plus un symptôme qu'une maladie et elle peut être causée par une grande variété de maladies, dont la maladie d'Alzheimer.

Démence vasculaire : Forme de démence causée par un ou plusieurs accidents vasculaires cérébraux.

Dendrite : Prolongement filamenteux d'un neurone qui forme avec d'autres dendrites la moitié d'une connexion synaptique vers d'autres cellules. Les dendrites se développent rapidement au cours des trois derniers mois de la grossesse et durant la première année de vie.

Dépression : Combinaison d'une humeur morose, de troubles du sommeil et de l'alimentation, et de problèmes de concentration. En présence de tous ces symptômes, on parle de dépression clinique.

Dépression gériatrique : Humeur dépressive chronique chez les personnes âgées.

Désordre réactionnel de l'attachement : Trouble affectif qui apparaît chez l'enfant et l'empêche d'établir des relations sociales intimes.

Développement des mécanismes de défense : Une des principales tâches de la période de latence.

Développement moral : Changements observés chez l'individu relativement au sens de la justice, au bien et au mal ainsi qu'au comportement associé aux questions morales.

Dilatation : Première étape de la naissance où le col de l'utérus s'ouvre suffisamment pour permettre à la tête du fœtus de passer dans le canal génital.

Discipline inductive : Style de discipline dans lequel les parents expliquent à l'enfant pourquoi un comportement est mauvais.

Dominance : Degré dans une hiérarchie auquel un individu accède quand il est considéré régulièrement comme le gagnant dans des situations d'affrontement social.

Double mauvais sort : Combinaison de la vulnérabilité d'un enfant et d'un milieu peu stimulant qui entraîne un développement inadapté ou pathologique.

Doué : Qui a un Q.I. très élevé (au-dessus de 140 ou de 150) ; qui possède des aptitudes remarquables dans un ou plusieurs domaines particuliers, comme les mathématiques et la mémoire.

Durée de vie : Théoriquement, nombre maximal d'années de vie pour une espèce donnée. On présume que même des découvertes importantes dans le domaine des soins de santé ne permettront pas à l'espèce humaine de dépasser cette limite.

Échelle d'intelligence de Wechsler pour enfants (WISC-3) : Instrument de mesure de l'intelligence qui est le plus utilisé aujourd'hui par les psychologues.

Échelle de Brazelton : Méthode d'évaluation qui permet de déceler des troubles neurologiques chez le nouveau-né.

Échographie : Méthode de diagnostic prénatal qui utilise les ultrasons pour fournir une image du fœtus en mouvement. Elle permet de dépister de nombreuses anomalies physiques, comme les lésions du tube neural, de repérer les grossesses multiples et de déterminer l'âge gestationnel du fœtus.

Effacement : Amincissement du col de l'utérus qui, avec la dilatation, permet la naissance du bébé.

Efficacité subjective : Selon Bandura, confiance d'un individu en sa capacité de provoquer des événements ou d'exécuter une tâche.

Égocentrisme : État cognitif dans lequel l'individu (généralement un enfant) considère les choses uniquement selon son propre point de vue, sans se rendre compte qu'il existe d'autres perspectives.

Émondage : Élimination de certaines connexions neuronales de l'arbre dendritique.

Encodage : Transformation de l'information sous une forme appropriée au stockage et à la récupération.

Enfants négligés : Enfants qui sont aimés de façon raisonnable par leurs pairs, mais qui n'ont pas de relations intimes.

Enfants rejetés : Enfants qui sont ouvertement rejetés par leurs pairs.

Équilibration : Dans la théorie de Piaget, troisième partie du processus d'adaptation, qui met en œuvre une restructuration périodique des schèmes.

Espérance de vie : Nombre moyen d'années qu'une personne à partir d'un âge donné (par exemple à la naissance ou à 65 ans) peut espérer vivre.

Espérance de vie active : Nombre moyen d'années qu'une personne peut espérer vivre sans subir une incapacité qui l'empêcherait de faire face à ses besoins quotidiens.

Estime de soi : Jugement global porté sur sa propre valeur ; satisfaction que l'on retire de la façon dont on se perçoit.

États d'identité : Quatre états décrits par James Marcia qui sont définis selon la position d'un individu par rapport à deux dimensions : la présence ou l'absence d'un questionnement (d'une remise en question), et la présence ou l'absence d'un engagement par rapport à un rôle ou des valeurs.

États de conscience : Cinq principaux états de sommeil et d'éveil chez le nourrisson qui vont de l'état de sommeil profond à l'état d'éveil actif.

Ethnographie : Description détaillée d'une culture ou d'un contexte social, basée sur une observation rigoureuse par un chercheur résident.

Étude du développement humain : Étude scientifique des changements et des continuités qui marquent la vie d'une personne et des processus qui influent sur ces changements et ces continuités.

Étude longitudinale : Étude qui consiste à observer ou à évaluer les mêmes sujets à diverses reprises pendant plusieurs mois ou plusieurs années.

Étude séquentielle : Étude qui consiste à regrouper les données provenant d'études transversales et longitudinales.

Étude transculturelle : Étude qui consiste à comparer des recherches provenant de différentes cultures.

Étude transversale : Étude qui consiste à observer et à évaluer différents groupes en ne testant chaque sujet qu'une seule fois.

Euthanasie active : Intervention afin d'activer le processus de la mort à la demande du patient.

Euthanasie passive : Absence d'interventions qui prolongent la vie afin de laisser la mort suivre son cours.

Extinction : 1) Dans la théorie du conditionnement classique, diminution puis disparition d'une réponse apprise lorsque le stimulus conditionnel cesse d'être associé au stimulus inconditionnel. 2) Dans le conditionnement opérant, diminution de la force de certaines réactions en l'absence de renforcement.

Fabulation personnelle : Croyance que ce qui nous arrive est unique, exceptionnel, et n'est partagé par aucune autre personne.

Facteurs de protection : Facteurs qui diminuent les risques de maladie et augmentent la satisfaction de vivre d'un individu.

Facteurs de risque : Facteurs qui augmentent les risques de maladie et diminuent la satisfaction de vivre d'un individu.

Faible poids à la naissance : Poids d'un nouveau-né inférieur à 2 500 g, qu'il s'agisse d'une naissance prématurée ou d'un enfant petit pour l'âge gestationnel.

Fixation : Persistance d'un lieu émotionnel créé autour d'un objet ou d'une personne.

Flexibilité : 1) Modèle de comportement selon lequel un adulte d'âge moyen ajuste ses objectifs à la réalité. 2) Trait de caractère résultant de caractéristiques innées et acquises, qui permet à l'individu de bien s'adapter à l'environnement malgré le stress, les menaces ou les difficultés.

Flexion : Marque grammaticale comme les pluriels, les temps passés, etc.

Fœtoscopie : Technique qui permet d'insérer une petite caméra directement dans l'utérus afin d'observer le développement du fœtus.

Fœtus : Nom donné à l'embryon humain à partir du 3e mois de son développement.

Fontanelles : Espaces membraneux entre les os du crâne qui sont présents à la naissance et qui disparaissent avec l'ossification du crâne.

Formation réticulée : Région du cerveau qui régularise l'attention et la concentration.

Gamète : Cellule sexuelle (spermatozoïde ou ovule) qui, contrairement à toutes les autres cellules du corps, ne contient que 23 chromosomes au lieu de 23 paires.

Gazouillement : Un des premiers stades de la phase prélinguistique, soit de 1 à 4 mois, au cours duquel des sons de voyelles sont constamment répétés, en particulier le son *eueueu*.

Gène : Segment d'ADN présent dans le chromosome, qui influe sur un ou plusieurs processus corporels particuliers.

Génétique du comportement : Étude des bases génétiques du comportement, comme l'intelligence et la personnalité.

Génotype : Ensemble des caractères génétiques et des séquences de développement inscrites dans les gènes d'un individu.

Gérontologie : Étude scientifique du vieillissement.

Glandes endocrines : Glandes comprenant les surrénales, la thyroïde, l'hypophyse, les testicules et les ovaires. Elles sécrètent des hormones à l'intérieur de la circulation sanguine, lesquelles régissent la croissance physique et la maturation sexuelle.

Gonadotrophines : Hormones responsables du développement des organes sexuels.

Groupe expérimental : Groupe (ou groupes) de sujets d'une expérimentation à qui l'on donne un traitement dans le but de vérifier l'hypothèse de départ.

Groupe témoin : Groupe (ou groupes) de sujets d'une expérimentation qui ne reçoit aucun traitement ou qui reçoit un traitement neutre.

Habileté d'autorégulation : Capacité de l'enfant à se conformer aux règles et directives parentales sans supervision directe.

Habiletés sociales : Ensemble de comportements qui permettent habituellement d'être accepté comme partenaire de jeu ou comme ami dans un groupe.

Habituation : Diminution automatique de l'intensité d'une réaction à un stimulus répété, laquelle permet à l'enfant ou à l'adulte de ne pas tenir compte de ce qui est familier et de se concentrer sur la nouveauté.

Hérédité dominante-récessive : Mode de transmission héréditaire par lequel un seul gène dominant exerce une influence sur le phénotype d'une personne, alors que deux gènes récessifs sont nécessaires pour exercer une influence sur le phénotype.

Hérédité multifactorielle : Mode de transmission héréditaire par lequel un caractère est influencé à la fois par des gènes et par l'environnement.

Hérédité polygénique : Mode de transmission héréditaire par lequel plusieurs gènes exercent une influence sur un même caractère.

Hiérarchie de dominance : Type d'organisation sociale qui établit un rapport de dominance entre les «gagnants» et les «perdants».

Hippocampe : Structure du cerveau qui joue un rôle dans l'apprentissage et la mémoire.

Holophrase : Combinaison d'un geste et d'un mot qui possède une signification particulière et qui est souvent observée chez les enfants de 12 à 18 mois.

Horloge biologique : Séquence fondamentale de changements biologiques qui se produisent avec l'âge, de la conception à l'âge adulte avancé.

Horloge sociale : Séquence de rôles et d'expériences sociales qui se déroulent au cours de la vie, comme le fait de passer de l'école primaire à l'école secondaire, de l'école au marché du travail ou du travail à la retraite.

Hypophyse : Glande endocrine qui joue un rôle majeur dans la régulation de la maturation physique et sexuelle. Elle stimule la production hormonale des autres glandes endocrines.

Hypothèse : Proposition découlant de connaissances scientifiques qui permet de prédire le lien existant entre les facteurs étudiés et les comportements des individus.

Hypothèse de la chute terminale : Hypothèse selon laquelle les fonctions cognitives et physiques restent stables durant l'âge adulte avancé, puis déclinent fortement quelques années avant la mort.

Identification au parent du même sexe : Principale tâche du stade phallique.

Identification aux pairs du même sexe : Une des tâches importantes de la période de latence.

Identité: Dans la théorie d'Erikson, terme utilisé pour décrire le concept de soi qui émerge progressivement et qui évolue en traversant une succession de huit stades.

Identité diffuse: Un des quatre états d'identité proposés par Marcia. Il n'est associé à aucune remise en question ni à aucun engagement.

Identité en moratoire: Un des quatre états d'identité proposés par Marcia. Il est associé à une remise en question sans engagement.

Identité en phase de réalisation: Un des quatre états d'identité proposés par Marcia. Il est associé à la résolution d'un questionnement (d'une crise) donnant lieu à un nouvel engagement.

Identité forclose: Un des quatre états d'identité proposés par Marcia. Il est associé à un engagement professionnel ou idéologique sans remise en question.

Identité sexuelle: Première étape dans le développement du concept de genre: l'enfant identifie correctement son sexe et celui des autres.

Imitation: Terme employé par Bandura et d'autres psychologues pour décrire l'apprentissage par observation.

Imitation différée: Reproduction d'un geste en l'absence du modèle.

Impuissance: Selon Seligman, sentiment d'impuissance devant la vie illustrée par la phrase suivante: «Je suis malheureux par ma faute et je ne peux rien y faire.»

Inclusion des classes: Relation entre les classes d'objets, de sorte qu'une classe subordonnée est comprise dans une classe générique (par exemple, les bananes font partie de la classe des fruits).

Indice d'Apgar: Méthode d'évaluation du nouveau-né selon cinq critères: la fréquence cardiaque, la respiration, le tonus musculaire, la réponse aux stimuli et la couleur de la peau.

Intégration intersensorielle: Apprentissage qui consiste à intégrer des informations provenant de plusieurs sens.

Intelligence cristallisée: Aspect de l'intelligence qui dépend avant tout des études et de l'expérience; connaissances et jugement acquis grâce à l'expérience.

Intelligence fluide: Aspect de l'intelligence qui dépend des processus biologiques fondamentaux plutôt que de l'expérience.

Intériorité: Tendance à la réflexion intérieure.

Justice immanente: Croyance que le fait d'enfreindre une règle entraîne une punition immédiate.

Langage bébé: Type de langage particulier que les parents utilisent pour parler aux jeunes enfants selon les linguistes. Les phrases sont plus courtes, plus simples, répétitives, et la voix est plus aiguë.

Langage expressif: Selon les linguistes, capacité de l'enfant à s'exprimer et à communiquer oralement.

Langage gestuel: Langage qui s'exprime par des gestes ou par une combinaison de gestes et de sons.

Langage réceptif: Selon les linguistes, capacité de l'enfant à comprendre (recevoir) le langage, sans arriver à l'utiliser.

Langage télégraphique: Langage dans lequel les mots qui ne sont pas nécessaires à la compréhension d'un message sont laissés de côté.

Latéralisation du cerveau: Processus par lequel les fonctions cérébrales sont divisées entre les deux hémisphères du cortex.

Libido: Terme utilisé par Freud pour décrire l'énergie sexuelle présente chez tout individu.

Lien affectif: Lien relativement durable dans lequel le partenaire est important, car il est perçu comme un individu unique et irremplaçable.

Limite de Hayflick: Limite du potentiel de division cellulaire génétiquement programmé qui déterminerait la durée de vie que possède chaque espèce.

Logique déductive: Forme de raisonnement qui consiste à passer du général au particulier, d'une règle à un exemple précis, ou d'une théorie à une hypothèse, et qui est caractéristique de la pensée opératoire formelle.

Logique inductive: Forme de raisonnement qui consiste à passer du particulier au général, de l'expérience à des règles générales, et qui est caractéristique de la pensée opératoire concrète.

Maîtrise interne ou externe: Selon Rotter, sentiment de maîtrise dont l'orientation est interne ou externe suivant l'interprétation qu'un individu donne à ses expériences; on l'appelle aussi *locus de contrôle*.

Maladie d'Alzheimer: Forme la plus commune de démence causée par des changements cérébraux spécifiques, notamment une augmentation rapide des enchevêtrements neurofibrillaires, qui entraînent une perte progressive et irréversible de la mémoire et d'autres fonctions cognitives.

Maturation: Changement physique qui relève d'un processus physiologique fondamental et qui est programmé génétiquement.

Mécanismes de défense: Terme utilisé par Freud pour décrire les moyens de défense du moi contre l'anxiété, qui sont en grande partie inconscients et déforment la réalité.

Mémoire de travail: Processus simultané qui consiste à conserver des informations en mémoire, tout en les utilisant pour résoudre un problème, s'initier à une nouvelle tâche ou prendre des décisions. On peut comparer la mémoire de travail à la mémoire vive d'un ordinateur.

Mémoire épisodique: Conservation dans le cerveau des souvenirs d'événements personnels.

Mémoire sémantique: Conservation dans le cerveau des connaissances générales.

Ménarche: Apparition des premières règles chez les jeunes filles.

Ménopause: Moment dans la vie d'une femme où les menstruations cessent totalement (climatère).

Mésencéphale: Partie du cerveau située au-dessus du bulbe rachidien et sous le cortex, qui assure la régulation de l'attention, du sommeil, de l'éveil et d'autres fonctions «automatiques». Il est déjà très développé à la naissance.

Métacognition: Connaissance de ses propres processus de réflexion: savoir ce que l'on sait et la façon dont on l'a appris et mémorisé.

Métamémoire: Sous-catégorie de la métacognition. Connaissance de ses propres processus de mémorisation.

Méthode expérimentale: Méthode de recherche dont le principe de base est le contrôle systématique de tous les facteurs pouvant influer sur le phénomène étudié. Elle se caractérise par une assignation aléatoire des sujets à un groupe témoin ou à un groupe expérimental.

Méthode quasi expérimentale: Méthode de recherche inspirée de la méthode expérimentale, mais dans laquelle la variable indépendante est inhérente au sujet lui-même et ne peut être modifiée (p. ex. l'âge, le sexe, le statut socioéconomique, etc.).

Modèle interne: Terme maintenant utilisé par de nombreux théoriciens pour décrire un système intériorisé d'interprétations et de significations, construit par l'enfant ou l'adulte à partir de ses expériences (par exemple les modèles internes d'attachement ou les modèles internes de soi).

Modèle sexuel androgyne: Modèle présentant un degré élevé de caractéristiques masculines et féminines.

Modèle sexuel indifférencié: Modèle présentant un faible degré de caractéristiques masculines et féminines.

Moi: Dans la théorie de Freud, partie de la personnalité qui organise, planifie et maintient l'individu en contact avec la réalité. Le langage et la pensée sont deux fonctions du moi. Instance qui répond au principe de réalité.

Moi différentiel (ou moi catégoriel): Définition du concept de soi à l'aide de différentes catégories, comme le genre, la taille, la timidité, etc.

Moi existentiel (ou moi subjectif): Compréhension par l'enfant qu'il est une personne distincte des autres, qu'il continue d'exister dans le temps et dans l'espace et qu'il peut agir sur son environnement.

Moi psychologique: Compréhension des traits internes de la personnalité qui sont stables.

Moment inopportun: Moment non prévisible où se produit un événement qui entraîne de sérieuses difficultés d'adaptation (comportement pathologique).

Moment opportun: Moment prévisible où se produit un événement qui entraîne des difficultés d'adaptation qui sont considérées comme normales.

Morale conventionnelle: Deuxième niveau du raisonnement moral proposé par Kohlberg. Le jugement est fonction des valeurs et des règles du groupe auquel appartient la personne.

Morale postconventionnelle (ou principes moraux): Troisième niveau du raisonnement moral proposé par Kohlberg. Le jugement est fonction de la justice, des droits individuels et des besoins de la société.

Morale préconventionnelle: Premier niveau dans le développement du raisonnement moral proposé par Kohlberg. Le jugement moral est surtout fonction des conséquences des actes, et est orienté par les notions d'obéissance et de punition. Il dépend aussi des autorités extérieures.

Moralité autonome (ou moralité de coopération): Deuxième stade de l'acquisition de la moralité selon Piaget où les jugements de l'enfant deviennent plus souples et réfléchis, et où il peut comprendre le point de vue des autres.

Moralité hétéronome (ou moralité de contrainte): Premier stade d'acquisition de la moralité selon Piaget, dans lequel les règles sont perçues comme étant inflexibles et immuables.

Mort cérébrale: Absence de signes vitaux, incluant l'activité cérébrale, durant laquelle il n'est plus possible de ramener la personne à la vie.

Mort clinique: Absence de signes vitaux durant laquelle il est encore possible de ramener la personne à la vie.

Mort sociale: Constat du décès par les membres de la famille et le personnel médical.

Myéline: Substance qui compose la gaine entourant la plupart des axones. Les gaines de myéline ne sont pas complètement développées à la naissance.

Myélinisation: Processus de développement des gaines de myéline.

Néonatologie: Branche de la médecine qui étudie le nouveau-né.

Neurones: Cellules de base du système nerveux qui assurent la transmission et la réception des influx nerveux.

Observation: Information ou donnée (fait) obtenue par la recherche.

Œstrogènes: Hormones sexuelles femelles sécrétées par les ovaires.

Opérations: Terme utilisé par Piaget pour désigner la nouvelle grande classe des schèmes mentaux qu'il a observée dans le développement de l'enfant de 5 à 7 ans, comprenant la réversibilité, l'addition et la soustraction.

Optimisme: Selon Seligman, sentiment optimiste devant la vie illustrée par la phrase suivante: «Il existe une solution et je vais la trouver si je fais des efforts.»

Ossification: Processus de durcissement par lequel les tissus fibreux ou cartilagineux deviennent des os.

Ostéoporose: Diminution de la masse osseuse avec l'âge caractérisée par la fragilisation des os et l'augmentation de la porosité du tissu osseux.

Ovule: Gamète femelle qui, après fertilisation par un spermatozoïde, forme l'embryon.

Pensée dialectique: Forme de la pensée à l'âge adulte qui implique la recherche d'une synthèse ainsi que la reconnaissance et l'acceptation du paradoxe et de l'incertitude.

Perception de la maîtrise: Selon Rodin, perception du sentiment de maîtrise qu'éprouve un individu illustrée par les phrases suivantes: «Je peux résoudre un problème si je m'y applique» ou «Je suis incapable de m'adapter.»

Perception spatiale: Capacité à comprendre et à identifier les mouvements des objets dans l'espace.

Période critique: Période du développement où l'organisme présente une sensibilité particulière à certains stimuli qui n'ont guère d'effet à d'autres périodes du développement.

Période des opérations concrètes: Période du développement que Piaget situe entre 6 et 12 ans, au cours de laquelle sont acquises les opérations mentales, telles que la soustraction, la réversibilité et la classification.

Période des opérations formelles: Dans la théorie de Piaget, il s'agit de la quatrième et dernière période importante du développement cognitif. Elle apparaît à l'adolescence, lorsque l'enfant devient capable de manipuler et d'organiser autant les idées que les objets.

Période préopératoire: Selon Piaget, deuxième période importante du développement cognitif, entre 2 et 7 ans, et dont le début est caractérisé par la capacité d'utiliser des symboles.

Période sensible: Notion qui s'apparente à celle de période critique, sauf qu'elle est plus vaste et moins précise. Elle marque une période du développement au cours de laquelle un certain type de stimulation est particulièrement important ou efficace.

Période sensorimotrice: Selon Piaget, première période importante du développement cognitif, qui correspond à peu près aux deux premières années de vie et au cours de laquelle l'enfant passe des mouvements réflexes aux actes volontaires.

Permanence de l'objet: Conscience qu'un objet continue d'exister même s'il n'est plus visible. De façon plus générale, c'est le fait de comprendre que les objets existent indépendamment de l'action que l'on exerce sur eux.

Personnalité: Ensemble des différents modes de réaction aux objets et aux personnes qui sont particuliers à un individu et relativement durables.

Phénotype: Ensemble des caractéristiques corporelles d'un individu, résultant des influences génétiques et environnementales conjuguées.

Placenta: Organe qui se développe durant la gestation entre le fœtus et la paroi de l'utérus. Le placenta filtre les nutriments du sang de la mère, et il fait office de foie, de poumons et de reins pour le fœtus.

Plasticité synaptique: Redondance du système nerveux qui assure toujours une voix neuronale pour l'influx nerveux qui va d'un neurone à l'autre ou d'un neurone à un autre type de cellule (comme une cellule musculaire).

Prédispositions innées: Mode particulier de réaction aux stimuli de l'environnement que possède le nouveau-né et qui provient de son patrimoine génétique ou de l'effet de son environnement prénatal.

Presbyacousie: Perte normale de l'ouïe avec l'âge, en particulier des sons aigus, qui est liée au vieillissement physiologique du système auditif.

Presbytie: Perte normale de l'acuité visuelle avec l'âge caractérisée par l'incapacité de distinguer avec précision les objets proches. Elle est causée par un épaississement du cristallin et une perte de sa capacité d'accommodation.

Processus d'exécution: Sous-ensemble du traitement de l'information comprenant des stratégies d'organisation et de planification. Synonyme de métacognition et de métamémoire.

Proximodistal: Caractérise la direction du développement physique chez l'enfant qui se fait du tronc vers les membres.

Punition négative: Action qui diminue la fréquence d'apparition d'un comportement non désiré lorsque quelque chose est retirée de l'environnement.

Punition positive: Action qui diminue la fréquence d'apparition d'un comportement non désiré; cette conséquence désagréable provenant de l'environnement vise à bannir ce comportement.

Quatrième âge: Terme utilisé par de nombreux gérontologues pour désigner les personnes âgées de 75 à 85 ans.

Quotient intellectuel (Q.I.): À l'origine, rapport entre l'âge mental et l'âge réel. Aujourd'hui, comparaison de la performance d'un enfant avec celle d'autres enfants de son âge.

Radicaux libres: Molécules ou atomes qui possèdent un électron libre ou non apparié.

Raisonnement hypothético-déductif: Capacité de tirer des conclusions de prémisses hypothétiques.

Rappel: Évocation spontanée d'une information (comme dans le cas d'une question ouverte ou à développement).

Reconnaissance: Fait d'identifier un élément particulier parmi plusieurs éléments représentés (comme dans le cas d'une question à choix multiples).

Récupération: Recouvrement de l'information stockée dans la mémoire afin de l'utiliser.

Référence sociale: Fait d'utiliser la réaction d'une autre personne comme référence pour sa propre réaction. Un bébé agit de cette façon lorsqu'il observe l'expression ou le langage corporel de ses parents avant de réagir positivement ou négativement à une situation nouvelle.

Réflexe: Réaction corporelle automatique à une stimulation précise, comme le réflexe rotulien ou le réflexe de Moro. L'adulte possède de nombreux réflexes, mais seuls les nouveau-nés ont des réflexes primitifs qui disparaissent lorsque le cortex est complètement développé.

Réminiscence: Analyse et évaluation des expériences du passé qui, selon Butler, constitue une tâche essentielle pour l'acceptation du vieillissement.

Renforcement continu: Renforcement d'un comportement donné à chaque fois qu'il se produit.

Renforcement intermittent: Renforcement occasionnel d'un comportement donné.

Renforcement intrinsèque: Renforcement interne lié à la satisfaction personnelle, à la fierté ou au plaisir de réaliser ou de découvrir quelque chose.

Renforcement négatif: Événement qui augmente la fréquence d'apparition d'un comportement dû au retrait ou à l'arrêt d'un stimulus désagréable.

Renforcement positif: Événement qui augmente la fréquence d'apparition d'un comportement en présence de certains stimuli agréables ou positifs.

Réponse conditionnelle: Dans la théorie du conditionnement classique, réponse déclenchée par un stimulus conditionnel et qui se produit lorsqu'un stimulus conditionnel a été associé à un stimulus inconditionnel.

Réponse inconditionnelle: Dans la théorie du conditionnement classique, réponse fondamentale innée déclenchée par le stimulus inconditionnel.

Résolution systématique des problèmes: Processus qui permet de trouver une solution à un problème en validant les facteurs un à un.

Rôle sexuel: Modèle de conduites propre à chaque sexe. La connaissance du rôle sexuel se manifeste dans le comportement différentiel et dans le comportement approprié à chaque sexe.

Sagesse: Caractéristique cognitive de l'âge adulte avancé impliquant une somme de connaissances ainsi que l'habileté à appliquer ces connaissances aux problèmes pratiques de l'existence.

Satiété: Sensation d'être repu après avoir mangé un repas.

Schéma cognitif: Réseau d'information déjà existant auquel est intégrée une nouvelle information.

Schème: Terme utilisé par Piaget pour décrire les actions fondamentales de la connaissance, comprenant à la fois les actions physiques (schèmes sensorimoteurs, comme regarder ou atteindre un objet) et les actions mentales (classer, comparer ou changer d'avis, par exemple). Une expérience est assimilée à un schème, et le schème est modifié ou créé par l'accommodation.

Schème du genre: Schème fondamental, créé par l'enfant dès l'âge de 18 mois ou moins, qui lui permet de catégoriser les gens, les objets, les activités et les qualités selon le sexe.

Sénescence: Détérioration physique associée au vieillissement.

Situation insolite : Suite d'épisodes utilisée par Mary Ainsworth et d'autres chercheurs dans des études sur l'attachement. Il s'agit d'observer un enfant en présence de la mère, seul avec un étranger, complètement seul et, enfin, en présence de la mère et d'un étranger.

Soins palliatifs : Ensemble de soins destinés aux patients en phase terminale qui sont la plupart du temps pris en charge par les membres de leur famille. L'administration des soins relève alors de la responsabilité du patient et de sa famille qui peut les prodiguer à domicile, dans un centre de soins palliatifs ou dans un hôpital.

Sollicitude : Attention que l'on témoigne à une autre personne.

Stabilité du genre : Deuxième étape dans le développement du concept de genre : l'enfant comprend que le sexe d'une personne ne peut pas changer au cours de sa vie.

Stades psychosexuels : Stades du développement de la personnalité proposés par Freud. Ils comprennent les stades oral, anal et phallique, une période de latence et le stade génital.

Stades psychosociaux : Stades du développement de la personnalité proposés par Erikson. Ils comprennent la confiance, l'autonomie, l'initiative, la compétence, l'identité, l'intimité, la générativité et l'intégrité personnelle.

Statut social : Classement selon le niveau de popularité d'un enfant : un enfant peut être populaire, négligé ou rejeté.

Stéréotypies rythmiques : Mouvements rythmiques répétés chez les jeunes enfants.

Stimulus conditionnel : Dans la théorie du conditionnement classique, signal qui, après avoir été associé plusieurs fois au stimulus inconditionnel, finit par déclencher une réponse inconditionnelle.

Stimulus inconditionnel : Dans la théorie du conditionnement classique, signal qui déclenche automatiquement (sans apprentissage) la réponse inconditionnelle.

Stockage : Façon de conserver l'information encodée.

Style d'éducation autoritaire : Un des trois styles d'éducation décrits par Baumrind, caractérisé par un niveau élevé de discipline et d'exigences, et un faible niveau d'affection et de communication.

Style d'éducation démocratique : Un des trois styles d'éducation décrits par Baumrind, caractérisé par un niveau élevé de discipline, de chaleur, d'exigences et de communication.

Style d'éducation désengagé : Style d'éducation décrit par Maccoby et Martin, caractérisé par l'indifférence et par l'absence de soutien adéquat pour l'enfant.

Style d'éducation permissif : Un des trois styles d'éducation définis par Baumrind, caractérisé par un niveau élevé d'affection et un faible niveau de discipline, d'exigences et de communication.

Style expressif : Style de langage initial selon Nelson, caractérisé par l'expression des sentiments et des besoins liés à l'enfant ou à son entourage.

Style référentiel : Style de langage initial proposé par Nelson, caractérisé par l'accent mis sur la description et l'identification des objets.

Surdiscrimination : Utilisation par l'enfant d'une appellation générale qui englobe plusieurs significations et la restreint à une signification unique.

Surgénéralisation : Tendance qu'ont les enfants à régulariser le langage en utilisant, par exemple, des formes incorrectes des verbes au temps passé (« j'ai moudu » pour « j'ai moulu »).

Surmoi : Dans la théorie de Freud, la partie consciente de la personnalité, qui se développe grâce au processus d'identification. Le surmoi comprend les valeurs, les interdits et les tabous parentaux et sociaux intériorisés. Instance qui répond au principe de moralité.

Synapse : Point de contact entre l'axone d'un neurone et les dendrites d'un autre neurone, qui permet la transmission des influx nerveux d'un neurone à l'autre, ou d'un neurone à un autre type de cellules, comme les cellules musculaires.

Synchronie : Système mutuel d'interaction établi entre l'enfant et la personne qui s'en occupe, appelé aussi « danse interactive ».

Syndrome d'alcoolisation fœtale : Ensemble de malformations souvent associées à la consommation élevée d'alcool par la mère durant la grossesse.

Syndrome de mort subite du nourrisson (SMSN) : Décès soudain d'un nourrisson jusque-là en bonne santé. La cause de ces décès est inconnue.

Système limbique : Partie du cerveau qui contrôle les réponses émotionnelles.

Télomère : Séquence d'ADN répétitif située à l'extrémité de chaque chromosome du corps humain qui semble lui servir d'horloge génétique interne.

Tempérament : Prédispositions émotionnelles et comportementales innées, comme le niveau d'activité, qui sont à l'origine de la personnalité.

Ténacité : Modèle de comportement selon lequel un adulte d'âge moyen s'acharne sur des objectifs difficiles à atteindre.

Tendance séculaire : Modèle de changements observés dans les caractéristiques de plusieurs cohortes, comme le changement systématique de l'âge moyen de la ménarche ou des changements dans le poids et la taille.

Test de l'alphafœtoprotéine : Épreuve diagnostique prénatale couramment utilisée pour déceler les risques de lésions du tube neural.

Test de performance : Test conçu pour évaluer les capacités d'apprentissage d'un enfant dans une matière donnée, comme l'orthographe ou le calcul mathématique.

Test de Stanford-Binet : Test d'intelligence conçu par Lewis Terman et ses collaborateurs qui se sont inspirés des premiers tests de Binet et Simon.

Testostérone : Principale hormone mâle secrétée par les testicules.

Thanatologie : Étude du processus de la mort.

Théorie : Ensemble d'observations organisé de telle façon qu'on peut leur donner une signification et orienter la recherche.

Théorie de l'activité : Théorie qui soutient qu'il est normal et sain pour les personnes âgées de demeurer actives le plus longtemps possible.

Théorie de l'esprit : Aspect de la pensée chez l'enfant de 4 ou 5 ans qui commence à comprendre non seulement que les autres ne pensent pas comme lui, mais aussi qu'ils ont un processus de raisonnement différent du sien.

Théorie de la sénescence programmée : Théorie selon laquelle le déclin associé à l'âge est le résultat de l'action de gènes spécifiques de l'espèce humaine liés au vieillissement.

Théorie du désengagement : Théorie élaborée par Cumming et Henry, selon laquelle le détachement progressif, ou désengagement, de la vie sociale à l'âge adulte avancé constitue une réaction normale et saine au vieillissement.

Traitement de l'information : 1) Approche de l'étude du développement cognitif qui s'attache aux changements des stratégies survenant avec l'âge et aux différences individuelles dans les processus intellectuels fondamentaux. 2) Troisième approche de l'étude du développement cognitif, qui s'attache aux changements survenant avec l'âge et aux différences individuelles dans les processus intellectuels fondamentaux.

Tranches d'âge : Groupements selon l'âge dans une société donnée, comme les « trottineurs », les « adolescents » ou les « personnes âgées », qui possèdent chacun leurs normes et leurs attentes.

Transfert intermodal : Aptitude à coordonner l'information donnée par deux sens, ou à transmettre l'information obtenue par un sens à un autre sens à un moment ultérieur, comme reconnaître visuellement un objet que l'on a précédemment exploré avec les mains seulement.

Troisième âge : Terme utilisé par de nombreux gérontologues pour désigner les personnes âgées de 60 à 75 ans.

Trompe de Fallope : Conduit de chaque côté de l'utérus dans lequel l'ovule chemine jusqu'à l'utérus et où se produit généralement la conception.

Trouble de la personnalité : Modèle rigide de comportement qui conduit à des problèmes de fonctionnement sur les plans social, scolaire et professionnel.

Utérus : Organe féminin dans la paroi duquel s'implante le blastocyste et où l'embryon, puis le fœtus, se développe.

Variable dépendante : Effet des variations de la variable indépendante.

Variable indépendante : Donnée que l'expérimentateur manipule de façon systématique afin d'observer l'effet qu'elle produit sur le comportement du sujet.

Vieillissement primaire : Changements physiques inévitables liés à l'âge que tous les individus de l'espèce humaine subissent. Ces changements sont davantage associés au processus biologique sous-jacent qu'à l'expérience particulière d'un individu.

Vieillissement réussi : Terme utilisé par les gérontologues. Maintien de la santé physique, des habiletés cognitives, des compétences sociales et de la satisfaction de vivre à l'âge adulte avancé.

Vieillissement secondaire : Changements physiques évitables liés à l'âge que tous les individus de l'espèce humaine subissent. Ces changements sont généralement associés à la maladie, au stress et aux influences de l'environnement.

Violence sexuelle : Utilisation de la force physique afin de contraindre une personne à avoir une relation sexuelle.

Vulnérabilité : Trait de caractère résultant de caractéristiques innées et acquises, qui augmente les risques que l'individu réagisse au stress de façon non adaptée ou pathologique.

Zygote : Œuf fécondé qui résulte de l'union de l'ovule et du spermatozoïde.

Bibliographie

Abengozar, C., Bueno, B., & Vega, J. (1999). Intervention on attitudes toward death along the life span. *Educational Gerontology, 25,* 435–447.

Abraham, J. D., & Hansson, R. O. (1995). Successful aging at work: An applied study of selection, optimization, and compensation through impression management. *Journals of Gerontology: Psychological Sciences, 50B,* P94–P103.

Abrams, E. J., Matheson, P. B., Thomas, P. A., Thea, D. M., Krasinski, K., Lambert, G., Shaffer, N., Bamji, M., Hutson, D., Grimm, K., Kaul, A., Bateman, D., Rogers, M., & New York City Perinatal HIV Transmission Collaborative Study Group (1995). Neonatal predictors of infection status and early death among 332 infants at risk of HIV-1 infection monitored prospectively from birth. *Pediatrics, 96,* 451–458.

Abrams, R. (1998). Physician-assisted suicide and euthanasia's impact on the frail elderly: Something to think about. *Journal of Long Term Home Health Care: The Pride Institute Journal, 17,* 19–27.

Adams, C. (1991). Qualitative age differences in memory for text: A life-span developmental perspective. *Psychology and Aging, 6,* 323–336.

Adams, M. J. (1990). *Beginning to read: Thinking and learning about print.* Cambridge, MA: The MIT Press.

Adams, M., & Henry, M. (1997). Myths and realities about words and literacy. *School Psychology Review, 26,* 425–436.

Adelmann, P. K. (1994). Multiple roles and physical health among older adults: Gender and ethnic comparisons. *Research on Aging, 16,* 142–166.

Adkins, V. (1999). Grandparents as a national asset: A brief note. *Activities, Adaptation, & Aging, 24,* 13–18.

Ahadi, S. A., & Rothbart, M. K. (1994). Temperament, development, and the big five. In C. F. Halverson, Jr., G. A. Kohnstamm, & R. P. Martin (Eds.), *The developing structure of temperament and personality from infancy to adulthood* (pp. 189–207). Hillsdale, NJ: Erlbaum.

Ahlsten, G., Cnattingius, S., & Lindmark, G. (1993). Cessation of smoking during pregnancy improves foetal growth and reduces infant morbidity in the neonatal period: A population-based prospective study. *Acta Paediatrica, 82,* 177–182.

Ahmad, G., & Najam, N. (1998). A study of marital adjustment during first transition to parenthood. *Journal of Behavioural Sciences, 9,* 67–86.

Ainsworth, M. D. S. (1989). Attachments beyond infancy. *American Psychologist, 44,* 709–716.

Ainsworth, M. D. S., & Marvin, R. S. (1995). On the shaping of attachment theory and research: An interview with Mary D. S. Ainsworth (Fall 1994). *Monographs of the Society for Research in Child Development, 60* (244, Nos. 2–3), 3–21.

Ainsworth, M. D. S., Blehar, M., Waters, E., & Wall, S. (1978). *Patterns of attachment.* Hillsdale, NJ: Erlbaum.

Aintsworth, M.D.S. (1972). Attachment and dependancy: A comparison. In J.L. Gewirtz (Ed.), *Attachment and dependancy* (pp. 97-138). Washington, DC: V.H. Winston.

Aintsworth, M.D.S. (1982). Attachment: Retrospect and prospect. In C.M. Parkes & J. stevenson-Hinde (Eds), The place of attachment in human behavior (pp. 3-30). New York: Basic Books.

Akers, J., Jones, R., & Coyl, D. (1998). Adolescent friendship pairs: Similarities in identity status development, behaviors, attitudes, and interests. *Journal of Adolescent Research, 13,* 178–201.

Albert, M. S., Jones, K., Savage, C. R., Berkman, L., Seeman, T., Blazer, D., & Rowe, J. W. (1995). Predictors of cognitive change in older persons: MacArthur studies of successful aging. *Psychology and Aging, 10,* 578–589.

Alexander, K.L., Entwhistle, D.R., & Dauber, S.L. (1993). Firstgrade classromm behavior: Its short and long-term consequences for school performance. *Child development, 64,* 801-814

Allen, C., & Kisilevsky, B. (1999). Fetal behavior in diabetic and nondiabetic pregnant women: An exploratory study. *Developmental Psychobiology, 35,* 69–80.

Allen, K. R., & Pickett, R. S. (1987). Forgotten streams in the family life course: Utilization of qualitative retrospective interviews in the analysis of lifelong single women's family careers. *Journal of Marriage and the Family, 49,* 517–526.

Allen, M.C. (1996). Preterm development. In A.J. Capute & P.J. Accardo (Eds), *Developmental disabilities in infancy and chilhood.* (2nd ed.) Vol. II. *The spectrum of development disabilities* (pp. 31-47). Baltimore: Paul H. Brooks.

Allen, T., Poteet, M., & Russell, J. (1998). Attitudes of managers who are more or less career plateaued. *Career Development Quarterly, 47,* 159–172.

Alsaker, F. D. (1995). Timing of puberty and reactions to pubertal change. In M. Rutter (Ed.), *Psychosocial disturbances in young people: Challenges for prevention* (pp. 37–82). Cambridge, England: Cambridge University Press.

Alsaker, F. D., & Olweus, D. (1992). Stability of global self-evaluations in early adolescence: A cohort longitudinal study. *Journal of Research on Adolescence, 2,* 123–145.

Alsop, S. (1973). *Stay of execution.* New York: Lippincott.

Amato, P. R. & Keith, B. (1991). Parental divorce and the well-being of children: Ameta-analysis. *Psychological Bulletin, 110,* 26-46.

Amato, P. R. (1993). Children's adjustment to divorce: Theories, hypotheses, and empirical support. *Journal of Marriage and the Family, 55,* 23–38.

Amato, P., & Rogers, S. (1999). Do attitudes toward divorce affect marital quality? *Journal of Family Issues, 20,* 69–86.

Ambert, A. (1994). An international perspective on parenting: social change and social constructs. *Journal of Marriage and the Family, 56,* 529-543.

Ambuel, B. (1995). Adolescents, unintended pregnancy, and abortion: The struggle for a compassionate social policy. *Current Directions in Psychological Science, 4,* 1–5.

American Psychiatric Association (1994). *Diagnostic and statistical manual of mental disorders* (4th ed.). Washington, DC: American Psychiatric Association.

American Psychological Association (1993). *Violence and youth: Psychology's response: Vol. 1. Summary report of the American Psychological Association Commission on Violence and Youth.* Washington, DC: American Psychological Association.

American Psychological Association Commission on Ethnic Minority Recruitment, Retention, and Training in Psychology. (1997). *Visions & Transformations: Final Report.* Washington DC: Author.

Anan, R., & Barnett, D. (1999). Perceived social support mediates between prior attachment and subsequent adjustment: A study of urban African American children. *Developmental Psychology, 35,* 1210–1222.

Anderson, C., & Dill, K. (2000). Video games and aggressive thoughts, feelings, and behavior in the laboratory and in life. *Journal of Personality and Social Psychology, 78,* 772–790.

Anderson, R. (1998). Examining language loss in bilingual children. *Electronic Multicultural Journal of Communication Disorders,* 1.

Angier, N. (June 9, 1992). Clue to longevity found at chromosome tip. *New York Times,* pp. B5, B9.

Annunziato, P. W., & Frenkel, L. M. (1993). The epidemiology of pediatric HIV-1 infection. *Pediatric Annals, 22,* 401–405.

Anthony, J. C., & Aboraya, A. (1992). The epidemiology of selected mental disorders in later life. In J. E. Birren, R. B. Sloane, & G.D. Cohen (Eds.), *Handbook of mental health and aging* (2nd ed.) (pp. 28–73). San Diego, CA: Academic Press.

Antonucci, T. C. (1990). Social supports and social relationships. In R. H. Binstock & L. K. George (Eds.), *Handbook of aging and the social sciences* (3rd ed.) (pp. 205–226). San Diego, CA: Academic Press.

Antonucci, T. C. (1991). Attachment, social support, and coping with negative life events in mature adulthood. In E. M. Cummings, A. L. Greene, & K. H. Karraker (Eds.), *Life-span developmental psychology: Perspectives on stress and coping* (pp. 261–276). Hillsdale, NJ: Erlbaum.

Antonucci, T.C. (1994a). A life-span view of women's social relations. In B.F. Turner & L.E. Troll (Eds), *Women growing older: Psychological perspectives* (pp. 239-269). Thousand Oaks, CA: Sage.

Antonucci, T.C. (1994b). Attachment in adulthood and aging. In M. B. Sterling & W.H. Berman (Eds), *Attachment in adults: Clinical and developmental perspectives* (pp. 256-274). New York: Guilford Press.

Antonucci, T.C., & Akiyama, H. (1987a). Social networks in adult life and a preliminary examination of the convoy model. *Journal of Gerontology, 42,* 519-527.

Antrop, I., Roeyers, H., Van Oost, P., & Buysse, A. (2000). Stimulation seeking and hyperactivity in children with ADHD. *Journal of Child Psychology, Psychiatry & Allied Disciplines, 41,* 225–231.

Apgar, V. A. (1953). A proposal for a new method of evaluation of the newborn infant. *Current Research in Anesthesia and Analgesia, 32,* 260–267.

Aranha, M. (1997). Creativity in students and its relation to intelligence and peer perception. *Revista Interamericana de Psicologia, 31,* 309–313.

Arbuckle, N. W., & De Vries, B. (1995). The long-term effects of later life spousal and parental bereavement on personal functioning. *The Gerontologist, 35,* 637–647.

Arenberg, D. (1983). Memory and learning do decline late in life. In J. E. Birren, J. M. A. Munnichs, H. Thomae, & M. Marios (Eds.), *Aging: A challenge to science and society: Vol. 3. Behavioral sciences and conclusions* (pp. 312–322). New York: Oxford University Press.

Arlin, P. K. (1975). Cognitive development in adulthood: A fifth stage? *Developmental Psychology, 11,* 602–606.

Arlin, P. K. (1989). Problem solving and problem finding in young artists and young scientists. In M. L. Commons, J. D. Sinnott, F. A. Richards, & C. Armon (Eds.), *Adult Development: Vol. 1. Comparisons and applications of developmental models* (pp. 197–216). New York: Praeger.

Arlin, P. K. (1990). Wisdom: The art of problem finding. In R. J. Sternberg (Ed.), *Wisdom. Its nature, origins, and development* (pp. 230–243). New York: Cambridge University Press.

Arn, P., Chen, H., Tuck-Muller, C. M., Mankinen, C., Wachtel, G., Li, S., Shen, C.-C., & Wachtel, S.S. (1994). SRVX, a sex reversing locus in Xp21.2-p.22-11. *Human Genetics, 93,* 389-393.

Arnett, J. (1995). The young and the reckless: Adolescent reckless behavior. *Current Directions in Psychological Science, 4,* 67-71.

Arnett, J. (1998). Risk behavior and family role transitions during the twenties. *Journal of Youth & Adolescence, 27,* 301–320.

Arnett, J., The young and the reckless: Adolescent rekless behavior, Current Directions in Psychological Science, 4, 1995, 67-71.

Arrindell, W., & Luteijn, F. (2000). Similarity between intimate partners for personality traits as related to individual levels of satisfaction with life. *Personality & Individual Differences, 28,* 629–637.

Arsenault, A., Gemme, E., Lavoie, E., Pigeaon, R., Trottier, C., Turgeaon, S., Van Ameringen, M-R. (1994) Le stress, on s'y intéresse: Trousse de prévention du burnout. Association des Intervenants en Toxicomanie du Québec Inc.

Asendorpf, J. B., Warkentin, V., & Baudonnière, P. (1996). Self-awareness and other-awareness. II: Mirror self-recognition, social contingency awareness, and synchronic imitation. *Developmental Psychology, 32,* 313–321.

Asher, S. R. (1990). Recent advances in the study of peer rejection. In S. R. Asher & J. D. Coie (Eds), *Peer rejection in childhood* (pp. 3-16). Cambridge England: Cambridge University Press.

Ashton, J., & Donnan, S. (1981). Suicide by burning as an epidemic phenomenon: An analysis of 82 deaths and inquests in England and Wales in 1978–1979. *Psychological Medicine, 11,* 735–739. Astington, J. W., & Gopnik, A. (1991). Theoretical explanations of children's understanding of the mind. In G. E. Butterworth, P. L. Harris, A. M. Leslie, & H. M. Wellman (Eds.), *Perspectives on the child's theory of mind* (pp. 7–31). New York: Oxford University Press.

Astington, J., & Jenkins, J. (1999). A longitudinal study of the relation between language and theory-of-mind development. *Developmental Psychology, 35,* 1311–1320.

Astone, N. M. (1993). Are adolescents mothers just single mothers? *Journal of Research on Adolescence, 3,* 353-371.

Astor, R. (1994). Children's moral reasoning about family and peer violence: The role of provocation and retribution. *Child Development, 65,* 1054–1067.

Atkinson, D., Kim, A., Ruelas, S., & Lin, A. (1999). Ethnicity and attitudes toward facilitated reminiscence. *Journal of Mental Health Counseling, 21,* 66–81.

Attie, I., & Brooks-Gunn, J. (1989). Development of eating problems in adolescent girls: A longitudinal study. *Developmental Psychology, 25,* 70-79.

Attie, I., Brooks-Gunn, J., & Petersen, A. (1990). A developmental perspective on eating disorders and eating problems. In M. Lewis & S. M. Miller (Eds.), *Handbook of developmental psychopathology* (pp. 409–420). New York: Plenum.

Avis, J., & Harris, P. L. (1991). Belief-desire reasoning among Baka children: Evidence for a universal conception of mind. *Child Development, 62,* 460–467.

Axelman, K., Basun, H., & Lannfelt, L. (1998). Wide range of disease onset in a family with Alzheimer disease and a His163Tyr mutation in the presenilin-l gene. *Archives of Neurology, 55,* 698–702.

Bahrick, H., Hall, L., & Berger, S. (1996). Accuracy and distortion in memory for high school grades. *Psychological Science,* 265–271.

Bailey, J. M., & Pillard, R. C. (1991). A genetic study of male sexual orientation. *Archives of General Psychiatry, 48,* 1089–1096.

Bailey, J. M., & Zucker, K. J. (1995). Childhood sex-typed behavior and sexual orientation: A conceptual analysis and quantitative review. *Developmental Psychology, 31,* 43–55.

Bailey, J. M., Pillard, R. C., Neale, M. C., & Agyei, Y. (1993). Heritable factors influence sexual orientation in women. *Archives of General Psychiatry, 50,* 217–223.

Bailey, J., Brobow, D., Wolfe, M., & Mikach, S. (1995). Sexual orientation of adult sons of gay fathers. *Developmental Psychology, 31,* 124–129.

Bailey, J., Nothnagel, J., & Wolfe, M. (1995). Retrospectively measured individual differences in childhood sex-typed behavior among gay men: Correspondence between self- and maternal reports. *Archives of Sexual Behavior, 24,* 613–622.

Bailey, J., Pillard, R., Dawood, K., Miller, M., Farrer, L., Trivedi, S., & Murphy, R. (1999). A family history study of male sexual orientation using three independent samples. *Behavior Genetics, 29,* 7986.

Baillargeon, R. (1987). Object permanence in very young infants. *Developmental Psychology, 23,* 655–664.

Baillargeon, R. (1994). How do infants learn about the physical world? *Current Directions in Psychological Science, 3,* 133–140.

Baillargeon, R., & DeVos, J. (1991). Object permanence in young infants: Further evidence. *Child Development, 62,* 1227–1246.

Baillargeon, R., Spelke, E. S., & Wasserman, S. (1985). Object permanence in five-month-old infants. *Cognition, 20,* 191–208.

Bailley, S., Kral, M., & Dunham, K. (1999). Survivors of suicide do grieve differently: Empirical support for a common sense proposition. *Suicide and Life-Threatening Behavior, 29,* 256–271.

Baird, P. A., Sadovnick, A. D., & Yee, I. M. L. (1991). Maternal age and birth defects: A population study. *Lancet, 337,* 527–530.

Bajaj, J. S., Misra, A., Rajalakshmi, M., & Madan, R. (1993). Environmental release of chemicals and reproductive ecology. *Environmental Health Perspectives, 2,* 125-130.

Balaban, M. T. (1995). Affective influences on startle in five-month-old infants: Reactions to facial expressions of emotion. *Child Development, 66,* 28–36.

Ball, E. (1997). Phonological awareness: Implications for whole language and emergent literacy programs. *Topics in Language Disorders, 17,* 14–26.

Ball, J. F. (1976-1977). Widow's grief: The impact of age and mode of death. *Omega, 7,* 307-333.

Baltes, P. B., & Baltes, M. M. (1990a). Psychological perspectives on successful aging: The model of selective organization with compensation. In P. B. Baltes & M. M. Baltes (Eds), *Successfull aging* (pp. 1-34). Cambridge, England: Cambridge University Press.

Baltes, P. B., & Smith, J. (1990). Toward a psychology of wisdom and its ontogenesis. In R. J. Sternberg (Ed.), *Wisdom. Its nature, origins, and development* (pp. 87–120). Cambridge, England: Cambridge University Press.

Baltes, P. B., Reese, H. W., & Lipsitt, L. P. (1980). Life-span developmental psychology. *Annual Review of Psychology, 31,* 65–10.

Baltes, P. B., Reese, H. W., & Nesselroade, J. R. (1977). *Life-span developmental psychology: Introduction to research methods.* Monterey, CA: Books/Cole.

Baltes, P. B., Smith, J., & Staudinger, U. M. (1992). Wisdom and successful aging. In T. B. Sonderegger (Ed.), *Nebraska Symposium on Motivation, 1991* (pp. 123–168). Lincoln: University of Nebraska Press.

Baltes, P. B., Staudinger, U. M., Maercker, A., & Smith, J. (1995). People nominated as wise: A comparative study of wisdom-related knowledge. *Psychology and Aging, 10,* 155–166.

Baltes, P., & Staudinger, U. (2000). Wisdom: A metaheuristic (pragmatic) to orchestrate mind and virtue toward excellence. *American Psychologist, 55,* 122–136.

Bambang, S., Spencer, N., Logan, S., & Gill, L. (2000). Cause-specific perinatal death rates, birth weight and deprivation in the West Midlands, 1991–1993. *Child: Care, Health & Development, 26,* 73–82.

Bandura, A. (1977a). *Social learning theory.* Englewood Cliffs, NJ: Prentice-Hall.

Bandura, A. (1977b). Self-efficacy: Toward a unifying theory of behavioral change. *Psychological Review, 84,* 91–125.

Bandura, A. (1980), *L'apprentissage social,* Bruxelles, Mardaga.

Bandura, A. (1982b). Self-efficacy mechanism in human agency. *American Psychologist, 37,* 122–147.

Bandura, A. (1982c). Self-efficacy mechanism in human agency. *American Psychologist, 37,* 747-755.

Bandura, A. (1986). *Social foundations of thought and action: A social cognitive theory.* Englewood Cliffs, NJ: Prentice-Hall.

Bandura, A. (1989). Social cognitive theory. *Annals of Child Development, 6,* 1–60.

Bandura, A., Ross, D., & Ross, S. A. (1961). Transmission of aggression through imitation of aggressive models. *Journal of Abnormal and Social Psychology, 63,* 575–582.

Bandura, A., Ross, D., & Ross, S. A. (1963). Imitation of film-mediated aggressive models. *Journal of Abnormal and Social Psychology, 66,* 3–11.

Barbarin, O. (1999). Social risks and psychological adjustment: A comparison of African American and South African children. *Child Development, 70,* 1348–1359.

Barbeau, Isabelle. Psychologie Québec, Mars 2001, Épuisement professionnel : se brûle-t-on encore ? (p.21-25)

Bardoni, B., Zanaria, E., Guioli, S., Floridia, G., Worley, K. C., Tonini, G., Ferrante, E., Chiumello, G., McCabe, E. R. B., Fraccaro, M., Zuffardi, O., & Camerino, G. (1994). A dosage sensitive locus at chromosome Xp21 is involved in male to female sex reversal. *Nature Genetics, 7,* 497-501.

Barker, J., Morrow, J., & Mitteness, L. (1998). Gender, informal social support networks, and elderly urban African Americans. *Journal of Aging Studies, 12,* 199–222.

Barkley, R. (1990). *Attention-deficit hyperactivity disorder.* New York: Guilford Press.

Barnard, K. E., & Eyres, S. J. (1979). *Child health assessment. Part. 2: The first year of life.* (DHEW Publication No. HRA 79-25). Washington, D.C.: U.S. Government Printing Office.

Barret, G. V., & Depinet, R. l. (1991). A reconsideration of testing for competence rather than for intelligence. *American Psychologist, 46,* 1012-1024.

Barrett-Connor, E., & Bush, T. L. (1991). Estrogen and coronary heart disease in women. *Journal of the American Medical Association, 265,* 1861–1867.

Bartlik, B., & Goldstein, M. (2000, June). Maintaining sexual health after menopause. *Psychiatric Services Journal, 51,* 751–753.

Bass, D. M. (1985). The hospice ideology and success of hospice care. *Research on Aging, 7,* 307–328.

Basseches, M. (1984). *Dialectical thinking and adult development.* Norwood, NJ: Ablex.

Basseches, M. (1989). Dialectical thinking as an organized whole: Comments on Irwin and Kramer. In M. L. Commons, J. D. Sinnott, F. A. Richards, & C. Armon (Eds.), *Adult development: Vol. 1. Comparisons and applications of developmental models* (pp. 161–178). New York: Praeger.

Bates, E. (1993). Commentary: Comprehension and production in early language development. *Monographs of the Society for Research in Child Development, 58* (3–4, Serial No. 233), 222–242.

Bates, E., Bretherton, I., Beeghly-Smith, M., &McNew, S. (1982). Social bases of language development: A reassessment. In H. W. Reese & L. P. Lipsitt (Eds), *Advances in child development and behavior* (Vol. 16) (pp. 8-68), New York Academic Press.

Bates, E., Marchman, V., Thal, D., Fenson, L., Dale, P., Reznick, J. S., Reilly, J., & Hartung, J. (1994). Developmental and stylistic variation in the composition of the early vocabulary. *Journal of Child Language, 21,* 85-123.

Bates, E., O'Connell, B., & Shore, C. (1987). Language and communication in infancy. In J. D. Osofsky (Ed.), *Handbook of infant development* (2nd ed.) (pp. 149–203). New York: Wiley.

Bates, J. E. (1989). Applications of temperament concepts. In G. A. Kohnstamm, J. E. Bates, & M. K. Rothbart (Eds.), *Temperament in childhood* (pp. 321–356). Chichester, England: Wiley.

Batten, M., & Oltjenbruns, K. (1999). Adolescent sibling bereavement as a catalyst for spiritual development: A model for understanding. *Death Studies, 23,* 529–546.

Bauer, P., Schwade, J., Wewerka, S., & Delaney, K. (1999). Planning ahead: Goal-directed problem solving by 2-year-olds. *Developmental Psychology, 35,* 1321–1337.

Baugher, R. J., Burger, C., Smith, R., & Wallston, K. (1989/1990). A comparison of terminally ill persons at various time periods to death. *Omega, 20,* 103–115.

Bauminger, N., & Kasari, C. (1999). Brief report: Theory of mind in high-functioning children with autism. *Journal of Autism & Developmental Disorders, 29,* 81–86.

Baumrind, D. (1971). Current patterns of parental authority. *Developmental Psychology Monograph, 4* (1, Part 2).

Baumrind, D. (1972). Socialization and instrumental competence in young children. In W. W. Hartup (Ed.), *The young child: Reviews of research* (Vol. 2) (pp. 202–224). Washington, DC: National Association for the Education of Young Children.

Baumrind, D. (1991). Effective parenting during the early adolescent transition. In P. A. Cowan & M. Hetherington (Eds.), *Family transitions* (pp. 111–163). Hillsdale, NJ: Erlbaum.

Beaty, L. (1999). Identity development of homosexual youth and parental and familial influences on the coming out process. *Adolescence, 34,* 597–601.

Beautrais, A., Joyce, P., & Mulder, R. (1999). Personality traits and cognitive styles as risk factors for serious suicide attempts among young people. *Suicide & Life-Threatening Behavior, 29,* 37–47.

Beckwith, L., & Rodning, C. (1991). Intellectual functionning in children born preterm: Recent research, In L. Okagaki & R. J. Sternberg (Eds). *Directors of development* (pp. 25-58). Hillsdale NJ: Erlbaum

Bedeian, A. G., Ferris, G. R., & Kacmar, K. M. (1992). Age, tenure, and job satisfaction: A tale of two perspectives. *Journal of Vocational Behavior, 40,* 33–48.

Bedford, V. (1995). Sibling relationships in middle and old age. In R. Blieszner & V. H. Bedford (Eds.), *Handbook of aging and the family.* Westport, CT: Greenwood Press.Bee, H. (1995). *The growing child.* New York: HarperCollins Publishers.

Bee, H. L. et S. K. Mitchell (1986), *Le développement humain,* Saint-Laurent (Québec, Canada), Éditions du Renouveau Pédagogique Inc.

Bee, H. L., Barnard, K. E., Eyres, S. J., Gray, C. A., Hammond, M. A., Spietz, A. L., Snyder, C., & Clark, B. (1982). Prediction of IQ and language skill from perinatal status, child performance, family characteristics, and mother-infant interaction. *Child Development, 53,* 1135–1156.

Beekman, A., Copeland, J., & Prince, M. (1999). Review of community prevalence of depression in later life. *British Journal of Psychiatry, 174,* 307–311.

Beem, E., Hooijkaas, H., Cleriren, M., Schut, H., Garssen, B., Croon, M., Jabaaij, L., Goodkin, K., Wind, H., & de Vries, M. (1999). The immunological and psychological effects of bereavement: Does grief counseling really make a difference? A pilot study. *Psychiatry Research, 85,* 81–93.

Behrend, D. A. (1988). Overextensions in early language comprehension: Evidence from a signal detection approach. *Journal of Child Language, 15,* 63-75.

Bell, L. G., & Bell, D. C. (1982). Family climate and the role of the female adolescent: Determinants of adolescent functioning. *Family Relations, 31,* 519–527.

Bell, R. R. (1981). *Worlds of friendship.* Beverly Hills, CA: Sage.

Bellantoni, M. F., & Blackman, M. R. (1996). Menopause and its consequences. In E. L. Schneider & J. W. Rowe (Eds.), *Handbook of the biology of aging* (4th ed.) (pp. 415–430). San Diego, CA: Academic Press.

Belmont, J. M. (1989). Cognitive strategies and strategic learning: The socio-instructional approach. *American Psychologist, 44,* 142-148.

Belsky, J. (1990). The "effects" of infant day care reconsidered. In N. Fox & G. G. Fein (Eds), *Infant day care: The current debate* (pp. 3-40). Norwood, NJ: Ablex.

Belsky, J., & Hsieh, K. (1998). Patterns of marital change during the early childhood years: Parent personality, coparenting, and division-of-labor correlates. *Journal of Family Psychology, 12,* 511–528.

Belsky, J., Hsieh, K., & Crnic, K. (1996). Infant positive and negative emotionality: One dimension or two? *Developmental Psychology, 32,* 289–298.

Belsky, J., Lang, M. E., & Rovine, M. (1985). Stability and change in marriage across the transition to parenthood: A second study. *Journal of Marriage and the Family, 47,* 855–865.

Bem, S. L. (1974). The measurement of psychological androgyny. *Journal of Consulting and Clinical Psychology, 42,* 155–162.

Bender, K. (1999). Assessing antidepressant safety in the elderly. *Psychiatric Times, 16.* [Online archives]. Retrieved February 7, 2001 from the World Wide Web: http://www.mhsource.com/pt/p990151.html

Bendersky, M., & Lewis, M. (1994). Environmental risk, biological risk, and developmental outcome. *Developmental Psychology, 30,* 484–494.

Benenson, J. F. (1994). Ages four to six years: Changes in the structures of play networks of girls and boys. *Merrill-Palmer Quarterly, 40,* 478–487.

Benenson, J., & Benarroch, D. (1998). Gender differences in responses to friends' hypothetical greater success. *Journal of Early Adolescence, 18,* 192–208.

Bengtson, V. L., Cuellar, J. B., & Ragan, P. K. (1977). Stratum contrasts and similarities in attitudes toward death. *Journal of gerontology, 32,* 76-88.

Bengtson, V., Rosenthal, C., & Burton, L. (1990). Families and aging: Diversity and heterogeneity. In R. H. Binstock & L. K. George (Eds.), *Handbook of aging and the social sciences* (3rd ed.) (pp. 263–287). San Diego, CA: Academic Press.

Bengtson, V., Rosenthal, C., & Burton, L. (1996). Paradoxes of families and aging. In R. H. Binstock & L. K. George (Eds.), *Handbook of aging and the social sciences* (4th ed.) (pp. 253–282). San Diego, CA: Academic Press.

Bennett, M. (1997). A longitudinal study of wellbeing in widowed women. *International Journal of Geriatric Psychiatry, 12,* 61–66.

Bennett, M. (1998). Longitudinal changes in mental and physical health among elderly, recently widowed men. *Mortality, 3,* 265–273.

Berg, J., & Lipson, J. (1999). Information sources, menopause beliefs, and health complaints of midlife Filipinas. *Health, 20,* 81–92.

Berg, S. (1996). Aging, behavior, and terminal decline. In J. E. Birren & K. W. Schaie (Eds.), *Handbook of the psychology of aging* (4th ed.) (pp. 323–337). San Diego, CA: Academic Press.

Berg, W. K., & Berg, K. M. (1987). Psychophysiological development in infancy: State, startle, and attention. In J. D. Osofsky (Ed.), *Handbook of infant development* (2nd ed.) (pp. 238-317). New York: Wiley-Interscience.

Bergeman, C. S., Chipuer, H. M., Plomin, R., Pedersen, N. L., McClearn, G. E., Nesselroade, J. R., Costa, P. T., & McCrae, R. R. (1993). Genetic and environmental effects on openness to experience, agreeableness, and conscientiousness: An adoption/twin study. *Journal of Personality, 61,* 159–179.

Bergeron A. et Y. Bois (1999), *Quelques théories explicatives du développement de l'enfant,* Saint-Lambert (Québec, Canada), Soulières éditeur.

Berkman, L. F. (1985). The relationship of social networks and social support to morbidity and mortality. In S. Coen & S. L. Syme (Eds.), *Social support and health* (pp. 241–262). Orlando, FL: Academic Press.

Berkman, L. F., & Breslow, L. (1983). *Health and ways of living: The Alameda County Study.* New York: Oxford University Press.

Berkowitz, G. S., Skovron, M. L., Lapinski, R. H., & Berkowitz, R. L. (1990). Delayed childbearing and the outcome of pregnancy. *New England Journal of Medicine, 322,* 659–664.

Berman, W. H., Marcus, L., & Berman, E. R. (1994). Attachment in marital relations. In M. B. Sperling & W. H. Berman (Eds.), *Attachment in adults: Clinical and developmental perspectives* (pp. 204–231). New York: Guilford Press.

Berndt, T. J. (1983). Social cognition, social behavior, and children's friendships. In E. T. Higgins, D. N. Rubble, & W. W. Hartup (Eds), *Social cognition and social development: A sociocultural perspective* (pp. 158-192). Cambridge, England: Cambridge University Press.

Berndt, T. J. (1986), Children's comments about their friendships. In M. Perlmutter (Ed.), *Minnesota Symposia on Child Psychology* (Vol. 18) (pp. 189-212), Hillsdale, NJ: Erlbaum.

Bertenthal, B. I., & Campos, J. J. (1987). New directions in the study of early experience. *Child Development, 58,* 560–567.

Betancourt, L., Fischer, R., Gianetta, J., Malmud, E., Brodsky, N. & Hurt, H. (1999). Problem-solving ability of inner-city children with and without in utero cocaine exposure. *Journal of Developmental Disabilities, 20,* 418–424.

Betz, E. L. (1984). A study of career patterns of women college graduates. *Journal of Vocational Behavior, 24,* 249–263.

Bhatt, R. S., & Rovee-Collier, C. (1996). Infants' forgetting of correlated attributes and object recognition. *Child Development, 67,* 172–187.

Bialystok, E. (1997). Effects of bilingualism and biliteracy on children's emerging concepts of print. *Developmental Psychology, 33.*

Bialystok, E., & Majumder, S. (1998). The relationship between bilingualism and the development of cognitive processes in problem solving. *Applied Psycholinguistics, 19,* 69–85.

Bialystok, E., Shenfield, T., & Codd, J. (2000). Languages, scripts, and the environment: Factors in developing concepts of print. *Developmental Psychology, 36,* 66–76.

Bigler, E. D., Johnson, S. C., Jackson, C., & Blatter, D. D. (1995). Aging, brain size, and IQ. *Intelligence, 21,* 109–119.

Billy, J. O. G., Brewster, K. L., & Grady, W. R. (1994). Contextual effects on the sexual behavior of adolescent women. *Journal of Marriage and the Family, 56,* 387–404.

Binet, A., & Simon, T. (1905). Méthodes nouvelles pour le diagnostic du niveau intellectuel des anormaux [New methods for diagnosing the intellectual level of the abnormal]. *L'Anée Psychologique, 11,* 191–244.

Bingham, C. R., Miller, B. C., & Adams, G. R. (1990). Correlates of age at first sexual intercourse in a national sample of young women. *Journal of Adolescent Research, 5,* 18–33.

Birch, E., Garfield, S., Hoffman, D., Uauy, R., & Birch, D. (2000). A randomized controlled trial of early dietary supply of longchain polyunsaturated fatty acids and mental development in term infants. *Developmental Medicine & Child Neurology, 42,* 174–181.

Biro, F. M., Lucky, A. W., Huster, G. A., & Morrison, J. A. (1995). Pubertal staging in boys. *Journal of Pediatrics, 127,* 100–102.

Birren, J. E., & Fisher, L. M. (1995). Aging and speed of behavior: Possible consequences for psychological functioning. *Annual Review of Psychology, 56,* 329–353.

Birren, J. E., & Schroots, J. J. F. (1996). History, concepts, and theory in the psychology of aging. In J. R. Birren & K. W. Schaie (Eds.), *Handbook of the psychology of aging* (4th ed.) (pp. 3–23). San Diego, CA: Academic Press.

Biswas, M. K., & Craigo, S. D. (1994). The course and conduct of normal labor and delivery. In A. H. DeCherney & M. L. Pernoll (Eds.), *Current obstetric and gynecologic diagnosis & treatment* (pp. 202–227). Norwalk, CT: Appleton & Lange.

Bittner, S., & Newberger, E. (1981). Pediatric understanding of child abuse and neglect. *Pediatric Review, 2,* 198.

Bivens, J. A., & Berk, L. E. (1990). A longitudinal study on the development of elementary school children's private speech. *Merrill-Palmer Quarterly, 36,* 443-463.

Black, K. A., & McCartney, K. (1995, March). *Associations between adolescent attachment to parents and peer interactions.* Paper presented at the biennial meetings of the Society for Research in Child Development, Indianapolis, IN.

Black, S., Markides, K., & Miller, T. (1998). Correlates of depressive symptomatology among older community-dwelling Mexican Americans: The hispanic EPESE. *Journals of Gerontology: Series B: Psychological Sciences & Social Sciences, 53B,* S198–S208.

Blackman, J. A. (1990). Update on AIDS, CMV, and herpes in young children: Health, developmental, and educational issues. In M. Wolraich & D. K. Routh (Eds.), *Advances in developmental and behavioral pediatrics* (Vol. 9) (pp. 33–58). London: Jessica Kingsley Publishers.

Blair, S. L., & Johnson, M. P. (1992). Wives' perceptions of the fairness of the division of household labor: The intersection of housework and ideology. *Journal of Marriage and the Family, 54,* 570–581.

Blair, S. N., Kohl, H. W., III, Barlow, C. E., Paffenbarger, R. S., Gibbons, L. W., & Macera, C. A. (1995). Changes in physical fitness and all-cause mortality. *Journal of the American Medical Association, 273,* 1093–1098.

Blakemore, J., LaRue, A., Olejnik, A. (1979). Sex-appropriate toy preference and the ability to conceptualize toys as sex-role related. *Developmental Psychology, 15,* 339–340.

Blanchard-Fields, F., Chen, Y., Schocke, M., & Hertzog, C. (1998). Evidence for content-specificity of causal attributions across the adult life span. *Aging, Neuropsychology, & Cognition, 5,* 241–263.

Blau, G. (1996). Adolescent depression and suicide. In G. Blau & T. Gullotta (Eds.), *Adolescent dysfunctional behavior: Causes, interventions, and prevention* (pp. 187–205). Newbury Park, CA: Sage.

Blieszner, R., & Adams, R. G. (1992). *Adult friendship.* Newbury Park, CA: Sage.

Block, J. (1987). *Longitudinal antecedents of ego-control and ego-resiliency in late adolescence.* Paper presented at the biennal meetings of the Society for Research in Child Development, Baltimore, April.

Block, J., & Robins, R. W. (1993). A longitudinal study of consistency and change in self-esteem from early adolescence to early adulthood. *Child Development, 64,* 909–923.

Bloom, B. L., White, S. W., & Asher, S. J. (1979). Marital disruption as a stressful life event. In C. Levinger & O. C. Moles (Eds.), *Divorce and separation: Context, causes, and consequences* (pp. 184–200). New York: Basic Books.

Bloom, L. (1973). *One word at a time.* The Hague: Mouton.

Bloom, L. (1991). *Language development from two to three.* Cambridge, England: Cambridge University Press.

Bloom, L. (1993). *The transition from infancy to language: Acquiring the power of expression.* Cambridge, England: Cambridge University Press.

Blumberg, J. B. (1996). Status and functional impact of nutrition in older adults. In E. L. Schneider & J. W. Rowe (Eds.), *Handbook of the biology of aging* (4th ed.) (pp. 393–414). San Diego, CA: Academic Press.

Blumenthal, J. A., Emery, C. F., Madden, D. J., Schniebolk, S., Walsh-Riddle, M., George, L. K., McKee, D. C., Higginbotham, M. B., Cobb, R. R., & Coleman, R. E. (1991). Long-term effects of exercise on physiological functioning in older men and women. *Journals of Gerontology: Psychological Sciences, 46,* P352–361.

Blumstein, P., & Schwartz, P. (1983). *American couples.* New York: Morrow.

Blustein, D., Phillips, S., Jobin-Davis, K., & Finkelberg, S. (1997). A theory-building investigation of the school-to-work transition. *Counseling Psychology, 25,* 364–402.

Bohman, M., & Sigvardsson, S. (1990). Outcome in adoption: Lessons from longitudinal studies. In D. M. Brodzinsky (Ed.), *The psychology of adoption* (pp. 93–106). New York: Oxford University Press.

Boldizar, J. (1991). Assessing sex-typing and androgyny in children. *Developmental Psychology, 27,* 506–535.

Bonanno, G., Znoj, H., Siddique, H., & Horowitz, M. (1999). Verbal-autonomic dissociation and adaptation to midlife conjugal loss: A follow-up at 25 months. *Cognitive Therapy & Research, 23,* 605–624.

Bond, J., & Coleman, P. (Eds.). (1990). *Aging in society.* London: Sage.

Bond, J.T., Galinsky , E., et Swangerg,J.E. (1998) The 1997 National Study of the Changing Work-Force. New-York (NY): Families and Works Institute, cité dans : Thoerell, T., How to Deal With Stress in Organizations? – A Health Perspective on Theory and Practice, Scand. J. Work Environ Health, 1999; 25 (6, special issue), p. 616-662.

Bondevik, M., & Skogstad, A. (1998). The oldest old, ADL, social network, and loneliness. *Western Journal of Nursing Research, 20,* 325–343.

Bong, M. (1998). Tests of the internal/external frames of reference model with subject-specific academic self-efficacy and frame-specific academic self-concepts. *Journal of Educational Psychology, 90,* 102–110.

Bornholt, L., & Goodnow, J. (1999). Cross-generation perceptions of academic competence: Parental expectations and adolescent self-disclosure. *Journal of Adolescent Research, 14,* 427–447.

Bornstein, M. H. (1992). Perception across the life span. In M. H. Bornstein & M. E. Lamb (Eds.), *Developmental psychology: An advanced textbook* (3rd ed.) (pp. 155–210). Hillsdale, NJ: Erlbaum.

Bosch, L., & Sebastian-Galles, N. (1997). Native-language recognition abilities in 4-month-old infants from monolingual and bilingual environments. *Cognition, 65,* 33–69.

Bossé, R., Aldwin, C. M., Levenson, M. R., & Workman-Daniels, K. (1991). How stressful is retirement? Findings from the normative aging study. *Journals of Gerontology: Psychological Sciences, 46,* P9–14.

Botwinick, J., & Storandt, M. (1974). *Memory, related functions and age.* Springfield, IL: Charles C. Thomas

Bouchard, C. et Desfossés, E. (1989). Utilisation des comportements coercitifs envers les enfants : stress, conflits et manque de soutien dans la vie des mères, *Apprentissage et socialisation,* 12, p. 19 à 28.

Bouchard, S. et Morin, P. C. (1992). *Introduction aux théories de la personnalité.* Boucherville : Gaëtan Morin Éditeur.

Bouchard, T. J., Jr. (1984). Twins reared apart and together: What they tell us about human Diversity. In S. Fox (Ed.), *The chemical and biological bases of individuality*, New York: Plenum Press

Boukydis, C. F. Z., & Burgess, R. L. (1982). Adult physiological response to infant cries: Effects of temperament, parental status, and gender. *Child Development, 53,* 1291-1298.

Bourreille, C. (1999). Diana/Diana. *Cahiers Jungiens de Psychanalyse, 96,* 75–76.

Bowlby, J. (1969). *Attachment and loss: Vol. 1. Attachment.* New York: Basic Books.

Bowlby, J. (1973). *Attachment and loss: Vol. 2. Separation, anxiety, and anger.* New York: Basic Books.

Bowlby, J. (1980). *Attachment and loss: Vol. 3. Loss, sadness, and depression.* New York: Basic Books.

Bowlby, J. (1988a). Developmental psychiatry comes of age. *American Journal of Psychiatry, 145,* 1–10.

Bowlby, J. (1988b). *A secure base.* New York: Basic Books.

Bowler, D., Briskman, J., & Grice, S. (1999). Experimenter effects on children's understanding of false drawings and false beliefs. *Journal of Genetic Psychology, 160,* 443–460.

Bradley, R. H., Caldwell, B. M., Rock, S. L., Barnard, K. E., Gray, C., Hammond, M. A., Mitchell, S., Siegel, L., Ramey, C. D., Gottfried, A. W., & Johnson, D. L. (1989). Home environment and cognitive development in the first 3 years of life: A collaborative study involving six sites and three ethnic groups in North America. *Developmental Psychology, 25,* 217–235.

Bradley, R. H., Whiteside, L., Mundfrom, D. J., Casey, P. H., Kelleher, K. J., & Pope, S. K. (1994). Early indications of resilience and their relation to experiences in the home environments of low birthweight, premature children living in povery. *Child development, 65,* 346-360.

Bradmetz, J. (1999). Precursors of formal thought: A longitudinal study. *British Journal of Developmental Psychology, 17,* 61–81.

Brand, A., & Brinich, P. (1999). Behavior problems and mental health contacts in adopted, foster, and nonadopted children. *Journal of Child Psychology & Psychiatry & Allied Disciplines, 40,* 1221–1229.

Brandtstädter, J., & Baltes-Götz, B. (1990). Personal control over development and quality of life perspectives in adulthood. In P. Baltes & M. M. Baltes (Eds.), *Successful aging* (pp. 197–224). Cambridge, England: Cambridge University Press.

Brandtstädter, J., & Greve, W. (1994). The aging self: Stabilizing and protective processes. *Developmental Review, 14,* 52–80.

Braun, K., & Nichols, R. (1997). Death and dying in four Asian American cultures: A descriptive study. *Death Studies, 21,* 327–359.

Braveman, N. S. (1987). Immunity and aging immunologic and behavioral perspectives. In M. W. Riley, J. D. Matarazzo, & A. Baum (Eds.), *Perspectives in behavioral medicine: The aging dimension* (pp. 94–124). Hillsdale, NJ: Erlbaum.

Bray, D. W., & Howard, A. (1983). The AT&T longitudinal studies of managers. In K. W. Schaie (Ed.), *Longitudinal studies of adult psychological development* (pp. 266–312). New York: Guilford Press.

Brazelton, T. B. (1984). *Neonatal Behavioral Assessment Scale.* Philadelphia: Lippincott.

Bregman, G., & Killen, M. (1999). Adolescents' and young adults' reasoning about career choice and the role of parental influence. *Journal of Research on Adolescence, 9,* 253–275.

Breitmayer, B. J., & Ramey, C. T. (1986). Biological nonoptimality and quality of postnatal Environment as codeterminants of intellectuel development. *Child Development, 57,* 1151-1165.

Brendgen, M., Vitaro, F., & Bukowski, W. (1998). Affiliation with delinquent friends: Contributions of parents, self-esteem, delinquent behavior, and rejection by peers. *Journal of Early Adolescence, 18,* 244–265.

Brener, N., Hassan, S., & Barrios, L. (1999). Suicidal ideation among college students in the United States. *Journal of Consulting & Clinical Psychology, 67,* 1004–1008.

Brennan, F., & Ireson, J. (1997). Training phonological awareness: A study to evaluate the effects of a program of metalinguistic games in kindergarten. *Reading & Writing, 9,* 241–263.

Brenner, V. (1997). Psychology of computer use: XLVII. Parameters of Internet use. *Psychological Reports, 80,* 879–882.

Breslau, N., & Chilcoat, H. (2000). Psychiatric sequelae of low birth weight at 11 years of age. *Biological Psychiatry, 47,* 1005–1011.

Breslau, N., DelDotto, J. E., Brown, G. G., Kumar, S., Ezhuthachan, S., Hufnagle, K. G., & Peterson, E. L. (1994). A gradient relationship between low birth weight and IQ at age 6 years. *Archives of Pediatric and Adolescent Medicine, 2148,* 377–383.

Breslow, L., & Breslow, N. (1993). Health practices and disability: Some evidence from Alameda County. *Preventive Medicine, 22,* 86–95.

Bretherton, I. (1991). Pouring new wine into old bottles: The social self as internal working model. In M. R. Gunnar & L. A. Sroufe (Eds) *Minnesota Symposia on Child Development* (Vol. 23) (pp. 1-42). Hillsdale, NJ: Erlbaum

Bretscher, M., Rummans, T., Sloan, J., Kaur, J., Bartlett, A., Borkenhagen, L., & Loprinzi, C. (1999). Quality of life in hospice patients: A pilot study. *Psychosomatics, 40,* 309–313.

Brock, D. B., Guralnik, J. M., & Brody, J. A. (1990). Demography and the epidemiology of aging in the United States. In E. L. Schneider & J. W. Rowe (Eds.), *Handbook of the biology of aging* (3rd ed.) (pp. 3–23). San Diego, CA: Academic Press.

Brockington, I. (1996). *Motherhood and mental health.* Oxford, England: Oxford University Press.

Brody, E. M., Litvin, S. J., Albert, S. M., & Hoffman, C. J. (1994). Marital status of daughters and patterns of parent care. *Journals of Gerontology: Social Sciences, 49,* S95–103.

Brody, G. H., Stoneman, Z., & Flor, D. (1995). Linking family processes and academic competence among rural African American youths. *Journal of Marriage and the Family, 47,* 567–579.

Brody, J. E. (April 20, 1994). Making a strong case for antioxidants. *New York Times,* p. B9.

Brody, J. E. (February 28, 1996). Good habits outweigh genes as key to a healthy old age. *New York Times,* p. B9.

Brody, J. E. (October 4, 1995). Personal health. *New York Times,* p. B7.

Brody, N. (1992). *Intelligence* (2nd ed.). San Diego, CA: Academic Press.

Bronfenbrenner, U. (1979). *The ecology of human development.* Cambridge, MA: Harvard University Press.

Bronfenbrenner, U. (1986). Ecology of the family as a context for human development: Research perspectives. *Developmental Psychology, 22,* 723-742.

Bronfenbrenner, U. (1989). Ecological systems theory. *Annals of Child Development, 6,* 187–249.

Bronfenbrenner, U. (1993). The ecology of cognitive development: Research models and fugitive findings. In R. H. Wozniak and K. W. Fischer (Eds.), *Development in context: Acting and thinking in specific environments.* Hillsdale, NJ: Erlbaum.

Brook, J., Whiteman, M., Finch, S., & Cohen, P. (2000). Longitudinally foretelling drug use in the late twenties: Adolescent personality and social-environmental antecedents. *Journal of Genetic Psychology, 161,* 37–51.

Brooks-Gunn, J. (1988). Commentary: Developmental issues in the transition to early adolescence. In M. R. Gunnar & W. A. Collins (Eds), *Minnesota Symposia on Child Psychology* (Vol. 21) (pp. 189-208). Hillsdale, NJ: Erlbaum.

Brooks-Gunn, J., & Matthews, W. S. (1979). *He and she: How children develop their sex-role identity.* Englewood Cliffs, NJ: Prentice-Hall.

Brooks-Gunn, J., & Reiter, E. O. (1990). The role of pubertal processes. In S. S. Feldman & G. R. Elliott (Eds.), *At the threshold: The developing adolescent* (pp. 16–53). Cambridge, MA: Harvard University Press.

Brooks-Gunn, J., & Warren, M. P. (1985). The effects of delayed menarche in different contexts: Dance and nondance students. *Journal of Youth and Adolescence, 13,* 285–300.

Brooks-Gunn, J., Guo, G., & Furstenberg, F. F., Jr. (1993). Who drops out of and who continues beyond high school? A 20-year follow-up of black urban youth. *Journal of Research on Adolescence, 3,* 271–294.

Brown, A. S., Jones, E. M., & Davis, T. L. (1995). Age differences in conversational source monitoring. *Psychology and Aging, 10,* 111–122.

Brown, B. B. (1990). Peer groups and peer cultures. In S. S. Feldman & G. R. Elliott (Eds.), *At the threshold: The developing adolescent* (pp. 171–196). Cambridge, MA: Harvard University Press.

Brown, B. B., & Huang, B. (1995). Examining parenting practices in different peer contexts: Implications for adolescent trajectories. In L. J. Crockett & A. C. Crouter (Eds.), *Pathways through adolescence* (pp. 151–174). Mahwah, NJ: Erlbaum.

Brown, B. B., Dolcini, M. M., & Leventhal, A. (1995, March). *The emergence of peer crowds: Friend or foe to adolescent health?* Paper presented at the biennial meetings of the Society for Research in Child Development, Indianapolis, IN.

Brown, B. B., Mory, M. S., & Kinney, D. (1994). Casting adolescent crowds in a relational perspective: Caricature, channel, and context. In R. Montemayor, G. R. Adams, & T. P. Gullotta (Eds.), *Personal relationships during adolescence* (pp. 123–167). Thousand Oaks, CA: Sage.

Brown, G. W. (1989). Life events and measurement. In G. W. Brown & T. O. Harris (Eds.), *Life events and illness* (pp. 3–45). New York: Guilford Press.

Brown, G. W. (1993). Life events and affective disorder: Replications and limitations. *Psychosomatic Medicine, 55,* 248–259.

Brown, G. W., & Harris, T. (1978). *Social origins of depression.* New York: Free Press.

Brown, J., Bakeman, R., Coles, C., Sexson, W., & Demi, A. (1998). Maternal drug use during pregnancy: Are preterm and fullterm infants affected differently? *Developmental Psychology, 34,* 540–554.

Brown, L., Karrison, T., & Cibils, L. A. (1994). Mode of delivery and perinatal results in breech presentation. *American Journal of Obstetrics and Gynecology, 171,* 28–34.

Brown, R. & Hanlon, C. (1970). Derivational complexity and order of acquisition. In J. R. Haye (ED.), *Cognition and the development of language* (pp. 155-207). New York: Wiley.

Brown, R. (1973). *A first language: The early stages.* Cambridge, MA: Harvard University Press.

Brownell, C. A. (1990). Peer social skills in toddlers: Competencies and constraints illustrated by same-age and mixed-age interaction. *Child Development, 61,* 836–848.

Bruer, J. (1999). *The myth of the first three years.* New York: Free Press.

Bryant, P. E., MacLean, M., Bradley, L. L., & Crossland, J. (1990). Rhyme and alliteration, phoneme detection, and learning to read. *Developmental Psychology, 26,* 429–438.

Bryant, P., MacLean, M., & Bradley, L. (1990). Rhyme, language, and children's reading. *Applied Psycholinguistics, 11,* 237–252.

Bryant, S., & Rakowski, W. (1992). Predictors of mortality among elderly African-Americans. *Research on Aging, 14,* 50–67.

Buchanan, C. M., Maccoby, E. E., & Dornbusch, S. M. (1991). Caught between parents: Adolescents' experience in divorced homes. *Child Development, 62,* 1008–1029.

Buchner, D. M., Beresford, S. A. A., Larson, E. B., LaCroix, A. Z., & Wagner, E. H. (1992). Effects of physical activity on health status in older adults II: Intervention studies. *Annual Review of Public Health, 13,* 469–488.

Buehler, J. W., Kaunitz, A. M., Hogue, C. J. R., Hugues, J. M. Smith, J. C., & Rochat, R. W.(1986). Maternal mortality in women aged 35 yers or older: United States. *Journal of the American Medical Association, 255,* 53-57.

Buhrmester, D. (1992). The developmental courses of sibling and peer relationships. In F. Boer & J. Dunn (Eds.), *Children's sibling relationships: Developmental and clinical issues.* Hillsdale, NJ: Erlbaum.

Bukowski, W., Sippola, L., & Hoza, B. (1999). Same and other: Interdependency between participation in same- and other-sex friendships. *Journal of Youth & Adolescence, 28,* 439–459.

Bulcroft, R. A., & Bulcroft, K. A. (1991). The nature and functions of dating in later life. *Research on Aging, 13,* 244–260.

Bullock, M., & Lütkenhaus, P. (1990). Who am I? Self-understanding in toddlers. *Merrill-Palmer Quarterly, 36,* 217–238.

Bumpass, L. L., & Aquilino, W. S. (1995). *A social map of midlife: Family and work over the middle life course.* Report of the MacArthur Foundation research network on successful midlife development, Vero Beach, FL.

Burbules, N.C. et Linn, M.C., Response to contradiction: Scientific reasoning during adolescence. *Journal of Educational Psychology*, 80, 1988, 67-75.

Buriel, R., Perez, W., DeMent, T., Chavez, D., & Moran, V. (1998). The relationship of language brokering to academic performance, biculturalism, and self-efficacy among Latino adolescents. *Hispanic Journal of Behavioral Sciences, 20,* 283–297.

Burke, L., & Follingstad, D. (1999). Violence in lesbian and gay relationships: Theory, prevalence, and correlational factors. *Clinical Psychology Review, 19,* 487–512.

Burley, R., Turner, L., & Vitulli, W. (1999). The relationship between goal orientation and age among adolescents and adults. *Journal of Genetic Psychology, 160,* 84–88.

Burn, S., O'Neil, A., & Nederend, S. (1996). Childhood tomboyishness and adult androgeny. *Sex Roles, 34,* 419–428.

Burns, A. (1992). Mother-headed families: An international perspective and the case of Australia. *Social Policy Report, Society for Research in Child Development, 6,* 1–22.

Burton, L. (1992). Black grandparents rearing children of drug-addicted parents: Stressors, outcomes, and social service needs. *Gerontologist, 31,* 744–751.

Burton, L. M., & Bengtson, V. L. (1985). Black grandmothers: Issues of timing and continuity of roles. In V. L. Bengtson & J. F. Robertson (Eds.), *Grandparenthood* (pp. 61–78). Beverly Hills, CA: Sage.

Bus, A., & van IJzendoorn, M. (1999). Phonological awareness and early reading: A meta-analysis of experimental training studies. *Journal of Educational Psychology, 91,* 403–414.

Busch, C. M., Zonderman, A. B., & Costa, P. T., Jr. (1994). Menopausal transition and psychological distress in a nationally representative sample: Is menopause associated with psychological distress? *Journal of Aging and Health, 6,* 209–228.

Buss, A. (1989). Temperaments as personality traits. In G. A. Kohnstamm, J. E. Bates, & M. K. Rothbart (Eds.), *Temperament in childhood* (pp. 49–58). Chichester, England: Wiley.

Buss, A. H., & Plomin, R. (1984). *Temperament: Early developing personality traits.* Hillsdale, NJ: Erlbaum.

Buss, A. H., & Plomin, R. (1986). The EAS approach to temperament. In R. Plomin & J. Dunn (Eds.), *The study of temperament: Changes, continuities and challenges* (pp. 67–80). Hillsdale, NJ: Erlbaum.

Buss, D. (1999). *Evolutionary psychology.* Boston: Allyn & Bacon.

Busse, E. W., & Wang, H. S. (1971). *The multiple factors contributing to dementia in old age.* Proceedings of the Fifth World Congress of Psychiatry, Mexico City. (Reprinted in Palmore Ed., *Normal aging II* (pp. 151-159) Durham, NC: Duke University Press, 1974.)

Butler, R. N. (1963). The life review: An interpretation of reminiscence in the aged. *Psychiatry, 256,* 65–76.

Byrne, G., & Raphael, B. (1999). Depressive symptoms and depressive episodes in recently widowed older men. *International Psychogeriatrics, 11,* 67–74.

Byrne, G., Raphael, G., & Arnold, E. (1999). Alcohol consumption and psychological distress in recently widowed older men. *Australian & New Zealand Journal of Psychiatry, 33,* 740–747.

Byrne, M. (1998). Taking a computational approach to aging: The SPAN theory of working memory. *Psychology & Aging, 13,* 309–322.

Cahn, D., Marcotte, A., Stern, R., Arruda, J., Akshoomoff, N., & Leshko, I. (1966). The Boston Qualitative Scoring System for the Rey-Osterrieth Complex Figure: A study of children with attention deficit hyperactivity disorder. *Clinical Neuropsychologist, 10,* 397–406.

Cairns, R. B., & Cairns, B. D. (1994). *Lifelines and risks: Pathways of youth in our time.* Cambridge, England: Cambridge University Press.

Callaghan, T. (1999). Early understanding and production of graphic symbols. *Child Development, 70,* 1314-1324.

Campbel S. B., & Ewing L. J. (1990). Follow-up of hard-to-manage preschoolers: *Adjustment at age 9 and predictors of continuing symptoms.* Journal of Child Psychology and Psychiatry, 31, 871-889.

Campbell, A. (1981). *The sense of well-being in America.* New York: McGraw-Hill.Campbell, D. W., & Eaton, W. O. (1995), *Sex differences on the activity level in the first year of life: A meta-analysis.* Paper presented at the biennal meetings of the Society of Research in Child Development, Indianapolis, March.

Campbell, L., Connidis, I., & Davies, L. (1999). Sibling ties in later life: A social network analysis. *Journal of Family Issues, 20,* 114–148.

Campbell, S. B., Cohn, J. F., Flanagan, C., Popper, S., & Meyers, T. (1992). Course and correlates of postpartum depression during the transition to parenthood. *Development and Psychopathology, 4,* 29–47.

Campbell, S. B., Pierce, E. W., March, C. L., & Ewing, L. J. (1991). Noncompliant behavior,overactivity, and family stress as predictors of negative maternal control with preschool children. *Development and Psychopathology, 3,* 175-190.

Campisi, J., Dimri, G., & Hara, E. (1996). Control of replicative senescence. In E. L. Schneider & J. W. Rowe (Eds.), *Handbook of the biology of aging* (4th ed.) (pp. 121–149). San Diego, CA: Academic Press.

Caplan, J. L., & Barr, R. A. (1989). On the relationship between category intensions and extensions in children. *Journal of Experimental Child Psychology, 47,* 413-429.

Capute, A. J., Palmer, F. B., Shapiro, B. K., Wachtel, R. C., Schmodt, S., & Ross, A. (1986). Clinical linguistic and auditory milestone scale: prediction of cognition in infancy. *Developmental Medicine & Child neurology, 28,* 762-771.

Carey, R. G. (1974). Living until death: A program of service and research for the terminally ill. *Hospital Progress.* (Reprinted in E. Kübler-Ross [Ed.], *Death. The final stage of growth.* Englewood Cliffs, NJ: Prentice-Hall, 1975.)

Carlson, E. A., & Sroufe, L. A. (1995). Contribution of attachment theory to developmental psychopathology. In D. Cicchetti & D. J. Conen (Eds.), *Developmental psychopathology: Vol. 1. Theory and methods* (pp. 581–617). New York: Wiley.

Carmeli, E., Reznick, A., Coleman, R., & Carmeli, V. (2000). Muscle strength and mass of lower extremities in relation to functional abilities in elderly adults. *Gerontology, 46,* 249–257.

Carnelley, K., Wortman, C., & Kessler, R. (1999). The impact of widowhood on depression: Findings from a prospective survey. *Psychological Medicine, 29,* 1111–1123.

Carpenter, S. (2001). Teens' risky behavior is about more than race and family resources. *APA Monitor, 32,* 22–23.

Carson, D., Klee, T. & Perry, C. (1998). Comparisons of children with delayed and normal language at 24 months of age on measures of behavioral difficulties, social and cognitive development. *Infant Mental Health Journal, 19,* 59–75.

Carstensen, L. L. (1992). Social and emotional patterns in adulthood: Support for socioemotional selectivity theory. *Psychology and Aging, 7,* 331–338.

Carstensen, L. L., Gottman, J. M., & Levenson, R. W. (1995). Emotional behavior in long-term marriage. *Psychology and Aging, 10,* 149–149.

Carver, R. P. (1990). Intelligence and reading ability in grades 2–12. *Intelligence, 14,* 449–455.

Casas, J. F., & Mosher, M. (1995, March). *Relational and overt aggression in preschool: "You can't come to my birthday party unless..."* Paper presented at the biennial meeting of the Society for Research in Child Development, Indianapolis, IN.Casasola, M., & Cohen, L. (2000). Infants' association of linguistic labels with causal actions. *Developmental Psychology, 36,* 155–168.

Case, R. (1985). *Intellectual development: Birth to adulthood.* New York: Academic Press.

Case, R. (1991). Stages in the development of the young child's first sense of self. *Developmental Review, 11,* 210–230.

Case, R. (1997). The development of conceptual structures. In B. Damon (General Ed.) and D. Kuhn & R. S. Siegler (Series Eds.), *Handbook of child psychology: Vol. 2. Cognitive, language, and perceptual development.* New York: Wiley.

Case, R. B., Moss, A. J., Case, N., McDermott, M., & Eberly, S. (1992). Living alone after myocardial infarction: Impact on prognosis. *Journal of the American Medical Association, 267,* 515–519.

Caspi, A. (2000). The child is father of the man: Personality continuities from childhood to adulthood. *Journal of Personality & Social Psychology, 78,* 158–172.

Caspi, A., & Moffit, T. E. (1991). Individual differences are accentuated during periods of social change: The sample case of girls at puberty. *Journal of Personality and Social Psychology, 61,* 157-168.

Caspi, A., Bem, D. J., & Elder, G. H. Jr. (1989). Continuities and consequences of interactional styles across the life course. *Journal of Personality, 57,* 375-406.

Caspi, A., Henry, B., McGee, R. O., Moffitt, T. E., & Silva, P. A. (1995). Temperamental origins of child and adolescent behavior problems: From age three to age fifteen. *Child Development, 66,* 55–68.

Cassidy, J., & Berlin, L. J. (1994). The insecure/ambivalent pattern of attachment: Theory and research. *Child Development, 65,* 971–991.

Cassileth, B. R., Walsh, W. P., & Lusk, E. J. (1988). Psychosocial correlates of cancer survival: A subsequent report 3 to 8 years after cancer diagnosis. *Journal of Clinical Oncology, 6,* 1753–1759.

Castellino, D., Lerner, J., Lerner, R., & von Eye, A. (1998). Maternal employment and education: Predictors of young adolescent career trajectories. *Applied Developmental Science, 2,* 114–126.

Castle, J., Groothues, C., Bredenkamp, D., Beckett, C., et al. (1999). Effects of qualities of early institutional care on cognitive attainment. *American Journal of Orthopsychiatry, 69,* 424–437.

Cate, R. M., & Lloyd, S. A. (1992). *Courtship.* Newbury Park, CA: Sage.

Cattell, R. B. (1963). Theory of fluid and crystallized intelligence: A critical experiment. *Journal of Educational Psychology, 54,* 1–22.

Cauley, J. A., Seeley, D. G., Ensrud, K., Ettinger, B., Black, D., & Cummings, S. R. (1995). Estrogen replacement therapy and fractures in older women. *Annals of Internal Medicine, 122,* 9–16.

CDC, voir Centers for Disease Control.

Cederblad, M., Hook, B., Irhammar, M., & Mercke, A. (1999). Mental health in international adoptees as teenagers and young adults: An epidemiological study. *Journal of Child Psychology & Psychiatry & Allied Disciplines, 40,* 1239–1248.

Centers for Disease Control. (1998a). *National Diabetes Fact Sheet.* [Online report]. Retrieved October 11, 2000 from the World Wide Web: http://www.cdc.gov

Centers for Disease Control. (1999b). *Syphilis fact sheet.* [Online report]. Retrieved September 1, 2000 from the World Wide Web: http://www.cdc.gov

Cernoch, J. M., & Porter, R. H. (1985). Recognition of maternal axillary odors by infants. *Child Development, 56,* 1593–1598.

Chadwick, O., Taylor, E., Taylor, A., Heptinstall, E. et al., (1999). Hyperactivity and reading disability: A longitudinal study of the nature of the association. *Journal of Child Psychology & Psychiatry, 40,* 1039–1050.

Chan, R., Raboy, B., & Patterson, C. (1998). Psychosocial adjustment among children conceived via donor insemination by lesbian and heterosexual mothers. *Child Development, 69,* 443–457.

Chang, T., Redfern, S., & Fonagy, P. (1995). *Individual differences in theory of mind acquisition: The role of attachment security.* Paper presented at the biennal meetings of the Society for Research in Child development, Indianapolis, March.

Chase-Lansdale, P. L., & Hetherington, E. M. (1990). The impact of divorce on life-span development: Short and long term effects. In P. B. Baltes, D. L. Featherman, & R. M. Lerner (Eds.), *Life-span development and behavior* (Vol. 10) (pp. 107–151). Hillsdale, NJ: Erlbaum.

Chase-Lansdale, P. L., Cherlin, A. J., & Kiernan, K. E. (1995). The long-term effects of parental divorce on the mental health of young adults: A developmental perspective. *Child Development, 66,* 1614–1634.

Chatlos, J. (1997). Substance use and abuse and the impact on academic difficulties.*Child & Adolescent Clinics of North America, 6,* 545–568.

Chen, J., Bierhals, A., Prigerson, H., Kasl, S., Mazure, C., & Jacobs, S. (1999). Gender differences in the effects of bereavement-related psychological distress in health outcomes. *Psychological Medicine, 29,* 367–380.

Chen, X., Rubin, K. H., & Li, Z. (1995). Social functioning and adjustment in Chinese children: A longitudinal study. *Developmental Psychology, 31,* 531–539.

Chen, X., Rubin, K. H., & Sun, Y. (1992). Social reputation and peer relationships in Chinese and Canadian children: A cross-cultural study. *Child Development, 63,* 1336–1343.

Chen-Hafteck, L. (1997). Music and language development in early childhood: Integrating past research in the two domains. *Early Child Development & Care, 130,* 85–97.

Cherlin, A. (1992). *Marriage, divorce, remarriage,* Cambridge, MA: Harvard University Press.

Cherlin, A. J. (1992). Infant care and full-time employment. In A. Booth (Ed.), *Child care in the 1990s: Trends and consequences* (pp. 209–214). Hillsdale, NJ: Erlbaum.

Cherlin, A., & Furstenberg, F. F. (1986). *The new American grandparent.* New York: Basic Books.

Cherlin, A., Chase-Lansdale, P., & McRae, C. (1998). Effects of parental divorce on mental health throughout the life course. *American Sociological Review, 63,* 239–249.

Chess, S., & Thomas, A. (1984). *Origins and evolution of behavior disorders: Infancy to early adult life.* New York: Brunner/Mazel.

Chi, M. T. (1978). Knowledge structure and memory development. In R. S. Siegler (Ed.), *Children's thinking: What develops?* (pp. 73–96). Hillsdale, NJ: Erlbaum.

Chi, M. T. H., & Ceci, S. J. (1987), Content knowledge: Its role, representation, and restructuring in memory development. In H. W. Reese (Ed.), *Advances in child development and behavior* (Vol. 20), (pp. 91-142). Orlando, FL: Academic Press.

Chi, M. T. H., Hutchinson, J. E., & Robins, A. F. (1989). How inferences about novel domain-related concepts can be constrained by structured knowledge. *Merrill-Palmer Quarterly, 35,* 27-62.

Chiappe, P., & Siegel, L. (1999). Phonological awareness and reading acquisition in English- and Punjabi-speaking Canadian children. *Journal of Educational Psychology, 91,* 20–28.

Chincotta, D., & Underwood, G. (1997). Estimates, language of schooling and bilingual digit span. *European Journal of Cognitive Psychology, 9,* 325–348.

Chiriboga, D. A. (1989). Mental health at the midpoint: Crisis, challenge, or relief? In S. Hunter & M. Sundel (Eds.), *Midlife myths: Issues, findings, and practice implications* (pp. 116–144). Newbury Park, CA: Sage.

Chisholm, J. S. (1989). Biology, culture, and the development of temperament: A Navaho example. In J. K. Nugent, B. M. Lester, & T. B. Brazelton (Eds.), *The cultural context of infancy: Vol. 1. Biology, culture, and infant development.* Norwood, NJ: Ablex.

Choi, N. G. (1991). Racial differences in the determinants of living arrangements of widowed and divorced elderly women. *The Gerontologist, 31,* 496–504.

Chomsky, N. (1965). *Aspects of a theory of syntax.* Cambridge, MA: MIT Press.

Chomsky, N. (1975). *Reflections on language.* New York: Pantheon.

Chomsky, N. (1986). *Knowledge of language: Its nature, origin, and use.* New york: Praeger.

ChomskyChomsky, N. (1988). *Language and problems of knowledge.* Cambridge, MA: MIT Press.

Christensen, C. (1997). Onset, rhymes, and phonemes in learning to read. *Scientific Studies of Reading, 1,* 341–358.

Christensen, H., Henderson, A., Griffiths, K., & Levings, C. (1997). Does aging inevitably lead to declines in cognitive performance? A longitudinal study of elite academics. *Personality & Individual Differences, 23,* 67–78.

Christopher, F., Madura, M., & Weaver, L. (1998). Premarital sexual aggressors: A multivariate analysis of social, relational, and individual variables. *Journal of Marriage and the Family, 60,* 56–69.

Christopherson, E.R. (1989). Injury control. *American Psychologist, 44,* 237-241.

Chumlea, W. C. (1982). Physical growth in adolescence. In B. B. Wolman (Ed.), *Handbook of developmental psychology* (pp. 471–485). Englewood Cliffs, NJ: Prentice-Hall.

Church, M., Eldis, F., Blakley, B., & Bawle, E. Hearing, language, speech, vestibular, and dento-facial disorders in fetal alcohol syndrome. *Alcoholism: Clinical & Experimental Research, 21,* 227–237.

Ciancio, D., Sadovsky, A., Malabonga, V., Trueblood, L., et al. (1999). Teaching classification and seriation to preschoolers. *Child Study Journal, 29,* 193–205.

Cichetti, D, & Barnett, D. (1991). Attachment organization in maltreated preschoolers. *Development and Psychopathology, 3,* 397-411.

Cicirelli, V. G. (1982). Sibling influence throughout the lifespan. In M. E. Lamb & B. Sutton-Smith (Eds.), *Sibling relationships* (pp. 267–304). Hillsdale, NJ: Erlbaum.

Cicirelli, V. G. (1991). Attachment theory in old age: Protection of the attached figure. In K. Pillemer & K. McCargner (Eds.), *Parent-child relationships throughout life* (pp. 25–42). Hillsdale, NJ: Erlbaum.

Cillessen, A. H. N., van IJzendoorn, H. W., van Lieshout, C. F. M., & Hartup, W. W. (1992). Heterogeneity among peer-rejected boys: Subtypes and stabilities. *Child Development, 63,* 893–905.

Claes, M. (1998). Adolescents' closeness with parents, siblings, and friends in three countries: Canada, Belgium, and Italy. *Journal of Youth & Adolescence, 27,* 165–184.

Clarke-Stewart, A. (1990). "The 'effects' of infant day care reconsidered": Risks for parents, children, and researchers. In N. Fox & G. G. Fein (Eds), *Infant day care: The current debate* (pp. 61-86). Norwood, NJ: Ablex.

Clarkson-Smith, L., & Hartley, A. A. (1989). Relationships between physical exercise and cognitive abilities in older adults. *Psychology and Aging, 4,* 183-189.

Clarkson-Smith, L., & Hartley, A. A. (1990). The game of bridge as an exercise in working memory and reasoning. *Journals of Gerontology: Psychological Sciences, 45,* P233–238.

Clinkingbeard, C., Minton, B., Davis, J., & McDermott, K. (1999). Women's knowledge about menopause, hormone replacement therapy (HRT), and interactions with healthcare providers: An exploratory study. *Journal of Women's Health & Gender-Based Medicine, 8,* 1097–1102.

Cloutier, R. et Renaud, A. (1990). *Psychologie de l'enfant.* Boucherville : Gaëtan Morin Éditeur.

Cnattingius, S., Berendes, H. W., & Forman, M. R. (1993). Do delayed childbearers face increased risks of adverse pregnancy outcomes after the first birth? *Obstetrics and Gynecology, 81,* 512–516.

Cobb, K. (2000, September 3). Breaking in drivers: Texas could join states restricting teens in effort to lower rate of fatal accidents. *Houston Chronicle,* A1, A20.

Coe, C., Hayashi, K. T., & Levine, S. (1988). Hormones and behavior at puberty: Activation or concatenation? In M. R. Gunnar & W. A. Collins (Eds), *Development during the transition to adolescence: Minnesota Symposia on Child Psychology* (Vol. 21) (pp. 17-42). Hillsdale, NJ: Erlbaum.

Coffey, C., Saxton, J., Ratcliff, G., Bryan, R., & Lucke, J. (1999). Relation of education to brain size in normal aging: Implications for the reserve hypothesis. *Neurology, 53,* 189–196.

Cohen, G. (2000). *The creative age: Awakening human potential in the second half of life.* New York: Avon Books.

Cohen, S. (1991). Social supports and physical health: Symptoms, health behaviors, and infectious disease. In E. M. Cummings, A. L. Greene, & K. H. Karraker (Eds.), *Life-span developmental psychology: Perspectives on stress and coping* (pp. 213–234). Hillsdale, NJ: Erlbaum.

Cohen, S., & Wills, T. A. (1985). Stress, social support, and the buffering hypothesis. *Psychological Bulletin, 98,* 310-357.

Cohen, S., Kessler, R. C., & Gordon, L. U. (Eds). (1995). *Measuring stress: A guide for health and social scientists.* New York: Oxford University Press.

Cohen, Y. A. (1964). *The transition from childhood to adolescence.* Chicago: Aldine.

Cohn, D. A., Silver, D. H., Cowan, P. A., Cowan, C. P., & Pearson, L. (1991). *Working models of childhood attachment and marital relationships.* Paper presented at the biennal meetings of the Society for Research in Child Development, Seattle, April.

Coie, J. D., & Cillessen, A. H. N. (1993). Peer rejection: Origins and effects on children's development. *Current Directions in Psychological Science, 2,* 89–92.

Coie, J., Cillessen, A., Dodge, K., Hubbard, J., et al., (1999). It takes two to fight: A test of relational factors and a method for assessing aggressive dyads. *Developmental Psychology, 35,* 1179–1188.

Coie, J., Terry, R., Lenox, K., Lochman, J., & Hyman, C. (1995). Childhood peer rejection and aggression as predictors of stable patterns of adolescent disorder. *Development and Psychopathology, 7,* 697–713.

Coiro, M. J. (1995, March). *Child behavior problems as a function of marital conflict and parenting.* Paper presented at the biennial meetings of the Society for Research in Child Development, Indianapolis, IN.

Colby, A., Kohlberg, L., Gibbs, J., & Lieberman, M. (1983). A longitudinal study of moral judgment. *Monographs of the Society for Research in Child Development, 48*(1–2, Serial No. 200).

Colditz, G. A., Hankinson, S. E., Hunter, D. J., Willett, W. C., Manson, J. E., Stampfer, M. J., Hennekens, C., Rosner, B., & Speizer, F. E. (1995). The use of estrogens and progestins and the risk of breast cancer in postmenopausal women. *New England Journal of Medicine, 332,* 1589–1593.

Cole, D. A. (1991). Change in self-perceived competence as a function of peer and teacher evaluation. *Developmental Psychology, 27,* 682–688.

Coley, R., & Chase-Lansdale, L. (1998). Adolescent pregnancy and parenthood: Recent evidence and future directions. *American Psychologist, 53,* 152–166.

Collaer, M. L., & Hines, M. (1995). Human behavioral sex differences: A role for gonadal hormones during early development? *Psychological Bulletin, 118,* 55–107.

Collet, J. P., Burtin, P., Gillet, J., Bossard, N., Ducruet, T., & Durr, F. (1994). Risk of infectious diseases in children attending different types of day-care setting. Epicreche Research Group. *Respiration, 61,* 16–19.

Collins, N. L., & Read, S. J. (1990). Adult attachment, working models, and relationship quality in dating couples. *Journal of Personality and Social psychologie, 58,* 644-663.

Colton, M., Buss, K., Mangelsdorf, S., Brooks, C., Sorenson, D., Stansbury, K., Harris, M., & Gunnar, M. (1992). *Relations between toddler coping strategies, temperament, attachment and adrenocortical stress responses.* Poster presented at the 8th International Conference on Infant Studies, Miami.

Commissaris, C., Ponds, R., & Jolles, J. (1998). Subjective forgetfulness in a normal Dutch population: Possibilities of health education and other interventions. *Patient Education & Counseling, 34,* 25–32.

Compas, B. E., Ey, S., & Grant, K. E. (1993). Taxonomy, assessment, and diagnosis of depression during adolescence. *Psychological Bulletin, 114,* 323–344.

Conel, J. L. (1939/1975), *Postnatal development of the human cerebral cortex* (Vols. 1-8). Cambridge, MA: Harvard University Press.

Connidis, I. A. (1994). Sibling support in older age. *Journals of Gerontology: Social Sciences, 49,* S309–317.

Connidis, I. A., & Davies, L. (1992). Confidants and companions: Choices in later life. *Journals of Gerontology: Social Sciences, 47,* S115–122.

Connidis, I. A., & McMullin, J. A. (1993). To have or have not: Parent status and the subjective well-being of older men and women. *The Gerontologist, 33,* 630–636.

Connolly, K., & Dalgleish, M. (1989). The emergence of a tool-using skill in infancy. *Developmental Psychology, 25,* 894–912.

Conrad, M., & Hammen, C. (1989). Role of maternal depression in perceptions of child maladjustment. *Journal of Consulting and Clinical Psychology, 57,* 663-667.

Coombs, R. H. (1991). Marital status and personal well-being: A literature review. *Family Relations, 40,* 97–102.

Cooney, T. M. (1994). Young adults' relations with parents: The influence of recent parental divorce. *Journal of Marriage and the Family, 56,* 45–56.

Cooper, R. P., & Aslin, R. N. (1994). Developmental differences in infant attention to the spectral properties of infant-directed speech. *Child development, 65,* 1663-1677.

Corbet, A., Long, W., Shumacher, R., Gerdes, J., & Cotton, R. (1995). Double-blind developmental evaluation at 1-year corrected age of 597 premature infants with birth weights from 500 to 1350 grams enrolled in three placebo-controlled trials of prophylactic synthetic surfactant. *Journal of pediatrics, 126,* S5-12.

Corr, C. A. (1991/1992). A task-based approach to coping with dying. *Omega, 24,* 81–94.

Corrada, M., Brookmeyer, R., & Kawas, C. (1995). Sources of variability in prevalence rates of Alzheimer's disease. *International Journal of Epidemiology, 24,* 1000–1005.

Corso, J. F. (1987). Sensory-perceptual processes and aging. In K. W. Schaie (Ed.), *Annual Review of Gerontology and Geriatrics* (Vol. 7) (pp. 29–56). New York: Springer.

Corwin, J., Loury, M., & Gilbert, A. N. (1995). Workplace, age, and sex as mediators of olfactory function: Data from the National Geographic smell survey. *Journals of Gerontology: Psychological Sciences, 50B,* P179–186.

Cossette, L., Malcuit, G., & Pomerleau, A. (1991). Sex differences in motor activity during early infancy. *Infant Behavior and Development, 14,* 175-186.

Costa, P. T., & McCrae, R. R. (1980a). Influence of extraversion and neuroticism on subjective well-being: Happy and unhappy people. *Journal of Personality and Social Psychology, 38,* 668–678.

Costa, P. T., Jr., & McCrae, R. R. (1980b). Still stable after all these years: Personality as a key to some issues in adulthood and old age. In P. B. Baltes & O. G. Brim, Jr. (Eds.), *Life-span development and behavior* (pp. 65–102). New York: Academic Press.

Costa, P. T., Jr., & McCrae, R. R. (1988). Personality in adulthood: A six-year longitudinal study of self-reports and spouse ratings on the NEO personality inventory. *Journal of Personality and Social Psychology, 54,* 853–863.

Costa, P. T., Jr., & McCrae, R. R. (1994a). Set like plaster? Evidence for the stability of adult personality. In T. F. Hetherton & J. L. Weinberger (Eds.), *Can personality change?* (pp. 21–40). Washington, DC: American Psychological Association.

Costa, P. T., Jr., & McCrae, R. R. (1994b). Stability and change in personality from adolescence through adulthood. In C. F. Halverson, Jr., G. A. Kohnstamm, & R. P. Martin (Eds.), *The developing structure of temperament and personality from infancy to adulthood* (pp. 139–150). Hillsdale, NJ: Erlbaum.

Costa, P. T., Jr., McCrae, R. R., Zonderman, A. B., Barbano, H. E., Lebowitz, B., & Larson, D. M. (1986). Cross-sectional studies of personality in a national sample: 2. Stability in neuroticism, extraversion, and openness. *Psychology and Aging, 1,* 144–149.

Cotman, C. W., & Neeper, S. (1996). Activity-dependent plasticity and the aging brain. In E. L. Schneider & J. W. Rowe (Eds.), *Handbook of the biology of aging* (4th ed.) (pp. 284–299). San Diego, CA: Academic Press.

Cowan, B. R., & Underwood, M. K. (1995, March). *Sugar and spice and everything nice? A developmental investigation of social aggression among girls.* Paper presented at the biennial meetings of the Society for Research in Child Development, Indianapolis, IN.

Cowan, C. P., & Cowan, P. A. (1987). Men's involvement in parenthood: Identifying the antecedents and understanding the barriers. In P. W. Berman & F. A. Pedersen (Eds.), *Men's transitions to parenthood: Longitudinal studies of early family experience* (pp. 145–174). Hillsdale, NJ: Erlbaum.

Cowan, C. P., Cowan, P. A., Heming, G., & Miller, N. B. (1991). Becoming a family: marriage, parenting, and child development. In P. A. Cowan & M. Hetherington (Eds), *Family transisitions* (pp. 79-109). Hillsdale, NJ: Erlbaum.

Cox, M., Paley, B., Burchinal, M., & Payne, C. (1999). Marital perceptions and interactions across the transition to parenthood. *Journal of Marriage & the Family, 61,* 611–625.

Crawley, A., Anderson, D., Wilder, A., Williams, M., & Santomero, A. (1999). Effects of repeated exposures to a single episode of the television program *Blue's Clues* on the viewing behaviors and comprehension of preschool children. *Educational Psychology, 91,* 630–638.

Crick, N. R., & Grotpeter, J. K. (1995). Relational aggression, gender, and social-psychological adjustment. *Child Development, 66,* 710–722.

Crick, N., & Dodge, K. (1994). A review and reformulation of social information processing mechanisms in children's social adjustment. *Psychological Bulletin, 115,* 74–101.

Crick, N., & Dodge, K. (1996). Social information-processing mechanisms in reactive and proactive aggression. *Child Development, 67,* 993–1002.

Crick, N., & Ladd, G. (1993). Children's perceptions of their peer experiences: Attributions, loneliness, social anxiety, and social avoidance. *Developmental Psychology, 29,* 244–254.

Crimmins, E. M., & Ingegneri, D. G. (1990). Interaction and living arrangements of older parents and their children. *Research on Aging, 12,* 3–35.

Cristofalo, V. J. (1988). An overview of the theories of biological aging. In J. E. Birren & V. L. Bengtson (Eds), *Emergent theories of aging.* New York: Springer.

Crittenden, P. M. (1992). Quality of attachment in the preschool years. *Development and Psychopathology, 4,* 209–241.

Crnic, K. A., Greenberg, M. T., Ragozin, A. S., Robinson, N. M., & Basham, R. B. (1983). Effects of stress and social support on mothers and premature and full-term infants. *Child Development, 54,* 209-217.

Crockenberg, S. B. (1981). Infant irritability, mother responsiveness, and social support influences on the security of infant-mother attachment. *Child development, 52,* 857-865.

Crockenberg, S., & Litman, C. (1990). Autonomy as competence in 2-year-olds: Maternal correlates of child defiance, compliance, and self-assertion. *Developmental Psychology, 26,* 961–971.

Cromer, R. F. (1991). *Language and thought in normal and handicapped children.* Oxford, England: Blackwell.

Crowell, J. A., & Waters, E. (1995, March). *Is the parent-child relationship a prototype of later love relationships? Studies of attachment and working models of attachment.* Paper presented at the biennial meeting of the Society for Research in Child Development, Indianapolis, IN.

Csikszentmihalyi, M., & Rathunde, K. (1990). The psychology of wisdom: An evolutionary interpretation. In R. Sternberg (Ed.), *Wisdom: Its nature, origins, and development* (pp. 25–51). Cambridge, England: Cambridge University Press.

Cumming, E. (1975). Engagement with an old theory. *International Journal of Aging and Human Development, 6,* 187–191.

Cumming, E., & Henry, W. E. (1961). *Growing old.* New York: Basic Books.

Cummings, E. M., Hollenbeck, B., Iannotti, R., Radke-Yarrow, M., & Zahn-Waxler, C. (1986). Early organization of altruism and aggression: Developmental patterns and individual differences. In C. Zahn-Waxler, E. M. Cummings, & R. Iannotti (Eds.), *Altruism and aggression* (pp. 165–188). Cambridge, England: Cambridge University Press.

Cunningham, A. S., Jelliffe, D. B., & Jelliffe, E. F. P. (1991). Breast-feeding and health in the 1980s: A global epidemiologic review. *Journal of Pediatrics, 118,* 659–666.

Cunningham, L. (1996). *Grief and the adolescent.* Newhall, CA: TeenAge Grief, Inc.Cunningham, W. R., & Haman, K. L. (1992). Intellectual functioning in relation to mental health. In J. E. Birren, R. B. Sloane, & G. D. Cohen (Eds.), *Handbook of mental health and aging* (2nd ed.) (pp. 340–355). San Diego, CA: Academic Press.

D'Alton, M. E., & DeCherney, A. H. (1993). Prenatal diagnosis. *New England Journal of Medicine, 328,* 114–118.

D'Imperio, R., Dubow, E., & Ippolito, M. (2000). Resilient and stress-affected adolescents in an urban setting. *Journal of Clinical Child Psychology, 29,* 129–142.

Dalsky, G. P., Stocke, K. S., Ehsani, A. A., Slatopolsky, E., Waldon, C. L., & Birge, S. J. (1988). Weight-bearing exercise training and lumbar bone mineral content in postmenopausal women. *Annals of Internal Medicine, 108,* 824-828.

Daly, L. E., Kirke, P. N., Molloy, A., Weir, D. G., & Scott, J. M. (1995). Folate levels and neural tube defects: Implications for prevention. *Journal of the American Medical Association, 274,* 1698–1702.

Daly, S., & Glenwick, D. (2000). Personal adjustment and perceptions of grandchild behavior in custodial grandmothers. *Journal of Clinical Child Psychology, 29,* 108–118.

Damon, W. (1977). *The social world of the child.* San Francisco: Jossey-Bass.

Damon, W., & Hart, D. (1988). *Self understanding in childhood and adolescence.* New York: Cambridge University Press.

Danby, S., & Baker, C. (1998). How to be masculine in the block area. *Childhood: A Global Journal of Child Research, 5,* 151–175.

Daniels, P., & Weingarten, K. (1988). The fatherhood clock: The timing of parenthood in men's lives. In P. Bronstein & C. P. Cowan (Eds), Fatherhood today: *Men's changing role in the family* (pp. 36-52). New York: Wiley-Interscience.

Das, J. P. (1995). Some thoughts on two aspects of Vygotsky's work. *Educational Psychologist, 30,* 93-97.

Davajan, V., & Israel, R. (1991). Diagnosis and medical treatment of infertility. In A. L. Stanton & C. Dunkel-Schetter (Eds.), *Infertility: Perspectives from stress and coping research* (pp. 17–28). New York: Plenum.

Davidson, B., Balswick, J., & Halverson, C. (1983). Affective self-disclosure and marital adjustment: A test of equity theory. *Journal of Marriage and the Family, 45,* 93–103.

Davidson, R. (1994). Temperament, affective style, and frontal lobe asymmetry. In G. Dawson & K. Fischer (Eds.), *Human behavior and the developing brain.* New York: Guilford Press.

Davies, P., & Rose, J. (1999). Assessment of cognitive development in adolescents by means of neuropsychological tasks. *Developmental Neuropsychology, 15,* 227–248.

Davies, S. F., Byers, R. H., Jr., Lindegren, M. L., Caldwell, M. B., Karon, J. M., & Gwinn,M. (1995). Prevalence and incidence of vertically acquired HIV infection in the United States. *Journal of the Medical Association, 274,* 952-955.

Davies, T. L. (1995). Gender differences in masking negative emotions: Ability or motivation? *Developmental Psychology, 31,* 660-667.

Dawson, D. A. (1991). Family structure and children's health and well-being: Data from the 1988 National Health Interview Survey on child health. *Journal of Marriage and the Family, 53,* 573–584.

Dawson, J., & Langan, P. (1994). *Murder in families.* Washington, DC: U.S. Department of Justice.

de Chateau, P. (1980). Effects of hospital practices on synchrony in the development of the infant-parent relationship. In P. M. Taylor (Ed.), *Parent-infant relationships* (pp. 137-168). New York: Grune & Stratton.

de Graaf, C., Polet, P., & van Staveren, W. A. (1994). Sensory perception and pleasantness of food flavors in elderly subjects. *Journals of Gerontology: Psychological Sciences, 49,* P93–99.

de Haan, M., Luciana, M., Maslone, S. M., Matheny, L. S., & Richards, M. L. M. (1994). Development, plasticity, and risk: Commentary on Huttenlocher, Pollit and Gorman, and Gottesman and Goldsmith. In C. A. Nelson (Ed.), *The Minnesota Symposia on Child Psychology* (Vol. 27) (pp. 161–178). Hillsdale, NJ: Erlbaum.

de Lacoste, M., Horvath, D., & Woodward, J. (1991). Possible sex differences in the developing human fetal brain. *Journal of Clinical and Experimental Neuropsychology, 13,* 831.

DeAngelis, T. (1997). When children don't bond with parents. *Monitor of the American Psychological Association, 28,* (6) 10–12.

DeCasper, A. J., & Fifer, W. P. (1980). Of human bonding: Newborns prefer their mother's voices. *Science, 208,* 1174-1176.

Deeg, D. J. H., Kardaun, W. P. F., & Fozard, J. L. (1996). Health, behavior, and aging. In J. E. Birren & K. W. Schaie (Eds.), *Handbook of the psychology of aging* (4th ed.) (pp. 129–149). San Diego, CA: Academic Press.

Degirmencioglu, S., Urberg, K., & Tolson, J. (1998). Adolescent friendship networks: Continuity and change over the school year. *Merrill-Palmer Quarterly, 44,* 313–337.

Dekovic, M. (1999). Parent-adolescent conflict: Possible determinants and consequences. *International Journal of Behavioral Development, 23,* 977–1000.

Dekovic, M., & Meeus, W. (1997). Peer relations in adolescence: Effects of parenting and adolescents' self-concept. *Journal of Adolescence, 20,* 163–176.

Dekovic, M., Noom, M., & Meeus, W. (1997). Expectations regarding development during adolescence: Parental and adolescent perceptions. *Journal of Youth & Adolescence, 26,* 253–272.

del Barrio, V., Moreno-Rosset, C., Lopez-Martinez, R., & Olmedo, M. (1997). Anxiety, depression and personality structure. *Personality & Individual Differences, 23,* 327–335.

DeLoache, J. S. (1989). The development of representation in young children. In H. W. Reese (Ed.), *Advances in child development and behavior* (Vol. 22) (pp. 2-37). San Diego, CA: Academic Press.

DeLoache, J. S. (1995). Early understanding and use of symbols: The model model. *Current Directions in Psychological Science, 4,* 109–113.

DeLoache, J. S., & brown, A. L. (1987). Differences in the memory-based searching of delayes and normally developing young children. *Intelligence, 11,* 277-289.

DeLoache, J. S.,Cassidy, D. J., & Brown, A. L. (1985). Precursors of mnemonic strategies in very young children's memory. *Child Development, 56,* 125-137.

Dempster, F. N. (1981). Memory span: Sources of individual and developmental differences *Psychological Bulletin, 89,* 63-100.

DeMulder, E., Denham, S., Schmidt, M., & Mitchell, J. (2000). Q-sort assessment of attachment security during the preschool years: Links from home to school. *Developmental Psycholgy, 36,* 274–282.

Den Ouden, L., Rijken, M., Brand, R., Verloove-Vanhorick, S. P., & Ruys, J. H. (1991). Is it correct to correct? Developmental milestones in 555 "normal" preterm infants compared with term infants. *Journal of Pediatrics, 118,* 399–404.

Dennerstein, L., Lehert, P., Burger, H., & Dudley, E. (1999). Mood and the menopausal transition. *Journal of Nervous & Mental Disease, 187,* 685–691.

Denney, N. W. (1982). Aging and cognitive changes. In B. B. Wolman (Ed.), *Handbook of developmental psychology* (pp. 807–827). Englewood Cliffs, NJ: Prentice-Hall.

Denney, N. W. (1984). Model of cognitive development across the life span. *Developmental Review, 4,* 171–191.

Dennis, W. (1960). Causes of retardation among institutional children: Iran. *Journal of Genetic Psychology, 96,* 47–59.

Detchant, Lord Walton. (1995). Dilemmas of life and death: Part one. *Journal of the Royal Society of Medicine, 88*(311–315).

Deter, H., & Herzog, W. (1994). Anorexia nervosa in a long-term perspective: Results of the Heidelberg-Mannheim study. *Psychosomatic Medicine, 56,* 20–27.

DeVries, R. (1997). Piaget's social theory. *Educational Researcher,* 26, 4-18.

Dgnelie, G., Zorge, I., & McDonald, T. (2000). Lutein improves visual function in some patients with retinal degeneration: A pilot study via the Internet. *Journal of the American Optometric Association, 71,* 147–164.

Diehl, L., Vicary, J., & Deike, R. (1997). Longitudinal trajectories of self-esteem from early to middle adolescence and related psychosocial variables among rural adolescents. *Journal of Research on Adolescence, 7,* 393–411.

Diener, E. (1984). Subjective well-being. *Psychological Bulletin, 95,* 542–575.

Dietz, W. H., & Gortmaker, S. L. (1985). Do we fatten our children at the television set? Obesity and television viewing in children and adolescents. *Pediatrics, 75,* 807-812.

Digman, J. M. (1994). Child personality and temperament: Does the five-factor model embrace both domains? In C. F. Halverson, Jr., G. A. Kosterman, & R. P. Martins (Eds), *The developing structure of temperament and personality from infancy to adulthood* (pp. 323-38). Hillsdale, NJ: Erlbaum.

Dindia, K., & Allen, M. (1992). Sex differences in self-disclosure: A meta-analysis. *Psychological Bulletin, 112,* 106–124.
Dishion, T. J., French, D. C., & Patterson, G. R. (1995). The development and ecology of antisocial behavior. In D. Cicchetti & D. J. Cohen (Eds.), *Developmental psychopathology: Vol. 2. Risk, disorder, and adaptation* (pp. 421–471). New York: Wiley.
Dishion, T. J., Patterson, G. R., Stoolmiller, M., & Skinner, M. L. (1991). Family, school, and behavioral antecedents to early adolescent involvement with antisocial peers. *Developmental Psychology, 27,* 172–180.
Dockett, S., & Smith, I. (1995, March). *Children's theories of mind and their involvement in complex shared pretense.* Paper presented at the biennial meetings of the Society for Research in Child Development, Indianapolis, IN.
Doctoroff, S. (1997). Sociodramatic script training and peer role prompting: Two tactics to promote and sociodramatic play and peer interaction. *Early Child Development & Care, 136,* 27–43.
Dodge, K. (1990). Developmental psychopathology in children of depressed mothers. *Developmental psychology, 26,* 36.
Dodge, K. (1993). Social-cognitive mechanisms in the development of conduct disorder and depression. *Annual Review of Psychology, 44,* 559–584.
Dolcini, M.M., Coh, L.D., Adler, N.E., Millstein, S.G., Irwin, C.E., Kegeles, S.M. et Stone, G.C., Adolescent egocentrism and feelings of invulnerability: Are they related? *Journal of early adolescence*, 9, 1989, 409-418.
Dollard, J., Doob, L. W., Miller, N. E., Mowrer, O. H., & Sears, R. R. (1939). *Frustration and aggression.* New Haven, CT: Yale University Press.Psychological Association.
Donlan, C. (1998). *The development of mathematical skills.* Philadelphia: Psychology Press.
Donohew, R., Hoyle, R., Clayton, R., Skinner, W., Colon, S., & Rice, R. (1999). Sensation seeking and drug use by adolescents and their friends: Models for marijuana and alcohol. *Journal of Studies on Alcohol, 60,* 622–631.
Dornbusch, S. M., Ritter, P. L., Liederman, P. H., Roberts, D. F., & Fraleigh, M. J. (1987). The relation of parenting style to adolescent school performance. *Child Development, 58,* 1244–1257.
Doty, R. L., Shaman, P., Appelbaum, S. L., Bigerson, R., Sikorski, L., & Rosenberg, L. (1984). Smell identification ability: Changes with age. *Science, 226,* 1441–1443.
Downe-Wamboldt, B., & Tamlyn, D. (1997). An international survey of death education trends in faculties of nursing and medicine. *Death Studies, 21,* 177–188.
Doyle, A. B., & Aboud, F. E. (1995). A longitudinal study of white children's racial prejudice as a social-cognitive development. *Merrill-Palmer Quarterly, 41,* 209–228.
Draper, B., Gething, L., Fethney, J., & Winfield, S. (1999). The Senior Psychiatrist Survey III: Attitudes towards personal ageing, life experiences and psychiatric practice. *Australian & New Zealand Journal of Psychiatry, 33,* 717–722.
Dreman, S., Pielberger, C., & Darzi, O. (1997). The relation of state-anger to self-esteem, perceptions of family structure and attributions of responsibility for divorce of custodial mothers in the stabilization phase of the divorce process. *Journal of Divorce & Remarriage, 28,* 157–170.
Drobnic, S., Blossfeld, H., & Rohwer, G. (1999). Dynamics of women's employment patterns over the family life course: A comparison of the United States and Germany. *Journal of Marriage & the Family, 61,* 133–146.
Dubé, L. (1990), *Psychologie de l'apprentissage,* 2e éd., Québec, Presses de l'Université du Québec.
Due, P., Holstein, B., Lund, R., Modvig, J., & Avlund, K. (1999). Social relations: Network, support and relational strain. *Social Science & Medicine, 48,* 661–673.
Duke, P. M., Carlsmith, J. M., Jennings, D., Martin, J. A., Dornbusch, S. M., Gross, R. T., & Siegel-Gorelick, B. (1982). Educational correlates of early and late sexual maturation in adolescence. *Journal of Pediatrics, 100,* 633–637.
Duncan, M., Stayton, C., & Hall, C. (1999). Police reports on domestic incidents involving intimate partners: Injuries and medical help-seeking. *Women & Health, 30,* 1–13.
Dunn, J. (1994). Experience and understanding of emotions, relationships, and membership in a particular culture. In P. Ekman & R. J. Davidson (Eds.), *The nature of emotion: Fundamental questions* (pp. 352–355). New York: Oxford University Press.
Dunphy, D. C. (1963). The social structure of urban adolescent peer groups. *Sociometry, 26,* 230–246.
Dura, J. R., & Kiecolt-Glaser, J. K. (1991). Family transitions, stress, and health. In P. A. Cowan & M. Hetherington (Eds.), *Family transitions* (pp. 59–76). Hillsdale, NJ: Erlbaum.
Durlak, J. A. (1972). Relationship between attitudes toward life and death among elderly women. *Developmental Psychology, 8,* 146.
Dutch Senate OKs doctor-assisted suicide. (2001, April 11). *Houston Chronicle,* p. 16A.
Duursma, S. A., Raymakers, J. A., Boereboom, F. T. J., & Scheven, B. A. A. (1991). Estrogen and bone metabolism. *Obstetrical and Gynecological Survey, 47,* 38–44.
Dwyer, J. W., & Coward, R. T. (1991). A multivariate comparison of the involvement of adult sons versus daughters in the care of impaired parents. *Journals of Gerontology: Social Sciences, 56,* S259-269.
Dyregrov, A., Gjestad, R., Bie Wikander, A., & Vigerust, S. (1999). Reactions following the sudden death of a classmate. *Scandinavian Journal of Psychology, 40,* 167–176.
Earles, J. L., & Salthouse, T. A. (1995). Interrelations of age, health, and speed. *Journals of Gerontology: Psychological Sciences, 50B,* P33–41.
Eccles, J. S., & Midgley, C. (1990). Changes in academic motivation and self-perception during early adolescence. In R. Montemayor, G. R. Adams, & T. P. Gullota (Eds), *From childhood to adolescence: A transitional period?* (pp. 134-155) Newbury Park, CA: Sage.
Eichorn, D. H., Clausen, J. A., Haan, N., Honzik, M.P., & Mussen, P. H. (Eds.). (1981). *Present and past in middle life.* New York: Academic Press.
Eichorn, D. H., Hunt, J. V., & Honzik, M. P. (1981). Experience, personality, and IQ: Adolescence to middle age. In D. H. Eichorn, J. A. Clausen, N. Haan, M. P. Honzik, & P. H. Mussen (Eds.), *Present and past in middle life* (pp. 89-116). New York: Academic Press.
Echt, K., Morrell, R., & Park, D. (1998). Effects of age and training formats on basic computer skill acquisition in older adults. *Educational Gerontology, 24,* 3–25.
Eisenberg, N. (1992). *The caring child.* Cambridge, MA: Harvard University Press.
Eisenberg, N., Fabes, R. A., Guthrie, J. K., Murphy, B. C., Maszk, P., Holmgren, R., & Sue, K. (1996a). The relations of regulation and emotionality to problem behavior in elementary school children. *Development and Psychopathology, 8,* 141-162.
Eisenberg, N., Fabes, R. A., Murphy, B., Karbon, M., Smith, M., & Maszk, P. (1996b). The relations of children's dispositional empathy-related responding to their emotionality, regulation, and social functioning. *Developmental Psychology, 32,* 195–209.
Eisenberg, N., Fabes, R. A., Murphy, B., Maszk, P., Smith, M., & Karbon, M. (1995). The role of emotionality and regulation in children's social functioning: A longitudinal study. *Child Development, 66,* 1360–1384.
Eisenberg, N., Guthrie, I., Murphy, B., Shepard, S., et al. (1999). Consistency and development of prosocial dispositions: A longitudinal study. *Child Development, 70,* 1360–1372.
Elder, G. H., Jr. (1974). *Children of the Great Depression.* Chicago: University of Chicago Press.
Elder, G. H., Jr. (1978). Family history and the life course. In T. Hareven (Ed.), *Transitions: The family and the life course in historical perspective* (pp. 17–64). New York: Academic Press.
Elder, G. H., Jr. (1986). Military times and turning points in men's lives. *Developmental Psychology, 22,* 233-245.
Elder, G. H., Jr. (1991). Family transitions, cycles, and social change. In P. Cowan & M. Hetherington (Eds), *Family transitions* (pp. 31-58). Hillsdale, NJ: Erlbaum.
Elder, G. H., Jr., Liker, J. K., & Cross, C. E. (1984). Parent-child behavior in the Great Depression: Life course and intergenerational influences. In P. B. Baltes & O. G. Brim, Jr. (Eds.), *Life-span development and behavior* (Vol 6) (pp. 111–159). New York: Academic Press.
Elkind, D. (1985). Egocentrism redux, *Developmental Review,* 5, 1967, 218-226.
Elkind, D. (1967). Egocentrism in adolescence. *Child Development, 38,* 1025–1034.
Elkind, D., & Bowen, R. (1979). Imaginary audience behavior in children and adolescents. *Developmental Psychology, 15,* 38-44.
Emanuel, E., Fairclough, D., Clarridge, B., Blum, D., Bruera, E., Penley, W., Schnipper, L., & Mayer, R. (2000). Attitudes and practices of U. S. oncologists regarding euthanasia and physician-assisted suicide. *Annals of Internal Medicine, 133,* 527–532.
Emde, R. N., Plomin, R., Robinson, J., Corley, R., DeFries, J., Fulker, D. W., Reznick, J. S., Campos, J., Kagan, J., & Zahn-Waxler, C. (1992). Temperament, emotion, and cognition at fourteen months: The MacArthur longitudinal twin study. *Child Development, 63,* 1437–1455.
Emery, C. F., & Gatz, M. (1990). Physiological and cognitive effects of an exercise program for community-residing older adults. *The Gerontologist, 30,* 184–192.
Entwhistle, D. R., & Doering, S. G. (1981). *The first birth.* Baltimore, MD: Johns Hopkins University Press.
Epstein, S., (1991). Cognitive-experiential self theory: Implications for developmental psychology. In M. R. Gunnar & L. A. Sroufe (Eds), *The Minnesota symposia on Child development* (Vol. 23) (pp. 79-123). Hillsdale, NJ: Erlbaum.
Ericsson, K. A., & Crutcher, R. J. (1990). The nature of exceptional performance. In P. B. Baltes, D. L. Featherman, & R. M. Lerner (Eds.), *Life-span development and behavior* (Vol. 10) (pp. 188–218). Hillsdale, NJ: Erlbaum.
Erikson, E. H. (1950). *Childhood and society.* New York: Norton.
Erikson, E. H. (1959). *Identity and the life cycle.* New York: Norton (reissued, 1980).
Erikson, E. H. (1963). *Childhood and society* (2nd ed.). New York: Norton.
Erikson, E. H. (1980a). *Identity and the life cycle.* New York: Norton. (originally published 1959)
Erikson, E. H. (1980b). Themes of adulthood in the Freud-Jung correspondence. In N. J. Smelser & E. Erikson (Eds.), *Themes of work and love in adulthood* (pp. 43–76). Cambridge, MA: Harvard University Press.
Erikson, E. H. (1982). *The life cycle completed.* New York: Norton. Erikson, E. H., Erikson, J. M., & Kivnick, H. Q. (1986). *Vital involvement in old age.* New York: Norton.
Eron, L. D. (1987). The development of aggressive behavior from the perspective of a developing behaviorism. *American Psychologist, 42,* 435–442.
Eron, L. D., Huesmann, L. R., & Zelli, A. (1991). The role of parental variables in the learning of aggression. In D. J. Pepler & K. H. Rubin (Eds.), *The development and treatment of childhood aggression* (pp. 169–188). Hillsdale, NJ: Erlbaum.
Espinosa, M. P., Sigman, M. D., Neumann, C. G., Bwibo, N. O., & McDonald, M. A. (1992). Playground behaviors of school-age children in relation to nutrition, schooling, and family characteristics, *Developmental Psychology, 28,* 1188-1195.
Etaugh, C., & Liss, M. (1992). Home, school, and playroom: Training grounds for adult gender roles. *Sex Roles, 26,* 129–147.
Evans, R. I. (1969). *Dialogue with Erik Erikson.* New York: Dutton.
Ex, C., & Janssens, J. (1998). Maternal influences on daughters' gender role attitudes. *Sex Roles, 38,* 171–186.
Eyetsemitan, F. (1998). Stifled grief in the workplace. *Death Studies, 22,* 469–479.
Fabes, R. A., Knight, G. P., & Higgins, D. A. (1995, March). *Gender differences in aggression: A meta-analytic reexamination of time and age effects.* Paper presented at the biennial meetings of the Society for Research in Child Development, Indianapolis, IN.
Fagan, J. F., III (1992). Intelligence: A theorical viewpoint. *Current Directories in Psychological Science, 1,* 82-86.
Fagot, B. I., & Hagan, R. (1991). Observations of parent reactions to sex-stereotyped behaviors: Age and sex effects. *Child Development, 62,* 617–628.
Fagot, B. I., & Leinbach, M. D. (1989). The young child's gender schema: Environmental input, internal organization. *Child Development, 60,* 663–672.
Fagot, B. I., & Leinbach, M. D. (1993). Gender-role development in young children: From discrimination to labeling. *Developmental Review, 13,* 205–224.
Fagot, B. I., Leinbach, M. D., & O'Boyle, C. (1992). Gender labeling, gender stereotyping, and parenting behaviors. *Developmental Psychology, 28,* 225–230.
Fahle, M., & Daum, I. (1997). Visual learning and memory as functions of age. *Neuropsychologia, 35,* 1583–1589.
Fahrenfort, J., Jacobs, E., Miedema, S., & Schweizer, A. (1996). Signs of emotional disturbance three years after early hospitalization. *Journal of Pediatric Psychology, 21,* 353–366.
Fantuzzo, J., Coolahan, K., & Mendez, J. (1998). Contextually relevant validation of peer play constructs with African American Head Start children: Penn Interactive Peer Play Scale. *Early Childhood Research Quarterly, 13,* 411–431.
Farnham-Diggory, S. (1992). *The learning-disabled child.* Cambridge, MA: Harvard University Press.
Farrar, M. J. (1992). Negative evidence and grammatical morpheme acquisition. *Developmental Psychology, 28,* 90-98.
Farrell, M. P., & Rosenberg, S. D. (1981). *Men at midlife.* Boston: Auburn House.
Farrington, D. P. (1991). Childhood aggression and adult violence: Early precursors and later life outcomes. In D. J. Pepler & K. H. Rubin (Eds.), *The development and treatment of childhood aggression* (pp. 5–30). Hillsdale, NJ: Erlbaum.
Farver, J. (1996). Aggressive behavior in preschoolers' social networks: Do birds of a feather flock together? *Early Childhood Research Quarterly, 11,* 333–350.
Farver, J. M., Kim, Y. K., & Lee, Y. (1995). Cultural differences in Korean- and Anglo-American preschollers' social interaction and play behaviors. *Child Development, 66,* 1088-1099.
Faust, M. S. (1983). Alternative constructions of adolescent growth. In J. Brooks-Gunn & A. C. Petersen (Eds.), *Girls at puberty: Biological and psychosocial perspectives* (pp. 105–126). New York: Plenum.
Federal Interagency Forum on Aging-Related Statistics (FIFARS). (2000). *Older Americans 2000: Key indicators of well-being.* Retrieved February 7, 2001 from the World Wide Web: http://www.agingstats.gov/chartbook2000
Feeney, J. A. (1994). Attachment style, communication patterns, and satisfaction across the life cycle of marriage. *Personal Relationships, 1,* 333–348.
Feiring, C. (1999). Other-sex friendship networks and the development of romantic relationships in adolescence. *Journal of Youth & Adolescence, 28,* 495–512.
Feld, S., & George, L. K. (1994). Moderating effects of prior social resources on the hospitalizations of elders who become widowed. *Aging and Health, 6,* 275–295
Feldman, R. S. (Ed) (1992). *Applications of nonverbal behavioral theories and research.* Hillsdale, NJ: Erlbaum.
Feldman, S. R. (2001). *Child Development* (2nd ed.). New Jersey: Prentice Hall.
Fenn, D., & Ganzini, L. (1999). Attitudes of Oregon psychologists toward physician-assisted suicide and the Oregon Death With Dignity Act. *Professional Psychology: Research and Practice, 30,* 235–244.
Fenson, L., Dale, P. S., Reznick, J. S., Bates, E., Thal, D. J., & Pethick, S. J. (1994). Variability in early communicative development. *Monographs of the Society for Research in Child Development, 59*(5, Serial No. 242).
Fergusson, D. M., Horwood, L. J., & Lynskey, M. T. (1993). Maternal smoking before and after pregnancy: Effects on behavioral outcomes in middle childhood. *Pediatrics, 92,* 815–822.
Fernald, A., & Kuhl, P. (1987). Acoustic determinants of infant preference for motherese speech. *Infant Behavior and Development, 10,* 279–293.
Fernald, A., & Morikawa, H. (1993). Common themes and cultural variations in Japanese and American mothers' speech to infants. *Child Development, 64,* 637-656.
Field, T. (1995). Psychologically depressed parents. In M. H. Bornstein (Ed.), *Handbook of parenting: Vol. 4. Applied and practical parenting* (pp. 85–99). Mahwah, NJ: Erlbaum.
Field, T. M. (1977). Effects of early separation, interactive deficits, and experimental manipulations on infant-mother face-to-face interaction. *Child Development, 48,* 763-771.
Field, T. M., De Stefano, L., & Koewler, J. H. I. (1982). Fantasy play of toddlers and preschoolers. *Developmental Psychology, 18,* 503-508.
Fields, R. B. (1992). Psychosocial response to environment change. In V. B. Van Hasselt & M. Hersen (Eds.), *Handbook of social development: A lifespan perspective* (pp. 503–544). New York: Plenum.
FIFARS, *voir* Federal Interagency Forum on Aging-Related Statistics
Fillion, M. et Mongeon, M. (1993). « Entre la prévention du décrochage et la nécessité d'un nouveau contrat social ». *Revue québécoise de psychologie*, vol. 14, no 1, p. 123 à 134.
Filsinger, E. E., & Thoma, S. J. (1988). Behavioral antecedents of relationship stability and adjustment: A five-year longitudinal study. *Journal of Marriage and the Family, 50,* 785–795.
Fischer, K., & Rose, S. (1994). Dynamic development of coordination of components in brain and behavior: A framework for theory and research. In K. Fischer & G. Dawson (Eds.), *Human behavior and the developing brain* (pp. 3–66). New York: Guilford Press.
Fish, M., Stifter, C. A., & Belsky, J. (1991). Conditions of continuity and discontinuity in infant negative emotionality: Newborn to five months. *Child Development, 62,* 1525–1537.
Fisher, B., & Specht, D. (1999). Successful aging and creativity in later life. *Journal of Aging Studies, 13,* 457–472.
Fisher, C. (2000). Mood and emotions while working: Missing pieces of job satisfaction? *Journal of Organizational Behavior, 21,* 185–202.
Fitzgerald, B. (1999). Children of lesbian and gay parents: A review of the literature. *Marriage & Family Review, 29,* 57–75.

Flannery, D. J., Montemayor, R., & Eberly, M. B. (1994). The influence of parent negative emotional expression on adolescents' perceptions of their relationships with their parents. *Personal Relationships, 1,* 259–274.

Flannery, D., Vazsonyi, A., Embry, D., Powell, K., Atha, H., Vesterdal, W., & Shenyang, G. (2000, August). *Longitudinal effectiveness of the PeaceBuilders' universal school-based violence prevention program.* Paper presented at the annual meeting of the American Psychological Association, Washington, DC.

Flavell, J. H. (1985). *Cognitive development* (2nd ed.). Englewood Cliffs, NJ: Prentice-Hall.

Flavell, J. H. (1986). The development of children's knowledge about the appearance-reality distinction. *American Psychologist, 41,* 418–425.

Flavell, J. H. (1992). Cognitive development: Past, present, and future. *Developmental Psychology, 28,* 998-1005.

Flavell, J. H. (1993). Young children's understanding of thinking and consciousness. *Current Directions in Psychological Science, 2,* 40–43.

Flavell, J. H., Everett, B. A., Croft, K., & Flavell, E. R. (1981). Young children's knowledge about visual perception: Further evidence for the Level 1–Level 2 distinction. *Developmental Psychology, 17,* 99–103.

Flavell, J. H., Green, F. L., & Flavell, E. R. (1989). Young children's ability to differentiate appearance-reality and level 2 perspectives in the tactile modality. *Child Development, 60,* 201–213.

Flavell, J. H., Green, F. L., Flavell, E. R., & Grossman, J. B. (1997). The development of children's knowledge about inner speech. *Child Development, 68,* 39-47.

Flavell, J. H., Green, F. L., Wahl, K. E., & Flavell, E. R. (1987). The effects of question clarification and memory aids on young children's performance on appearance-reality tasks. *Cognitive Development, 2,* 127–144.

Flavell, J. H., Zhang, X.-D., Zou, H., Dong, Q., & Qi, S. (1983). A comparison of the appearance-reality distinction in the People's Republic of China and the United States. *Cognitive Psychology, 15,* 459–466.

Fleeson, W., & Heckhausen, J. (1997). More or less "me" in past, present, and future: Perceived lifetime personality during adulthood. *Psychology & Aging, 12,* 125–136.

Fleming, A. S., Ruble, D. L., Flett, G. L., & Schaul, D. L. (1988). Postpartum adjustment in first-time mothers: Relations between mood, maternal attitudes, and mother-infant interactions. *Developmental Psychology, 24,* 71-81.

Floyd, F., Stein, T., Harter, K., Allison, A., et al. (1999). Gay, lesbian, and bisexual youths: Separation-individuation, parental attitudes, identity consolidation, and well-being. *Journal of Youth & Adolescence, 28,* 705–717.

Floyd, R. L., Rimer, B. K., Giovino, G. A., Mullen, P. D., & Sullivan, S. E. (1993). A review of smoking in pregnancy: Effects on pregnancy outcomes and cessation efforts. *Annual Review of Public Health, 14,* 379–411.

Fordham, K., & Stevenson-Hinde, J. (1999). Shyness, friendship quality, and adjustment during middle childhood. *Journal of Child Psychology & Psychiatry & Allied Disciplines, 40,* 757–768.

Forsell, Y., & Winblad, B. (1999). Incidence of major depression in a very elderly population. *Journal of Geriatric Psychiatry, 14,* 368–372.

Forte, C., & Hansvick, C. (1999). Applicant age as a subjective employability factor: A study of workers over and under age fifty. *Journal of Employment Counseling, 36,* 24–34.

Fourn, L., Ducic, S., & Seguin, L. (1999). Smoking and intrauterine growth retardation in the Republic of Benin. *Journal of Epidemiology & Community Health, 53,* 432–433.

Fox, N. A., Kimmerly, N. L., & Schafer, W. D. (1991). Attachment to mother/attachment to father: A meta-analysis. *Child Development, 62,* 210–225.

Fozard, J. L. (1990). Vision and hearing in aging. In J. E. Birren & K. W. Schaie (Eds.), *Handbook of the psychology of aging* (3rd ed.) (pp. 150–171). San Diego, CA: Academic Press.

Francis, L. (1997). Ideology and interpersonal emotion management: Redefining identity in two support groups. *Social Psychology Quarterly, 60,* 153–171.

Francis, P. L., Self, P. A., & Horowitz, F. D. (1987). The behavioral assessment of the neonate: An overview. In J. D. Osofsky (Ed.), *Handbook of infant development* (2nd ed.) (pp. 723–779). New York: Wiley-Interscience.

Franco, N., & Levitt, M. (1998). The social ecology of middle childhood: Family support, friendship quality, and self-esteem. *Family Relations: Interdisciplinary Journal of Applied Family Studies, 47,* 315–321.

Freedman, D. G. (1979). Ethnic differences in babies. *Human Nature, 2,* 36–43.

Frey, K. S., & Ruble, D. N. (1992). Gender constancy and the "cost" of sex-typed behavior: A test of the conflict hypothesis. *Developmental Psychology, 28,* 714–721.

Frick, P., Christian, R., & Wooton, J. (1999). Age trends in association between parenting practices and conduct problems. *Behavior Modification, 23,* 106–128.

Fuller, T. L., & Fincham, F. D. (1995). Attachment style in married couples: Relation to current marital functioning, stability over time, and method of assessment. *Personal Relationships, 2,* 17–34.

Funk, J., & Buchman, D. (1999). Playing violent video and computer games and adolescent self-concept. *Journal of Communication, 46,* 19–32.

Funk, J., Buchman, D., Myers, B., & Jenks, J. (2000, August). *Asking the right questions in research on violent electronic games.* Paper presented at the annual meeting of the American Psychological Association, Washington, DC.

Furnham, A. (1999). Economic socialization: A study of adults' perceptions and uses of allowances (pocket money) to educate children. *British Journal of Developmental Psychology, 17,* 585–604.

Furrow, D. (1984). Social and private speech at two years. *Child Development, 55,* 355-362.

Furstenberg, F., & Harris, J. (1992). When fathers matter/why fathers matter: the impact of paternal involvement on the offspring of adolescent mothers. In R. Lerman & T. Ooms (Eds.), *Young unwed fathers.* Philadelphia: Temple University Press.

Gaillard, W., Hertz-Pannier, L., Mott, S., Barnett, A., LeBihan, D., & Theodore, W. (2000). Functional anatomy of cognitive development: fMRI of verbal fluency in children and adults. *Neurology, 54,* 180–185.

Gainey, R., Catalano, R., Haggerty, K., & Hoppe, M. (1997). Deviance among the children of heroin addicts in treatment: Impact of parents and peers. *Deviant Behavior, 18,* 143–159.

Gallagher, A., Frith, U., & Snowling, M. (2000). Precursors of literacy delay among children at genetic risk of dyslexia. *Journal of Child Psychology & Psychiatry & Allied Disciplines, 41,* 202–213.

Gallagher, S. K. (1994). Doing their share: Comparing patterns of help given by older and younger adults. *Journal of Marriage and the Family, 56,* 567–578.

Gallagher, W. (1993, May). Midlife myths. *The Atlantic Monthly,* pp. 51–68.

Gallagher-Thompson, D., Futterman, A., Farberow, N., Thompson, L. W., & Peterson, J. (1993). The impact of spousal bereavement on older widows and widowers. In M. S. Stroebe, W. Stroebe, & R. O. Hansson (Eds.), *Handbook of bereavement: Theory, research, and intervention* (pp. 227–239). Cambridge, England: Cambridge University Press.

Gallagher-Thompson, D., Tazeau, Y., & Basilio L. (1997). The relationships of dimensions of acculturation to self-reported depression in older Mexican-American women. *Journal of Clinical Geropsychology, 3,* 123–137.

Gallo, W., Bradley, E., Siegel, M., & Kasl, S. (2000). Health effects of involuntary job loss among older workers: Findings from the health and retirement survey. Journals of Gerontology: Series B: *Psychological Sciences & Social Sciences, 55B,* S131–S140.

Gannon, L., & Stevens, J. (1998). Portraits of menopause in the mass media. *Women & Health, 27,* 1–15.

Garbarino, J., Dubrow, N., Kostelny, K., & Pardo, C. (1992). *Children in danger: Coping with the consequences of community violence:* San Francisco: Jossey-Bass.

Garbarino, J., Kostelny, K., & Dubrow, N. (1991). *No place to be a child: Growing up in a war zone.* Lexington, MA: Lexington Books.

Gardner, D, Harris, P. L., Ohmoto, M., & Hamasaki, T. (1988). Japanese children's understanding of the distinction between real and apparent emotion. *International Journal of Behavorial Development, 11,* 203-218.

Gardner, H. (1983). *Frames of mind: The theory of multiple intelligence.* New York: Basic Books.

Garland, A. F., & Zigler, E. (1993). Adolescent suicide prevention: Current research and social policy implications. *American Psychologist, 48,* 169–182.

Garmezy, N. (1993). Vulnerability and resilience. In D. C. Funder, R. D. Parke, C. Tomlinson-Keasey, & K. Widaman (Eds.), *Studying lives through time: Personality and development* (pp. 377–398). Washington, DC: American Psychological Association.

Garmezy, N., & Masten, A. S. (1991). The protective role of competence indicators in children at risk. In E. M. Cummings, A. L. Green, & K. H. Karraker (Eds), *Life-span developmental psychology: Perspective on stress and coping* (pp. 151-174). Hillsdale, NJ: Erlbaum.

Garmezy, N., & Rutter, M. (Eds.). (1983). *Stress, coping, and development in children.* New York: McGraw-Hill.

Garn, S. M. (1980). Continuities and change in maturational timing. In O. G. Brim, Jr. & J. Kagan (Eds.), *Constancy and change in human development* (pp. 113–162). Cambridge, MA: Harvard University Press.

Garner, C. (1995). Infertility. In C. I. Fogel & N. F. Woods (Eds.), *Women's health care* (pp. 611–628). Thousand Oaks, CA: Sage.

Garner, R., et Alexandre, P.A. Metacognition: Answered and unanswered questions, *Educational Psychologist,* 24, 1989, 143-158.

Gatz, M., Kasl-Godley, J. E., & Karel, M. J. (1996). Aging and mental disorders. In J. E. Birren & K. W. Schaie (Eds.), *Handbook of the psychology of aging* (4th ed.) (pp. 365–381). San Diego, CA: Academic Press.

Ge, X., & Conger, R. (1999). Adjustment problems and emerging personality characteristics from early to late adolescence. *American Journal of Community Psychology, 27,* 429–459.

Gecas, V., & Seff, M. A. (1990). Families and adolescents: A review of the 1980s. *Journal of Marriage and the Family, 52,* 941-958.

Gelman, R. (1972). Logical capacity of very young children: Number invariance rules. *Child Development, 43,* 75–90.

George, C. (1989). *Apprendre par l'action,* 2e éd., Paris, P.U.F.

George, L. K. (1990). Social structure, social processes, and social-psychological states. In R. H. Binstock & L. K. George (Eds.), *Handbook of aging and the social sciences* (3rd ed.) (pp. 186–204). San Diego, CA: Academic Press.

George, L. K. (1996). Social factors and illness. In R. H. Binstock & L. K. George (Eds), *Handbook of aging and the social sciences* (4th ed.) (pp. 229-252). San Diego, CA: Academic Press.

Georgieff, M. K. (1994). Nutritional deficiencies as developmental risk factors: Commentary on Pollitt and Gorman. In C. A. Nelson (Ed.), *The Minnesota Symposia on Child Development* (Vol. 27) (pp. 145–159). Hillsdale, NJ: Erlbaum.

Gesell, A. (1925). *The mental growth of the preschool child.* New York: Macmillan.

Gesser, G., Wong, P. T. P., & Reker, G. T. (1987/1988). Death attitudes across the life-span: The development and validation of the death attitude profile (DAP). *Omega, 18,* 113–128.

Giambra, L. M., Arenberg, D., Zonderman, A. B., Kawas, C., & Costa, P. T., Jr. (1995). Adult life span changes in immediate visual memory and verbal intelligence. *Psychology and Aging, 10,* 123–139.

Gibbs, R., & Beitel, D. (1995). What proverb understanding reveals about how people think. *Psychological Bulletin, 118,* 133–154.

Gibson, D. M. (1986). Interaction and well-being in old age: Is it quantity or quality that counts? *International Journal of Aging and Human Development, 24,* 29–40.

Gibson, D. R. (1990). Relation of socioeconomic status to logical and sociomoral judgment of middle-aged men. *Psychology and Aging, 5,* 510–513.

Gilbertson, M., & Bramlett, R. (1998). Phonological awareness screening to identify at-risk readers: Implications for practitioners. *Language, Speech, & Hearing Services in Schools, 29,* 109–116.

Gilligan, C. (1987). Adolescent development reconsidered. *New Directions for Child Development, 37,* 63-92.

Gilligan, C. (1982). *In a different voice: Psychological theory and women's development.* Cambridge, MA: Harvard University Press.

Gilligan, C. (1982a). New maps of development: New visions of maturity. *American Journal of Orthopsychiatry, 52,* 199-212.

Gilligan, C. (1982b). *In a different voice: Psychological theory and women's development.* Cambridge, MA: Harvard University Press.

Gilligan, C., & Wiggins, G. (1987). The origins of morality in early childhood relationships. In J. Kagan & S. Lamb (Eds.), *The emergence of morality in young children* (pp. 277–307). Chicago: University of Chicago Press.

Gilman, E. A., Cheng, K. K., Winter, H. R., & Scragg, R. (1995). Trends in rates and seasonal distribution of sudden infant deaths in England and Wales, 1988–1992. *British Medical Journal, 30,* 631–632.

Gladue, B. A. (1994). The biopsychology of sexual orientation. *Current Directions in Psychological Science, 3,* 150–154.

Glaser, D. (2000). Child abuse and neglect and the brain-a review. *Journal of Child Psychology & Psychiatry & Allied Disciplines, 41,* 97–116.

Glaser, R., Kiecolt-Glaser, J. K., Bonneau, R. H., Malarkey, W., Kennedy, S., & Hughes, J. (1992). Stress-induced modulation of the immune response to recombinant hepatitis B vaccine. *Psychosomatic Medicine, 54,* 22–29.

Glass, J., & Jolly, G. (1997). Satisfaction in later life among women 60 or over. *Educational Gerontology, 23,* 297–314.

Glass, J., & Kilpatrick, B. (1998). Gender comparisons of baby boomers and financial preparation for retirement. *Educational Gerontology, 24,* 719–745.

Glazer, H. (1998). Expressions of children's grief: A qualitative study. *International Journal of Play Therapy, 7,* 51–65.

Glenn, N. D. (1990). Quantitative research on marital quality in the 1980s: A critical review. *Journal of Marriage and the Family, 52,* 818–831.

Glenn, N. D., & Weaver, C. N. (1981). The contribution of marital happiness to global happiness. *Journal of Marriage and the Family, 43,* 161-168.

Glenn, N. D., & Weaver, C. N. (1985). Age, cohort, and reported job satisfaction in the United States. In A. S. Blau (Ed.), *Current perspectives on aging and the life cycle. A research annual: Vol. 1. Work, retirement and social policy* (pp. 89–110). Greenwich, CT.

Glenn, N. D., & Weaver, C. N. (1988). The changing relationship of marital status to reported happiness. *Journal of Marriage and the Family, 50,* 317–324.

Gloger-Tippelt, G., & Huerkamp, M. (1998). Relationship change at the transition to parenthood and security of infant-mother attachment. *International Journal of Behavioral Development, 23,* 633–655.

Glueck, S, & Glueck, E. (1968). *Delinquents and nondeliquents in perspective.* Cambridge, MA: Harvard University Press.

Gnepp, J., & Chilamkurti, C. (1988). Children's use of personality attributions to predict other people's emotional and behavioral reactions. *Child Development, 50,* 743–754.

Goetting, A. (1986). The developmental tasks of siblingship over the life cycle. *Journal of Marriage and the Family, 48,* 703–714.

Gold, D. (1996). Continuities and discontinuities in sibling relationships across the life span. In V. I. Bengtson (Ed.), *Adulthood and aging: Research on continuities and discontinuities.* New York: Springer.

Gold, D. P., Andres, D., Etezadi, J., Arbuckle, T., Schwartzman, A., & Chaikelson, J. (1995). Structural equation model of intellectual change and continuity and predictors of intelligence in older men. *Psychology and Aging, 10,* 294–303.

Goldberg, A. P., Dengel, D. R., & Hagberg, J. M. (1996). Exercise physiology and aging. In E. L. Schneider & J. W. Rowe (Eds.), *Handbook of the biology of aging* (4th ed.) (pp. 331–354). San Diego, CA: Academic Press.

Goldberg, W. A. (1990). Marital quality, parental personality, and spousal agreement about perceptions and expectations for children. *Merrill-Palmer Quarterly, 36,* 531–556.

Goldfield, B. A., & Reznick, J. S. (1990). Early lexical acquisition: Rate, content, and the vocabulary spurt. *Journal of Child Language, 17,* 171–183.

Goldsmith, H., & Alansky, J. (1987). Maternal and infant temperamental predictors of attachment: A meta-analytic review. *Journal of Consulting and Clinical Psychology, 55,* 805–806.

Golombok, S., & Tasker, F. (1996). Do parents influence the sexual orientation of their children? Findings from a longitudinal study of lesbian families. *Developmental Psychology, 32,* 3–11.

Gomez, R., Bounds, J., Holmberg, K., Fullarton, C., & Gomez, A. (1999). Effects of neuroticism and avoidant coping style on maladjustment during early adolescence. *Personality & Individual Differences, 26,* 305–319.

Gomez, R., Holmberg, K., Bounds, J., Fullarton, C., & Gomez, A. (1999). Neuroticism and extraversion as predictors of coping styles during early adolescence. *Personality & Individual Differences, 27,* 3–17.

Goodenough, F. L. (1931). *Anger in young children.* Minneapolis: University of Minnesota Press.

Goodsitt, J. V., Morse, P. A., Ver Hoeve, J. N., & Cowan, N. (1984). Infant speech recognition in multisyllabic contexts. *Child Development, 55,* 903–910.

Gopnik, A., & Astington, J. W. (1988). Children's understanding of representational change and its relation to the understanding of false belief and the appearance-reality distinction. *Child Development, 59,* 26–37.

Gopnik, A., & Meltzoff, A. N. (1992). Categorization and naming: Basic-level sorting in eighteen-month-olds and its relation to language. *Child Development, 63,* 1091-1103.

Gopnik, A., & Wellman, H. M. (1994). The theory theory. In L. A. Hirschfeld & S. A. Gelman (Eds.), *Mapping the mind* (pp. 257–293). Cambridge, England: Cambridge University Press.

Gotesman, I. I., & Goldsmith, H. H. (1994). Developmental psychopathology of antisocial behavior: Inserting genes into its ontogenesis and epigenesis. In C. A. Nelson (Ed.), *The Minnesota Symposia on Child Psychology* (Vol. 27) (pp. 69-104). Hillsdale, NJ: Erlbaum.

Gothelf, D., Apter, A., Brand-Gothelf, A., Offer, N., Ofek, H., Tyano, S., & Pfeffer, C. (1998). Death concepts in suicidal adolescents. *Journal of the American Academy of Child & Adolescent Psychiatry, 37,* 1279–1286.

Gottlob, L., & Madden, D. (1999). Age differences in the strategic allocation of visual attention. *Journals of Gerontology: Series B: Psychological Sciences & Social Sciences, 54B,* P165–P172.

Gottman, J. M. (1986). The world of coordinated play: Same- and cross-sex friendship in young children. In J. M. Gottman & J. G. Parker (Eds.), *Conversations of friends: Speculations on affective development* (pp. 139–191). Cambridge, England: Cambridge University Press.

Gottman, J. M. (1994a). *What predicts divorce? The relationship between marital processes and marital outcomes.* Hillsdale, NJ: Erlbaum.

Gould, E., Reeves, A., Graziano, M., & Gross, C. (1999). Neurogenesis in the neocortex of adult primates. *Science, 286,* 548–552.

Graber, J. A., Brooks-Gunn, J., Paikoff, R. L., & Warren, M. P. (1994). Prediction of eating problems: An 8-year study of adolescent girls. *Developmental Psychology, 30,* 823–834.

Graham, J., Cohen, R., Zbikowski, S., & Secrist, M. (1998). A longitudinal investigation of race and sex as factors in children's classroom friendship choices. *Child Study Journal, 28,* 245–266.

Gralinski, J. H., & Kopp, C. B. (1993). Everyday rules for behavior: Mothers' requests to young children. *Developmental Psychology, 29,* 573–584.

Greenberg, J., & Kuczaj, S. A. II. (1982). Towards a theory of substantive word-meaning acquisition. In S. A. Kuczaj, II (Ed.), *Language development: Vol. 1. Syntax and semantics* (pp. 275-312). Hillsdale, NJ: Erlbaum.

Greenberg, M. T., Siegel, J. M., & Leitch, C. J. (1983). The nature and importance of attachment relationships to parents and peers during adolescence. *Journal of Youth and Adolescence, 12,* 373–386.

Greenberg, M. T., Speltz, M. L., & DeKlyen, M. (1993). The role of attachment in the early development of disruptive behavior problems. *Development and Psychopathology, 5,* 191–213.

Greenfield, P. (1994). Video games as cultural artifacts. *Journal of Applied Developmental Psychology, 15,* 3–12.

Greenfield, P., Brannon, C., & Lohr, D. (1994). Two-dimensional representation of movement through three-dimensional space: The role of video game expertise. *Journal of Applied Developmental Psychology, 15,* 87–104.

Greenough, W. T. (1991). Experience as a component of normal development: Evolutionary considerations. *Developmental Psychology, 27,* 11-27.

Greenough, W. T., Black, J. E., & Wallace, C. S. (1987). Experience and brain development. *Child Development, 58,* 539–559.

Greer, D. S., Mor, V., Morris, J. N., Sherwood, S., Kidder, D., & Birnbaum, H. (1986). An alternative in terminal care: Results of the National Hospice Study. *Journal of Chronic Diseases, 39,* 9–26.

Greer, S. (1991). Psychological response to cancer and survival. *Psychological Medicine, 21,* 43–49.

Greer, S., Morris, T., & Pettingale, K. W. (1979). Psychological response to breast cancer: Effect on outcome. *Lancet,* 785–787.

Grolnick, W. S., & Slowiaczek, M. L. (1994). Parents' involvement in children's schooling: A multidimensional conceptualization and motivational model. *Child Development, 65,* 237–252.

Gross, J., Carstensen, L., Pasupathi, M., Tsai, J., Gostestam-Skorpen, C., & Hsu, A. (1997). Emotion and aging: Experience, expression, and control. *Psychology & Aging, 12,* 590–599.

Grossman, A., Daugelli, A., & Hershberger, S. (2000). Social support networks of lesbian, gay, and bisexual adults 60 years of age and older. *Journals of Gerontology: Series B: Psychological Sciences & Social Sciences, 55B,* P171–P179.

Grusec, J. E. (1992). Social learning theory and developmental psychology: The Legacy of Robert Sears and Albert Bandura. *Developemental Psychology, 28,* 776-786.

Guerin, D. W., & Gottfried, A. W. (1994a). Developmental stability and change in parent reports of temperament: A ten-year longitudinal investigation from infancy through preadolescence. *Merrill-Palmer Quarterly, 40,* 334–355.

Guerin, D. W., & Gottfried, A. W. (1994b). Temperamental consequences of infant difficultness. *Infant Behavior and Development, 17,* 413–421.

Gunnar, M. R. (1994). Psychoendocrine studies of temperament and stress in early childhood: Expanding current models. In J. E. Bates & T. D. Wachs (Eds.), *Temperament: Individual differences at the interface of biology and behavior* (pp. 175–198). Washington, DC: American Psychological Association.

Guo, S. F. (1993). Postpartum depression. *Chung-Hua Fu Chan Ko Tsa Chi, 28,* 532–533, 569.

Guralnik, J. M., & Kaplan, G. A. (1989). Predictors of healthy aging: Prospective evidence from the Alameda County Study. *American Journal of Public Health, 79,* 703–708.

Guralnik, J. M., & Paul-Brown, D. (1984). Communicative adjustments during behavior-request episodes among children at different developmental levels. *Child Development, 55,* 911–919.

Guralnik, J. M., & Simonsick, E. M. (1993). Physical disability in older Anericans. *The Journals of Gerontology, 48* (Special Issue), 3-10.

Guralnik, J. M., Land, K. C., Blazer, D., Fillenbaum, G. G., & Branch, L. G. (1993). Educational status and active life expectancy among older blacks and whites. *New England Journal of Medicine, 329,* 110–116.

Guralnik, J. M., Simonsick, E. M., Ferrucci, L., Glynn, R. J., Berkman, L. F., Blazer, D. G., Scherr, P. A., & Wallace, R. B. (1994). A short physical performance battery assessing lower extremity function: Association with self-reported disability and prediction of mortality and nursing home admission. *Journals of Gerontology: Medical Sciences, 49,* M85–94.

Gurland, B., Wilder, D., Lantiga, R., Stern, Y., Chen, J., Killeffer, E., & Mayeux, R. (1999). Rates of dementia in three ethnoracial groups. *International Journal of Geriatric Psychiatry, 14,* 481–493.

Guse, L., & Masesar, M. (1999). Quality of life and successful aging in long-term care: Perceptions of residents. *Issues in Mental Health Nursing, 20,* 527–539.

Gutmann, D. (1975). Parenthood: A key to the comparative study of the life cycle. In N. Datan & L. H. Ginsberg (Eds), *Life-span developmental psychology: Normative life crises* (pp. 167-184). New York: Academic Press.

Gutmann, D. (1987). *Reclaimed powers: Toward a new psychology of men and women on later life.* New York: Basic Books.

Gwartney-Gibbs, P. A. (1988). Women's work experience and the "rusty skills" hypothesis: A reconceptualization and reevaluation of the evidence. In B. A. Gutek, A. H. Stromberg, & L. Larwood (Eds.), *Women and work: An annual review* (Vol. 3) (pp. 169–188). Newbury Park, CA: Sage.

Gzesh, S. M., & Surber, C. F. (1985). Visual perspective-taking skills in children. *Child Development, 56,* 1204–1213.

Haan, N. (1976). "...Change and sameness..." reconsidered. *International Journal of Aging and Human Development, 7,* 59–65.

Haan, N. (1981a). Adolescents and young adults as producers of their own development. In R. M. Lerner & N. A. Busch-Rossnagel (Eds), *Individuals as producers of their own development* (pp. 155-182). New York: Academic Press.

Haan, N. (1981b). Common dimensions of personality development: Early adolescence to middle life. In D. H. Eichorn, J. A. Clausen, N. Haan, M. P. Honzik, & P. H. Mussen (Eds), *Present and past in the middle life* (pp. 117-153). New York: Academic Press.

Haan, N. (1982). The assessment of coping, defense, and stress. In L. Goldberger & S. Breznitz (Eds.), *Handbook of stress: Theoretical and clinical aspects* (pp. 254–269). New York: Free Press.

Haan, N., Millsap, R., & Hartka, E. (1986). As time goes by: Change and stability in personality over fifty years. *Psychology and Aging, 1,* 220–232.

Hack, M., Taylor, C. B. H., Klein, N., Eiben, R., Schatschneider, C., & Mercuri-Minich, N. (1994). School-age outcomes in children with birth weights under 750 g. *New England Journal of Medicine, 331,* 753–759.

Hagestad, G. O. (1986). Dimensions of time and the family. *American Behavioral Scientist, 29,* 679–694.

Hagestad, G. O. (1990). Social perspectives on the life course. In R. H. Binstock & L. K. George (Eds.), *Handbook of aging and the social sciences* (3rd ed.) (pp. 151–168). San Diego, CA: Academic Press.

Haight, W., Wang, X., Fung, H., Williams, K., et al. (1999). Universal, developmental, and variable aspects of young children's play. *Child Development, 70,* 1477–1488.

Haith, M. M. (1980). *Rules that babies look by.* Hillsdale, NJ: Erlbaum.

Halford, G. S., Maybery, M. T., O'Hare, A. W., & Grant, P. (1994). The development of memory and processing capacity. *Child Development, 65,* 1338–1356.

Halford, W. K., Hahlweg, K., & Dunne, M. (1990). The cross-cultural consistency of marital communication associated with marital distress. *Journal of Marriage and the Family, 52,* 487–500.

Hall, D. T. (1972). A model of coping with role conflict: The role behavior of college educated women. *Administrative Science Quarterly, 17,* 471–486.

Hall, D. T. (1975). Pressures from work, self, and home in the life stages of married women. *Journal of Vocational Behavior, 6,* 121–132.

Halle, T. (1999). Implicit theories of social interactions: Children's reasoning about the relative importance of gender and friendship in social partner choices. *Merrill-Palmer Quarterly, 45,* 445–467.

Halpern, C. T., Udry, J. R., Campbell, B., & Suchindran, C. (1993). Testosterone and pubertal development as predictors of sexual activity: A panel analysis of adolescent males. *Psychosomatic Medicine, 55,* 436–447.

Hamberger, K., & Minsky, D. (2000, August). *Evaluation of domestic violence training programs for health care professionals.* Paper presented at the annual meeting of the American Psychological Association. Washington, DC.

Hamilton, C. E. (1995, March). *Continuity and discontinuity of attachment from infancy through adolescence.* Paper presented at the biennial meetings of the Society for Research in Child Development, Indianapolis, IN.

Hansson, R. O., & Carpenter, B. N. (1994). *Relationships in old age: Coping with the challenge of transition.* New York: Guilford Press.

Hardy, M. A., & Quadagno, J. (1995). Satisfaction with early retirement: Making choices in the auto industry. *Journals of Gerontology: Social Sciences, 50B,* S217–228.

Harkness, S., & Super, C. M. (1985). The cultural context of gender segregation in children's peer groups. *Child Development, 56,* 219–224.

Harris, B., Lovett, L., Newcombe, R. G., Read, G. F., Walker, R., & Riad-Fahmy, D. (1994). Maternity blues and major endocrine changes: Cardiff puerperal mood and hormone study II. *British Medical Journal, 308,* 949–953.

Harris, P. L. (1989). *Children and emotion: The development of psychological understanding.* Oxford: Blackwell.

Harris, T., Brown, G. W., & Bifulco, A. (1990). Loss of parents in childhood and adult psychiatric disorder: A tentative overall model. *Development and Psychopathology, 2,* 311-328.

Harris, T., Kovar, M. G., Suzman, R., Kleinman, J. C., & Feldman, J. J. (1989). Longitudunal study of physical ability in the oldest-old. *American Journal of Public Health, 79,* 698-702.

Harrist, A., Zaia, A., Bates, J., Dodge, K., & Pettit, G. (1997). Subtypes of social withdrawal in early childhood: Sociometric status and social-cognitive differences across four years. *Child Development, 68,* 278–294.

Hart, B., & Risley, T. R. (1995). *Meaningful differences in the everyday experience of young American children.* Baltimore: Paul H. Brookes.

Hart, C., Olsen, S., Robinson, C., & Mandleco, B. (1997). The development of social and communicative competence in childhood: Review and a model of personal, familial, and extrafamilial processes. *Communication Yearbook, 20,* 305–373.

Harter, S. (1987). The determinations and mediational role of global self-worth in children. In N. Eisenberg (Ed.), *Contemporary topics in developmental psychology* (pp. 219–242). New York: Wiley-Interscience.

Harter, S. (1988). The determinations and mediational role of global self-worth in children. In N. Eisenberg (Ed.), *Contemporary topics in developmental psychology* (pp. 219-242). New York: Wiley-Interscience.

Harter, S. (1990). Processes underlying adolescent self-concept formation. In R. Montemayor, G. R. Adams, & T. P. Gullotta (Eds.), *From childhood to adolescence: A transitional period?* (pp. 205–239). Newbury Park, CA: Sage.

Harter, S., & Monsour, A. (1992). Developmental analysis of conflict caused by opposing attributes in the adolescent self-portrait. *Developmental Psychology, 28,* 251–260.

Harter, S., Marold, D. B., & Whitesell, N. R. (1992). Model of psychosocial risk factors leading to suicidal ideation in young adolescents. *Development and Psychpathology, 4,* 167-188.

Harton, H., & Latane, B. (1997). Social influence and adolescent lifestyle attitudes. *Journal of Research on Adolescence, 7,* 197–220.

Hartup, W. W. (1974). Aggression in childhood: Developmental perspectives. *American Psychologist, 29,* 336–341.

Hartup, W. W. (1992). Peer relations in early and middle chilhood. In V. B. Hasselt & M. Hersen (Eds), *Handbook of social development: A lifespan perspective* (pp.257-281). New York: Plenum.

Hartup, W. W. (1996). The company they keep: Friendships and their developmental significance. *Child Development, 67,* 1–13.

Hartup, W.W (1983). Peer relations. In E. M. Hetherington (Ed.), Handbook of child psychology. Vol.3: Socialization, personality, and development (pp 103-196). New York: Wiley. (P.H. Mussens Series Editor).

Hartup, W.W. (1984) The peer context in middle childhood In W.A. Collins (Ed), Development during middle childhood. The years from six to twelve (pp. 240-282). Washington, D.C: National Academy Press.

Harwood, D., Barker, W., Ownby, R., Bravo, M., Aguero, H., & Duara, R. (2000). Depressive symptoms in Alzheimer's disease: An examination among community-dwelling Cuban American patients. *American Journal of Geriatric Psychiatry, 8,* 84–91.

Hausman, P. B., & Weksler, M. E. (1985). Changes in the immune response with age. In C. E. Finch & E. L. Schneider (Eds.), *Handbook of the biology of aging* (2nd ed.) (pp. 414–432). New York: Van Nostrand Reinhold.

Haviland, J. M., & Lelwica, M. (1987). The induced affect response: 10-week-old infants' responses to three emotional expressions. *Developmental Psychology, 23,* 97–104.

Hawkins, H. L., Kramer, A. F., & Capaldi, D. (1992). Aging, exercise, and attention. *Psychology and Aging, 7,* 643–653.

Hayflick, L. (1977). The cellular basis for biological aging. In C. E. Finch & L. Hayflick (Eds.), *Handbook of the biology of aging* (pp. 159–186). New York: Van Nostrand Reinhold.

Hayflick, L. (1987). Origins of longevity. In H. R. Warner, R. N. Butler, R. L. Sprott, & E. L. Schneider (Eds.), *Aging: Vol. 31. Modern biological theories of aging* (pp. 21–34). New York: Raven Press.

Hayne, H., & Rovee-Collier, C. (1995). The organization of reactivated memory in infancy. *Child Development, 66,* 893–906.

Hazan, C., & Shaver, P. (1987). Romantic love conceptualized as an attachment process. *Journal of Personality and Social Psychology, 52,* 511–524.

Hazan, C., & Shaver, P. (1990). Love and work: An attachment-theoretical perspective. *Journal of Personality and Social Psychology, 52,* 511-524.

Hazan, C., Hutt, M., Sturgeon, J., & Bricker, T. (1991, April). *The process of relinquishing parents as attachment figures.* Paper presented at the biennial meetings of the Society for Research in Child Development, Seattle, WA.

Hazuda, H., Wood, R., Lichtenstein, M., & Espino, D. (1998). Sociocultural status, psychosocial factors, and cognitive functional limitation in elderly Mexican Americans: Findings from the San Antonio Longitudinal Study of Aging. *Journal of Gerontological Social Work, 30,* 99–121.

Heagarty, M. C. (1991). America's lost children: Whose responsability? *Journal of Pediatrics, 118,* 8-10.

Heaton, T. B., & Pratt, E. L. (1990). The effects of religious homogamy on marital satisfaction and stability. *Journal of Family Issues, 11,* 191–207.

Heckhausen, J., & Brim, O. (1997). Perceived problems for self and others: Self-protection by social downgrading throughout adulthood. *Psychology & Aging, 12,* 610–619.

Heinicke, C., Goorsky, M., Moscov, S., Dudley, K., Gordon, J., Schneider, C., & Guthrie, D. (2000). Relationship-based intervention with at-risk mothers: Factors affecting variations in outcome. *Infant Mental Health Journal, 21,* 133–155.

Helson, R., & Klohnen, D. (1998). Affective coloring of personality from young adulthood to midlife. *Personality & Social Psychology Bulletin, 24,* 241–252.

Helson, R., & Moane, G. (1987). Personality change in women from college to midlife. *Journal of Personality and Social Psychology, 53,* 176–186.

Helson, R., & Stewart, A. (1994). Personality change in adulthood. In T. F. Hetherton & J. L. Weinberger (Eds.), *Can personality change?* (pp. 210–225). Washington, DC: American Psychological Association.

Helson, R., Mitchell, V., & Moane, G. (1984). Personality and patterns of adherence and nonadherence to the social clock. *Journal of Personality and Social Psychology, 46,* 1079–1096.

Heneborn, W. J., & Cogan, R. (1975). The effect of husband participation on reported pain and the probability of medication during labour and birth. *Journal of Psychosomatic Research, 19,* 215-222.

Henry, B., Caspi, A., Moffitt, T., & Silva, P. (1996). Temperamental and familial predictors of violent and nonviolent criminal convictions: Age 3 to age 18. *Developmental Psychology, 32,* 614–623.

Hernandez, D. (1993). *America's Children.* New York: Russell Sage Foundation.Hirsch, H. V. B., & Tieman, S. B. (1987). Perceptual development and experience-dependent changes in cat visual cortex. In M. H. Bornstein (Ed.), Sensitive periods in development: *Interdisciplinary perspectives* (pp. 39-80). Hilsdale, NJ: Erlbaum.

Herrenkohl, E., Herrenkohl, R., Egolf, B., & Russo, M. (1998). The relationship between early maltreatment and teenage parenthood. *Journal of Adolescence, 21,* 291–303.

Herzog, A. R., House, J. S., & Morgan, J. N. (1991). Relation of work and retirement to health and well-being in older age. *Psychology and Aging, 6,* 202–211.

Hess, E. H. (1972). "Imprinting" in a natural laboratory. *Scientific American, 227,* 24–31.

Hess, T., Bolstad, C., Woodburn, S., & Auman, C. (1999). Trait diagnosticity versus behavioral consistency as determinants of impression change in adulthood. *Psychology & Aging, 14,* 77–89.

Hetherington, E.M., et Camera, K.A. (1984). Families in transition: The process of dissolution and reconstitution. In R.D Parke, R.N. Emde, H.P. McAdoo, et G.P Sackett (Eds), Review of child development research: Vol. 7. The family (pp. 398-440). Chicago: University of Chicago Presss.

Hetherington, E.M. (1989). Coping with family transitions: Winners, losers, and survivors. *Child Development,* 60, 1-14.

Hetherington, E.M. (1991a). Presidential address: Families, lies, and videotapes. *Journal of Research on Adolescence, 1,* 323–348.

Hetherington, E. M. (1991b). The role of individual differences and family relationships in children's coping with divorce and remarriage. In P. A. Cowen & M. Hetherington (Eds.), *Family transitions* (pp. 165–194). Hillsdale, NJ: Erlbaum.

Hetherington, E. M., & Clingempeel, W. G. (1992). Coping with marital transitions: A family systems perspective. *Monographs of the Society for Research in Child Development, 57* (2–3, Serial No. 227).

Hetherington, E. M., & Stanley-Hagan, M. M. (1995). Parenting in divorced and remarried families. In M. H. Bornstein (Ed.), *Handbook of parenting: Vol. 3. Status and social conditions of parenting* (pp. 233–254). Mahwah, NJ: Erlbaum.

Hetherington, E., Bridges, M., & Insabella, G. (1998). What matters? What does not?: Five perspectives on the association between marital transitions and children's adjustment. *American Psychologist, 53,* 167–184.

Hetherington, E., Henderson, S., Reiss, D., Anderson, E., et al. (1999). Adolescent siblings in stepfamilies: Family functioning and adolescent adjustment. *Monographs of the Society for Research in Child Development, 64,* 222.

Hicks, D., & Gwynne, M. (1996). *Cultural anthropology.* New York: HarperCollins.

Higgins, C., Duxbury, L., & Lee, C. (1994). Impact of life-cycle stage and gender on the ability to balance work and family responsibilities. *Family Relations, 43,* 144–150.

Hill, A., & Franklin, J. (1998). Mothers, daughters, and dieting: Investigating the transmission of weight control. *British Journal of Clinical Psychology, 37,* 3–13.

Hill, C. (1999). Fusion and conflict in lesbian relationships. *Feminism & Psychology, 9,* 179–185.

Hill, M. S. (1988). Marital stability and spouses' shared time: A multidisciplinary hypothesis. *Journal of Family Relations, 9,* 427–451.

Hill, R. D., Storandt, M., & Malley, M. (1993). The impact of long-term exercise training on psychological function in older adults. *Journals of Gerontology: Psychological Sciences, 48,* P12–17.

Hinde, R. A., Titmus, G., Easton, D., & Tamplin, A. (1985). Incidence of "friendship" and behavior toward strong associates versus nonassociates in preschoolers. *Child Development, 56,* 234–245.

Hinton, J. (1975). The influence of previous personality on reactions to having terminal cancer. *Omega, 6,* 95–111.

Hirdes, J. P., & Strain, L. A. (1995). The balance of exchange in instrumental support with network members outside the household. *Journals of Gerontology: Social Sciences, 50B,* S134–142.

Hirsh-Pasek. K., Trieman, R., & Schneiderman, M. (1984). Brown and Hanlon revisited: Mother's sensitivity to ungrammatical forms. *Journal of Child Language, 11,* 81-88.

Ho, C., & Bryant, P. (1997). Learning to read Chinese beyond the logographic phase. *Reading Research Quarterly, 32,* 276–289.

Hoch, C. C., Buysse, D. J., Monk, T. H., & Reynolds, C. F. I. (1992). Sleep disorders and aging. In J. E. Birren, R. B. Sloane, & G. D. Cohen (Eds.), *Handbook of mental health and aging* (2nd ed.) (pp. 557–582). San Diego, CA: Academic Press.

Hodge, S., & Canter, D. (1998). Victims and perpetrators of male sexual assault. *Journal of Interpersonal Violence, 13,* 222–239.

Hofferth, S. L. (1987b). Social and economic consequences of teenage childbearing. In S. L. Hofferth & C. D. Hayes (Eds), *Risking the future: Adolescent sexuality, pregnancy, and childbearing. Working papers* (pp. 123-144). Washington, DC: National Academy Press.

Hofferth, S. L., Boisjoly, J., & Ducan, G. (1995). *Does children's school attainment benefit from parental access to social capital?* Paper presented at the biennal meetings of the Society for Research in Child Development, Indianapolis, March.

Hoffman, H. J., & Hillman, L. S. (1992). Epidemiology of the sudden infant death syndrome: Maternal, neonatal, and postneonatal risk factors. *Clinics in Perinatology, 19*(4), 717–737.

Hoffman, M. (1970). Moral Development. In P. Mussen (Ed.), *Carmichael's manual of child psychology* (Vol. 2). New York: Wiley.

Holden, C. (1987). Genes and behavior: A twin legacy. *Psychology Today, 21(9),* 18-19.

Holden, G. W., Coleman, S. M., & Schmidt, K. L. (1995). Why 3-year-old children get spanked: Parent and child determinants as reported by college-educated mothers. *Merrill-Palmer Quarterly, 41,* 431-452.

Holden, K. C., & Smock, P. J. (1991). The economic costs of marital dissolution: Why do women bear a disproportionate cost? *Annual Review of Sociology, 17,* 51–78.

Holland, A., Hon, J., Huppert, F., Stevens, F., & Watson, P. (1998). Population-based study of the prevalence and presentation of dementia in adults with Down syndrome. *British Journal of Psychiatry, 172,* 493–498.

Holmbeck, G. N., & Hill, J. P. (1991). Conflictive engagement, positive affect, and menarche in families with seventh-grade girls. *Child Development, 62,* 1030–1048.

Hopkins, J., Marcus, M., & Campbell, S. B. (1984). Postpartum depression: A critical review. *Psychological Bulletin, 95,* 498-515.

Horan, W., Pogge, D., Borgaro, S., & Stokes, J. (1997). Learning and memory in adolescent psychiatric inpatients with major depression: A normative study of the California Verbal Learning Test. *Archives of Clinical Neuropsychology, 12,* 575–584.

Horn, J. L. (1982). The aging of human abilities. In B. B. Wolman (Ed.), *Handbook of developmental psychology* (pp. 847–870). Englewood Cliffs, NJ: Prentice-Hall.

Horn, J. L., & Donaldson, G. (1980). Cognitive development in adulthood. In O. G. Brim, Jr. & J. Kagan (Eds.), *Constancy and change in human development* (pp. 415–529). Cambridge, MA: Harvard University Press.

Horn, L., & Bertold, J. (1999). *Students with disabilities in post-secondary education: A profile of preparation, participation, and outcomes.* Washington, DC: National Center for Educational Statistics. [Online report]. Retrieved August 23, 2000 from the World Wide Web: http://www.nces.ed.gov

Hornbrook, M. C., Stevens, V. J., & Wingfield, D. J. (1994). Preventing falls among community-dwelling older persons: Results from a randomized trial. *The Gerontologist, 34,* 16–23.

Horner, K. W., Rushton, J. P., & Vernon, P. A. (1986). Relation between aging and research productivity of academic psychologists. *Psychology and Aging, 1,* 319–324.

Hornik, M. (1998). Physician-assisted suicide and euthanasia's impact on the frail elderly: A social worker's response. *Journal of Long Term Home Health Care: The Pride Institute Journal, 17,* 34–41.

Horowitz, A., McLaughlin, J., & White, H. (1998). How the negative and positive aspects of partner relationships affect the mental health of young married people. *Journal of Health & Social Behavior, 39,* 124–136.

Horowitz, F. D. (1987). *Exploring developmental theories: Toward a structural/behavorial model of development.* Hilsdale, NJ, Erlbaum.

Houde, R. (1991), *Les temps de la vie : Le développement psychosocial de l'adulte selon la perspective du cycle de vie,* Gaëtan Morin Éditeur: Boucherville, Québec (Canada).

House, J. A., Kessler, R. C., & Herzog, A. R. (1990). Age, socioeconomic status, and health. *The Milbank Quarterly, 68,* 383–411.

House, J. S., Kessler, R. C., Herzog, A. R., Mero, R. P., Kinney, A. M., & Breslow, M. J. (1992). Social stratification, age, and health. In K. W. Schaie, D. Blazer, & J. M. House (Eds.), *Aging, health behaviors, and health outcomes* (pp. 1–32). Hillsdale, NJ: Erlbaum.

Houseknecht, S. K. (1987). Voluntary childlessness. In M. B. Sussman & S. K. Steinmetz (Eds.), *Handbook of marriage and the family* (pp. 369–395). New York: Plenum.

Houseknecht, S. K., & Macke, A. S. (1981). Combining marriage and career: The marital adjustment of professional women. *Journal of Marriage and the Family, 43,* 651-661.

Hovell, M., Sipan, C., Blumberg, E., Atkins, C., Hofstetter, C. R., & Kreitner, S. (1994). Family influences on Latino and Anglo adolescents' sexual behavior. *Journal of Marriage and the Family, 56,* 973–986.

Howes, C. (1983). Patterns of friendship. *Child Development, 54,* 1041–1053.

Howes, C. (1987). Social competence with peers in young children: Developmental sequences. *Developmental Review, 7,* 252–272.

Howes, C., & Matheson, C. C. (1992). Sequences in the development of competent play with peers: Social and pretend play. *Developmental Psychology, 28,* 961–974.

Hoyert, D. L. (1991). Financial and household exchanges between generations. *Research on Aging, 13,* 205–225.

Hoyert, D. L., & Seltzer, M. M. (1992). Factors related to the well-being and life activities of family caregivers. *Family Relations, 41,* 74–81.

Huang, H., & Hanley, J. (1997). A longitudinal study of phonological awareness, visual skills, and Chinese reading acquisition among first-graders in Taiwan. *International Journal of Behavioral Development, 20,* 249–268.

Hultsch, D. F., Hertzog, C., Small, B. J., McDonald-Miszczak, L., & Dixon, R. A. (1992). Short-term longitudinal change in cognitive performance in later life. *Psychology and Aging, 7,* 571–584.

Hummert, M., Garstka, T., & Shaner, J. (1997). Stereotyping of older adults: The role of target facial cues and perceiver characteristics. *Psychology & Aging, 21,* 107–114.

Hunter, M., & O'Dea, I. (1999). An evaluation of a health education intervention for mid-aged women: Five-year follow-up of effects upon knowledge, impact of menopause and health. *Patient Education & Counseling, 38,* 249–255.

Hunter, S., & Sundel, M. (1989). *Midlife myths: Issues, findings, and practice implications.* Newbury Park, CA: Sage.

Hurwitz, E., Gunn, W. J., Pinsky, P. F., & Schonberger, L. B. (1991). Risk of respiratory illness associated with day-care attendance: A nationwide study. *Pediatrics, 87,* 62–69.

Huston, T. L., & Chorost, A. F. (1994). Behavioral buffers on the effect of negativity on marital satisfaction: A longitudinal study. *Personal Relationships, 1,* 223–239.

Huston, T. L., McHale, S. M., & Crouter, A. C. (1986). When the honeymoon's over: Changes in the marriage relationship over the first year. In R. Gilmour & S. Duck (Eds.), *The emerging field of personal relationships* (pp. 109–132). Hillsdale, NJ: Erlbaum.

Hutt, S. J., Lenard, H. G., & Prechtl, H. F. R. (1969). Psychophysiological studies in newborn infants. In L. P. Lipsitt & H. W. Reese (Eds.), *Advances in child development and behavior* (Vol. 4) (pp. 128–173). New York: Academic Press.

Huttenlocher, J. (1995). *Children's language in relation to input.* Paper presented at the biennal meetings of the Society for Research in Child Development, Indianapolis, March.

Huttenlocher, J., Jordan, N. C., & Levine, S. C. (1994). A mental model for early arithmetic. *Journal of Experimental Psychology: General, 123,* 284-96.

Huttenlocher, P. R. (1994). Synaptogenesis, synapse elimination, and neural plasticity in human cerebral cortex. In C. A. Nelson (Ed.), *The Minnesota Symposia on Child Psychology* (Vol. 27) (pp. 35–54). Hillsdale, NJ: Erlbaum.

Huttenlocher, P. R. (1994). Synaptogenesis, synapse elimination, and neural plasticity in human cerebral cortex. In C. A. Nelson (Ed.), *The Minnesota Symposia on Child Psychology* (Vol. 27) (pp. 35-54). Hillsdale, NJ, Erlbaum.

Huyck, M. H. (1994). The relevance of psychodynamic theories for understanding gender among older women. In B. F. Turner & L. E. Troll (Eds), *Women growing older: Psychological perspectives* (pp. 202-238). Thousand Oaks, CA: Sage.

Idler, E. L., & Kasl, S. V. (1995). Self-ratings of health: Do they also predict change in functional ability? *Journals of Gerontology: Social Sciences, 50B,* S344-353.

Ingoldsby, E., Shaw, D., Owens, E., & Winslow, E. (1999). A longitudinal study of interparental conflict, emotional and behavioral reactivity, and preschoolers' adjustment problems among low-income families. *Journal of Abnormal Child Psychology, 27,* 343–356.

Inhelder, B., & Piaget, J. (1958). *The growth of logical thinking from childhood to adolescence.* New York: Basic Books.

Inhelder, B., & Piaget, J. (1964). *The early growth of logic in the child: Classification and seriation.* London: Routledge.

Inkeles, A., & Usui, C. (1989). Retirement patterns in cross-national perspective. In D. I. Kertzer & K. W. Schaie (Eds.), *Age structuring in comparative perspective* (pp. 227–262). Hillsdale, NJ: Erlbaum.

Inoff-Germain, G., Arnold, G. S., Notelman, E. D., Susman, E. J., Cutler, G. B. Jr., & Chrousos, G. P. (1988). Relations between hormone levels and observational measures of aggressive behavior of young adolescents in family interactions. *Developmental Psychology, 24,* 129-139.

Institut canadien de la santé infantile (1998), site Internet: www.cich.ca

Institut national de la santé et de la recherche médicale (2001), France, site Internet: www.inserm.fr

Institut national de la statistique et des études économiques (2000), France, site Internet: www.insee.fr

Interactive Digital Software Association. (1998). *Deep impact: How does the interactive entertainment industry affect the U.S. economy?* www.idsa.com

Irwin, M., & Pike, J. (1993). Bereavement, depressive symptoms, and immune function. In M. S. Stroebe, W. Stroebe, & R. O. Hansson (Eds.), *Handbook of bereavement: Theory, research, and intervention* (pp. 160–171). Cambridge, England: Cambridge University Press.

Isabella, R. A. (1995). The origins of infant-mother attachment: Maternal behavior and infant development. *Annals of Child Development, 10,* 57–81.

Isabella, R. A., Belsky, J., & von Eye, A. (1989). Origins of infant-mother attachment: An examination of interactional synchrony during the infant's first year. *Developmental Psychology, 25,* 12-21.

Ivy, G. O., MacLeod, C. M., Petit, T. L., & Marcus, E. J. (1992). A physiological framework for perceptual and cognitive changes in aging. In F. I. M. Craik & T. A. Salthouse (Eds.), *The handbook of aging and cognition* (pp. 273–314). Hillsdale, NJ: Erlbaum.

Izard, C. E., & Harris, P. (1995). Emotional development and developmental psychopathology. In D. Cicchetti & D. J. Cohen (Eds.), *Developmental psychopathology: Vol. 1. Theory and methods* (pp. 467–503). New York: Wiley.

Izard, C. E., & Malatesta, C. Z. (1987). Perspectives on emotional development I: Differential emotions theory of early emotional development. In J. D. Osofsky (Ed.), *Hanbdbook of infant development* (2nd ed.) (pp. 494–544). New York: Wiley-Interscience.

Izard, C. E., Fantauzzo, C. A., Castle, J. M., Haynes, O. M., Rayias, M. F., & Putnam, P. H. (1995). The ontogeny and significance of infants' facial expressions in the first 9 months of life. *Developmental Psychology, 31,* 997–1013.

Jackson, D., & Tein, J. (1998). Adolescents' conceptualization of adult roles: Relationships with age, gender, work goal, and maternal employment. *Sex Roles, 38,* 987–1008.

Jackson, L., & Bracken, B. (1998). Relationship between students' social status and global and domain-specific self-concepts. *Journal of School Psychology, 36,* 233–246.

Jacobs, S. C., Kosten, T. R., Kasl, S. V., Ostfeld, A. M., Berkman, L., & Charpentier, P. (1987/1988). Attachment theory and multiple dimensions of grief. *Omega, 18,* 41–52.

Jacobsen, T., & Hofmann, V. (1997). Children's attachment representations: Longitudinal relations to school behavior, and academic competency in middle childhood and adolescence. *Developmental Psychology, 33,* 703–710.

Jacobsen, T., Husa, M., Fendrich, M., Kruesi, M., & Ziegenhain, U. (1997). Children's ability to delay gratification: Longitudinal relations to mother-child attachment. *Journal of Genetic Psychology, 158,* 411–426.

Jacobson, J. L., & Jacobson, S. W. (1990). Methodological issues in human behavioral teratology. In C. Rovee-Collier & L. P. Lipsitt (Eds.), *Advances in infancy research* (Vol 6). Norwood, NJ: Ablex.

Jacobson, S. W., & Frye, K. F. (1991). Effect of maternal social support on attachment: Experimental evidence. *Child Development, 62,* 572-582.

Jadack, R. A., Hyde, J. S., Moore, C. F., & Keller, M. L. (1995). Moral reasoning about sexually transmitted diseases. *Child Development, 66,* 167–177.

James, S. A., Keenan, N. L., & Browning, S. (1992). Socioeconomic status, health behaviors, and health status among blacks. In K. W. Schaie, D. Blazer, & J. M. House (Eds.), *Aging, health behaviors, and health outcomes* (pp. 39–57). Hillsdale, NJ: Erlbaum.

James, W. (1892). *Psychology, the briefer course.* New York: Henry Holt.

Janssen, T., & Carton, J. (1999). The effects of locus of control and task difficulty on procrastination. *Journal of Genetic Psychology, 160,* 436–442.

Jarolmen, J. (1998). A comparison of the grief reaction of children and adults: Focusing on pet loss and bereavement. *Omega: Journal of Death & Dying, 37,* 133–150.

Jendrek, M. (1993). Grandparents who parent their grandchildren: Effects on lifestyle. *Journal of Marriage and the Family, 55,* 609–621.

Jenkins, J. & Buccioni, J. (2000). Children's understanding of marital conflict and the marital relationship. *Journal of Child Psychology & Psychiatry & Allied Disciplines, 41,* 161–168.

Jenkins, J. M., & Astington, J. W. (1996). Cognitive factors and family structure associated with theory of mind development in young children. *Developmental Psychology, 32,* 70–78.

Jenkins, L., Myerson, J., Hale, S., & Fry, A. (1999). Individual and developmental differences in working memory across the life span. *Psychonomic Bulletin & Review, 6,* 28–40.

Jensen, A., & Whang, P. (1994). Speed of accessing arithmetic facts in long-term memory: A comparison of Chinese-American and Anglo-American children. *Contemporary Educational Psychology, 19,* 1–12.

Jerrome, D. (1990). Intimate relationships. In J. Bond & P. Coleman (Eds.), *Aging in society* (pp. 181–208). London: Sage.

Jessor, R. (1992). Risk behavior in adolescence: A psychosocial framework for understanding and action. *Developmental Review, 12,* 374–390.

Jette, A. M. (1996). Disability trends and transitions. In R. H. Binstock & L. K. George (Eds.), *Handbook of aging and the social sciences* (4th ed.) (pp. 94–116). San Diego, CA: Academic Press.

John, O. P., Caspi, A., Robins, R. W., Moffitt, T. E., & Stouthamer-Loeber, M. (1994). The "little five": Exploring the nomological network of the five-factor model of personality in adolescent boys. *Child Development, 65,* 160–178.

Johnson, E., & Breslau, N. (2000). Increased risk of learning disabilities in low birth weight boys at age 11 years. *Biological Psychiatry, 47,* 490–500.

Jones, K. L., Smith, D. W., Ulleland, C. N., & Streissguth, A. p. (1973). Pattern of malformation in offspring of chronic alcoholic mothers. *Lancet, 1,* 1267-1271.

Jones, M. C. (1924). A laboratory study of fear: The case of Peter. *Pedagogical Seminary, 31,* 308–315.

Jorm, A., Christensen, H., Henderson, A., Jacomb, P., Korten, A., & Mackinnon, A. (1998). Factors associated with successful aging. *Journal of Ageing, 17,* 33–37.

Joshi, M. S., & MacLean, M. (1994). Indian and English children's understanding of the distinction between real and apparent emotion. *Child Development, 65,* 1372–1384.

Joung, I. M. A., Stronks, K., van de Mheen, H., & Mackenbach, J. P. (1995). Health behaviours explain part of the differences in self reported health associated with partner/marital status in The Netherlands. *Journal of Epidemiology and Community Health, 49,* 482–488.

Judge, T., Bono, J., & Locke, E. (2000). Personality and job satisfaction: The mediating role of job characteristics. *Journal of Applied Psychology, 85,* 237–249.

Juffer, F., & Rosenboom, L., (1997). Infant mother attachment of internationally adopted children in the Netherlands. *International Journal of Behavioral Development, 20,* 93–107.

Jutras, S., & Lavoie, J. (1995). Living with an impaired elderly person: The informal caregiver's physical and mental health. *Journal of Aging and Health, 7,* 46–73.Kagan, J. (1994). *Galen's prophecy.* New York: Basic Books.

Kagan, J., & Snidman, N. (1991). Temperamental factors in human development. *American psychologist, 46,* 857-862.

Kagan, J., Arcus, D., Snidman, N., Feng, W. Y., Hendler, J., & Greene, S. (1994). Reactivity in infants: A cross-national comparison. *Developmental Psychology, 30,* 342–345.

Kagan, J., Kearsley, R., & Zelazo, P. (1978). *Infancy: Its place in human development.* Cambridge, MA: Harvard University Press.

Kagan, J., Reznick, J. S., & Snidman, N. (1990). The temperamental qualities of inhibition and lack of inhibition. In M. Lewis & S. M. Miller (Eds.), *Handbook of developmental psychopathology* (pp. 219–226). New York: Plenum.

Kagan, J., Snidman, N., & Arcus, D. (1993). On the temperamental categories of inhibited and uninhibited children. In K. H. Rubin & J. B. Asendorpf (Eds.), *Social withdrawal, inhibition, and shyness in childhood* (pp. 19–28). Hillsdale, NJ: Erlbaum.

Kail, R. (1990). *The development of memory in children* (3rd ed.). New York: Freeman.

Kail, R. (1991a). Developmental change in speed of processing during childhood andadolescence. *Psychological Bulletin, 109,* 490-501.

Kail, R. (1997). Processing time, imagery, and spatial memory. *Journal of Experimental Child Psychology, 64,* 67–78.

Kalish, R. A. (1985). The social context of death and dying. In R. H. Binstock & E. Shanas (Eds.), *Handbook of aging and the social sciences* (2nd ed.) (pp. 149–170). New York: Van Nostrand Reinhold.

Kalish, R. A., & Reynolds, D. K. (1976). *Death and ethnicity: A psychocultural study.* Los Angeles: University of Southern California Press. (Reprinted 1981, Baywood Publishing Co, Farmingdale, NJ.)

Kandel, E. R. (1985). Nerve cells and behavior. In E. R. Kandel & J. H. Schwartz (Eds), *Principles of neural science* (2nd ed.) (pp. 13-24). New York: Elsevier.

Kane, T., Staiger, P., & Ricciardelli, L. (2000). Male domestic violence: Attitudes, aggression and interpersonal dependency. *Journal of Interpersonal Violence, 15,* 16–29.

Kaplan, G. A. (1992). Health and aging in the Alameda County study. In K. W. Schaie, D. Blazer, & J. M. House (Eds.), *Aging, health behaviors, and health outcomes* (pp. 69–88). Hillsdale, NJ: Erlbaum.

Kaplan, H., & Sadock, B. (1991). *Synopsis of psychiatry* (6th ed.). Baltimore, MD: Williams & Wilkins.

Karney, B. R., & Bradbury, T. N. (1995). The longitudinal course of marital quality and stability: A review of theory, method, and research. *Psychological Bulletin, 118,* 3–34.

Karp, D. A. (1988). A decade of reminders: Changing age cousciousness beween fifty and sixty years old. *The Gerontologist, 28,* 727-738.

Kasl, S.V., et et Cobb, S. (1982). Variability of stress effect among men experiencing job loss. Dans L. Goldberger et S. Brenitz (Eds.), Handbook of stress. Théoretical and clinical aspects. NewYork: The Freee Press

Kataria, S., Frutiger, A.D., Lanford, B., & Swanson, M. S. (1988). Anterior fontanel closure in healthy term infants. *Infant Behavior and Development, 11,* 229-233.

Katz, P. A., & Ksansnak, K. R. (1994). Developmental aspects of gender role flexibility and traditionality in middle childhood and adolescence. *Developmental Psychology, 30,* 272–282.

Katz, P., & Bartone, P. (1998). Mourning, ritual and recovery after an airline tragedy. *Omega: Journal of Death & Dying, 36,* 193–200.

Kaufman, M. (1997). The teratogenic effects of alcohol following exposure during pregnancy, and its influence on the chromosome constitution of the pre-ovulatory egg. *Alcohol & Alcoholism, 32,* 113–128.

Keating, D. P. (1980). Thinking processes in adolescence. In J. Adelson (Ed.), *Handbook of adolescent psychology* (pp. 211-246). New York: Wiley.

Keating, D. P., List, J. A., & merriman, W. E. (1985). Cognitive processing and cognitive ability: Multivariate validity investigation. *Intelligence, 9,* 149-170.

Keene, J., Hope, T., Rogers, P., & Elliman, N. (1998). An investigtion of satiety in ageing, dementia, and hyperphagia. *International Journal of Eating Disorders, 23,* 409–418.

Keeney, T. J., Cannizzo, S. R., & Flavell, J. H. (1967). Spontaneous and induced verbal rehearsal in a recall task. *Child Development, 38,* 935-966.

Keil, J. E., Sutherland, S. E., Knapp, R. G., Waid, L. R., & Gazes, P. C. (1992). Self-reported sexual functioning in elderly blacks and whites. *Journal of Aging and Health, 4,* 112–125.

Keith, P. M. (1981/1982). Perception of time remaining and distance from death. *Omega, 12,* 307–318.

Kellehear, A., & Lewin, T. (1988/1989). Farewells by the dying: A sociological study. *Omega, 19,* 275–292.

Kendall-Tackett, K., Williams, L., & Finkelhor, D. (1993). Impact of sexual abuse on children: A review and synthesis of recent empirical studies. *Psychological Bulletin, 113,* 164–180.

Keniston, K. (1970). Youth: A "new" stage in life *American Scholar, 8(Autumn),* 631-654.

Kercsmar, C. (1998). The respiratory system. In R. Behrman & R. Kliegman (Eds.), *Nelson essentials of pediatrics (third edition).* Philadelphia: W. B. Saunders.

Kerns, K., Don, A., Mateer, C., & Streissguth, A. (1997). Cognitive deficits in nonretarded adults with fetal alcohol syndrome. *Journal of Learning Disabilities, 30,* 685–693.

Kerpelman, J., & Schvaneveldt, P. (1999). Young adults' anticipated identity importance of career, marital, and parental roles: Comparisons of men and women with different role balance orientations. *Sex Roles, 41,* 189–217.

Kessler, R. C., Foster, C., Webster, P. S., & House, J. S. (1992). The relationship between age and depressive symptoms in two national surveys. *Psychology and Aging, 7,* 119–126.

Kessler, R., McGonagle, K., Zhao, S., Nelson, C., Hughes., M., Eshleman, S., Wittchen, H., & Kendler, K. (1994). Lifetime and 12-month prevalence of DSM-III-R psychiatric disorders in the United States: Results from the National Comorbidity Survey. *American Journal of Psychiatry, 51,* 8–19.

Khlat, M., Sermet, C., & Le Pape, A. (2000). Women's health in relation with their family and work roles: France in the early 1990s. *Social Science & Medicine, 50,* 1807–1825.

Kiecolt-Glaser, J. K., & Glaser, R. (1995). Measurement of immune response. In S. Cohen, R. C. Kessler, & L. U. Gordon (Eds.), *Measuring stress: A guide for health and social scientists* (pp. 213–229). New York: Oxford University Press.

Kiecolt-Glaser, J. K., Dura, J. R., Speicher, C. E., Trask, O. J., & Glaser, R. (1991). Spousal caregivers of dementia victims: Longitudinal changes in immunity and health. *Psychosomatic Medicine, 54,* 345-362.

Kiecolt-Glaser, J. K., Glaser, R., Suttleworth, E. E., Dyer, C. S., Ogrocki, P., & Speicher, C. E. (1987). Chronic stress and immunity in family caregivers of Alzheimer's disease patients. *Psychosomatic Medicine, 49,* 523–535.

Kilbride, H., Castor, C., Hoffman, E., & Fuger, K. (2000). Thirty-six month outcome of prenatal cocaine exposure for term or near-term infants: Impact of early case management. *Journal of Developmental Pediatrics, 21,* 19–26.

Killen, J. D., Hayward, C., Litt, I., Hammer, L. D., Wilson, D. M., Miner, B., Taylor, B., Varady, A., & Shisslak, C. (1992). Is puberty a risk factor for eating disorders? *American Journal of Diseases of Childhood, 146,* 323-325.

Kilpatrick, S. J., & Laros, R. K. (1989). Characteristics of normal labor. *Obstetrics and Gynecology, 74,* 85–87.

Kim, J., Hetherington, E., & Reiss, D. (1999). Associations among family relationships, antisocial peers, and adolescents' externalizing behaviors: Gender and family type differences. *Child Development, 70,* 1209–1230.

Kim, U., Triandis, H. C., Kâgitçibasi, Ç., Choi, S., & Yoon, G. (Eds). (1994). *Individualism and collectivism: Theory, method, and applications.* Thousand Oaks, CA : Sage.

Kinney, D. A. (1993). From "nerds" to "normals": Adolescent identity recovery within a changing social system. *Sociology of Education, 66,* 21–40.

Kitson, G. C. (1992). *Portrait of divorce: Adjustment to marital breakdown.* New York: Guilford Press.

Kitson, G. C., Babri, K. B., & Roach, M. J. (1985). Who divorces and why. A review. *Journal of Family Issues, 6,* 255–293.

Kitzan, L., Ferraro, F., Petros, T., & Ludorf, M. (1999). The role of vocabulary ability during visual word recognition in younger and older adults. *Journal of General Psychology, 126,* 6–16.

Klacznski, P.A. Bias in adolescent' everyday reasonning and its relation with intellectuel ability, personal theories, and self-serving motivation, *Developmental Psychologiy,* 33, 1997, 273-283.

Klaczynski, P., Fauth, J., & Swanger, A. (1998). Adolescent identity: Rational vs. experiential processing, formal operations, and critical thinking beliefs. *Journal of Youth & Adolescence, 27,* 185–207.

Klahr, D. (1992). Information-processing approaches to cognitive development. In M. H. Bernstein & M. E. Lamb (Eds.), *Developmental psychology: An advanced textbook* (3rd ed.) (pp. 273–335). Hillsdale, NJ: Erlbaum.

Klaiber, E., Broverman, D., Vogel, W., Peterson, L., & Snyder, M. (1997). Relationships of serum estradiol levels, menopausal duration, and mood during hormonal replacement therapy. *Psychoneuroendocrinology, 22,* 549–558.

Klaus, H. M., & Kennell, J. H. (1976). *Maternal-infant bonding.* St. Louis, MO: Mosby.Kohlberg, L. (1973). Continuities in childhood and adult moral development revisited. In P. B. Baltes & K. W. Schaie (Eds), *Life-span developmental psychology: Personality and socialization)* (pp. 180-204). New York: Academic Press.

Klenow, D. J., & Bolin, R. C. (1989/1990). Belief in an afterlife: A national survey. *Omega, 20,* 63–74.

Kletzky, O. A., & Borenstein, R. (1987). Vasomotor instability of the menopause. In D. R. Mishell, Jr. (Ed.), *Menopause: Physiology and pharmacology.* (pp. 53–66). Chicago: Year Book Medical Publishers.

Kliegman, R. (1998). Fetal and neonatal medicine. In R. Behrman & R. Kliegman (Eds.), *Nelson essentials of pediatrics* (3rd ed., pp. 167–225). Philadelphia: W. B. Saunders.

Kline, M., Tschann, J. M., Johnston, J. R., & Wallerstein, J. S. (1989). Children's adjustment in joint and sole physical custody families. *Developmental Psychology, 25,* 430-438.

Kline, D. W., & Scialfa, C. T. (1996). Visual and auditory aging. In J. E. Birren & K. W. Schaie (Eds.), *Handbook of the psychology of aging* (4th ed.) (pp. 181–203). San Diego, CA: Academic Press.

Klonoff-Cohen, H. D., Edelstein, S. L., Lefkowitz, E. S., Srinivasan, I. P., Kaegi, D., Chang, J. C., & Wiley, K. J. (1995). The effect of passive smoking and tobacco exposure through breast milk on sudden infant death syndrome. *Journal of the American Medical Association, 273,* 795–798.

Kochanska, G. (1997a). Multiple pathways to conscience for children with different temperaments: From toddlerhood to age 5. *Developmental Psychology, 33,* 228–240.

Kochanska, G. (1997b). Mutually responsive orientation between mothers and their young: Implications for early socialization. *Child Development, 68,* 94–112.

Kochanska, G., Murray, K., & Coy, K. (1997). Inhibitory control as a contributor to conscience in childhood: From toddler to early school age. *Child Development, 68,* 263–277.

Kochanska, G., Murray, K., Jacques, T., Koenig, A., Vandegeest, K. (1996). Inhibitory control in young children and its role in emerging internalization. *Child Development, 67,* 490–507.

Kocsis, J. (1998). Geriatric dysthymia. *Journal of Clinical Psychiatry, 59,* 13–15.

Koenig, H. G., Kvale, J. N., & Ferrell, C. (1988). Religion and well-being in later life. *The Gerontologist, 28,* 18–28.

Koeppe, R. (1996). Language differentiation in bilingual children: The development of grammatical and pragmatic competence. *Linguistics, 34,* 927–954.

Kohlberg, L. (1964). Development of moral character and moral ideology. In M. L. Hoffman & L. W. Hoffman (Eds.), *Review of child development research* (Vol. 1) (pp. 283–332). New York: Russell Sage Foundation.

Kohlberg, L. (1966). A cognitive-developmental analysis of children's sex-role concepts and attitudes. In E. E. Maccoby (Ed.), *The development of sex differences* (pp. 82–172). Stanford, CA: Stanford University Press.

Kohlberg, L. (1976). Moral stages and moralization: The cognitive developmental approach. In T. Lickona (Ed.), *Moral development and behavior: Theory, research, and social issues* (pp. 31–53). New York: Holt.

Kohlberg, L. (1978). Revisions in the theory and practice of moral development. *New Directions for Child Development, 2,* 83-88.

Kohlberg, L. (1981). *Essays on moral development: Vol. 1. The philosophy of moral development.* New York: Harper & Row.

Kohlberg, L. (1984). *Essays on moral development.* Vol II: The psychology of moral development. San Francisco: Harper and Row.

Kohlberg, L., & Candee, D. (1984). The relationship of moral judgment to moral action. In W. M. Kurtines & J. L. Gerwitz (Eds), *Morality, moral behavior, and moral development* (pp. 52-73). New York: Wiley.

Kohlberg, L., & Elfenbein, D. (1975). The development of moral judgments concerning capital punishment. *American Journal of Orthopsychiatry, 54,* 614–640.

Kohlberg, L., & Ullian, D. Z. (1974). Stages in the development of psychosexual concepts and attitudes. In R. C. Friedman, R. M. Richart & R. L. Vande Wiele (Eds), *Sex differences in behavior* (pp. 209-222). New York: Wiley.

Kohlberg, L., Levine, C., & Hewer, A. (1983). *Moral stages: A current formulation and a response to critics.* Basel, Switzerland: S. Karger.

Kohli, M. (1994). Work and retirement: A comparative perspective. In M. W. Riley, R. L. Kahn, & A. Foner (Eds.), *Age and structural lag* (pp. 80–106). New York: Wiley-Interscience.

Kolata, G. (1992). A parent's guide to kids' sports. *New York Times Magazine,* April 26, pp. 12-15, 40, 44, 46.

Kolata, G. (1996). New era of robust elderly belies the fears of scientists. *New York Times,* February 27, pp. A1, B10.

Kopp, C. B. (1983). Risk factors in development. In M. M. Haith & J. J. Campos (Eds), *Handbook of child psychology: Infancy and developmental psychobiology* (Vol. 2) (pp. 1081-1088). New York: Wiley. (P. H. Mussen, General Editor).

Kopp, C. B. (1990). Risks in Infancy: Appraising the research. *Merrill-Palmer Quarterly, 36,* 117-140.

Korner, A. F., Hutchison, C. A., Kopersky, J. A., Kraemer, H. C., & Sceider, P. A. (1981). Stability of individual differences of neonatal motor and crying paterns. *Child Development, 52,* 83-90.

Kozu, J. (1999). Domestic violence in Japan. *American Psychologist, 54,* 50–54.

Krause, N., Ingersoll-Dayton, B., Liang, J., & Sugisawa, H. (1999). Religion, social support, and health among the Japanese elderly. *Journal of Health Behavior & Health Education, 40,* 405–421.

Krause, N., Jay, G., & Liang, J. (1991). Financial strain and psychological well-being among the American and Japanese elderly. *Psychology and Aging, 6,* 170–181.

Kronenberg, F. (1994). Hot flashes: Phenomenology, quality of life, and search for treatment options. *Experimental Gerontology, 29,* 319–336.

Krueger-Lebus, S., & Rauchfleisch, U. (1999). Level of contentment in lesbian partnerships with and without children. *System Familie, 12,* 74–79.

Kübler-Ross, E. (1969). *On death and dying.* New York: Macmillan.
Kübler-Ross, E. (1974). *Questions and answers on death and dying.* New York: Macmillan.
Kuczaj, S. A. II. (1977). The acquisition of regular and irregular past tense forms. *Journal of Verbal Learning and Verbal Behavior, 49,* 319-326.
Kuczaj, S. A. II. (1978). Children's judgements of grammatical and ungrammatical irregular tense verbs. *Child Development, 49,* 319-326.
Kuczynski, L., Kochanska, G., Radke-Yarrow, M., & Girnius-Brown, O. (1987). A developmental interpretation of young children's noncompliance. *Developmental Psychology, 23,* 799-806.
Kuhn, D. (1992). Cognitive development. In M. H. Bornstein & M. E. Lamb (Eds.), *Developmental psychology: An advanced textbook* (3rd ed.) (pp. 211–272). Hillsdale, NJ: Erlbaum.
Kunnen, E., & Steenbeek, H. (1999). Differences in problems of motivation in different special groups. *Child: Care, Health & Development, 25,* 429–446.
Kurdek, L. (1997). Relation between neuroticism and dimensions of relationship commitment: evidence from gay, lesbian, and heterosexual couples. *Journal of Family Psychology, 11,* 109–124.
Kurdek, L. (1998). Relationship outcomes and their predictors: longitudinal evidence from heterosexual married, gay cohabiting, and lesbian cohabiting couples. *Journal of Marriage & the Family, 60,* 553–568.
Kurdek, L. (2000). The link between sociotropy/autonomy and dimensions of relationship commitment: Evidence from gay and lesbian couples. *Personal Relationships, 7,* 153–164.
Kurdek, L. A. (1995a). Developmental changes in relationship quality in gay and lesbian cohabiting couples. *Developmental Psychology, 31,* 86–94.
Kurdek, L. A. (1995b). Lesbian and gay couples. In A. R. D'Augelli & C. J. Patterson (Eds.), *Lesbian, gay, and bisexual identities over the lifespan: Psychological perspectives* (pp. 243–261). New York: Oxford University Press.
Kurdek, L. A., & Fine, M. A. (1994). Family acceptance and family control as predictors of adjustment in young adolescents: Linear, curvilinear, or interactive effects? *Child Development, 65,* 1137–1146.
Kurdek, L. A., & Schmitt, J. P. (1986). Early development of relationship quality in heterosexual married, heterosexual cohabiting, gay, and lesbian couples. *Developmental Psychology, 22,* 305–309.
Kurtz, L., & Tremblay, R. E. (1995). *The impact of family transition upon social, sexual, and delinquent behavior in adolescent boys: A nine year longitudinal study.* Paper presented at the biennal meetings of the Society for Research in Child Development, Indianapolis, March.
Kuttler, A., LaGreca, A., & Prinstein, M. (1999). Friendship qualities and social-emotional functioning of adolescents with close, cross-sex friendships. *Journal of Research on Adolescence, 9,* 339–366.
Kyriacou, D., Anglin, D., Taliaferro, E., Stone, S., Tubb, T., Linden, J., Muelleman, R., Barton, E., & Kraus, J. (1999). Risk factors for injury to women from domestic violence. *New England Journal of Medicine, 341,* 1892–1898.
La Pine, T. R., Jackson, J. C., & Bennett, F. C. (1995). Outcome of infants weighing less than 800 grams at birth: 15 years' experience. *Pediatrics, 96,* 479-483.
Labouvie-Vief, G. (1980). Beyond formal operations: Uses and limits of pure logic in life-span development. *Human Development, 23,* 141–161.
Labouvie-Vief, G. (1990). Modes of knowledge and the organization of development. In M. L. Commons, C. Armon, L. Kohlberg, F. A. Richards, T. A. Grotzer, & J. D. Sinnott (Eds.), *Adult development: Vol. 2. Models and methods in the study of adolescent and adult thought* (pp. 43–62). New York: Praeger.
Lachman, M., & Weaver, S. (1998). Sociodemographic variations in the sense of control by domain: Findings from the MacArthur studies of midlife. *Psychology & Aging, 13,* 553–562.
Laird, R., Pettit, G., Dodge, K., & Bates, J. (1999). Best friendships, group relationships, and antisocial behavior in early adolescence. *Journal of Early Adolescence, 19,* 413–437.
Lakatta, E. G. (1990). Heart and circulation. In E. L. Schneider & J. W. Rowe (Eds.), *Handbook of the biology of aging* (3rd ed.) (pp. 181–217). San Diego, CA: Academic Press.
Lamb, M. E. (1981). The development of father-infant relationships. In M. E. Lamb (Ed.), *The role of the father in child development* (2nd ed.) (pp. 459–488). New York: Wiley.
Lampard, R., & Peggs, K. (1999). Repartnering: The relevance of parenthood and gender to cohabitation and remarriage among the formerly married. *British Journal of Sociology, 50,* 443–465.
Landine, J., et Stewart, J. Relationship between metacognition, motivation, locus of control, self-efficacy and academic achievement, *Canadien Journal of Counseling,* 32, 1998, 200-212.
Landolt, M., & Dutton, D. (1997). Power and personality: An analysis of gay male intimate abuse. *Sex Roles, 37,* 335–359.
Landry, S. H., Garner, P. W., Swank, P. R., & Baldwin, C. D. (1996). Effects of maternal scaffolding during joint toy play with preterm and full-term infants. *Merrill-Palmer Quarterly, 42,* 177–199.
Langford, P. E. (1995). *Approaches to the development of moral reasoning.* Hillsdale, NJ: Erlbaum.
Langlois, J. H., & Roggman, L. A. (1990). Attractive faces are only average. *Psychological science, 1,* 115-121.
Langlois, J. H., Ritter, J. M., Casey, R. J., & Sawin, D. B. (1995). Infant attractiveness predicts maternal behaviors and attitudes. *Developmental Psychology, 31,* 464–472.
Langlois, J. H., Roggman, L. A., & Musselman, L. (1994). What is average and what is not average about attractive faces? *Psychological science, 5,* 214-220.
Langlois, J. H., Roggman, L. A., & Rieser-Danner, L. A. (1990). Infants' differential social responses to attractive and unattractive faces. *Developmental Psychology, 26,* 153-159.
Lansdown, R., & Benjamin, G. (1985). The development of the concept of death in children aged 5–9 years. *Child Care, Health and Development, 11,* 13–30.
Larousse (1999), *Grand dictionnaire de la psychologie,* Paris.
Larroque, B., & Kaminski, M. (1998). Prenatal alcohol exposure and development at preschool age: Main results of a French study. *Alcoholism: Clinical & Experimental Research, 22,* 295–303.
Larson, J. H., & Holman, T. B. (1994). Premarital predictors of marital quality and stability. *Family Relations, 43,* 223–237.
Larson, R., Mannell, R., & Zuzanek, J. (1986). Daily well-being of older adults with friends and family. *Psychology and Aging, 1,* 117–126.
Laub, J. H., & Sampson, R. J. (1995). The long-term effect of punitive discipline. In J. McCord (Ed.), *Coercion and punishment in long-term perspectives* (pp. 247-258). Cambridge, England: Cambridge University Press.
Laumann, E. O., Gagnon, J. H., Michael, R. T., & Michaels, S. (1994). *The social organization of sexuality: Sexual practices in the United States.* Chicago: University of Chicago Press.
Lawlor, S., & Choi, P. (1998). The generation gap in menstrual cycle attributions. *British Journal of Health Psychology, 3,* 257–263.
Lawrence, R. H., Bennett, J. M., & Markides, K. S. (1992). Perceived intergenerational solidarity and psychological distress among older Mexican Americans. *Journals of Gerontology: Social Sciences, 47,* S55–65.
Lawton, L., Silverstein, M., & Bengtson, V. (1994). Affection, social contact, and geographic distance between adult children and their parents. *Journal of Marriage and the Family, 56,* 57–68.
Lawton, M. P. (1985). Housing and living environments of older people. In R. H. Binstock & E. Shanas (Eds.), *Aging and the social sciences* (2nd ed.) (pp. 450–478). New York: Van Nostrand Reinhold.
Lawton, M. P. (1990). Residential environment and self-directedness among older people. *American Psychologist, 45,* 638–640.
Layton, L., Deeny, K., Tall, G., & Upton, G. (1996). Researching and promoting phonological awareness in the nursery class. *Journal of Research in Reading, 19,* 1–13.
Le Ny, J.-F. (1992), *Le Conditionnement et l'Apprentissage,* 7e éd., Paris, P.U.F.
Leadbeater, B. J., & Dionne, J. (1981). The adolescent's use of formal operational thinking in solving problems related to identity resolution. *Adolescence, 16,* 111-121.
Leaper, C. (1991). Influence and involvement in children's discourse: Age, gender, and partner effects. *Child Development, 62,* 797–811.
Lederer, J. (2000). Reciprocal teaching of social studies in inclusive elementary classrooms. *Journal of Learning Disabilities, 33,* 91–106.
Lee, G. R., Dwyer, J. W., & Coward, R. T. (1993). Gender differences in parent care: Demographic factors and same-gender preferences. *Journals of Gerontology: Social Sciences, 48,* S9–16.
Lee, G. R., Seccombe, K., & Shehan, C. L. (1991). Marital status and personal happiness: An analysis of trend data. *Journal of Marriage and the Family, 53,* 839–844.
Lee, I.-M., Hsieh, C., & Paffenbarger, R. S. (1995). Exercise intensity and longevity in men. *Journal of the American Medical Association, 273,* 1179–1184.
Lee, M., Law, C., & Tam, K. (1999). Parenthood and life satisfaction: A comparison of single and dual-parent families in Hong Kong. *International Social Work, 42,* 139–162.
Lee, S. & Keith, P. (1999). The transition to motherhood of Korean women. *Journal of Comparative Family Studies, 30,* 453–470.
Lee, V. E., Burkham, D. T., Zimiles, H., & Ladewski, B. (1994). Family structure and its effect on behavioral and emotional problems in young adolescents. *Journal of Research on Adolescence, 4,* 405–437.
Lefrancois,G.R. (1999). *The lifespan* (6th ed.). Belmont, CA: Wadsworth Publishing Company.
Lehman, H. C. (1953). *Age and achievement.* Princeton, NJ: Princeton University Press.
Leigh, G. K. (1982). Kinship interaction over the family life span. *Journal of Marriage and the Family, 44,* 197–208.
Lenhardt, A., & McCourt, B. (2000). Adolescent unresolved grief in response to the death of a mother. *Professional School Counseling, 3,* 189–196.
Leon, R.M., Perry, C.L., Mangel sdorf, C. et Tell, G. Adolescent nutritionnal and psychological patterns and risk for the developement of an eating desorder, *Journal of Youth and Adolescence,* 18, 1989, 273-282.
Lerner, R. M. (1985). Adolescent maturational changes and psychosocial development: A dynamic interactional perspective. *Journal of Youth and Adolescence, 14,* 355-372.
Lerner, R. M. (1987). A life-span perspective for early adolescence. In R. M. Lerner & T. T. Foch (Eds.), *Biological-psychosocial interactions in early adolescence* (pp. 9–34). Hillsdale, NJ: Erlbaum.
Lester, D. (1990). The Collett-Lester fear of death scale: The original version and a revision. *Death Studies, 14,* 451–468.
Leve, L.D., & Fagor, B. I. (1995). *The influence of attachment style and parenting behavior on children's prosocial behavior with peers.* Paper presented at the biennal meetings of the Society for Research in Child Development, Indianapolis, March.
Leviatan, U. (1999). Contribution of social arrangements to the attainment of successful aging: The experience of the Israeli kibbutz. *Journals of Gerontology: Series B: Psychological Sciences & Social Sciences, 54B,* P205–P213.
Levine, L., & Bluck, S. (1997). Experienced and remembered emotional intensity in older adults. *Psychology of Aging, 12,* 514–523.
Levinson, D. J. (1978). *The seasons of a man's life.* New York: Knopf.
Levinson, D. J. (1986). A conception of adult development. *American Psychologist, 41,* 3–13.
Levinson, D. J. (1990). A theory of life structure development in adulthood. In C. N. Alexander & E. J. Langer (Eds.), *Higher stages of human development* (pp. 35–54). New York: Oxford University Press.
Levinson, D. J. (1996). *The seasons of a woman's life.* New York: Knopf.
Levitt, M. J., Guacci-Franco, N., & Levitt, J. L. (1993). Convoys of social support in childhood and early adolescence: Structure and function. *Developmental Psychology, 29,* 811–818.
Levitt, M. J., Weber, R. A., & Guacci, N. (1993). Convoys of social support: An intergenerational analysis. *Psychology and Aging, 8,* 323–326.
Levy, G. D., & Fivush, R. (1993). Scripts and gender: A new approach for examining gender-role development. *Developmental Review, 13,* 126–146.
Levy, L. H., Martinkowski, K. S., & Derby, J. F. (1994). Differences in patterns of adaptation in conjugal bereavement: Their sources and potential significance. *Omega, 29,* 71–87.
Lewis, C. C. (1981). How adolescents approach decisions: Changes over grades seven to twelve and policy implications. *Child Development, 52,* 538–544.
Lewis, C. N., Freeman, N. H., & Maridaki-Kassotaki, K. (1995). *The social basis of theory of mind: Influences of siblings and, more importantly, interactions with adult kin.* Paper presented at the biennal meetings of the Society for Research in Child Development, Indianapolis, March.
Lewis, J., Malow, R., & Ireland, S. (1997). HIV/AIDS in heterosexual college students: A review of a decade of literature. *Journal of American College Health, 45,* 147–158.
Lewis, M. (1990). Social knowledge and social development. *Merrill-Palmer Quarterly, 36,* 93–116.
Lewis, M. (1991). Ways of knowing: Objective self-awareness of consciousness. *Developmental Review, 11,* 231–243.
Lewis, M., Allesandri, S. M., & Sullivan, M. W. (1992). Differences in shame and pride as a function of children's gender and task difficulty. *Child Development, 63,* 630–638.
Lewis, M., Sullivan, M. W., Stanger, C., & Weiss, M. (1989). Self development and self-conscious emotions. *Child Development, 60,* 146–156.
Liao, K., & Hunter, M. (1998). Preparation for menopause: Prospective evaluation of a health education intervention for mid-aged women. *Maturitas, 29,* 215–224.
Lickona, T. (1978). Moral development and moral education. In J. M. Gallagher & J. J. A. Easley (Eds.), *Knowledge and development* (Vol. 2) (pp. 21–74). New York: Plenum.
Lieberman, M. A. (1965). Psychological correlates of impending death: Some preliminary observations. *Journal of Gerontology, 20,* 182–190.
Lieberman, M. A., & Coplan, A. S. (1970). Distance from death as a variable in the study of aging. *Developmental Psychology, 2,* 71–84.
Lieberman, M. A., & Peskin, H. (1992). Adult life crises. In J. E. Birren, R. B. Sloane, & G. D. Cohen (Eds.), *Handbook of mental health and aging* (2nd ed.) (pp. 119–143). San Diego, CA: Academic Press.
Lieberman, M., Doyle, A., & Markiewicz, D. (1995, March). *Attachment to mother and father: Links to peer relations in children.* Paper presented at the biennial meetings of the Society for Research in Child Development, Indianapolis, IN.
Lieberman, M., Doyle, A., & Markiewicz, D. (1999). Developmental patterns in security of attachment to mother and father in late childhood and early adolescence: Associations with peer relations. *Child Development, 70,* 202–213.
Light, L. L. (1991). Memory and aging: Four hypotheses in search of data. *Annual Review of Psychology, 42,* 333–376.
Lightfoot, C. *The culture of adolescent risk-taking,* NewYork: Guilford Press 1997.
Lillard, A. (1998). Ethnopsychologies: Cultural variations in theories of mind. *Psychological Bulletin, 123,* 3–32.
Lima, S. D., Hale, S., & Myerson, J. (1991). How general is general slowing? Evidence from the lexical domain. *Psychology and Aging, 6,* 416–425.
Lin, C., Hsiao, C., & Chen, W. (1999). Development of sustained attention assessed using the Continuous Performance Test among children 6–15 years of age. *Journal of Abnormal Child Psychology, 27,* 403–412.
Lincourt, A., Rybash, J., & Hoyer, W. (1998). Aging, working memory, and the development of instance-based retrieval. *Brain & Cognition, 37,* 100–102.
Lindahl, K., Clements, M., & Markman, H. (1997). Predicting marital and parent functioning in dyads and triads: A longitudinal investigation of marital processes. *Journal of Family Psychology, 11,* 139–151.
Lindgren, C., Connelly, C., & Gaspar, H. (1999). Grief in spouse and children caregivers of dementia patients. *Western Journal of Nursing Research, 21,* 521–537.
Lindo, G., & Nordholm, L. (1999). Adaptation strategies, well-being, and activities of daily living among people with low vision. *Journal of Visual Impairment & Blindness, 93,* 434–446.
Lindsay, P. H. et Norman, D.A. (1980). *Traitement de l'information et comportement humain: une introduction à la psychologie.* Saint-Laurent: Éditions du Renouveau Pédagogique Inc.
Lindsay, R. (1985). The aging skeleton. In M. R. Haug, A. B. Ford, & M. Sheafor (Eds.), *The physical and mental health of aged women* (pp. 65–82). New York: Springer.
Lindstrom, T. (1997). Immunity and somatic health in bereavement. A prospective study of 39 Norwegian widows. *Omega: Journal of Death & Dying, 35,* 231–241.
Lineweaver, T., & Hertzog, C. (1998). Adults' efficacy and control beliefs regarding memory and aging: Separating general from personal beliefs. *Aging, Neuropsychology, & Cognition, 5,* 264–296.
Linsay, P. H. et D. A. Norman (1980), *Traitement de l'information et comportement humain. Une introduction à la psychologie,* Montréal, Éditions Études Vivantes.
Lissner, L., Bengtsson, C., Björkelund, C., & Wedel, H. (1996). Physical activity levels and changes in relation to longevity: A prospective study of Swedish women. *American Journal of Epidemiology, 143,* 54–62.
Lobel, T., Slone, M., & Winch, G. (1997). Masculinity, popularity, and self-esteem among Israeli preadolescent girls. *Sex Roles, 36,* 395–408.
Loehlin, J. C. (1989). Partitioning environmental and genetic contributions to behavorial development. *American Psychologist, 44,* 1285-1292.
Loehlin, J. C. (1992). *Genes and environment in personality development.* Newbury Park, CA: Sage.
Loevinger, J. (1976). *Ego development.* San Francisco: Jossey-Bass.
Loevinger, J. (1984). On the self and predicting behavior. In R. A. Zucker, J. Aronoff, & A. I. Rabin (Eds), *Personality and the prediction of behavior* (pp. 43-68). New York: Academic Press.

Long, J. V. F., & Vaillant, G. E. (1984). Natural history of male psychological health: Escape from the underclass. *American Journal of Psychiatry, 141,* 341-346.

Lopata, H. Z. (1981). Widowhood and husband sanctification. *Journal of marriage and the Family, 43,* 439-450.

Lopata, H. Z. (1986). Time in anticipated future and events in memory. *American Behavioral Scientist, 29,* 695-709.

Lundh, W., & Gyllang, C. (1993). Use of the Edinburgh Postnatal Depression Scale in some Swedish child health care centres. *Scandinavian Journal of Caring Sciences, 7,* 149–154.

Luster, T., & McAdoo, H. P. (1995). Factors related to self-esteem among African American youths: A secondary analysis of the High/Scope Perry Preschool data. *Journal of Research on Adolescence, 5,* 451–467.

Luster, T., Boger, R., & Hannan, K. (1993). Infant affect and home environment. *Journal of Marriage and the Family, 55,* 651–661.

Lutfey, K., & Maynard, D. (1998). Bad news in oncology: How physician and patient talk about death and dying without using those words. *Social Psychology Quarterly, 61,* 321–341.

Lyon, T. D., & Flavell, J. H. (1994). Young children's understanding of "remember" and "forget". *Child Development, 65,* 1357-1371.

Lyons, N. P. (1983). Two perspectives: On self, relationships, and morality. *Harvard Educational Review, 53,* 125–145.

Lytle, L., Bakken, L., & Romig, C. (1997). Adolescent female identity development. *Sex Roles, 37,* 175–185.

Lytton, H., & Romney, D. M. (1991). Parents' differential socialization of boys and girls: A meta-analysis. *Psychological Bulletin, 109,* 267–296.

Ma, H., Shek, D., Cheung, P., & Oi Bun Lam, C. (2000). Parental, peer and teacher influences on the social behavior of Hong Kong Chinese adolescents. *Journal of Genetic Psychology, 161,* 65–78.

Maas, H. S., & Kuypers, J. A. (1974). *From thirty to seventy.* San Francisco: Jossey-Bass.

Maccoby, E. E. (1980). *Social development: Psychological growth and the parent-child relationship.* New York: Harcourt Brace Jovanovich.

Maccoby, E. E. (1984). Middle childhood in the context of the family. In W. A. Collins (Ed.), *Development during middle childhood: The years from six to twelve* (pp. 184–239). Washington, DC: National Academy Press.

Maccoby, E. E. (1988). Gender as a social category. *Developmental Psychology, 24,* 755–765.

Maccoby, E. E. (1990). Gender and relationships: A developmental account. *American Psychologist, 45,* 513–520.

Maccoby, E. E. (1995). The two sexes and their social systems. In P. Moen, G. H. Elder, Jr., & K. Lüscher (Eds.), *Examining lives in context: Perspectives on the ecology of human development* (pp. 347–364). Washington, DC: American Psychological Association.

Maccoby, E. E., & Jacklin, C. N. (1987). Gender segregation in childhood. In H. W. Reese (Ed.), *Advances in child development and behavior* (Vol. 20) (pp. 239–288). Orlando, FL: Academic Press.

Maccoby, E. E., & Martin, J. A. (1983). Socialization in the context of the family: Parent-child interaction. In E. M. Hetherington (Ed.), *Handbook of child psychology: Socialization, personality, and social development* (Vol. 4) (pp. 1–102). New York: Wiley.

MacDermid, S. M., Huston, T. L., & McHale, S. M. (1990). Changes in marriage associated with the transition to parenthood: Individual differences as a function of sex-role attitudes and changes in the division of household labor. *Journal of Marriage and the Family, 52,* 475–486.

Macrae, C., & Bodenhausen, G. (2000). Social cognition: Thinking categorically about others. *Annual Review of Psychology, 51,* 93–120.

Madan-Swain, A., Brown, R., Foster, M., Verga, R., et al. (2000). Identity in adolescent survivors of childhood cancer. *Journal of Pediatric Psychology, 25,* 105–115.

Madden, D. J. (1992). Four to ten milliseconds per year: Age-related slowing of visual word identification. *Journals of Gerontology: Psychological Sciences, 47,* P59–68.

Madden, D. J., Blumenthal, J. A., Allen, P. A., & Emery, C. F. (1989). Improving aerobic capacity in healthy older adults does not necessarily lead to improved cognitive performance. *Psychology and Aging, 4,* 307-320.

Madison, C., Johnson, J., Seikel, J., Arnold, M., & Schultheis, L. (1998). Comparative study of the phonology of preschool children prenatally exposed to cocaine and multiple drugs and non-exposed children. *Journal of Communication Disorders, 31,* 231–244.

Maeda, D. (1993). Japan. In E. B. Palmore (Ed.), *Developments and research on aging: An international handbook* (pp. 201-219). Westport, CT: Greenwood Press.

Maes, M., DeVos, N., Wauters, A., Demedts, P., Maurits, V., Neels, H., Bosmans, E., Altamura, C., Lin, A., Song, C., Vandenbroucke, M., & Scharpe, S. (1999). Inflammatory markers in younger vs. elderly normal volunteers and in-patients with Alzheimer's disease. *Journal of Psychiatric Research, 33,* 397–405.

Maffeis, C., Schutz, Y., Piccoli, R., Gonfiantini, E., & Pinelli, L. (1993). Prevalence of obesity in children in north-east Italy. *International Journal of Obesity, 14,* 287–294.

Maguire, M., & Dunn, J. (1997). Friendships in early childhood and social understanding. *International Journal of Behavioral Development, 21,* 669–686.

Main, M., & Hesse, E. (1990). Parents' unresolved traumatic experiences are related to infant disorganized attachment status: Is frightened and/or frightening parental behavior the linking mechanism? In M. T. Greenberg, D. Cicchetti, & E. M. Cummings (Eds.), *Attachment in the preschool years: Theory, research, and intervention* (pp. 161–182). Chicago: University of Chicago Press.

Main, M., & Solomon, J. (1990). Procedures for identifying infants as disorganized/disoriented during the Ainsworth Strange Situation. In M. T. Greenberg, D. Cicchetti, & E. M. Cummings (Eds.), *Attachment in the preschool years: Theory, research, and intervention* (pp. 121–160). Chicago: University of Chicago Press.

Mainemer, H., Gilman, L., & Ames, E. (1998). Parenting stress in families adopting children from Romanian orphanages. *Journal of Family Issues, 19,* 164–180.

Malina, R. M. (1982). Motor development in the early years. In S. G. Moore & C. R. Cooper (Eds.), *The young child: Reviews of research* (Vol. 3) (pp. 211–232). Washington, DC: National Association for the Education of Young Children.

Malina, R. M. (1990). Physical growth and performance during the transition years. In R. Montemayor, G. R. Adams, & T. P. Gullotta (Eds.), *From childhood to adolescence: A transitional period?* (pp. 41–62). Newbury Park, CA: Sage.

Malinosky-Rummell, R., & Hansen, D. (1993). Long-term consequences of childhood physical abuse. *Psychological Bulletin, 114,* 68–79.

Malkinson, R., & Bar-Tur, L., (1999). The aging of grief in Israel: A perspective of bereaved parents. *Death Studies, 23,* 413–431.

Mallet, P., Apostolidis, T., & Paty, B. (1997). The development of gender schemata about heterosexual and homosexual others during adolescence. *Journal of General Psychology, 124,* 91–104.

Malloy, M. H., & Hoffman, H. J. (1995). Prematurity, sudden infant death syndrome, and age of death. *Pediatrics, 96,* 464-471.

Malo, J., & Tremblay, R. (1997). The impact of parental alcoholism and maternal social position on boys' school adjustment, pubertal maturation and sexual behavior: A test of two competing hypotheses. *Journal of Child Psychology & Psychiatry & Allied Disciplines, 38,* 187–197.

Manson, J. E., Willett, W. C., Stampfer, M. J., Colditz, G. A., Hunter, D. J., Hankinson, S. E., Hennekens, C. H., & Speizer, F. E. (1995). Body weight and mortality among women. *New England Journal of Medicine, 333,* 677–685.

Mäntylä, T. (1994). Remembering to remember: Adult age differences in prospective memory. *Journals of Gerontology: Psychological Sciences, 49,* P276–282.

Marcia, J. E. (1966). Development and validation of ego identity status. *Journal of Personality and Social Psychology, 3,* 551–558.

Marcia, J. E. (1980). Identity in adolescence. In J. Adelson (Ed.), *Handbook of adolescent psychology* (pp. 159–187). New York: Wiley.

Marcus, D. E., & Overton, W. F. (1978). The development of cognitive gender constancy and sex role preferences. *Child Development, 49,* 434–444.

Marcus, R. F. (1986). Naturalistic observation of cooperation, helping, and sharing and their association with empathy and affect. In C. Zahn-Waxler, E. M. Cummings, & R. Iannotti (Eds.), *Altruism and aggression: Biological and social origins* (pp. 256–279). Cambridge, England: Cambridge University Press.

Marean, G. C., Werner, L. A., & Kuhl, P. K. (1992). Vowel categorization by very young infants. *Developmental Psychology, 28,* 396–405.

Margolin, G., & Gordis, E. (2000). The effects of family and community violence on children. *Annual Review of Psychology, 51,* 445–479.

Markides, K. S., & Mindel, C. H. (1987). *Aging and ethnicity.* Newbury Park, CA: Sage.

Markowitz, H., Schleifer, M., & Fortier, L. (1989). Development of elementary deductive reasoning in young children. *Developmental Psychology, 25,* 787-793.

Marks, N., & Lamberg, J. (1998). Marital status continuity and change among young and midlife adults. *Journal of Family Issues, 19,* 652–686.

Marsh, H., & Yeung, A. (1997). Coursework selection: Relations to academic self-concept and achievement. *American Educational Research Journal, 34,* 691–720.

Marsh, H., & Yeung, A. (1998). Longitudinal structural equation models of academic self-concept and achievement: Gender differences in the development of math and English constructs. *American Educational Research Journal, 35,* 705–738.

Marsh, H., Craven, R., & Debus, R. (1999). Separation of competency and affect components of multiple dimensions of academic self-concept: A developmental perspective. *Merrill-Palmer Quarterly, 45,* 567–601.

Marshall, V. W. (1975). Age and awareness of finitude in developmental gerontology. *Omega, 6,* 113–129.

Marshall, V. W., & Levy, J. A. (1990). Aging and dying. In R. H. Binstock & L. K. George (Eds.), *Handbook of aging and the social sciences* (3rd ed.) (pp. 245–260). San Diego, CA: Academic Press.

Marsiglio, W., & Donnelly, D. (1991). Sexual relations in later life: A national study of married persons. *Journals of Gerontology: Social Sciences, 46,* S338–344.

Martin, C. L. (1991). The role of cognition in understanding gender effects. In H. W. Reese (Ed.), *Advances in child development and behavior* (Vol. 23) (pp. 113–150). San Diego, CA: Academic Press.

Martin, C. L. (1993). New directions for investigating children's gender knowledge. *Developmental Review, 13,* 184–204.

Martin, C. L., & Halverson, C. F., Jr. (1981). A schematic processing model of sex typing and stereotyping in children. *Child Development, 52,* 1119–1134.

Martin, C. L., & Little, J. K. (1990). The relation of gender understanding to children's sex-typed preferences and gender stereotypes. *Child Development, 61,* 1427-1439.

Martin, C. L., Wood, C. H., & Little, J. K. (1990). The development of gender stereotype components. *Child Development, 61,* 1891-1904.

Martin, P., & Smyer, M. A. (1990). The experience of micro- and macroevents: A life span analysis. *Research on Aging, 12,* 294-310.

Martin, R. P., Wisenbaker, J., & Huttunen, M. (1994). Review of factor analytic studies of temperament measures based on the Thomas-Chess structural model: Implications for the Big Five. In C. F. Halverson, Jr., G. A. Kohnstamm, & R. P. Martin (Eds.), *The developing structure of temperament and personality from infancy to adulthood* (pp. 157–172). Hillsdale, NJ: Erlbaum.

Martin, R., Noyes, J., Wisenbaker, J. & Huttunen, M. (1999). Prediction of early childhood negative emotionality and inhibition from maternal distress during pregnancy. *Merrill-Palmer Quarterly, 45,* 370–391.

Martorano, S. C. (1977). A developmental analysis of performance on Piaget's formal operations tasks. *Developmental Psychology, 13,* 666–672.

Marx, G. (1987). *Groucho and me.* New York: AMS Press.

Mascolo, M. F., & Fischer, K. W. (1995). Developmental transformations in appraisals for pride, shame, and guilt. In J. P. Tangney & K. W. Fischer (Eds.), *Self-conscious emotions: The psychology of shame, guilt, embarrassment, and pride* (pp. 64–113). New York: Guilford Press.

Maslow, A. H. (1968). *Toward a psychology of being* (2nd ed.). New York: Van Nostrand Reinhold.

Maslow, A. H. (1970a). *Motivation and personality* (2nd ed.). Ne York: Harper & Row.

Maslow, A. H. (1970b). *Religions, values, and peak-experiences.* New York: Viking. (Original work published 1964.)

Maslow, A. H. (1971). *The farther reaches of human nature.* New York: Viking.

Masten, A. S., Best, K. M., & Garmezy, N. (1990). Resilience and development: Contributions from the study of children who overcome adversity. *Development and Psychopathology, 2,* 425–444.

Masten, A., & Coatsworth, D. (1998). The development of competence in favorable and unfavorable environments: Lessons from research on successful children. *American Psychologist, 53,* 205–220.

Masur, E. F. (1995). Infants' early verbal imitation and their later lexical development. Merrill-*Palmer Quarterly, 41,* 286-306.

Masur, E., & Rodemaker, J. (1999). Mothers' and infants' spontaneous vocal, verbal, and action imitation during the second year. *Merrill-Palmer Quarterly, 45,* 392–412.

Maszk, P., Eisenberg, N., & Guthrie, I. (1999). Relations of children's social status to their emotionality and regulation: A short-term longitudinal study. *Merrill-Palmer Quarterly, 454,* 468–492.

Mata, L., Arendt, R. A., & Sroufe, L. A. (1978). Continuity of adaptation in the second year: The relationship between quality of attachment and latter competence. *Child Development, 49,* 547, 556.

Mather, P. L., & Black, K. N. (1984). Heredity and environmental influences on preschool twins' language skills. *Developmental Psychology, 20,* 303–308.

Matthews, K. A., Wing, R. R., Kuller, L. H., Meilahn, E. N., Kelsey, S. F., Costello, E. J., & Caggiula, A. W. (1990). Influences of natural menopause on psychological characteristics and symptoms of middle-aged healthy women. *Journal of Consulting and Clinical Psychology, 58,* 345–351.

Mattson, S., & Riley, E. (1999). Implicit and explicit memory functioning in children with heavy prenatal alcohol exposure. *Journal of the International Neuropsychological Society, 5,* 462–471.

Mattson, S., Riley, E., Gramling, L., Delis, D. & Jones, K. (1998). Neuropsychological comparison of alcohol-exposed children with or without physical features of fetal alcohol syndrome. *Neuropsychology, 12,* 146–153.

Maughan, B., Pickles, A., & Quinton, D. (1995). Parental hostility, childhood behavior, and adult social functioning. In J. McCord (Ed.), *Coercion and punishment in long-term perspectives* (pp. 34–58). Cambridge, England: Cambridge University Press.

Maurer, D., & Maurer, C. (1988). *The world of the newborn.* New York: Basic Books.

Maylor, D., Vousden, J., & Brown, D. (1999). Adult age differences in short-term memory for serial order: Data and a model. *Psychology & Aging, 14,* 572–594.

Maylor, E. (1998). Changes in event-based prospective memory across adulthood. *Aging, Neuropsychology, & Cognition, 5,* 107–128.

Maylor, E. A. (1993). Aging and forgetting in prospective and retrospective memory tasks. *Psychology and Aging, 8,* 420–428.

Mayseless, O., Wiseman, H., & Hai, I. (1998). Adolescents' relationships with father, mother, and same-gender friend. *Journal of Adolescent Research, 13,* 101–123.

McAdams, D., Hart, H., & Maruna, S. (1998). The anatomy of generativity. In D. P. McAdams & E. de St. Aubin (Eds.), *Generativity and adult development: How and why we care about the next generation* (pp. 7–44). Washington, DC: American Psychological Association.

McAllister, D., Kaplan, B., Edworthy, S., Martin, L., et al. (1997). The influence of systemic lupus erythematosus on fetal development: Cognitive, behavioral, and health trends. *Journal of the International Neurological Society, 3,* 370–376.

McAuley, E. (1993). Self-efficacy, physical activity, and aging. In J. R. Kelly (Ed.), *Activity and aging. Staying involved in late life* (pp. 187–205). Newbury Park, CA: Sage.

McBride-Chang, C. (1998). The development of invented spelling. *Early Education & Development, 9,* 147–160.

McBride-Chang, C., & Ho, C. (2000). Developmental issues in Chinese children's character acquisition. *Journal of Educational Psychology, 92,* 50–55.

McCall, R. B., Appelbaum, M. I., & Hogarty, P. S. (1973). Developmental changes in mental performance. *Monographs of the Society for Research in Child Development, 38* (Serial No. 150).

McCarthy, J., & Hardy, J. (1993). Age at first birth and birth outcomes. *Journal of Research on Adolescence, 3,* 374–392.

McClun, L., & Merrell, K. (1998). Relationship of perceived parenting styles, locus of control orientation, and self-concept among junior high age students. *Psychology in the Schools, 35,* 381–390.

McCrae, R., Costa, P., Ostendord, F., & Angleitner, A. (2000). Nature over nurture: Temperament, personality, and life span development. *Journal of Personality & Social Psychology, 78,* 173–186.

McCrae, R. R., & Costa, P. T. Jr. (1988). Psychological resilience among widowed men and women: A 10-year follow-up of a national sample. *Journal of Social Issues, 44,* 129-142.

McCrae, R. R., & Costa, P. T., Jr. (1984). *Emerging lives, enduring dispositions: Personality in adulthood.* Boston: Little, Brown.

McCrae, R. R., & Costa, P. T., Jr. (1987). Validation of the five-factor model of personality across instruments and observers. *Journal of Personality and Social Psychology, 52,* 81–90.

McCrae, R. R., & Costa, P. T., Jr. (1990). *Personality in adulthood.* New York: Guilford Press.

McCrae, R. R., & Costa, P. T., Jr. (1994). The stability of personality: Observations and evaluations. *Current Directions in Psychological Science, 3,* 173–175.
McCune, L. (1995). A normative study of representational play at the transition to language. *Developmental Psychology, 31,* 198-206.
McFalls, J. A., Jr. (1990). The risks of reproductive impairment in the later years of childbearing. *Annual Review of Sociology, 16,* 491–519.
McFayden-Ketchumm, S., Bates, J., Dodge, K., & Pettit, G. (1996). Patterns of change in early childhood aggressive-disruptive behavior: Gender differences in predictions from early coercive and affectionate mother-child interactions. *Child Development, 67,* 2417–2433.
McGue, M. (1994). Why developmental psychology should find room for behavior genetics. In C. A. Nelson (Ed.), *The Minnesota Symposia on Child Development,* (Vol. 27) (pp. 105-119). Hillsdale, NJ, Erlbaum.
McIntosh, B. R., & Danigelis, N. L. (1995). Race, gender, and the relevance of productive activity for elders' affect. *Journals of Gerontology: Social Sciences, 50B,* S229–239.
McLanahan, S., & Sandefur, G. (1994). *Growing up with a single parent: What hurts, what helps.* Cambridge, MA: Harvard University Press.
McLoyd, V. (1998). Socioeconomic disadvantage and child development. *American Psychologist, 53,* 185–204.
McMaster, J., Pitts, M., & Poyah, G. (1997). The menopausal experiences of women in a developing country: "There is a time for everything: to be a teenager, a mother and a granny." *Women & Health, 26,* 1–13.
McNeal, C., & Amato, P. (1998). Parents' marital violence: Long-term consequences for children. *Journal of Family Issues, 19,* 123–139.
Mediascope, Inc. (1999). *The social effects of electronic interactive games: An annotated bibliography.* Studio City, CA: Mediascope Press.
Medvedova, L. (1998). Personality dimensions—"little five"—and their relationships with coping strategies in early adolescence. *Studia Psychologica, 40,* 261–265.
Meeus, W., Dekovic, M., & Iedema, J. (1997). Unemployment and identity in adolescence: A social comparison perspective. *Career Development Quarterly, 45,* 369–380.
Melby, J. N., & Conger, R. D. (1996). Parental behaviors and adolescent academic performance: A longitudinal analysis. *Journal of Research on Adolescence, 6,* 113–137.
Mellin, L. M., Irwin, C. E., & Scully, S. (1992). Prevalence of disordered eating in girls: A survey of middle-class children. *Journal of the American Dietetic Association, 92,* 851-853.
Melot, A., & Houde, O. (1998). Categorization and theories of mind: The case of the appearance/reality distinction. *Cahiers de Psychologie Cognitive/Current Psychology of Cognition, 17,* 71–93.
Melson, G. F., Ladd, G. W., & Hsu, H. (1993). Maternal support networks, maternal cognitions, and young children's social and cognitive development. *Child development, 64,* 1401-1417.
Meltzoff, A. N. (1995). Understanding the intentions of others: Re-enactment of intended acts by 18-month-old children. *Developmental Psychology, 31,* 838–850.
Menaghan, E. G., & Lieberman, M. A. (1986). Changes in depression following divorce: A panel study. *Journal of Marriage and the Family, 48,* 319–328.
Meredith, K., & Rassa, G. (1999). Aligning the levels of awareness with the stages of grieving. *Journal of Cognitive Rehabilitation, 17,* 10–12.
Merikangas, K. R., & Angst, J. (1995). The challenge of depressive disorders in adolescence. In M. Rutter (Ed.), *Psychosocial disturbances in young people: Challenges for prevention* (pp. 131–165). Cambridge, England: Cambridge University Press.
Merrill, D. M., & Mor, V. (1993). Pathways to hospital death among the oldest old. *Journal of Aging and Health, 5,* 516–535.
Mervis, C. B., Bertrand, J., Robinson, B. F., Armstrong, S. C., Klein, B. P., Turner, N. D., Baker, D. E., & Reinberg, J. (1995). *Early language development of children with Williams Syndrome.* Paper presented at the biennal meetings of the Society for Research in Child Development, Indianapolis, March.
Meyer, M. (1998). Perceptual differences in fetal alcohol syndrome affect boys performing a modeling task. *Perceptual & Motor Skills, 87,* 784–786.
Michael, R. T., Gagnon, J. H., Laumann, E. O., & Kolata, G. (1994). *Sex in America.* Boston: Little, Brown.
Miech, R., & Shanahan, M. (2000). Socioeconomic status and depression over the life course. *Journal of Health & Social Behavior, 41,* 162–176.
Miliotis, D., Sesma, A., & Masten, A. (1999). Parenting as a protective process for school success in children from homeless families. *Early Education & Development, 10,* 111–133.
Miller, B. C., & Moore, K. A. (1990). Adolescent sexual behavior, pregnancy, and parenting: Research through the 1980s. *Journal of Marriage and the Family, 52,* 1025–1044.
Miller, B., Norton, M., Curtis, T., Hill, E., Schvaneveldt, P., & Young, M. (1998). The timing of sexual intercourse among adolescents: Family, peer, and other antecedents: Erratum. *Youth & Society, 29,* 390.
Miller, R. A. (1996). Aging and the immune response. In E. L. Schneider & J. W. Rowe (Eds.), *Handbook of the biology of aging* (4th ed.) (pp. 355–392). San Diego, CA: Academic Press.
Minty, B. (1999). Outcomes in long-term foster family care. *Journal of Child Psychology & Psychiatry & Allied Disciplines, 40,* 991–999.
Mischel, W. (1966). A social learning view of sex differences in behavior. In E. E. Maccoby (Ed.), *The development of sex differences* (pp. 56–81). Stanford, CA: Stanford University Press.
Mischel, W. (1970). Sex typing and socialization. In P. H. Mussen (Ed.), *Carmichael's manual of child psychology* (Vol. 2) (pp. 3–72). New York: Wiley.
Mitchell, P. R., & Kent, R. D. (1990). Phonetic variation in multisyllable babbling. *Journal of Child Language, 17,* 247-265.
Moen, P. (1996). Gender, age, and the life course. In R. H. Binstock & L. K. George (Eds.), *Handbook of aging and the social sciences* (4th ed.) (pp. 171–187). San Diego, CA: Academic Press.
Moen, P., & Erickson, M. A. (1995). Linked lives: A transgenerational approach to resilience. In P. Moen, G. H. Elder, Jr., & K. Lüscher (Eds.), *Examining lives in context: Perspectives on the ecology of human development* (pp. 169–210). Washington, DC: American Psychological Association.
Moffitt, T. E. (1993). Adolescence-limited and life-course-persistent antisocial behavior: A developmental taxonomy. *Psychology Review, 100,* 674–701.
Mohanty, A. & Perregaux, C. (1997). Language acquisition and bilingualism. In J. Berry, P. Dasen, & T. Saraswath (Eds.), *Handbook of cross-cultural psychology: Vol. 2.* Boston: Allyn & Bacon.
Monroy, T. (2000, March 15). Boomers alter economics. *Interactive Week.* Retrieved March 21, 2000 from the World Wide Web: www.ZDNet.com
Montemayor, R., & Eisen, M. (1977). The development of self-conceptions from childhood to adolescence. *Developmental Psychology, 13,* 314–319.
Moody, E. (1997). Lessons from pair counseling with incarcerated juvenile delinquents. *Journal of Addictions & Offender Counseling, 18,* 10–25.
Moon, C., & Fifer, W. P. (1990). Syllables as signals for 2-day-old infants. *Infant Behavior and Development, 13,* 377–390.
Mooney, L., Knox, D., & Schacht, C. (2000a). *Social problems.* Belmont, CA: Wadsworth.
Mooney, L., Knox, D., & Schacht, C. (2000b). *Understanding social problems* (2nd ed.). Thousand Oaks, CA: Wadsworth.
Moore, C., Barresi, J., & Thompson, C. (1998). The cognitive basis of future-oriented prosocial behavior. *Social Development, 7,* 198–218.
Moore, K. L., & Persaud, T. V. N. (1993). *The developing human: Clinically oriented embryology* (5th ed.). Philadelphia: Saunders.
Mor, V. (1987). *Hospice care systems: Structure, process, costs, and outcome.* New York: Springer.
Moretti, M., & Wiebe, V. (1999). Self-discrepancy in adolescence: Own and parental standpoints on the self. *Merrill-Palmer Quarterly, 45,* 624–649.
Morgan, C., Covington, J., Geisler, M., Polich, J., & Murphy, C. (1997). Olfactory event-related potentials: Older males demonstrate the greatest deficits. *Electroencephalography & Clinical Neurophysiology, 104,* 351–358.
Morgan, J. L. (1994). Converging measures of speech segmentation in preverbal infants. *Infant Behavior and Development, 17,* 389-403.
Morgan, J. L., Bonamo, K. M., & Travis, L. L. (1995). Negative evidence on negative evidence. *Developmental Psychology, 31,* 180-197.
Morgan, L. A. (1991). *After marriage ends: Economic consequences for midlife women.* Newbury Park, CA: Sage.
Morrison, D. R., & Cherlin, A. J. (1995). The divorce process and young children's well-being: A prospective analysis. *Journal of Marriage and the Family, 57,* 800–812.
Morrissette, P. (1999). Post-traumatic stress disorder in child sexual abuse: Diagnostic and treatment considerations. *Child & Youth Care Forum, 28,* 205–219.
Morse, P. A., & Cowan, N. (1982). Infant auditory and speech perception. In T. M. Field, A. Houston, H. C. Quay, L. Troll, & G. E. Finley (Eds.), *Review of human development* (pp. 32–61). New York: Wiley.
Mosher, F. A., & Hornsby, J. R. (1966). On asking questions. In J. S. Bruner, R. R. Olver & P. M. Greenfield (Eds), *Studies in cognitive growth* (pp. 68-85). New York: Wiley.
Mosher, W. D. (1987). Infertility: Why business is booming. *American Demography,* June, 42–43.
Mosher, W. D., & Pratt, W. F. (1987). *Fecundity, infertility, and reproductive health in the United States, 1982: Vital Health Statistics, Series 23, No. 14. National Center for Health Statistics, US Public Health Service.* Washington, DC: USGPO.
Mounts, N. S., & Steinberg, L. (1995). An ecological analysis of peer influence on adolescent grade point average and drug use. *Developmental Psychology, 31,* 915–922.
Mueller, K., & Yoder, J. (1999). Stigmatization of non-normative family size status. *Sex Roles, 41,* 901–919.
Mullins, L. C., & Mushel, M. (1992). The existence and emotional closeness of relationships with children, friends, and spouses. The effect on loneliness among older persons. *Research on Aging, 14,* 448–470.
Mundy, G. R. (1994). Boning up on genes. *Nature, 367,* 216–217.
Munroe, R. H., Shimmin, H. S., & Munroe, R. L. (1984). Gender understanding and sex role preference in four cultures. *Developmental Psychology, 20,* 673–682.
Murphy, K., Hanrahan, P., & Luchins, D. (1997). A survey of grief and bereavement in nursing homes: The importance of hospice grief and bereavement for the end-stage Alzheimer's disease patient and family. *Journal of the American Geriatrics Society, 45,* 1104–1107.
Murphy, S., Braun, T., Tillery, L., Cain, K., Johnson, L., & Beaton, R. (1999). PTSD among bereaved parents following the violent deaths of their 12- to 28-year-old children: A longitudinal prospective analysis. *Journal of Traumatic Stress, 12,* 273–291.
Murrell, S. A., & Himmelfarb, S. (1989). Effects of attachment bereavement and pre-event conditions on subsequent depressive symptoms in older adults. *Psychology and Aging, 4,* 166–172.
Murrell, S. A., & Norris, F. H. (1991). Differential social support and life change as contributors to the social class-distress relationship in old age. *Psychology and Aging, 6,* 223–231.
Murry, V. (1997). The impact of sexual activity and fertility timing on African American high school graduates' later life experiences. *Families in Society, 78,* 383–392.
Murstein, B. I. (1986). *Paths to marriage.* Beverly Hills, CA: Sage.
Mutch, L., Leyland, A., & McGee, A. (1993). Patterns of neuropsychological function in a low-birth-weight population. *Developmental Medicine & Child Neurology, 35,* 943–956.
Muthesius, D. (1997). Reminiscence and the relationship between young and old. *Zeitschrift fuer Gerontologie und Geriatrie, 30,* 354–361.
Muzi, M. (2000). *The experience of parenting.* Upper Saddle River, NJ: Prentice Hall.
Mwamwenda, T. (1999). Undergraduate and graduate students' combinatorial reasoning and formal operations. *Journal of Genetic Psychology, 160,* 503–506.
Myers, B. J. (1987). Mother-infant bonding as a critical period. In M. H. Bornstein (Ed.), *Sensitive periods in development: Interdisciplinary perspectives* (pp. 223-246). Hillsdale, NJ: Erlbaum.
Myers, D. G., & Diener, E. (1995). Who is happy? *Psychological Science, 6,* 10–17.
Myers, G. C. (1990). Demography of aging. In R. H. Binstock & L. K. George (Eds.), *Handbook of aging and the social sciences* (3rd ed.) (pp. 19–44). San Diego, CA: Academic Press.
Nagamine, S. (1999). Interpersonal conflict situations: Adolescents' negotiation processes using an interpersonal negotiation strategy model: Adolescents' relations with their parents and friends. *Japanese Journal of Educational Psychology, 47,* 218–228.
Nathanson, C. A., & Lorenz, G. (1982). Women and health: The social dimensions of biomedical data. In J. Z. Giele (Ed.), *Women in the middle years* (pp. 37–88). New York: Wiley.
National Center for Health Statistics. (1999). Surveillance for injuries and violence among older adults. *Morbidity and Mortality Weekly Report, 48,* 27–50.
National Center for Injury Prevention and Control (NCIPC). (2000). *Fact book for the year 2000.* Washington, DC: Author.
National Institute on Aging (2000b). *Sexuality in later life.* [Online "Age Page"]. Retrieved February 7, 2001 from the World Wide Web: http://www.nih.gov/nia
National Institute on Aging. (2000a) *Depression: A serious but treatable illness.* [Online "Age Page"]. Retrieved February 7, 2001 from the World Wide Web: http://www.nih.gov/nia
National survey results of gay couples in long-lasting relationships. (1990, May/June). *Partners: Newsletter for Gay and Lesbian couples,* 1–16.
Needleman, H. L., Riess, J. A. Tobin, M. J., Biesecker, G. E., & Greenhouse, J. B. (1996). Bone lead levels and deliquent behavior. *Journal of the American Medical Association, 275,* 363-369.
Neill, M. (2000). Too much harmful testing? *Educational Measurement: Issues & Practice, 16,* 57–58.
Neimark, E. D. (1982). Adolescent thought: Transition to formal operations. In B. B. Wolman (Ed.), *Handbook of developmental psychology* (pp. 486–502). Englewood Cliffs, NJ: Prentice-Hall.
Neimeyer, R. A., & Chapman, K. M. (1980/1981). Self/ideal discrepancy and fear of death: The test of an existential hypothesis. *Omega, 11,* 233–239.
Neisser, U., & Harsch, N. (1992). Phantom flashbulbs: False recollections of hearing the news about Challenger. In E. Winograd & U. Neisser (Eds.), *Affect and accuracy in recall: Studies of "flashbulb" memories.* (pp. 9–31). New York: Cambridge University Press.
Neisser, U., Boodoo, G., Bouchard, T. J., Jr., Boykin, A. W., Brody, N., Ceci, S. J., Halpern, D. F., Loehlin, J. C., Perloff, R., Sternberg, R. J., & Urbina, S. (1996). Intelligence: Knowns and unknowns. *American Psychologist, 51,* 77–101.
Nelson, C. A. (1987). The recognition of facial expression in the first two years of life: Mechanisms of development. *Child development, 58,* 889-909.
Nelson, E. A., & Dannefer, D. (1992). Aged heterogeneity: Fact or fiction? The fate of diversity in gerontological research. *The Gerontologist, 32,* 17–23.
Nelson, K. (1977). Facilitating children's syntax acquisition. *Developmental psychology, 13,* 101-107.
Nelson, M. E., Fiatarone, M. A., Morganti, C. M., Trice, I., Greenberg, R. A., & Evans, W. J. (1994). Effects of high-intensity strength training on multiple risk factors for osteoporotic fractures. *Journal of the American Medical Association, 272,* 1909–1914.
Nelson,T.O. Metamemory: Theorical framework and new findings. In G.H. Bower (Ed), *The psychology of learning and motivation.* San Diegoo: Academic Press, 1990.
Nelson,T.O. Metacognition. In V.S. Ramachandran (Ed), Encyclopedia of human behavior (Vol. 3) San Diego: *Academic Press,* 1994.
Neshat-Doost, H., Taghavi, M., Moradi, A., Yule, W., & Dalgleish, T. (1998). Memory for emotional trait adjectives in clinically depressed youth. *Journal of Abnormal Psychology, 107,* 642–650.
Neugarten, B. L. (1970). Dynamics of transition of middle age to old age. *Journal of Geriatric Psychiatry, 4,* 71–87.
Neugarten, B. L. (1977). Personality and aging. In J. E. Birren & K. W. Schaie (Eds), *Handbook of the psychology of aging* (pp. 626-649). New York: Van Nostrand Reinhold. *New York Times* (1994a). Optimism can mean life for heart patients and pessimism death, study says. *New York Times,* April 16, p. 12.
Neugarten, B. L. (1979). Time, age, and the life cycle. *American Journal of Psychiatry, 136,* 887–894.
Neugebauer, R., Hoek, H., & Susser, E. (1999). Prenatal exposure to wartime famine and development of antisocial personal disorder in early adulthood. *Journal of the American Medical Association, 282,* 455–462.
Newcomb, A. F., & Bagwell, C. L. (1995). Children's friendship relations: A meta-analytic review. *Psychological Bulletin, 117,* 306–347.
Newcomb, A. F., Bukowski, W. M., & Pattee, L. (1993). Children's peer relations: A meta-analytic review of popular, rejected, neglected, controversial, and average sociometric status. *Psychological Bulletin, 113,* 99–128.
Newcomb, P. A., Longnecker, M. P., Storer, B. E., Mittendorf, R., Baron, J., Clapp, R. W., Bogdan, G., & Willett, W. C. (1995). Long-term hormone replacement therapy and risk of breast cancer in postmenopausal women. *American Journal of Epidemiology, 142,* 788–795.
Newman, D., Caspi, A., Moffitt, T., & Silva, P. (1997). Antecedents of adult interpersonal functioning: Effects of individual differences in age 3 temperament. *Developmental Psychology, 33,* 206–217.
Ni, Y. (1998). Cognitive structure, content knowledge, and classificatory reasoning. *Journal of Genetic Psychology, 159,* 280–296.

Nightingale, E. O., & Goodman, M. (1990). *Before birth. Prenatal testing for genetic disease*. Cambridge, MA: Harvard University Press.

Nilsson, E., Gillberg, C., Gillberg, I., & Rastam, M. (1999). Ten-year follow-up of adolescent-onset anorexia nervosa: Personality disorders. *Journal of the American Academy of Child & Adolescent Psychiatry, 38*, 1389–1395.

Nilsson, L., Baeckman, L., Erngrund, K., & Nyberg, L. (1997). The Betula prospective cohort study: Memory, health, and aging. *Aging, Neuropsychology & Cognition, 4*, 1–32.

Nisan, M., & Kohlberg, L. (1982). Universality and variation in moral judgment: A longitudinal and cross-sectional study in Turkey. *Child Development, 53*, 865–876.

Nock, S. (1998). The consequences of premarital fatherhood. *American Sociological Review, 63*, 250–263.

Nolen-Hoeksema, S., & Girgus, J. S. (1994). The emergence of gender differences in depression during adolescence. *Psychological Bulletin, 115*, 424–443.

Norboru, T. (1997). A developmental study of wordplay in preschool children: The Japanese game of "Shiritori". *Japanese Journal of Developmental Psychology, 8*, 42–52.

Norris, F. H., & Murrell, S. A. (1990). Social support, life events, and stress as modifiers of adjustment to bereavement by older adults. *Psychology and Aging, 5*, 429–436.

Norton, A. J. (1983). Family life cycle: 1980. *Journal of Marriage and the Family, 45*, 267–275.

Norwood, T. H., Smith, J. R., & Stein, G. H. (1990). Aging at the cellular level: The human fibroblastlike cell model. In E. R. Schneider & J. W. Rowe (Eds.), *Handbook of the biology of aging* (3rd ed.) (pp. 131–154). San Diego, CA: Academic Press.

Nottelmann, E. D., Susman, E. J., Blue, J. H., Inoff-Germain, G., Dorn, L. D., Loriaux, D. L., Cutler, G. B., Jr., & Chrousos, G. P. (1987). Gonadal and adrenal hormone correlates of adjustment in early adolescence. In R. M. Lerner & T. T. Foch (Eds.), *Biological-psychosocial interactions in early adolescence* (pp. 303–324). Hillsdale, NJ: Erlbaum.

Notzon, F. C., Cnattingius, S., Pergsjf, P., Cole, S., Taffel, S., Urgens, L., & Dalveit, A. K. (1994). Cesarean section delivery in the 1980s: International comparison by indication. *American Journal of Obstetric and Gynecology, 170*, 495-504.

Novosad, C., & Thoman, E. (1999). Stability of temperament over the childhood years. *American Journal of Orthopsychiatry, 69*, 457–474.

Nowakowski, R. S. (1987). Basic concepts of CNS development. *Child Development, 58*, 568–595.

Nurmi, J., Pulliainen, H., & Salmela-Aro, K. (1992). Age differences in adults' control beliefs related to life goals and concerns. *Psychology and Aging, 7*, 194-196.

Nydegger, C. N. (1991). The development of paternal and filial maturity. In K. Pillemer & K. McCartney (Eds), *Parent-child relations throughout life* (pp. 93-112). Hillsdale, NJ, Erlbaum.

O'Beirne, H., & Moore, C. (1995, March). *Attachment and sexual behavior in adolescence*. Paper presented at the biennial meetings of the Society for Research in Child Development, Indianapolis, IN.

O'Brien, M. (1992). Gender identity and sex roles. In V. B. Van Hasselt & M. Hersen (Eds.), *Handbook of social development: A lifespan perspective* (pp. 325–345). New York: Plenum.

O'Connor, S., Vietze, P. M., Sandler, H. M., Sherrod, K. B., & Altemeier, W. A. (1980). Quality of parenting and the mother-infant relationships following rooming-in. In P. M. Taylor (Ed.), *Parent-infant relationships* (pp. 349-368). New York: Grune & Stratton.

O'Connor, T, Bredenkamp, D., & Rutter, M. (1999). Attachment disturbances and disorders in children exposed to early severe deprivation. *Infant Mental Health Journal, 20*, 10–29.

O'Hara, M. W., Schlechte, J. A., Lewis, D. A., & Varner, M. W. (1992). Controlled prospective study of postpartum mood disorders: Psychological, environmental, and hormonal variables. *Journal of Abnormal Psychology, 100*, 63–73.

O'Leary, A. (1990). Stress, emotion, and human immune function. *Psychological Bulletin, 108*, 363–382.

O'Leary, K. D., & Smith, D. A. (1991). Marital interactions. *Annual Review of Psychology, 42*, 191–212.

O'Neill, D. K., Astington, J. W., & Flavell, J. H. (1992). Young children's understanding of the role that sensory experiences play in knowledge acquisition. *Child Development, 63*, 474–490.

O'Rand, A. M. (1990). Stratification and the life course. In R. H. Binstock & L. K. George (Eds), *Handbook of aging and the social sciences* (3rd ed.) (pp. 130-148). San Diego, CA: Academic Press.

Oates, J. (1998). Risk factors for infant attrition and low engagement in experiments and free-play. *Infant Behavior & Development, 21*, 55–569.

Oatley, K., & Jenkins, J. (1996). *Understanding emotions*. Cambridge, MA: Blackwell Publishers.

Offer, D., Kaiz, M., Howard, K., & Bennett, E. (1998). Emotional variables in adolescence and their stability and contribution to the mental health of adult men: Implications for early intervention strategies. *Journal of Youth & Adolescence, 27*, 675–690.

Offord, D. R., Boyle, M. H., & Racine, Y. A. (1991). The epidemiology of antisocial behavior in childhood and adolescence. In D. J. Pepler & K. H. Rubin (Eds.), *The development and treatment of childhood aggression* (pp. 31–54). Hillsdale, NJ: Erlbaum.

Ofstedal, M., Zimmer, Z., & Lin, H. (1999). A comparison of correlates of cognitive functioning in older persons in Taiwan and the United States. *Journals of Gerontology: Series B: Psychological Sciences & Social Sciences. 54B*, S291-S301.

Ogawa, N., & Retherford, R. D. (1993). Care of the elderly in Japan: Changing norms and expectations. *Journal of Marriage and the Family, 55*, 585–597.

Oldenburg, C., & Kerns, K. (1997). Associations between peer relationships and depressive symptoms: Testing moderator effects of gender and age. *Journal of Early Adolescence, 17*, 319–337.

Olin, J., & Zelinski, E. (1997). Age differences in calibration of comprehension. *Educational Gerontology, 23*, 67–77.

Oller, D. K. (1981). Infant vocalizations: Exploration and reflectivity. In R. E. Stark (Ed.), *Language behavior in infancy and early childhood* (pp. 85–104). New York: Elsevier North-Holland.

Oller, D., Cobo-Lewis, A., & Eilers, R. (1998). Phonological translation in bilingual and monolingual children. *Applied Psycholinguistics, 19*, 259–278.

Olson, H., Feldman, J., Streissguth, A., Sampson, P., & Bookstein, F. (1998). Neuropsychological deficits in adolescents with fetal alcohol syndrome: Clinical findings. *Alcoholism: Clinical & Experimental Research, 22*, 1998–2012.

Oman, D., Thoresen, C., & McMahon, K. (1999). Volunteerism and mortality among the community-dwelling elderly. *Journal of Health Psychology, 4*, 301–316.

Organisation mondiale de la santé (octobre 2001), site Internet: www.who.int

Ornish, D. (1990). *Dr. Dean Ornish's program for reversing heart disease*. New York: Random House.

Orth-Gomér, K., Rosengren, A., & Wilhelmsen, L. (1993). Lack of social support and incidence of coronary heart disease in middle-aged Swedish men. *Psychosomatic Medicine, 55*, 37–43.

Orwoll, L., & Perlmutter, M. (1990). The study of wise persons: Integrating a personality perspective. In R. J. Sternberg (Ed.), *Wisdom: Its nature, origins, and development* (pp. 160–180). Cambridge, England: Cambridge University Press.

Osofsky, J. D., Hann, D. M., & Peebles, C. (1993). Adolescent parenthood: Risks and opportunities for mothers and infants. In C. H. Zeanah, Jr. (Ed.), *Handbook of infant mental health* (pp. 106–119). New York: Guilford Press.

Ostoja, E., McCrone, E., Lehn, L., Reed, T., & Sroufe, L. A. (1995, March). *Representations of close relationships in adolescence: Longitudinal antecedents from infancy through childhood*. Paper presented at the biennial meetings of the Society for Research in Child Development, Indianapolis, IN.

Overmeyer, S., & Taylor, E. (1999). Principles of treatment for hyperkinetic disorder: Practice approaches for the U. K. *Journal of Child Psychology & Psychiatry & Allied Disciplines, 40*, 1147–1157.

Overton, W. F., Ward, S. L., Noveck, I. A., Black, J., & O'Brien, D. P. (1987). Form and content in the development of deductive reasoning. *Developmental Psychology, 23*, 22-30.

Owen, P. (1998). Fears of Hispanic and Anglo children: Real-world fears in the 1990s. *Hispanic Journal of Behavioral Sciences, 20*, 483–491.

Owens, G., Crowell, J. A., Pan, H., Treboux, D., O'Connor, E., & Waters, E. (1995). The prototype hypothesis and the origins of attachment working models: Adult relationships with parents and romantic partners. *Monographs of the Society for Research in Child Development, 60*(244, No. 2–3), 216–233.

Owens, J., Spirito, A., McGuinn, M., & Nobile, C. (2000). Sleep habits and sleep disturbance in elementary school-aged children. *Journal of Developmental & Behavioral Pediatrics, 21*, 27–36.

Paarlberg, K., Vingerhoets, A. J., Passchier, J., Dekker, G., & van Geign, H. (1995). Psychosocial factors and pregnancy outcome: A review with emphasis on methodological issues. *Journal of Psychosomatic Research, 39*, 563–595.

Paden, S. L., & Buehler, C. (1995). Coping with the dual-income lifestyle. *Journal of Marriage and the Family, 57*, 101–110.

Paffenbarger, R. S., Hyde, R. T., Wing, A. L., & Hsieh, C. (1987). Physical activity, all-cause mortality, and longevity of college alumni. *New England Journal of Medicine, 314*, 605–613.

Pagani, L., Boulerice, B., Tremblay, R., & Vitaro, F. (1997). Behavioural development in children of divorce and remarriage. *Journal of Child Psychology & Psychiatry & Allied Disciplines, 38*, 769–781.

Page, D. C., Mosher, R., Simpson, E. M., Fisher, E. M. C., Mardon, G., Pollack, J., McGillivray, B., de la Chapelle, A., & Brown, L. G. (1987). The sex-determining region of the human Y chromosome encodes a finger protein. *Cell, 51*, 1091-1104.

Paikoff, R. L., & Brooks-Gunn, J. (1990). Physiological processes: What role do they play during the transition to adolescence? In R. Montemayor, G. R. Adams, & T. P. Gullotta (Eds), *From childhood to adolescence: A transitional period?* (pp. 63-81). Newbury Park, CA: Sage.

Palkowitz, R. (1985). Fathers' birth attendance, early contact, and extended contact with their newborns: A critical review. *Child development, 56*, 392–406.

Palla, B., & Litt, I. R. (1988). Medical complications of eating disorders in adolescents. *Pediatrics, 81*, 613–623.

Palmérus, K., & Scarr, S. (1995). *How parents discipline young children: Cultural comparisons and individual differences*. Paper presented at the biennal meetings of the Society for Research in Child Development, Indianapolis, March.

Palmore, E. (1981). *Social patterns in normal aging: Findings from the Duke Longitudinal Study*. Durham, NC: Duke University Press.

Palmore, E. B. (1990). *Ageism: Negative and positive*. New York: Springer.

Palmore, E. B., & Cleveland, W. (1976). Aging, terminal decline, and terminal drop. *Journal of Gerontology, 31*, 76–81.

Palmore, E. B., Burchett, B. M., Fillenbaum, G. G., George, L. K., & Wallman, L. M. (1985). *Retirement. Causes and consequences*. New York: Springer.

Papousek, H., & Papousek, M. (1991). Innate and cultural guidance of infants' integrative competencies: China, the United States, and Germany. In M. H. Bornstein (Ed.), *Cultural approaches to parenting* (pp. 23–44). Hillsdale, NJ: Erlbaum.

Parault, S., & Schwanenflugel, P. (2000). The development of conceptual categories of attention during the elementary school years. *Journal of Experimental Child Psychology, 75*, 245–262.

Parke, R. D., & Tinsley, B. R. (1981). The father's role in infancy: Determinants of involvement in caregiving and play. In M. E. Lamb (Ed.), *The role of the father in child development* (2nd ed.) (pp. 429–458). New York: Wiley.

Parker, R. (1999). Reminiscence as continuity: Comparison of young and older adults. *Journal of Clinical Geropsychology, 5*, 147–157.

Parlee, M. B. (1979, October). The friendship bond. *Psychology Today, 14*, 43-54, 113.

Parmelee, A. H. Jr., & Sigman M. D. (1983). Perinatal brain development and behavior. In M. M. Haith & J. J. Campos (Eds), *Handbook of child psychology: Infancy and developmental psychobiology* (Vol. 2) (pp. 95-156). New York: Wiley (P. H. Mussen, General Editor).

Parmelee, A. H., Jr., Wenner, W. H., & Schulz, H. R. (1964). Infant sleep patterns from birth to 16 weeks of age. *Journal of Pediatrics, 65*, 576–582.

Patterson, C. (1997). Children of lesbian and gay parents. *Advances in Clinical Child Psychology, 19*, 235–282.

Patterson, G. R. (1980). Mothers: The unacknowledged victims. *Monographs of the Society for Research in Child Development, 45*(Serial No. 186).

Patterson, G. R., Capaldi, D., & Bank, L. (1991). An early starter model for predicting delinquency. In D. J. Pepler & K. H. Rubin (Eds.), *The development and treatment of childhood aggression* (pp. 139–168). Hillsdale, NJ: Erlbaum.

Patterson, G. R., DeBarsyshe, B. D., & Ramsey, E. (1989). A developmental perspective on antisocial behavior. *American Psychologist, 44*, 329–335.

Patterson, J. (1998). Expressive vocabulary of bilingual toddlers: Preliminary findings. *Multicultural Electronic Journal of Communication Disorders, 1*. Retrieved April 11, 2001 from the World Wide Web: www.asha.ucf.edu/patterson.html

Paxton, S. J., Wertheim, E. H., Gibbons, K., Szmukler, G. I., Hillier, L., & Petrovich, J. L. (1991). Body image satisfaction, dieting beliefs, and weight loss behaviors in adolescent girls and boys. *Journal of Youth and Adolescence, 20*, 361–379.

Pearlin, L. (1975). Sex roles and depression. In N. Datan & L. H. Ginsberg (Eds.), *Life-span developmental psychology: Normative life crises* (pp. 191–208). New York: Academic Press.

Peck, R.C. (1968). Psychological developments in the second half of life. Dans B.L. Neugarten (ED.),Middle age and aging. Chicago: University of Chicago Press.

Peckham, C. S. (1994). Human immunodeficiency virus infection and pregnancy. *Sexually Transmitted Diseases, 21* (No. 2 Supplement), S28-31.

Pedersen, N. L., & Harris, J. R. (1990). Developmental behavioral genetics and successful aging. In P. B. Baltes & M. M. Baltes (Eds.), *Successful aging* (pp. 359–380). Cambridge, England: Cambridge University Press.

Pedersen, N. L., Plomin, R., McClearn, G. E., & Friberg, L. (1988). Neuroticism, extraversion and related traits in adult twins reared appart and reared together. *Journal of Personality and Social Psychology, 55*, 950-957.

Pederson, D. R., & Moran, G. (1995). A categorical description of infant-mother relationships in the home and its relation to Q-sort measures of infant-mother interaction. *Monographs of the Society for Research in Child Development, 60* (244, Nos. 2–3), 111–132.

Pederson, D. R., Moran, G., Sitko, C., Campbell, K., Ghesquire, K., & Acton, H. (1990). Maternal sensitivity and the security of infant-mother attachment: A Q-sort study. *Child Development, 61*, 1974–1983.

Pedlow, R., Sanson, A., Prior, M., & Oberklaid, F. (1993). Stability of maternally reported temperament from infancy to 8 years. *Developmental Psychology, 29*, 998–1007.

Pegg, J.E., Werker, J. F., & McLeod, P. J. (1992). Preference for infant-directed over adult-directed speech: Evidence from 7 week-old infants. *Infant Behavior and Development, 15*, 325-345.

Peigneux, P., & van der Linden, M. (1999). Influence of ageing and educational level on the prevalence of body-part-as-objects in normal subjects. *Journal of Clinical & Experimental Neuropsychology, 21*, 547–552.

Pence, A. R. (Ed.). (1988). *Ecological research with children and families: From concepts to methodology*. New York: Teachers College Press.

Peplau, L. A. (1991). Lesbian and gay relationships. In J. C. Gonsiorek & J. D. Weinrich (Eds.), *Homosexuality: Research implications for public policy* (pp. 177–196). Newbury Park, CA: Sage.

Perho, H., & Korhonen, M. (1999). Coping in work and marriage at the onset of middle age. *Psykologia, 34*, 115–127.

Perls, T. (1999). *The New England Centenarian Study*. Harvard Medical School. [Online article]. Retrieved February 7, 2001 from the World Wide Web: http://www.med.harvard.edu/programs/necs/studies.html

Perner, J., & Wimmer, H. (1985). "Join thinks that Mary thinks that...": Attribution of second-order beliefs by 5- or 10-year old children. *Journal of Experimental Child Psychology, 39*, 437-471.

Perry, W. B. (1970). *Forms of intellectual and ethical development in the college years*. New york: Holt, Rhinehart & Winston.

Petersen, A. C. (1987). The nature of biological-psychosocial interactions: The sample case of early adolescence. In R. M. Lerner & T. T. Foch (Eds.), *Biological-psychosocial interactions in early adolescence* (pp. 35–62). Hillsdale, NJ: Erlbaum.

Petersen, A. C., & Taylor, B. (1980). The biological approach to adolescence. In J. Adelson (Ed.), *Handbook of adolescent psychology* (pp. 117-158). New York: Wiley.

Petersen, A. C., Compas, B. E., Brooks-Gunn, J., Stemmler, M., Ey, S., & Grant, K. E. (1993). Depression in adolescence. *American Psychologist, 48*, 155–168.

Petersen, A. C., Sarigiani, P. A., & Kennedy, R. E. (1991). Adolescent depression: Why more girls? *Journal of Youth and Adolescence, 20*, 247-272.

Peterson, C. (1999). Grandfathers' and grandmothers' satisfaction with the grandparenting role: Seeking new answers to old questions. *International Journal of Aging & Human Development, 49*, 61–78.

Peterson, C. C., & Siegal, M. (1995). Deafness, conversation and theory of mind. *Journal of Child Psychology and Psychiatry, 36*, 459–474.

Peterson, C., & Siegal, M. (1999). Representing inner worlds: Theory of mind in autistic, deaf, and normal hearing children. *Psychological Science, 10*, 126–129.

Peterson, C., Seligman, M. E. P., & Vaillant, G. E. (1988). Pessimistic explanatory style is a risk factor for physical illness: A thirty-five-year longitudinal study. *Journal of Personality and Social Psychology, 55*, 23–27.

Pettingale, K. W., Morris, T., Greer, S., & Haybittle, J. L. (1985). Mental attitudes to cancer: An additional prognostic factor. *Lancet*, 85.

Pettit, G. S., Clawson, M. A., Dodge, K. A., & Bates, J. E. (1996). Stability and change in peer-rejected status: The role of child behavior, parenting, and family ecology. *Merrill-Palmer Quarterly, 42*, 295–318.

Phelps, L., Wallace, N., & Bontrager, A. (1997). Risk factors in early child development: Is prenatal cocaine/polydrug exposure a key variable? *Psychology in the Schools, 34*, 245–252.

Phillips, D., Schwean, V., & Saklofske, D. (1997). Treatment effect of a school-based cognitive-behavioral program for aggressive children. *Canadian Journal of School Psychology, 13*, 60–67.

Phillips, S. K., Bruce, S. A., Newton, D., & Woledge, R. C. (1992). The weakness of old age is not due to failure of muscle activation. *Journals of Gerontology: Medical Sciences, 47*, M45–49.

Phillips, G., & Over, R. (1995). Differences between heterosexual, bisexual, and lesbian women in recalled childhood experiences. *Archives of Sexual Behavior, 24*, 1–20.

Phillipsen, L. (1999). Associations between age, gender, and group acceptance and three components of friendship quality. *Journal of Early Adolescence, 19*, 438–464.

Phinney, J. S. (1990). Ethnic identity in adolescents and adults: Review of research. *Psychological Bulletin, 108*, 499–514.

Phinney, J. S., & Rosenthal, D. A. (1992). Ethnic identity in adolescence: Process, context, and outcome. In G. R. Adams, T. P. Gullotta, & R. Montemayor (Eds.), *Adolescent identity formation* (pp. 145–172). Newbury Park, CA: Sage.

Piaget, J. (1932). *The moral judgment of the child*. New York: Macmillan.

Piaget, J. (1951). *Plays, dreams and imitation in childhood*. New York: W. W. Norton.

Piaget, J. (1952). *The origins of intelligence in children*. New York: International Universities Press.

Piaget, J. (1954). *The construction of reality in the child*. New York: Basic Books. (Originally published 1937.)

Piaget, J. (1957), *Le jugement moral chez l'enfant*, Paris, P.U.F.

Piaget, J. (1960). *The child's conception of the world*. London: Routledge.

Piaget, J. (1970). Piaget's theory. In P. H. Mussen (Ed.), *Carmichael's manual of child psychology* (Vol. 1, 3rd ed.) (pp. 703–732). New York: Wiley.

Piaget, J. (1977). *The development of thought: Equilibration of cognitive structures*. New York: Viking.

Piaget, J., & Inhelder, B. (1959). *La genèse des structures logiques élémentaires: Classifications et sériations [The origin of elementary logical structures: Classification and seriation]*. Neuchâtel, Switzerland: Delachaux et Niestlé.

Piaget, J., & Inhelder, B. (1969). *The psychology of the child*. New York: Basic Books.

Pianta, R. C., Steinberg, M. S., & Rollins, K. B. (1995). Teacher-child relationships and deflections in children's classroom adjustment. *Development and Psychopathology, 7*, 295–312.

Pilgrim, C., Luo, Q., Urberg, K., & Fang, X. (1999). Influence of peers, parents, and individual characteristics on adolescent drug use in two cultures. *Merrill-Palmer Quarterly, 45*, 85–107.

Pillard, R. C., & Bailey, J. M. (1995). A biologic perspective on sexual orientation. *The Psychiatric Clinics of North America, 18*(1), 71–84.

Pillow, B. (1999). Children's understanding of inferential knowledge. *Journal of Genetic Psychology, 160*, 419–428.

Pinker, S. (1987). The bootstrapping problem in language acquisition. In B. MacWhinney (Ed.), *Mechanisms of language acquisition* (pp. 399-442). Hillsdale, NJ: Erlbaum.

Pinker, S. (1994). *The language instinct: How the mind creates language*. New York: Morrow.

Pinquart, M., & Soerensen, S. (2000). Influences of socioeconomic status, social network, and competence on subjective well-being in later life: A meta-analysis. *Psychology & Aging, 15*, 187–224.

Pleck, J. (1977). The work-family role system. *Social Problems, 24*, 417–427.

Plomin, R, Rende, R., & Rutter, M. (1991). Quantitative genetics and developmental psychopathology. In D. Cicchetti & S. L. Toth (Eds), *Internalizing and externalizing expressions of dysfunction: Rochester symposium on developmental psychopathology* (pp. 155-202). Hillsdale, NJ: Erlbaum.

Plomin, R. (1990). *Nature and nurture: An introduction to behavior genetics*. Pacific Grove, CA: Brooks/Cole.

Plomin, R., & DeFries, J. C. (1985). *Origins of individual differences in infancy: The Colorado Adoption Project*. Orlando, FL: Academic Press.

Plomin, R., & McClearn, G. E. (1990). Human behavioral genetics of aging. In J. E. Birren & K. W. Schaie (Eds.), *Handbook of the psychology of aging* (3rd ed.) (pp. 67–79). San Diego, CA: Academic Press.

Plomin, R., & Rende, R. (1991). Human behavioral genetics. *Annual Review of Psychology, 42*, 161–190.

Plomin, R., Emde, R. N., Braungart, J. M., Campos, J., Corley, R., Fulker, D. W., Kagan, J., Reznick, J. S., Robinson, J., Zahn-Waxler, C., & DeFries, J. C. (1993). Genetic change and continuity from fourteen to twenty months: The MacArthur longitudinal twin study. *Child Development, 64*, 1354–1376.

Plomin, R., Pedersen, N. L., McClearn, G. E., Nesselroade, J. R., & Bergeman, C. S. (1988). EAS temperaments during the last half of the life span: Twins reared apart and twins reared together. *Psychology and Aging, 3*, 43-50.

Pober, B. R. (1996). Williams syndrome. In A. J. Capute & P. J. Acardo (Eds), *Developmental disabilities in infancy and childhood* (2nd ed.). *Vol II. The spectrum of developmental disabilities* (pp. 271-279). Baltimore, MD: Paul H. Brookes.

Polka, L., & Werker, J. F. (1994). Developmental changes in perception of nonnative vowel contrasts. *Journal of Experimental Psychology: Human Perception and Performance, 20*, 421–435.

Pollack, J. M. (1979/1980). Correlates of death anxiety: A review of empirical studies. *Omega, 10*, 97–121.

Pollitt, E., & Gorman, K. S. (1994). Nutritional deficiencies as developmental risk factors. In C. A. Nelson (Ed.), *The Minnesota Symposia on Child Development* (Vol. 27) (pp. 121–144). Hillsdale, NJ: Erlbaum.

Ponomareva, N., Fokin, V., Selesneva, N., & Voskresenskaea, N. (1998). Possible neurophysiological markers of genetic predisposition to Alzheimer's disease. *Dementia & Geriatric Cognitive Disorders, 9*, 267–273.

Ponsonby, A., Dwyer, T., Gibbons, L. E., Cochrane, J. A., & Wang, Y. (1993). Factors potentiating the risk of sudden infant death syndrome associated with the prone position. *New England Journal of Medicine, 329*, 377–382.

Poole, L. (1998). Attributions of responsibility for depression of menopausal women. *TCA Journal, 26*, 115–122.

Portnoi, V. (1999). Progressing from disease prevention to health promotion. *Journal of the American Medical Association, 282*, 1813.

Posthuma, W. F. M., Westendorp, R. G. J., & Vandenbroucke, J. P. (1994). Cardioprotective effect of hormone replacement therapy in postmenopausal women: Is the evidence biased? *British Medical Journal, 308*, 1268–1269.

Poulin, F., & Boivin, M. (1999). Proactive and reactive aggression and boys' friendship quality in mainstream classrooms. *Journal of Emotional & Behavioral Disorders, 7*, 168–177.

Poulin, F., & Boivin, M. (2000). The role of proactive and reactive aggression in the formation and development of boys' friendships. *Developmental Psychology, 36*, 233–240.

Power, C., & Peckham, C. (1990). Childhood morbidity and adulthood ill health. *Journal of Epidemiology and Community Health, 44*, 69-74.

Powlishta, K. K. (1995). Intergroup processes in childhood: Social categorization and sex role development. *Developmental Psychology, 31*, 781–788.

Powlishta, K. K., Serbin, L. A., Doyle, A., & White, D. R. (1994). Gender, ethnic, and body type biases: The generality of prejudice in childhood. *Developmental Psychologym 30*, 526–536.

Prager, E. (1998). Men and meaning in later life. *Journal of Clinical Geropsychology, 4*, 191–203.

Prechtl, H. F. R., & Beintema, D. J. (1964). *The neurological examination of the full-term newborn infant: Clinics in Developmental Medicine, 12*. London: Heinemann.

Prentice, A. (1994). Extended breast-feeding and growth in rural China. *Nutrition Reviews, 52*, 144–146.

Pressley, M. Are key word methods effect limited to slow presentation rates, 1987.? An empirically based reply to Hall and Fuson, 1986. *Journal of Educational Psychology*, 79, 333-335.

Pressley, M. et Schneider,W., Introduction to memory development during childhood and adolescence, Mahah,N.J., *Erlbaum*, 1997.

Pressley, M., & Dennis-Rounds, J. (1980). Transfer of a mnemonic keyword strategy at two age levels. *Journal of Educational Psychology, 72*, 575–582.

Prigerson, H., Bierhals, A., Kasl, S., Reynolds, C., et al. (1997). Traumatic grief as a risk factor for mental and physical morbidity. *American Journal of Psychiatry, 154*, 616–623.

Prigerson, H., Bridge, J., Maciejewski, P., Beery, L., Rosenheck, R., Jacobs, S., Bierhals, A., Kupfer, D., & Brent, D. (1999). Influence of traumatic grief on suicidal ideation among young adults. *American Journal of Psychiatry, 156*, 1994–1995.

Prince, A. (1998). Infectious diseases. In R. Behrman & R. Kliegman (Eds.), *Nelson essentials of pediatrics* (3rd ed., pp. 315–418). Philadelphia: W. B. Saunders.

Prinstein, M., & La Greca, A. (1999). Links between mothers' and children's social competence and associations with maternal adjustment. *Journal of Clinical Child Psychology, 28*, 197–210.

Purnine, D., & Carey, M. (1998). Age and gender differences in sexual behavior preferences: A follow-up report. *Journal of Sex & Marital Therapy, 24*, 93–102.

Putnins, A. (1997). Victim awareness programs for delinquent youths: Effects on moral reasoning maturity. *Adolescence, 32*, 709–714.

Pye, C. (1986). Quiche Mayan speech to children. *Journal of Child Language, 13*, 85-100.

Pynoos, H., Steinberg, A., & Wraith, R. (1995). A developmental model of childhood traumatic stress. In D. Cicchetti & D. Cohen (Eds.), *Developmental psychopathology: Vol 2: Risk, disorder, and adaptation*. New York: Wiley.

Quigley, D., & Schatz, M. (1999). Men and women and their responses in spousal bereavement. *Hospice Journal, 14*, 65–78.

Quinn, J. F. (1987). The economic status of the elderly: Beware of the mean. *The Review of Income and Wealth, 1*, 63-82.

Rabasca, L. (1999, October). Ultra-thin magazine models found to have little negative effect on adolescent girls. *APA Monitor Online 30*. Retrieved January 16, 2001 from the World Wide Web: http://www.apa.org/monitor/oct99

Rahman, O., Strauss, J., Gertler, P., Ashley, D., & Fox, K. (1994). Gender differences in adult health: An international comparison. *The Gerontologist, 34*, 463–469.

Raja, S. N., McGee, R., & Stanton, W. R. (1992). Perceived attachments to parents and peers and psychological well-being in adolescence. *Journal of Youth and Adolescence, 21*, 471–485.

Raschke, H. (1987). Divorce. In M. Sussman & S. Steinmetz (Eds.), *Handbook of marriage and the family* (pp. 597–624). New York: Plenum.

Raskind, M. A., & Peskind, E. R. (1992). Alzheimer's disease and other dementing disorders. In J. E. Birren, R. B. Sloane, & G. D. Cohen (Eds.), *Handbook of mental health and aging* (2nd ed.) (pp. 478–515). San Diego, CA: Academic Press.

Ree, M. J., & Earles, J. A. (1992). Intelligence is the best predictor of job performance. *Current Directions In Psychological Science, 1*, 86-89.

Reed, G. M., Kemeny, M. E., Taylor, S. E., Wang, H. J., & Visscher, B. R. (1994). Realistic acceptance as a predictor of decreased survival time in gay men with AIDS. *Health Psychology, 13*, 299–307.

Reed, M. (1998). Predicting grief symptomatology among the suddenly bereaved. *Suicide & Life-Threatening Behavior, 28*, 285–301.

Regier, D. A., Boyd, J. H., Burke, J. D., Rae, D. S., Myers, J. K., Kramer, M., Robins, L. N., George, L. K., Karno, M., & Locke, B. Z. (1988). One-month prevalence of mental disorders in the United States. *Archives of General Psychiatry, 45*, 977–986.

Reich, J. W., Zautra, A. J., & Guarnaccia, C. A. (1989). Effects of disability and bereavement on the mental health and recovery of older adults. *Psychology and Aging, 4*, 57–65.

Reisman, J. M., & Shorr, S. I. (1978). Friendship claims and expectations among children and adults. *Child Development, 49*, 913-916.

Remafedi, G. (1987a). Adolescent homosexuality: Psychosocial and medical implications. *Pediatrics, 79*, 331-337.

Remafedi, G. (1987b). Male homosexuality: The adolescents' perspective. *Pediatrics, 79*, 326-330.

Remafedi, G., Farrow, J. A., & Deisher, R. W. (1991). Risk factors for attempted suicide in gay and bisexual youth. *Pediatrics, 87*, 869–875.

Remafedi, G., French, S., Story, M., Resnick, M., & Blum, R. (1998). The relationship between suicide risk and sexual orientation: Results of a population-based study. *American Journal of Public Health, 88*, 57–60.

Rendell, P., & Thomson, D. (1999). Aging and prospective memory: Differences between naturalistic and laboratory tasks. *Journals of Gerontology, 54B*, P256–P269.

Renouf, A. G., & Harter, S. (1990). Low self-worth and anger as components of the depressive experience in young adolescents. *Development and Psychopathology, 2*, 293–310.

Rest, J. R. (1983). Morality. In J. H. Flavell & E. M. Markham (Eds), *Handbook of child psychology: Cognitive development* (Vol. 3) (pp. 556-629). New York: Wiley. (P. H. Mussen, General Editor).

Rexroat, C., & Shehan, C. (1987). The family life cycle and spouses' time in housework. *Journal of Marriage and the Family, 49*, 737–750.

Reynolds, A. J., & Bezruczko, N. (1993). School adjustment of children at risk through fourth grade. *Merrill-Palmer Quarterly, 39*, 457–480.

Rholes, W. S., & Ruble, D. N. (1984). Children's understanding of dispositional characteristics of others. *Child Development, 55*, 550–560.

Rholes, W., Simpson, J., Blakely, B., Lanigan, L., & Allen, D. (1997). Adult attachment styles, the desire to have children, and working models of parenthood. *Journal of Personality, 65*, 357–385.

Ricciuti, H. N. (1993). Nutrition and mental development. *Current Directions in Psychological Science, 2*, 43-46.

Richardson, G. S. (1990). Circadian rhythms and aging. In E. R. Scheider & J. W. Rowe (Eds.), *Handbook of the biology of aging* (3rd ed.) (pp. 275–305). San Diego, CA: Academic Press.

Richardson, G., Conroy, M., & Day, N. (1996). Prenatal cocaine exposure: Effects on the development of school-aged children. *Neurotoxicology & Teratology, 18*, 627–634.

Richardson, J. L., Zarnegar, Z., Bisno, B., & Levine, A. (1990). Psychosocial status at initiation of cancer treatment and survival. *Journal of Psychosomatic Research, 34*, 189–201.

Rierdan, J., & Koff, E. (1993). Developmental variables in relation to depressive symptoms in adolescent girls. *Development and Psychopathology, 5*, 485–496.

Rierdan, J., Koff, E., & Stubbs, M. L. (1989). Timing of menarche preparation, and initial menstrual experience: Replication and further analysis in a prospective study. *Journal of Youth and Adolescence, 18*, 413-426.

Riggs, A. (1997). Men, friends, and widowhood: Towards successful aging. *Australian Journal on Ageing, 16*, 182–185.

Riley, M. W. (1976). Age strata in social systems. In R. H. Binstock & E. Shanas (Eds), *Handbook of aging and the social sciences* (pp. 189-217). New York: Van Nostrand Reinhold.

Riley, M. W. (1986). Overview and highlights of a sociological perspective. In A. B. Frensen, F. E. Weinert, & L. R. Sherrod (Eds), *Human development and the life course: Multidisciplinary perspectives* (pp. 153-176). Hillsdale, NJ: Erlbaum.

Rindfuss, R. R. (1991). The young adult years: Diversity, structural change, and fertility. *Demography, 28*, 493-512.

Rindfuss, R. R., Swicegood, C. G., & Rosenfeld, R. A. (1987). Disorder in the life course: How common and does it matter? *American Sociological Review, 52*, 785-801.

Roberts, R. E., & Sobhan, M. (1992). Symptoms of depression in adolescence: A comparison of Anglo, African, and Hispanic Americans. *Journal of Youth and Adolescence, 21*, 639–651.

Robins, L. N., & McEvoy, L. (1990). Conduct problems as predictors of substance abuse. In L. N. Robins & M. Rutter (Eds.), *Straight and devious pathways from childhood to adulthood* (pp. 182–204). Cambridge, England: Cambridge University Press.

Robins, R., Caspi, A., & Moffitt, T. (2000). Two personalities, one relationship: Both partners' personality traits shape the quality of their relationship. *Journal of Personality & Social Psychology, 79*, 251–259.

Robinson-Whelen, S., & Kiecolt-Glaser, N. (1997). The importance of social versus temporal comparison appraisals among older adults. *Journal of Applied Social Psychology, 27*, 959–966.

Roche, A. F. (1979). Secular trends in human growth, maturation, and development. *Monographs of the Society for Research in Child Development, 44*(3–4, Serial No. 179).

Rockwood, K., & Stadnyk, K. (1994). The prevalence of dementia in the elderly: A review. *Canadian Journal of Psychiatry, 29*, 253–257.

Roderick, M., & Camburn, E. (1999). Risk and recovery from course failure in the early years of high school. *American Educational Research Journal, 36*, 303–343.

Rodin, J. (1986). Aging and health: Effects of the sense of control. *Science, 233*, 1271–1275.

Rodin, J. (1990). Control by any other name: Definitions, concepts, and processes. In J. Rodin, C. Schooler, & K. W. Schaie (Eds.), *Self-directedness: Cause and effects throughout the life course* (pp. 1–17). Hillsdale, NJ: Erlbaum.

Rodin, J., & Langer, E. J. (1977). Long-term effects of a control-relevant intervention with the institutionalized aged. *Journal of Personality and Social Psychology, 35*, 897–902.

Rodkin, P., Farmer, T., Pearl, R., & Van Acker, R. (2000). Heterogeneity of popular boys: Antisocial and prosocial configurations. *Developmental Psychology, 36*, 14–24.

Rodrigo, M., Janssens, J., & Ceballos, E. (1999). Do children's perceptions and attributions mediate the effects of mothers' child rearing actions? *Journal of Family Psychology, 13*, 508–522.

Rodriguez, C., Calle, E. E., Coates, R. J., Miracle-McMahil, H. L., Thun, M. J., & Heath, C. W., Jr. (1995). Estrogen replacement therapy and fatal ovarian cancer. *American Journal of Epidemiology, 141*, 828–835.

Rogers, R. L., Meyer, J. S., & Mortel, K. F. (1990). After reaching retirement age physical activity sustains cerebral perfusion and cognition. *Journal of the American Geriatric Society, 38,* 123–128.

Rogoff, B. (1990). *Apprenticeship in thinking: Cognitive development in social contexts.* New York: Oxford University Press.

Rogosch, F., Cicchetti, D., & Aber, J. (1995). The role of child maltreatment in early deviations in cognitive and affective processing abilities and later peer relationship problems. *Development and Psychopathology, 7,* 591–609.

Rohner, R. P., Kean, K. J., & Cournoyer, D. E. (1991). Effects of corporal punishment, perceived caretaker warmth, and cultural beliefs on the psychological adjustment of children in St. Kitts, West Indies. *Journal of Marriage and the Family, 53,* 681-693.

Rojewski, J. (1999). Occupational and educational aspirations and attainment of young adults with and without LD 2 years after high school completion. *Journal of Learning Disabilities, 32,* 533–552.

Rollins, B. C., & Feldman, H. (1970). Marital satisfaction over the family life cycle. *Journal of Marriage and the Family, 32,* 20–27.

Rolls, B. J., Fedoroff, I. C., & Guthrie, J. F. (1991). Gender differences in eating behavior and body weight regulation. *Health Psychology, 20,* 133-142.

Rolls, E. (2000). Memory systems in the brain. *Annual Review of Psychology, 51,* 599–630.

Rooks, J. P., Weatherby, N. L., Ernst, E. K. M., Stapleton, S., Rosen, D., Rosenfield, A. (1989). Outcomes of care in birth centers: The National Birth Center Study. *New England Journal of Medicine, 321,* 1804-1811.

Roosa, M. W. (1984). Maternal age, social class, and the obstetric performance of teenagers. Journal of Youth and Adolescence, 13, 365-374.

Rose, A. J., & Montemayor, R. (1994). The relationship between gender role orientation and perceived self-competence in male and female adolescents. *Sex Roles, 31,* 579–595.

Rose, R. J. (1995). Genes and human behavior. *Annual Review of Psychology, 56,* 625–654.

Rose, S. A., & Feldman, J. F. (1995). Prediction of IQ and specific cognitive abilities at 11 years from infancy measures. *Developmental Psychology, 31,* 685-696.

Rose, S. A., & Ruff, H. A. (1987). Cross-modal abilities in human infants. In J. D. Osofsky Ed.), *Handbook of infant development* (2nd ed.) (pp. 318-362). New York: Wiley-Interscience.

Rosenbaum, J. E. (1984). *Career mobility in a corporate hierarchy.* New York: Academic Press.

Rosenberg, M. (1986). Self-concept from middle childhood through adolescence. In J. Suls & A. G. Greenwald (Eds.), *Psychological perspectives on the self* (Vol. 3) (pp. 107–136). Hillsdale, NJ: Erlbaum.

Rosenblith, J. F. (1992). *In the beginning* (2nd ed.). Thousand Oaks, CA: Sage.

Rosenthal, C. J., Matthews, S. H., & Marshall, V. W. (1989). Is parent care normative? The experiences of a sample of middle-aged women. *Research on Aging, 11,* 244–260.

Rosenthal, R. (1994). Interpersonal expectancy effects: A 30-year perspective. *Current Directions in Psychological Science, 3,* 176–179.

Rosow, I. (1985). Status and role change through the life cycle. In R. H. Binstock & E. Shanas (Eds.), *Handbook of aging and the social sciences* (2nd ed.) (pp. 62–93). New York: Van Nostrand Reinhold.

Ross, C. E. (1995). Reconceputalizing marital status as a continuum of social attachment. *Journal of Marriage and the Family, 57,* 129–140.

Ross, R. K., Paganini-Hill, A., Mack, T. M., & Henderson, B. E. (1987). Estrogen use and cardiovascular disease. In D. R. Mishell, Jr. (Ed.), *Menopause: Physiology and pharmacology* (pp. 209–224). Chicago: Year Book Medical Publishers.

Rossi, A. S. (1989). A life-course approach to gender, aging, and intergenerational relations. In K. W. Schaie & C. Schooler (Eds.), *Social structure and aging: Psychological processes* (pp. 207–236). Hillsdale, NJ: Erlbaum.

Rossman, I. (1980). Bodily changes with aging. In E. W. Busse & D. G. Blazer (Eds.), *Handbook of geriatric psychiatry* (pp. 125–146). New York: Van Nostrand Reinhold.

Rothbard, J. C., & Shaver, P. R. (1994). Continuity of attachment across the life span. In M. B. Sperling & W. H. Berman (Eds.), *Attachment in adults. Clinical and developmental perspectives* (pp. 31–71). New York: Guilford Press.

Rothbart, M. K., Derryberry, D., & Posner, M. I. (1994). A psychobiological approach to the development of temperament. In J. E. Bates & T. D. Wachs (Eds.), *Temperament. Individual differences at the interface of biology and behavior* (pp. 83–116). Washington, DC: American Psychological Association.

Rothbart, M., Ahadi, S., & Evans, D. (2000). Temperament and personality: Origins and outcomes. *Journal of Personality & Social Psychology, 78,* 122–135.

Rotheram-Borus, M. J., Rosario, M., & Koopman, C. (1991). Minority youths at high risk: Gay males and runaways. In M. E. Colten & S. Gore (Eds.), *Adolescent stress: Causes and consequences* (pp. 181–200). New York: Aldine de Gruyter.

Rothman, K. J., Moore, L. L., Singer, M. R., Nguyen, U. D. T., Mannino, S., & Milunsky, A. (1995). Teratogenicity of high Vitamin A intake. *New England Journal of Medicine, 333,* 1369-1373.

Rotter, J. B. (1966). Generalized expectancies for internal versus external control of reinforcement. *Psychological Monographs, 80*(1, Whole No. 609).

Rovee-Collier, C. (1986). The rise and fall of infant classical conditionning research: Its promise for the study of early development. In L. P. Lipsitt & C. Rovee-Collier (Eds), *Advances in infancy research* (Vol. 4) (pp.139-162). Norwood, NJ: Ablex.

Rovee-Collier, C. (1993). The capacity for long-term memory in infancy. *Current Directions in Psychological Science, 2,* 130–135.

Rowe, I., & Marcia, J. E. (1980). Ego identity status, formal operations, and moral development. *Journal of Youth and Adolescence, 9,* 87-99.

Rowe, J., & Kahn, R. (1997). Successful aging. *Gerontologist, 37,* 433–440.

Rowe, J., & Kahn, R. (1998). *Successful aging.* New York: Pantheon.

Roy, P., Rutter, M., & Pickles, A. (2000). Institutional care: Risk from family background or pattern of rearing. *Journal of Child Psychology & Psychiatry & Allied Disciplines, 41,* 139–149.

Ruben, K., Nelson, L., Hastings, P., & Asendorpt, J. (1999). The transaction between parents' perception of their children's shyness and their parenting styles. *International Journal of Behavioral Development, 23,* 937–958.

Rubin, K. H., Fein, G. G., & Vandenberg, B. (1983). Play. In E. M. Hetherington (Ed.), *Handbook of child psychology: Socialization, personality, and social development* (Vol. 4) (pp. 693–774). New York: Wiley.

Rubin, K. H., Hymel, S., Mills, R. S. L., & Rose-Krasnor, L. (1991). Conceptualizing different developmental pathways to and from social isolation in childhood. In D. Cicchetti & S. L. Toth (Eds.), *Internalizing and externalizing expressions of dysfunction: Rochester Symposium on Developmental Psychopathology* (Vol. 2) (pp. 91–122). Hillsdale, NJ: Erlbaum.

Rubin, S., & Schechter, N. (1997). Exploring the social construction of bereavement: Perceptions of adjustment and recovery in bereaved men. *American Journal of Orthopsychiatry, 67,* 279–289.

Rubinstein, R. L. (1986). *Singular paths: Old men living alone.* New York: Columbia University Press.

Ruble, D. N. (1987). The acquisition of self-knowledge: A self-socialization perspective. In N. Eisenberg (Ed.), *Contemporary topics in developmental psychology* (pp. 243–270). New York: Wiley-Interscience.

Rudd, M., Viney, L., & Preston, C. (1999). The grief experienced by spousal caregivers of dementia patients: The role of place of care of patient and gender of caregiver. *International Journal of Aging & Human Development, 48,* 217–240.

Rutter, M. (1978). Early sources of security and competence. In J. S. Bruner & A. Garton (Eds), *Human growth and development* (pp. 33-61). London: Oxford University Press.

Rutter, M. (1987). Continuities and discontinuities from infancy. In J. D. Osofsky (Ed.), *Handbook of infant development* (2nd ed.) (pp. 1256–1296). New York: Wiley-Interscience.

Rutter, M. (1987). Continuities and discontinuities from infancy. In J. D. Osofsky (Ed.), *Handbook of infant development* (2nd. Ed.) (pp. 1256-1296). New York: Wiley-Intersience.

Rutter, M., & Rutter, M. (1993). *Developing minds: Challenge and continuity across the life span.* New York: Basic Books.

Ryan, C. J., & Kaye, M. (1996). Euthanasia in Australia-the Northern Territory Rights of the Terminally Ill Act. *New England Journal of Medicine, 334,* 326–328.

Ryff, C. (1984). Personality development from the inside: The subjective experience of change in adulthood and aging. In P. B. Baltes & O. G. Brim, Jr. (Eds.), *Life-span development and behavior* (pp. 244–281). Orlando, FL: Academic Press.

Ryff, C., & Heincke, S. G. (1983). The subjective organization of personality in adulthood and aging. *Journal of Personality and Social Psychology, 44,* 807–816.

Rys, G., & Bear, G. (1997). Relational aggression and peer relations: Gender and developmental issues. *Merrill-Palmer Quarterly, 43,* 87–106.

Saavedra, M., Ramirez, A., & Contreras, C. (1997). Interactive interviews between elders and children: A possible procedure for improving affective state in the elderly. *Psiquiatricay Psicologica de America Latina, 43,* 63–66.

Sacco, V., & Kennedy, L. (1996). *The criminal event.* Belmont, CA: Wadsworth.

Saewyc, E., Bearinger, L., Heinz, P., Blum, R., & Resnick, M. (1998). Gender differences in health and risk behaviors among bisexual and homosexual adolescents. *Journal of Adolescent Health, 23,* 181–188.

Sagiv, M., Vogelaere, P., Soudry, M., & Shrsam, R. (2000). Role of physical activity training in attenuation of height loss. *Gerontology, 46,* 266–270.

Salthouse, T. (1998). Independence of age-related influences on cognitive abilities across the life span. *Developmental Psychology, 34,* 851–864.

Salthouse, T. A. (1991). *Theoretical perspectives on cognitive aging.* Hillsdale, NJ: Erlbaum.

Salthouse, T. A. (1992). *Mechanisms of age-cognition relations in adulthood.* Hillsdale, NJ: Erlbaum.

Salthouse, T. A. (1993). Speed mediation of adult age differences in cognition. *Developmental Psychology, 29,* 722–738.

Salthouse, T. A. (1996). General and specific speed mediation of adult age differences in memory. *Journals of Gerontology: Psychological Sciences, 51B,* P30–42.

Salthouse, T. A., & Maurer, T. J. (1996). Aging, job performance, and career development. In J. E. Birren & K. W. Schaie (Eds.), *Handbook of the psychology of aging* (4th ed.) (pp. 353–364). San Diego, CA: Academic Press.

Salthouse, T., & Czaja, S. (2000). Structural constraints on process explanations in cognitive aging. *Psychology & Aging, 15,* 44–55.

Samaritans. (1998). *Media guidelines on portrayals of suicide.* [Online booklet]. Retrieved February 16, 2001 from the World Wide Web: http://www.mentalhelp.net/samaritans/medreport.htm

Sampson, P., Kerr, B., Olson, H., Streissguth, A., Hunt, E., Barr, H., Bookstein, F., & Thiede, K. (1997). The effects of prenatal alcohol exposure on adolescent cognitive processing: A speed-accuracy tradeoff. *Intelligence, 24,* 329–353.

Sanders, C. M. (1989). *Grief: The mourning after.* New York: Wiley-Interscience.

Sandman, C., Wadhwa, P., Chicz-DeMet, A., Porto, M., & Garite, T. (1999). Maternal corticotropin-releasing hormone and habituation in the human fetus. *Developmental Psychobiology, 34,* 163–173.

Sandnabba, N., & Ahlberg, C. (1999). Parents' attitudes and expectations about children's cross-gender behavior. *Sex Roles, 40,* 249–263.

Sands, L. P., & Meredith, W. (1992). Blood pressure and intellectual functioning in late midlife. *Journals of Gerontology: Psychological Sciences, 47,* P81–84.

Sandson, T., Bachna, K., & Morin, M. (2000). Right hemisphere dysfunction in ADHD: Visual hemispatial inattention and clinical subtype. *Journal of Learning Disabilities, 33,* 83–90.

Sanson, A., Pedlow, R., Cann, W., Prior, M., et al. (1996). Shyness ratings: Stability and correlates in early childhood. *International Journal of Behavioral Development, 19,* 705–724.

Sarason, B. R., Sarason, I. G., & Pierce, G. R. (1990). Traditional views of social support and their impact on assessment. In B. R. Sarason, I. G. Sarason, & G. R. Pierce (Eds.), *Social support: An interactional view* (pp. 9–25). New York: Wiley.

Sato, S., Shimonska, Y., Nakazato, K., & Kawaai, C. (1997). A life-span developmental study of age identity: Cohort and gender differences. *Japanese Journal of Developmental Psychology, 8,* 88–97.

Saugstad, L. (1997). Optimal foetal growth in the reduction of learning and behavior disorder and prevention of sudden infant death (SIDS) after the first month. *International Journal of Psychophysiology, 27,* 107–121.

Saunders, W. L., & Shepardson, D. (1987). A comparison of concrete and formal science instruction upon science achievement and reasoning ability of sixth grade students. *Journal of Research in Science Teaching, 24,* 39-51.

Savage, S., & Gauvain, M. (1998). Parental beliefs and children's everyday planning in European-American and Latino families. *Journal of Applied Developmental Psychology, 19,* 319–340.

Savin-Williams, R. C. (1994). Verbal and physical abuse as stressors in the lives of lesbian, gay male, and bisexual youths: Associations with school problems, running away, substance abuse, prostitution, and suicide. *Journal of Consulting and Clinical Psychology, 62,* 261–269.

Saxon, T., Colombo, J., Robinson, E., & Frick, J. (2000). Dyadic interaction profiles in infancy and preschool intelligence. *Journal of School Psychology, 38,* 9–25.

Scarr, S. & Kidd, K. K. (1983). Developmental behavior genetics. In M. M. Haith & J. J . Campos (Eds), *Handbook of child psychology: Vol. 2. Infancy and developmental psychobiology* (pp. 345-434). New York: Wiley.

Scarr, S. (1992). Developmental theories for the 1990s: Development and individual differences. *Child development, 63,* 1-19.

Scarr, S., & McCartney, K. (1983). How people make their own environments: A theory of genotype/environment effects. *Child Development, 54,* 424–435.

Schafer, R. B., & Keith, P. M. (1984). A causal analysis of the relationship between the self-concept and marital quality. *Journal of Marriage and the Family, 46,* 909–914.

Schaie, K. W. (1983b). The Seattle longitudinal study: A 21-year exploration of psychometric intelligence in adulthood. In K. W. Schaie (Ed.), *Longitudinal studies of adult psychological development* (pp. 64-135). New York: Guilford Press.

Schaie, K. W. (1989a). The hazards of cognitive aging. *The Gerontologist, 29,* 484–493.

Schaie, K. W. (1989b). Individual differences in rate of cognitive change in adulthood. In V. L. Bengtson & K. W. Schaie (Eds), *The course of later life: Research and reflections* (pp. 65-86). New York: Springer.

Schaie, K. W. (1993). The Seattle Longitudinal Studies of adult intelligence. *Current Directions in Psychological Science, 2,* 171–175.

Schaie, K. W. (1994). The course of adult intellectual development. *American Psychologist, 49,* 304–313.

Schaie, K. W. (1996). Intellectual development in adulthood. In J. E. Birren & K. W. Schaie (Eds.), *Handbook of the psychology of aging* (4th ed.) (pp. 266–286). San Diego, CA: Academic Press.

Schaie, K. W., & Hertzog, C. (1983). Fourteen-year cohort-sequential analyses of adult intellectual development. *Developmental Psychology, 19,* 531–543.

Schaie, K. W., & Willis, S. L. (1991). Adult personality and psychomotor performance: Cross-sectional and longitudinal analyses. *Journals of Gerontology: Psychological Sciences, 46,* P275–284.

Scharlach, A. E., & Fredricksen, K. I. (1994). Eldercare versus adult care. Does care recipient age make a difference? *Research on Aging, 16,* 43–68.

Schatschneider, C., Francis, D., Foorman, B., Fletcher, J., & Mehta, P. (1999). The dimensionality of phonological awareness: An application of item response theory. *Journal of Educational Psychology, 91,* 439–449.

Scheibel, A. B. (1996). Structural and functional changes in the aging brain. In J. E. Birren & K. W. Schaie (Eds.), *Handbook of the psychology of aging* (4th ed.) (pp. 105–128). San Diego, CA: Academic Press.

Scheider, W., & Bjorklund, D. F. (1992). Expertise, aptitude, and strategic remembering. *Child Development,* 63, 461-473.

Scheidt, R., Humpherys, D., & Yorgason, J. (1999). Successful aging: What's not to like? *Journal of Applied Gerontology, 18,* 277–282.

Scheier, M. F., Matthews, K. A., Owens, J. F., Magovern, G. J., Lefebvre, S., Abbott, R. A., & Carver, C. S. (1989). Dispositional optimism and recovery from coronary artery bypass surgery: The beneficial effects on physical and psychological well-being. *Journal of Personality and Social Psychology, 57,* 1024–1040.

Schieber, F. (1992). Aging and the senses. In J. E. Birren, R. B. Sloane, & G. D. Cohen (Eds.), *Handbook of mental health and aging* (2nd ed.) (pp. 252–306). San Diego, CA: Academic Press.

Schlyter, S. (1996). Bilingual children's stories: French passé composé/imparfait and their correspondences in Swedish. *Linguistics, 34,* 1059–1085.

Schmitt, N., Sacco, J., Ramey, S., Ramey, C., & Chan, D. (1999). Parental employment, school climate, and children's academic and social development. *Journal of Applied Psychology, 84,* 737–753.

Schmitz, S., Fulker, D., Plomin, R., Zahn-Waxler, C., Emde, R., & DeFries, J. (1999). Temperament and problem behavior during early childhood. *International Journal of Behavioral Development, 23,* 333–355.

Schneider, W., & Pressley, M. (1989). *Memory development between 2 and 20.* New York: Springer-Verlag.

Schneider, W., Reimers, P., Roth, E., & Visé, M. (1995). *Short- and long-term effects of training phonological awareness in kindergarten: Evidence from two German studies.* Paper presented at the biennal meetings of the Society for Research in Child Development, Indianapolis, March.

Schoendorf, K. C., & Kiely, J. L. (1992). Relationship of Sudden Infant Death Syndrome to maternal smoking during and after pregnancy. *Pediatrics, 90,* 905–908.

Schoenfeld, D. E., Malmrose, L. C., Blazer, D. G., Gold, D. T., & Seeman, T. E. (1994). Self-rated health and mortality in the high-functionning elderly—a closer look at healthy individuals: McArthur field studyn of successful aging. *Journals of gerontology: Medical Sciences, 49,* M109-115.

Schothorst, P., & van Engeland, H. (1996). Long-term behavioral sequelae of prematurity. *Journal of the American Academy of Child & Adolescent Psychiatry, 35,* 175–183.

Schramm, W. F., Barnes, D. E., & Blackwell, J. M. (1987). Neonatal mortality in Missouri home births, 1978-84. *American Journal of Public Health, 77,* 930-935.

Schuler, M., & Nair, P. (1999). Frequency of maternal cocaine use during pregnancy and infant neurobehavioral outcome. *Journal of Pediatric Psychology, 24,* 511–514.

Schulz, A. (1998). Navajo women and the politics of identities. *Social Problems, 45,* 336–355.

Schulz, R., Visintainer, P., & Williamson, G. M. (1990). Psychiatric and physical morbidity effects of caregiving. *Journals of Gerontology: Psychological Sciences, 45,* 181–191.

Schuster, C. (1997). Condom use behavior: An assessment of United States college students' health education needs. *International Quarterly of Community Health Education, 17,* 237–254.

Schwartz, C., Snidman, N., & Kagan, J. (1996). Early childhood temperament as a determinant of externalizing behavior in adolescence. *Development & Psychopathology, 8,* 527–537.

Schwebel, D., Rosen, C., & Singer, J. (1999). Preschoolers' pretend play and theory of mind: The role of jointly constructed pretence. *British Journal of Developmental Psychology, 17,* 333–348.

Sears, R. R. (1977). Sources of life satisfactions of the Terman gifted men. *American Psychologist, 32,* 119-128.

Sedney, M. (1999). Children's grief narratives in popular films. *Omega: Journal of Death & Dying, 39,* 314–324.

Seidman, E., Allen, L., Aber, J. L., Mitchell, C., & Feinman, J. (1994). The impact of school transitions in early adolescence on the self-sytem and perceived social context of poor urban youth. *Child Development, 65,* 507–522.

Seifer, R., Schiller, M., Sameroff, A. J., Resnick, S., & Riordan, K. (1996). Attachment, maternal sensitivity, and infant temperament during the first year of life. *Developmental Psychology, 32,* 12–25.

Seligman, M. E. P. (1991). *Learned optimism.* New York: Knopf.

Selman, R. L. (1980). *The growth of interpersonal understanding.* New York: Academic Press.

Semrud-Clikeman, M., Nielsen, K., Clinton, A., Sylvester, L., et al. (1999). An intervention approach for children with teacher-and parent-identified attentional difficulties. *Journal of Learning Disabilities, 32,* 581–590.

Serbin, L. A., Powlishta, K. K., & Gulko, J. (1993). The development of sex typing in middle childhood. *Monographs of the Society for Research in Child Development, 58* (2, Serial No. 232).

Serbin, L., Moskowitz, D. S., Schwartzman, A. E., & Ledingham, J. E. (1991). Aggressive, withdrawn, and aggressive/withdrawn children in adolescence: Into the next generation. In D. J. Pepler & K. H. Rubin (Eds.), *The development and treatment of childhood aggression* (pp. 55–70). Hillsdale, NJ: Erlbaum.

Serpell, R., & Hatano, G. (1997). Education, schooling, and literacy. In J. Berry, P. Dasen, & T. Saraswathi (Eds.), *Handbook of cross-cultural psychology. Vol. 2: Basic processes and human development.* Needham Heights, MA: Allyn & Bacon.

Shaffer, D., Garland, A., Gould, M., Fisher, P., & Trautman, P. (1988). Preventing teenage suicide: A critical review. *Journal of the American Academy of Child and Adolescent Psychiatry, 27,* 675–687.

Shapiro, E. (1983). Impending death and the use of hospitals by the elderly. *Journal of the American Geriatric Society, 31,* 348–351.

Sharma, S., Monsen, R., & Gary, B. (1997). Comparison of attitudes toward death and dying among nursing majors and other college students. *Omega: Journal of Death & Dying, 34,* 219–232.

Shaw, D. S., Kennan, K., & Vondra, J. I. (1994). Developmental precursors of externalizing behavior: Ages 1 to 3. *Developmental Psychology, 30,* 355–364.

Shimonaka, Y., Nakazato, K., Kawaai, C., & Sato, S. (1997). Androgyny and successful adaptation across the life span among Japanese adults. *Journal of Genetic Psychology, 158,* 389–400.

Shiner, R. (2000). Linking childhood personality with adaptation: Evidence for continuity and change across time into late adolescence. *Journal of Personality & Social Psychology, 78,* 310–325.

Shneidman, E. S. (1980). *Voices of death.* New York: Harper & Row.

Shneidman, E. S. (1983). *Deaths of man.* New York: Jason Aronson.

Shonkoff, J. P. (1984). The biological substrate and physical health in middle childhood. In W. A. Collins (Ed.), *Development during middle childhood: The years from six to twelve* (pp. 24–69). Washington, DC: National Academy Press.

Shore, C. (1986). Combinational play, conceptual development, and early multiword speech. *Developmental Psychology, 22,* 184-190.

Sicotte, C., & Stemberger, R. (1999). Do children with PDDNOS have a theory of mind? *Journal of Autism & Developmental Disorders, 29,* 225–233.

Siegler, I. C. (1983). Psychological aspects of the Duke Longitudinal Studies. In K. W. Schaie (Ed.), *Longitudinal studies of adult psychological development* (pp. 136–190). New York: Guilford Press.

Siegler, I. C., McCarty, S. M., & Logue, P. E. (1982). Wechsler memory scale scores, selective attrition, and distance from death. *Journal of Gerontology, 37,* 176–181.

Siegler, R. S. (1976). Three aspects of cognitive development. *Cognitive Psychology, 8,* 431–520.

Siegler, R. S. (1978). The origins of scientific reasoning. In R. S. Siegler (Ed.), *Children's thinking: What develops?* (pp. 109–150). Hillsdale, NJ: Erlbaum.

Siegler, R. S. (1981). Developmental sequences within and between concepts. *Monographs of the Society for Research in Child Development, 46* (2, Serial No. 189).

Siegler, R. S. (1984). Mechanisms of cognitive growth: Variation and selection. In J. R. Sternberg (Ed.), *Mechanisms of cognitive development* (pp. 141-162). New York: W. H. Freeman.

Siegler, R. S. (2001). *Enfant et raisonnement: Le développement cognitif de l'enfant,* Bruxelles, De Boeck Université.

Sigman, M. (1995). Nutrition and child development: More food for thought. *Current Directions in Psychological Science, 4,* 52-55.

Silbereisen, R. K., & Kracke, B. (1993). Variations in maturational timing and adjustment in adolescence. In S. Jackson & H. Rodrigues-Tomé (Eds.), *Adolescence and its social worlds* (pp. 67–94). Hove, England: Erlbaum.

Silverstein, M., & Long, J. (1998). Trajectories of grandparents' perceived solidarity with adult grandchildren: A growth curve analysis over 23 years. *Journal of Marriage & the Family, 60,* 912–923.

Simkin, S., Hawton, K., Whitehead, L., Fagg, J., & Eagle, M. (1995). A study of the effects of television drama portrayal of paracetamol self-poisoning. *British Journal of Psychiatry, 167,* 754–759.

Simmons, R. G., Burgeson, R., & Reef, M. J. (1988). Cumulative change at entry to adolescence. In M. R. Gunnar & W. A. Collins (Eds), *Minnesota Symposia on Child Psychology* (Vol. 21) (pp. 123-150). Hillsdale, NJ: Erlbaum.

Simoneau, G. G., & Liebowitz, H. W. (1996). Posture, gait, and falls. In J. E. Birren & K. W. Schaie (Eds.), *Handbook of the psychology of aging* (4th ed.) (pp. 204–217). San Diego, CA: Academic Press.

Simons, R. L., Robertson, J. F., & Downs, W. R. (1989). The nature of the association between parental rejection and delinquent behavior. *Journal of Youth and Adolescence, 18,* 297–309.

Simonton, D. (2000). Creativity: Cognitive, personal, developmental, and social aspects. *American Psychologist, 55,* 151–158.

Simonton, D. K. (1989). The swan-song phenomenon: Last-works effects for 172 classical composers. *Psychology and Aging, 4,* 42-47.

Simonton, D. K. (1991). Career landmarks in science: Individual differences and interdisciplinary contrasts. *Developmental Psychology, 27,* 119–130.

Sims, M., Hutchins, T., & Taylor, M. (1997). Conflict as social interaction: Building relationship skills in child care settings. *Child & Youth Care Forum, 26,* 247–260.

Singer, D., & Hunter, M. (1999). The experience of premature menopause: A thematic discourse analysis. *Journal of Reproductive & Infant Psychology, 17,* 63–81.

Singh, S., & Darroch, J. (2000). Adolescent pregnancy and childbearing: Levels and trends in industrialized countries. *Family Planning Perspectives, 32,* 14–23.

Sirignano, S. W., & Lachman, M. E. (1985). Personality change during the transition to parenthood: The role of perceived infant temperament. *Developmental Psychology, 21,* 558-567.

Skinner, B. F. (1957). *Verbal behavior.* New York: Prentice-Hall.

Slobin, D. I. (1985b). Crosslinguistic evidence for the language making capacity. In D. I. Slobin (Ed.), *The crosslinguistic study of language acquisition: Vol. 2. Theoretical issues* (pp. 1157-1256). Hillsdale, NJ: Erlbaum.

Skinner, B. F. (1979), *Pour une science du comportement,* Genève, Delachaux et Niestlé.

Skoe, E., Hansen, K., Morch, W., Bakke, I., Hoffman, T., Larsen, B., & Aasheim, M. (1999). Care-based moral reasoning in Norwegian and Canadian early adolescents: A cross-national comparison. *Journal of Early Adolescence, 19,* 280–291.

Slaby, R. G., & Frey, K. S. (1975). Development of gender constancy and selective attention to same-sex models. *Child Development, 46,* 849–856.

Slaven, L., & Lee, C. (1998). A cross-sectional survey of menopausal status, symptoms and psychological distress in a community sample of Australian women. *Journal of Health Psychology, 3,* 117–123.

Slobounov, S., Moss, S., Slobounova, E., & Newell, K. (1998). Aging and time to instability in posture. *Journals of Gerontology: Series A: Biological Sciences & Medical Sciences, 53A,* B71–B78.

Small, G. W. , La Rue, A., Komo, S., Kaplan, A., & Mandelkern, M. A. (1995). Predictors of cognitive change in middle-aged and older adults with memory loss. *American Journal of Psychiatry, 152,* 1757-1764.

Small, S. A., & Luster, T. (1994). Adolescent sexual activity: An ecological, risk-factor approach. *Journal of Marriage and the Family, 56,* 181–192.

Smeeding, T. M. (1990). Economic status of the elderly. In R. H. Binstock & L. K. George (Eds.), *Handbook of aging and the social sciences* (3rd ed.) (pp. 362–381). San Diego, CA: Academic Press.

Smetana, J. G., Killen, M., & Turiel, E. (1991). Children's reasoning about interpersonal and moral conflicts. *Child Development, 62,* 629–644.

Smith, C., Umberger, G., Manning, E., Sleven, J., Wekstein, D., Schmitt, F., Markesbery, W., & Zhang, Z. (1999). Critical decline in fine motor hand movements in human aging. *Neurology, 53,* 1458–1461.

Smith, D. W. (1978). Prenatal life. In D. W. Smith, E. L. Bierman, & N.M. Robinson (Eds), *The biologic ages of man* (2nd ed.) (pp. 42-62). Philadelphia: Saunders.

Smith, D. W., & Stenchever, M. A. (1978). Prenatal life and the pregnant woman. In D. W. Smith, E. L. Bierman & N. M. Robinson (Eds), *The biologic ages of man* (2nd ed.) (pp. 42 77). Philadelphia: W. B. Saunders.

Smith, M., Sharit, J., & Czaja, S. (1999). Aging, motor control, and the performance of computer mouse tasks. *Human Factors, 41,* 389–396.

Smith, S., Howard, J., & Monroe, A. (1998). An analysis of child behavior problems in adoptions in difficulty. *Journal of Social Service Research, 24,* 61–84.

Smock, P. J. (1993). The economic costs of marital disruption for young women over the past two decades. *Demography, 30,* 353–371.

Smoll, F. L., & Schutz, R. W. (1990). Quantifying gender differences in physical performance: A developmental perspective. *Developmental Psychology, 26,* 360–369.

Snarey, J. R. (1985). Cross-cultural universality of social-moral development: A critical review of Kohlbergian research. *Psychological Bulletin, 97,* 202–232.

Snarey, J. R., Reimer, J., & Kohlberg, L. (1985). Development of social-moral reasoning among kibbutz adolescents: A longitudinal cross-sectional study. *Developmental Psychology, 21,* 3–17.

Snarey, J., Son, L., Kuehne, V. S., Hauser, S., & Vaillant, G. (1987). The role of parenting in men's psychosocial development: A longitudinal study of early adulthood infertility and midlife generativity. *Developmental Psychology, 23,* 593–603.

Snyder, C. (1997). Unique invulnerability: A classroom demonstration in estimating personal mortality. *Teaching of Psychology, 24,* 197–199.

Soken, N. H., & Pick, A.D. (1992). Intermodal perception of happy and angry expressive behaviors by seven-month-old infants. *Child development, 63,* 787-795.

Solano, L., Costa, M., Salvati, S., Coda, R., Aiuti, F., Mezzaroma, I., & Bertini, M. (1993). Psychosocial factors and clinical evolution in HIV–1 infection: A longitudinal study. *Journal of Psychosomatic Research, 37,* 39–51.

Soldo, B. J., Wolf, D. A., & Agree, E. M. (1990). Family, households, and care arrangements of frail older women: A structural analysis. *Journals of Gerontology: Social Sciences, 45,* S238–249.

Somers, M. D. (1993). A comparison of voluntarily childfree adults and parents. *Journal of Marriage and the Family, 55,* 643–650.

Sonneck, G., Etzersdorfer, E., & Nagel-Kuess, S. (1992). Subway suicide in Vienna (1980–1990): A contribution to the imitation effect in suicidal behavior. In P. Crepet, G. Ferrari, S. Platt, & M. Bellini (Eds.), *Suicidal behavior in Europe: Recent research findings.* Rome: Libbey.

Sophian, C. (1995). Representation and reasoning in early numerical development: Counting, conservation, and comparisons between sets. *Child Development, 66,* 559–577.

Sørensen, A. (1983). Women's employment patterns after marriage. *Journal of Marriage and the Family, 45,* 311–321.

Sorlie, P. D., Backlund, E., & Keller, J. B. (1995). U.S. mortality by economic, demographic, and social characteristics: The National Longitudinal Mortality Study. *American Journal of Public Health, 85,* 949–956.

Sosa, R., Kennell, J. H., Robertson, S., & Urrutia, J. (1980). The effect of a supportive companion on perinatal problems, length of labour and mother-infant interaction. *New England Journal of Medicine, 303,* 597-600.

Spanier, G. B., & Furstenberg, F. F., Jr. (1987). Remarriage and reconstituted families. In M. B. Sussman & S. K. Steinmetz (Eds.), *Handbook of marriage and the family* (pp. 419–434). New York: Plenum.

Sparrow, P. R., & Davies, D. R. (1988). Effects of age, tenure, training, and job complexity on technical performance. *Psychology and Aging, 3,* 307–314.

Speece, M. W., & Brent, S. B. (1984). Children's understanding of death: A review of three components of a death concept. *Child Development, 55,* 1671–1686.

Speece, M. W., & Brent, S. B. (1992). The acquisition of a mature understanding of three components of the concept of death. *Death Studies, 16,* 211–229.

Spelke, E. S. (1991). Physical knowledge in infancy: Reflections on Piaget's theory. In S. Carey & R. Gelman (Eds.), *The epigenesis of mind. Essays on biology and cognition* (pp. 133–169). Hillsdale, NJ: Erlbaum.

Spelke, E. S., & Owsley, C. J. (1979). Intermodal exploration and knowledge in infancy. *Infant Behavior and Development, 2,* 13-27.

Spence, J. T., & Helmreich, R. L. (1978). *Masculinity and femininity.* Austin: University of Texas Press.

Spencer, M. B., & Dornbusch, S. M. (1990). Challenges in studying minority youth. In S. S. Feldman & G. R. Elliott (Eds.), *At the threshold: The developing adolescent* (pp. 123–146). Cambridge, MA: Harvard University Press.

Spenner, K. I. (1988). Occupations, work settings and the course of adult development: Tracing the implications of select historical changes. In P. B. Baltes, D. L. Featherman, & R. M. Lerner (Eds.), *Life-span development and behavior* (Vol. 9) (pp. 244–288). Hillsdale, NJ: Erlbaum.

Spiegel, D., Bloom, J. R., Kraemer, H. C., & Gottheil, E. (1989). Effect of psychosocial treatment on survival of patients with metastatic breast cancer. *Lancet* (October 14), 888–901.

Spieker, S. J., & Booth, C. L. (1988). Maternal antecedents of attachment quality. In J. Belsky & T. Nezworski (Eds), *Clinical implications of attachment* (pp. 95-135). Hillsdale, NJ: Erlbaum.

Spiers, P. S., & Guntheroth, W. G. (1994). Recommendations to avoid the prone sleeping position and recent statistics for Sudden Infant Death Syndrome in the United States. *Archives of Pediatric and Adolescent Medicine, 148,* 141–146.

Spitze, G. (1988). Women's employment and family relations: A review. *Journal of Marriage and the Family, 50,* 595–618.

Spitze, G., & Logan, J. (1990). More evidence on women (and men) in the middle. *Research on Aging, 12,* 182–198.

Sprang, G., & McNeil, J. (1998). Post-homicide reactions: Grief, mourning and post-traumatic stress disorder following a drunk driving fatality. *Omega: Journal of Death & Dying, 37,* 41–58.

Spreen, O., Risser, A., & Edgell, D. (1995). *Developmental Neuropsychology.* New York: Oxford University Press.

Sroufe, L. A. (1988). The role of infant-caregiver attachment in development. In J. Belsky & T Nezworski (Eds), *Clinical implications of attachment* (pp.18-40). Hillsdale, NJ: Erlbaum.

Sroufe, L. A. (1989). Pathways to adaptation and maladaptation: Psychopathology as developmental deviation. In D. Cicchetti (Ed.), *The emergence of a discipline: Rochester symposium on developmental psychopathology* (pp. 13-40). Hillsdale, NJ: Erlbaum.

Sroufe, L. A. (1990). A developmental perspective on day care. In N. Fox & G. G. Fein (Eds), *Infant day care: The current debate* (pp. 51-60). Norwood, NJ: Ablex.

Sroufe, L. A., Carlson, E., & Schulman, S. (1993). Individuals in relationships: Development from infancy through adolescence. In D. C. Funder, R. D. Parke, C. Tomlinson-Keasey, & K. Widaman (Eds.), *Studying lives through time: Personality and development* (pp. 315–342). Washington, DC: American Psychological Association.

St. James-Roberts, I., Bowyer, J., Varghese, S., & Sawdon, J. (1994). Infant crying patterns in Manila and London. *Child: Care, Health and Development, 20*, 323–337.

Stack, S. (1992a). The effect of divorce on suicide in Finland: A time series analysis. *Journal of Marriage and the Family, 54*, 636–642.

Stack, S. (1992b). The effect of divorce on suicide in Japan: A time series analysis, 1950–1980. *Journal of Marriage and the Family, 54*, 327–334.

Stack, S., & Wasserman, I. (1993). Marital status, alcohol consumption, and suicide: An analysis of national data. *Journal of Marriage and the Family, 55*, 1018–1024.

Stadel, B. V., & Weiss, N. S. (1975). Characteristics of menopausal women: A survey of King and Pierce Counties in Washington, 1973–74. *American Journal of Epidemiology, 102*, 209–216.

Stambrook, M., & Parker, K. C. H. (1987). The development of the concept of death in childhood: A review of the literature. *Merrill-Palmer Quarterly, 33*, 133–158.

Starfield, B. (1991). Childhood morbidity: Comparisons, clusters, and trends. *Pediatrics, 88*, 519–526.

Starkey, P., Spelke, E. S., & Gelman, R. (1990). Numerical abstraction by human infants. *Cognition, 36*, 97-128.

Statistique Canada (1997), site Internet: www.statcan.ca

Steele, H., Holder, J., & Fonagy, P. (1995). *Quality of attachment to mother at one year predicts belief-desire reasoning at five years*. Paper presented at the biennal meetings of the Society for Research in Child Development, Indianapolis, March.

Steele, J., & Mayes, S. (1995). Handedness and directional asymmetry in the long bones of the human upper limb. *International Journal of Osteoarchaeology, 5*, 39–49.

Stein, C., Wemmerus, V., Ward, M., Gaines, M., Freeberg, A., & Jewell, T. (1998). "Because they're my parents": An intergenerational study of felt obligation and parental caregiving. *Journal of Marriage & the Family, 60*, 611–622.

Stein, K., Roeser, R., & Markus, H. (1998). Self-schemas and possible selves as predictors and outcomes of risky behaviors in adolescents. *Nursing Research, 47*, 96–106.

Steinberg, L. (1988). Reciprocal relation between parent-child distance and pubertal maturation. *Developmental Psychology, 24*, 122–128.

Steinberg, L. (1990). Autonomy, conflict and harmony in the parent-adolescent relationship. In S. S. Feldman & G. R. Elliott (Eds.), *At the threshold: The developing adolescent* (pp. 255–276). Cambridge, MA: Harvard University Press.

Steinberg, L., & Dornbusch, S. M. (1991). Negative correlates of part-time employment during adolescence: Replication and elaboration. *Developmental Psychology, 27*, 304–313.

Steinberg, L., Elmen, J. D., & Mounts, N. S. (1989). Authoritative parenting, psychosocial maturity, and academic success among adolescents. *Child Development, 60*, 1424–1436.

Steinberg, L., Lamborn, S. D., Darling, N., Mounts, N. S., & Dornbusch, S. M. (1994). Over-time changes in adjustment and competence among adolescents from authoritative, authoritarian, indulgent, and neglectful families. *Child Development, 65*, 754–770.

Sternberg, R. J. (1985). *Beyond IQ: A triarchic theory of human intelligence*. New York: Cambridge University Press.

Sternberg, R. J. (1986). *Intelligence applied*. New York: Harcourt Brace Jovanovich.

Sternberg, R. J. (1990a). Wisdom and its relations to intelligence and creativity. In R. J. Sternberg (Ed.), *Wisdom: Its nature, origins, and development* (pp. 142-159).Cambridge, England: Cambridge University Press.

Sternberg, R. J. (1991). Death, taxes, and bad intelligence tests. *Intelligence, 15*, 257-269.

Stevens, J., & Choo, K. (1998). Temperature sensitivity of the body surface over the life span. *Somatosensory & Motor Research, 15*, 13–28.

Stevenson, H. W., & Chen, C. (1989). Schooling and achievement: A study of Peruvian children. *International Journal of Educational Research, 13*, 883-894.

Stevenson, H. W., Chen, C., Lee, S., & Fuligni, A. J. (1991). Schooling, culture, and cognitive development. In L. Okagaki & R. J. Sternberg (Eds.), *Directors of development* (pp. 243-268). Hillsdale, NJ: Erlbaum.

Stewart, A., & Ostrove, J. (1998). Women's personality in middle age: Gender, history, and midcourse corrections. *American Psychologist, 53*, 1185–1194.

Stewart, S., Pearson, S., Luke, C., & Horowitz, J. (1998). Effects of home-based intervention on unplanned readmissions and out-of-hospital deaths. *Journal of the American Geriatrics Society, 46*, 174–180.

Stinner, W. F., Byun, Y., & Paita, L. (1990). Disability and living arrangements among elderly American men. *Research on Aging, 12*, 339–363.

Stipek, D. (1992). The child at school. In M. H. Bornstein & M. E. Lamb (Eds), *Developmental psychology: An advanced textbook* (3rd ed.) (pp. 579-625). Hillsdale, NJ: Erlbaum.

Stipek, D., & Gralinski, H. (1991). Gender differences in children's achievement-related beliefs and emotional responses to success and failure in math. *Journal of Educational Psychology, 83*, 361-371.

Stoller, E. P., Forster, L. E., & Duniho, T. S. (1992). Systems of parent care within sibling networks. *Research on Aging, 14*, 28–49.

Stormshak, E., Bierman, K., McMahon, R., Lengua, L., et al. (2000). Parenting practices and child disruptive behavior problems in early elementary school. *Journal of Clinical Child Psychology, 29*, 17–29.

Stoutjesdyk, D., & Jevne, R. (1993). Eating disorders among high performance athletes. *Journal of Youth and Adolescence, 22*, 271–282.

Strassberg, Z., Dodge, K. A., Petit, G. S., & Bates, J. E. (1994). Spanking in the home and children's subsequent aggression toward kindergarten peers. *Development and Psychopathology, 6*, 445-461.

Straus, M. (1991b). New theory and old canards about family violence research. *Social Problems, 38*, 180-194.

Straus, M. A. (1995). Corporal punishment of children and adult depression and suicidal ideation.. In J. McCord (Ed.), *Coercion and punishment in long-term perspectives* (pp. 59-77). Cambridge, England: Cambridge University Press.

Strauss, M. S., & Curtis, L. E. (1984). Development of numerical concepts in infancy. In C. Sophian (Ed.), *The origin of cognitive skills*. Hillsdale, NJ: Erlbaum.

Strawbridge, W. J., Camacho, T. C., Cohen, R. D., & Kaplan, G. A. (1993). Gender differences in factors associated with change in physical functioning in old age: A 6-year longitudinal study. *The Gerontologist, 33*, 603–609.

Strayer, F. F. (1980). Social ecology of the preschool peer group. In A. Collins (Ed.), *Minnesota symposia on child psychology* (Vol. 13) (pp. 165–196). Hillsdale, NJ: Erlbaum.

Streissguth, A. P., Aase, J. M., Clarren, S. K., Randels, S. P., LaDue, R. A., & Smith, D. F. (1991). Fetal alcohol syndrome in adolescents and adults. *Journal of the American Medical Association, 265*, 1961–1967.

Streissguth, A. P., Barr, H. M., & Sampson, P. D. (1990). Moderate prenatal alcohol exposure: Effects on child IQ and learning problems at age 7 ½ years. *Alcoholism. Clinical and Experimental Research, 14*, 662–669.

Streufert, S., Pogash, R., Piasecki, M., & Post, G. M. (1990). Age and management team performance. *Psychology and Aging, 5*, 551–559.

Striegel-Moore, R. H., Silberstein, L. R., & Rodin, J. (1986). Toward an understanding of risk factors for bulimia. *American psychologist, 41*, 246-263.

Strobino, D. M. (1987). The health and medical consequences of adolescent sexuality and pregnancy: A review of the literature. In S. L. Hofferth & C. D. Hayes (Eds), *Risking the future. Adolescent sexuality, pregnancy, and childbearing. Working papers* (pp. 93-122). Washington, DC: National Academy Press.

Stroebe, M. S., & Stroebe, W. (1993). The mortality of bereavement: A review. In M. S. Stroebe, W. Stroebe, & R. O. Hansson (Eds.), *Handbook of bereavement: Theory, research, and intervention* (pp. 175–195). Cambridge, England: Cambridge University Press.

Stroebe, M., van Son, M., Stroebe, W., Kleber, R., Schut, H., & van den Bout, J. (2000). On the classification and diagnosis of pathological grief. *Clinical Psychology Review, 20*, 57–75.

Stroebe, W., & Stroebe, M. (1986). Beyond marriage: The impact of partner loss on health. In R. Gilmour & S. Duck (Eds), *The emerging field of personal relations* (pp. 203-224). Hillsdale, NJ: Erlbaum.

Stull, D. E., & Hatch, L. R. (1984). Unravelling the effects of multiple life changes. *Research on Aging, 6*, 560–571.

Stunkard, A. J., Harris, J. R., Pedersen, N. L., & McClearn, G. E. (1990). The body-mass index of twins who have been reared apart. *New England Journal of Medicine, 322*, 1483–1487.

Sugisawa, H., Liang, J., & Liu, X. (1994). Social networks, social support, and mortality among older people in Japan. *Journals of Gerontology: Social Sciences, 49*, S3–13.

Sulkes, S. (1998). Developmental and behavioral pediatrics. In R. Behrman & R. Kliegman (Eds.), *Nelson essentials of pediatrics* (3rd ed., pp. 1–55). Philadelphia: W. B. Saunders.

Sullivan, K., Zaitchik, D., & Tager-Flusberg, H. (1994). Preschoolers can attribute second-order beliefs. *Developmental Psychology, 30*, 395–402.

Sullivan, M., Ormel, J., Kempen, G., & Tymstra, T. (1998). Beliefs concerning death, dying, and hastening death among older, functionally impaired Dutch adults: A one-year longitudinal study. *Journal of the American Geriatrics Society, 46*, 1251–1257.

Super, D. E. (1971). A theory of vocational development. In H. J. Peters & J. C. Hansen (Eds.), *Vocational guidance and career development* (pp. 111–122). New York: Macmillan.

Super, D. E. (1986). Life career roles: Self-realization in work and leisure. In D. T. H. & Associates (Es.), *Career development in organizations* (pp. 95–119). San Francisco: Jossey-Bass.

Susman, E. J., Inoff-Germain, G., Nottelmann, E. D., Loriaux, D. L., Cutler, G. B., Jr., & Chrousos, G. P. (1987). Hormones, emotional dispositions, and aggressive attributes in young adolescents. *Child Development, 58*, 1114–1134.

Susser, E., & Lin, S. (1992). Schizophrenia after prenatal exposure to the Dutch hunger winter of 1944–45. *Archives of General Psychiatry, 49*, 983–988.

Swaim, K., & Bracken, B. (1997). Global and domain-specific self-concepts of a matched sample of adolescent runaways and nonrunaways. *Journal of Clinical Child Psychology, 26*, 397–403.

Swedo, S. E., Rettew, D. C., Kuppenheimer, M., Lum, D., Dolan, S., & Goldberger, E. (1991). Can adolescent suicide attempters be distinguished from at-risk adolescents? *Pediatrics, 88*, 620-629.

Swensen, C. H., Eskew, R. W., & Kohlhepp, K. A. (1981). Stage of family life cycle, ego development, and the marriage relationship. *Journal of Marriage and the Family, 43*, 841–853.

Syme, S. L. (1990). Control and health: An epidemiological perspective. In J. Rodin, C. Schooler, & K. W. Schaie (Eds.), *Self directedness: Cause and effects throughout the life course* (pp. 213–229). Hillsdale, NJ: Erlbaum.

Tait, M., Padgett, M. Y., & Baldwin, T. T. (1989). Job and life satisfaction: A reevaluation of the strength of the relationship and gender effects as a function of the date of the study. *Journal of Applied Psychology, 74*, 502–507.

Takahashi, K., Tamura, J., & Tokoro, M. (1997). Patterns of social relationships and psychological well-being among the elderly. *International Journal of Behavioral Development, 21*, 417–430.

Takata, T. (1999). Development process of independent and interdependent self-construal in Japanese culture: Cross-cultural and cross-sectional analyses. *Japanese Journal of Educational Psychology, 47*, 480–489.

Talan, J. (1998, October 28). Possible genetic link found for right-handedness, not for left. *Seattle Times*.

Talbott, M. (1998). Older widows' attitudes towards men and remarriage. *Journal of Aging Studies, 12*, 429–449.

Tamir, L. M. (1982). *Men in their forties: The transition to middle age*. New York: Springer.

Tanner, J. (1990). *Fetus into man: Physical growth from conception to maturity*. Cambridge, MA: Harvard University Press.

Tanner, J. M. (1978). *Fetus into man: Physical growth from conception to maturity*. Cambridge, MA: Harvard University Press.

Tan-Niam, C., Wood, D., & O'Malley, C. (1998). A cross-cultural perspective on children's theories of mind and social interaction. *Early Child Development & Care, 144*, 55–67.

Tardif, T., & Wellman, H. (2000). Acquisition of mental state language in Mandarin- and Cantonese-speaking children. *Developmental Psychology, 36*, 25–43.

Tavris, C. et C. Wade (1999), *Introduction à la psychologie: Les grandes perspectives*, Saint-Laurent (Québec, Canada), Éditions du Renouveau Pédagogique Inc.

Taylor, J. A., & Danderson, M. (1995). A reexamination of the risk factors for the sudden infant death syndrome. *Journal of Pediatrics, 126*, 887–891.

Taylor, M. (2000). The influence of self-efficacy on alcohol use among American Indians. *Cultural Diversity & Ethnic Minority Psychology, 6*, 152–167.

Taylor, R. D., Casten, R., & Flickinger, S. M. (1993). Influence of kinship social support on the parenting experiences and psychosocial adjustment of African-American adolescents. *Developmental Psychology, 29*, 382-388.

Taylor, R. J., Chatters, L. M., Tucker, M. B., & Lewis, E. (1990). Developments in research on black families: A decade review. *Journal of Marriage and the Family, 52*, 993–1014.

Tellegen, A., Lyken, D. T., Bouchard, T. J. Jr., Wilcox, K. J., Segal, N. L., & Rich, S. (1988). Personality similarity in twins reared apart and together. *Journal of Personality and Social Psychology, 54*, 1031-1039.

Temoshok, L. (1987). Personality, coping style, emotion and cancer: Towards an integrative model. *Cancer Surveys, 6*, 545–567.

Terman, L. (1916). *The measurement of intelligence*. Boston: Houghton Mifflin.

Terman, L., & Merrill, M. A. (1937). *Measuring intelligence: A guide to the administration of the new revised Stanford-Binet tests*. Boston: Houghton Mifflin.

Tershakovec, A. & Stallings, V. (1998). Pediatric nutrition and nutritional disorders. In R. Behrman & R. Kliegman (Eds.), *Nelson essentials of pediatrics (third edition)*. Philadelphia: W. B. Saunders.

Tew, M. (1985). Place of birth and perinatal mortality. *Journal of the Royal College of General Practitioners, 35*, 390-394.

Tharenou, P. (1999). Is there a link between family structures and women's and men's managerial career advancement? *Journal of Organizational Behavior, 20*, 837–863.

The Alpha-Tocopherol Beta Carotene Cancer Prevention Study Group (1994). The effect of vitamin E and beta carotene on the incidence of lung cancer and other cancers in male smokers. *New England Journal of Medicine, 330*, 1029–1035.

Thelen, E. (1981). Rhythmical behavior in infancy: An ethological perspective, *Developmental Psychology, 17*, 237-257.

Thelen, E. (1989). The (re)discovery of motor development: Learning new things from an old field. *Developmental Psychology, 25*, 946-949.

Thelen, E., & Ulrich, B. D. (1991). Hidden skills: A dynamic systems analysis of treadmill stepping during the first year. *Monographs of the Society for Research in Child Development, 56* (1, Serial No. 223).

Theriault, J. (1998). Assessing intimacy with the best friend and the sexual partner during adolescence: The PAIR-M inventory. *Journal of Psychology, 132*, 493–506.

Thomas, A., & Chess, S. (1977). *Temperament and development*. New York: Brunner/Mazel.

Thomas, J., Yan, J., & Stelmach, G. (2000). Movement substructures change as a function of practice in children and adults. *Journal of Experimental Child Psychology, 75*, 228–244.

Thomas, R. M. et C. Michel (1994), *Théories du développement de l'enfant, études comparatives*, Bruxelles, De Boeck Université.

Thorn, A., & Gathercole, S. (1999). Language-specific knowledge and short-term memory in bilingual and non-bilingual children. *Quarterly Journal of Experimental Psychology: Human Experimental Psychology, 52A*, 303–324.

Thorne, B. (1986). Girls and boys together... but mostly apart: Gender arrangements in elementary schools. In W. W. Hartup & Z. Rubin (Eds.), *Relationships and development* (pp. 167–184). Hillsdale, NJ: Erlbaum.

Thornton, A., Young-DeMarco, L., & Goldscheider (1993). Leaving the parental nest: The experience of a young white cohort in the 1980s. *Journal of Marriage and the Family, 55*, 216–219.

Thorson, J. A., & Powell, F. C. (1992). A revised death anxiety scale. *Death Studies, 16*, 507–521.

Tice, R. R., & Setlow, R. B. (1985). DNA repair and replication in aging organisms and cells. In C. E. Finch & E. L. Schneider (Eds.), *Handbook of the biology of aging* (2nd ed.) (pp. 173–224). New York: Van Nostrand Reinhold.

Timmer, S. G., Eccles, J., & O'Brien, K. (1985). How children use time. In F. T. Juster & F. P. Stafford (Eds), *Time, goods, and well-being* (pp. 353-369). Ann Arbor: Institute for social research, The University of Michigan.

Tobin-Richards, M. H., Boxer, A. M., & Petersen, A. C. (1983). The psychological significance of pubertal change: Sex differences in perceptions of self during early adolescence. In J. Brooks-Gunn & A. C. Petersen (Eds.), *Girls at puberty. Biological and psychosocial perspectives* (pp. 127–154). New York: Plenum.

Todd, R. D., Swarzenski, B., Rossi, P. G., & Visconti, P. (1995). Structural and functional development of the human brain. In D. Cicchetti & D. J. Cohen (Eds.), *Developmental psychopathology: Vol. 1. Theory and methods* (pp. 161–194). New York: Wiley.

Tomblin, J., Smith, E., & Zhang, X. (1997). Epidemiology of specific language impairment: Prenatal and perinatal risk factors. *Journal of Communication Disorders, 30*, 325–344.

Tomita, T., Ohta, Y., Ogawa, K., Sugiyama, H., Kagami, N., & Agari, I. (1997). Grief process and strategies of psychological helping: A review. *Japanese Journal of Counseling Science, 30*, 49–67.

Torgesen, J., Wagner, R., Rashotte, C., Rose, E., et al. (1999). Preventing reading failure in young children with phonological processing disabilities: Group and individual responses to instruction. *Journal of Educational Psychology, 91*, 594–603.

Tortora, G. R. et S. R. Grabowski (2001), *Principes d'anatomie et de physiologie*, Saint-Laurent (Québec, Canada), Éditions du Renouveau Pédagogique Inc.

Tortora, G., & Grabowski, S. (1993). *Principles of anatomy and physiology*. New York: HarperCollins.

Trehub, S. E., & Rabinovitch, M. S. (1972). Auditory-linguistic sensitivity in early infancy. *Developmental Psychology, 6*, 74-77.